Bolz - Hübener (Hrsg.) — SPIEGEL UND GLEICHNIS

Jacob Taubes zum 60. Geburtstag

SPIEGEL UND GLEICHNIS

Festschrift für Jacob Taubes

herausgegeben von
Norbert W. Bolz und Wolfgang Hübener

Königshausen + Neumann
1983

Umschlaggestaltung nach einer Handschrift aus der Berliner Staatsbibliothek mit der Paulus-Stelle 1.Kor. 13, 12, welcher der Titel „Spiegel und Gleichnis" entnommen ist. Staatsbibliothek Preussischer Kulturbesitz Berlin. Signatur: Ms. graec. 8⁰9, Bl. 107v/108r

Die Fotografie von Jacob Taubes erstellte Klaus Mehner

CIP-Kurztitelaufnahme der Deutschen Bibliothek

Spiegel und Gleichnis : Festschr. für Jacob Taubes
/ hrsg. von Norbert W. Bolz u. Wolfgang Hübener.
— Würzburg : Königshausen und Neumann, 1983.
   ISBN 3-88479-128-1 kart.
   ISBN 3-88479-152-4 geb.

NE: Bolz, Norbert W. [Hrsg.]; Taubes, Jacob:
Festschrift

© Verlag Dr. Johannes Königshausen + Dr. Thomas Neumann, Würzburg 1983
Satz: Fotosatz Königshausen + Neumann
Druck und Bindung: difo-druck, Bamberg — Alle Rechte vorbehalten
Auch die fotomechanische Vervielfältigung des Werkes oder von Teilen daraus
(Fotokopie, Mikrokopie) bedarf der vorherigen Zustimmung des Verlags
Printed in Germany
ISBN 3-88479-128-1 (kart.)
ISBN 3-88479-152-4 (geb.)

Inhalt

VORWORT DER HERAUSGEBER

In seiner „Abendländischen Eschatologie" hat Jacob Taubes die Frage nach der Bedingung der Möglichkeit von Geschichte vom Eschaton aus beantwortet: In historischer Zeit ordnet sich eine zerrissene Welt. Sie steht im Zeichen des Todes und des menschlichen Nein zum göttlichen Wort. So beginnt Geschichte als Sündenaeon: Sein als Zeit zum Tod. In diese Nacht der Welt fällt das Licht der Offenbarung. Gottes Stimme erinnert ans Ante der Geschichte und verheißt so ihr Post — die Erlösung. Das ist das doppelte Einst des Eschaton. „Die Offenbarung ist die Helle im Aeon der Sünde, da Adam nur stückweis erkennt, denn er sieht jetzt durch einen Spiegel in einem dunklen Wort. Im Licht der Erlösung erkennt Adam, gleich wie er selber erkannt worden ist: von Angesicht zu Angesicht."

Des Paulus Wort von Spiegel und Gleichnis schlägt den Bogen von Taubes' frühesten Schriften zu seinen jüngsten. So hat seine erkenntnistheoretische Reflexion zur Geschichte vom Sündenfall („Von Fall zu Fall") Archäologie des ersten Adam und Eschatologie des zweiten Adam ineinandergedacht — gemäß jener Lehre vom doppelten Einst, deren Inbegriff ‚Urgeschichte' heißt. Im Lauf der historischen Zeit bleiben Offenbarung und eschatologisches Einst verborgen. „Herkunft und Hinkunft des Adam geschehen von Angesicht zu Angesicht. Im ‚Jetzt' der Geschichte sehen wir nur ‚durch einen Spiegel in einem dunklen Wort'. Das Spiegelbild aber, bedeutet uns Paulus, liefert ein verkehrtes Bild von Welt und Geschichte. Geschichte ist der Zeitraum menschlicher Verkehrung." Geschichte steht für Jacob Taubes also nicht in Rankes trügerischer Unmittelbarkeit zu Gott, sondern ist Erzählung von der gefallenen Welt — von dem, was der Fall ist. So gilt es, aus dem Paulinischen Wort von Spiegel und Gleichnis eine Kritik der historischen Erkenntnis zu entfalten. Vor dem téleion gibt es nur Wissens-Stückwerk, Erkennen durch den Spiegel: „in einem fremden Medium" (K. Barth) — verpflichtet auf Paradoxon, Rätselwort und Dialektik. Wer dies als Theologie abtun möchte, vergißt, daß des Paulus Wort von Spiegel und Gleichnis gerade finem theologiae visiert. Taubes' Denken, das sich diesem Sachverhalt gewachsen zeigt, wahrt theologisches Inkognito. Schon 1954 heißt es bei Gelegenheit Tillichs („The Nature of the Theological Method"): „Perhaps the time has come when theology must learn to live without the support of canon and classical authorities and stand in the world without authority. Without authority, however, theology can only teach by an indirect method." Sie heißt Hermeneutik.

Daß unser Wissen Stückwerk sei, gilt auch denen, die nichts mehr damit verbinden, daß das hier gemeinte Wissen im paulinischen Kontext (1. Kor. 13) „Gnosis" heißt, als Trivialität. Dies mag den Verkehr zwischen den Kritikern der gnostizistischen und szientistischen Erkenntnisgesinnung ein wenig erleichtern. Ist dabei zu besorgen, daß die Bestreitung des Universalitätsanspruchs der Gnosis auf denjenigen zurückschlägt, den die philosophische Hermeneutik erhoben hat? Die Frage muß höher angesetzt werden. Die Heidelberger Hermeneutik hat den Frankfurter Verdacht, sie wolle sich im Licht der vollen Sinntransparenz sonnen, als Mißverständnis zurückgewiesen. Ohne ihren Universalitätsanspruch preiszugeben, bescheidet sie sich damit, „die Sinnfragmente der Geschichte je neu zu entziffern" und „Erkenntnischancen offenzulegen" (Gadamer). Aber der Vorwurf hatte sich ohnehin nicht gegen ein Übermaß an Universalität, sondern gegen die Beschränkung der Bewegungsfreiheit der hermeneutischen Reflexion auf den Traditionsspielraum geltender Überzeugungen gerichtet. Die eigentlichen Universalisten sind darum die, welche den Traum einer unbegrenzten Interpretationsgemeinschaft träumen. Gegen ihn sind die Berliner durch ihren Hausgeist Walter Benjamin gefeit. Wenn der Messias die Geschichte abbricht, kann das Ganze nicht wie für Hegel und Peirce das durch seine Entwicklung sich vollendende Wesen sein.

In einer Meditation über die Aufhebung der Philosophie hat Jacob Taubes vor kurzem gut paulinisch auf das Damoklesschwert hingewiesen, das über aller nur interpretierenden Philosophie hängt. Sollte sich das Prinzip Glaube—Liebe—Hoffnung endlich doch bewahrheiten, dann „ — und niemand weiß, wann dieses ‚Dann' eintritt — ist's mit dem Interpretieren zu Ende, weil wir schauen ‚von Angesicht zu Angesicht'". Cum...venerit quod perfectum est, evacuabitur quod ex parte est. Steht es so mit dem Stückwerk, ist es in höchster Instanz nicht entscheidend, ob die Diskontinuisten von sich sagen können, sie hätten gegen die Kontinuisten vorläufig recht behalten. Auch letztere verfügen nicht über das Kontinuum der Tradition oder wachsenden Erfahrung und Vernünftigkeit, das sie postulieren. Die hermeneutische Reflexion ist für Gadamer wesenhaft partikulär. Zwar bringt sie etwas vor mich, was sonst hinter meinem Rücken geschähe, aber eben: „Etwas — nicht alles." Sinn wird nie voll erfaßt und tradiert und ist stets mehr Sein als Bewußtsein. Wir haben keine Garantie für die Annäherung an wahrere Synthesen. Peirce's konditionaler Idealismus ist von daher gesehen nur der Ausdruck der durch nichts begründbaren Hoffnung, daß die idealen Bedingungen, unter denen alle Köpfe schließlich zu ein und derselben letztgültigen Konklusion gelangen würden, jemals realisiert werden.

Solange wir den Zauberstab nicht zu handhaben wissen, mit dem Merkurius in seiner Eigenschaft als Schirmherr des gelingenden Dialogs den allgemeinen Konsens zu bewirken vermöchte, ist „Spiegel und Gleichnis" die bescheidenere und angemessenere Formel. (Jacob Taubes hat sie von der „Abendländischen Eschatologie" bis heute in korrekterer Übersetzung aufgenommen: „durch einen Spiegel in einem dunklen Wort".) Wer ihr nachspürt, bemerkt bald, daß sie eine verborgene Beziehung zu beständigen Elementen der philosophischen Tradition unterhält. Daß sich von ihr herschreibt, was noch heute philosophische „Spekulation" heißt, war dem lateinischen Westen seit Augustin und Anselm bewußt. Dem Sichtbaren mit den Augen des Geistes das Unsichtbare abgewinnen, das in ihm repräsentiert ist, so hatte man aus Röm. 1, 20 gelernt, ist mehr und Anderes als das „Schloß im Teich" des einfachen Spiegelverhältnisses. Lesen, was nie geschrieben wurde, aber auch hören, was im Gesagten ungesagt bleibt. Wenn seit altersher als der eigentliche Gegenstand hermeneutischer Anstrengung nicht der Klartext, sondern der Sinn der dunklen Rede gilt, ist das paulinische αἴνιγμα, die sinn- und beziehungsreiche Rätsel- und Gleichnisrede, das rechte Wort dafür. Wir vertrauen darauf, daß sich unter diesem Titel, in dem wir die „hermeneutica in nuce" des durch diese Geburtstagsgabe Geehrten vermuten, alle, die zu ihr beigetragen haben, in wenn auch noch so entfernter Teilhabe wiedererkennen.

10

Moshe Barasch

THE TOSSED-BACK HEAD: THE AMBIGUITY OF A GESTURE IN RENAISSANCE ART

When Charles Darwin embarked on his investigations of the *Expression of Emotions in Man and Animals* he turned with some anticipation to painting. Like so many of his contemporaries he believed that artists are "close observers" of nature, and that works of art are faithful records of visual experience. He therefore carefully studied "photographs and engravings of many well known works" of art. Soon, however, he was disappointed. Art, he quickly noticed, was not following nature. Darwin's explanation was that artists copied something other than nature. In his own words: "The reason no doubt is, that in works of art, beauty is the chief object...". Even if today we do not believe that the painter has mainly beauty in mind, we still admire Darwin's insight, so early in the development of modern aesthetic thought, that art follows its own path, and has its own truth. He concludes the passage on his unfortunate experiences with paintings with the statement: "The story of the composition is generally told with wonderful force and truth by skillfully given accessories"[1]. I do not know whether movement and gestures can properly be called "accessories", but in painting and sculpture they certainly have a character of their own.

A certain degree of ambiguity seems to belong to the nature of expressive gesture in art. The head supported on the clenched fist, the well known gesture of melancholy, was also employed to express the contemplation of things divine. Gestures of dramatic lamentation can often not be kept apart from those of violent anger.[2] An analysis of this ambiguity may help us understand what is commonly called "expression" in the visual arts, and it may tell us something about what guides the artist in his selection of gestures.

Whoever will attempt this task in the future may find a beginning in some historical discussions of art in our century. Warburg was struck by the seeming incongruity between the classical images that served as models for 15th century artists and what these artists made of them. An ancient composition transmitted in several examples representing the Maenads tearing a leg from Pentheus' body served in the 15th century as a model for the rendering of a saint healing a crippled leg (Donatello in St. Anthony in Padua). To describe this relationship Warburg coined the term "energetic inversion".[3] I should like to propose

---

1. Charles Darwin, *The Expression of Emotions in Man and Animals*, Chicago, 1974, p. 14.
2. See my *Gestures of Despair in Medieval and Early Renaissance Art*, New York, 1976.
3. F. Saxl, "Die Ausdrucksgebärden in der bildenden Kunst", *Bericht über den 12. Kongreß der Deutschen Gesellschaft für Psychologie in Hamburg vom 12 - 16 April 1931*, 1932, reports that the term "energetic inversion" was coined by Aby Warburg. See also E.H. Gombrich, *Aby Warburg: An Intellectual Biography*, London, 1970, pp. 248, 310. These formulations are similar, but not identical

as my principal hypothesis that, as far as violent gesture is concerned, "energetic inversion" dominates not only the historical relationship of a later artist to his model, it also indicates something of the visual affinity of gestures rendered in widely differing contexts, endowed with contrasting meanings. It may well turn out that one of the criteria determining the artist's choice of a specific gesture is not so much that gesture's narrative meaning (melancholy disposition or contemplation, lament or anger) but rather its emotional intensity, its "pitch". I shall try to show this by presenting sixteenth and seventeenth centuries renderings of one specific gesture.

In mid seventeenth century Bernini depicted the *unio mystica* of St. Teresa. Like some other saints in the art of the Counterreformation, St. Teresa is being carried away, she is cloud-born, reclining in complete passivity. Her spiritual rapture, which she herself described in vivid detail, is shown by the artist in the thrown back head, the almost closed eyes, and the slightly opened mouth, uttering "several moans", to put it in her own words[4]. In the 17th century the flung back head was a well known motif for depicting religious ecstasy.

The tilt of the head, however, was neither new, nor was it restricted to depictions of religious rapture. Let us look only at Corregio's *Io* as she submits to the cloudy embraces of Jove.[5] The expressive power of Correggio's painting is underlined in a legend. The 18th century owner of the picture, Louis d'Orléans, the Regent of France, so it was once believed, ordered the destruction of this dangerous and immoral painting; he himself struck the first blow with a knife. The head was obliterated and was later repainted by Prud'hon.[6] This story, as I have said, belongs to the realm of legend. Yet it shows us not only how the picture was viewed, but also which part of it was perceived as particularly attractive. Io's head, thrown back and receiving Jove's kiss, was felt to be a forceful expression of the climax of sensual rapture.

In terms of conventional iconography one can hardly think of a more striking contrast: a creature of pagan mythology versus a late medieval saint; a nude, lusty female against a fully garbed, spiritualized nun; the rapture of sexual union versus the mystical experience of divine vision. And yet, in comparing the two heads, their remarkable resemblance cannot be disregarded; in both we see the same posture, and a very similar expression of climactic experience combined with complete passivity — the manifestation of an

with the term now customary. I was unable to find the precise term ("energetic inversion") in Warburg's known writings.

4. Recently I. Lavin devoted the central part of his *Bernini and the Unity of the Arts*, New York, 1980, to this monument. But see also H. Kaufmann, *Giovanni Lorenzo Bernini: Die figürlichen Kompositionen*, Berlin 1970. Both works refer to additional studies. See R. Wittkower, *Gian Lorenzo Bernini. The Sculptor of the Roman Baroque*. London 1955, pl. 68.

5. G. Gronau, *Correggio* (Klassiker der Kunst), Stuttgart and Berlin, 1907, pl. 134.

6. The story appears in some of the older works on Corregio. See Corrado Ricci, *Antonio Allegri da Correggio: His Life, His Friends, and His Time* (tr. F. Symmonds), New York, 1896. For a (hypothetical) explanation of the story, see Kenneth Clark, *The Nude*, p. 393 (note to p. 284).

altogether internal experience. One cannot help asking: how could such distinct, contrasting figures be cast in the same mould?

As a pictorial motif, the flung back head forms part of the Greek heritage. "Die typenprägende Kraft der Griechen", as Goethe once put it, also coined the visual idiom for ecstasis. We see it in the inspired poet, as in this product of the Kleophrades Painter.[7] The raving Maenad, thyrsus in hand, rushing forward with head flung back, the long throat unnaturally extended, first appears, appropriatly, on drinking cups of the late 6th century B.C. She was to retain this attitude for the next eight centuries. In the early stages of Greek art, including the 5th century B.C., the precarious equilibrium, the instability of the dancing Maenad were apparently deemed unsuitable for sculpture, the art of material weight and stability. But shortly after 400 B.C. the genius of Scopas, the most dramatic of Greek sculptors, treated the sculptural version of the frenzied Maenad throwing back her head. His originals are lost, but among the surviving copies there are some which give us an inkling of the internal range and the expressive intensity of this motif in Scopas' art. The Dresden Maenad, a small scale replica of a lost statue, retains something of the original vitality.[8] The original was recognized in its own time as conveying with unusual intensity Scopas' mastery in the depiction of violence and passion. An epigram in the *Greek Anthology* reads as follows:

> Who carved this Bacchante?
> Scopas
> And who filled her with wild delirium, Bacchus or Scopas?
> Scopas.[9]

This, incidentally, is an early declaration of the artist's creative power.

Greek culture distinguished between different shades of drunkenness and delirium, no wonder, then, that Greek art mastered different variations of the flung back head. An old drunk woman (a subject discovered by Hellenistic art), happily embracing her big bottle, mumbles inarticulately as she lets her head fall back. Another piece of sculpture, also attributed to Scopas' workshop, a representation of a *Tritoness*, was discovered some decades ago in Ostia. The body, though modeled with a surprising sense of flesh, is devoid of any movement (as opposed to the contorted twist of the Dresden *Maenad*). It is an

---

7. For the Kleophrades painter see John Beazley, *The Kleophrades Painter*, Mainz, 1974. From the vast literature on maenads I shall mention only A. Marbach's entry ("Mainades") in *Paulys Realenzyklopädie der klassischen Altertumswissenschaft*, vol. 14 (1928), cols. 561 ff., for a summary of the older literature. From modern literature see especially E.R. Dodds, *The Greeks and the Irrational*, Berkeley, 1971, (originally 1951). Appendix I: Maenadism, pp. 270 ff. Among most recent studies I shall mention only Sheila McNally, "The maenad in Early Greek Art", *Arethusa*, XI (1978), pp. 101 ff., and Charles Segal, "The Menace of Dionysus: Sex Roles and Reversals in Euripides' *Bacchae*", *ibid.*, pp. 185 ff. Dodds, p. 274, believes that the gesture here discussed "is not simply a convention of Greek art and poetry", but characterizes a particular type of religious hysteria.

8. See M. Bieber, *The Sculpture of the Hellenistic Age*, New York, 1961, fig. 59. So far as I know, there is no systematic study of the Scopaic type of maenads.

9. *Greek Anthology* XVI, 60. There is still another epigram on the same figure by Scopas, also in the *Greek Anthology*, IX, 774.

immobilized pole on which a violently dramatic head is planted.[10] One cannot hope for a more distinct isolation of the head as an expressive motif. The raised face, slightly inclined to the left, chin protruding, mouth slightly open, forcefully conveys the air of ecstasy and abandon which is the very nature of the Maenad. Our museums, as we know, are populated with late Hellenistic or Roman Maenads violently throwing back their heads. Let me finish this brief excursus into the Greek origins of our motif by showing one further example, a detail from a Dionysiac sarcophagus in Munich. The heavy proportions of the Maenad's body, the clumsy modeling of the curves, the disregard for what is anatomically possible — all these features adumbrate the end of Antiquity. But even now, seven centuries after Scopas, the formula of the flung back head is powerfully alive.[11] Perhaps precisely because the question is no longer of what a real body *can* actually perform, that the gesture becomes more exaggerated.

Classical authors, no less than classical painters and sculptors, were familiar with the image of a woman flinging back her head and tossing her hair; they read it as a manifestation of rapture and possession. Catullus, in a long poem describing the wedding of Peleus und Thetis, evokes the appearance of Bacchus. The god is surrounded by dancing Maenads who, carried away by madness, tear a bull to pieces, girdle themselves with serpents, and "fling their heads" (64, 255). Ovid, as we know, pictured these raving maenads on several occasions. In the Fasti, for example, the muse tells of a beautiful Phrygian boy who, in a fit of madness, emasculated himself. "His madness became a precedent", the muse continues, "and the effeminate priests still mutilate themselves as they toss their hair." (IV, 244). We shall probably not go wrong when we assume that the visual equivalent of tossing one's hair is throwing back one's head. Tacitus also mentions the tossing of hair as climactic feature in a Bacchanal (*Annals* XI, 3). Let me adduce just one more text: probably the same time that the Munich sarcophagus was carved, an oriental author, Heliodorus, makes an old woman who wishes to be taken as possessed, or god-inspired, describe her appearance. "Tossing my hair and imitating some person possessed by a spirit" she tells us, "I then said..." (III, 17). The connotation of the flung back head is remarkably consistent.[12]

So are the figures performing the gesture. The principal figure to whom the gesture is attributed, the Maenad, is figure of inherent ambiguity. Since she belongs to Dionysius' immediate attendants, she is endowed with a touch of divinity. Yet her orgiastic madness, manifested in such wild and brutal actions as the tearing apart of a living creature (such as a goat), links her with a low, bestial nature. If the flung back head is indeed a formula for expressing the Maenad's madness, it is meant to convey both divine vision and animal-like brutality. The gesture ambiguity, if I am not mistaken, is already found in Antiquity.

10. Easily available in Kenneth Clark, *The Nude*, Harmondsworth, 1956, fig. 219.

11. This example was kindly brought to my attention by Prof. Esther Dotson of Cornell University.

12. For further examples in Greek and Roman literature, see Dodds, *The Greeks and the Irrational*, pp. 273 ff.

The intellectual climate of the Middle Ages was not conducive to applying and developing *Pathosformeln*, such as the thrown back head. To be sure, tilted heads frequently appear in medieval art, yet they are not meant as bodily manifestations of emotions; they form part of an action which the painter narrates in his work. No wonder, then, that the specific physiognomic features of the Scopas figure — the sharply raised head, the slight tilt to the side, the closed eyes, the half open mouth — are usually missing.

In the 15th century artists moved gradually towards rediscovering the forgotten formula. In so doing they were motivated by the desire to "convince" the spectator; they were assisted by the increasing ability to represent the human body in a variety of motions. Yet the 15th century knew the tilted head in a restrained — one might say, in a tame — version. The gesture appears in multi-figure compositions; it often adds an emotional nuance, but it is not meant in itself to convey a message. The *quatrocento* version of the tilted head is a „devotional" gesture. In the *Crowning of the Virgin* the apostle nearest to the tomb raises his eyes (a gesture fully explained by what is happened at the top of the picture), and places one hand at his heart to express his devotion as he witnesses the Virgin's ultimate triumph.[13]

Only in the 16th century did art attain that emotional intensity which was a necessary condition for reviving the original meaning and character of the flung back head. Now also, as in a flash, the large range of connotations which this movement can carry becomes visible. In subject matter Correggio's *Noli me tangere* belongs to devotional imagery, yet Mary Magdalen is much closer to the psychological tension of a Maenad than she is to the quiet devotion of a Raphael figure. She throws back her arms with violence reminding one of the ancient lamentation gesture frequently found on Hyppolytus sarcophagi), and she raises sharply and suddenly her head, as if in a frenzy.[14]

At the same time that Corregio endowed the Magdalen with the passion of a Maenad, without denying her identity as a saint, the flung back head was also depicted as a motif expressing unmitigated pagan sensuality. In his old age Titian drew — not for the first time — from ancient renderings of an ecstatic "thiasos", and transformed an ancient Nereid into a figure of legendary Europa carried away by the bull. Considering the drama depicted, we are not surprised that Titian showed her in a twisted posture, with a sharply raised head. He must have regarded these movements as an adequate form for expressing the intensity of Europa's emotions.[15] What precisely these emotions were is in some doubt; they may

13. In the Pinacoteca, Vatican. The gesture of placing the hand to the heart as an emotional assertion of belief has been discussed by G. Weise and G. Otto, *Die religiösen Ausdrucksgebärden des Barock und ihre Vorbereitung durch die italienische Kunst der Renaissance (Schriften und Vorträge der Württembergischen Gesellschaft der Wissenschaften*, geisteswissenschaftliche Abteilung, Heft 5), Stuttgart, 1938, p. 48 ff. And see also E.H. Gombrich, "Ritualized gesture and expression in art", *Philosophical Transactions of the Royal Society of London*, Series B, Biological Sciences, vol. 251, pp. 393 - 401, esp. p. 394 ff.

14. G. Gronau, *Correggio* (Klassiker der Kunst), Stuttgart and Berlin, 1907, pl. 90.

15. See E. Panofsky, *Problems in Titian, Mostly Iconographic*, New York, 1969, pp. 163 ff. Panofsky explains the posture of Europe's head as looking back to the shore, a detail explicitly

partake of terror just as well as of rapture and abandon. In an earlier instance of this gesture in Titian its meaning is less equivocal. The reclining Maenad in the foreground of the *Bacchanal* is not struck by panic, but she is also not simply sleeping. We know how a beautiful nude woman, quietly asleep was pictured in Venice at precisely the same time that Titian painted his *Bacchanal*. It is enough to compare Giorgione's *Sleeping Venus* with Titian's sleeping Maenad for one brief moment to see the difference. Titian's figure is not asleep, she is not relaxed. On the contrary, she is enraptured, her body tensed by an experience transcending consciousness.[16] Note the combination of the flung back head and the stretched back arm. A similar configuration — an upward bent head framed by an angularly bent arm — may be seen in Correggio's *Jupiter and Antiope*, another painting full of sensual tension.[17] The emotions conveyed by Titian's Maenad may differ from these of Correggio's Mary Magdalen, but the intensity of the experience is similar, and it is similarly made manifest in the gestures of both figures.

The polarity of sensual and sacred is not the only connotation of the flung back head in 16th century imagery. Madness is another experience connected with this movement. A painting that immediatly comes to mind is Raphael's *Transfiguration*. The possessed boy tilts his head, angularly bending his neck.[18] To be sure, his posture is not exactly the same as that of the drunken maenad or of the ecstatic saint, yet he is tilting the head in the pattern Raphael found appropriate for the rendering of madness. As we remember, the Gospels describe the boy as an epileptic. Luke, as usual, is most specific. The boy has fits, he screams, he has convulsions with foaming at the mouth (Luke, 9:39). In all descriptions of Raphael's painting the boy is indeed called an "epileptic". Yet, Sir Charles Bell, one of those English natural scientists who in the late 18th century started the study of the Anatomy of Expression (his book by this title appeared in 1806), noted that Raphael's representation is at variance with medical experience. "It may be considered bold to critizise the works of Raphael", he begins that passage, "I hope I am not insensible to the beauties of that picture (the *Transfiguration*), nor presumptuous in saying that the figure [of the boy] is not natural". And Sir Charles adds: "A physician would conclude that this youth was feigning". The reason, it turns out, is that in an epileptic fit the body is

---

described by Ovid. Yet he continues (p. 166) that Europe "reveals, in addition, to fear, a kind of rapture befitting a mortal maiden carried away by a god". See A. Pope, *Titian's Rape of Europa*, Cambridge/Mass. 1960, p. 3 ff.

16. See H.E. Wethey, *The Paintings of Titian III*, The Mythological and Historical Paintings, London 1975, pl. 58. For the nude woman, reclining or sleeping, in Renaissance art, cf. Millard Meiss, "Sleep in Venice: Ancient Myths and Renaissance Proclivities", in M. Meiss, *The Painter's Choice: Problems in the Interpretation of Renaissance Art*, New York, 1976, pp. 212 ff. I did not find any detailed discussion of the sleeping maenad in Titian's *Bacchanal*.

17. *Correggio*, pl. 92.

18. O. Fischel, *Raphael*, Berlin, 1962, pp. 209 ff. And see H. von Einem, *Die ‚Verklärung Christi' und die ‚Heilung des Besessenen' von Raphael (Akademie der Wissenschaften und der Literatur* [Mainz], Abhandlungen der geistes- und sozialwissenschaftlichen Klasse, Jahrgang 1966, Nr. 5). See also, though in a different context, S.L. Gilman, *Seeing the Insane*, New York, 1982, pp. 24 ff.

Pollaiuolo, Hercules and Antaeus (detail), Florence

Correggio, Noli me tangere, Madrid

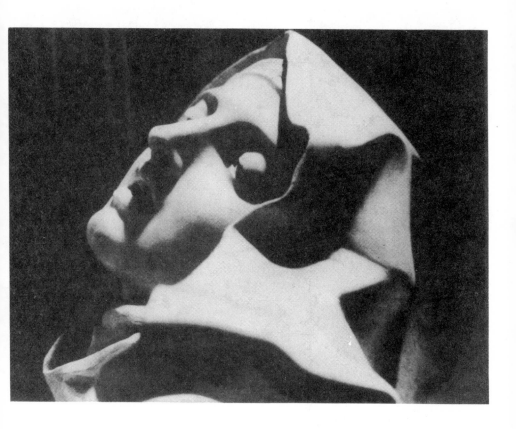

Bernini, St. Teresa (detail), Rome

Kleophrades Painter, Maenad, Vase painting (detail)

Bernini, Lodovica Albertoni (detail), Rome

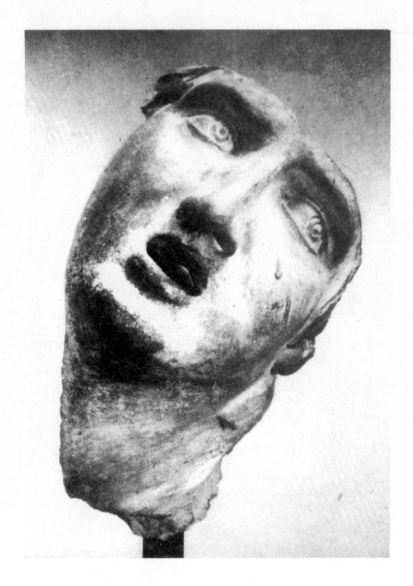

Bernini, Bozzetto, Cleveland

contracted, while Raphael depicted the boy as extending his arms and tilting his head out and upwards. Had he represented an epileptic faithfully, the mouth would have been closed, the jaws clenched, the head pressed to the body.

Sir Charles Bell did not ask why Raphael used this incorrect gesture to portray the mad boy. The artist obviously did not have any first hand knowledge of the symptoms of epilepsy. One wonders: did he not paint the boy with a tilted head (and extended hands), the gesture of ecstasis, because ecstasis is a state of mind close to madness? and because for the rendering of ecstasis there *was* a ready made artistic formula? Is this not another case of following the intrinsic patterns and traditions of art?

In the 16th century the flung back head fulfilled still another expressive function: it became the formula for the representation of violent pain. When on Wednesday, the 14th of January 1506, the *Laocoon* was unearthed in a vineyard near S. Pietro in Vincoli in Rome, Renaissance artists immediatly identified it as an *exemplum doloris*. The head of Laocoon himself, tilted upwards, eyes raised to heaven, the mouth opening for a moan, was often copied. Endowed with a devotional character, it became the prototype for the Suffering Christ, as can be seen from a 16th century French example.[20] Laocoon's hand, we should not forget, was originally bent behind his head (as now restored) in a posture quite similar to that of Titian's Bacchante. Greek art developed this formula of pathetic suffering and agonizing death (the raised head within a bent arm) at an early stage. A striking example of this complex attitude is provided by the famous *Dying Niobid*, probably a work of the 5th century B.C. which was discovered in Rome only in 1588.[21] 19th century scholarship explained the posture as an attempt to pull out the lethal arrows which the vengeful god had shot into the Niobid's back. One may debate this explanation, but wheter one accepts it or not, the posture is also a *Pathosformel*, an expressive movement, as we have learned to see it in our time.

The artists of the early 16th century quickly learnt the lesson which the *Laocoon*, and similar ancient works, could teach them, for they were fully prepared to absorb what those marvels of ancient art revealed. How profoundly ready Florentine artists were to use the *exemplum doloris*, we can see from the formula for representing pain which they themselves evolved. Both in painting and in sculpture Pollajuolo depicted the battle between Hercules and Antaeus. Hercules, lifting up Antaeus from the soil, the source of his strength, is squeezing the breath out of his body. Both in the Uffizi panel and in the bronze sculpture in the Bargello, the defeated Antaeus is throwing back his head, his mouth gaping widely.[22] Does Antaeus' raised head show his desperate attempt to get air? Does his open mouth indicate that he is suffocating? Modern scholars, following Vasari, have

19. Charles Bell, *Anatomy and Philosophy of Expression*, 1806, p. 61.

20. Emile Mâle, *L'Art religieux de la fin du Moyen Age en France,* Paris, 1949, fig. 47, p. 97.

21. G. Richter, *The Sculpture and Sculptors of the Greeks*, New Haven, 1950, fig. 4. See also K. Kiefer, *Körperlicher Schmerz und Tod auf der attischen Bühne*, Heidelberg, 1909, for a useful discussion of some of the more general problems.

22. L. Ettlinger, *Antonio and Piero Pollaiuolo*, Oxford and New York, 1878, pls. 79-82.

concentrated on Hercules' figure, the rendering of his effort and the depiction of his muscles, and have not paid much attention to the suffering Antaeus. His posture has not been explored. Whatever the specific narrative meaning of Antaeus' posture, it certainly is a *Pathosformel* for suffering and pain. And it clearly discloses an affinity with Hellenistic art. When the *Laocoon* was discovered, Michelangelo and his friend Giuliano di Sangallo were almost instantly on the scene. Basing themselves on Pliny's description, they immediatly identified the group.

Michelangelo surely recognized "that this was the sanction of his deepest need", to make violent body movement and muscular effort the carrier of internal struggle. There is no need for me to add yet another comment of the *Laocoon's* influence on Michelangelo, a much discussed topic. As we know, two of the *Laocoon* figures are reflected in his work. The *struggling Captive*, with his raised head and gaze directed towards heaven, echoes the *Laocoon* himself. The *Dying Captive* repeats, in mirror image, the posture of Laocoon's younger, dying son (to the left of the group) who, already strangled by the snakes, lets his head fall back in the anguish (and perhaps even in some measure of peace) of death. One cannot help noticing the combination of the falling head and the bent arm, a configuration we know from Titian's Bacchante.

Bernini brought out the expressive potentialities of the flung back head more fully than any other artist. At many stages throughout his long career he came back to this particular motif. It can already be found in a work of his youth, the *St. Sebastian*, "Bernini's first monologically introverted image of man".[23] To be sure, the limpness of the saint's body, the slight downwards turn of the face, and particularly the closed eyes, make it a little less dramatic than the previous examples. However, another feature, the protruding chin (here made even more obvious by the pointed beard) preserves the emotional character of the gesture.

In other works of the young Bernini, however, the thrown back head is rendered in the full dramatic force of that gesture. In both *Pluto Abducting Proserpina* and *Apollo and Daphne* the gesture looks most natural, though it does not simply follow from the story. Does Proserpina try to escape by violently turning away from Pluto? Does the twist of her head convey a request for help? that is, does it have a narrative meaning? or does her gesture only mirror the sudden intensity of her despair? that is, is it an involuntary reflection of an emotion? A *bozetto*, now in Cleveland, shows that these features were present in Bernini's mind before he started to carve the group in marble.[24]

Daphne's movement in the *Apollo and Daphne* is even less justified by the narrative. If we can trust the story as related, Daphne knows that she cannot escape from Apollo's embrace, and precisely therefore she wishes to be transformed into a tree. Where is she turning? We cannot explain the gesture in terms of the narrative. The dramatic bent of her head lends an emotional urgency to the whole scene; in other words, it is an expressive

---

23. H. Kaufmann, *Giovanni Lorenzo Bernini: Die figürlichen Kompositionen*, Berlin 1970, p. 148.
24. For the *bozetto,* see Kaufmann, pp. 43, 71. Irving Lavin's (unpublished) thesis on Bernini's *bozzetti* was not available to me when writing this paper.

18

gesture. It has been plausible shown that Bernini used the classical figure of a maenad as his model for Daphne.[25] If this is indeed the case — as seems likely — he clearly separated the narrative from the expressive layer of the gesture. In narrative contents, that is, in the actual situation represented, there is, of course, an obvious difference betweeen the maenad and Daphne: the maenad is in a state of Dionysiac frenzy, Daphne is in anguish and despair. But, different as frenzy and anguish are, in their intensity, in what I have earlier called the "pitch", they are comparable emotions. And it is this common intensity that makes it possible to employ the same gestural motif for representing them both, in what seem such different contexts.

In the last work Bernini completed, the monumental figure of Lodovica Albertoni, he again employed the same motif.[26] In subject matter she is related to St. Teresa, but she represents a more advanced stage of the same process. Lodovica Albertoni is dying, and in her death she is perceiving a divine vision; her death becomes her beautification. This tense moment of death and beautification Bernini again expressed by letting the head of the saint fall back, uplifting her face, half closing her eyes and opening her mouth a little.

All the works by Bernini that we have mentioned, from the Proserpine and Daphne to Teresa and Lodovica Albertoni, represent transitory moments; in a moment, Daphne will have been completely transformed into a tree, and Lodovica Albertoni will be dead. Yet, it has been correctly said that Bernini's figures "do not act, they represent symbolically their appropriate role". Bernini represents an "eternal moment", and, as a result, the gestures do not betray the impact of temporality.[27] The emotional intensity manifested by the thrown back head is not invalidated by the suggestion that the emotion the figure is experiencing will have passed in a moment. The gestures are the revelations of timeless peaks.

The differences between these faces should not be forgotten. The eyes of Proserpina and Daphne are wide open in terror, Teresa and Lodovica Albertoni close their eyes; the mythological figures' mouths are wide open (are they shouting?), the Christian saints' lips are only slightly parted — perhaps in a death moan, or for the soul to escape. Yet these differences in nuance do not overshadow the underlying compositional pattern and gesture, which are common and do not change — head thrown back, face turned upwards, and chin protruding. This configuration is the same in all the works I have shown.

How great is the vitality, and how constant is the emotional character of this gesture, one can see from a modern work, Picasso's *Guernica*. Whether Picasso drew from Greek pottery, from Titian or from Bernini — he represented the woman who is experiencing the climax of terror and pain with a sharply bent neck, the face abruptly tilted, the mouth open.[28]

25. Kauffmann, pp. 149 ff.

26. The similarity of Lodovica Albertoni and St. Teresa is, of course, well known, and has often been observed. See recently H. Hibbard, *Bernini* (Penguin), figs. 124 and 125. And cf. Emile Mâle, *L'Art religieux de la fin du XVIe siècle et du XVIIIe siècle,* Paris, 1951, pp. 164 ff.

27. Kauffmann, pp. 147 ff.; H. Lavin, pp. 108 ff.

28. A. Blunt, *Picasso's Guernica,* New York, 1969, *passim* esp. pp. 46 ff.

The thrown back head is only one example of ambiguous, ambivalent, or polarized gestures. Using Warburg's concepts we might say it is an "aboriginal idiom", an *Urwort*, in the language of gestures. The extremes of erotic climax, *unio mystica* and death can be conveyed by the same movement.

Here the historian cannot longer suppress his misgivings. The 16th and 17th centuries, we know, were not a precisely "primitive" period, comparatively immune against contradictions of thought; nor were these centuries infected by an exaggerated belief in the artist's spontaneity that would absolve us from taking into account the traditionally established meanings of gestures and movements. How could a period like this accept such blasphemous use of the erotic climax as an image of *unio mystica*? And how could a culture which so highly valued rational discourse obliterate the distinction between intense emotional experience and death, where emotional experience ceases to exist? These questions are even more insistent when we remember that a high degree of awareness of gesticulation existed in these centuries. Was the thrown back head only a matter of *artistic* tradition, used regardless of the connotations it carried? We shall not be able to appreciate the significance of our *Urwort*, and of similar gestural patterns, without going for a while beyond the arts and the visual depictions, and turning to contemporary ideas and beliefs.

The dialectic tension between opposites, their overlapping, or partial identity, is, of course, a well known trend in European thought. It has found an almost inexhaustible variety of expressions. I shall mention only one or two, close to the heart of art historians and students of the Middle Ages and the Renaissance. From the patristic period, Europe inherited "prefiguration" as a mode of thought. Old Testament figures and events foreshadow figures and events in the New Testament; when the New Testament figures appear, and the events occur, they cancel those that have foreshadowed them, but they also turn the former into a basis of the latter. The twelve Old Testament prophets are "cancelled" by the twelve apostles, but they also become foundations of the latter. For a whole millenium, until Renaissance humanists discovered the lost paradise of Antiquity, this chiastic pattern was the basic theory of history.

Another great tradition tending towards the paradox, fusing opposites without cancelling their contradictory character, was what we sometimes call "Negative Theology". Beginning with Dionysius Areopagita, this mystical theology played a major role in medieval and Renaissance Europe.

Fascinated by what transcends the realm of what human beings can articulate, thinkers belonging to this trend coined terms such as "the dark light", etc.

In the Renaissance, Cusanus' *Docta Ignorantia* is among the most important crystallizations of this tradition. Cusanus, in his *Learned Ignorance*, believes that the unity of the opposites, the *coincidentia oppositorum*, is a universal principle, governing the inner structure of our world. Cusanus himself, it is worth remembering, brought his paradoxical chiastic concepts of the Divine into relation with painting.[29]

29. Of the literature on Cusanus I shall mention only Ernst Cassirer, *Individuum und Kosmos in der Philosophie der Renaissance (Studien der Bibliothek Warburg*, X), Berlin, 1927. For aesthetic aspects,

In the 16th century, the dialectic unity of opposites did not remain in the realm of metaphysical theology, it was noted in many domains of actual experience. Of particular interest to us may be the emerging science of psychology. Juan Luis Vives, one of the most influential minds of the Renaissance, alludes to it in his *De anima*. He divides human passions into two groups: those which follow, and presuppose, an act of judgment, and those who succeed "a representation of the imagination". The second group is a powerful threat to the supremacy of reason. "As soon as the fantasy provokes into action...man finds himself at the mercy of all kinds of soulful disturbances: we fear, we rejoice, we feel sad...". Such opposite emotions as fear, rejoicing, and sadness are lumped together not only because they follow from the same imagination; Vives knows that they are reversible. Passions can change not only intensity, but also direction. "Envy can turn into compassion", says Vives, "jealousy can turn into both hatred and favor".[30]

The period around 1600 abounds in the mystic's recording of their personal experiences, and this literature yields insights that have an immediate bearing on our subject. The chiastic tone, the coupling of paradoxes prevails in these writings, as they prevail in so much of mystic literature in general. I shall mention only a few examples.

St. John of the Cross, probably the most imaginative mystic poet of the period, was deeply attracted by paradoxical metaphors; he often couples opposites. His *Dark Night of the Soul*, from which I will take a few quotations almost at random, abounds in chiastic imagery.[31] St. John of the Cross was aware of the contradictions. "Why is the Divine *Light*", he asks himself, "here called by the soul a *dark* night"? We do not have to discuss his allegorical explanation (which reads as an afterthought, trying to render more innocuous the expression of an experience which may have had some heretical overtones), what interests us here are his psychological observations, the emotional temper expressed in contradictory imagery. "This divine light of contemplation", St. John knows, „assails the soul...it causes spiritual darkness in it..." The saint is deeply rooted in the tradition of allegorical imagery, particularly of "Negative Theology". "...the clearer is the light", he echoes well known formulations, "the more it blinds and darkens the pupil of the owl, and, the more directly we look at the sun, the greater is the darkness which it causes in our visual faculty...". Moreover, the "Divine Wisdom is not only night and darkness for the soul, but is likewise affliction and torment". (II,v,2-3) It is a "happy night" that "brings darkness to the spirit", it is a darkness that gives "light in everything" (II,ix,l). Is not such an imagery, one wonders, conducive to "energetic inversion" in art? Would not this tone and atmosphere make artists use the same image for the climax of light and the abyss of darkness?

cf. E. Hempel, *Nicolas von Cusa in seinen Beziehungen zur bildenden Kunst*, Berlin 1953; E. Panofsky, "Facies illa Rogeri maximis pictoris," *Late Classical and Medieval Studies in Honor of Albert Mathias Friend*, Princeton, 1955, pp. 392 - 400; and, in general, G. Santinello, *Il pensiero di Nicolo Cusano nella sua prospettive estetica*, Padova, 1958.

30. Juan Luis Vives, *De anima* III, 15. And cf. Carlos G. Norena, *Juan Luis Vives*, The Hague, 1970, pp. 269 ff., esp. p. 272.

31. See *The Complete Works of Saint John of the Cross*, tr. a. Peers, I, London, 1957, pp. 406 ff., 122.

St. Teresa of Avila, in the late 16th century, described her mystical experience in sensual terms of a striking vivacity. When one is carried away by God, she says, "the entire body contracts and neither arm nor foot can be moved...all he does is to moan — not aloud, for that is impossible, but inwardly, out of pain". A beautiful angel pierces her heart with a golden spear. "The pain was so sharp that it made me utter several moans; and so excessive was the sweetness caused me by this intense pain that one can never wish to lose it... It is not bodily pain, but spiritual, though the body has a share in it — indeed a great share".[32] The significance of St. Teresa's description for the visual arts has not been lost on art historians.

Teresa's words lead us back to where we started. We have discussed the thrown-back head as a formula for rapture, both religious and worldly. How close spiritual rapture is to sensual, has been noted by many mystics, by none more clearly than by St. Francis de Sales, who wrote his Love of God[33] in the early 17th century. Bernini read the Spanish mystic and the Sieur de Chantelou, Bernini's companion during his stay in France, recorded in his diary the masters references to these writings.[34] Ecstasy is here a central category. "Rapture is called ecstasy", St. Francis de Sales instructs us in the literal meaning of the term, "because it takes us out of ourselves, holds us above and beyond self..." (VII, 4). Already "the philosophers of old knew two kinds of ecstasy: one lifting us above ourselves, the other dragging us below ourselves" (I, 10). Now St. Francis de Sales notices the surprising similarity of the two types. God's goodness and beauty exert such a powerful "influence on the soul's attention and concentration that it would seem we are not merely uplifted, but transported, swept away". In the wake of God, the soul "not only rises, and ascends, but throws itself, soars out of itself into the very godhead". A modern reader may be surprised and shocked to read what follows immediatly after this lofty sentence. "It is exactly the same", the saint asserts, "with base ecstasy, or shameful rapture, which the soul experiences when the allurement of animal pleasures tears it away from its natural spiritual dignity, and degrades it. Insofar as the soul deliberately runs after the wretched sensual pleasure, and rushes out of itself...it is said to be in sensual ecstasy". The power of sensual ecstasy is apparently no less strong than divine attraction. Animal gratification deprives it [the soul] so violently of the use of reason, of intelligence, that — as one of the great philosophers remarks — a person in the state is like a man in an epileptic fit; he has completely lost his wits" (VII, 4).

So far I have not come across a detailed description of the bodily symptoms of rapture in mystical literature; neither the tossed back head nor any other specific gesture is mentioned. Yet I believe, it is not difficult to understand how the intellectual and emotional atmosphere indicated by the mystical saints could have promoted the use of the same motif for both celestial rapture and sexual climax.

32. See Saint Teresa of Jesus: The Complete Works, tr. E.A. Peers, London and New York, 1963, I, pp. 192 ff., Cf. Lavin Bernini and the Unity of the Arts, p. 107.

33. Francis of Sales, The Love of God, tr. by V. Kerus, Westminster, Maryland, 1962, pp. 26, 282 ff.

34. Paul Freart de Chantelou, Journal du Voyage en France du Cavalier Bernin, reprint New York, 1972.

Jürgen Ebach

KONVERSION ODER VERTILGUNG

Utopie und Politik im Motiv des Tierfriedens bei Jesaja und Vergil

I.

Fragestellungen und Vorgehensweisen der folgenden Konfiguration zweier heterogener Texte seien vorab skizziert. Einander gegenüber gestellt werden ein Text der hebräischen Bibel: Jesaja 11 und ein Text der römischen Antike: Vergils 4. Ekloge. Die vielverhandelte Frage nach einer (womöglich vermittelten) literarischen Abhängigkeit der Ekloge vom Prophetentext[1] steht *nicht* im Zentrum der folgenden Überlegungen. Vielmehr geht es um die Gegenüberstellung zweier in vielem ähnlicher Zeugnisse einer gemeinsamen Problemgeschichte. Bereits die Gesamttexte, Jes. 11,1-9 und ecl. 4, weisen problemgeschichtliche Zusammenhänge auf: jeweils bildet die Erwartung einer künftigen Heilszeit das Zentrum, im Jesajabuch im Kontext messianischer Weissagungen, bei Vergil im Horizont der Vorstellungen von den Weltaltern und der Wiederkehr des Goldenen Zeitalters. Diese Gemeinsamkeiten kulminieren zu bemerkenswerter Parallelität in einem Motiv. In Jes. 11 formulieren die vv. 6-8 die Hoffnung auf den Frieden zwischen Tier und Tier sowie zwischen Mensch und Tier, in ecl. 4 erscheint das Motiv des Natur- und Tierfriedens explizit in vv. 18ff., 28ff., 40ff. Die vergleichende Interpretation dieses Motivs in Jes. 11 und ecl. 4 soll die Gemeinsamkeiten verdeutlichen, mehr noch die Differenzen konturieren. In beiden Fällen wird sich am scheinbar marginalen Motiv des Tierfriedens das politisch-utopische Profil des jeweiligen Gesamttextes aufweisen lassen. Zu zeigen ist, daß das Motiv des Tierfriedens nicht als idyllisierende Marginalie zu einem politischen Programm, sondern als exemplarischer Bestandteil eben dieses Programms zu verstehen ist. Der Tierfrieden erweist sich in beiden Fällen als Modell des politischen Friedens — freilich eines sehr unterschiedlichen.

So versteht sich der vorliegende Beitrag als Hinweis auf die uralte Tradition der Verknüpfung von Friedensbewegung und Ökologiebewegung, vor allem aber als Erinnerung daran, daß mit der Einigung auf „Frieden" als Wört nicht viel gewonnen ist: dieser Friede könnte ein „jesajanischer", er könnte ein „vergilischer" sein...

II.

Da wird Gast sein der Wolf beim Lamm,
und der Leopard wird beim Böcklein lagern;
Kalb und Junglöwe werden zusammen fett werden,

---

1. s.u. Anm. 38, 39, 40.

und ein kleiner Junge kann sie miteinander auf die Weide führen.
Da werden Kuh und Bär(in) weiden,
zusammen werden sich ihre Jungen lagern.
Der Löwe wird wie das Vieh Stroh fressen.
Da wird der Säugling vergnügt am Loch der Kobra spielen,
und nach der jungen Viper (?)
hat schon der Entwöhnte seine Hand ausgestreckt.

(Jes. 11,6-8)[2]

In der Sprachform der gewissen Erwartung[3] formuliert Jes. 11,1-9[4] die Hoffnung auf eine Zukunft, die von der vorfindlichen Gegenwart kategorial geschieden ist, indem sie Elemen-

2. Einige Bemerkungen zur Verdeutschung des Textes: In 6ba ist die Konjektur *jimre'u* (Wz. *mr'*, mheb. u. ug. belegt) vorausgesetzt (cf. H. Wildberger, Jesaja 1-12, BK X/1, ²1979, 438). — Dagegen folgt die Verdeutschung in 7aa der üblichen Konjektur: *titra'äna - sie befreunden sich* (Lagarde, Semitica I, 1878, 21) nicht. 7a ist im Zusammenhang zu verstehen: die Muttertiere (wenn *dob* hier fem.) weiden (auch die Bärin weidet!), ihre Jungen sind zusammen. Das *jahdaw - zusammen* verbindet (Wortstellung!) beide Satzteile und betont das Entscheidende. — Die Identifizierung der in v.8 genannten Schlangenarten ist ungewiß: *patän* dürfte die Kobra sein (cf. Wildberger z.St.), die Verdeutschung von *sip'oni* als „Viper" bleibt hypothetisch (cf. Wildberger z.St.). — Die Verdeutschung „junges (Tier)" für *me'urat* (ohne die üblichen Textänderungen nach V und LXX) folgt dem Hinweis auf akk. *muru* bei F. Perles, JSOR 9, 1925, 126f. (cf. Wildberger z.St.).—

An zwei Stellen betont die Verdeutschung die hebräische Satzstruktur: das Part. *noheg* (6b) ist durch „...kann...führen" wiedergegeben (nicht die Zeitform ist hier entscheidend, sondern die Konstellation: ein kleiner Junge ist es, der ...). — Die Vorzeitigkeit in 8b trägt der Besonderheit Rechnung, daß hier eine x-qatal-Struktur vorliegt (sonst außer dem part. Nom.S. nur W=qatal-x und x-jiqtol).

3. w=qatal-x, das „Perfekt propheticum" der klass. Grammatiken. Es bezeichnet einen individuellen Sachverhalt in der Zukunft, cf. W. Groß, Verbform und Funktion. wayyiqtol für die Gegenwart, Münchener Univ.Schr., FB Kath.Theol. I, 1976.

4. Aus der Fülle der Arbeiten zu Jes. 11 (dort auch zu den hier nicht erörterten Fragen der Lit.kritik des Gesamtkapitels) seien genannt: Wildberger, BK X/1, 436ff. (Lit.); S. Herrmann, Die prophetischen Heilserwartungen im AT, BWANT 85, 1965, 137ff.; O. Kaiser, Der Prophet Jesaja, Kap. 1-12, ATD 17, ⁴1978, 125ff.; G. Fohrer, Jesaja 1-23, ZBK 19,1, ²1967, 165ff.; K.Koch, Die Profeten 1, Stuttgart 1978, 147ff.; H.-J. Hermisson, Zukunftserwartung und Gegenwartskritik in der Verkündigung Jesajas, EvTh 33 (1973) 54ff.; M. Rehm, Der königliche Messias im Licht der Immanuel-Weissagung des Buches Jesaja, Eichstätter Stud. NF 1, 1968, 185ff.; H. Barth, Die Jesajaworte in der Josiazeit, WMANT 48, 1977, 58ff.; O.H. Steck, Welt und Umwelt, Stuttgart 1978, 163f.—

Die Frage der Verfasserschaft u. der Abgrenzung des Textes wird sehr unterschiedlich beurteilt. Wenn im folgenden der Text als „jesajanisch" bezeichnet wird, ist das nicht als eindeutige Zuschreibung zu Jesaja als Verf. gemeint. Trotz einer sich in der Forschung abzeichnenden überwiegenden Ablehnung jesajanischer Herkunft erscheinen mir die Gründe dafür nicht zwingend. Sind sie es aber für 1-5 nicht, so finden sich m.E. auch für 6-8 keine wirklich literarkritischen oder zwingend traditionsgeschichtlichen Gründe gegen jesajanischen Ursprung. Die Trennung der „Tierfriedenverse" von den vorangehenden erscheint eher durch einige gegenwärtige Rezeptionsprobleme motiviert als durch am Text

te vergangener Hoffnung reformuliert.[5] Die Verbindung von Anknüpfung und Widerspruch ist ein Grundzug utopischen Denkens. Es stellt einerseits der geschehenen Geschichte und der vorfindlichen Gegenwart ganz anderes entgegen und muß zugleich die Elemente der Alternative aus eben jener Geschichte beziehen.[6] Bruch mit dem, was sich

gewonnene Argumente. Einige der folgenden Überlegungen sind auch als Argumente für den Zusammenhang in Jes. 11, 1-8 verstehbar.

5. Der Zusammenhang von Urgeschichte und Eschatologie (wie der von Vergangenheit und Utopie, dazu G. Scholem, Zum Verständnis der messianischen Idee im Judentum, in: Judaica, Frankfurt 1963, 7-74, bes. 10ff.) hat gleichsam eine restaurative und eine revolutionäre Seite. Die Differenz liegt in der Bestimmung des Zusammenhangs. So kann nicht nur das „ἰδοὺ ποιῶ τὰ ἔσχατα ὡς τὰ πρῶτα" aus dem Barnabasbrief, 6,13 (Motto in Gunkels klassischem Werk: Schöpfung und Chaos, Göttingen 1895), sondern auch der von Benjamin über die XIV. der „Thesen über den Begriff der Geschichte" gestellte Satz von Karl Kraus: „Ursprung ist das Ziel" in konservativer (und konservativ-revolutionärer) Linie gelesen werden (zur Kritik R. Faber, Abendland. Ein politischer Kampfbegriff, Hildesheim 1979, 84ff.; zur Bedeutung der 4. Ekloge in diesem Zusammenhang ders., Politische Idyllik. Zur sozialen Mythologie Arkadiens, LGW 26, Stuttgart 1976/77, bes. 44ff., cf. aber auch ders., Parkleben. Zur sozialen Idyllik Goethes, in: Goethes Wahlverwandtschaften, hrsg. v. N. Bolz, 1981, 91ff., bes. 144ff.). Dagegen wäre auf den eschatologisch-utopischen Charakter der Endzeit (als Urzeit der neuen Welt) zu verweisen (Greßmann, Der Ursprung der israelitisch-jüdischen Eschatologie, Göttingen 1905, 201; zitiert und kommentiert bei Faber, Politische Idyllik, 48f.). Der Rekurs der Utopie auf die Urzeit ist damit Stilmittel (Greßmann), aber auch Ausdruck der Hoffnung, daß (wieder)kommen möge, was nie anders denn als Hoffnung war. „Nicht um die Konservierung der Vergangenheit, sondern um die Einlösung der vergangenen Hoffnung ist es zu tun", heißt es bei Horkheimer/Adorno in der Vorrede zur Dialektik der Aufklärung gegen die Kritik, die die Kultur der Werte gegen Zivilisation wendet. Gegen das bei Kraus wohl Gemeinte hält Adorno fest: „der Begriff des Ursprungs müßte seines statischen Unwesens entäußert werden. Nicht wäre das Ziel, in den Ursprung, ins Phantasma guter Natur zurückzufinden, sondern Ursprung fiele allein dem Ziel zu, konstituierte sich erst von diesem her. Kein Ursprung außer im Leben des Ephemeren." (Negative Dialektik, Ges.Schr. 6, 1973, 158).

Dazu wären die Schlußsätze aus Blochs Prinzip Hoffnung zu stellen: „Die wirkliche Genesis ist nicht am Anfang, sondern am Ende, und sie beginnt erst anzufangen, wenn Gesellschaft und Dasein radikal werden, das heißt sich an der Wurzel fassen. Die Wurzel der Geschichte aber ist der arbeitende, schaffende, die Gegebenheiten umbildende und überholende Mensch. Hat er sich erfaßt und das Seine ohne Entäußerung und Entfremdung in realer Demokratie begründet, so entsteht in der Welt etwas, das allen in die Kindheit scheint und worin noch niemand war: Heimat." (GA 5, 1628) Trotz der von Marx herkommenden Bestimmung der Wurzel der Geschichte hat diese Lesart der „Genesis" die biblischen Texte nicht gegen sich. Daß die Paradiesgeschichte nicht zu erinnernde historische Zeit beschreibt, erhellt schon daraus, daß es gerichtete (geschichtliche) Zeit im Paradies nicht gibt (wohl die Zeit des Abendwindes!): Geschichte ist die Folge des Sündenfalls, Folge der Vertreibung aus dem Paradies (cf. dazu neben der u. Anm. 6 genannten Lit. den Schlußabschnitt bei J. Taubes, Zur Konjunktur des Polytheismus, in: Mythos und Moderne, hrsg. v. K.H. Bohrer, Frankfurt 1983, 457-470, bes. 467f.)

6. Dazu (am Beispiel von Ez. 40-48) Verf., Kritik und Utopie. Untersuchungen zum Verhältnis von Volk und Herrscher im Verfassungsentwurf des Ezechiel, Diss. Hamburg 1972.

durchgesetzt hat, zugleich Anknüpfung an die „Wurzeln" — ebendas manifestiert sich in Jes. 11 bereits im ersten Satz: „*Es wird hervorgehen ein Reis aus dem Stumpf Isais, und ein Schößling wird aus seinen Wurzeln hervorsprießen.*" (v.1) Die Hoffnung geht auf einen messianischen Herrscher, der nicht aus der direkten Linie der herrschenden Davididen auf dem jerusalemischen Königsthron stammt, kein Sohn Davids ist, vielmehr aus einem Seitenzweig der Familie Isais, des Vaters Davids, kommen wird. Die Rede vom Stumpf Isais enthält den Hinweis auf das Abgehauen-Werden des „Stammbaums" (d.h. die Beseitigung der herrschenden Dynastie), zugleich die Anknüpfung an den Wurzelgrund".[7] So bezeichnet die Erwartung des Friedensherrschers Bruch und Kontinuität im Umgang mit der Geschichte; die Zukunftserwartung der Utopie nährt sich von der Unabgeschlossenheit der Vergangenheit.

Jes. 11,2-5 schildern Wesen und Wirkung des erwarteten Herrschers. Weisheit, Einsicht, Rat, Kraft, Erkenntnis und JHWH-Furcht sind seine Eigenschaften.[8] Die Darstellung nimmt Elemente traditioneller Königsideologie auf, ergänzt sie und verwandelt die in der Tradition mit dem Krieg verbundenen Attribute auf die erwartete Friedenszeit hin. So dient die Kraft (g^ebura) nicht mehr dem Krieg, sondern der Durchsetzung der Gerechtigkeit.[9] Freilich ist dieser Friede nicht als Zustand der Konfliktlosigkeit qualifiziert.[10] So haftet der Durchsetzung des Rechts — in Jes. 11 die ausgeführteste der Aufgaben des Herr-

7. Die Tendenz wird noch deutlicher, zieht man den Schluß von Kap. 10 (v.33f.) zu 11,1ff. (so Kaiser, ATD; cf. zu den konträren Auffassungen z.B. Herrmann, Heilserwartungen, 137, und Barth, Jesajaworte, 63).

Für die Rezeptionsgeschichte von Jes. 11 ist festzuhalten, daß in der christl. Deutung des erwarteten Friedensherrschers auf Christus die Identifikation mit der „Wurzel Jesse" zugleich mit der Davidsohnschaft reklamiert wurde (besonders deutlich in der 1. Strophe des Kirchenliedes „Wie schön leuchtet der Morgenstern", Philipp Nicolai 1599/EKG 48, wo „die süße Wurzel Jesse" zugleich „Du Sohn Davids aus Jakobs Stamm" ist). Die Spannung von Kontinuität und Bruch im Bild von Jes. 11,1 ist hier harmonisiert.—

Daß der Kaiser Konstantin ein früher entschiedener Vertreter der „christlichen" Deutung von ecl. 4 sein konnte, markiert prägnant *die* Form des Christentums, für die der Bruch mit den herrschenden Machtverhältnissen nicht mehr konstitutiv ist und für die — noch später — die „translatio imperii" wichtiger wurde als die Opposition gegen das „imperium". Aufschlußreich ist die Vergilrezeption in Augustins Prolog zur Civitas Dei. Augustin zitiert das „parcere subiectis et debellare superbos" (Aen. 6, 853) kritisch als Anmaßung aufgeblasener Menschen, kritisiert dabei aber nicht die dem Zitat inhärente Herrschaftsform, sondern allein deren falsches Subjekt. Mit dem ‚richtigen' Subjekt (Gott) wird jene Herrschaftsform affirmiert. Nur vordergründig erweist sich (wie im XIX. Buch, in dem er antike Friedensvorstellungen, so die der pax Romana rezipiert) der Kirchenvater als Kritiker der pax Romana, indem er die Ideologie beerbt, der jene ihre Entstehung verdankt.

8. cf. Wildberger, BK X/1, 447ff.

9. ebd. 449.

10. Auch darin korrespondiert Jes. 11 der Friedenshoffnung von Jes. 2, 2-4, bes. v.4: Die Hoffnung geht nicht auf Konflikt*beseitigung*, sondern auf gewaltlose Konflikt*lösung*.

schers — Gewalt an. Durchsetzung des Rechts (špt[11]) bedeutet in Jes. 11, den Schwachen zu ihrem Recht zu verhelfen: Schutz der Schwachen,[12] Solidarität,[13] Brechung der Gewalt der Machthaber[14] — das sind die Manifestationen des erwarteten Friedens.[15]

Mit v.6 wendet sich der Blick von der Herrschergestalt zu den Auswirkungen seiner Herrschaft auf den Bereich der Natur. Die Darstellung des „Tierfriedens" zeigt sich ebenso als Überschreitung der politischen Dimension in den Bereich der Natur wie als Fortsetzung der politischen Ebene. Die Passage vom Tierfrieden beginnt mit einem Satz, der die Umkehrung der vorfindlichen Normen doppelt anzeigt. *„Da wird Gast sein der Wolf beim Lamm...".* Hier ist einmal das friedliche Zusammenleben bisheriger Todfeinde bezeichnet. Die Utopie verweist — das wird bereits in diesem Satz in Jes. 11,6 deutlich und verbindet diesen Text mit jenem vom Umschmieden der Schwerter zu Pflugscharen[16] — auf die Überwindung nicht des *Feindes*, sondern des *Feind-Seins*. Doch enthält das Bild mehr. Zu beachten ist die Rolle der jeweiligen Tiere im Zustand überwundener Feindschaft. „Gast sein" (das hebr. Wort *gûr* kann geradezu „als Fremdling, als Schutzbürger weilen" bedeuten[17]) wird nicht das schwache Tier beim starken, sondern umgekehrt: der Wolf beim Lamm, der Leopard beim Böcklein. Gewiß ist die Konstellation geprägt von der Intention der Domestizierung, wie die jesajanische Utopie als ganze anthropozentrisch bleibt. Doch verweist das Bild des beim Lamm Schutz suchenden Wolfs über die Domestizierung (über die noch zu sprechen ist) hinaus auf die Intention der vorangehenden Verse zurück. Bliebe nämlich die Vorstellung der sicheren Hut, die der Schwache beim Starken findet, affirmativ gegenüber den bestehenden Machtverhältnissen als deren bloße Idealisierung (weshalb sie ein stehender Topos von Königsideologien ist[18]), so enthält die Konstellation von Jes. 11,6 die Umwertung der vorfindlichen Normen. Das Bild erweist sich insofern als Fortsetzung der

---

11. THAT II, 999ff. (G. Liedke): „špt — so die vielleicht allgemeinste Beschreibung — bezeichnet ein Handeln, durch das die gestörte (Rechts-)Gemeinschaft wiederhergestellt wird." (ebd. 1001).

12. Die Bezeichnungen *dal* und *'anaw/'ani* bezeichnen den *Armen* nicht im absoluten, sondern im relationalen Sinn. *dal* und *'anaw/'ani* ist jmd. nicht unterhalb eines bestimmten Lebensstandards, sondern in Relation zu einem Stärkeren, der die Armut/Schwäche ausnutzen kann (dazu Verf., Arme und Armut im AT, ZMiss 5/3 (1979) 143ff.; ferner M. Schwantes, Das Recht der Armen, BET 4, 1977.

13. Zur Bedeutung von ṣ^e daqa (weniger formale Gerechtigkeit als vielmehr „Gemeinschaftstreue"/Solidarität als Norm und Praxis) cf. THAT II, 507ff. (K.Koch) (Lit.).

14. 1. *'ariṣ* statt *'äräṣ* v.4 (cf. Wildberger, BK X/1, 438).

15. Auffälligerweise fehlt (wie in Jes. 2,2-4) in Jes. 11 das *Wort* šālōm. Kennzeichnet der Verzicht auf den Begriff (der ja oft ideologisch verfälschend gebraucht wurde, dazu Jer. 6,14) eine Kritik an der Ersetzung von Politik und Ethik durch Semantik? Das wäre freilich eine aktuelle Konnotation!

16. Dazu Wildberger, BK X/1, 75ff.; O.H. Steck, Friedensvorstellungen im alten Jerusalem, ThSt 111, 1972, bes. 69ff. (wie für Jes. 11 wird auch für 2,2-5 die Verfasserschaft verschieden beurteilt) ferner Verf., Das Erbe der Gewalt, Gütersloh 1980, 34ff.

17. THAT I, 409ff. (R. Martin-Achard).

18. Beispiele bei Wildberger, BK X/1, 450ff.

27

vorangehenden Erwartung an den Friedensherrscher, bei der alles darauf ankommt, daß der Schwache aufgerichtet wird, zu seinem Recht kommt, d.h. nicht auf die Mildtätigkeit der Mächtigen verwiesen bleibt.[19] „*Kalb und Junglöwe werden zusammen fett werden, und ein kleiner Junge kann sie miteinander auf die Weide führen.*" (v.6b). Nach Wolf und Lamm, Leopard und Böcklein werden Kalb und junger Löwe als drittes nicht mehr feindliches Paar genannt. Darüber hinaus kommt nun ein Mensch in den Blick — nicht zufällig ein Kind (wie denn auch die anderen in Jes. 11,6-8 bezeichneten Menschen, der Säugling und der Entwöhnte in v.8, Kinder sind!). Daß sich die Lebensmöglichkeit der Schwachen einer Gesellschaft gerade an der der Kinder erwiese, wäre nur die eine (freilich aktuelle) Dimension des Textes. Zugleich kann man bereits in der Nennung der Kinder die Reflexion der Utopie auf die Urzeit, die paradiesische Zeit erkennen, die als eine der Kindheit des Menschengeschlechts begriffen werden kann. Läse man dabei mit der Aufklärung jene Kindheit als Chiffre der Heteronomie und Unmündigkeit (mithin den Sündenfall als entscheidenden Schritt auf dem Weg vom Tier zum Bürger[20]), so bezeichnete die Utopie nichts als den Rückfall hinter die gewonnene Autonomie, die sich nicht zuletzt im Subjekt-Objekt-Verhältnis von Mensch und Natur manifestiert. Konstituiert sich Menschheitsgeschichte als Fortschrittsgeschichte, so verfiele die Utopie von Jes. 11,6-8 dem Verdikt nostalgischer Regression — der „Kindheit" zu entwachsen, bedeutet Menschwerdung.[21]

Dagegen verweist Benjamins Diktum „Die Kinder als Repräsentanten des Paradies(es)"[22] im Kontext Benjamin'scher Geschichtsphilosophie auf eine der Aufklärung entgegengesetzte Interpretation und Rezeption biblischer Urgeschichte und biblischer Eschatologie, als deren Zusammenschießen Jes. 11 zu lesen ist.[23] Denn sieht man den Fortschritt in der Geschichte wie der *Angelus novus* der „Thesen über den Begriff der Geschichte"[24] (der von daher nicht allein ein *neuer*, sondern noch Klees *junger* Engel sein mag[25]), so kann auf Erfüllung der Fortschrittsgeschichte nicht gesetzt werden. Zu hoffen ist vielmehr deren Abbruch. Hinter dem Abbruch der Katastrophengeschichte (deren Katastrophe darin besteht, daß es immer so weiter geht[26]) mag etwas möglich werden, was mit dem Anfang korreliert ist und doch allemal kein Sprung zurück ist. *So* spricht Jes. 11 im Motiv des Tierfriedens vom Ur-sprung: zugleich Anknüpfung an die vergangene Hoffnung der paradiesischen Welt, in der Mensch und Tier einander Partner sind und Herrschaft ohne Blutvergießen gedacht werden kann, wie Abbruch der Kontinuität und Sprung nach vorn in eine Welt jenseits der Ausbeutung und Gewalt, die gleichwohl keine jenseitige Welt ist.

19. s. die o.Anm. 12 genannte Lit.

20. Dazu Verf., Der Blick des Engels, in: N. Bolz, R. Faber (Hrsg.), Walter Benjamin, Profane Erleuchtung und rettende Kritik, Würzburg 1982, 57ff., bes. 65ff.

21. cf. ebd. 70f.

22. GS I, 3, 1243.

23. cf. Verf., Der Blick des Engels, bes. 80ff.; ferner s.o. Anm. 5.

24. GS I, 2, 697f.

25. Dazu P. Haselberg, Benjamins Engel, in: P. Bulthaup (Hrsg.), Materialien zu Benjamins Thesen ‚Über den Begriff der Geschichte', Frankfurt a.M. 1975, 347f.

26. Benjamin, Zentralpark, GS I, 2, 683.

„ und ein kleiner Junge kann sie miteinander auf die Weide führen. " Verbindet die Rede von den Kindern die Utopie implizit mit dem Paradies, so verknüpft die Vorstellung von der Arbeit beide Arten der Hoffnung explizit. Nicht das *Aufhören* von Arbeit wird erhofft (wie auch im Paradies gearbeitet wurde, Gen. 2,15), sondern die *Verwandlung* in eine Arbeit, die wie die paradiesische nicht als Kampf gegen widerständige Natur qualifiziert ist, vielmehr bestimmt ist durch die Komplementarität von „bebauen *und* bewahren".[27] Weder ist in der Vorstellung von Jes. 11 die Natur ‚gratis da',[28] noch muß der Mensch ihr die Ressourcen mit Gewalt abtrotzen. Jes. 11 entwirft ein Bild, in dem die Differenz von Arbeit und Spiel verschwindet und noch im Spiel die Tiere Partner sind und nicht Objekte. *„Der Löwe wird wie das Vieh Stroh fressen "* (v.7b). Wiederum ist eine Beziehung zur Urgeschichte zu greifen — weniger freilich ein Reflex auf die jahwistische Paradieserzählung als auf den priesterschriftlichen Schöpfungsbericht,[29] nämlich auf die dem Herrschaftsbefehl[30] folgende Nahrungszuweisung (Gen. 1,29f.), in der Mensch und Tier auf vegetarische Nahrung festgelegt werden. Die dem Menschen unmittelbar zuvor (Gen. 1,28) übertragene Herrschaft über die Erde, die Tiere zumal, erweist sich von daher als Herrschaft ohne Blutvergießen. Zugleich enthält das Postulat des Vegetarismus im Altertum eine herrschafts-, genauer: hierarchiekritische Position, während in der Fleischverteilung die gesellschaftlichen Rollen und Hierarchien reproduziert und bestätigt werden.[31] So nimmt das Bild vom Stroh fressenden Löwen ein Element der Urzeit auf, wie umgekehrt die Vorstellung der vegetarischen Urzeit von der Utopie des Aufhörens des Fressens und Gefressen-Werdens als Kontinuum erfahrbarer Gewaltgeschichte genährt ist. Abermals erweist sich der utopische Gehalt der Schöpfungstraditionen als Korrelat der Reflexion der ausgeführten Utopie auf

27. Dazu Verf., Zum Thema: Arbeit und Ruhe im AT. Eine utopische Erinnerung, ZEE 24 (1980) 7ff.; ders., „...damit er ihn bebaue und bewahre" Die Aufnahme biblischer Texte zur Arbeit in LABOREM EXERCENS, in: Sinn und Zukunft der Arbeit, hrsg.v. W. Klein, W. Krämer, Arbeiterbewegung und Kirche IV, 1982, 36ff.
28. cf. Benjamins Rekurs auf Dietzgen in der IX. der Thesen (GS I, 2, 699).
29. Daß Gen. 1 später als Jes. 11 verfaßt sein dürfte (gewiß, wenn Jes. 11 Jesaja nicht abgesprochen werden soll), ist zu berücksichtigen. Hier geht es um eine problemgeschichtliche Konfiguration, nicht um literarische Dependenz.
30. Zur Interpretation und Wirkungsgeschichte von Gen. 1,26ff., bes. 1,28 cf. die bei H. Graf Reventlow, Hauptprobleme der atl. Theologie im 20. Jh, EdF 173, 1982, 148ff., bes. 157ff. zusammengestellte und z.T. besprochene Lit.
31. Zur Konstellation cf. die aufschlußreiche Anekdote über Platon und Diogenes von Sinope bei Diog. Laert. VI, 58 (ed. Apelt, ²1967, 323). Die griechische Sprachgeschichte enthält Hinweise auf die Verbindung von „Fleischportion" und „Schicksal" (z.B. δαίμων urspr. „der Fleischzerteiler", μοῖρα urspr. „der Anteil am Fleisch und der Beute', εἱμαρμένη urspr. etwa „die über die zugemessenen Fleischanteile wacht"; zum Thema G. Baudy, Metaphorik der Erfüllung. Nahrung als Hintergrundsmodell in der griechischen Ethik bis Epikur, Arch. f. Begriffsgesch. 25, 1981, 7-69 (wegen der Fülle der behandelten Belege).
Daß die Hierarchie einer Gesellschaft in den Fleischstücken eines Tieres abbildbar ist, zeigt in anderem kulturellem Zusammenhang Th. Sundermeier, Die Mbanderu, Coll. Inst. Anthropos 14, 1977, 160ff.

die Urzeit. Dabei bleiben im Falle des vegetarisch lebenden Löwen Erinnerung und Erwartung im Horizont anthropozentrischer Intention. Kriterium des Friedens ist das menschliche Bedürfnis. Erst in den Gottesreden des Ijob-Buches scheint eine Sicht auf, in der die außermenschliche Natur gleichsam ihren eigenen Bedürfnissen entsprechend in den Blick kommt, mithin die der Lebenswelt der Menschen entgegengesetzten Tiere nicht ihre „Natur" aufgeben müssen, um zum „Frieden" beizutragen.[32] Demgegenüber bleibt Jes. 11 im Kreis anthropozentrischer Erwartungen; doch liegt alles Gewicht auf der Veränderbarkeit noch des Feindlichsten. Nicht die Ausrottung des Löwen, sondern seine Konversion wird erhofft.

Diese Dimension der Utopie vom Tierfrieden erhält in v.8 ihre radikalste Zuspitzung. Wenn dort vom furchtlosen, friedlichen, spielerischen Zusammenleben von Kindern und Schlangen die Rede ist, ist die Konversion gerade der Tiere in den Blick genommen, die in biblischen Traditionen als die Verkörperung des Menschenfeindlichen schlechthin fungieren. Der Fluchspruch über die Schlange aus Gen. 3, der die Erbfeindschaft zwischen Mensch und Schlange als Element aller geschichtlichen Erfahrung konstituiert,[33] ist in Jes. 11,8 aufgehoben. Frieden realisiert sich nicht in der Tilgung des Widrigen, sondern in seiner Konversion zu nicht mehr Widrigem. Nicht zuletzt der Vorschein auf die neutestamentliche Feindesliebe als Praxis (nicht als bloße Gesinnung) erweist das jesajanische Bild als politisches.

Die Darstellung bliebe unvollständig (und die beabsichtigte Konturierung alternativer Friedenshoffnungen im Vergleich von Jes. 11 und ecl. 4 verkürzt), fehlte der Hinweis auf die Stellung von Jes. 11,6-8 innerhalb der Traditionsgeschichte alttestamentlicher Friedenserwartungen, die sich auf die Tiere beziehen. Denn keineswegs markiert die jesajanische Konversionshoffnung *die* biblische Linie der Problemgeschichte. Vielmehr manifestiert sich in anderen Texten der hebräischen Bibel, vor allem in Lev. 26,6, Friedenshoffnung als Erwartung der Ausrottung der wilden Tiere.[34] Auch in Lev. 26 steht diese Hoffnung in unmittelbarem Kontext politischer Erwartungen; wie in Jes. 11 korrespondieren die unmittelbar politischen Aussagen denen, die sich auf die Tiere beziehen: *„Ich (JHWH) werde Frieden geben im Lande, so daß ihr euch schlafen legen könnt, und keiner wird euch aufschrecken. Ich werde das böse Wildgetier verschwinden lassen vom Lande weg, und das Schwert wird nicht mehr durch euer Land gehen. Sondern ihr werdet eure Feinde verfolgen, und sie werden vor euch fallen durch das Schwert"* (Lev. 26,6f.). Konsequent geht die Hoffnung auf die Ausrottung der wilden Tiere *wie* der Feinde. Wie die Erwartung, daß die Völker ihre Schwerter zu Pflugscharen umschmieden und das Kriegshandwerk nicht mehr erlernen werden (Jes. 2,4; Mi. 4,3) als transzendierende Weiterführung der Zionstradition erscheint, die die Vernichtung der an den Gottesberg anrennenden Feinde und ihrer Waffen erwartet (Ps. 46

---

32. cf. O. Keel, Jahwes Entgegnung an Ijob, FRLANT 121, 1978.

33. Gen. 3,14ff., cf. Westermann, Genesis 1-11, BK I/1, ³1983, 351ff.

34. cf. H. Groß, Die Idee des ewigen und allgemeinen Weltfriedens im alten Orient und im AT, TThSt 7, 1967, bes. 83ff.

u.ö.),[35] so erweist sich Jes. 11,6-8 (und sein Niederschlag in Jes. 65, 17ff., daneben aber auch Hos. 2,20[36]) als Überschreitung der Vernichtungsintention zur Konversionshoffnung. Nicht daß Israels Friedenshoffnung vor dem Wunsch nach eigener Überlegenheit und der Erwartung des eigenen Sieges über die Gegner, zuletzt deren Vertilgung, gefeit wäre, erweist sich als die Grundlage der Humanität der hebräischen Bibel, sondern daß es in Israel möglich war, dieser Ideologie nicht verhaftet zu bleiben, vielmehr die Hoffnung auf den eigenen Sieg zu überschreiten hin auf die Hoffnung auf das Ende des Siegen-Müssens, die Hoffnung auf das Ende des Feind-Seins. So zeigt sich bereits im innerbiblischen Vergleich zwischen Jes. 11 und Lev. 26 der Umgang mit den Tieren als Modell politischer Erwartung. Gegenüber der in der Formulierung der radikalsten Hoffnung, des Friedens in und mit der Natur, aufscheinenden politischen Praxis bereits des gegenwärtigen Umgangs mit dem Feindlichen, dem Widrigen, scheint die Frage nach der Realisierbarkeit der Utopie fast belanglos. Nicht, ob der Löwe „wirklich" je Stroh fressen wird, ist die Frage, sondern welche Erwartung, welche Einschätzung des Feindlichen, zuletzt welche gegenwärtige Praxis jener Friedenshoffnung entspricht.

III.

Doch dir, Knabe, wird als erste kleine Geschenke ohne menschliches Zutun Efeuranken allenthalben mit Baldrian die Erde
und duftende Wasserrosen durchmischt mit lachendem Akanthus ausstreuen.
Von selbst werden die Ziegen heimwärts tragen strotzend von Milch
die Euter, und nicht mehr werden die Herden die großen Löwen fürchten,
von selbst wird die Wiege dir ausstreuen liebliche Blumen,
verschwinden wird die Schlange, und auch das trügerische Giftkraut
wird verschwinden; assyrischer Balsam wird überall wachsen.
...

35. cf. Steck, Friedensvorstellungen (s.o. Anm. 16).
36. Die Rezeption von Jes. 11 in Jes. 65 (Tritojesaja) — und von Jes. 65 in Apk. 21 — erweist sich als widersprüchlich. Einerseits ist der Frieden zum Zustand der Konfliktlosigkeit hypostasiert (anders als in Jes. 11,1-5!). Die „heile" Welt aber wird als heile durch die Ausgrenzung des Bösen erzwungen. So zitiert Jes. 65,25 aus Jes. 11,6ff. die Sätze über Wolf, Lamm und Löwe, vermag aber die Konversion der Schlange nicht mit zu übernehmen, beharrt vielmehr trotzig gegen Jes. 11,8 (und gegen die utopische Aufhebung des Fluchspruches über die Schlange) auf der Geltung von Gen. 3,14 und läßt die Schlange Staub fressen. Vollends in Apk. 21 erweist sich die noch einmal gesteigerte Qualität des neu erschaffenen (und nicht wie in Jes. 65 zum neuen gewandelten) himmlischen Jerusalem als dualistisch. Heil ist nur das „Drinnen", während „draußen" die Bösen auf ewig im Feuer sind (v.8). In den Sperren der Rezeption zeigt sich noch einmal die Kühnheit von Jes. 11,6ff., eines Textes, der die Konversion des Widrigen gerade als Aufhören der Feindschaft des schlechthin Feindlichsten zu denken vermag.

31

(dann) wird allmählich golden strahlen das Feld von wogender Ähre,
und am wilden Dornstrauch wird die rote Traube hängen,
und aus den harten Eichen wird quellen der tauige Honig.

...

Nicht wird der Boden die Hacke ertragen, nicht der Weinberg das Rebmesser,
dann wird auch der kräftige Pflüger den Stieren das Joch abnehmen;
auch wird die Wolle nicht mehr lernen, bunte Farben vorzutäuschen,
vielmehr von selbst wird der Widder auf den Wiesen dann lieblich bald in Purpurrot, bald in
Safrangelb die Felle verwandeln,
von selbst wird Scharlachrot die Lämmer auf der Weide kleiden.

(4. Ekloge, Zz. 18-25. 28-30. 40-45)[37]

Stärker noch als bei Jes. 11, wo die vv. 6-8 einen so geschlossen erscheinenden Abschnitt darstellen, daß viele Ausleger ihn vom Kontext lösen wollen, fällt bei den auf das Thema „Natur-" und „Tierfrieden" bezogenen Passagen der 4. Ekloge deren fragmentarischer Charakter auf. Ohne den Kontext sind diese Passagen kaum zu verstehen. Wenn in der vorangestellten Verdeutschung dennoch nur diese Abschnitte für sich erscheinen und wenn das Augenmerk der folgenden Interpretation auf ihnen liegt, so nicht, um sie von ihrem Kontext zu lösen, sondern um (wie bei Jes. 11) die politischen Implikationen dieses einen Motivs des Tierfriedens aufzuweisen und die dabei gewonnenen Beobachtungen in die Interpretation von ecl. 4 insgesamt einzubringen. Über die bloße Registrierung der Tatsache des erwarteten Aufhörens eines Kampfes mit und in der Natur hinaus ist nach der *Art* des erhofften Friedens zu fragen. Bei Jes. 11 zeigte sich, daß die Grundmotive und leitenden Intentionen der politischen Friedenshoffnung im Tierfrieden ihre Fortsetzung finden. Welcher Art ist der vergilische Tierfrieden? Was läßt er an Hinweisen erkennen auf die Art des gemeinten politischen Friedens?

Die Frage einer Beziehung zwischen der Ekloge und dem Jesajabuch gehört zu den vielverhandelten der noch mehr behandelten Ekloge. Eine direkte Kenntnis Jesajas (scil. der Septuagintafassung) kann für Vergil weder ganz ausgeschlossen noch wahrscheinlich ge-

---

37. Die Verdeutschung ist, wo möglich, dem lat. Text zeilenkongruent (deshalb etwas holprig). Eine Vielzahl von Übertragungen der gesamten Ekloge liegt vor, dabei sind wissenschaftlich ausgewiesene ebenso wie Nachdichtungen. U.a. bieten Jachmann und Binder (s.u.) Übertragungen.

Die Sekundärlit. zu ecl. 4 ist überaus zahlreich. Bibliographien finden sich in ANRW II: W.W. Briggs, A Bibliography of Virgil's Eclogues, II, 31,2, 1981, 1270ff. (zu ecl. 4 1311-1325); W. Kraus, Vergils IV. Ekloge: Ein kritisches Hypomnema, II, 31,1, 1980, 605ff. (Bibliogr. 641-44); S. Benko, Virgil's Fourth Eclogue in Christian Interpretation, II, 31,1, 646ff. (Bibliogr. 702-5). Darstellungen der Hauptpositionen der Forschung u.a. bei R. Rieks, Vergils Dichtung als Zeugnis und Deutung der römischen Geschichte, ANRW II, 31,2, 1981, 728ff. (zu ecl. 4: 769ff.); H. Naumann, Das Geheimnis der Vierten Ekloge, Altspr. Unt. 24/5 (1981) 29ff.; E.A. Schmidt, Bukolik und Utopie, in: Utopieforschung, hrsg. v. W. Voßkamp, Bd. 2, Stuttgart 1982, 21-36.

macht werden.[38] Eine vermittelte Verbindung ergibt sich jedoch dadurch, daß sich in den Büchern der jüdischen Sibylle (Sib. III, 788ff.) geradezu ein paraphrasierendes Zitat von Jes. 11,6-8 findet,[39] während Vergil seinerseits in ecl. 4 auf den Spruch der cumäischen Sibylle (z.4) rekurriert. Ob das Sibyllinum, auf das Vergil sich bezieht, tatsächlich existierte, wenn ja, ob es sich (wie die Mehrzahl der Interpreten annimmt) auf das Konsulatsjahr des Pollio bezog (40 v. Chr.) oder ob Vergil mit seiner Nennung der Sibylle auf Sib. III, 788ff. rekurriert, ist dem *Text* von ecl. 4 nicht zu entnehmen. Von daher ist der Grad des Einflusses der sibyllinischen Prophezeiung, vollends der biblisch-prophetischen, auf die 4. Ekloge nicht sicher zu bestimmen.[40] Für unser Thema sind Grad und Form der literarischen Beziehungen zwischen Jes. 11 und ecl. 4 weniger entscheidend als die offenkundigen problemgeschichtlichen Korrespondenzen. In beiden Fällen spielt das Tierfrieden-Motiv eine wichtige Rolle innerhalb der politischen Utopie. Dabei hat in der bisherigen Forschung die Frage der Gemeinsamkeiten der jesajanischen und der vergilischen Behandlung des Motivs ungleich mehr Aufmerksamkeit gefunden als die nach den spezifischen Differenzen. Selbst B. Gatz, der die Differenz der sibyllinischen und der vergilischen Zeitauffassung im Zusammenhang des Goldenen Zeitalters scharf herausarbeitet (für die sibyllinische Prophezeiung gilt: „Das Goldene Zeitalter *wird* zurückkehren", für Vergil: „Das Goldene Zeitalter *ist* zurückgekehrt"[41]), kann das vergilische „*occidet et serpens*" und das jesajanische Spielen des Kindes mit der Schlange — in der Fassung des Lactanz: „*infans cum serpentibus ludet*" —[42] nebeneinander stellen, ohne die entscheidende Differenz zu konstatieren. Die Differenz zwischen der Erwartung der Tilgung der widrigen Tiere und ihrer Konversion zu nicht länger widrigen, die in der jeweiligen Rede von den Schlangen so offenkundig (und politisch bedeutsam) ist, findet ihre Korrespondenzen in weiteren Elementen der vergilischen

38. Die Kenntnis vermutet F. Dornseiff, Verschmähtes zu Vergil, Horaz, Properz, SAW phil.-hist. Kl. 97 (1949-51) Heft 6; cf. Naumann, Geheimnis, 39f.

39. Zum Text der Or.Sib. cf. Kautzsch, Apokryphen und Pseudepigraphen II, 177ff. (z.St. 200) (F. Blaß); J. Geffcken, die Oracula Sibyllina, Leipzig 1902; A. Kurfess, Sibyllinische Weissagungen, München 1951. (Eine Ausg. der Or.Sib. ist in der Reihe „Jüdische Schriften in hellenistisch-römischer Zeit", Gütersloh in Vorbereitung).

40. Die häufige Charakterisierung von Forschungspositionen zu ecl. 4 als „orientalische", „(rein) römische" oder „christliche" Deutungen bedarf der Differenzierung. Zu unterscheiden ist (stärker als es z.B. Naumann, Geheimnis, tut) zwischen der Rekonstruktion des von Vergil Intendierten und den Linien der Rezeptionsgeschichte; zugleich ist die Frage: orientalisch oder (rein) römisch? verschieden anzugehen, je nachdem ob sie literargeschichtlich, traditionsgeschichtlich, motivgeschichtlich oder problemgeschichtlich gestellt ist. Vergil *macht* Orientalisches zu Römisch-Italischem!

41. B. Gatz, Weltalter, goldene Zeit und sinnverwandte Vorstellungen, Spud. XVI, 1967, 97. (Zur Differenz zwischen der *Zukunft* der goldenen Zeit und ihrer *Vergangenheit*, bzw. vorgegebener gegenwärtiger *Realisierung* als einer Differenz bibl.-christl. und antiker Sicht cf. bereits Lactanz, inst. 7,24).

42. Gatz, Weltalter, 172 (Lactanz, inst.7,24,8). Die Differenz zwischen dem „Spielen" und dem „*occidet*" wird benannt bei E. Norden, Die Geburt des Kindes, Darmstadt ³1958, 52f. (cf. auch Groß, Weltfrieden, 56), doch im Blick auf die Frage literarischer Abhängigkeit gewertet, weniger auf die politischen Implikate der Differenz hin befragt.

Natur- und Tierschilderung in der Konturierung gegenüber der jesajanischen. Doch vor der weiteren Untersuchung dieses Motivs ist ein kurzer Blick auf den Gedankengang der gesamten Ekloge nützlich.

Vergil thematisiert in ecl. 4 mit verschachtelter doppelter Legitimierung (nämlich unter Berufung auf die Sibylle, z.4, und auf die Parzen, z.46f.) die Wiederkehr des Goldenen Zeitalters. Sie wird verbunden mit den Lebensstufen eines *puer*. Schon bei seiner Geburt ist für ihn (*tibi*) die Goldene Zeit vorhanden; sie ist somit exemplarisch realisiert. Wird er größer, finden sich noch Elemente der schlechten Zeit; ist er im vollen Mannesalter, ist die *aurea aetas* voll und überall zum Durchbruch gekommen, in Gänze realisiert. Die jeweilige Realisierung manifestiert sich in der Natur, im Verhalten der Tiere, aber auch der Pflanzen. Wie in Jes. 11 ist der Natur- und Tierfriede gefaßt als Auswirkung der Existenz einer Herrschergestalt (bei Vergil im Maße seiner Entwicklung und Machtentfaltung, bei Jesaja entsprechend den Kriterien seines Handelns). Wer ist der *puer* der 4. Ekloge? Die Frage zu stellen heißt, inmitten einer Fülle von Literatur sich wiederzufinden; die Identifizierung (bzw. der Aufweis der Unmöglichkeit einer Identifizierung) kann mit Fug als ein Schlüsselthema der Forschung zu ecl. 4 bezeichnet werden.[43]

Daß Vergil selbst in späterer Zeit mit Formulierungen, die aus ecl. 4 entlehnt sein könnten, bzw. ihren Vorstellungs- und Sprachformen kongenial sind,[44] von Octavian-Augustus so spricht wie er in ecl. 4 von dem *puer* redet, läßt auch für die Ekloge an Octavian denken. Doch stellen sich nach der Auffassung der meisten Interpreten dieser Deutung unüberwindliche chronologische Hindernisse in den Weg. Ähnliche Gründe sprechen auch gegen die Deutung des *puer* auf ein erwartetes Kind[45] des Octavian, wenn die Geburt des *puer* für das Konsulat des Pollio erwartet wird, vor allem die Tatsache, daß Vergil in eben dem Jahre 40 noch kein Anhänger des Octavian war, mithin weder ihm noch seinem Sohne die in ecl. 4 formulierten Erwartungen angetragen haben dürfte. So bleibt eine Vielzahl weiterer Deutungen, — zuletzt Ungewissheit.[46] Doch hat G. Binder[47] kürzlich darauf aufmerksam ge-

---

43. Darstellungen der Positionen u.a. bei Naumann u. Rieks (s.o. Anm. 37).

44. Zusammengestellt u.a. bei Naumann, Geheimnis, 35; cf. auch G. Binder, Lied der Parzen zur Geburt Octavians, FUSA (Journ. f. Kenner & Liebhaber von Kunst, Literatur, Musik) 6 (1982) 18ff. (jetzt in erweiterter Fassung im Gymnasium 1983). (Zu verweisen ist hier vor allem auf die Korrespondenzen von ecl. 4 zu Georg. 3,16 und Aen. 6,791ff. (*hic vir, hic est, tibi quem promitti saepius audis,/ Augustus Caesar, Divi genus, aurea condet/saecula qui rursus Latio regnata per arva/Saturno quondam ...*, cf. Binder, 20, unter Aufnahme von Überlegungen O. Seels).

45. ..., das dann eine Tochter war, was nach der überaus rationalen, alle Verdunkelungen der Interpretationsgeschichte beseitigenden — „Feldbereinigung" von trübenden Irrtümern", 56 — Analyse von G. Jachmann, die vierte Ekloge Vergils, AG f. Forschung des Landes NRW, Geisteswiss. Heft 2, 1953, 37ff., (hier 60) der Deutung des *puer* auf ein Kind Octavians „nicht ernsthaft im Wege steht". Entweder müßte Vergil ein glühender Verehrer eines als Sohn erwarteten Kindes Octavians gewesen sein, bevor er ein Anhänger Octavians war, oder er müßte eine bereits geborene Tochter Octavians als *puer* besingen. Welche Feldbereinigung! (Zur Kritik an Jachmann cf. C. Becker, Vergils Eklogenbuch, Hermes 83, 1955, 328ff.)

46. So schreibt Naumann, Geheimnis, zu den Deutungen („römisch", „orientalisch", „christlich"): „Keine dieser ‚einseitigen' Deutungen scheint dem Ganzen des Gedichts gerecht zu

macht, daß der Text von ecl. 4 weder eine Entstehung der Ekloge im Jahre 40 (Konsulat des Pollio) zwingend nahelegt, noch — was entscheidender ist — davon spricht, daß die Geburt des *puer* im Konsulatsjahr des Pollio erfolgt oder unmittelbar bevorsteht. Mit diesem Hinweis sind die Gründe zumindest erschüttert, die gegen eine Deutung auf Octavian selbst zu sprechen schienen. Binder erkennt seinerseits in der Struktur der Ekloge zeitliche Verschachtelungen — ein Verfahren, das auch sonst bei Vergil zu beobachten ist.[48] Von daher ergibt sich etwa folgendes Bild:

Der Dichter[49] versetzt sich zurück in das Jahr 63 v. Chr., das Geburtsjahr des Octavian. Von diesem fiktiven historischen Standort her entwirft er in der Form der Weisung der Parzen als Zukunft, was inzwischen (in der faktischen historischen Zeit Vergils) weithin eingetroffen ist. Octavian ist der *puer*, bei dessen Geburt das Goldene Zeitalter exemplarisch eingetreten ist.[50] Prodigien, die später mit der Geburt Octavians verbunden wurden,[51] geben einen zusätzlichen Hinweis auf die Besonderheiten dieser Geburt. Das besonders erwähnte Konsulat des Pollio ist nicht das Geburtsjahr des *puer*, wohl aber die Zeit, in der der Durchbruch der Goldenen Zeit sichtbar wird. Zu denken ist dabei an den Vertrag von Brindisi, der ungeheure Friedenshoffnungen erweckte. An diesem Vertrag hatte Pollio, der Gönner Vergils, großen Anteil. Im Jahr 40 waren aber weder Vergil noch Pollio Anhänger Octavians. Doch auch die Abfassung der Ekloge im Jahre 40 ist nicht zwin-

werden. Jede läßt unerklärte Reste übrig ... Das Gedicht ist nun einmal vieldeutig. Das lag offensichtlich in der Absicht des Dichters, und gerade das macht recht eigentlich den Reiz des Gedichts, sein Geheimnis und seine Schönheit aus." (31).
Es gehört zu den topoi mancher Forschungsgeschichte, daß ein Problem, das lange nicht gelöst ist, zu einem erklärt wird, das man nicht lösen *soll* (für die AT sei auf die Forschungsgeschichte der Gottesknechtslieder des Deuterojesajabuches verwiesen). Daß die unterschiedlichen Plausibilitäts- und Rezeptionsbedingungen im orientalischen, bzw. griechisch-römischen Altertum und in der Gegenwart das Verstehen — zumal eines verhüllt geschriebenen — Textes erschweren, vielleicht unmöglich machen, dürfte in manchem Fall offenkundig sein. Doch sollte nicht solcher Verlust in die Absicht des Dichters oder die Qualität des Werks projiziert werden (weder in der Form der Hypostasierung des Unverständlichen noch in der Form der Verwechslung des Unverstandenen mit dem Unverständlichen, wie es in dem — freilich mit verschiedener Wertung — u.a. von Jachmann und Binder zitierten Diktums Wilamowitz' erscheint („Kann eigentlich ein Gedicht, das sich nicht verstehen läßt, ein gutes Gedicht sein?").
    47. Lied der Parzen, s.o. Anm. 44.
    48. ebd. 22 (mit Hinweis auf den demnächst erscheinenden Beitrag Binders: Aitiologische Erzählung und augusteisches Programm in Vergils Aeneis, WdF 512).
    49. Die Selbstbezeichnung Vergils als *vates* wäre heranzuziehen, wie überhaupt eine vergleichende Untersuchung der Prophetie in Orient, AT und griech.-röm. Antike über Faschers ΠΡΟΦΗΤΗΣ, 1927, hinaus fehlt.
    50. So gewiß Jachmann, Die vierte Ekloge, bes. 43ff., mit Recht das ungerechtfertigte Eintragen eines *tibi* in z.21 und 29f. kritisiert (gegen Norden und Trendelburg), so gewiß steht dieses *tibi* in 18 und 23 da und bedarf der Interpretation (dazu s.u.).
    51. cf. Sueton, Aug. 94 (dazu u.a. Binder, Lied der Parzen, 28). Zu den bei Sueton aufgeführten Prodigien gehört eines, in dem eine Schlange eine — gerade nicht feindliche — Rolle spielt. Das Tilgen der Schlange in Verbindung mit dem Säugling erinnert an die Heraklessage.

gend. Wenn sie, wie Binder vermutet, später geschrieben ist (noch das Jahr 38 kommt in Frage), stellte sie u.a. den Versuch dar, Pollio mit Octavian zu verbinden, zugleich Vergils alte und seine neue Parteinahme zu versöhnen. Vergils Methode in ecl. 4 wäre demnach die der Legitimierung und Hypostasierung gegenwärtiger Machtverhältnisse durch eine fiktive Prophetie.[52] Was ist, wird von einem fiktiv eingenommenen Standort in der Vergangenheit prophezeit und damit sanktioniert.

Markiert Jes. 11 den *Bruch* mit den herrschenden Machtverhältnissen als Ansage einer qualitativ ganz anderen Zukunft, so ecl. 4 die *Legitimierung* gegenwärtiger Macht durch ihre Identifikation mit dem einst Erhofften. Zielt Jes. 11 auf den *Abbruch* der Kontinuität der Geschichte und die Ansage des Neuen, das die Einlösung der vergangenen Hoffnung bedeutet, so ecl. 4 auf die *Erfüllung* der bisherigen Geschichte, die durch die Realisierung der zu ihrer Legitimation *rekonstruierten* Erwartung sanktioniert wird.

Ecl. 4 behauptet damit das Ende der Utopie durch ihre Erfüllung. Das Goldene Zeitalter *ist* zurückgekehrt.

Nehmen wir nun einige weitere Elemente des Natur- und Tierfriedens genauer in den Blick:

Drei Passagen der Ekloge bezeichnen die Wiederkehr der Goldenen Zeit durch die Schilderung der Natur, nämlich des veränderten Zustands, bzw. des veränderten Verhaltens von Tierwelt, Pflanzenwelt und Erde. Verbunden ist die Beschreibung der in der Natur sich manifestierenden Goldenen Zeit an allen drei Stellen mit einer Lebensstufe des *puer*. Die Pracht seltener und prestigeträchtiger Pflanzen/ Ziegen, die ihre Milchfülle selbst abliefern/ Rinderherden, die den Löwen nicht mehr fürchten/ Aussterben der Schlange und des Giftkrauts — das sind die Elemente des Goldenen Zeitalters bei der Geburt des Knaben (Zz. 18-25). Bei seinem Heranwachsen („dann wirst du die Ruhmestaten der Heroen und deines Vaters Taten lesen und begreifen, was *virtus* ist') zeigt sich die Natur ebenfalls im Zustand der Goldenen Zeit: Das Getreide gedeiht üppig/ Trauben wachsen am Dornstrauch/ aus Eichen quillt Honig (28-30). Doch bleiben noch Elemente der schlechten Zeit (*priscae vestigia fraudis*). Ist der *puer* schließlich zum gereiften Mann geworden, zeigt sich die Natur abermals „golden": Handel und Landarbeit wird es nicht mehr geben, denn alles wächst überall und von selbst/ die Schafe erscheinen in bunter Wolle bereits auf der Wiese — des Färbens der Wolle bedarf es nicht. Überflüssig geworden ist das *mentiri*, das Vortäuschen der Farben — die Fiktion wird durch die Realität obsolet — die Realität impliziert das Ende der Utopie (und der Kunst).[53]

---

52. Es handelt sich somit um ein *vaticinium ex eventu*; zur legitimatorischen Absicht solcher vaticinia wäre an ägyptische und akkadische Prophezeiungen zu erinnern (einige Hinweise bei Wildberger, BK X/1, 440f.), gewiß an manche biblische, aber auch an das Verfahren des Aeneisdichters.

53. Wo später der Sozialismus seinen utopischen Charakter nicht „aufhebt", sondern verliert, wird Kunst folgerichtig zu der des sozialistischen Realismus ...
Gewiß ist das Marx'sche Konzept der Humanisierung der Natur (und Naturalisierung des Menschen) nicht ganz frei von kryptovergilischer Sicht (cf. die nicht ganz falsche Sottise bei H.P. Duerr, Traumzeit, Frankfurt a.M. 1978, 303, Anm. 23). Offenkundiger ist der Vorschein auf die nicht allein in gegenwärtiger Zigarettenwerbung deutliche Propagierung eines Produkts: Natur.

Da die Lebensalter des Kindes deutlich als Entwicklungsstufen dargestellt sind, liegt es nahe, parallel dazu die Vorstellung einer Entwicklung des Goldenen Zeitalters zu erkennen. So sprechen die meisten Interpreten von einer graduellen Verwirklichung, einer allmählichen Entwicklung.[54] Dagegen wendet Gatz ein: „Das goldene Zeitalter ist als Ganzes mit der Geburt des Knaben fertig da."[58] Die drei Abschnitte bezeichnen verschiedene Aspekte „des bekannten Motivkatalogs der goldenen Zeit …, der Kindheit (gehört) die Paradiesmotivik, der Jugend die Fülle der Natur, dem Mannesalter das einfache integre Leben unter Fortfall des Lebenskampfes."[56] Das „Automaton" schließlich (*nullo cultu/ ipse/ sponte sua*) gehört zu allen drei Stufen. Tatsächlich kann man in den drei Passagen keine *Steigerung* erkennen. Anders gesagt: Wofern die Zeit „golden" ist, kann sie nicht „goldener" werden. Dennoch bezeichnet Gatz' Opposition zu dem oft vertretenen Entwicklungsgedanken nur die andere Seite einer nicht ganz zutreffend gestellten Alternative. Denn nicht darin, daß es sich zu einem immer „goldeneren" *entwickelt*, ist die Geschichte der Wiederkehr des Goldenen Zeitalters dem Leben des Knaben verbunden, wohl aber darin, daß es sich verschieden zur kontemporalen Gesamtwirklichkeit verhält. Bei der Geburt des *puer* ist es punktuell und exemplarisch (*tibi*) vorhanden (freilich in der Antizipation ganz). In der Jugend des Knaben ist es partiell vorhanden (freilich wo, dort in ganzer Fülle), doch steht es im Kontext einer Realität, die zugleich Elemente der schlechten Zeit enthält.[57] Ist der *puer* im vollen Mannesalter, *ist* es die ganze Realität. Von der Geburt an ist die Goldene Zeit *ganz* Realität, doch wird sie zur *ganzen* Realität.[58] Die *Durchsetzung* der Goldenen Zeit ist verbunden mit dem Wachsen des zukünftigen Herrschers. An seiner Kraftentfaltung hängt die volle Durchsetzung der glücklichen Zukunft, nicht, wie bei Jes. 11, an seinem Handeln, vollends nicht am Aufrichten der Schwachen und Elenden.

Bereits in der mit der Geburt des *puer* sich zeigenden neuen Natur ist der große Anteil

---

54. cf. die Zusammenstellung der Zitate bei Gatz, Weltalter, 98.

55. Gatz, ebd. 99 (so auch Jachmann, Die vierte Ekloge, 46f.).

56. Gatz, ebd.

57. Versteht man das Konsulatsjahr des Pollio als Gegenwart des Dichters, das Jünglingsalter des *puer* als Zukunft, so muß man die *priscae vestigia fraudis* (31) gegenüber der bereits in 13f. genannten Auslöschung dessen, was an *sceleris vestigia nostri* blieb, als Rückschritt verstehen (Jachmann, ihm folgend H. Holtorf, P. Vergilius Maro, Die größeren Gedichte I, 1959, 160 ff.). Nach dem Ansatz Binders ist die Annahme eines solchen Rückschritts (nebst den daran sich zuweilen anschließenden Erwägungen über die große Eile oder das partielle Unvermögen des Dichters) durchaus unnötig. Vielmehr sind von dem fiktiv eingenommenen Standort des Dichters (der Parzen) sowohl das Konsulat Pollios als auch die Jünglingszeit des *puer* Zukunft, ja, das Konsulat des Pollio steht am Ende der Stufe, die durch die *priscae vestigia fraudis* gekennzeichnet ist. Von daher stellt nicht das in 31-36 Beschriebene einen Rückschritt gegenüber dem in 28-30 Bezeichneten dar; vielmehr ist 26-36 zusammen als Beschreibung der Zeit zu verstehen, die durch das Nebeneinander beider „Metalle", beider Wirklichkeiten gekennzeichnet ist.

58. Damit erinnert die Form, in der die Goldene Zeit schon vorhanden ist und doch auf ihren Durchbruch gehofft wird, an die neutestamentliche Rede vom Reich Gottes, das (z.B. in Heilungen) schon da ist (sich nicht entwickeln muß), während die Erwartung darauf geht, daß es zur ganzen Realität wird.

orientalischer Elemente auffällig. Mit dem Orient verbunden sind etliche der genannten Pflanzen,[59] der Löwe dürfte eher dort (nicht mehr) zu fürchten sein als in Italien, auf den Orient verweisen könnte auch die Schlange in dieser exemten Bedeutung als widriges Tier. Paradigmatisch ist der Umgang mit jenen Orientalia: Die bedrohliche Seite des Orients ist getilgt,[60] die erfreuliche vereinnahmt — romanisiert. Ist der Romanozentrismus der Ekloge noch verhüllt, so tritt er in den „*laudes Italiae*"[61] wenig später unverstellt zutage. Die Goldene Zeit ist realisiert, realisiert im römischen Bereich.

Dem in der Ekloge zentralen Motiv des „*Automaton*" korrespondiert die Hoffnung auf das Ende der (körperlichen) Arbeit. Hier liegt neben der Differenz von *Tilgung* und *Konversion* des Widrigen (und mit ihr verbunden) der zweite entscheidende Gegensatz zum Hoffnungspotential von Jes. 11 (im Kontext biblischer Rede von der Arbeit). Die Hoffnung auf die Entbindung *vom Zwang der Arbeit* steht gegen die biblische auf Entbindung *der Arbeit vom Zwang*.

Der Blickwinkel der Ekloge ist dort besonders verräterisch, wo als Befreiung der Natur ausgegeben wird, was in Wahrheit die Zurichtung der Natur auf die Interessen der Menschen, der Römer, der Herrscher ist.[62] Ist es ein entlegener Gedanke, (nicht nur) in diesem Zug der 4. Ekloge einen Vorschein auf die pax Romana zu sehen, in der Unterwerfung nicht mehr fortgesetzt werden muß, wenn den Unterworfenen ihre Rolle zur Natur geworden ist?

59. Direkt auf den Orient verweisen die *colocasia* (die ägypt. oder indische Wasserrose), explizit das *assyrische amomum*, aber auch die Farben der Schafe (42ff.), vor allem Purpur und Safran (zur Bedeutung dieser Farben als Herrschaftsfarben cf. V. Hehn, Kulturpflanzen und Haustiere Darmstadt ⁹1963, 264).

60. Die Rede von den Löwen, die das Vieh nicht fürchtet, läßt für sich genommen offen, ob die Löwen harmlos werden oder (wie die Schlangen) verschwinden. Die Erklärung bei W. Kraus, Vergils IV. Ekloge, 619 („Wenn es keine Löwen mehr gäbe, so wäre die Größe belanglos..." — unter Aufnahme von Wagenvoort), ist nicht konzis (Verhält es sich mit den kleinen Löwen anders? Das *magnus* sollte als Epitheton des Löwen verstanden werden. Die „Parallele" in Georg. 2,136-176 („laudes Italiae", s. die folgende Anm.) spricht davon, daß Tiger und Löwen keine Gefahr darstellen, weil sie „absunt" (z. 151). Die Stelle bleibt gegenüber der Alternative „Veränderung oder Vernichtung?" indifferent. Entscheidend für die Logik des Textes ist (wie wohl auch in ecl. 4), daß es sie in *Italien* nicht gibt. So ist der Tilgungsgedanke im Blick auf die Löwen unzweifelhaft belegt (wenngleich aus dem Kontext wahrscheinlich) — von einem „Frieden" mit den Löwen kann jedoch keine Rede sein.

61. Georg. 2,136-176; die „laudes Italiae" stellen nun auch grammatisch als Praesens dar, was in ecl. 4 im Gewand des Futur auftritt. Zur politischen Implikation der „laudes" cf. H. Reynen, Ewiger Frühling und goldene Zeit, Gymn. 72 (1965) 415 ff. (bes. 426 ff.). Zu berücksichtigen ist, daß Vergils *Romanozentrismus* kein „*Romanipsismus*" ist, Rom vielmehr bei Vergil (anders als bei Horaz und Properz und den Historikern außer Appian) als *caput Italiae* erscheint (so C. Hardie, Der *iuvenis* der Ersten Ekloge, Altspr. Unt. 24/5, 1981, 17 ff., bes. 28).

62. zur Herrschaftsbedeutung der Farben s.o.Anm. 59.

IV.

Wir sind am Ende unserer Konfrontation von Jes. 11 und ecl. 4 angelangt. Bedarf es einer vergleichenden Zusammenfassung? Stattdessen einige assoziative Hinweise: Daß es durchaus konträre Friedens*hoffnungen* gibt und daß diese je ihre Friedens*praxis* enthalten, wäre auch von einer solchen historisch-literarischen Erinnerung her zu bekräftigen ... Daß der jeweilige Blick auf die Natur und den Umgang mit ihr keine Erholung von der Politik bezeichnet, sondern diese selbst, ebenso ... Daß eine bestimmte Art der Friedensvorstellung ermöglicht, die jeweils eigene Militärmacht als größte Friedensbewegung zu bezeichnen (und zwar aus der Sicht der Erben des Heiligen römischen Reiches ebenso wie aus der Sicht der Erben des Dritten Rom), hat seine Geschichte ...[63]

Eine andere Folgerung wäre: Wo die Utopie als Kritik erscheint, vollends, wo Kritik nur die Form der Utopie haben kann, sind die Verhältnisse traurig. Wo die Utopie als realisiert ausgegeben wird und damit zum Verschwinden gebracht wird, sind die Verhältnisse schlimm. Wo aber der Gegensatz zwischen dem „jesajanischen" und dem „vergilischen" Blick nicht mehr wahrgenommen oder mit Gewalt zugeschüttet wird, wo das „Reich" „heilig" **und** „römisch" wird, da wird die Natur so „golden", daß in diesem Reich die Sonne nicht untergeht (oder — die nicht mitgenannte Kehrseite derselben Logik — immer schon untergegangen ist).

Das kürzeste Fazit aber könnte lauten: *an ihren Wünschen sollt ihr sie erkennen!*

63. Zur Rezeptions- und Wirkungsgeschichte cf. R. Faber, Die Verkündigung Vergils, Reich—Kirche—Staat. Zur Kritik der „Politischen Theologie", Hildesheim 1977; ders., Roma Aeterna, Zur Kritik der ‚Konservativen Revolution', Würzburg 1981, ferner die o. Anm. 5 genannten Arbeiten Fabers, bes. Politische Idyllik, 44 ff.
Zur pax Americana und ihrer expliziten Beerbung des Römischen cf. Faber, Abendland 84 ff. (eindrucksvoll z.B. das „novus ordo saeclorum" in der Verbindung mit dem Gründersiegel der USA, cf. H.U. Wehler, Der Aufstieg des amerikanischen Imperialismus. Studien zur Entwicklung des Imperium Americanum 1865—1900, Göttingen 1974, 11.)

Hans G. Kippenberg

„DANN WIRD DER ORIENT HERRSCHEN UND DER OKZIDENT DIENEN"

Zur Begründung eines gesamtvorderasiatischen Standpunktes
im Kampf gegen Rom.

Das Thema dieses Aufsatzes geht auf Jakob Taubes zurück, knüpft nach vielen Jahren an ein Seminar zur antiken Apokalyptik an, das über Vernunft und Unvernunft des antigriechischen und dann antirömischen Widerstandes diskutiert, das dann später die modernen antikolonialen Bewegungen als Parallelfall dazugenommen hat und das auf die Frage nach den Gründen und den Begründungen von Revolutionen auch die Religion ins Spiel brachte. Ihm sei dieser Artikel als Fortsetzung des Gedankenaustausches gewidmet.

Als im Juni 66 n. Chr. der Tempelhauptmann Eleasar, ein Sohn des Hohenpriesters Hananja, die diensttuenden Priester dazu überreden konnte, von Fremden keine Gaben oder Opfer mehr anzunehmen, da war der Krieg mit den Römern eröffnet. Denn nun wurden die Opfer für die Römer und den Kaiser eingestellt (Josephus, Bell. Jud. II 409f). Vorausgegangen war eine nicht endende Kette von Konflikten zwischen der römischen Besatzungsmacht und den Juden gewesen. Zur Wut, die lange gegärt hatte, aber trat eine Prophezeiung. Josephus, Bell. Jud. VI 312-314:

„Was sie aber am meisten zum Krieg angestachelt hatte, war eine zweideutige Prophezeiung (χρησμὸς ἀμφίβολος), die sich gleichfalls in den heiligen Schriften fand: ‚Daß zu jener Zeit aus ihrem Land einer über die bewohnte Erde (οἰκουμένη) herrschen werde'. Dies legten sie aus, als ob es um einen der ihren (οἰκεῖος) ging und viele der Weisen (σοφοί) täuschten sich in ihrem Urteil. Das Wort zeigte vielmehr die Herrschaft Vespasians an, der in Judäa zum Kaiser ausgerufen wurde. Aber es ist ja den Menschen nicht möglich, dem Verhängnis zu entrinnen, auch wenn sie es voraussehen".

Auf das erste Gesicht scheint es so, als habe Josephus hier eine messianische Verheißung der Tora auf den römischen Kaiser Vespasian bezogen. „Diese Exegese von Dan 7,13 und 9,26 bei Josephus ist eine böswillige Verfälschung der Schrift, die einzige, von der wir aus jener Zeit im Judentum wissen. Josephus hat aber mit dieser säkularisierten Apokalyptik und diesem pervertierten Messianismus eine politische Karriere gemacht. Er ist ‚Hofprophet', römischer Bürger und Freund von Kaisern geworden", schreibt E. Kocis[1]. Die Beurteilung des Josephus ist ganz maßgeblich von dieser Stelle bestimmt worden. Gerade die unerhörte Konsequenz, daß Josephus die Schrift böswillig verfälscht habe, muß zu denken

---

1. Apokalyptik und politisches Interesse im Spätjudentum. In: Judaica 27 (1971) S. 71-89 Zitat S. 82; auch bei H. Lindner (Die Geschichtsauffassung des Flavius Josephus im Bellum Judaicum. Leiden 1972) zeigt sich, daß diese Stelle für das Verständnis von Josephus überhaupt recht zentrale Bedeutung hat (S. 69-77).

geben. Stimmt denn überhaupt die Voraussetzung, es habe sich um eine messianische Weissagung gehandelt? Denn nur dann träfe dieses Urteil zu.

Es muß nun gerade dann, wenn man solchen Zweifel zu hegen beginnt, auffallen, daß bis heute keine alttestamentliche Weissagung benannt werden konnte, die zweifelsfrei gemeint ist. Es wurden erwogen: die Menschensohnweissagung von Dan 7,13f, die Bileamweissagung Num 24,7.12, die Weissagung Gen 49,10 vom Herrscher, dem die Völker gehorchen sowie andere Stellen[2]. Jedoch fügen sich diese Schriftstellen nicht zu der Prophezeiung, die Josephus zitiert. Man kann das Dilemma recht gut an der Argumentation von M. Hengel erkennen. Dem Menschensohn wird zwar die Herrschaft über die Völker der Erde übertragen, aber er ist ein himmlisches Wesen und kann nicht als ‚einer aus ihrem Land‘ bezeichnet werden. Hengel schlägt daher seinerseits die Bileam-Weissagung vor: „Es geht auf ein Stern aus Jakob, ein Szepter erhebt sich aus Israel". Der hier Angekündigte ist in der Tat ‚einer aus ihrem Land‘, ist jedoch wiederum kein Weltherrscher. Denn er befreit lediglich Israel von seinen Feinden ringsherum. Und ein gleiches Dilemma tut sich bei Gen 49,10 vor. Weder diese noch andere Stellen der Tora passen zu dem Zitat des Josephus. Mir scheint, daß der Zweifel, ob es sich überhaupt um eine messianische Weissagung der Tora handelt, durch diese Unsicherheiten eher noch verstärkt wird.

Lesen wir die Stelle noch einmal genau. Josephus sagt, die Weissagung werde *gleichfalls* (ὁμοίως) in den heiligen Schriften gefunden. Dies kann heißen: wie die Prophezeiung, die er eben besprochen hat und die „in den Orakelsprüchen (λόγια)" aufgeschrieben steht (311). Dieses Orakel aber steht nicht in der Tora[3]. Oder es kann heißen: diese Weissagung wird von den heiligen Schriften bestätigt. In beiden Fällen aber ist die Prophezeiung selber kein Zitat aus der Tora. Nimmt man diese Interpretation ernst, dann erklärt sich ganz zwanglos, daß erst durch eine Deutung, also durch eine Auslegung einer nicht-biblischen Prophezeiung, der Bezug auf einen Juden (οἰκεῖος) hergestellt wurde. Man muß daran erinnern, daß in den Schriften von Qumran und im Buche Daniel ja ebenfalls den Überlieferungen Deutungen (pešer) hinzugefügt wurden und daß diese Überlieferungen nicht nur Bibelworte waren, sondern in Daniel auch ein Traum, eine geheimnisvolle Schrift an der Wand und eine nächtliche Vision[4]. Daß Josephus die Weissagung als zweideutige bezeichnete, kann bestätigen, daß es sich hier um eine interpretationsbedürftige Aussage gehandelt hat. Dem entspricht ganz, daß sich Weise mit diesem Spruch befaßt haben. Auch hier muß man an Daniel denken, wo die apokalyptischen Lehrmeister, die anderen die wahre Einsicht bringen, maśkîlîm genannt wurden (11,33)[5]. Diese Weisen sind auch hier gemeint: sie

---

2. Ich nenne einige neuere Literatur: O. Michel — O. Bauernfeind, Flavius Josephus, De Bello Judaico II,2. München 1969 S. 190-192; M. Hengel, Die Zeloten. Köln/Leiden 1961 S. 243-246; M. de Jonge, Josephus und die Zukunftserwartungen seines Volkes. In: Josephus — Studien. Festschrift für O. Michel. Göttingen 1974 S. 205-219 auf S. 209ff. Außerdem das Buch von H. Lindner (s. Anm. 1) sowie die älteren Arbeiten von E. Norden und H. Windisch (s. u. Anm. 6).

3. I. Hahn, Zwei dunkle Stellen in Josephus. In: AcOrHung. 14 (1962) S. 131-139.

4. J. J. Collins, The Apocalyptic Vision of the Book of Daniel. Missoula, Montana 1977 S. 78-82.

5. J. J. Collins aaO S. 57f. 210-212. „This group cannot be identified with the chief scribes and authoritative interpreters of the Torah" (S. 57). Siehe auch den Artikel von J. J. Collins, Jewish Apo-

erhoben aus dem Spruch die Einsicht, daß ein Jude gemeint sei. Damit wurde das nicht-bi-
blische Wort als Prophezeiung des jüdischen Messias ausgelegt. Doch was war das für ein
Wort und wieso soll eine nicht aus der Tora stammende Prophezeiung solche große Wirkung erzielt haben?

Es ist an dieser Stelle notwendig, sich den parallelen Berichten des Tacitus und des Sueton zuzuwenden — Berichten, die von vielen Historikern — abgesehen von E. Norden und
H. Windisch — als sekundär gegenüber Josephus behandelt wurden[6]. Hier die beiden Texte. Tacitus, historiae V 13,2:

„Nur wenige Juden gerieten über der Deutung dieser Ereignisse (eine Reihe von Vorzeichen) in Besorgnis: die Mehrzahl von ihnen war überzeugt (persuasio), es werde einem
Wort in den alten Schriften der Priester zufolge um jene Zeit geschehen, daß der Orient er-
starke und Männer, die aus Judäa aufbrechen, sich der Herrschaft bemächtigen (eo ipso
tempore fore ut valesceret Oriens profectique Judaea rerum potirentur). Dies dunkle Wort
(ambages) hatte den Vespasian und den Titus vorausgesagt, doch hatte die große Masse,
menschlichem Wunschdenken entsprechend, sich selbst eine so hohe Bestimmung zugezo-
gen und wurde nicht einmal durch das Scheitern des Aufstandes zur Wahrheit bekehrt".

Sueton, Vespasianus IV 5: „Über den ganzen Orient hatte sich die alteingewurzelte Meinung verbreitet, es stehe in den Sprüchen der Gottheit, daß um jene Zeit Männer aus Judäa
aufbrechen und sich der Weltherrschaft bemächtigen werden (ut eo tempore Judaea profecti rerum potirentur). Diese Voraussage betraf — wie später aus den Ereignissen deutlich
wurde — einen römischen Kaiser, doch die Juden hatten sie auf sich bezogen und einen
Aufstand angezettelt". Der Text des Sueton bestätigt alle Besonderheiten, die Tacitus gegenüber Josephus kennzeichnen, zieht allerdings den Orient aus der Weissagung selber heraus, um ihn zum Subjekt der Erwartung zu machen — ein Verwässerung der prägnanten
Darstellung des Tacitus.

Die Parallele des Tacitus erlaubt es, den Inhalt der Weissagung, auf die Josephus sich bezieht, zu präzisieren. Ich setze beide Texte untereinander:

κατὰ τὸν καιρὸν ἐκεῖνον ἀπὸ τῆς χώρας αὐτῶν τις ἄρξει τῆς οἰκουμένης
eo ipso tempore fore ut valesceret Oriens profectique Judaea rerum potirentur.

Die lateinische Wendung profecti Judaea bestätigt, daß es sich nicht um eine biblische
Weissagung, die sich auf den Messias bezieht, handeln kann. Vorausgesagt wird eine Eroberung der Weltherrschaft geographisch vom Land Judäa aus: ἀπὸ und nicht ἐκ. Der Vorgang der Eroberung und nicht eine bestimmte Person bilden den Inhalt der Prophezeiung.
Dazu paßt nun jenes Plus, das Tacitus dem Josephus voraus hat: ut valesceret Oriens. Denn

---

calyptic against its Hellenistic Near Eastern Environment. In: BASOR 220 (1975) S. 27-36; der Unterschied zwischen regulärem und inspiriertem Schriftgelehrten ist von H. Stadelmann, Ben Sira als
Schriftgelehrter. Tübingen 1980 behandelt worden.

6. E. Norden, Josephus und Tacitus über Jesus Christus und eine messianische Prophetie. In: Neue
Jahrbücher für das klassische Altertum 31 (1913) S. 637-666; H. Windisch, Die Orakel des Hystaspes.
In: Verh. Kon. Ak. v. Wet. Afd. Letterkunde 28,3. Amsterdam 1929. Eine quellenkritische Analyse
der Texte von Tacitus, Sueton und Josephus bei H. Lindner (s. Anm. 1) S. 125-132.

„von Osten (ἀπ' ἠελίοιο) wird Gott einen König schicken" heißt es in Or. Sib. III 652 und eine ähnliche Aussage treffen wir in Apk 16,12, im ägyptischen Töpferorakel sowie im Hystaspesorakel an[7]. Die Hoffnung, daß ein König aus dem Osten die Herrschaft erobern werde, war verbreitet gewesen. Sie gründete sich offensichtlich nicht auf spezifische ethnische Erlösererwartungen, sondern vertrat einen gesamtvorderasiatischen Standpunkt. Eine gewisse Relativierung der ethnischen Überlieferungen war wohl mit ihr verbunden.

Will man die These, daß dem Texte des Tacitus der Vorzug gebührt, mit Aussicht auf Erfolg vertreten, dann ist es unumgänglich zu erklären, warum denn Josephus bzw. seine Vorlage die Prophezeiung verändert haben. Gerade hierfür gibt es aber eine überzeugende Lösung. Ich muß zu diesem Zwecke eine Parallele zu Tacitus einführen: ein Wort aus den Hystaspesorakeln (die im 1. Jh. von Persern in Kleinasien formuliert worden sind).

Dort heißt es:

„Der Grund dieser Verwüstung und Verwirrung (vastitas et confusio) wird sein, daß der Name Roms, in dem jetzt die Welt regiert wird, von der Erde vertilgt wird und die Herrschaft nach Asien zurückkehrt; dann wird der Orient wieder herrschen und der Okzident dienen" (Lactantius, Divinae Institutiones VII 15,11)[8].

Auch die Hystaspesorakel vertraten also einen gesamtvorderasiatischen Standpunkt. Nun hat aber diese Prophezeiung Eingang gefunden in die zoroastrische mittelpersische Apokalyptik: ist Teil der spezifisch iranischen Tradition geworden. Dabei wurde der unbekannte große König aus dem Osten (Lactantius, Div. Inst. VII 17,11) iranisiert und durch eine Person iranischer Herkunft: durch Pešyōtan ersetzt[9]. Wir können in diesem Falle beobachten, daß der gesamtvorderasiatische Standpunkt in der mittelpersischen Apokalyptik aufgegeben und durch einen dezidiert zoroastrischen ersetzt worden ist. Ebenso — und das

---

7. Bei dieser Interpretation folge ich H. Fuchs, Der geistige Widerstand gegen Rom in der antiken Welt. Berlin 1938 S. 31-35 gegen J. Bidez — F. Cumont, Les Mages Hellénisés. Bd. 2. Paris 1938 S. 372, der diese und die anderen Texte als „croyance à la descente sur la terre d'un dieu solaire" auslegt. Ausführlicher noch geschah das in dem Artikel von F. Cumont, La fin du monde selon les mages occidentaux. In: RHR 103/104 (1931) S. 29-96 auf den S. 82-87. Zweifel an der Richtigkeit von Cumont's Auffassung auch bei C. Colpe, Der Begriff „Menschensohn" und die Methode der Erforschung messianischer Prototypen. In: Kairos 12 (1970) S. 81-112 auf S. 107f. Hystaspesorakel: Lactantius, Divinae Institutiones VII 17,11 (rex magnus de caelo) und VII 18,5 (D. Flusser siehe Anm. 8, S. 40f denkt an den Menschensohn, der mit den Wolken des Himmels kommt); Töpferorakel: L. Koenen, Die Prophezeiungen des „Töpfers". In: Zeitschrift für Papyrologie und Epigraphik 2 (1968) S. 178-209 auf S. 206f.

8. Die Diskussion um Herkunft der Hystaspesorakel ist noch stets im Gange. Siehe den Artikel von D. Flusser, der an jüdische Herkunft denkt (Hystaspes und John of Patmos. In: Sh. Shaked ed, Irano-Judaica. Jerusalem 1982, S. 12-75). Bislang war eine persische Herkunft communis opinio, wobei allerdings über die Datierung unterschiedliche Auffassungen bestanden: H. Windisch sprach sich für das 1. v. — 1. n. Chr. aus (s. Anm. 6 S. 96-101), F. Curmont in seinem Artikel von 1931 (s. Anm. 7) dachte an die Zeit nach der Niederlage des Mithridates 64 v. Chr. (S. 65), C. Colpe plädiert für um 200 v. Chr. und rechnet dann mit späteren Aktualisierungen (s. Anm. 7 S. 85 und 104-107).

9. Ich habe dies dargelegt: Die Geschichte der mittelpersischen apokalyptischen Traditionen. In: Studia Iranica 7 (1978) S. 49-80 S. 64-75.

ist die Lösung für die Textversion des Josephus — haben die jüdischen Weisen den Spruch auf die tradierten jüdischen Erwartungen zugeschnitten und den gesamtvorderasiatischen Standpunkt fallen lassen. Josephus hat die Prophezeiung in einer jüdisch interpretierten Gestalt in sein Geschichtswerk aufgenommen, wohingegen Tacitus mit einem solchen gesamtvorderasiatischen Anspruch keine Schwierigkeiten gehabt hat. Mir scheint, daß darum nicht die Version des Tacitus, sondern die des Josephus sekundär ist.

Wir haben auf diese Weise das Wort, das dem Zitat des Josephus zugrundeliegt, ermittelt. Jedoch kann man sich mit solchem Resultat sicher nicht abfinden. Das Gedankengut der Sibyllinen „kann die eschatologische Ideologie des judäischen Aufstandes keineswegs befriedigend erklären", wendet I. Hahn gegen W. Weber ein, der eine ähnliche Lösung im Auge hatte[10]. Ich meine, daß sich auch dieser Einwand entkräften läßt. Man kann nämlich die oben gemachte Beobachtung, daß eine gewisse Konkurrenz zwischen einem gesamtvorderasiatischen und einem dezidiert ethnischen Standpunkt im Kampf gegen Rom bestand, mit einer Typologie bäuerlicher Aufstandsbewegungen zusammenbringen. Solchen Bewegungen liegen Koalitionen zugrunde: entweder von Bauern bzw. Handwerkern mit anderen Genossen, die sich in gleicher sozialer Lage befinden (horizontale Koalitionen) oder aber von Bauern bzw. Handwerkern mit ihrer eigenen Aristokratie (vertikale Koalitionen). Diese zwei Typen unterscheiden sich hinsichtlich der Stellungnahme zur Tradition: vertikale Koalitionen machen den Kampf für die Geltung der Überlieferung zur Basis des Aufstandes, horizontale relativieren deren Geltung zu Gunsten gemeinsamer sozialer Ziele. Diese ganz allgemeinen Erwägungen lassen den Unterschied zwischen einem vorderasiatischen und einem dezidiert ethnischen Standpunkt in einem anderen Licht erscheinen. Wäre es nicht denkbar — so die Hypothese —, daß in dem Spruch vom Erstarken des Orients sich Gruppen artikulieren, die zwar am Krieg gegen Rom interessiert waren, nicht aber an einer Verteidigung der traditionalen aristokratischen Ordnung? Der Krieg gegen Rom war in seiner praktischen Durchführung von der einheimischen Aristokratie und zwar dem Geburtsadel beherrscht[11]. Hier nun würden sich Gruppen zu Wort melden, die nicht traditionalistische, sondern gesamtvorderasiatische Zielsetzungen verfolgten. Diese Hypothese möchte ich im folgenden wahrscheinlich machen. Dies soll geschehen, indem die Begründung dieses gesamtvorderasiatischen Spruches untersucht wird. Hier kommt

10. Josephus und die Eschatologie von Qumrān. In: H. Bardtke (Hg.), Qumran-Probleme. Berlin 1963 S. 167-191 auf S. 168; W. Weber, Josephus und Vespasian. Untersuchungen zu dem jüdischen Krieg des Flavius Josephus. Berlin/Stuttgart/Leipzig 1921 S. 36ff. Ganz anders als I. Hahn hat R. MacMullen die sibyllinischen Orakel als politisch gefährlich beurteilt: Enemies of the Roman Order. Cambridge, Mass. 1966, S. 146.

11. Zu der Typologie bäuerlicher Aufstandsbewegungen siehe E. Wolf, Peasants. Englewood Cliffs 1966 S. 81-89; H. Alavi, Peasant Classes and Primordial Loyalties. In: Journal of Peasant Studies 1 (1973) S. 23-69. S. K. Eddy, The King is Dead. Studies in the Near Eastern Resistance to Hellenism 334-31 B. C. Lincoln 1961 unterscheidet zwischen antigriechischen Bewegungen, die lediglich die Rückgabe des Königtums verlangten und solchen, die sich gegen ökonomische Ausbeutung zur Wehr setzten und gerade auch von Bauern unterstützt wurden (S. 40 und 58); die Begründung der These, beim Jüdischen Krieg habe die einheimische Aristokratie ein gewichtiges Wort mitgeredet, habe ich gegeben in: Religion und Klassenbildung im antiken Judäa. Göttingen 1982². S. 133f.

uns der dritte wichtige Text (neben Tacitus und Lactantius) zu Hilfe: die sibyllinischen Orakel. Diese jüdische Schrift überliefert ein antirömisches Orakel, das aus Kleinasien stammt und zwar aus der Zeit, als Mithridates VI Eupator und die Römer gegeneinander Krieg führten (89 — 66 v. Chr.). „Dreimal soviel Geld, wie Rom von dem tributpflichtigen Asien empfangen hat, wird Asien von Rom wiederum empfangen und sich für den verderblichen Hochmut (ὕβρις) an ihm rächen. Zwanzigmal soviele Menschen, wie aus Asien dem Hause der Italer Dienste verrichteten, werden aus Italien in Asien als mittellose Arbeiter schuften (θητεύειν ἐν πενίη) und sie werden je Tausende schuldig sein (ὀφλισκάνειν)" (Sib III 350-355)[12]. Eine Verpflichtung zum Tribut hatten alle vorderasiatischen Völker. Bereits die Vorgänger der Römer, die Griechen, hatten die mit dem Speer erworbenen Länder als Eigentum des Eroberers angesehen. Als Eigentümer des Grund und Bodens hatte der Herrscher Recht auf eine Produktenabgabe bzw. konnte sein Recht daran an Personen oder Institutionen wie Städte und Tempel abtreten. Nachdem die Römer die Griechen abgelöst hatten, organisierten sie die Einziehung des Tributes auf eine andere Weise: sie übertrugen dieses Recht des Staates an private Gesellschaften (publicani). Diese erwarben das Recht gegen Bezahlung hoher Summen Geldes — in der Erwartung, durch hartes Auftreten und durch Verschuldungspraktiken große Gewinne zu erwirtschaften. In welchem Ausmaß die Provinz Asia zum Objekt der Publicanen geworden war, das plaudert Cicero aus: Als Mithridates gegen Rom Krieg führte, da gingen in Asien große Vermögenswerte verloren, stockten in Rom die Zahlungen und brach der Kredit zusammen (Pro lege Manilia de imperio Cn. Pompei IV 14-19).

Die Worte, in denen das sibyllinische Orakel das Los der Italer beschreibt, die als mittellose Arbeiter in Kleinasien schuften werden und dabei noch jeder Tausende schulden, spiegeln eigene böse Erfahrungen wieder. Wie du mir, so ich dir. Hierfür gibt es subtile Bestätigung. Plutarch stellt nämlich in seiner vita des Lucullus dar, wie die Publicanen die Provinz Asia ruiniert hatten und wie Lucullus diesem Treiben römischer Profiteure ein Ende gesetzt hatte (im Jahre 71/70 v. Chr.). Begonnen hatte das Unglück Kleinasiens mit einer fiskalen Schuld von 20.000 Talenten, die Sulla der Provinz nach dem ersten Krieg der Mithridates im Jahre 85 v. Chr. auferlegt hatte. Geldleiher hatten den Bürgern ihre Schuld vorgestreckt und die Schuldsumme durch Zinsen auf 120.000 Talente hochgetrieben, obwohl die Schuldner bereits das Doppelte der Ausgangsschuld bezahlt hatten.

Die Wendung: „... und sie werden je Tausende schuldig sein" bezieht sich auf diese Lage: Es geht nicht um private Schulden, es geht um eine staatliche zur Strafe für den Krieg ver-

---

12. Wie schon zuvor W. W. Tarn setzt neuerdings auch J. J. Collins das Orakel in der Zeit des Krieges von Antonius und Kleopatra gegen Rom an (The Sibylline Oracles of Egyptian Judaism. Missoula, Montana 1972 S. 58-61). J. Geffcken, Komposition und Entstehungszeit der Oracula Sibyllina. Leipzig 1902 S. 8 brachte es mit dem ersten Krieg des Mithridates gegen Rom zusammen (88 v. Chr.). H. Fuchs hat diese Annahme weiter unterbaut (Poseidonios berichtet, daß Orakel diesem König die Weltherrschaft verheißen hätten) (s. Anm. 7 S. 36). E. Kocsis, Ost-West Gegensatz in den Jüdischen Sibyllinen. In: NT 5 (1962) S. 105-110 schließt sich dem an. Eine Datierung auf Grund des inhaltlichen Vorwurfes gegen Rom, wie im folgenden vorgetragen, führt zu einer Datierung zwischen 85 und 71/70 v. Chr.

hängte Schuld. Weil dies so war, darum wurde der zahlungsunfähige Schuldner über seinen Bankrott hinaus noch schwer gestraft. Die Details schildert Plutarch: Steuerpächter und Geldleiher zwangen die Bürger, privat ihre wohlerzogenen Söhne und jungfräulichen Töchter als Sklaven zu verkaufen und das gleiche mit den Weihgeschenken, Gemälden und heiligen Standbildern der Stadt zu tun. Und dann folgt eine genaue Beschreibung der Bestrafung dieser Tributschuldner:

„Ihr eigenes Ende war der Sklavendienst, nachdem sie den Gläubigern überhändigt worden waren (πρόσθετος = addictus). Schlimmer noch aber war, was dem voranging: Fesselung, Einkerkerung, Pferde, im Freien Stehen: in der Sommerhitze in der Sonne, in der Winterkälte in Schlamm oder Eis, sodaß die Sklaverei geradezu ein Schuldenerlaß (σεισάχθεια) und ein Friede zu sein schien"[13] (Plutarch, Lucullus XX).

Für diese Kriminalisierung von Tributschuld gibt es noch andere vorderasiatische Zeugnisse. Ein besonders interessantes stammt aus der Feder von Philo von Alexandrien. Es ist auch deshalb für uns wertvoll, weil es zu erkennen gibt, daß Juden die Tributrepression als ganz und gar Unrecht empfunden haben. Philo berichtet, daß Menschen, die aus Armut (πενία) Tributschulden hatten, aus Furcht vor den erbarmungslosen Strafen eines Steuerbeamten geflohen waren. Daraufhin hatte dieser ihre Frauen, Kinder, Eltern und die übrige Verwandschaft festnehmen und mißhandeln lassen, damit sie entweder den Aufenthaltsort des Flüchtigen verrieten oder aber seine Schuld bezahlten. Zu beidem waren sie natürlich nicht imstande. Daraufhin folgten Folterungen. Es heißt: „Er hing einen Korb voller Sand, den er mit Knoten befestigte, an ihren Hals, eine sehr schwere Last, und ließ (sie) mitten auf dem Markt im Freien stehen, damit sie auf Grund der gehäuften Strafen, des Windes, der Sonne, des Ehrverlustes vor den Passanten und den an ihnen hängenden Lasten auf gewalttätige Weise bezwungen den Mut aufgaben. Die Zuschauer dieser Strafen aber empfanden schon zuvor Schmerz" (Philo, De specialibus legibus III 159f).

Diese Kriminalisierung von Tributschuld hatte alle vorderasiatischen Völker getroffen. Und schon zur Zeit der griechischen Herrschaft über Vorderasien, die ja die Auffassung eines Eigentums des Herrschers am eroberten Land eingeführt hatte, verbreitete sich im Orient die Erwartung, das auf das vierte Reich der Griechen, dem die der Assyrer, Meder und Perser vorangegangen waren, ein fünftes wiederum orientalisches Reich folgen werde[14]. Inwieweit hier eine historische Erinnerung an die vorgriechische Herrschafts-

---

13. Bei diesem und dem nächsten Text verdanke ich Dr. A. Hilhorst Hilfe. σχοινισμός ist umstritten. Passow meldet s. v. „die Einzäunung durch Stricke oder Seile... nach Andern eine Art Folter oder Leibesstrafe" (beides hinsichtlich Plutarch, Lucullus XX); Passow erklärt κιγκλίς als „eine Art Gefängnisstrafe", Lidd.-Sc. denkt an ein Folterinsturment: fidiculae; ἵπποί bezeichnet wahrscheinlich das Folterwerkzeug eculeus (Lidd.-Sc.). Zur Folter (juristisch) und den Folterwerkzeugen siehe die Artikel in RAC VIII 1972 S. 101-112 (G. Thür) und S. 112-141 (J. Vergote).

14. J. W. Swain, The Theory of the Four Monarchies: Opposition History under the Roman Empire. In: CPh 35 (1940) S. 1-21; neuerdings hat D. Flusser Swains These noch einmal überprüft und teilweise korrigiert: The Four Empires in the Fourth Sibyl and in the Book of Daniel. In: Israel Oriental Studies 2 (1972) S. 148-175. Er bestätigt die Auffassung, daß das fünfte Reich ein orientalisches sein werde (S. 157f).

form, die ein solches privates Recht des Herrschers am eroberten Land nicht kannte, vorliegt, ist nicht mehr auszumachen. Sicher ist nur, daß bereits die griechische und dann — mit effektiveren Mitteln — die römische Herrschaft die Bauern zu λαοί d.h. zu tributpflichtigen Produzenten degradiert hatte. Der Tribut war eine permanente Schuld dieser Produzenten. Ausgenommen davon war nur die Bevölkerung der tributfreien Städte samt dem Umland[15]. Damit zeichnet sich auch zugleich ein soziales Milieu ab, in dem das sibyllinische Orakel Anklang gefunden haben könnte: tributpflichtige Bauern in Gebieten, die wegen einer Erhebung gegen römische Befehlshaber mit zusätzlichen Tributforderungen belegt worden waren: quasi victoriae praemium ac poena belli nennt Cicero (in Verrem actio III,6) den Tribut.

Damit wäre ausgehend von den sibyllinischen Orakeln eine der Begründungen, die der Prophezeiung Anklang verschafft haben, rekonstruiert. Daß Juden die sibyllinischen Orakel, darunter jenes aus Kleinasien stammende, schriftlich festgehalten haben, weist darauf, daß in Judäa in ähnlicher Weise gedacht wurde. Diese Provinz war von den Römern wiederholt wegen ihrer Unbotmäßigkeit mit erhöhtem Tribut gestraft worden (Josephus, Ant. Jud. XVII 319f; Appian, Syriaca 50). An einer Stelle seiner Antiquitates Judaicae stellt Josephus einen Zusammenhang her: zwischen der Unfähigkeit, den Tribut zu entrichten und der Ausbreitung der Räuberei (XVIII 274). Die entwurzelten Bauern, die aus den tradierten Loyalitäten herausgestoßen worden waren, bildeten Gruppen mit eigenen Anführern, die — neben Sikariern und Zeloten — den jüdischen Krieg gegen Rom führten[16]. Damit schließt sich der Kreis. Die durch die Tributforderung ihrer bäuerlichen Existenz beraubten, den traditionellen Loyalitäten entfremdeten „Banditen" wären als Propagandisten eines gesamtvorderasiatischen Standpunktes im Kampf gegen Rom denkbar. Natürlich nur: denkbar. Sicherheit ist auf diesem Gebiete nicht zu erlangen. Man kann höchstens durch das Zusammentragen von Indizien die Wahrscheinlichkeit für eine solche Hypothese vergrößern.

Ein letztes Wort muß der Zeitbestimmung gelten. I. Hahn hat in dem Ausdruck: „Zu jener Zeit" eine apokalyptische Berechnung des Endes erblicken wollen. Entsprechend einer ,kurzen' Chronologie, die die Perserzeit unhistorisch verkürzt habe, habe man für das

---

15. Zur griechischen Theorie des speererworbenen Landes: W. Schmidthenner, Über eine Formveränderung der Monarchie seit Alexander d. Gr. In: Saeculum 19 (1968) S. 31-46. A. Mehl, Δορίκτητος χώρα. Kritische Bemerkungen zum „Speererwerb" in Politik und Völkerrecht der hellenistischen Epoche. In: Ancient Society 11/12 (1980/81) S. 173-212. Zur Rechtsstellung der Bauern in Kleinasien (und auch darüberhinaus) P. Briant, Remarques sur ,laoi' et esclaves ruraux en Asie Mineure hellénistique. In: Actes du Colloque 1971 sur l'esclavage. Paris 1973 S. 93-133; H. Kreissig, Propriété foncière et formes de dépendance dans l'hellénisme oriental. In: Terre et paysans dans les sociétés antiques. Paris 1979 S. 197-221.

16. Zur Entwurzelung siehe G. Theißen, ,Wir haben alles verlassen' (Mc. X 28). Nachfolge und soziale Entwurzelung in der jüdisch-palästinischen Gesellschaft des 1. Jahrhunderts n. Chr. In: NT 19 (1977) S. 161-196; die eigenständige Rolle der „Banditen" im Kampf gegen Rom hat R. A. Horsley dargestellt: Ancient Jewish Banditry and the Revolt against Rome, A. D. 66-70. In: CBQ 43 (1981) S. 409-432.

Jahr 70 n. Chr. mit dem Ablauf der zehn Yobeljahre und dem Anbruch der Erlösung gerechnet. Ich meine, daß die Wahrscheinlichkeit solcher Rekonstruktion klein ist. Viel wahrscheinlicher scheint mir eine Auffassung, die aus dem Hystaspesorakel gewonnen werden kann. „Der Grund der Verwüstung und Verwirrung wird sein, daß der Name Roms, in dem jetzt die Welt regiert wird, von der Erde vertilgt wird", hieß es dort. Die Zeit des Herrschaftswechsels wird durch vastitas und confusio angezeigt. Die Auflösung der sozialen Ordnung und insbesondere auch der sozialen Loyalitäten ist das Zeichen der Endzeit[17]. „Das wird die Zeit sein, in der die Gerechtigkeit verbannt wird, die Unschuld gehaßt wird, die Schlechten die Guten als Beute feindlich verschleppen" (Lactantius, Divinae Institutiones VII 17,9). „Millennial calculations make the end of the world a literal instead of a visionary reality. It is not a question of a temporal interval, short or long, but of a visionary breakthrough. The real meaning of the last days is Pentecost" (N.O. Brown).

17. I. Hahn (s. Anm. 10). Es handelt sich um den Seher Olam Rabba und eine Notiz des Hieronymus. Die Interpretation, die H. Fuchs (s. Anm. 7 S. 32) dem Wort der Hystaspesorakel gibt (es prophezeit eine unheilvolle Herrschaft Asiens), scheint mir hergeholt. Ich verstehe das Wort konform Sib III 652f: „Und dann wird Gott von Sonnenaufgang einen König schicken, der auf der ganzen Erde den schrecklichen Krieg beendigen wird".

Ernst Tugendhat

ÜBER DEN SINN DER VIERFACHEN UNTERSCHEIDUNG DES SEINS BEI ARISTOTELES (METAPHYSIK Δ 7)

Τὸ ὂν λέγεται πολλαχῶς. „Seiendes wird in mehreren Bedeutungen gesagt." Dieser berühmte Satz liegt dem Aufriss der zentralen Abhandlung in der *Metaphysik*, die von E2 bis Θ 10 reicht, zugrunde. Das Textstück, in dem Aristoteles sagt, was er mit diesem Satz meint, ist bekanntlich das Kapitel Δ7. Hier werden vier Bedeutungen von ὄν/εἶναι genannt, und die zweite dieser vier Bedeutungen wird ihrerseits in acht Bedeutungen unterschieden, so viele als es Kategorien gibt. In der Abhandlung E2—Θ10 beruft sich Aristoteles, wenn er sich auf Δ7 zurückbezieht, je nach Bedarf und Kontext entweder auf die umfassende 4-fache Unterscheidung (1026a33ff, 1045b32, 1051a33ff) oder auf die interne 8-fache Untergliederung der 2. Bedeutung (1028a10ff).

Auf diesen Satz τὸ ὂν λέγεται πολλαχῶς pflegt man sich auch seither in der Philosophie mit Vorliebe zu berufen, wenn man auf die Vieldeutigkeit von „Sein" verweist. Ist es dann aber nicht verwunderlich, wie wenig man sich bisher darüber gewundert hat, daß die Unterscheidungen, die Aristoteles in Δ7 macht, gar nicht die sind, an die normalerweise gedacht wird, wenn man von den verschiedenen Bedeutungen von „Sein" spricht, also insbesondere die Unterscheidungen zwischen dem „ist" als Copula, dem „ist" der Identität und dem Sein im Sinn von Existenz? Die Annahme, daß diese Unterscheidungen Aristoteles aus irgendwelchen Gründen nicht zugänglich waren, scheidet aus, denn es sind gerade diese drei Bedeutungen, die schon Platon im *Sophistes* unterschieden hat.

Lassen wir die negative Frage, warum sich bei Aristoteles die üblichen Unterscheidungen nicht finden, erst einmal beiseite! Ich finde es ebenso verwunderlich, wie wenig man sich bisher über die Unterscheidungen gewundert hat, die Aristoteles positiv vorführt und die jedenfalls zum Teil so wenig dem entsprechen, was man sich unter den verschiedenen Bedeutungen von „sein" vorzustellen pflegt. Ja es ist nicht einmal klar, was es denn überhaupt ist, was Aristoteles hier unterscheidet.

Das Kapitel gliedert sich so, daß die Bedeutungen Nr. 3 und Nr. 4 jeweils durch ein ἔτι angehängt werden. Im 1. Satz werden nur 2 Bedeutungen genannt, und diese werden einander alternativ und scheinbar exhaustiv gegenübergestellt: τὸ ὂν λέγεται τὸ μὲν κατὰ συμβεβηκὸς τὸ δὲ καθ' αὐτό. Es ist dieser Satz, der bisher noch nirgends befriedigend erklärt wurde. Was meint Aristoteles mit dieser Unterscheidung? Inwiefern bilden die beiden Bedeutungen von ὄν/εἶναι, die 1017a9-22 und 1017a22-30 vorgeführt werden, einen verständlichen Kontrast?

Soweit ich sehe, ist diese für das Verständnis von Δ7 grundlegende Frage von den älteren Kommentatoren überhaupt nicht gesehen worden. Wahrscheinlich ist Heinrich Maier der erste gewesen, der das Problem gesehen hat.[1] Ich übergehe seine Ausführungen, weil

---

1. H. Maier, *Die Syllogistik des Aristoteles* (Tübingen 1896/1900), II, 2,328[1].

sich eine im Prinzip ähnliche, aber glattere Auffassung bei Ross findet,[2] der vielleicht von Maier beeinflußt war.

Soviel sollte klar und unkontrovers sein: 1. Die Begriffe καθ' αὐτό und κατὰ συμβεβηκός verhalten sich bei Aristoteles kontradiktorisch zueinander. Wenn etwas nicht καθ' αὐτό ist (bzw. so ist), ist es (bzw. ist es so) κατὰ συμβεβηκός. 2. Der Begriff καθ' αὐτό ist seinerseits ein πολλαχῶς λεγόμενον, wobei die Unterscheidungen, die Aristoteles in Δ 18 (1022a25ff) aufführt, nicht ausreichen; ebenso wichtig sind Anal.Post. A4 und A22. Um also zu verstehen, was Aristoteles meint, wenn er in Δ 7 sagt, von Seiendem sprechen wir entweder καθ' αὐτό oder κατὰ συμβεβηκός, kommt alles darauf an, in welchem Sinn hier καθ' αὐτό gemeint wird.

Ross setzt nun voraus, daß καθ' αὐτό in Δ 7 in dem bei Aristoteles am häufigsten vorkommenden Sinn verwendet wird, nämlich als eine Qualifikation der Attribution bzw. Prädikation: S ist P entweder καθ' αὐτό oder κατὰ συμβεβηκός; oder umgekehrt formuliert: P kommt S entweder καθ' αὐτό oder κατὰ συμβεβηκός zu. Diese Voraussetzung scheint gut in den Kontext von Δ 7 zu passen, da die Attribution bzw. Prädikation im „ist" als Copula zum Ausdruck kommt.

Nur ist es leider unmöglich, diese Auffassung mit dem zu vereinbaren, was Aristoteles über das ὄν καθ' αὐτό in 1017a22ff ausführt. Nach Ross müßte das ὄν καθ' αὐτό für Wesensaussagen stehen. Eine καθ' αὐτό Attribution ist für Aristoteles dann gegeben, wenn der Prädikat-Terminus dem Subjekt-Terminus auf die eine oder andere Art wesentlich zukommt, sei es daß der Prädikat-Terminus die Definition des Subjekt-Terminus oder einen Teil seiner Definition enthält (Genus oder Differentia specifica), sei es, daß es sich um ein sog. συμβεβηκὸς καθ' αὐτό handelt (vgl. 73a34ff). Nun sagt Aristoteles in 1017a22ff, daß es so viele Bedeutungen des ὄν καθ' αὐτό gibt, wie es Kategorien gibt. Aus diesem Grund meint Ross, daß hier nur solche Wesensaussagen gemeint sein können, in denen der Prädikat-Terminus die Gattung des Subjekt-Terminus ist, weil sonst Subjekt-Terminus und Prädikat-Terminus verschiedenen Kategorien angehören könnten.

Dieses Ergebnis ist unakzeptabel, weil wir (z.B. aus dem Kapitel Z 1, das die in Δ 7 gemachten Unterscheidungen des ὄν καθ' αὐτό unmittelbar aufnimmt) wissen, daß Aristoteles meint, daß in den verschiedenen Kategorien verschiedene Seinsbedeutungen deswegen enthalten sind, weil sie für die verschiedenen Arten stehen, wie man etwas (ein Individuum) charakterisieren kann: man kann sagen (bzw. fragen), was es ist, wie beschaffen es ist, wie groß es ist usw. Gerade diese Unterschiede spielen aber überhaupt keine Rolle, wenn wir die Gattung eines Prädikats angeben; in diesem Fall lautet die Frage immer gleich, nämlich τί ἐστι, wobei dieses τί ἐστι natürlich zu unterscheiden ist von dem τί ἐστι, wo diese Frage sich auf ein Individuum bezieht (vgl. Topik A9).

Damit scheidet nicht nur die besondere Auffassung von Ross aus, derzufolge es sich um Wesensaussagen einer besonderen Art handelt. Mit dem ὄν καθ' αὐτό kann Aristoteles überhaupt keine Wesensaussagen im Auge gehabt haben, denn bei Wesensaussagen ergibt sich nicht die Differenzierung in Kategorien. Es kommen nur Individualaussagen in Frage nach dem Schema „Dieses S ist P", z.B. „Der (dieser) Mensch ist gesund". Tatsäch-

---

2. Vgl. seinen Metaphysik-Kommentar ad loc.

lich bringt Aristoteles beim ὂν καθ᾽ αὑτό gerade dieses und ähnliche Beispiele, wozu Ross vermerkt: „Aristotle makes his meaning unnecessarily obscure by citing propositions which do not assert essential being at all." Warum, so fragt man sich, soll Aristoteles, wenn das wirklich „his meaning" gewesen wäre, so unpassende Beispiele gegeben haben? Daß die Auffassung von Ross ausgeschlossen ist, ist inzwischen von mehreren Interpreten gesehen worden, aber nach meiner Meinung hat keiner von ihnen einen überzeugenden Ausweg aus der Schwierigkeit gewiesen.

1. Die Auffassung von J.W. Thorp[3] bleibt der von Ross am nächsten. Nach Thorp muß man 1017b27 so lesen, daß Aristoteles nicht sagen will, daß das Sein innerhalb jeder Kategorie ein und dieselbe Bedeutung habe, sondern daß es ein und dieselbe Bedeutung bei allen Kategorien habe. Auf diese Weise meint Thorp die These halten zu können, daß es sich beim ὂν καθ᾽ αὑτό um Wesensaussagen handelt, da ja dann der eben gegen Ross geltend gemachte Einwand, daß Wesensaussagen sich nicht je nach Kategorie differenzieren, entfällt. Aber diese Interpretation ist indiskutabel. Denn Aristoteles behauptet am Anfang von Z 1 eindeutig, daß sich die Bedeutung des ὂν je nach Kategorie differenziere, und er verweist dabei explizit auf Δ 7.

2. Charles Kahn bietet in seiner vorzüglichen Abhandlung über die Kategorien[4] eine einwandfreie Interpretation des ὂν καθ᾽ αὑτό, aber sieht sich dadurch gezwungen, eine unhaltbare Interpretation des ὂν κατὰ συμβεβηκός vorzuschlagen. Die Schwierigkeit, sobald man sieht, daß mit dem ὂν καθ᾽ αὑτό Individualaussagen gemeint sind, ist ja, daß diese Aussagen dann in den meisten Fällen akzidentelle Attributionen darstellen. Wenn nun die beiden Bedeutungen sich ausschließen sollen, muß man sich für das ὂν κατὰ συμβεβηκός etwas Besonderes ausdenken. In Anal. Post. A 22 unterscheidet Aristoteles diejenigen singulären prädikativen Aussagen, bei denen der Subjektterminus ein Prädikat der 1. Kategorie ist (z.B. „das (dieses) Holz ist weiß") , von denjenigen, bei denen der Subjektterminus ein Prädikat in einer anderen Kategorie ist (z.B. „das (dieses) Weiße ist Holz"). Im ersteren Fall könne man einfachhin von κατηγορεῖν (prädizieren) sprechen, den zweiten könne man als κατηγορεῖν κατὰ συμβεβηκός bezeichnen (83a15f). Kahn schlägt vor, das ὂν κατὰ συμβεβηκός in Δ 7 im Sinn dieses κατηγορεῖν κατὰ συμβεβηκός von Anal. Post. A.22 zu verstehen.[5] Nun gibt aber Aristoteles in Δ 7 Beispiele für 3 Typen des ὂν κατὰ συμβεβηκός: 1. Typ: der Subjektterminus ist in der 1. Kategorie; 2. Typ: der Subjektterminus ist in einer anderen Kategorie, der Prädikatterminus in der 1. Kategorie; 3. Typ: sowohl der Subjektterminus wie der Prädikatterminus sind in einer anderen Kategorie. In einem 2. Schritt sagt Aristoteles sogar, daß der 2. und der 3. Typ im 1. Typ gründen. Nach Kahns Interpretation dürfte aber dieser 1. Typ überhaupt nicht als ein ὂν κατὰ συμβεβηκός bezeichnet werden.

3. J.W. Thorp, „Aristotle's Use of Categories", *Phronesis* 19 (1974), 238-56.
4. Charles H. Kahn, „Questions and Categories", in: H. Hiz (Hrsg.), *Questions* (Dordrecht 1978), S. 227-278, vgl. besonders S. 254ff. Vgl. auch schon seinen Aufsatz „The Greek Verb ‚to be' and the Concept of Being", *Foundations of Language* 2 (1966), S. 248f.
5. a.O. Anm. 51.

3. Einen Vorschlag ganz anderer Art hat Kirwan gemacht.[6] Nach Kirwan handelt es sich beim ὄν καθ᾽αὐτό um das Sein im Sinn von Existenz. Daß sich dieser Vorschlag nicht so eindeutig widerlegen läßt wie die drei anderen, liegt daran, daß er so unbestimmt ist. Er verwendet einen Begriff, den es bei Aristoteles nicht gibt. Erstens handelt es sich, wo immer Aristoteles von „Seiendem" in einem Sinn spricht, der unserer Rede von einem Existierenden nahekommt — in Δ7 geschieht das ausgerechnet im Abschnitt über das συμβεβηκός, 1017a16-22 —, immer um Substanzen. Zweitens scheint für Aristoteles auch dieses Sein in der Prädikation zu fassen zu sein: diese Materie ist ein so-und-so. Nur das so verstandene Sein im Sinn von Existieren macht es möglich, dem für Aristoteles so überragend wichtigen Problem des Entstehens und Vergehens gerechtzuwerden: daß ein Ding aufhört zu existieren, heißt, daß seine Materie das entsprechende substantielle Attribut verliert.[7] Wenn man nun aber, wie Kirwan will, das ὄν καθ᾽ αὐτό in Δ 7 als Existenz versteht, müßte man von Existenz auch bei den übrigen Kategorien sprechen können. Ich kann nirgends bei Aristoteles einen Hinweis darauf finden, was damit gemeint wäre, es sei denn dies: daß ein Attribut etwas ist (existiert), heißt, daß es einem Ding zukommt, womit aber wieder die so verstandene Existenz in die Prädikation zurückgenommen wäre. Das *Wort* „Existenz" kann hier ohnehin nichts zur Klärung beitragen. Kirwans These hätte einen klaren Sinn nur, wenn er meinte, daß Aristoteles hier geradezu Existenzaussagen im Auge hätte (also Aussagen der Form „X ist"), die sich insofern eindeutig von den Aussagen unterscheiden würden, die beim ὄν κατὰ συμβεβηκός im Blick stehen. Gegen diese Möglichkeit (wenn sie überhaupt sinnvoll ist) sprechen aber wieder die eindeutig prädikativen Beispiele in diesem Abschnitt (a27-30).

Ich komme zu meiner eigenen Erklärung. Als erstes muß man beachten, daß Aristoteles hier die Unterscheidung καθ᾽αὐτό — κατὰ συμβεβηκός auf das ὄν/εἶναι selbst bezieht.[8] Aristoteles nimmt also nicht einfach seine übliche Unterscheidung von essentieller und akzidenteller Attribution auf, sondern er fragt, was die Attribution selbst erstens essentiell und zweitens akzidentell ist. Bei einer essentiellen bzw. akzidentellen Attribution „S ist P" ist die Frage, ob das Prädikat dem Subjekt essentiell oder akzidentell zukommt. Hier hingegen ist die Frage, was das „ist" erstens essentiell und zweitens akzidentell besagt.

Zweitens ist zu beachten, daß Aristoteles in erster Linie nach der Mehrdeutigkeit von ὄν fragt; nur heißt das für ihn immer auch, nach dem entsprechenden εἶναι fragen (vgl. besonders 1017a12,22-27). En ὄν ist aber für Aristoteles nur ein jeweiliges Einzelnes und seine Bestimmungen. Aus diesem Grund ist die einzige Satzform, an der er orientiert ist, diese: *„Dies S ist P."*[9]

Damit ist meine negative Ausgangsfrage beantwortet: der Grund, warum solche Bedeu-

---

6. Christopher Kirwan, Aristotle's ‚Metaphysics', Books *Γ, Δ and E* (Oxford 1971), S. 141.

7. Vgl. dazu mein „Existence in Space and Time" (*Neue Hefte für Philosophie* 8, 1975), S. 28.

8. Ich habe schon in *TI KATA TINOΣ* (Freiburg 1958) darauf hingewiesen, daß „das ὄν καθ᾽ αὐτό in Δ7 eine Bedeutung hat, die sonst ohne Parallele ist" (S. 44).

9. Das „dies" wird von Aristoteles nicht explizit formuliert, ist aber implizit gemeint: wenn Aristoteles solche Beispiele bringt wie „der Mensch ist gebildet", so ist mit „der Mensch" natürlich nicht gemeint „der Mensch als solcher".

tungen von „Sein" wie „Identität" von Aristoteles nicht genannt werden, ist, daß er überhaupt nicht nach den Bedeutungen des Verbums „sein" fragt. Diejenigen Bedeutungen von „sein", die sich nicht auf Seiendes beziehen und d.h. die in Sätzen anderer Form als „Dies S ist P" vorkommen, interessieren hier nicht.

Was nun Aristoteles in diesem Kapitel vor allem im Auge hat, sind die verschiedenen Bedeutungen, die das „ist" in einem Satz dieser Form hat, je nachdem zu welcher Kategorie das Prädikat „P" gehört. Bei der Unterscheidung dieser Bedeutungen ist der Subjektterminus „S" irrelevant. Es ist das Dies (τόδε, vgl. 1028a15), das jeweils verschieden charakterisiert wird, je nachdem, ob das Prädikat eine Antwort auf die Frage ist, was dies, wie groß dies, wie beschaffen dies ist, usw. Diese verschiedenen Bedeutungen hat das „ist" als solches, καθ᾽ αὐτό. Außerdem aber, κατὰ συμβεβηκός, wird durch das „ist" der Prädikatterminus „P" mit dem Subjektterminus „S" verbunden. Was Aristoteles mit dem ὄν κατὰ συμβεβηκός im Auge hat, könnte man also auch so ausdrücken: „Dies, welches S ist, ist P" oder „Dies ist S und dieses selbe ist P". Ich bringe diese Umformulierungen nur zur Erläuterung; sie hätten Aristoteles ferngelegen (da sie ja zeigen, daß es sich hier in Wahrheit überhaupt nicht um einen Sinn des „ist" handelt); aber sie sind geeignet, sichtbar zu machen, was Aristoteles mit dem ὄν κατὰ συμβεβηκός im Auge hat, denn in diesen Umformulierungen kommt jetzt im „ist" nur noch das ὄν καθ᾽ αὐτό zum Ausdruck.

Meine Lösung des Problems besteht also darin, daß es sich hier überhaupt nicht um zwei verschiedene Verwendungsweisen des Wortes „ist" handelt, um zwei verschiedene Weisen seines Vorkommens, sondern das eine „ist" in dem ontologisch einzig relevanten Standardsatz „Dies S ist P" ist nach Aristoteles Träger zweier Funktionen, einer Bestimmung eines ὑποκείμενον und einer Verbindung zweier Bestimmungen; das eine ist seine Bedeutung καθ᾽ αὐτό, das andere seine Bedeutung κατὰ συμβεβηκός.

Ich antizipiere zwei Einwände: Erstens, wenn man das κατὰ συμβεβηκός so versteht, steht es für jede Verbindung zweier Bestimmungen in einem singulären prädikativen Satz. Demgegenüber ist das ὄν κατὰ συμβεβηκός, das dann in E 2 behandelt wird, das doch an Δ 7 anknüpfen soll, enger. Aber diese Schwierigkeit entsteht auch bei anderen Interpretationen (vgl. Kirwan S. 144), und die einzige Möglichkeit, sie zu vermeiden, bestünde eben darin, das ὄν καθ᾽ αὐτό als essentielle Prädikation zu verstehen, und das kommt nicht in Frage. Also wird man die Härte in Kauf nehmen müssen, daß Aristoteles in E 2 einen engeren Begriff behandelt als den, den er in Δ 7 ins Auge faßt.[10] Faktisch hat Aristoteles den Kontrast zwischen notwendiger und zufälliger Prädikation als eine Differenzierung des Seins unter einem anderen Stichwort behandelt, nämlich in seiner zweiten, positiven Diskussion des ὄν ὡς ἀληθές in Θ 10, und dort gehört sie auch hin.

Zweitens, es erscheint schwierig, die Rede von einer Mehrdeutigkeit, hier Zweideutigkeit so zu verstehen, daß es sich nicht um verschiedene Verwendungsweisen, sondern um verschiedene Funktionen oder Aspekte von ein und derselben Verwendungsweise handelt. Ich muß gestehen, daß ich nicht weiß, ob so etwas in Δ noch irgendwo anders vorkommt. Aber ich sehe nicht, daß das ein Einwand ist. Denn man kann sich klarmachen, daß Aristo-

10. Vgl. zu dieser Schwierigkeit ausführlich *TI KATA TINOΣ*, S. 60 Anm. 28.

teles hier wirklich mit einer Sache konfrontiert war, die er nicht anders interpretieren konnte also so, daß ein und dieselbe Verwendungsweise zwei Funktionen und insofern zwei Bedeutungen hat.

Wie passen nun zu diesem Ergebnis mit Bezug auf die in dem Kapitel zuerst genannten beiden Grundbedeutungen die nachträglich angehängten Bedeutungen Nr. 3 und Nr. 4?

Unproblematisch ist die Nr. 4, ja sie ist geeignet, den zuletzt genannten Einwand vollends zu entkräften. Denn hier behauptet Aristoteles, daß die eben genannten Bedeutungen sich ihrerseits differenzieren nach Akt und Potenz. Der Rückverweis in τῶν εἰρημένων läßt sich nur mit U. Wolf[11] auf die verschiedenen Bedeutungen des Seins καθ᾽ αὐτό beziehen. Die These von Aristoteles ist hier also: jedes kategoriale Sein in dem Standardsatz „Dieses (S) ist P" kann entweder den Sinn eines δυνάμει oder eines ἐνεργείᾳ ὄν haben: „dieses (S) ist δυνάμει/ἐνεργείᾳ P." Auch hier hat Aristoteles also nicht eine gegenüber der Nr. 2 andere Verwendungsweise des „ist" im Auge. Es ist dieses selbe „ist", das nach Aristoteles einmal so und einmal so verstanden wird.

Die Nr. 1, die Nr. 2 und die Nr. 4 beziehen sich also alle auf die Verwendung des „ist" in ein und demselben Standardsatz „Dieses S ist P". Demgegenüber fällt die Nr. 3 etwas aus dem Rahmen.[12] Zwar hat Aristoteles auch hier sichtlich nur prädikative Sätze im Auge. Aber angesichts des letzten Beispiels ist es zweifelhaft, wie stark noch die Orientierung an dem Standardsatz ist. Vor allem aber scheint das vorgezogene ἔστι zu zeigen, daß es sich hier eben doch um eine andere Verwendungsweise des Wortes handelt. Ich will das nicht unbedingt bestreiten. Man wird sich immer hüten müssen, aristotelische Texte schematisch zu lesen. Gleichwohl möchte ich zu bedenken geben, daß Aristoteles wahrscheinlich nicht meinte, daß das vorgezogene ἔστι eine andere Verwendungsweise als die Copula ist. Warum sollte man Aristoteles eine solche falsche Auffassung unterstellen? Wenn man sich, wie Aristoteles es tut, beim „veritativen Sein" auf prädikative Sätze beschränkt, kommt dieses Sein normalerweise in der Copula zum Ausdruck. Außerdem findet sich die Formulierung mit vorgezogenem ἔστι weder in E 4 noch in Θ 10 wieder. Es liegt daher nahe, Aristoteles so zu verstehen, daß er auch in Δ 7 eine Bedeutungsnuance derselben Copula meinte, von der auch in den drei anderen Bedeutungen die Rede ist, und daß er die in der griechischen Sprache gegebene Möglichkei, das ἔστι vorzuziehen, nur als willkommene illustrative Handhabe verwendete, um diese spezifische Bedeutungsnuance der Copula hervorzuheben.

---

11. U. Wolf, *Möglichkeit und Notwendigkeit bei Aristoteles und heute* (München 1979), S. 411, Anm. 3. Die von Wolf herangezogene Stelle 1051b1 ist ebenso zwingend wie die Begründung von der Sache her. Der Rückbezug kann sich nicht auf die 3 vorgenannten Bedeutungen insgesamt beziehen, wie Ross meint.

12. Sie ist vielleicht ein nachträglicher Einschub. Dafür spricht der in τῶν εἰρημένον τούτων enthaltene unmittelbare Rückverweis der Nr. 4 auf die Nr. 2. Aber daraus würde ich keine sachlichen Folgerungen ziehen.

Sven K. Knebel

SUBSTANZ ODER AKZIDENZ

— Ein Beitrag zur Mythologie des Begriffs —

Mythisch heiße, übers eigentlich Bildliche hinaus, das Unbegriffliche am Begriff. Das Unbegriffliche an ihm ist seine intentionale Seite. Mythologie des Begriffs ist die Darstellung seiner Intentionalität im Mittel der Geschichte. Nannte der Ausdruck λόγος ἔνυλος einmal einen Logos, aber einen in seinen Stoff versenkten: so mag jene Darstellung wohl ein λόγος ἔνυλος sein. Für die Darstellungsform hat das die Unbequemlichkeit, nur so bei der Sache bleiben zu können, daß von durchaus disparaten Materien die Rede ist. Darin liegt die Zumutung des Verfahrens. Aber auch die stille Hoffnung, daß durch Darstellung dessen, was sich im Laufe seiner Geschichte thematisch um ihn kristallisiert hat, einerseits die Idee eines Begriffs sich feststellen läßt, und daß andererseits die Geschichte selbst in diesem Prisma des Begriffs sich epochenmäßig bricht.

I.

„Omnis res aut substantia est aut accidens."
So lautet, in der Formulierung des *Boetius*, der transzendentale Grundsatz des Mittelalters. Und zwar „transzendental" seiner Form wie seinem Inhalt nach. Beides ist zu unterscheiden.

Seiner Form nach: Denn die darin ausgesprochene metaphysische Disjunktion bezeichnet, gerade so holzschnitthaft und apodiktisch wie sie ist, einen spezifisch mittelalterlichen Topos, einen Gemeinplatz also, der, weil er selbst für unumstritten gelten darf, seinerseits dialektisch voraussetzbar ist und dergestalt vorweg den Horizont jeglicher Begriffsbildung definiert.

Das meint indes nicht — denn der Begriff einer horizontbestimmenden Transzendentalität könnte auf irgendein „Seinsgeschick" anspielen wollen —, daß dieses Transzendentale darum etwa seiner Zeit ontologisch nicht präsent gewesen wäre. Der in dem angegebenen Sinn transzendentale Satz ist nämlich abgeleitet aus der ihrerseits, nun freilich in einem älteren Sinne: transzendentalen Einteilung des Seienden in das „ens in (oder ,per') se" und das „ens in alio", durch welche beiden Modi eben „Substanz" bzw. „Akzidenz" konstituiert seien.

„Transzendental" heißt diese Einteilungsweise des Seienden im Unterschied zur kategorialen Einteilung in die zehn obersten Gattungen der Prädikation. Zum einen betrifft die transzendentale Einteilung eindeutig die *Seins*weise des Seienden, und nicht seine Aussageweise. Zum anderen gilt sie insofern aber auch für die allgemeinere, die kategoriale Einteilung „übersteigende", ja gewissermaßen generalisierend übergreifende Einteilung [1]. Ablesbar an dem in beiden Einteilungen auftretenden „Substanz"-Begriff, ist der begriffliche Gehalt ihrer beiden Glieder bewußt auf ein Mindestmaß an Bestimmtheit eingeschränkt: „Subsistenz" bzw. „Inhärenz".

Erläutert sei das nur an zwei, achthundert Jahre auseinanderliegenden, repräsentativen Metaphysikkompendien. In dem des *Ioannes Damascenus* heißt es vom Seienden[2]:

> Dieses wird nun eingeteilt in Substanz (ousia) und Akzidenz (symbebekos). Substanz ist ein selbstexistentes Ding (pragma authyparkton), welches zu seinem Bestehen (systasis) keines anderen bedarf; oder auch das in sich selbst Seiende (to en heauto on) und was seine Existenz (hyparxis) nicht in einem anderen hat. Akzidenz hingegen ist das, was nicht in sich selbst sein kann, sondern in einem anderen seine Existenz hat."

Mit den selben *modi existendi* „per se" und „in alio" operiert noch, gegen 1600, *Suarez*, um auf die Frage, „ob das Seiende am treffendsten und erschöpfenderweise (proxime et sufficienter) in Substanz und Akzidenz eingeteilt werde", nach einigen entsprechenden Zweifeln zu dem Urteil zu kommen[3]:

> „Nihilominus dicendum est, illam esse optimam ac sufficientem divisionem entis. Quae sententia adeo est communis, ut tanquam *res per se nota* ab omnibus recepta sit; quapropter magis indiget terminorum explicatione quam probatione...etc."

Es sind zwei Typen von Argumenten, in welchen die Scholastik diese „Selbstverständlichkeit" reflektiert: ein induktiver Konvenienzbeweis und ein diskursiver Beweis dafür, daß die Einteilung eine erschöpfende sei. Jener hält es für evident („manifestum est..."), daß alle Veränderung auf ein darin Beharrendes verweist; das lasse auf eine Substanz im Sinne eines Substrats ihrer Akzidenzen schließen. Während hiernach die Unterscheidung von Substanz und Akzidenz auf ihrer Korrelation beruhen würde, ist es aber gerade diese, die der — metaphysisch entscheidende — logische Beweis nicht nur nicht voraussetzt, sondern seiner Absicht nach sogar suspendiert.

Der logische Beweis besagt, daß die Einteilung in Substanz und Akzidenz dem Satz vom ausgeschlossenen Dritten genüge, da sie einen kontradiktorischen Gegensatz bilden:

> „Non enim inter substantiam et accidens potest esse aliquid medium, cum substantia et accidens dividant ens per affirmationem et negationem; cum proprium substantiae sit non esse in subjecto, accidentis vero sit in subjecto esse."

Von einem *Thomas v. Aquin* immer wiederholt, gilt dieser Beweisgrund nachgerade für die „ratio vulgaris"[4]. Noch um die Mitte des 17. Jhs. darf sich das Argument, zwischen Substanz und Akzidenz sei nichts, zu den „certissima... Philosophiae decreta" zählen, „quae si quis neget, sese omnis Philosophiae rudem atque imperitum testetur"[5]. *Descartes* etwa zeigt sich dermaßen degoutiert, als ein Blick „par hazard" in einer naturphilosophi-

---

1. *Duns Scotus*, Ord. I, 8, 3 n. 134; Metaph. IV, 1 § 8; cf. A.B. *Wolter*, The Transcendentals and Their Function in the Metaphysics of D.S., N.Y. 1946 pp. 152-53.
2. Dial. cap. 4.
3. Disp. met. 32, 1, 4. *Notabene* die Abgesunkenheit des *Problems*.
4. *Thomas v. Aquin*, De spirit. creat. 11 corp.; S. th. I, 77, 1 ad 5; De mixt. elem. (Leonina) 75 sqq.; *Suarez*, l.c., 5. Cf. *Alfarabi*, De ortu scientiarum p. 23 Baeumker.
5. P. *Petit*, De ignis et lucis natura exercitationes, Paris 1663 p. 94.

schen Neuerscheinung auf den Satz fällt, das Licht sei ein Mittleres zwischen Substanz und Akzidenz, daß er das Buch augenblicks zuklappt und ihm darüber freilich entgeht, daß der Verfasser die Anstößigkeit nur vorgebracht hat, um sie seinerseits aus dem bewußten Grunde zurückzuweisen.[6].

Wenn Substanz und Akzidenz in einem unmittelbaren Gegensatzverhältnis stehen sollen, so daß die Aufhebung des einen die Setzung des anderen bedingt, dann bezieht sich dieser logische Beweisgrund für das Erschöpfende der Dichotomie nicht auf jenes Merkmal der Substanz, welches der Konvenienzbeweis geltend machte — die Substanz als dasjenige, dem die Akzidenzen inhärieren —, sondern darauf, daß sie ihrerseits keinem inhäriert. Indem er aber von jenem absieht und damit von der Grundlage ihrer Korrelativität, stiftet er überhaupt erst „Substanz" und „Akzidenz" in ihrer reinen Transzendentalität, für die sich daraus ein Doppeltes ergibt.

Erstens führt ihre transzendentale Fassung auf den Begriff einer *absoluten* Substanz. An der Substanz, die als Subjekt fungiert, unterscheidet die Scholastik nämlich zweierlei Verhältnisse (rationes seu proprietates):

> „... una est *absoluta*, sc. essendi in se ac per se, quam nos propter ejus simplicitatem per negationem essendi in subjecto declaramus; alia est quasi *respectiva*,sustentandi accidentia." —
> „Quorum est, quod non indiget extrinseco fundamento, in quo sustentetur, sed sustentatur in seipso; et ideo dicitur ‚subsistere', quasi per se et non in alio existens. Aliud vero est, quod est fundamentum accidentibus sustentans ipsa; et pro tanto dicitur ‚substare'."[7]

Daß die Substanz, da so zwischen ihrem Ansichsein und ihrem Sein-für-Anderes unterschieden ist, im transzendentalen Sinne auf ersteres beschränkt wird, bedeutet keineswegs nur eine Abstraktion, sondern die Reduktion auf ihr Wesen („haec ratio prior et essentialis"[8]): Hatte Augustin es noch ablehnen müssen, Gott eine „Substanz" zu nennen, weil sich für ihn mit dem Worte schon die Vorstellung verband, es *auch* mit dem Subjekt wechselnder Akzidenzen zu tun haben[9], so ist Gott in diesem reduzierten sogar im eminenten Sinne „Substanz", „quia maxime est in se ac per se, etiamsi accidentibus non substet".

Das andere Ergebnis ist die metaphysische Disjunktion selbst. Denn daß ein jedes Ding — und die Dinge der Theologie sind davon, wie gezeigt, nicht ausgenommen — entweder „Substanz" sei oder „Akzidenz", setzt die Auflösung ihrer inneren Korrelation um ihrer logischen Koordination willen voraus.

Ist dies nun der systematische Zusammenhang, in welchem jener als spezifisch mittelalterlich apostrophierte Grundsatz steht, so wird doch der Einwand nicht ausbleiben: Die Scholastik sei so wenig „das" Mittelalter wie die Einteilung in Substanz und Akzidenz, da sie ja aus der aristotelischen Erbmasse stamme, eine eigentümlich scholastische. Ehe also versucht werden kann, die für jenen Grundsatz in Anspruch genommene transzendentale

6. *Descartes*, Oeuvres (AT) II pp. 51 sq., 396; I. *Boulliau*, De natura lucis, Paris 1638 p. 65.

7. *Suarez*, l.c. 33, 1, 1; *Thomas v. Aquin*, De pot. 9, 1 corp.; cf. *Boetius*, De persona et duabus naturis cap. 3; *M. Victorinus*, adv. Arium I cap. 30.

8. *Suarez*, l.c., 1, 2; *Victorinus*, l.c.: praeexistens subsistentia.

9. De trin. VII, 5.

Bedeutung zu ermitteln sowie schließlich auch die seines Ruins, bedarf es des begriffsge-schichtlichen Rückblicks.

II.

Als kanonische Stelle für die Substanz-Akzidenz-Diochotomie gilt, ohne daß das Wort „Akzidenz" hier allerdings auch nur fiele, das zweite Kapitel der Kategorienschrift (1a20 - 1b6). Aristoteles klassifiziert darin bekanntlich die „onta" — von denen nur so viel fest-steht, daß damit das sprachlich Intendierbare, nicht jedoch das Sprachliche als solches, ge-meint ist — mithilfe zweier Funktionselemente, dem „de-subjecto-dici" und dem „in-subjecto-esse". Deren Kombination konstituiert, unter Einbeziehung der jeweiligen Negat-begriffe, ein vierfaches Sein: das, was prädizierbar ist, ohne zu inhärieren (die essentiellen Substanzprädikate); was inhäriert, ohne prädizierbar zu sein (das später sog. einzelne Akzi-denz); was sowohl prädizierbar ist als auch inhäriert (das „universelle Akzidenz"); endlich was weder prädizierbar ist noch inhäriert (die einzelne Substanz). Daß die einzelne Sub-stanz demnach Referenzsubjekt par excellence ist: Subjekt sowohl im Sinne der Prädika-tion als auch in dem der Inhäsion, zeichne sie dabei als Substanz aus[10].

Diese aristotelische Doktrin soll uns nicht weiter, oder eben nur so weit beschäftigen, als das hermeneutische Problem entsteht, wie die so exponierte, chemisch gleichsam, sich so hat verwandeln können, daß sie in folgender Gestalt ins Bewußtsein der Tradition einge-gangen ist:

„Entia autem dividuntur dupliciter", heißt es in der für die Scholastik maßgeblichen lateini-schen Version des Simplikioskommentars, „in ea scilicet, quae per se esse (ta kath'heauta ei-nai) possunt et nullo alio indigent ad subsistentiam (medenos heterou deomena pros hyposta-sin), quae quidem ‚substantia' (ousia) vocantur, quia sufficiunt sibi ad esse (dia to exarkein he-autois pros to einai), et in ea, quae in aliis subsistunt, quae quidem ‚accidentia' (symbebekota) dicuntur, quia aliis adveniunt (dia to en heterois symbebekenai)."[11]

Aus dem vierstelligen Kalkül des Aristoteles ist eine Dichotomie geworden, der der Aspekt der Prädikation, fällt er auch nicht ganz aus, nur nachgetragen werden kann. Offen-bar hängt mit dieser Vorherrschaft des Aspekts der Inhäsion zusammen, daß ein Interpreta-ment eingedrungen ist, welches der Textvorlage sachlich wie terminologisch fremd ist: Die Substanz sei, und jetzt im Gegensatz zum „Akzidenz", ontologisch autark; sie sei dasjenige, was sich selbst seinen Seinsgrund stellt, anstatt ihn durch anderes gestellt zu bekommen. Für dieses Insichselbstbestehen der Substanz hat der Kommentator „esse per se" als Aus-druck, auch „autokrates"[12], — andere sprechen, im selben Zusammenhang, vom „authypo-statos"[13] oder „authyparktos": alles Termini, die die Substanz sich reflexiverweise auf ihre eigene Existenz beziehen lassen.

10. Cat. 5, 2b15.
11. p. 44, 12-16 Kalbfl.; p. 59 Pattin.
12. p. 44, 30 K.
13. *Olympiodor*, In Cat. p. 43, 14. Cf. *Michael Psellos*, Scripta min.I (Kurtz) pp. 451 sqq.

Wie hat die durch ihre *Subjekt*funktion ausgezeichnete, also in einer Korrelation zu ihren Attributen stehende, Substanz der Kategorienschrift zu etwas — in des Wortes genauer Bedeutung: — *hypostasiert* werden können — denn „hypostasis" terminiert ja ihrerseits im Ausdruck für vollendete Reflexivität, im *Person*begriff[14] —, das in sich selbst seine Erfüllung findet, und von dem nur der Gegensatz zur gegenteiligen Seinsweise, der des jetzt so apostrophierten „Akzidenz", es hindert, durchaus für sich betrachtbar zu sein, während es, für sich genommen, eben aufgehört hat, sich auf das „Akzidenz", das ihm darum fortan allerdings „zufällig" ist, zu beziehen?

Gewiß, anderswo spricht auch Aristoteles vom „esse per se" im Gegensatz zum „esse per accidens", aber daß das ganz anders gemeint ist, geht schon daraus hervor, daß das Sein nach *allen* seinen Kategorien ein solches „per se" sei[15]. Wo Aristoteles in der Tat aber die Substanz den Sekundärkategorien gegenüberstellt, indem er diesen das „choriston" und „kath'hauto einai" abspricht[16], um damit die Selbständigkeit der Substanz zu betonen, da bleibt diese Selbständigkeit ebenso relativ und auf die anderen Seinshinsichten bezogen wie daß diese ihrerseits auch weit davon entfernt sind, zum „Akzidenz" entqualifiziert zu werden. Und schließlich, gerade aus den Stellen, an welchen „Substanz" und „*Akzidenz*" zusammen auftreten[17], erhellt, daß es Aristoteles durchweg um das Attributionsverhältnis selbst zu tun ist, aus welchem heraus beide Funktionen unterschieden werden, während die Substanz-Akzidenz-Dichotomie dieses ihr wesentliches Verhältnis vielmehr suspendiert hat, so daß, was die Substantialität betrifft, „aus der Unabhängigkeit in Bestimmtsein eine Unabhängigkeit im Existieren" geworden ist[18].

Daß die Substanz davon dispensiert ist, den Akzidenzen „unterstehen" zu müssen, wäre folglich, so unaristotelisch es ist, als das Charakteristikum derselben in ihrer angedeutet *transzendentalen* Wendung Wort zu haben. — Dessenungeachtet meint man auch neuerdings, das Auseinanderfallen von Substanz und Akzidenz auf die Kategorienschrift selbst und zwar insofern zurückführen zu können, als es sich aus der „Verquickung" der zwei gänzlich verschiedenen Subjektfunktionen, des logischen Subjekts „de quo" und des ontologischen Subjekts „in quo", in einer darob fälschlich verselbständigten Einzelsubstanz ergäbe[19]. Die Argumentation der griechischen Aristoteleskommentare weist indes genau in die entgegengesetzte Richtung. Nicht eine überzogene Subjektstellung war es, die die Substanz, *qua* Einzelsubstanz, über ihren Existenzmodus zu kompensieren gehabt hätte.

Während Aristoteles die vier Klassen von Gegenständen gleichursprünglich durch das Zusammenspiel je zweier Begriffselemente konstituiert sein läßt, die, für sich genommen, noch nichts konstituieren, gehen die neuplatonischen Kommentatoren, im Gegenteil, von

14. ...semainei to prosopon to kath'heauto hyphestos, *Leontius Byz.* PG 86 col. 2012.

15. Met. V, 7; dazu der Scholastiker: „...nulla res est, quin sit substantia vel accidens; sed tam substantia quam accidens est ens per se" (*Occam*, S. tot. log. I, 38).

16. Met. VII, 1, 1028a23; Phys. I, 2, 185a.

17. Met. V, 6; cf. Phys. I, 3, 186ab; Met. III, 2, 997a25-33.

18. K. *Bärthlein*, Zur Entstehung der aristotelischen Substanz-Akzidens-Lehre, Arch. f. Begriffsg. 50 (1968) p. 242; cf. Anal. post. I,4, 73b5-10 und die metaphysische Umbiegung im Scholion des *Philoponus* (p. 63,23 sqq.).

19. *Bärthlein*, l.c. p. 241.

einer dihäretischen Sukzession und davon aus, daß die begrifflichen Elemente — also jene zwei Funktionen und ihre Negate — bereits als solche, außerhalb ihrer Kombination, für etwas konstitutiv seien: Die Inhärenz sei mit „Akzidenz" gleichbedeutend, die Nichtinhärenz mit „Substanz", das „de quo" mit „Universale" und seine Verneinung mit dem „Einzelnen". Priorität (protos[20]) habe nun bei der Einteilung der ontologische Aspekt (tropos tes hyparxeos): „Prima quidem rerum est omnium divisio in substantiam et accidens"[21], und diese seien es, die sodann, in zweiter Linie, durch das andere Begriffspaar so konkretisiert würden, daß die vier „complexiones" des Aristoteles heraussprängen. Es handelt sich demnach, über die Verdinglichung ihrer formelhaften Termini, um einen Ableitungsversuch der aristotelischen Einteilung.

Dabei ist man sich seiner unaristotelischen Terminologie, darunter der auf diese Weise eingeführten Gegenbegriffe „Substanz" und „Akzidenz", durchaus bewußt. *Porphyrios* läßt seinen Katechumenen ausdrücklich fragen, warum so eingeteilt werde, „wo doch Aristoteles sich nicht dieser Termini bedient hat, sondern anderer?"[22] Bei den Späteren ist die Klage über die „Dunkelheit" der aristotelischen Terminologie ein stehender Topos[23]; man findet sie „befremdlich" und „mysteriös" (hosper en tois hierois): außer übersetzungsbedürftig damit freilich auch, für den Eingeweihten, bedeutungsvoll. Es fände sich darin das Geheimnis der *Substanz*, wenn anders die es eben sei, die durch die Formel der „Nichtinhärenz" umschrieben ist; der Substanz *schlechthin*, wohlgemerkt, denn hat sie ihre Ratio an dieser *ontologischen* Formel, dann scheidet das Begriffspaar „einzeln" bzw. „universell" als für die Substanzkonzeption unerheblich aus.

Warum nämlich werde die Substanz dergestalt *negativ* gefaßt: sie in funktionaler Abhängigkeit vom Akzidenz, anstatt umgekehrt dieses in Abhängigkeit von einer positiv als „Subjekt" deklarierten Substanz? Die Antwort, die die Kommentatoren darauf geben, verfolgt die Absicht, die *Subjektfunktion* der Substanz zu virtualisieren, um stattdessen ihren *Existenzmodus* zum entscheidenden Kriterium zu erheben.

Vor allem sei „Subjekt" (hypokeimenon) äquivok: das „Subjekt" der Inhäsion ein ganz anderes als das der Prädikation. Da auch das einzelne Akzidenz in diesem letzteren Sinne „Subjekt" sei, käme es zur Bestimmung der Substantialität ohnehin nur im eingeschränkten Sinne in Betracht, als „Subjekt" der Inhäsion. — Bei dem Versuch, die beiden Bedeutungen von „Subjekt" als nicht nur verschieden, sondern geradezu invers hinzustellen, geben die Kommentatoren nun zu erkennen, wieso sie von einteilungswegen den logischen Aspekt dem ontologischen stillschweigend haben unterordnen können: Während dem *ontologischen* Subjekt das, wofür es Subjekt ist, inhäriert, inhäriere das *logische* Subjekt seinerseits dem, wofür es Subjekt ist; dahinter steht die universalienrealistische Auffassung, daß die Arten und Gattungen zu ihrer Hypostase des Subjekts der Prädikation nicht

20. *Porphyrius*, In Cat. p. 71, 36.
21. *Boetius*, In Cat. PL 64 col. 169d.
22. p. 72,32.
23. *Ammonius*, In Cat. p. 25,13 sqq.; *Olymp.* p. 43,11 sqq.; *Philoponus*, In Cat. p. 29,1.

bedürften[24]. Damit hat die Einzelsubstanz restlos ihre fundamentale Bedeutung eingebüßt.

Nicht also unmittelbar sei die Substanz Subjekt, sondern, da einzig im Sinne des Subjekts der Inhäsion, nur innerhalb des „tropos tes hyparxeos"; das heißt jedoch, da sie innerhalb desselben nur dadurch charakterisiert ist, daß sie selbst keinem inhäriere, allenfalls aufgrund dieser Reflexion aus der Inhärenz auf ihre eigene Seinsweise:

„Indem er — sc. Aristoteles — sagt ‚nicht im Subjekt', will er die Substanz, als welche im ontologischen Sinne als Subjekt fungiert (ten pros hyparxin hypokeimenen ousian), bezeichnen und sie den Akzidenzen entgegensetzen."[25]

Da nämlich aus der negierten Inhärenz unmöglich darauf geschlossen werden kann, daß die Substanz ihrerseits *Subjekt* der Inhäsion wäre — sondern bloß ihr Gegensatz zur Seinsweise des Akzidenz —, steht, ob sie darüber hinaus Subjektfunktion wahrnimmt, tatsächlich dahin: Nur bedingterweise fungiert sie als Subjekt. Genau darauf haben es die Kommentatoren abgesehen. Sie substituieren der negierten Inhärenz, um die Seinsweise der Substanz zu bestimmen, das „per-se-esse" o. dgl. und sagen dafür vom Akzidenz, es existiere „non per se"[26]; ein Austausch der Negationen, welcher sich offenbar durch die Annahme rechtfertigt, die Inhärenz wäre eine *privative* Seinsweise, die daher, im Sinne der negativen Theologie[27], von der Substanz auch nur zu negieren sei, um sie positiv zu setzen.

Die Negation der Inhärenz gereicht einer Substantialität zum Ursprung, die, wie denn auch ausdrücklich versichert wird, nicht an ihrer Subjektfunktion, sondern einzig an der durch das „per-se-esse" indizierten ontologischen Selbstgenügsamkeit ihr Kriterium habe: Es gebe Substanzen, die *nicht* Subjekt sind. Der Heide nennt in diesem Zusammenhang die Formsubstanzen und die „göttlichen Substanzen", der Christ erklärt:

„Keineswegs nämlich ist die göttliche Substanz Subjekt: denn nichts kommt ihr akzidentell zu."[28]

Es ist demnach die intelligible Substanz, die dadurch, daß er unvereinbar mit ihr wäre, für die Substanz überhaupt den Wesensbezug aufs Akzidenz aufhebt und die absolute Substanz inauguriert, wie sie von nun an dem, im Widerspruch zu seiner ontologischen Bestimmung — nämlich zu inhärieren —, gerade so absolut gesetzten „Akzidenz" gegenübersteht. Beide erscheinen derart formal in sich reflektiert:

„Weder wird die Substanz *als* Substanz Akzidenz werden noch das Akzidenz *als* Akzidenz Substanz, ... denn möglich ist zwar, daß die Akzidenzen an der Substanz entstehen und ihr Bestehen haben; sofern etwas jedoch Akzidenz ist und *als* Akzidenz konzipiert wird, wird eben dieses nicht Substanz sein." — „Neque enim quoniam color, quod est accidens, venit in substantiam, idcirco color jam substantia est. Nec quoniam substantia suscipit colorem, idcirco color jam substantia fit. Quare neque substantia in accidentis, neque accidens in substantiae naturam transit."[29]

24. *Philop.* p. 30,30.

25. l.c. p. 31,7. Cf. *Alexander Aphr.*, In Top. p. 51, 11-14.

26. *Simplicius* p. 44,28 K.; *Philop.* p. 29,8; cf. *Thomas v. Aquin:* „...in definitione substantiae non est ‚ens per se'..., quia hoc non videtur importare nisi negationem tantum: dicitur enim ens per se ex hoc, quod non est in alio; quod est negatio pura..." (S. c. G. I, 25).

27. *Olymp.* p. 44,6.

28. *Ammonius* p. 26,2; *Philop.* p. 29,16.

29. *Porph.* p. 72, 12-19; *Boetius* col. 170c.

Ungetrübt konzipierbar ist das Akzidenz gerade nicht in seiner Inhärenz, sondern von der Substanz *getrennt*. Daß sie dergestalt als abstrakte Wesenheiten figurieren, ist die Voraussetzung der Disjunktion von Substanz und Akzidenz.

Woher aber nun stammt diese Einteilung selbst, wenn doch, da sachlich wie terminologisch bereits Interpretament derselben, unmöglich aus der Kategorienschrift?

Einen schätzbaren, schon von Gassendi in der Absicht gewürdigten Hinweis, die Originalität des Aristoteles herabzusetzen, gibt *Simplikios*. Unter den Kritikern, welche den aristotelischen Kategorien ihre Vielzahl angekreidet hätten, gedenkt er vor allem gewisser *akademischer* Kreise — der Name *Xenokrates* fällt —, die sich für ihr Teil viel darauf zugutegewußt hätten, stattdessen mit bloß *zwei* Kategorien, dem Ansichseienden (kath' hauto) und dem Beziehungsweise-Seienden (pros ti), auszukommen[30]. Und gleich im Anschluß daran:

> „Alii autem in substantiam et accidens dividunt; et isti autem videntur aliquo modo idem dicere cum prioribus dicentibus accidentia ad aliquid esse (ta symbebekota pros ti), tamquam existentibus ipsis semper aliorum, et substantiam secundum se (ten ousian kath' hauto)."[31]

Einer mit der aristotelischen *konkurrierenden* Einteilungsweise weist also der gelehrte Simplikios diejenige in Substanz und Akzidenz zu und bringt das, wenn auch nicht direkt, so doch der Sache nach, dergestalt in Verbindung mit der von Xenokrates' Elementenmetaphysik geprägten akademischen Tradition, daß als Palimpsest derselben etwa auch jene merkwürdige doxographische Notiz zu entziffern wäre, wonach Aristoteles „als Elemente von allem (stoicheia ton panton) Substanz und Akzidenz zugrundegelegt" hätte[32]. Bei aller Vergleichbarkeit dieser und der akademischen Einteilungsweise unterscheidet Simplikios aber auch zwischen ihnen: eher, daß sie aufs Selbe hinausliefen, als daß sie unmittelbar etwas miteinander zu tun hätten. In der Tat sind das akademische Begriffspaar und die, von Aristoteles immerhin zur Verfügung gestellten, Begriffe „Substanz" und „Akzidenz" nicht von vornherein kongruent gewesen. Im „Ansichsein" als metaphysischem Charakter der *Substanz* scheint vielmehr ein langwieriger Prozeß terminiert zu sein, in dessen Verlauf die Substanz-Akzidenz-Dichotomie die ältere akademische erst hat auf sich restringieren müssen. „Ansichsein" war ursprünglich auch anders besetzbar. *Epikur* spricht zwar bereits von den, veränderlichen, „Akzidenzen" eines Körpers (Figur, Farbe, Größe, Gewicht usw.); den Gegenbegriff dazu aber bilden die „kath' heautas physeis", und nicht die Substanzen, denn „an sich" sind Körper und *Ort*[33]. Das synkretistische Stadium in der Herausbildung der Substanz-Akzidenz-Dichotomie, da das Ansichsein *auch* die Substanz unter sich befaßt, bezeugt die andererseits pronocierte Stelle bei *Sextus Empiricus*[34]:

> „Überhaupt ... bestehen (hyphesteken) von den Dingen (ton onton) die einen an sich (kath' heauta), die anderen werden in Bezug (peri) auf diese an sich Bestehenden betrachtet. An sich

---

30. p. 63,22-24 K. = *Xenocrates* Fr. 12 Heinze; cf. *Hermodor* ap. Simpl., In Phys. p. 248,2-3: ton onton ta men kath' hauta einai legei..., ta de pros hetera...

31. *Simpl.* p. 63,24-26 K.; p. 85 P. Dazu H.J. *Krämer*, Platonismus..., Berlin 1971, pp. 81 sqq.

32. *Ps.-Origines*, c. haereses I, PG 16 col. 3045d.

33. ad Herod. epist. I §§ 40, 68-71.

34. adv. Math. X, 220. „pragmata" ist Oberbegriff: cf. § 238.

62

nun bestehen Realitäten (pragmata), wie z.B. die Substanzen, wie der Körper und das Leere, — in Bezug aber auf diese an sich Bestehenden betrachtet werden die sogenannten Akzidenzen an ihnen ..."

Wie dieser stoisch-materialistische Einschlag sich auf das Verhältnis der Begriffe „Substanz" und „Akzidenz" ausgewirkt hat, das zu untersuchen ist hier nicht der Ort. Was seine Erklärung verlangt, ist vielmehr, wenn die das Mittelalter beherrschende Dichotomie von Substanz und Akzidenz nachweislich alles andere als authentisch aristotelisch ist — ja, sogar nicht ohne eine Spitze gegen die aristotelische Ontologie —, der dieser Dichotomie beschiedene Erfolg.

III.

Ihr Erfolg beruht auf dem Satz vom ausgeschlossenen Dritten. Das heißt darauf, daß sie kraft ihrer logischen Form in dem apodiktischen Grundsatz sich ausspricht:

> „Omnis autem res aut accidens est aut substantia, id est aut in subjecto est aut in subjecto non est."[35]

Die logische Form hat das innere, metaphysische Verhältnis von Substanz und Akzidenz neutralisiert. Stattdessen erlaubt sie beide, alternativerweise, auf *Drittes*, und zwar in dem Sinne zu beziehen, daß davon auszuschließen ist, es könnte weder das eine noch das andere, weder Substanz noch Akzidenz sein. Die logische Form eröffnet eine Sphäre universaler *Anwendbarkeit*, die es vorher nicht gegeben hat.

Was die Klassifikation des *Aristoteles* von deren Interpretation in dem Satz des *Boetius* trennt, ist der Umschlag eines ontologischen Kalküls in eine Alternative ad hoc, — ist die Kontraktion eines klassifizierbaren Universums zum allemal zweifelhaften Fall. Daß das, was ist, zum *Fall* wird, darin liegt die transzendentale Bedeutung der metaphysischen Disjunktion.

Duns Scotus hat dies wohl innerviert, da er, soll anders ein univokes Sein abstrahierbar sein, an eben diese transzendentale Voraussetzung dafür erinnert, daß der Seinsstatus von etwas, sagen wir des Lichts, überhaupt *zweifelhaft* sein kann[36]:

> „Experimur in nobis ipsis, quod possumus concipere ens, non concipiendo hoc ens in se vel in alio, quia *dubitatio* est, quando concipere ens, utrum sit ens in se vel in alio, sicut patet de lumine, utrum sit forma substantialis per se subsistens, vel accidentalis existens in alio sicut forma."

Der Fall hat, als solcher, seine eigene Seinsweise, ist weder Substanz noch Akzidenz. Wenn die Disjunktion der beiden jegliches aber zum Fall macht, beschwört sie folglich andauernd eine Möglichkeit herauf, die nicht besteht. Die Aufstellung des Grundsatzes ist eins mit seiner Krise: das verleiht ihm seine Schärfe.

Andererseits ist es die kritische Situation, die ihn in dieser Fassung überhaupt erst gezeitigt hat: Nicht in seinem Kommentar zu dem vermeintlichen Lehrstück von Substanz und

---

35. *Boetius* col. 192a; 170b.
36. Metaph. IV, 1 § 6.

Akzidenz, nicht im Rahmen seiner theoretischen Exposition hat Porphyrios — denn Boetius ist bloß dessen Übersetzer — das „tertium non datur" formuliert, sondern *ad hoc*, in einem ganz anderen sachlichen Zusammenhang. Da heißt es dann[37]:

> „Zwischen (metaxy) Substanz und Akzidenz gibt es nichts anderes (ouden allo); alle Dinge (onta) sind nämlich entweder in einem Subjekt oder nicht in einem Subjekt, alle nämlich sind entweder Substanzen oder Akzidenzen."

Nachgerade ist freilich dieser Gesichtspunkt in den Kommentaren zum überhaupt allerwichtigsten (malista kyriotate) und zu dem für die Einrichtung der Dichotomie bestimmenden aufgerückt. Aristoteles habe, heißt es im 5. Jh., seine Dichotomie mithilfe von Affirmation und Negation bilden wollen, „auf daß sie eine unausweichliche (aphyktos) sei und wirklich alles umfasse", denn „beim kontradiktorischen Gegensatz (antiphasis) gibt es nichts Mittleres"[38]. *Philoponos* gar feiert die logische Form so überschwänglich[39], daß er die Substanz-Akzidenz-Dichotomie einer *beliebigen* Opposition äquivalent setzt, wenn sie nur dem formalen Kriterium genügt: Die Dinge, konträrerweise, in weiße und schwarze einzuteilen, sei ungeschickt, da einem auf diese Weise nicht nur die Farben dazwischen, sondern auch die für Farbe gar nicht empfänglichen, d.h. die unsichtbaren, Dinge — Luft und Seele z.B. — entgingen; erschöpfend hingegen sei die kontradiktorische Einteilung in Weißes und nicht-Weißes, denn nicht nur Rotes, auch die Seele sei „nicht" weiß. — Auf diesem Hintergrund erhält die Beteuerung, daß, was immer *nicht* inhäriert, also *nicht* Akzidenz ist, deswegen „durchaus" (pantos, omnino) Substanz sei[40], etwas Forciertes und das Aristoteles unterstellte Motiv der kontradiktorischen Formulierung: „auf daß wir ja nicht unbewußt in Täuschung verfallen und wähnen, es gäbe irgendetwas Mittleres (ti meson) dazwischen"[41], eher den Sinn einer Beschwörung.

Zu heikel ist es um die Disjunktion von Substanz und Akzidenz bestellt, und zwar gerade was ihre Stärke betrifft, als daß ihre hohe Absichtlichkeit noch zu verkennen wäre. Trägt sie aber ihren Sinn nicht in sich selbst, sondern ist sie von einer solchen Reflektiertheit, daß sie zunehmend damit befaßt ist, die kaum auch nur von fern sich andeutende Möglichkeit, es möchte sich doch anders verhalten, mit Macht zu verdrängen: Wogegen, fragt es sich dann, ist sie dermaßen empfindlich? Was eigentlich ist das, wogegen sie sich richtet? Ontologie schlägt hier in Mé-Ontologie um. Dafür zuständig aber ist der *inquisitorische* Diskurs.

Dessen Technik hat, zwar nur im Sinne der Aporetisierung, d.h. unter Verzicht auf den Anspruch, zur Entscheidung kommen zu wollen, die antike Skepsis ausgebildet. Die Existenz der *Zeit* etwa wird hypothetisch unterstellt, daraus eine Reihe disjunktiv formulierter Konsequenzen abgeleitet, um diese dann dilemmatisch zu destruieren. Es gehört zu dieser Art Dialektik, daß die Reflexionsbegriffe selbst — in diesem Fall, daß die Zeit entweder „begrenzt" oder „unbegrenzt", „teilbar" oder „unteilbar", „geworden" oder „ungewor-

---

37. p. 95,12-14.
38. *Ammonius* p. 26,4; *Olymp.* p. 44,17.
39. *Philop.* pp. 29,19-30, 24.
40. *Simpl.* p. 45,1 K.; p. 60 P.
41. *Elias*, In Cat. p. 148,5.

den", „körperlich" oder „unkörperlich" und schließlich eben „kath' hauto ti pragma" oder „symbebekos hetero" zu sein hätte[42] —, daß diese Paare von Reflexionsbegriffen also, um die sich alles drehen soll, ihrerseis fest stehen.

Ein Kanon solch weitgehend standardisierter, nach bestimmten dialektischen Topoi behandlungsfähiger Alternativfragen bildet aber vor allem, nun in gewiß nicht verunsichernder Absicht, das methodische Rüstzeug des christlichen Theologen, da sie am ehesten geeignet seien, das, worauf es ankommt (ten idioteta) bei den Gegenständen, mit welchen er es zu tun hat, zu „charakterisieren"[43] und das heißt, dogmatisch festzulegen. Unter allen diesen, ja der heidnischen Spekulation entstammenden, Alternativfragen kann es nur Eine jedoch an Bedeutung und unbedingter Verbindlichkeit mit der grundlegenden christlichen Dichotomie zwischen dem „geschaffenen" und dem „ungeschaffenen" Sein aufnehmen: Den transzendentalen Rang macht ihr nur die Substanz-Akzidenz-Dichotomie streitig.

Umgekehrt hat nirgendwo sonst als eben unter christlichem Vorzeichen, in der Herausbildung des orthodoxen Lehrbegriffs, diese Alternative eine so eminente Wichtigkeit erlangen können. Kam doch der mythischen Verunklärung, an der das Christentum zu tragen hat, nur der ererbte antimythische Anspruch an sich selbst gleich; und in dem antimythischen: Klarheit zu schaffen, hat die Entscheidungsfrage „Substanz oder Akzidenz?" ihr innerstes Motiv. — Repräsentativ dafür ist *Gregor v. Nazianz*, auch „Theologus" genannt, bei dem, gegen Ende des 4. Jhs., das Trinitätsdogma seine klassische Formulierung erfahren hat. Unter seinen fünf „Theologischen Reden" ist eine der Person des Hl. Geistes gewidmet. Der Hl. Geist war lange Zeit dogmatisch vernachlässigt worden und, ehe man sich endlich auch an ihn wagte, so schwankend-unbestimmt wie subaltern geblieben. Im Heidentum wäre ihm seine dämonische Existenz, die es offensichtlich aus sich heraus zur Personalität nicht bringt, stillschweigend belassen worden. Dergleichen mythische Trübungen kann das Christentum jedoch nicht dulden. Da andererseits der Monotheismus die Frage nach der Wesensart des Hl. Geistes nicht mehr einfach *erledigt*, ist Gregor veranlaßt, sie zu *stellen*. Und er stellt sie folgendermaßen[44]:

> „Der Hl. Geist ist durchaus entweder unter die an sich bestehenden Dinge (ton kath' heauto hyphestekoton) zu setzen (hypotheteon) oder unter diejenigen, die in einem anderen betrachtet werden; deren eines die Leute vom Fach ‚Substanz‘, deren anderes sie ‚Akzidenz‘ nennen."

Akzidenz nun könne er nicht sein, wenn anders unter ihm nicht bloß eine Wirkung Gottes, sondern ein selbstwirkendes Wesen zu verstehen ist.

> „Wenn er aber eine Substanz ist", fährt Gregor fort, indem er das offenbar damit für bewiesen ansieht, „und nicht dazu zählt, was auf die Substanz bezogen ist (ton peri ten ousian), dann wird von ihm anzunehmen sein, daß er entweder doch Kreatur oder Gott ist: denn irgendein Mittelding (meson ti) dazwischen, sei es eines, das an keinem von beiden teilhat, sei es ein aus beiden Zusammengesetztes, dürften wohl selbst diejenigen, die die bewußten ‚Bockhirsche‘ erdichten, nicht konzipieren..."

---

42. *Sextus Empiricus*, adv. Math. X, 215.
43. *Maximus Conf.*, De anima PG 91 col. 353.
44. *Gregorius Naz.*, Oratio 31,6.

Die Ironie dieses Potentialis — denn ein solches Mittelding ist es ja gerade, was nicht nur Philon[45] vorgeschwebt hat, sondern auch der semiarianischen Häresie, gegen die Gregor polemisiert — verrät, daß die Disjunktionen vor allem Eines bezwecken: die Durchsetzung der begrifflichen Dichotomie selbst, die, als solche, das bloß mythisch Imaginierte, als solches, annihiliert; und daß sie erst aufgrund dessen eine Entscheidung *innerhalb* ihrer begrifflichen Vorgabe anstrengen. Die Insistenz der Frage gilt ihrer eigenen Voraussetzung.

Daß durch sie das Mythische vorweg entzaubert wird, das qualifiziert den Typ der zweigliedrigen Disjunktion zur bevorzugten Figur der Entmythologisierung und schlägt einen Bogen von der antinomischen Diskussion der „Zeit" bei Sextus Empiricus über die mit den gleichen Mitteln erzielte Anerkennung des Hl. Geistes als einer trinitarischen Person bei Gregor bis zu *Boyles* „Free Inquiry into the received Notion of Nature", worin, zu Beginn des mechanistischen Zeitalters, unter Verwendung der selben Fragesequenz — Substanz oder Akzidenz? materiell oder spirituell? geschöpflich oder nicht? usw. — die beseelte Natur, weil eben nur „imaginären" Wesens, exterminiert wird[46]. Die *Antworten* fallen in allen drei Fällen verschieden aus; zugrunde liegt ihnen aber ein und die selbe Logik, mit welcher die mythische Potenz in die Enge getrieben wird.

Die Disjunktion von Substanz und Akzidenz nun insonderheit zwingt nicht allein irgendwelchen verdächtigen Gegebenheiten Bestimmtheit nach der einen oder anderen Seite auf; sie klärt auch, und stellt darin ihren transzendentalen Rang unter Beweis, die theologische Begrifflichkeit selbst: beispielhaft die Kategorie „Ähnlichkeit", wie sie für das Trinitätsdogma in der semiarianischen Formel von der „Homoiusie", d.h. der „Wesensähnlichkeit" im Gegensatz zur „Wesensidentität", so gefährlich wurde. Was heißt „Ähnlichkeit"?

Auffallen muß die Robustheit, mit der die orthodoxen Anwälte der Wesensidentität einen der Sinnenwelt entlehnten Ähnlichkeitsbegriff voraussetzen, um, was die Art der Gemeinsamkeit von Vater und Sohn betrifft, die Zumutung, es wäre eine der „Ähnlichkeit", zurückzuweisen. Anknüpfend an die aristotelische Terminologie, wonach „Identität" substantielle Einheit und „Ähnlichkeit" qualitative Einheit bezeichnet, d.h. aber die der Eigenschaften und Affektionen sinnlicher Substanzen[47], behauptet *Athanasius*[48], der Begriff der „Ähnlichkeit" verfehle *kategorial* das Verhältnis zweier Substanzen, wie es Vater und Sohn sind; in diesem Bereich gebe es nur entweder Identität oder Diversität. Der Sinn dieser Distinktion stellt sich heraus, da sie auf den Einwand von der „Gottähnlichkeit" der Kreatur und darin auf einen spezifisch anderen Ähnlichkeitsbegriff trifft: den der *wesensmäßigen* Ähnlichkeit vermöge eines Teilhabeverhältnisses (ek metousias). Es ist dies der mythische, der spezifische Differenz vom Identitätsgrund der spezifisch Verschiedenen übermächtigt sein läßt. Wohlvertraut dem frühen, suspekt dem späten Platon zur Bestimmung des Teilhabeverhältnisses der Sondertugenden an der Idee der Tugend, drückt sich der ursprungsmythische Charakter dieser Ähnlichkeit in der Anschauung aus, daß die der-

45. Quis rer. div. her. § 206: ...oute agenetos hos ho Theos on oute genetos hos hymeis, alla mesos ton akron.
46. R. *Boyle*, Works (ed. Birch) V pp. 240 sq.
47. Met. V, 15, 1021a11; Cat. 11a15; Met. X, 3, 1054b3.
48. De synodis cap. 53; *M. Victorinus*, adv. Arium I, 22,2 u.ö.

art Ähnlichen miteinander „verwandt" (syngenes) seien; was aber Eines Stammes ist, gehört untrennbar zusammen; Ähnlichkeit in diesem Sinne bezieht sich demnach nicht sowohl auf etwas *an*den Ähnlichen denn auf ihr im Ursprung gegründetes affirmatives Verhältnis zueinander, und erst insofern auch auf ihre sinnfällige Erscheinung. Innerhalb des Christentums ist nun zwar der mythische Kern einer solchen wesensmäßigen Ähnlichkeit, ihrer pantheistischen Implikation wegen, ohnehin bedeutend abgeschwächt; dennoch trachtet Athanasius sie vollends ihrer Aura zu entkleiden, indem er sie, die sich der Dichotomie doch offenbar entzieht, derselben unterwirft und so zu dem doppelten Resulat gelangt, daß es sich bei dieser Ähnlichkeit, die aus Teilhabe stamme und auch wohl *einzubüßen* sei, deswegen einerseits nur um eine *akzidentell* zur Substanz hinzutretende Qualität handeln könne (poiotes, hetis te ousia prosgenoit' an) und andererseits um eine nicht eigentlich, sondern nur *scheinbar* (ouk aletheia all' homoiosei tes aletheias) so zu nennende *substantielle* Ähnlichkeit (kath' ousian): Die Restriktion des Mythischen auf Eine Seite wird seinen Schatten, als Schein und Metapher, auf der anderen nicht los.

Hochbedeutend nun, angesichts dieser Schwierigkeit, die der Begriff einer intelligiblen Ähnlichkeit seiner Rationalisierung bereitet, wie Gregor v. Nazianz, in der schon herangezogenen Rede, die Dreieinigkeit jedem Gleichnis verwehrt. Selbst bei dem, noch von Athanasius gern bemühten, Bild von der Sonne, dem Strahl und dem Licht stünde zu befürchten.

> „... daß wir zwar den Vater zur Substanz machen (ousiosomen), den anderen jedoch keine Selbständigkeit zugestehen (me hypostesomen), sondern aus ihnen nur Kräfte Gottes machen, die nur in Ihm existieren (enhyparchousai) und nicht für sich Bestand haben (hyphestosai). Denn Strahl und Licht sind keine anderen Sonnen, sondern gewisse sonnenhafte Emanationen (aporrhoiai) und substantielle Qualitäten (poiotetes ousiodeis)"[49].

Bedenklich ist die Imago, weil über die Veranschaulichung des Mysteriums die tragenden Unterscheidungen des Lehrbegriffs, in Korrelation zu dem das Mysterium aber doch nur besteht, zerfließen, und schon deswegen das Mysterium dem Mythos anheimfiele. Im vorliegenden Fall kommt jedoch ein besonderer Schein hinzu. Das Sonnengleichnis beschränkt sich nämlich nicht darauf, die Vorstellung nahezulegen, die beiden anderen trinitarischen Personen wären, anstatt selbst Substanz, gleichsam akzidentell von der Substanz des Vaters abhängig, sondern es überblendet noch das Abwegige dieser Vorstellung, indem es suggeriert, diese Ausflüsse wären, da sich in ihnen ja die Substanz selbst ausgibt, ihrer Seinsweise nach nicht eigentlich akzidentell.

Zwar gibt Gregor diesem Verdacht gar nicht erst Raum, und spätere Kirchenlehrer versichern geradezu, die substantielle Qualität falle gerade so gut unters Akzidenz wie diejenige Qualität, die eine Substanz nachträglich affiziert (poiotes epousiodes)[50], — aber daraus spricht bereits die christliche Abwehr einer offen in Mythologie ausartenden Aufweichung der metaphysischen Disjunktion, wie sie ausgerechnet von derjenigen Schule ausgegangen ist, der porphyrianischen, die in dieser Richtung zumindest begriffsprägend gewirkt hatte.

---

49. Or. 31, 32; cf. *Ioannes Damasc.*, De fide orth. I, 8, auf dessen Autorität sich *Thomas v. Aquin* beruft, da er das Licht als akzidentelle Form einstuft: S. th. I, 67, 3 contra.

50. *Leontius Byz.*, c. Nestor. et Eutych. I, PG 86 col. 1277d.

Wenn die emanierenden Qualitäten der neuplatonischen Systeme insgemein schon nicht, da immer geneigt, hypostasiert zu werden[51], auf den Gegensatz von Substanz und Akzidenz festlegbar sind, so bildet erst recht dieser Begriff der „substantiellen Qualität" selbst die ontologische Versuchung. Mehr freilich auch nicht, denn *dieser* kritische Fall ist lediglich eine immanente Ausgeburt.

Innerhalb der Aristoteleskommentierung hat sich das Problem, welchen Seinsstatus sie hat, an dem Sonderfall der „spezifischen Differenz" entzünden müssen, indem es von dieser heißt, auch sie, nicht nur die Substanz, inhäriere keinem, sondern werde essentiell prädiziert[52]. Da nun, Aristoteles zufolge, die spezifische Differenz eine Weise, sogar die vorzügliche, der Qualität ist[53] — die Affektion ist das erst in zweiter Linie —, sieht sich eine an dem kontradiktorischen Gegensatz von Inhärenz und Nichtinhärenz aufgerichtete Substanz-Akzidenz-Dichotomie in der Verlegenheit, mit einer nicht-akzidentellen Qualität fertigwerden zu müssen, die andererseits aber auch keine Substanz sein soll. Gleichwohl ist es gerade bei dieser Gelegenheit, daß Porphyrios und alle nach ihm an die Verbindlichkeit der metaphysischen Disjunktion erinnern, als für die ja überhaupt erst, nicht etwa für Aristoteles, diese Aporie entsteht. „Wenn also die Differenz weder Substanz noch Akzidenz ist, was könnte sie dann sein?"[54]

Porphyrios sucht den Ausweg in der Bildung eines synthetischen Mittelbegriffs (to holon), eben der „substantiellen Qualität"[55]:

> „Concludendum est igitur differentiam neque solum substantiam esse neque solum qualitatem, sed, quod ex utrisque conficitur, substantialem qualitatem ..., atque ideo, quoniam substantiam participat, accidens non est, quoniam qualitas est, a substantia relinquitur. Sed quoddam medium est inter substantiam et qualitatem ..."

In der erhaltenden Kurzfassung seines Kommentars vermeidet er zwar, einerseits, von einem Mittelding zwischen Substanz und *Akzidenz* zu sprechen, da eine solche „substantielle Qualität" im begrifflichen Sinne eine Substanz „komplettiert" und dieser ihrer essentiellen Prädizierbarkeit wegen auch ontologisch zu den Substanzen gehört; dadurch aber, daß im selben Zusammenhang die elementarischen Qualitäten (die Wärme des Feuers usw.) mit der Bemerkung ins Spiel gebracht werden, daß, was dem einen „substantiell" zukommt (prosesti), dem anderen „nicht substantiell", sondern bloß als Akzidenz zukomme (die Wärme dem Wasser), büßt diese substantielle Qualität, mit der darum die Differenz auch nur „fast identisch" gesetzt wird, ihren begrifflichen Charakter gleich wieder ein und fängt an, sinnlich zu scheinen und zu emanieren: Nichts anderes mithin als den zweideutig-schillernden Übergang zwischen Substanz und Akzidenz ist sie zu bilden bestimmt. — So ward Porphyrios denn auch in der Tradition nachgesagt, er habe „eine gewisse mittlere Natur zwischen Substanz und Akzidenz" einführen wollen[56], so ähnlich wie diejenigen, die

51. cf. *Plotin*, Enn. V 1, 6, 33; die palamitische Energienlehre (PG 150, col. 1216).
52. Cat. 5, 3a21.
53. Met. V, 14.
54. *Porphyrius* p. 95,15.
55. l.c. p. 95,17 sqq. *Boetius* col. 192b.
56. *Elias* p. 173,13.

das eigens für das *Licht*, in Bezug auf das Materielle und das Immaterielle, täten. In dieses Bild paßt die weitere Mitteilung, Porphyrios habe diese Mitte *quantitativ* aufgefaßt, indem er innerhalb derselben wiederum, je nachdem, ob sie *mehr* oder *weniger* an der Substanz bzw. am Akzidenz teilhat, drei Grade unterschieden und unter den mehr der Substanz zuneigenden Differenzen die spezifischen, d.h. die essentiellen Prädikate, verstanden habe, unter den mehr dem Akzidenz zuneigenden gewisse sinnfällige Charakteristika und unter denen in der Mitte endlich abermals die elementarischen Qualitäten, was sich allenfalls noch, ehe es in reine Begrifflosigkeit ausging, so zurechtlegen ließ, daß sie zwar der „prima materia" akzidentell, den vier Elementen jedoch substantiell seien[57].

Unverholen mythisierend bekennt sich der die Schule beherrschende Kontinuitätszwang in anderen Verlautbarungen derselben: Wie die *Natur*, nach Ansicht der Kundigen, allgemein von einer Gattung zur anderen „stets durch eine uns verborgene Mitte" des Nicht-mehr und des Noch-nicht überzugehen liebe (metabainein philei) und daher etwa zwischen Tier und Pflanze noch ein gewisses mittleres Leben (metaxy tina mesen zoen), das der „Zoophyten", aus beiden extremen synthetisiere, um selbige miteinander zu „verketten", so verbinde also auch die „Differenz", als Mittelding zwischen Substanz und Qualität, die Substanzen mit den Akzidenzen und diese mit jenen, ob sie nun an beiden partizipiere oder neutral (kechorismenon amphoin) gegen sie sei[58].

Dabei dient, wohlverstanden, dieser Verrat an ihrer logischen Form vielmehr der *Aufrechterhaltung* der metaphysischen Dichotomie. „Substanz" und „Akzidenz" treten dafür allerdings — angelegt war es in ihrer Absolutierung — in voller mythischer Mächtigkeit hervor. Imaginiert nämlich ist kein statisch Drittes, wie es logisch auszuschließen wäre, sondern, vermöge dieses Dritten und im Zeichen pantheistischer Naturimmanenz, eine Dynamisierung des ganzen Gefüges, das, als solches, nurmehr *Übergang* sein soll: *metabasis eis allo genos*, Aristoteles zum Trotz[59]. Dergestalt, magisch, von Naturvorgängen abgenommen, erscheinen die vorher isolierten Begriffe „Substanz" und „Akzidenz" wieder zueinander ins Verhältnis gesetzt.

Dem Trinitätstheologen hat, versteht sich, solch magische Bewandtnis, die es mit der „substantiellen Qualität" hat, ein Greuel sein müssen. Doch selbst innerhalb der Schule zeichnet sich deren christlicher Teil durch die Emphase aus, mit welcher er der Superstition entgegentritt. Die Mitteldinglösung sei zwar, meint *Ioannes Philoponos*, ansprechend (euphyos), wahr aber mitnichten. Hätte Aristoteles die „Differenz" zwischen Substanz und Akzidenz ansiedeln wollen, so hätte er eine entsprechende *elfte* Kategorie bilden müssen. Da es nun einmal nur die eine Substanzkategorie und die neun Akzidenzkategorien gebe, „und nichts dazwischen", so müßten (ananke) auch alle Dinge entweder Substanzen oder Akzidenzen sein, „und nichts dazwischen". Weil konstitutiv für die Spezies und darum un-

57. l.c. p. 173,17-35; *Philop.* pp. 64,22 - 66,5.
58. *Dexippus*, In Cat. pp. 48,25 - 49,20; *Simpl.* p. 98,19-30 K. Die gemeinsame Quelle dürfte Jamblich sein.
59. Met. X, 7, 1057a26.

möglich ein Akzidenz, sei folglich die spezifische Differenz, wenngleich per reductionem (wie der scholastische Terminus lauten wird), mit unter die Substanzen zu befassen[60].

> „Allein, oh Porphyrios", ruft ein anderer geradezu aus, nachdem er die Mitteldinglösung vorgestellt hat, „die Substanz und das Akzidenz, das ‚in einem Subjekt‘ und das ‚nicht in einem Subjekt‘, stehen kontradiktorisch zueinander; bei der Kontradiktion aber gibt es nichts Mittleres... usw."[61]

Das Dürftige dieser Entgegnung, die sich lediglich auf die historische Tatsache zum einen, das „Tertium non datur" zum anderen zu berufen weiß, läßt, im Gegenzug, das Eigengewicht der Subsumtionsentscheidung hervortreten. Gleichgültig, wie sie ausfällt: es kommt darauf an, *daß* entschieden werde. Denn die metaphysische Disjunktion selbst steht auf dem Spiel; eher, als daß sie über ein Drittes entschiede, ist sie es, über die entschieden wird, ob sie in Kraft bleibt oder nicht.

Müßig, dem Problem der substantiellen Qualitäten geschichtlich weiter nachzugehen. Es liegt in der Rigorosität der Disjunktion begründet, daß sie auch in der Folgezeit, das ganze Mittelalter hindurch, durch Zweifelsfälle des angedeuteten Typs auf Schritt und Tritt zu vexieren war. Ob es sich um Transmutation in den Tiefen der elementarischen Natur, ob um die Zeugung neuen Lebens, ob um Ausstrahlung im weitesten Sinne[62] oder, am sublimsten, um die Seinsweise der aus der Seelenessenz emanierenden Vermögen handelte, — kurz, wo immer nur Kräfte und Qualitäten ihr Wesen treiben, mußten, den Ontologen ein unerschöpflicher Gegenstand des Streites, Substantielles und Akzidentelles ineinanderspielen; gleichgültig, ob man nun geneigt war, sich auf dergleichen mittlere Seinsweisen förmlich einzulassen[63], oder vielmehr, wie Thomas v. Aquin, intransigent deren Denkbarkeit aufs Schroffste bestritt.

Mochte der Bereich der naturierenden Natur sich der verlangten Klarheit noch so sehr entziehen, die metaphysischen Disjunktion, obgleich vexiert durch sie, blieb ihr gegenüber doch allemal im Vorteil, da es im Medium *ihrer* Begrifflichkeit, von ihr selbst herausgefordert war, daß jene trübe und begrifflos sich bezeigte. Nicht also dies Begrifflose taugt dazu, ihren wunden Punkt zu bezeichnen, denn ihre Schwäche in dieser Beziehung ist eins mit ihrer Stärke: Ihre wirkliche Grenze wird vielmehr nun an etwas zutagetreten können, das seiner Seinsweise nach den Horizont des transzendentalen Grundsatzes, da es *über* ihn geht, auch zu *definieren* vermag, ohne indes andererseits, seiner spekulativen Struktur nach, damit zugleich das Verhältnis zu dieser seiner Voraussetzung, der metaphysischen Disjunktion, schon abgebrochen zu haben.

IV.

Ehe an Scheidung des Substantiellen und des Akzidentellen zu denken ist, bedarf der Begriff des „Substantiellen" selbst der Klärung.

60. p. 66,6 sqq.
61. *Elias* p. 173,35.
62. cf. R. *Bacon*, De multiplicatione specierum I, 1-2.
63. *Duns Scotus*, Ord. II, 16, 1 § 19; cf. Ord. I, 2 n. 435.

Albertus Magnus zitiert, ohne übrigens besonders auf jenes Oxymoron einer „substantiellen Qualität" einzugehen, dennoch zustimmend Boetius, also Porphyrios, mit der Wendung, das „Substantiale" überhaupt sei ein „medium inter substantiam et accidens"[64]. Daß er sich dergestalt zu einer kompromittierenden Tradition bekennt, verleiht dem, worin die von ihm gegebene Erklärung von der traditionellen Mythologie sich unterscheidet, *spezifisches* Gewicht. Er fährt nämlich fort:

> „... sed non est medium per abnegationem utriusque extremorum dictum secundum propriam ipsius naturam et entitatem, quia tale medium esse non potest, eo quod omne, quod est, est substantia, vel accidens secundum naturam suae entitatis: sed est medium per hoc, quod aliquid utriusque participat, sicut diximus, habet enim naturam accidentis et modum substantiae."

So weit geht Albert mit der Tradition konform, daß er zwar ein *toto genere* von Substanz und Akzidenz Verschiedenes ausschließt, nicht aber die Bildung eines synthetischen Mittelbegriffs, welcher insofern sowohl der einen als auch der anderen Seite logisch untersteht[65]. Porphyrios hatte ihn imaginiert. Albert begründet ihn. Das Neue an Alberts Lösung ist, daß er die *Sphäre* angibt, auf die sich die Disjunktion von Substanz und Akzidenz *bezieht*. Diese Sphäre ist die des *natürlichen* Seins eines jeden, wo nicht gar — denn die Begriffe „natura" und „entitas" gehen ineinander über — die seines Seins überhaupt, insofern dieses sein *eigenes* Sein oder seine Natur ist. Substanz und Akzidenz beziehen sich darauf, welchen Seinsstatus etwas *an sich* hat.

Die metaphysische Disjunktion intendiert, wie gesagt, die beiden Seinsweisen in ihrer Getrenntheit, nicht auf einander bezogen, so sehr das dem Begriff der einen auch widerspricht, die daher in Wahrheit eine gerade so ansichseiende ist wie diejenige, deren Charakteristikum das sein soll: Alberts „Natur"begriff reflektiert das.

Daß aber nun etwas, das seinem Ansichsein nach notwendig das eine oder das andere, Substanz oder Akzidenz ist, dessenungeachtet die *umgekehrte* Bedeutung erhalten mag — der sechste Finger sei z.B., obwohl an sich (natura) Substanz, nichtsdestoweniger „akzidentell" —, verweist auf eine diese Sphäre des Ansichseins zwar voraussetzende, systematisch jedoch von der unabhängige Sphäre, die den Seinsstatus von etwas aus seiner Relativität heraus, und zwar deswegen *zusätzlich*, und ggf. im umgekehrten Sinne, bestimmt, weil der Zusammenhang, in dem etwas steht, die Weise, in der es an sich existiert, übersteigt und darum in der metaphysischen Disjunktion nicht vorgesehen ist.

Es ist der *Modus*begriff, der hier eingreift und auch die bisher in starrer Isolation konzipierten Seinsweisen „Substanz" und „Akzidenz" ihrerseits durch die Konzeption des „Substantiellen" bzw. „Akzidentellen", und zwar auf nichtmythologische Weise, vermittelt. Da nämlich „Natur" und „Modus" als Gegenbegriffe einander inkommensurabel sind, erscheint ein „medium" zwischen Substanz und Akzidenz denkbar, das zwar an beiden partizipiert, nicht jedoch in dem selben Sinn. Konnte das porphyrianische Mittelding nur eine obskure Zwischen*natur* meinen, so ist in Alberts entsprechender Definition des

---

64. Logica; liber de sex principiis I, 4.
65. Auch diese Denkmöglichkeit wurde von den Thomisten bestritten: *Cajetan*, In S. th. I, 76, 4; § 19. Der Sache nach cf. *Avicenna*, Log. (1508) f. 5v; De anima p. 25 Riet.

„Substantiale" die Natur, als Bezugsrahmen, selbst suspendiert — dies definiert gerade den besonderen Seinsstatus des so gefaßten Mitteldings —, so daß das Substantielle, als solches, von *Natur* aus Akzidenz ist und trotzdem, denn als Funktionsbegriff habe es den „modum substantiae *in* eo cui est substantiale", durch seinen Substanz*modus* ontologisch bestimmt.

Mit der alten Unterscheidung wird man feststellen dürfen: Der gebieterische Zwang der Disjunktion betrifft das *Esse primum*, während das *Esse secundum* ihm deswegen nicht unterliegt, weil es, indem über jenes hinaus, damit zugleich die Ausschließlichkeit der nur auf jenes anwendbaren Disjunktion überwunden hat. — Zu prüfen ist, was der Scholastiker, d.i. einer, für den die Substanz-Akzidenz-Dichotomie die transzendentale Bedingung jeder nur möglichen Antwort ist, mit Phänomenen des *Esse secundum* anfängt. Der exemplarische Fall dafür ist die *Gnade*, oder vielmehr der Gnadenstand der *Seele*.

„Utrum gratia sit in genere substantiae, vel accidentis", macht etwa *Bonaventura* zum Gegenstand einer Quaestio[66]. Das Pro und Contra beruht, wie auch die Lösung, erklärtermaßen auf dem Axiom „aut gratia est substantia aut accidens". Dabei kann sich die Akzidentalitätsbehauptung auf Gründe stützen, die *Athanasius* gegen jenen mythischen Begriff der Ähnlichkeit ins Feld geführt:

„Omne quod advenit substantiae jam completae, est accidens; sed gratia advenit substantiae jam completae, sc. animae rationali: ergo etc."

In die selbe Richtung zielt das Argument, daß die Seele, wird ihr die Gnade auch entzogen, dadurch noch nicht zerstört werde. Daß die Seele existentiell auf die Gnade nicht angewiesen ist, diese ihr daher akzidentell sei, hält Bonaventura für unwiderlegbar. Er trägt darum auch nur Sorge, der Inferiorität des höchsten Guts in ontologischem Betracht ihre Anstößigkeit zu nehmen, indem er dessen akzidentellen Seinsstatus näher auseinandersetzt. Zu unterscheiden sei zwischen solchen Akzidenzen, die an dem Subjekt, welchem sie inhärieren, zugleich auch ihr Prinzip haben, und solchen, die jenem nur als äußeres Widerfahrnis inhärieren, ihren Ursprung jedoch in einem anderen haben. In diesem Fall könne es nun sein — sofern nämlich sein Ursprung wesensmäßig höher rangiert —, daß ein Akzidenz sein Subjekt „nobilitiert", d.h. ihm zur Erfüllung nicht sowohl seines natürlichen denn seines höheren Seins gereicht (complementum non quantum ad *esse primum,* sed quantum ad *esse secundum)*; seines „höheren" insofern, als das „esse secundum" mit dem „bene esse" gleichbedeutend ist.

Obwohl demnach die von Gott verliehene Gnade in bestimmter Beziehung, in Bezug auf dieses spirituelle Leben der Seele, durchaus als Form fungiert (forma dans vitam quantum ed esse secundum), hat das bei Bonaventura nun aber nicht etwa den Sinn, in diesem Lichte für die Gnade, unbeschadet ihrer natürlichen Akzidentalität, einen anderen Seinsstatus zu reklamieren, sondern es dient, ganz im Gegenteil, dazu, da die Seinsweise des Akzidenz derart aufgewertet ist, ihre Subsumtion unter dasselbe zu ratifizieren. Es ist freilich auch eine beträchtliche Aufwertung, die dessen Seinsweise in diesem Zusammenhang erfährt: Nicht schlechterdings, sagt Bonaventura, sei das Akzidenz gegen die Substanz zurückzusetzen, sondern allein, sofern es *in sich* mit jener auf sein ontologisches Wesen und, heißt es synonym, auf sein Ansichsein hin verglichen werde (in se quantum ad essentiam

66. Sent. II, 26, 1, 3.

generis sive quantum ad esse primum); wofern jedoch in seiner Inhärenz betrachtet, gewänne es selbst dadurch wie auch sein Subjekt, „quantum ad esse secundum".

Doch gerade weil Bonaventura seinem Lehrer Albert darin folgt, daß Substanz und Akzidenz in ihrer Getrenntheit sich lediglich auf die natürliche Existenz, auf das Ansichsein beziehen, während sie in ihrem Verhältnis zueinander wechselseitig einen qualitativen Seinszuwachs erführen, der ihr ontologisches Wesen aufs *Esse secundum* hin transzendiert, wird es desto auffallender, daß er dennoch nicht zögert, den exemplarischen Fall von solchem, was seine Ratio nur an diesem *Esse secundum* haben kann, d.h. die Gnade, doch wieder jener metaphysischen Disjunktion preiszugeben, die, als solche, das Spezifische ihres Seins vielmehr verfehlt. Im vollen Bewußtsein seines inkommensurablen Andersseins weigert der Scholastiker sich gleichwohl, das *Esse secundum* gegen eine Ontologie, die am *Esse primum* ihr Maß hat, als Instanz wahrzuhaben. Und nicht nur, daß es keine Instanz dagegen soll sein können: Das „esse superadditum supra esse substantiae" wird stattdessen seinerseits dem ontologischen Horizont des *Esse primum* unterstellt, denn weil *existentiell* abhängig vom Ansichsein der Substanz, sei es derselben — „sicut primum potest intelligi sine secundo" — eben auch nur *akzidentell*[67].

Bonaventura selbst vergleicht den Seinsstatus der Gnade dem des ausgegossenen Lichts (ut lumen in aëre illuminato). Dieser Hinweis erlaubt, die Schwierigkeit, die die Scholastik mit dem *Esse secundum* hat, noch deutlicher zu bestimmen, da es bei diesem Lehrstück möglich ist, die aristotelische Theorie der scholastischen gegenüberzustellen und so deren innerer Schranke auch im Spiegel der traditionellen Begriffe gewahr zu werden.

Bonaventura teilt die gemeinscholastische Auffassung, daß das durch den diaphanen Körper, die Luft etwa, diffundierte Licht („lumen" im Gegensatz zu „lux"), als Sinnesphänomen jedenfalls, deswegen eine „qualitas accidentalis" desselben sei, weil es zwar ohne das Licht, das Licht aber nicht ohne ihn existieren kann[68]. Diese Festlegung ist beachtlich, weil Bonaventura im übrigen, verglichen nur mit des Aquinaten Sprödigkeit in allem, was an Lichtmetaphysik streift, gerade in diesem Bereich nicht nur sorgfältig differenziert — „utrum *lux* sit forma substantialis, vel accidentalis?" fragt er, und wiederum „utrum *lumen* sit forma substantialis, an accidentalis?" —, sondern vor allem auch bestrebt ist, die Komplexität des Ganzen durch die Integration seiner begrifflichen Aspekte, an deren jedem etwas Wahres sei, zum Ausdruck zu bringen, so daß Substantielles und Akzidentelles, als Moment der Einen „veritas integra", zwar unterschiedene, aber doch relative Bestimmungen sind.

Hat in ihrer Theorie der Helligkeit die Scholastik also die Inhäsion des Lichts im diaphanen Körper zum Gegenstand, so war die Fragestellung des *Aristoteles* eine spezifisch andere. Aristoteles handelt[69] nicht von der Luft, sondern vom Durchsichtigen — das *meint* die Scholastik, da sie von „Luft" spricht, auch; nur teilt sie nicht diese formale *Hinsicht* auf den durchsichtigen Körper, sondern ist fixiert auf seine Körperlichkeit. Durchsichtig, hatte Aristoteles angesetzt, seien manche Körper beschaffen, nicht, insofern (he) sie Luft oder

---

67. *Thomas v. Aquin*, S. c. G. IV, 14; De ente et essentia § 35.
68. Sent. II, 13, 3, 2 corp.; cf. *Albertus Magnus*, De anima II, 3, 12.
69. De anima II, 7.

Wasser sind, sondern vermöge einer ihnen gemeinsamen „Natur", von der Aristoteles immerhin erst dementieren muß, daß es eine separate sei[70]. Warum es ihm auf die so abgehobene durchsichtige Natur theoretisch allein ankommt, zeigt sich sogleich, da sich dem ersten „Insofern" ein zweites anschließt und die Definition der Helligkeit (phos) erbringt[71]:

> „Die Helligkeit aber ist dessen Akt, d.h. des Durchsichtigen, insofern (he) es durchsichtig ist."

Helligkeit, aufgefaßt als „die Entelechie des Durchsichtigen"[72], sanktioniert demnach, über das wiederholte „Insofern", ebensowohl die voraufgegangene Aktualisierung einer bestimmten kategorialen Seite an den Dingen, ihrer Qualität nämlich, wie das darin herausgestellte „Durchsichtige als solche" auf die Helligkeit als auf sein *Sein* hin angelegt ist. — Wenn Aristoteles sodann die Helligkeit von dem externen Lichtquell her konzipiert, als dessen Präsenz (parousia) im Durchsichtigen, dann kann das, da es in diesem Zustand erst wirklich durchsichtig ist, unmöglich so zu verstehen sein, daß das das Durchsichtige bloß akzidentell affizierte. Zwar weiß auch er, daß das Licht im Durchsichtigen nicht *immer* anwesend ist, und er spricht daher von der Helligkeit als von einem „Habitus", dessen das Durchsichtige auch beraubt sein mag; aber auch dies bestätigt nicht sowohl ihre Akzidentalität denn — aristotelischer Terminologie zufolge bedeutet „Habitus" die Potenz im Stande ihres Akutiertseins[73] — wiederum nur ihren entelechetischen Charakter. Im Zentrum einer Theorie, die vom Durchsichtigen „als solchen" handelt, steht demnach ein Entelechiebegriff, der das Sein eines Seienden intendiert. In diesem Sinne, dem Sein eines Seienden, aber ist es, und nicht als ihrerseits wieder etwas Seiendes, daß dem Aristoteles die Entelechie für eine *Substanz* gilt[74].

Legt die Scholastik demgegenüber in ihrer Theorie den durchsichtigen *Körper* zugrunde, für den das Licht nichts weiter als eine vorübergehende Affektion ist, dann richtet sich das offenbar gegen diesen Zentralbegriff der *Entelechie*: Da allemal die Entelechie *von etwas*, genügt sie ja unmöglich dem Substanzkriterium selbständiger Existenz, kann aber andererseits, solange auf das Durchsichtige als solche bezogen, auch nicht für dessen Akzidenz gelten; daher die Verschiebung der Problemstellung selbst, so daß „Helligkeit" als das Sein eines Seienden denken zu müssen sich erübrigt.

Die metaphysische Disjunktion bezieht sich auf das *Seiende*: für dessen *Sein* fehlen ihr die Begriffe. Im Zweifel allerdings entscheidet die von Aristoteles hervorgehobene Nähe der Entelechie zur *qualitativen* Seite des Seienden auch über den Status von dessen *Sein*. — Exemplarischer Fall einer Entelechie, der des „potentiell lebendigen Körpers", ist bekanntlich die *Seele*[75]. Für Aristoteles ist ihre Substantialität ohne weiteres damit vereinbar, daß

---

70. De sensu 439a23.
71. De anima 418b9.
72. 419a11.
73. Met. V, 20.
74. Das Beil-Sein als die Substanz des Beils usw., De anima II, 1, 412b13; II, 4, 415b12; Met. VII, 7, 1032b1.
75. De anima II, 1, 412a19.

sie ontologisch auf ein in bestimmter Weise qualifiziertes Substrat, den organischen Körper, angewiesen ist. Prinzip seines Seins[76], *kommt* sie ihm nichtsdestoweniger *zu*: „Körper nämlich ist sie zwar nicht, aber etwas *des* Körpers, und deswegen existiert sie *im* Körper, und zwar in einem so und so beschaffenen Körper." Sie sei „weder ohne Körper noch irgendein Körper"[77]; woraus die Tradition den Schluß zog, daß sie, im Unterschied zum Körper, „nicht per se subsistiert"[78]; und was insbesondere das betrifft, daß sie *nicht ohne* den Körper sei, so brauchte das nur neben die in der Kategorienschrift gegebene Bestimmung des Inhärierenden gehalten zu werden — das, was „nicht getrennt (choris) von dem sein kann, in welchem es ist"[79] —, damit man, und als Christ zumal, unter dem Vorgebot der metaphysischen Disjunktion zu dem Urteil kam:

> „Aristoteles aber pflichtet, da er die Seele für eine Entelechie erklärt, nichtsdestoweniger (ouden hetton) denen bei, die sie für eine *Qualität* erklären."[80]

Aus dieser ontologischen Vorherrschaft des dinghaft *Seienden* erklärt sich schließlich, damit zusammenhängend, die für den scholastischen Grundbegriff der „substantiellen Form" konstitutive Unklarheit, zwar kein Akzidenz sein zu können, und daß sie dennoch aus dessen Schatten nie hat unzweideutig heraustreten können. Die „substantielle Form", terminologisch erst ein Produkt der porphyrianischen Schule, ist ein — allerdings durch die Seele enggeführter und entsprechend okkult gewordener — Nachfolgebegriff der „Entelechie". *Thomas v. Aquin* begnügt sich meistens, wie sein Kommentator notiert[81], mit der „conclusio negativa", daß die substantiellen Formen, als „principia essendi", ihrerseits *nicht* subsistierten[82]. Doch erhält diese ihre Nichtsubsistenz keineswegs die kritische Wendung, daß sie der durch die Seinsweisen von Substanz und Akzidenz ausgemessenen Sphäre des Seienden überhaupt entzogen wären. Ausgelegt wird ihnen das vielmehr als ihr *Mangel*, der sie, sooft es zu einer positiven Bestimmung kommt, wie von selbst den Akzidenzen, und zwar darin assoziiert, daß sie, da sie beide gleichermaßen über kein „per se esse absolutum" verfügten, von ihrem jeweiligen Subjekt funktional abhängig seien[83]; wie sie überhaupt „eigentlich eher zu einem Seienden gehörig denn selber seiend" zu heißen hätten (proprie dicuntur magis entis quam entia)[84]. Welche Not es mit den substantiellen Formen hat, zeigt sich nun aber daran, daß Thomas auf den Vergleich mit den Akzidenzen ausgerechnet dort verfällt, wo es ihm vielmehr darum geht, jene doch irgendwie, freilich eben nicht vollwertig, sondern „per reductionem", den *Substanzen* zuzuschlagen, da sie ja deren

76. 415b8.
77. 414a19.
78. *Alexander Aphr.*, De anima p. 17,25 Bruns.
79. 1a24.
80. *Nemesius*, De natura hominis cap. 2, PG 40 col. 560; ein um 400 entstandener Traktat, der, überliefert unter dem Namen Gregors v. Nyssa, für die Scholastik Autorität besaß.
81. *Cajetan*, In S. th. I, 75, 3.
82. Quodl. 9, 11 ad 1; S. th. I, 75, 3; S. c. G. II, 82; De anima 12 ad 16.
83. De ente et essentia § 34.
84. De veritate 27, 1 ad 8; S. th. I, 45, 4; de unit. int. I, 640 sqq.

Prinzipien seien: indirekterweise Substanz, so lautet die scholastische Verlegenheitslösung[85], die noch das, was kein Ding ist, unnachsichtig einholt.

V.

Die Disjunktion von Substanz und Akzidenz hat ihre Sphäre an der Welt der Dinge. *Außerhalb* dieser Welt, deren unmittelbare Aufhebung, ist der *leere* Raum; und alles Seiende ist *in* dem Raum. Es geschah der Disjunktion nur Recht, daß dieser Raum, das positiv *Nichtseiende*, ausgereicht hat, sie zumindest ins Wanken zu bringen. In der ersten Hälfte des 17. Jhs. ward aus der transzendentalen Bedingung jeder nur möglichen Antwort selbst eine Streitfrage.

Ein in den übrigen Teilen seines pantheistischen Emanationssystems nicht eben „neuzeitlich" anmutender italienischer Naturphilosoph, *Patrizzi*, genießt in der Wissenschaftsgeschichte den Ruhm, mit seiner Theorie des physikalischen Raums (spacium physicum) „die überlieferte Substanz-Akzidens-Lehre, das große Bollwerk des scholastischen Denkens" gesprengt zu haben[86]. Da der absolute Raum, argumentiert er, die Welt aufnimmt und demnach im Voraus existiert, müsse er allerdings zwar „etwas" sein, deswegen jedoch keineswegs entweder Substanz oder Akzidenz, da er als ein von der Welt verschiedenes Ding (res) allen „res mundanae" und deren: innerweltlichen, Kategorien zuvorkommt[87]:

„Nulla ergo categoriarum spacium complectitur; ante eas omnes est, extra eas omnes est."
Statt unter die akzidentelle Quantität zu fallen, sei er, die „extensio hypostatica", vielmehr deren Ursprung; ebensowenig sei er Substanz, es wäre denn im *eminenten* Sinn des Begriffs. — Von seiner Argumentationsform her als negativer Theologe identifizierbar, entfernt der angebliche Heros der Neuzeit auch der Sache nach sich davon nicht so weit, wie es wohl scheinen mag: denn daß Gottes Gegenpol, die bloß dimensive „prima materia", gleichermaßen über alle Kategorien erhaben sei, ist ein alter Zusammenhang[88].

Mit Grund jedoch wird auf *Gassendi* verwiesen.

Gassendi handelt von Raum und Zeit, „quae duae res Mundum quodammodo transcendunt", indem er mit seiner These, daß „Raum und Zeit durch die allgemeine Einteilung des Seienden in Substanz und Akzidenz nicht erfaßt werden"[89], eine Kritik an deren Exklusivität verbindet. — Was nämlich weder das eine noch das andere ist, werde darum für *nichtseiend* (pro non re, seu non-ente) erachtet, während doch die Art der Einteilung, die diesen Schluß rechtfertigen könnte, die durch den logischen Gegensatz, ihrer inhaltlichen Beliebigkeit wegen und zumal, wenn das privativ bestimmte Glied einer solchen überdies an Wert zurückstehen soll — die Einteilung also asymmetrisch verfährt —, überhaupt ver-

85. De ver. l.c.; *Bonaventura*, Sent. II, 24, 1, 2, 1.
86. M. *Jammer*, Das Problem des Raumes, Darmstadt 1960 p. 92; cf. E. *Cassirer*, Das Erkenntnisproblem I pp. 261 sq.
87. F. *Patrizzi*, Nova de Universis Philosophia, Venedig 1593 fol. 65r.
88. cf. *Elias* p. 164,27 sqq.
89. Syntagma Philosophicum II, 1, 2, 1; Opp. (1658) I p. 179.

dächtig sei und nur ausnahmsweise angebracht. Von dieser Art aber sei die des Seienden in Substanz und Akzidenz; denn nicht nur, daß die Ratio des Akzidenz eine bloß privative sei, es stünde auch für neun durchaus verschiedene Gattungen.

„Nicht adäquat"[90] sei diese also schon immanent kritisierbare Einteilungsweise, weil sie Raum und Zeit nur die Möglichkeit läßt, akzidentell von den körperlichen Dingen abzuhängen, indes doch „auch wenn keine Körper wären", der Raum verharrte und die Zeit verflösse, und alle Dinge, ob Substanzen oder Akzidenzen, *in* Raum und Zeit seien, diese ihrerseits demnach als Einteilungsglieder des Seienden sogar vorrangieren müßten (membra divisionis primaria). Jene Einteilung in Substanz und Akzidenz wird deswegen nicht unmittelbar verworfen: Nur darauf dringt Gassendi, daß sie ihrer Geltung nach eine *beschränkte* sei, d.h. Raum und Zeit aus sich entläßt. Raum und Zeit existierten auf ihre eigene, inkommensurabele Weise (genere diversa ab iis, quae Substantiae dici, aut Accidentia solent). Geltend gemacht werden nicht-subsumierbare Dinge: Dinge wohlgemerkt, nicht etwa andere ontologische Seinsweisen, denn so allein fungiert das *Vakuum*, um dessen Existenzsicherung es Gassendi hauptsächlich zu tun ist, als das *Anti*-Ding schlechthin (nihil aliud quam negatio corporis ... non autem praeterea positiva ulla natura[91]), welches die Welt des dinghaft Seienden aus der Fassung bringt: „Ist" nämlich im Leeren auch nichts, so ist es darum doch nicht Nichts. Von einem, der das Gegenteil behaupten wollte,

„... manifestum est incidi in has salebras ob eam praeoccupationem, qua nos Peripatetica Schola imbuit, quod omne Ens, omnisve res Substantia, aut Accidens sit, et quicquid Substantia, Accidensve non est, id sit Non-ens, Non-res, seu Nihil."

Seien Raum und Zeit nun jedoch erwiesenermaßen „verae res", dann seien sie im scholastischen allerdings zwar, nicht aber im eigentlichen Sinne (germano sensu) „Nichts"[92]. So stellen sie sich zuletzt als eben jenes Dritte heraus, um dessentwillen einleitend jeder Versuch, es logisch auszuschließen, einer trügerischen Sicherheit geziehen ward. *Dieses* Meontische, das Leere, nennt und vernichtet ineins die Voraussetzung seiner metaphysischen Leugnung.

Die traditionelle Ontologie deutete Gassendis leeren Raum denn auch so, „neither Accident nor Substance, but a certain Middle Nature or Essence betwixt both", d.h. aber, da nun einmal ein Seiendes entweder ein subsistierendes Ding oder Attribut eines solchen sei, das Attribut von Nichts, mithin auch selbst „Nothing" zu sein, anstatt daß, nach der Lehre der Cambridger Neuplatoniker, die ihn dergestalt in die traditionelle Ontologie zurückzwingen, der leere Raum ein Attribut *Gottes* wäre[93]. Denn der metaphysischen Disjunktion ihre Exklusivität zu bestreiten, so verfechten sie in einer eigens gegen die Denkbarkeit jenes Mitteldings zwischen Substanz und Akzidenz gerichteten Streitschrift, könne nur die Hypostasierung von Attributen bezwecken: So wahr aber „Bewegung", beispielsweise,

---

90. p. 182a.
91. p. 183b.
92. p. 184a.
93. R. *Cudworth*, The True Intellectual System, London 1678 p. 769; cf. H. *More*, Enchir. metaph. VIII, 6.

„extra subjectum mobile, cujus sit *accidens*" unvorstellbar sei, müsse auch ein solches Mittelding ein widerspruchsvolles „figmentum" sein[94].

Hier ist auch der eigentliche Gegner beim Namen genannt: Nicht Gassendi figuriert als derjenige, der die metaphysische Disjunktion in Frage gestellt hat, sondern der *ältere Helmont*, von dem,

> „soviele berühmte und scharfsinnige Beiträge er freilich zumal zur Medizin und Chemie geliefert hat, doch nicht verschwiegen werden kann, daß er zuweilen allzuviel seinen Imaginationen nachgegeben hat"[95].

Ein Schwärmer vielleicht, auch von Superstition nicht frei, gewiß jedoch kein Renaissancepantheist[96]: Nicht unnötig, das vorauszuschicken, da sich im Folgenden der Begriff des *Lebens* als derjenige ergeben wird, auf den und dessen Umfeld bezogen das ontologisch geächtete „Mittelding zwischen Substanz und Akzidenz" plötzlich kategoriale Dignität erhalten hat.

Dieser einem Gassendi zwar polemisch angelastete, von ihm selbst jedoch nicht verantwortete ontologische Skandal, daß der meontische, und als solcher ja seit jeher gegenwärtig gewesene, Ort nicht etwa nur mit *irgendetwas*, und sei es auch dem Vakuum, gleichsam empirisch besetzt wird, sondern transzendental umfunktioniert zur Bezeichnung einer bestimmten *Seinsweise*; daß dies aber auch nicht etwa im Rahmen einer selbständigen Begriffsbildung geschieht, sondern so, daß der meontische Ort der traditionellen Begrifflichkeit in seiner *Irrationalität* — als „Mittelding" —, mithin gerade so, wie er pejorativerweise vorgegeben ist, übernommen wird; daß es folglich nicht sowohl auf einen Ausbruch aus der traditionellen Ontologie denn auf ihre *Aushöhlung* abgesehen ist: das weist, vor allem, auf einen völlig anderen ontologischen Sinn der „neuen" Kategorie hin. Das so apostrophierte „Mittelding" verhält sich, da es, wie immer es definiert werde, jedenfalls nicht einfach *neben* „Substanz" und „Akzidenz" steht, sondern diese in seinem eigenen Begriff verschränkt, auch ganz anders zu demjenigen, was ihm subsumiert wird. Jene galten als Ordnungsbegriffe, bestimmt, die Dinge ihrer Seinsweise entsprechend zu klassifizieren: ein dem Wesen der so Subsumierten gleichgültiger Vorgang. Umgekehrt muß die klassifikatorische Funktion an Bedeutung in dem gleichen Maße zurücktreten wie den Subsumierten ihre Seinsweise wichtig wird. Diese *Intensionalisierung* der Seinsklassen aber hatte, in Form der Alternativfrage „Substanz oder Akzidenz?", entgegen der klassifikatorischen Absicht, längst stattgefunden, wenn anders es nämlich im *konkreten Fall* auf die Entscheidung dieser Frage *ankommt*. Die Mitteldingkategorie ratifiziert das. Sie ist für das, was sie unter sich begreift, von essentieller Bedeutung. Daher sind das auch keine *Dinge* mehr, sondern intensiv zusammengehörige Realitäten anderer Art.

> „Propositio ergo mea est, quod omnes formae substantiarum..., item ignis, lux, locus, magnale — der Äther —, vita etc. sint creaturae neutrae inter substantiam et accidens ...Quia

---

94. H. *More*, Philosophematum... de Essentiis Mediis... Examinatio (1678), Opp. phil. (1679) I p. 339. „Bewegung" als Akzidenz: *Simpl.* In Phys. p. 402, 17; *Tertullian*, adv. Hermog. 36.
95. p. 338.
96. Boyle, der theologische Absolutist, kennt nur Einen christlichen Naturbegriff, den *Helmonts*, wonach „Natur" der an jedes einzelne ergehende „Befehl Gottes" wäre (l.c. p. 170).

sunt actualiter aliquid et ens, item agunt habentque organa et proprietates: non sunt tamen substantiae ut neque accidentia. Ergo creaturae neutrae."[97] Helmont spricht in diesem Zusammenhang auch vom „medium ens inter accidens et substantiam" — was sein Übersetzer, der einschlägig bekannte Knorr v. Rosenroth, 1683 mit „Mittel-Ding zwischen einem zufälligen Wesen und einem selbständigen" verdeutscht — oder direkt von der „classa vitae, extra accidens et substantiam". Gedacht ist also nicht an eine Vermittlung der Extreme, sondern an ein Asyl, worin eine Reihe sowohl seit jeher dubioser Fälle — wie sie bisher teilweise der einen, teilweise der anderen Seite zugerechnet worden seien[98] — als auch solcher ihre Aufnahme findet, die ein von *Augustins* Metaphysik der Schöpfungsnatur inspirierter mystischer Empirismus in nicht geringer Zahl hat aufbringen müssen: erwähnt seien zusätzlich nur die die Materie fermentierenden „rationes seminales". Ist aber der Stoff schon, jedenfalls soweit er Helmont zur Einrichtung dieser „Neutralitas" zwischen Substanz und Akzidenz bestimmt, nicht durchaus neu, so erweist sie sich erst recht in ontologischer Hinsicht als ein Produkt scholastischer Problemstellung und -behandlung: Der Traktat über den Ursprung der Formen, der, gegen Thomas einerseits, Scotus andererseits polemisierend, die Mitteldingkategorie einführt, beruht auf der Voraussetzung, daß Substanz und Akzidenz ihrem Begriffe nach durch nichts zu vermitteln seien. Eben aus diesem Grunde jedoch — und das *trennt* Helmont von der in manchem verwandten Tendenz etwa eines Bonaventura, der stattdessen zu vermittelnden Distinktionen seine Zuflucht nahm — sei die metaphysische Disjunktion selbst fallenzulassen, „wenngleich über dieser neuen Art zu lehren (prae tanta rei novitate) die Aristotelische Schule zerspringen sollte"[99].

Was also suspendiert wird, sind *nicht* die Begriffe „Substanz" und „Akzidenz", sondern ist einzig und allein deren Disjunktion als die Bedingung jeder nur möglichen Antwort. Der „Paradoxie" seines Mitteldings, von dem es bezeichnenderweise im selben Atemzug heißt, es sei „mehr" als ein Akzidenz und „weniger" als eine Substanz, welches nach wie vor mithin sein *Maß* an diesen hat, zeigt Helmont sich vollauf bewußt, übrigens nicht ohne einen Anflug von Prahlerei[100].

Was aber ist wirklich neu an diesem Neuen, das seiner Genesis nach eingestandenermaßen nur die Auflösungserscheinung des Alten ist? Das heißt der systematischen Intention dieses Helmontschen Grundbegriffs nachfragen.

Was für Gassendi das Vakuum: Instanz gegen die Sekurität der ontologisch verklärten Dingwelt, das ist seinem Korrespondenten Helmont das Mittelding *Feuer*: „rerum positiva mors et destructor" — positiv, betont er, nicht privativ[101], und damit allerdings zwar eine Realität — „quoddam ens verum subsistensque"; „aliquod reale", heißt es bei einer ähnlichen Gelegenheit[102] — aber eine Realität *sui generis*: „ut non est substantia", d.h. ohne zu-

97. J.B. *van Helmont*, Ortus formarum § 25.
98. Meteor. Anomal. § 12.
99. De Lithiasi IX, 29.
100. Ortus form. § 30.
101. § 32.
102. Vacuum Naturae § 20.

reichenden Grund entstehend und entsprechend unselbständig in seiner Existenz, weswegen Helmont ihm auch abspricht, es wäre Element, folglich Bestandteil dieser Dingwelt, — trotzdem kein Akzidenz, das einem inhärierte, denn was es ergriffen, das setzt es, dessen Form quasi, zu seiner Materie herab; schließlich *erlischt* es, d.h. wird einfach zu nichts. Diese Bewandtnis hat es, außer mit dem Feuer, mit der Klasse der Mitteldinger insgemein, deren jedes „nicht weit vom Nichts" abstehe und „an sich selbst schier wie nichts gegen die Körper zu rechnen" sei:

> „Ex nihilo enim prodiit, in nihilum quoque redigi potest ... Eheu! quam prope nihil, tota est natura, quae ex nihilo incepit."[103]

Über die alte Konnotation von Licht und Leben — das Leben verstanden als ein Scheinen — stellt sich bei Helmont das Sein einer bestimmten Schöpfungsordnung, der des bloßen, sprich sinnlichen, *Lebens* als ein solches heraus, dem es dergestalt, im Sinne einer magisch radikalisierten Kreatürlichkeit, versagt bleibt, der Irrationalität seines Schöpfungsgrundes zu entspringen und sich zur Substanz, als die ja definitionsgemäß über ihren eigenen Seinsgrund verfügt, zu verselbständigen. Aus nichts geschaffen, d.h. etwas Ursprüngliches — „denn die Natur vermag nimmermehr aus sich selbst so viel..., daß sie ein lebhaftes Licht hervorbringen könnte"[104] —, und in nichts vergehend, gereicht das derart in der Schwebe gehaltene Sein des Lebens seinerseits dem Lebendigen zum Ursprung[105]:

> „Vita est lumen et initium formale, quo res agit, quod agere jussa est. Hoc autem lumen a Creatore rebus infusum datur unico instanti, prout silice ignis excutitur."

Das lediglich magische Sein des Lebens macht, daß es auf dieses andere, in welchem es entzündet wird, seinsmäßig angewiesen sei: das Leben wohne „in suo hopitio"[106], ohne diesem freilich zu *inhärieren*. Der von *More* darob erhobene Hypostasierungsvorwurf trifft das Mittelding nicht, denn gerade hypostasierbar sei es seiner Seinsweise nach nicht[107]:

> „... Quae quidem — nämlich die Lebenslichter — non subsisterent extra suum concretum in abstracto: ideo et peritura cum morte eorundem. Ideoque nec substantiae, licet substantiales..., nec proin etiam de numero accidentium."

Die magische Kreatürlichkeit des Lebens, darin aber ein prekär gewordenes, mystisch auf seine Abgründigkeit vertieftes Sein, faßt sich demnach in einem nicht weniger prekären „heteroclitus existendi modus"[108], in einer anlehnungsbedürftigen, existentiell auf etwas Anderes bezogenen Weise zu sein, dergleichen unter der Herrschaft der metaphysischen Disjunktion nicht hat gedacht werden können; selbst nicht im christologischen Begriff des „enhypostaton", der, um der hypostatischen Union zweier Naturen willen, immerhin zusammenzubringen versuchte, daß etwas „nicht per se existiert" und trotzdem „kein Akzidenz ist"[109]. Durchsichtig wird sich der Begriff des durch diesen eigenartigen Existenzmo-

---

103. §§ 6, 28.
104. Ortus form. § 97.
105. Vita § 1.
106. De Lith. l.c.
107. De animae nostrae immortalitate § 13.
108. s. Anm. 122.
109. *Leontius Byz.*, l.c. coll. 1277 sqq.; *Ioannes Damasc.*, Dial. cap. 44.

dus definierten Mitteldings, wie er im „Feuer" zunächst vorstellig gemacht wurde und jetzt, in diesen mythischen Seelenlichtern, auch kaum mehr als im „mundus intelligibilis"[110] situiert ist, allerdings erst anhand der „Krankheit".

Darin, daß die Ontologie des Lebens terminiert nicht etwa in seiner Ästhetisierung, sondern in seiner *Pathologie* — die ontologische Intention aber wird darüber paradox —, wird man den unterscheidenden Zug des Zeitalters, dem, nach Benjamins Wort, „das Elend des Menschentums in seinem kreatürlichen Stande so genau vor Augen stand"[111], nicht wohl verkennen. Dies sinnliche Leben hat, seit Adam ihm in sündiger Konkupiszenz verfiel, und das bedeutet: seit die *Imagination* Macht über den Menschen gewonnen, sein Verderben an der eigenen Seinsweise: Das Mittelding krankt an sich selbst, denn das, was „das Leben verzehret und abnaget"[112], ist seinerseits ein solches Mittelding zwischen Substanz und Akzidenz, die Krankheit, insofern diese nämlich — nicht mehr humoralpathologisch, sondern spirituell: als ein Agens, als *Idee* verstanden — in des Wortes Doppelsinn „nur" in der Einbildung besteht.

Vor Augen stehen Helmont die beiden großen Epidemien der Zeit: die Pest und die „Traurigkeit"[113]:

> „Tristitia autem est tristis cogitatio: haec autem est non-ens, quia ens mentale, quod, quia non-ens, nullam ideo ex se agendi potentiam habet. Ergo cogitatio tristis parit („zeuget") ideam activam, fitque hoc aliquid ex nihilo ... Tristitia igitur, quae est lenta perturbatio, parit ideam, quae vitam consumit roditque ... Haecque sic accidunt viribus phantasiae tristis („und dieses alles geschiehet solchermaßen aus den Kräften der traurigen Einbildung")."

Der so in Melancholie verfällt, grundlos und unheilvoll, figuriert, wie anders, als Souverän[114]:

> „Denn es gibt gewisse von sich selbst entstehende (spontanei) Traurigkeiten ... Wenn das Gehirn, das Herz, die Milz und dergleichen Glieder die fürstliche Zimmer sind, in welchen unser Lebensgeist als ein Regent seine Anschläge macht und Rat hält: Wie sollte denn dieser als das vornehmste und ursprünglichste Wesen selbst, von dem die Einbildungskraft ihre Regung hat, nicht seine eigene Phantasie und Einbildung von sich selbst haben?"

In Lebensüberdruß (taedium) und Wahnsinn geht es aus, doch seinen Ursprung nimmt das „Trauer-Spiel" in der Imagination: Sie, oder vielmehr das *Geschöpf* derselben, die „Imago" oder „Idea", sei das „principium inchoativum tragoediae"[115]. Imagination, so heißt nämlich die — fatalerweise — schöpferische Macht der Seele[116]:

> „Etenim solus Deus est Creator..., qui universum creavit ex nihilo. Homo autem ... creat ex nihilo quaedam entia rationis, sive non-entia in sui initio, idque in propria virtutis phantasticae dote. Quae tamen sunt aliquid amplius quam mere ens privativum aut negativum. Nam imprimis, dum ejusmodi conceptae Ideae tandem se corpore vestiunt, specie imaginis fabrica-

---

110. Ign. Actio Regim. § 48.
111. GS I p. 324.
112. De morbis VI, 10.
113. l.c.
114. l.c. V, 7.
115. VI, 11.
116. XIV, 16.

81

tae per imaginationem fiunt entia jam subsistentia in medio illius vestimentis, cui per totum aequabiliter insunt. Et hactenus fiunt entia seminalia ..."

„Idee" heißt der vom *Willen* „konzipierte" und mit Leben, etwa libidinös[117], „bekleidete" nackte Gedanke, der freilich, insofern dazu disponiert, auch bereits „in seipsa essentia est, non accidens, consensu Theologorum ... mysticorum"[118]. Erst recht aber ist die so empfangene und dem Lebensgeist „eingebildete" Idee, da von der selben spirituellen Natur wie das Leben selbst[119], eine magische Realität, gleich diesem. Vollends in der dritten Potenz, da sie, als „ens seminale", als „virus per se subsistens in nobis"[120], sich abgelöst und perniziös verselbständigt hat. In der Magie der das Wesenlose seiner Wesenlosigkeit enthebenden und realisierenden Imagination hat sich aber, die Metaphern deuten darauf, nur, dämonisch, die Abgründigkeit des Lebens selbst aufgetan:

> „Cum Phantasia a conceptu ad ideam sive imaginem formatam procedet et hinc ad ens seminale, sequitur ... Imaginativam creare aliquod ens seminale ... Prout ex chalybe et silice oritur scintilla, unde incendium maxime operativum." — „Potentissimae namque sunt Archeales Ideae, morborum quoque feracissimae, quia *irrationales* ..."[121]

Nicht von ungefähr, daß Helmont die Idee ausschließlich als Krankheitsprinzip thematisch wird. In der Krankheit — denn die Pestansteckung deutet sich, ganz entsprechend, dem Spiritualismus als „Einbildung" des im panischen Entsetzen aufgezuckten *Schreckbildes* der Seuche — erscheinen das imaginäre Wesen der Idee und ihre Mitteldingexistenz aufs Sinnfälligste verschränkt. Das Faktum der Krankheit macht auf die Ontologie des Lebens die Probe. Deswegen muß er vor allem den Schein abzuhalten trachten, die Krankheit wäre, da sie außerhalb des Organismus (nusquam extra nos) nicht existiert, etwa ein bloßes Akzidenz und „corpus nostrum ... subjectum inhaesionis morborum":

> „Non considerarunt itaque Scholae, entium multorum materias non consistere nisi in hospitio alieno, ad quod erant destinatae. Quare propter *heteroclitum existendi modum* putarunt morborum esse merum accidens." — „... sintemalen das nicht Bestehen an sich selbst oder das Bestehen in andern Dingen das Bestehen und Sein der Dinge nicht aufhebt noch aus einem selbstbestehenden materialischen Geschöpfe einen bloßen Zufall machen kann ... So ist vonnöten gewesen, daß die Krankheiten eine andere Art von Bestehen haben müssen als alle anderen selbständigen Dinge, welche ohne Absehen auf etwas anderes von sich selbst bestehen."[122]

Nicht anders, nur ins gespenstisch Parasitäre gewandt, als oben das Leben figuriert die Krankheit, diese Substanz im Stande ihrer Verinnerlichung, ohne daß das doch ihrer Selbständigkeit Eintrag täte, als „ens existens in nobis tanquam hospitio"[123].

Trifft aber der Begriff des Lebens in dieser von ihren eigenen Kreaturen besessenen Innerlichkeit auf sein gleichermaßen ontologisches wie sachliches Fundament, so gibt sich die

---

117. III, 10.
118. De magn. vuln. cur. §§ 133 sqq.
119. De morbis III, 8.
120. Tum. Pestis IX, 10.
121. De morbis XIV, 17; XVI, 4.
122. Ignotus Hospes Morbus § 48; Tum. Pestis (ed. Knorr) X, 41.
123. De morbis II.

dazugehörige Kategorie, dies Mittelding zwischen Substanz und Akzidenz, ihrerseits leicht als jener „Virus" zu erkennen, der in der Substanz-Akzidenz-Ontologie, und auf ihre Kosten, „hospitiert": Die *Innerlichkeit* selbst ist der von Helmont so apostrophierte „fremde Gast" (ignotus hospes), die Krankheit, an welchem die metaphysische Disjunktion hat verkümmern müssen.

Ehe dafür zum Abschluß ein direktes Zeugnis beigebracht sei, erläutere ein Blick auf *Böhmes* „Tinktur"begriff — Helmont gedenkt ja der „mystischen Theologen" — den entscheidenden Gesichtspunkt. Das ist die *Umwertung* des *Esse primum* und des *Esse secundum* in ihrem Verhältnis zueinander.

„Tinktur" nennt das in die Schöpfung zwar — antignostisch — „miteincorporirete", den Schöpfungsstand jedoch gerade überholende Element der Wiedergeburt und damit das emphatisch wiederum zwar nur auf die Seele beziehbare, mithin spirituelle, *Leben*, das aber auch, in den Augenblicken ihrer paradiesischen Verklärung, auf die äußere Natur ausstrahlt; denn „Leben" nennt hier den Traum, daß die, nach ihrem Schöpfungsstande, drangvoll in sich selbst kreisende Natur davon erlöst wäre, und in ihr selbst die Freiheit aufginge. — Wenn Böhmes Ausleger *Oetinger* von der Tinktur notiert, sie schwanke zwischen einer Substanz und einer Qualität[124], so ist damit ihr Verhältnis zur Seele berührt. Ist sie nämlich auch das Leben der Seele, so hat sie doch „keine Stätte ihrer Ruhe in der Substanz"[125]. In der Tat ist die Seele keine Substanz: Was als „der Seelen Substanz" figuriert, heißt gar nicht *Seele*, sondern „Geist"[126]; und dieser Geist ist etwas rein Kreatürliches. Daß die Seele keine Substanz ist, bedeutet also, daß sie nach der Seite ihrer natürlichen Existenz, ihrer Kreatürlichkeit, noch gar nicht *Seele* ist; daß sie, als solche, dem Stande der pneumatischen Wiedergeburt, nicht dem Schöpfungsstande, angehört; und daß in ihr an der Substanz, ihrem Naturprinzip, gerade deren „Allerrauhestes", d.h. das Ansichsein, die Selbständigkeit, kurz dasjenige *überwunden* ist, was die absolute Substanz ausmacht. Die Seele ist's, die, indem die Tinktur die Substanz „renoviret", darin, jetzt als die transfigurierte Substanz, überhaupt erst geboren wird. Indem aber ihre *Geburt* die Seite ihres substanzhaften Seins zur *bloßen* Natur herabsetzt, suspendiert sie zugleich, im Gegenstoß gegen die traditionelle Vorherrschaft des Ansichseins, die Natur als den ontologischen Horizont, innerhalb dessen das pneumatische Sein nur als ein *sekundäres* und abgeleitetes in Betracht kommt: Die „Seele" überbietet ihre ontologischen Abhängigkeiten. Um genau dieses schwärmerische Surplus des *Esse secundum* unterscheidet sich Böhme von Bonaventura.

Wie die „Substanz" von „Leben und Herz"[127], d.h. der Innerlichkeit, tingiert ward, begriffsgeschichtlich läßt sich das engführen an dem, unter Oetingers Protektion unternommenen, Versuch eines Freiherrn *v. Creuz*, jenen „heteroklitischen Existenzmodus" des Mitteldings zwischen Substanz und Akzidenz — übrigens ohne daß auf Helmont Bezug genommen würde — näher, diesmal in Wolffscher Terminologie, auseinanderzusetzen.

124. Sämtl. Schr. (ed. Ehmann) II 2, p. 288.
125. De tribus principiis XIII, 23.
126. l.c. § 30.
127. § 23.

Creuzens „Versuch über die Seele"[128], ein Produkt des sog. Monadenkrieges, empfiehlt sich durch die Klarheit, mit der er die Antinomien der rationalen Psychologie kritisch auf den dialektischen Schein der zugrundegelegten Reflexionsbegriffe zurückführt und einer Alternative gegenüber wie „Alle Dinge sind entweder zusammengesetzt oder einfach" das *unendliche* Urteil „Die Seele ist nicht-zusammengesetzt" geltend macht:

> „... Allein, wie betrüglich sind nicht Sätze von dieser Art? ... Sie sind dem Stabe eines Zauberers gleich, welcher uns in einen Kreis bannet, den wir nicht überschreiten dürfen. Kein Weltweiser läßt sich indessen so eng einschränken; er fängt an zu zweifeln, und die Zauberey verschwindet ... Alle Dinge sind entweder lebendig oder nicht lebendig, d.i. todt. Was scheinet dagegen einzuwenden zu seyn? Nichtsdestoweniger giebt es Dinge, die weder für lebendig noch für todt, beydes im engern Verstande, können gehalten werden. Die leblosen oder nicht organisirten Körper sind weder lebendig noch todt. Eine Wiese, ein Feld, ein Wald, ein Pallast, sind dieses todte Dinge? Sind es lebendige? ... Es kann ein Ding möglich seyn, welches weder zusammengesetzt noch einfach, sondern ganz anderer Beschaffenheit als das Einfache und Zusammengesetzte ist ... Ich will dieses Dritte ein Mittelding zwischen dem Einfachen und dem Zusammengesetzten nennen ... So mag dieses Mittelding immerhin als ein Ungeheuer betrachtet werden, wenn es nur ein mögliches Ungeheuer ist ..."[129]

Suspendiert „Mittelding" einerseits die Immanenz einer begrifflichen Sphäre, kann andererseits so doch nur das dogmatische Gegenstück zur kritizistischen Wendung des unendlichen Urteils heißen. Was seine spezielle Gestalt, als dasjenige zwischen „Einfach" und „Zusammengesetzt", betrifft — so die platonisierende Formel für die Seele —, macht Creuz aus der superstitiösen Konsequenz dieser dogmatischen Wendung, aufgrund derer er es anschließend unternimmt, seine „Möglichkeit", d.h. widerspruchsfreie Denkbarkeit, a priori darzulegen, gar keinen Hehl: Es läuft auf krassen Spiritismus hinaus.

Wie dieses Mittelding, das die Zusammengesetztheit aufhebt, ohne in seinem Begriff die Einfachheit zu setzen, exponiert ist, müssen — Creuz betont[130]: — realverschiedene „Teile" einer Substanz konzipierbar sein, die dennoch keine mechanischen sind, die also ihrerseits kein, nach Weise der Substanz, selbständiges Bestehen haben und darum auch nicht erst nachträglich „zusammengesetzt" sein können. Trotzdem gilt seine Denkanstrengung, die davon profitiert, daß seinerzeit das „Organische" noch nicht behendem Umgang mit Totalitätsbegriffen das Wort lieh, der Konstruktion dieses Mitteldings von *unten*, von seinen Teilen her, von welchen dann allerdings die Frage ist, wie es noch *integrale* sein werden.

Es ist an dieser kritischen Stelle, daß Creuz zusätzlich, synthetischerweise, den Begriff eines „Mitteldings zwischen einer Substanz und Bestimmung" einführt, wobei „Bestimmung" mit „Akzidenz" synonym sei[131]:

„Eine Wirklichkeit, die sich zwar *außer*, aber *nicht ohne* eine andere Wirklichkeit vorstellen

128. Fr. C.C. v. *Creuz*, Versuch über die Seele, Frankfurt-Lpzg. 1754 (2. Aufl.), Bd. I. Das Wichtigste exzerpiert von Fr. Chr. *Oetinger*, Die Lehrtafel der Prinzessin Antonia pp. 138-44 Breym./Häusserm. Oetinger war Lehrer von Creuz.
129. pp. 37-40; cf. *Kants* Ablehnung: K.d.r.V. A 222 sq.
130. p. 45.
131. pp. 44 sq.; cf. p. 69.

läßt, ist also eine mit einer andern Wirklichkeit jederzeit nothwendig zugleich existirende Wirklichkeit und folglich weder eine Substanz noch eine Bestimmung, sondern ein Drittes." Das Mittelding zwischen Substanz und Akzidenz sei also durch „Koexistenz", und zwar, da es den integralen Teil einer Substanz bilden soll, die darob organische Einheit ist, durch Koexistenz mit seinesgleichen, ebensolchen Mitteldingern, definiert[132]. Intendiert ist seine relative Selbständigkeit.

Soll allerdings dieser Existenzmodus die Denkbarkeit integraler und dabei realverschiedener Teile überhaupt erst begründen, so liegt offenkundig eine *petitio principii* vor, da das Mittelding von vornherein nicht an und für sich, sondern aus seiner Funktion *als Teil* heraus konzipiert ist: Wenn nämlich Creuz die Substanz, als von deren Begriff das fragliche Mittelding ja logisch abhängt, ihrerseits dadurch konstituiert sein läßt, daß sie „außer" einer anderen Realität und „ohne" eine solche vorstellbar sei, dann beziehen sich diese beiden Modi lediglich darauf, in welchem Sinne die Substanz *Teil* ist; Teil aber ist sie so, daß sie auch davon abgesehen besteht, während es das Mittelding macht, daß es *als Teil gesetzt* ist. Der *innere* Grund dieser durch die Formel „außer, aber nicht ohne" beschworenen Koexistenz, und er allein vermiede den Zirkel, aber ist, Creuz merkt es, diskursiv nicht mehr einholbar[133]:

> „... Es müssen also alle diese Theile zusammengenommen nur Ein vor sich bestehendes Ding ausmachen, und also auch nur zusammengenommen in einem andern außer ihnen den Grund ihrer Existenz und ihres nothwendigen Zusammenhangs haben: weiter können wir nicht gehen ... Wollen wir unserer Einbildungskraft erlauben, sich dieses Mittelding unter einem selbstbeliebigen Bilde vorzustellen: so können wir es mit den sogenannten Sympathievögeln vergleichen, die, wie die Fabel sagt, nicht ohne einander leben noch von einander abgesondert werden können, ohne daß der Tod des einen auch der Tod des andern sey."

Im mythischen Bilde stößt die Ontologie des Mitteldings zwischen Substanz und Akzidenz auf ihren mythischen Grund, das *Leben*. Es ist aber nicht etwa dessen natürliche Erscheinungsform, das leibliche Leben, sondern eine magisch-schicksalhafte Lebensgemeinschaft zweier Wesen, die an sich als Substanzen zu bestimmen wären, deren Ansichsein aber vielmehr, da keines ohne das andere soll existieren können, ein aufgehobenes ist. Und ferner: Erinnert ihre Unzertrennlichkeit auch an das Verhältnis jener „in ihrem Wesen" *Ähnlichen*, von denen die Rede war, so hatte sie dort doch ihren Grund im genetischen, sprich naturwüchsigen Zusammenhang; hier jedoch in dem „sympathetischen" des Herzens.

Beide Überlegungen führen darauf, daß derjenige Typ der Koexistenz, welcher die Bildung eines kategorialen Mitteldings zwischen Substanz und Akzidenz veranlaßt, nur scheinbar mit diesen Existenzmodi auf Einer Ebene liegt. Worauf er sich bezieht, ist vielmehr das *Esse secundum*; ein *Esse secundum* allerdings, das sich, schwärmerisch, als „Leben" imaginiert und darin absichtlich die Grenze zwischen sich und dem *Esse primum* verschwimmen läßt, denn es gibt sich ja so, als ob es das natürliche wäre. In der konstitutiven Zweideutigkeit dieses „Lebens" reproduziert sich jene Zweideutigkeit der begrifflichen Konstruktion und findet sie zugleich ihre Erklärung.

132. p. 46.
133. pp. 49 sq.

Deswegen ist das „Leben" der die Geburt der Innerlichkeit begleitende Mythos, weil sich darin das *Esse secundum* das *Esse primum*, statt daß es von ihm abhängig wäre, vielmehr seinerseits *unterstellt*: In dem biblischen „Ein Herz und Eine Seele sein" feiert die *spirituelle* Gemeinschaft der urchristlichen Gemeinde den gemeinschaftlichen Besitz ihrer *Subsistenz-mittel*[134]. Stellt nun das auf sich gestellte pneumatisch-voluntative *Esse secundum* damit jene Ordnung, die auf dem Primat des natürlichen Seins beruht und die sich etwa in der Sentenz ausspricht „*coexistere* supponit *existere* ex parte utriusque termini"[135], geradezu auf den Kopf, dann hat das die doppelte Konsequenz: daß, sowie sich diese Innerlichkeit, als eine neue Realität, die aber doch keine dinghafte ist, innerhalb einer vom *Esse primum* bestimm-ten Ontologie, die sie aber doch schwärmerisch überbietet, gleichwohl zur Geltung bringt, sie nur der Zweideutigkeit ihres *Mythos* verfallen kann, — und daß es andererseits darin, da das „Leben" seinen Horizont verschwimmen läßt, auch um den *transzendentalen Grund-satz* des Mittelalters geschehen ist.

Kaum von ungefähr sind es, im „Sommernachtstraum", weder leibliche Schwestern noch Schwestern im Geiste, sondern Milchgeschwister, deren eins das andere an ihre, in-dem organische, gerade übernatürliche Verbundenheit gemahnt[136]:

... So we grew together,
Like to a double cherry, seeming parted,
But yet an union in partition;
Two lovely berries moulded on one stem;
So, with two seeming bodies, but one heart;
Two of the first, like coats in heraldry,
Due but to one and crowned with one crest ...

---

134. Act. 4, 32. Eine Stelle, welcher das Mittelalter, sogar trinitätstheologisch, unzweideutig allein die sekundäre Willenseinheit zu entnehmen gewußt hatte: *Orig.*, c. Celsum VIII, 12; *Ioachim* ap. Den-zinger 431.

135. „... Coexistentia entis creati cum alio est relatio realis. Ergo non potest competere rei creatae antequam ipsa existat secundum se" (C. *Frassen*, Scotus Academicus I, Venedig 1744, p. 225).

136. W. *Shakespeare*, A Midsummer-Night's Dream III, ii, 208-14.

Wolfgang Hübener

DIE NOMINALISMUS-LEGENDE

Über das Mißverhältnis zwischen Dichtung und Wahrheit in der Deutung der Wirkungsgeschichte des Ockhamismus.[1]

Die Entlastungsfunktion sinnfälliger historischer Vereinfachungen ist unstrittig. Sie stiften Ordnung und Zusammenhang in der sonst nur schwer überschaubaren Vielfalt philosophischer Lehrrichtungen, nehmen, wo — wie Nietzsche mit Grillparzer sagt — „tausend kleine Ursachen wirkten", wo unzählige Richtungen „parallel in krummen und geraden Linien nebeneinander laufen, sich durchkreuzen, fördern, hemmen, vor- und rückwärts streben"[2], breite Traditionsströme an, die in geradliniger Protension die Entwicklung bestimmen sollen, heben eine Gipfelkette der großen Augenblicke der Philosphiegeschichte heraus und schatten, was zwischen sie fällt, mit Hilfe großflächiger Verlaufs- und Transformationshypothesen ab. „Die Geschichte der Philosophie nennet nur diejenigen Werke, welche in der Wissenschaft Epochen gemacht, wesentliche Veränderungen in der Form derselben hervorgebracht, den jeweiligen Zustand derselben bestimmt haben", sagt Karl Leonhard Reinhold 1791 in seiner programmatischen Abhandlung „Über den Begrif der Geschichte der Philosphie".[3] Es liegt jedoch nicht am Tage, welche Werke unter diesen Rücksichten nennenswert sind. Die Auskünfte, die uns Reinhold und seine Zeitgenossen über die Hauptveränderungen der mittelalterlichen Philosophiegeschichte hinterlassen haben, können heute ihrerseits nicht mehr als nur ein historisches Interesse beanspruchen, sind doch selbst die besten Darstellungen unseres Jahrhunderts — einst auf der Höhe der Forschung und bis heute nicht durch eine adäquate andere Darstellung ersetzt[4], nach rund fünfzig Jahren in breiten Partien nicht nur im Detail, sondern auch in der Akzentsetzung durch und durch revisionsbedürftig geworden. Was erfahren wir aus ihr über die Pariser Modistenschule, die heute auch in knappen Abrissen der Geschichte der Sprachphilosophie ihre feste Stelle hat, was über die Bologneser Averroisten, die man sich als die eigentlichen Vorläufer Galileis anzusehen gewöhnt hat, was über den Einfluß des Johannes von Ripa auf

1. Am 7.10.1976 auf der Nominalismus-Tagung des „Engeren Kreises" der Allgemeinen Gesellschaft für Philosophie in Deutschland vorgetragen.
2. Fr. Nietzsche, Vom Nutzen und Nachteil der Historie für das Leben, Werke in drei Bänden, hg. v. K. Schlechta, München 1966, Bd. 1, S. 247.
3. K. L. Reinhold, Über den Begrif der Geschichte der Philosophie. Eine akademische Vorlesung, in: G. G. Fülleborn (Hg.), Beiträge zur Geschichte der Philosophie, 1. St., Züllichau u. Freystadt 1791, S. 28.
4. Seinerzeit war an Überweg-Geyer und die 6. A. von de Wulfs „Histoire de la philosophie médiévale" gedacht. Inzwischen ist mit Bd. 5 und 6 der von dal Pra herausgegebenen „Storia della filosofia" (1976) und der „Cambridge History of Later Medieval Philosophy" (1982) ein historiographischer Neuanfang gemacht worden.

das spätere 14. Jahrhundert? Daß mancherlei sich auch nach dem strengen Kriterium epochaler Bedeutung als nennenswert hat erweisen lassen, was den Transzendentalhistorikern des späten 18. Jahrhunderts noch schlechterdings unbekannt war, ist das Verdienst beharrlicher Quellenforschung. Es ist offenbar auch weiterhin der unablässige Vorstoß in doxographisches Neuland vonnöten, damit wenigstens Wegmarken und Grenzsteine mit größerer Sicherheit als bisher gesetzt werden können. Auch heute noch ist die Spätscholastik weithin unvermessenes Land. Hermeneutische Anstrengungen — ohnehin stets auf fatale Weise abhängig vom Quellenerschließungsstand — drohen auf diesem unübersichtlichen Terrain ohne langjährige Vorbereitung in Irrfahrten zu enden. Jeder neu erschlossene wesentliche Text verändert die Gewichte und Perspektiven der historischen Zuordnung des Bekannten und damit die Gesamtkonstellation. Interpreten, die noch um eine synthetische Deutung der Texte von gestern bemüht sind, während die verachteten Kärrner längst an der Edition der Texte von morgen arbeiten, verurteilen sich selbst zur Vorgestrigkeit. Aber ist nicht in diesem hermeneutischen Verzögerungsproblem zugleich eine konstitutive Schwäche der ordnenden Kraft unseres historischen Sinnes berührt? Ist am Ende der Aufbau jener halbmythischen, Geschichtsbild genannten Zwischenwelt zwischen der Eigenaussage der Quellen und dem Deutungswillen der jeweiligen Gegenwart ein notwendiger Tribut an jene Mechanismen selektiver Komplexitätsreduktion, durch deren Wirksamkeit der schlecht-unendliche Fundus der Überlieferung erst in eine bestimmtere Beziehung zur beschränkten Fassungskraft unseres Verstandes tritt? „Aus dem Formalismus der mythischen Namen und Satzungen ... tritt der Nominalismus hervor, der Prototyp bürgerlichen Denkens", lesen wir.[5] Und: „Erst als der Nominalismus entdeckte: das Allgemeine ist tot, entstanden die einzelforschenden neuzeitlichen Natur- und später die geschichtlichen Wissenschaften".[6] In wohlmeinender Beurteilung könnte aus derartigen Feststellungen jene von Nietzsche auf den Schild gehobene künstlerische Potenz sprechen, schaffend über den empirischen Data zu schweben, alles aneinander zu denken, das Vereinzelte zum Ganzen zu weben und eine Einheit des Planes in die Dinge zu legen, auch wenn sie nicht darinnen ist. Vielleicht folgen sie auch, wiewohl ohne monumentalische Absicht, jenem Prinzip der monumentalen Historie, die Individualität des Vergangenen in eine allgemeine Form zu bringen, das Ungleiche anzunähern und endlich gleichzusetzen und die Verschiedenheit der Motive und Anlässe zugunsten der Übereinstimmung abzuschwächen.[7] Oder aber ist noch ein Anderes im Spiel? Entsprechen die zitierten Versuche, den Nominalismus „weltgeschichtlich zu schlachten und ... einzupökeln", wie es Kirkegaard genannt haben würde[8], dem Bedürfnis, „sich gleichsam a posteriori eine Vergangenheit zu geben, aus der man stammen"[9], oder eine Vorvergangenheit, gegen die man sich absetzen möchte? Man könnte freilich meinen, daß der Nutzen faßlicher Orientierungshilfen für die Stabilisie-

5. M. Horkheimer u. Th. W. Adorno, Dialektik der Aufklärung, Amsterdam 1947, S. 77.

6. M. Landmann, Anklage gegen die Vernunft, Stuttgart 1976, S. 27.

7. Nietzsche, a.a.O. S. 222.

8. Vgl. S. Kierkegaard, Philosophische Brosamen und unwissenschaftliche Nachschrift, Köln u. Olten 1959, S. 239.

9. Nietzsche, a.a.O. S. 230.

rung der eigenen geistigen Identität die möglichen Nachteile der Verdeckung und Entstellung der historischen Wahrheit, die ohnehin zumeist unter die Adiaphora gerechnet wird, überwiegt. Der Schaden, den die Vergangenheit hierbei — wenn auch nur für unser Bewußtsein von ihr — nimmt, schlägt jedoch dann, wenn die Gegenstände der Aneignung, wie in logikgeschichtlichen Untersuchungen, von ausgeprägter Eigenrationalität sind, auf die deutenden Subjekte selbst zurück. Erweisen sich die Gründe und Maßstäbe der Inanspruchnahme oder Verwerfung in der Auseinandersetzung mit argumentativ reichhaltigen Vorlagen bei näherem Zusehen alsbald als argumentativ inadäquat, werden damit zugleich Rationalitätsdefizite offenbar, die eine generelle Orientierungsschwäche verraten. An die Stelle der von Nietzsche befürchteten Entwurzelung einer lebenskräftigen Zukunft durch den desillusionierenden Historismus tritt zunehmend die Erfahrung einander immer rascher ablösender Schübe von kurzsichtigem Zukunfts- und Gegenwartswahn, deren jeder nicht auch nur genug Gegenwart hat, um nicht nach kurzer Zeit der unaufhaltsamen Obsoleszenz realitätsferner Innovationsattitüden anheimzufallen. In einer solchen Situation hätte die Zerstörung lieb gewordener Legenden — weit entfernt, durch Gefährdung des Dunstkreises kräftiger Wahnbilder, ohne den das Lebendige nicht soll leben können, lebens- und zukunftsvernichtend zu wirken — den therapeutischen Vorzug einer Kräftigung unseres Vermögens zur differenzierten und abgewogenen Analyse äußerst komplexer Entwicklungszusammenhänge, die — wenn auch zunächst nur im Felde historischer Orientierung vollzogen — dem projektiven Ingenium und einer besonnenen Zukunftsbezogenheit nur zugute kommen kann.

Was nun ist an der populären Nominalismus-Deutung das Legendarische? Ich verstehe im folgenden unter der Nominalismus-Legende die Annahme eines wenn auch nicht unvorbereiteten, so doch nicht in eine Folge von Vermittlungsschritten auflösbaren revolutionären, an den Namen Ockhams geknüpften Umbruches im Welt-, Gottes- und Selbstverständnis des Menschen im frühen 14. Jahrhundert, der welthistorisch diejenige Epoche begründet hat, die unter dem Namen des modernen europäischen Subjektivismus, des bürgerlichen Individualismus oder der neuzeitlichen Naturwissenschaft und Technik noch unser gegenwärtiges Denken und Handeln bestimmt. Diese Legende wird je nach dem Phantasiereichtum und dem vorrangigen Erklärungsinteresse ihrer Anhänger verschieden erzählt. Von den einen wird in ihr vor allem das endgültige Herausfallen aus einer irgendwann zuvor als heil und human relevant vermuteten Welt beklagt. Zu dieser ursprünglich Freiburger Version[10] hat Blumenberg interessante Varianten beigesteuert. Andere wieder betonen

---

10. Hinter Apels These vom Aufbrechen des sprachbefangenen Weltgehäuses der Hochscholastik durch den Nominalismus steht offensichtlich E. Arnolds Versuch, die Geschichte der Suppositionslehre als Verfallsgeschichte der aristotelischen Lehre vom Wesenslogos zu deuten. Nachdem in die bei Aristoteles noch innige Verbindung von Begriff als Form und sprachlichem Ausdruck schon früh eine „Bresche" geschlagen worden war, „zerbröckelt" der Halt der vox prolata an der forma particularis des Begriffes immer mehr. Zugleich wurde das „Bindemittel" des naturaliter significare zwischen Begriff und Realität „immer lockerer", die Kluft zwischen dem terminus und den konkreten Einzeldingen „immer breiter", usf. (Vgl. E. Arnold, Zur Geschichte der Suppositionstherorie, in: Symposion. Jahrbuch für Philosophie, Bd. 3, Freiburg 1952, S. 133f.)

vornehmlich die spezifische Nähe des Nominalismus zu bürgerlichen Emanzipationsbe-strebungen. Diese Version, ursprünglich eine Art Selbstideologisierung des liberalen Bür-gertums des 19. Jahrhunderts, ist von marxistischer Seite in verschiedenen Lesarten nacher-zählt worden. Als kürzere Teilsequenzen sind in sie vorzugsweise zwei Behauptungen ein-gearbeitet worden, die sich stichwortartig so wiedergeben lassen: einmal: Ockham — il pri-mo pensatore del Rinascimento (so noch Nicola Abbagnano[11]), oder aber: Ockham — Vor-läufer und Vorbote der Reformation. Eine dritte Hauptlesart versucht auf verschiedene Weisen — sei es über die den Empirismus vorbereitende Vorliebe für das Einzelwirkliche, sei es über die Entsprachlichung der Welt, die sie zur verfügbaren Natur macht, oder aber auch über die Entweltlichung der Sprache zum manipulierbaren Zeichensystem — Brücken zur Ursprungssituation der neuzeitlichen Wissenschaft zu schlagen. Dieses Legen-denbündel enthält zunächst eine Tatsachenbehauptung: „Sieg des Nominalismus"[12] als gei-stesgeschichtliche Tatsache[13]. Da von ihrer Stichhaltigkeit auch die Geltung der Hauptan-nahme der verschiedenen Lesarten der Legende abhängt, empfiehlt es sich, die Kritik des Gesamtkomplexes mit ihrer Überprüfung zu beginnen.

Folgen wir Prantl, hatte in der Renaissance, einer für ihn durch eine reiche Nachblüte der scholastischen Logik charakterisierten Zeit, der Nominalismus die Oberhand gewon-nen. Die Terministen oder Modernen, sagt er, hatten „bei Weitem die Majorität für sich".[14] Unter den Verfassern von Logicalia, die in der Renaissance in dem von Prantl noch mit einiger Vollständigkeit erfaßten Zeitraum von 1470-1510 gedruckt worden sind, ma-chen die terministischen Autoren unter Einbeziehung der Eklektiker jedoch höchstens ein Drittel aus. Legen wir das Kriterium der Breitenwirkung an, verschiebt sich die Bilanz zu Ungunsten der Nominalisten. Nach der Zahl der Titelauflagen führen die „Summulae" des Petrus Hispanus, deren Beliebtheit durch die ockhamistisch revidierten „Summulae" Buri-dans kein merklicher Abbruch getan worden zu sein scheint. Es folgen der Augustinerere-mit Paul von Venedig, für Bochenski der Kulminationspunkt der Entwicklung der scholas-tischen Logik, der Pariser Skotist Petrus Tartaretus, Georg von Brüssel, von Prantl als ter-ministischer Skotist charakterisiert, Georg von Trapezunt, Altaristoteliker mit rhetoristi-scher Tendenz, der Kölner Thomist Lambertus de Monte, Raimundus Lullus, der Thomist Johannes Versor, dann aber auch schon die doctores antiqui Thomas von Aquino, sein Schüler Aegidius Romanus, Johannes Duns Scotus, weiterhin Ockhams realistischer Wi-dersacher Walter Burleigh. Prominente Nominalisten des 14. Jahrhunderts sind in diese Spitzengruppe nicht vorgedrungen. Ockhams „Expositio aurea in artem veterem" ist ein einziges Mal in Bologna gedruckt worden, und zwar erst, als der entsprechende Kommen-

---

11. N. Abbagnano, Guglielmo di Ockham, Lanciano (1931), p. 342: „Egli incarna già in sé l'abito e la passione della ricerca scientifica che son propri del mondo moderno. Sotto questo aspetto, non che essere l'ultima delle grandi figure della Scolastica, egli è il primo pensatore del Rinascimento." — Vgl. ders., Storia della filosofia, Vol. 1, Turin ³1974, p. 623 („la prima figura dell' età moderna").

12. K.-O. Apel, Die Idee der Sprache in der Tradition des Humanismus von Dante bis Vico, Bonn ²1975, S. 195.

13. Vgl. E. Arnold, a.a.O. S. 133.

14. C. Prantl, Geschichte der Logik im Abendlande, Bd. 4, Leipzig 1870/Berlin 1955, S. 174.

tar Burleighs bereits in sieben Auflagen vorlag. Seine „Summa logicae" wird in der Renaissance viermal aufgelegt, während mehrere Erzeugnisse aus der Literaturgattung der skotistischen Formalitates es auf zehn und mehr Auflagen bringen. Marsilius von Inghen ist noch seltener aufgelegt worden als Ockham. Beliebt war der große Buridan-Kommentar von Johannes Dorp aus dem Ende des 14. Jahrhunderts, der es auf 8 Auflagen gebracht hat. Die Spitzenreiter unserer Liste sind hiernach nahezu ausnahmslos Begriffsrealisten. Petrus Hispanus hatte als Signifikat eines terminus communis in der suppositio simplex, seiner einfachhinnigen Einsetzung für seinen Gegenstand, eine res universalis angenommen.[14a] Paul von Venedig ist sogar extremer Begriffsrealist gewesen. In der Erläuterung des averroischen Satzes „intellectus est qui facit universalitatem in rebus" stellt er vier Ansichten über die Seinsweise der Universalien einander gegenüber: Für Ockham seien die Universalien in keiner Weise außerhalb der Seele, sondern ausschließlich im Intellekt, für Burleigh dagegen in keiner Weise in der Seele, sondern ausschließlich außerhalb ihrer, für Aegidius Romanus, den offiziellen Lehrer seines Ordens (und damit für die Thomisten) seien sie potentiell es parte rei unabhängig von jeder Erkenntnistätigkeit, aktuell jedoch nur ex operatione intellectus, für Johann Wyclif schließlich aktuell sowohl in der Seele als auch außerhalb ihrer. Erstaunlicherweise schließt sich Paul von Venedig nun nicht dem gemäßigten Realismus seines Ordensbruders Aegidius an, sondern der Position Wyclifs.[14b] Seine Hauptthese lautet: universalia habent esse actuale extra animam praeter operationem intellectus.[15] Sie haben darüber hinaus für ihn gegen Burleigh, wie er ihn versteht, ein intentionales Sein im Geiste, allerdings nicht im absoluten Sinne, sondern nur beziehungsweise, als Zeichen. …conceptus mentales…non sunt simpliciter et absolute universalia, sed solum respective inquantum sunt signa illorum. Als Beispiel dient ihm der Urin, der als signum sanitatis selbst gesund genannt wird — sonst das Kardinalbeispiel für die analogia attributionis.[16] Auch diese Rückbindung der Begriffszeichen an die Dinge ist ein Gedanke Wyclifs, der gefordert hatte:„…de predicamentis, que sunt signa, recurrendum est ad res signatas, ne coordinacio signorum sit predicamentum, vel quilibet terminus communis sit universale, quia deficiente signato non habebunt signa talem denominacionem".[17] Wo hat Paul von Venedig Wyclifsches Lehrgut kennengelernt? Vermutlich während seines Oxforder Studienaufenthaltes 1390. Es war jedoch sicher nicht der Zweck seiner Entsendung nach Oxford, ihn der Ordensdoktrin zu entfremden und für die Lehre eines Mannes zu gewinnen, zu dem er sich nach dem Konzil von Konstanz wohl kaum noch namentlich hätte bekennen können. Sein Standpunkt in der Universalienlehre erscheint ihm selbst freilich nur als der überlieferte aristotelische. Nach der Einteilung des universale in vier Grundtypen stellt

14a. Cf. Peter of Spain (Petrus Hispanus Protugalensis), Tractatus called afterwards Summulae logicales, ed. L. M. de Rijk (Philos. Texts and Studies 22), Assen 1972, p. 81, l. 12

14b. Cf. Paulus Venetus, In libros de anima explanatio cum textu incluso singulis locis, Venedig 1504, f. 7rb/va.

15. Cf. id., Summa philosophiae naturalis, Venedig 1503/Hildesheim 1974, f. 94ra (Met., c.2, concl. 2).

16. Cf. ib., f. 94va (c.3, concl. 2).

17. J. Wiclif, De ente praedicamentali, ed. R. Beer, London 1891, p. 12.

er fest: Omnia haec dicta sunt, ut sciatur Aristoteles et Commentator nullum universale negasse nisi Platonicum; alia autem sunt in rerum natura...[18] Ich habe ein wenig bei der Universalienlehre dieses einflußreichsten mittelalterlichen Logikers nach Petrus Hispanus verweilt, weil sich über sie bei Prantl und in der zusammenfassenden neueren Literatur nichts findet, aber auch weil sie geeignet ist, Prantls Vermutung, Wyclif habe als krasser Außenseiter, „vergleichbar einem verlassenen Fremdling, einen zügellosen christlich-platonischen Realismus" vertreten[19], als irrig zu erweisen.

Diese Beobachtung mag uns zu der Frage hinüberleiten, wie denn nun, wenn sich schon in der Inkunabelzeit keine eindeutige Majorisierung der logischen Publikationen der übrigen Schulen durch die der Nominalisten nachweisen läßt, die Gewichte im 14. Jahrhundert verteilt waren. Hier stehen die Zeichen für Ockham weitaus günstiger. Es dürften weit mehr Handschriften seiner „Summa totius logicae" erhalten sein als Exemplare ihrer frühen Drucke, und während wir uns beispielsweise für ein um ein halbes Jahrhundert älteres Werk wie die „Summa de bono" Ulrichs von Straßburg überwiegend auf Handschriften des 15. Jahrhunderts stützen müssen, stammen sie hier fast alle aus dem 14. Jahrhundert; davon sind mindestens acht noch zu Lebzeiten Ockhams entstanden. Die unmittelbare Wirkung seiner Logik muß daher bedeutend gewesen sein. Ob aber, wie Gerhard Ritter 1922 noch meinen konnte, „an einem Siege der ,okkamistischen Richtung' in Paris etwa seit der Mitte des 14. Jahrhunderts kein Zweifel sein" kann, da ihr „alle wirklich bedeutenden Lehrer" angehört hätten[19a], war Albert Lang 1930 bereits fraglich geworden. Hermann Schwamms Beschäftigung mit Johannes von Ripa, dem einflußreichsten Pariser Franziskanertheologen der Mitte des 14. Jahrhunderts, hatte inzwischen ergeben, daß letzterer „mehr als radikaler Scotist, denn als radikaler Nominalist zu betrachten" sei.[20] Lang hat daraufhin — bestärkt durch vielfältige eigene Erfahrungen mit Autoren des späteren 14. Jahrhunderts — in behutsamer Absetzung von Franz Kardinal Ehrle, der gerade in der zweiten Hälfte des 14. Jahrhunderts den Höhepunkt der nominalistisch beeinflußten Scholastik gesehen hatte[21], folgende Rückzugslinie aufgebaut: Radikalnominalistische Tendenzen treten nach ihm nach 1350 nur vereinzelt hervor. In den realphilosophischen Fächern zeige die „nominalistische Kurve" ohnehin größere Schwankungen als in der Logik. Auf die Theologie vollends habe der Nominalismus am schwersten Einfluß zu gewinnen vermocht. Sie habe in dieser Phase den Charakter einer eklektisch-nominalistischen Vermitt-

---

18. Paulus Venetus, Expositio super octo libros phisicorum Aritstotelis necnon super commento Averois cum dubiis eiusdem, Venedig 1499, f. a8rb.

19. Vgl. Prantl, a.a.O. S. 38

19a. Vgl. G. Ritter, Via antiqua und via moderna an den deutschen Universitäten des XV. Jahrhunderts, Heidelberg 1922/Darmstadt 1963, S. 24.

20. A. Lang, Die Wege der Glaubensbegründung bei den Scholastikern des 14. Jahrhunderts (BGPhMA 30, 1/2), Münster 1931, S. 172, Anm. 2.

21. Vgl. Lang, a.a.O. S. 169 mit F. Kard. Ehrle, Der Sentenzenkommentar Peters von Candia, Münster 1925, S. 278.

lungstheologie gehabt, Die „Scheidung zwischen einer radikaleren Richtung des Nominalismus (vor 1350) und einer gemäßigteren eklektisch gerichteten Richtung (nach 1350)" sei daher „unbedingt berechtigt"[22]. Auf dem Höhepunkt des Radikalnominalismus vor der Jahrhundertmitte, charakterisiert durch eine „extreme Übersteigerung der kritischen und skeptischen Tendenzen", siedelt er Nikolaus von Autrecourt an, der aber — wie sich inzwischen durch die Edition der Reste seines Hauptwerkes „Satis exigit ordo executionis" herausgestellt hat — in seiner Suppositions- und Universalienlehre entschiedener Antiockhamist extrem begriffsrealistischer Richtung gewesen ist. Er nimmt als quiditas singularium ein esse universale subjectivum an, das für ihn nicht nur innerhalb ein und derselben species nicht vervielfältigbar, sondern auch Teil der unter dieser species begriffenen Einzeldinge ist. Damit bezieht er eine Position, die auch aus begriffsrealistischer Perspektive bis dahin in doppeltem Sinne als aberwitzig angesehen worden war. Würde nämlich ein und dieselbe spezifische Natur — so hatte schon Avicenna argumentiert — als den existierenden Einzeldingen aktuell gemeinsam angenommen, dann müßte etwa das, was der Menschennatur von daher zufällt, daß sie in Platon ist, ihr auch in Sokrates zufallen. „Non est autem possibile, ut qui est sanae mentis intelligat quod unam et eandem humanitatem vestiant accidentia Platonis et ipsa eadem sint accidentia Socratis."[23] Robert Grosseteste hatte demgemäß jenes artistotelische Dictum „universale est semper et ubique" aus dem ersten Buch der zweiten Analytiken im Sinne einer realen Vervielfältigung des Allgemeinen in seinen Individuen verstanden. Verstehe man das Allgemeine per modum Aristotelis, dann sei die Ubiquität des Allgemeinen nichts anderes als sein Sein in jedem seiner Individuen (tunc universale esse ubique nichil aliud est quam universale esse in quolibet suorum singularium).[24] In diesem Sinne haben Thomas von Aquino und Duns Scotus die numerische Einheit einer Natur in verschiedenen Supposita für den kreatürlichen Bereich geleugnet. „Non enim in diversis singularibus est aliqua natura una numero, quae possit dici species", heißt es bei Thomas. Die Natur habe vielmehr in den Einzeldingen ein vielfältiges Sein (in singularibus habet...multiplex esse secundum singularium diversitatem).[25] Hierüber ist auch Scotus grundsätzlich nicht hinausgegangen. Im kreatürlichen Bereich gibt es für ihn kein real mit sich einiges Allgemeine (nullum universale in creaturis est realiter unum). Zwar gibt es den Einzeldingen real gemeinsame Dingnaturen. Aber diesem Gemeinsamen fehlt etwas zum Vollbegriff des universale in actu. Es ist plurifizierbar und von einer Einheit, die geringeren Grades ist als die numerische. (in creaturis...est aliquod commune unum unitate reali, minore unitate numerali, — et istud quidem ,commune' non est ita commune quod sit praedicabile de multis, licet sit ita commune quod non repugnet sibi esse in alio quam in

22. Vgl. A. Lang, Heinrich Totting von Oyta (BGPhMA 33, 4/5), Münster 1937, S. 158f., 161.

23. Cf. Avicenna, Opera, Venedig 1508/Louvain 1961, Metaphysica, tr. 5, c. 2, f. 87vaB.

24. Robertus Grosseteste, Commentarius in posteriorum analyticorum libros, ed. P. Rossi (Corp. philos. medii aevi, Testi e studi II), Florenz 1981, p. 266.

25. Cf. Thomas de Aquino, In duodecim libros metaphysicorum Aristotelis expositio, ed. Spiazzi, Turin 1950, p. 426b, n. 1930 (Met. 10, l.1); id., De ente et essentia, ed. M.-D. Roland-Gosselin (Bibl. thom. 8), Paris²1948, p. 25.

eo in quo est.)[26] Nikolaus von Autrecourt scheint dagegen die aristotelische Ubiquitätsthese ganz wörtlich genommen zu haben. Ein und dieselbe Farbqualität kann für ihn an verschiedenen Orten sein (albedo est omnino eadem Parisius et in Anglia). Ja, noch mehr: wenn schon eine derartige Farbqualität sich trotz ihrer Materialität der Bindung an einen bestimmten Ort entziehen kann, dann gilt dies um so mehr von den sie erfassenden Wahrnehmungs- und Erkenntnisakten. Die Sehakte, durch die Sortes und Plato in Paris und England etwas Weißes erfassen, sind, weil ihr Gegenstand numerisch einer ist, ihrerseits numerisch identisch.[27] Zu derartigen Annahmen hätte sich kein Begriffsrealist thomistischer oder skotistischer Prägung verstehen können. Dasselbe gilt von Autrecourts Verwendung des Teilbegriffes. Ockham hat seine Ablehnung von res universales unter anderem auf die Feststellung von Averroes gestützt, es sei unmöglich, daß die Universalien Teile von durch sich selbst existierenden Einzelsubstanzen seien. Der unbekannte Verfasser jener „Logica Campsale Anglici valde utilis et realis contra Ockham", hinter dem Brown und Gál die Rückendeckung Walter Chattons vermuten, hat diese Argumentation als krasse Mißdeutung der realistischen Position verworfen: „...nullus...sanae mentis umquam dixit quod talis natura esset pars individui..."[28] Autrecourt aber hat es behauptet.

Unsere Bemerkungen zum logisch metaphysischen Wyclifismus Pauls von Venedig und zum Universalienubiquitismus Autrecourts erlauben jetzt schon der Vermutung, daß im 14. Jahrhundert gerade nach Ockham realistischerseits Extrempositionen vertreten worden sind, wie sie sich in der Hochscholastik nicht nachweisen lassen. Diese Vermutung läßt sich an weiteren Beispielen bestätigen. Daß dies aus zusammenfassenden neueren Arbeiten nicht deutlich wird, hat mehrere Gründe. Einmal gilt das Hauptinteresse den nominalistischen Positionen. Andererseits aber fehlt vielen Autoren der rechte Gesamtüberblick und die systematische Schulung. Ehrle hat im Blick auf Prantl und Hermelink davor gewarnt, sich ohne vorheriges gründliches Studium eines geeigneten Handbuches der scholastischen Philosophie an den Nominalismus und die Universalienlehre zu wagen und zu diesem Zweck Kleutgens „Philosophie der Vorzeit" empfohlen. Ich selbst würde zu älteren Werken raten, etwa der Logik von Johannes a Sancto Thoma oder den Metaphysikdisputationen von Suarez und Mastrius de Meldola. Die Zahl der Fehletikettierungen, die in unserem Jahrhundert aus Unkenntnis des status quaestionis an Autoren des 14. Jahrhunders vorgenommen worden sind, ist Legion. Seeberg meint, Scotus habe die Universalität den Dingnaturen anhaften lassen.[29] Dreiling stempelt Aureoli zum Konzeptualisten, weil er die Annahme einer real von den Individuen unterschiedenen res communis in pluribus und damit — so meint er — den gemäßigten Realismus aristotelisch-thomistischer Provenienz bekämpft.[30] Für Gerhard Ritter standen die Skotisten von Haus aus zwischen Thomisten

---

26. Ioannes Duns Scotus, Opera omnia, t. VII, Città del Vaticano 1973, p. 408 (Ord. II, d. 3, p. 1, q. 1, n. 39).

27. Vgl. A. Maier, Ausgehendes Mittelalter II (Storia e letter. 105), Rom 1967, S. 378, Anm. 21.

28. So Campsall in Kap. 15, ed. E.A. Synan, in: Nine Mediaeval Thinkers, ed. J. R. O'Donnell (Studies and Texts 1), Toronto 1955, p. 193.

29. Vgl. R. Seeberg, Die Theologie des Johannes Duns Scotus, Leipzig 1900, S. 71f.

30. Vgl. R. Dreiling, Der Konzeptualismus in der Universalienlehre des Franziskanererzbischofs Petrus Aureoli (Pierre d'Auriole) (BGPhMA 11,6), Münster 1913, S. 80f., 130ff.

und Ockamisten und konnten insofern zu den Nominalisten gerechnet werden, als Duns Scotus das in seiner haecceitas unableitbare Einzelne als realen Grund alles Seins betrachtet und gegenüber der abgeleiteten Realität der allgemeinen Naturen bevorzugt habe.[31] Für Herman Shapiro verwandelt sich der alte Burleigh in einen Konzeptualisten oder gemäßigten Realisten — offenbar weil er in den Notanda zur Seinsweise des Allgemeinen in Cod.Vat.lat.2146, die Anneliese Maier für Nachlaßnotizen hält[32], dem Allgemeinen einen eigentlichen actus existendi außerhalb der Seele abspricht.[33] Zugleich läßt Burleigh jedoch das universale sub esse universalis complete außerhalb der Seele sein, was selbst Scotus geleugnet hätte, und zwar vor seiner Vervielfältigung durch die Einzeldinge, so daß, selbst wenn es keinen wirklichen Menschen gäbe, doch noch der Satz gälte: homo est, nullo homine existente.[34] John Trentman konstatiert bei Vincenz Ferrer eine Tendenz zum Nominalismus, weil er das Allgemeine zwar, sofern es in den Dingen existiert, als vera res et realis betrachtet, ihm aber, wie Thomas und Scotus, eine von unserer Erkenntnis unabhängige aktuale Einheit und Universalität abspricht.[35] Auf diese Weise ist freilich keine sinnvolle Einordnung möglich. Kehren wir daher zu einer traditionellen Einteilung zurück und betrachten als extrem realistisch alle Positionen, die dem Allgemeinen als Allgemeinen (sub esse universalis) ein Sein ex parte rei geben, als gemäßigt realistisch alle Positionen, die der intentio universalitatis eine Realitätsgrundlage geben, die nicht den Vollbegriff eines complete universale erfüllt, als gemäßigt nominalistisch oder konzeptualistisch aber eine Position, die das Allgemeine als natürliches Begriffszeichen für artgleiche Einzeldinge ansieht. Das so entstehende Spektrum läßt sich nach der einen Seite bis zur Annahme separater platonischer Ideen, nach der anderen bis zur Leugnung auch des begrifflich Allgemeinen erweitern. Positionen der letzteren, vokalistisch oder sermonistisch zu nennenden Art, haben sich bisher im 14. Jahrhundert nicht nachweisen lassen. Zwar hat Petrus Aureoli in starker Betonung des sermozinalen Charakters der Logik die vox als deren Subjekt betrachtet, aber — im Unterschied zur Grammatik und Rhetorik — die vox ut expressiva conceptus.[36] Auch Hippolyte Taine, dessen vermeintlicher Vokalismus die sich gegen ihn abgrenzende Neuscholastik schon gegen Ende des vorigen Jahrhunderts das konzeptualistische Gepräge des spätscholastischen Nominalismus hat wiederentdecken lassen — prétendus nominalistes nennt in diesem Sinne Kardinal Mercier Ockham, Gregor von Rimini und

---

31. Vgl. G. Ritter, a.a.O. S. 72f.

32. Vgl. A. Maier, Ausgehendes Mittelalter I (Storia e letter. 97) Rom 1964, S. 235.

33. Cf. H. Shapiro, More on the „Exaggeration" of Burley's Realism, in: Manuscripta 6 (1962), p. 94, 97.

34. Ib., p. 97. — Zu Shapiro vgl. Vincent Ferrer, Tractatus de suppositionibus, ed. J. A. Trentmann (Grammatica speculativa 2), Stuttgart-Bad Cannstatt 1977, S. 28. Zum Problem neuerdings: M. Markowski, Die Anschauungen des Walter Burleigh über die Universalien, in: English Logic in Italy in the 14th and 15th Centuries, ed. A. Maierù, Neapel 1982, S. 219-29.

35. J. Trentman, Predication and universals in Vincent Ferrer's Logic, Franc. Studies 28 (1968), S. 60ff.

36. Cf. Petrus Aureoli, Scriptum super primum sententiarum, ed. E. M. Buytaert (FIP, Text Ser. n. 3) t. I, St. Bonaventure 1955, p. 323 (Prol. I Sent., s. 5, q. 5, n. 114sqq.).

Biel[37] — ist bei Lichte besehen Konzeptualist gewesen. Die noms généraux sind für ihn représentants mentaux de caractères abstraits et de qualités générales, die insgesamt (ein sehr hübscher Ausdruck) das ameublement principal d'une tête pensante ausmachen.[38] Das andere Extrem eines ausdrücklichen Bekenntnisses zu dem, was die Scholastik von Aristoteles her als den error Platonis verstand, ist in der Franziskanerschule in Gestalt des Skotisten Nikolaus Bonetus vertreten, der — nachdem schon Franz von Mayronis für Platon als oberste philosophische Autorität gegen den pessimus metaphysicus Aristoteles Partei ergriffen hatte[39] — den Schritt zur Annahme von real und durch sich selbst getrennt von Einzeldingen existierenden Universalien gewagt hatte. Das vielleicht einige Jahre nach Ockhams Logik entstandene Metaphysikkompendium von Beonetus war in zahlreichen Handschriften — in einer von ihnen als liber utilis valde pro via Scoti empfohlen[40] — verbreitet und ist in der Renaissance zweimal gedruckt worden. Das realistische Ende des Spektrums zwischen Scotus und Bonetus ist, wie sich bereits erwiesen hat, im 14. Jahrhundert anders als in der Zeit der doctores antiqui des 13. Jahrhunderts relativ stark besiedelt. Walter Burleigh, Autrecourt, Wyclif und Paul von Venedig gehören — jeder auf seine Weise — hinein, aber sicher auch skotistische Geltungsabsolutisten wie Franz von Mayronis, die das unerschaffene esse quidditativum der Dingnaturen noch oberhalb des göttlichen Intellekts ansiedelt. Nicht ganz deutlich ist die Haltung von Gratiadei von Ascoli, dem einzigen Organon-Kommentator der Dominikanerschule des 14. Jahrhunderts, den auch die Renaissance noch geschätzt hat (seine Ars vetus-Paraphrase ist dreimal gedruckt worden). „De virtute sermonis" erscheint er als extremer Realist. Er läßt den Logiker von res universales handeln und gibt dem Allgemeinen auch in Verbindung mit der sonst nur im Intellekt angesiedelten intentio universalitatis betrachtet ein reales Sein außerhalb unseres Geistes im Einzelding als in seinem Subjekt, freilich nur — und dies ist eine wesentliche Einschränkung — „inquantum apprehenditur ab intellectu".[41] Gleichwohl bleibt ein Unterschied zu der thomistischen Auffassung etwa des Johannes Capreolus bestehen, nach der die intentio universalitatis, wenn überhaupt in irgendeinem Sinne, so doch nicht subjektiv in re extra ist, son-

37. Cf. D. Mercier, Courfs de philosophie, Vol. IV. Critériologie générale ou théorie générale de la certitude, n. 134, Louvain ⁵1906, p. 338.

38. Cf. H. Taine, De l'intgelligence, Paris ¹⁵1923, t.I, p. 54.

39. Cf. Franciscus de Mayronis, I Sent., d. 47, q. 3, a. 2, in: Id., Praeclarissima... scripta... in quatuor libros sententiarum, Venedig 1520/Frankfurt/M. 1966, f. 134 E/F.

40. Vgl. L. Meier, Die Barüfsserschule zu Erfurt (BGPhMA 38,2), Münster 1958, S. 67, Anm. 54.

41. Cf. Gratiadei Aesculanus, Commentaria... in totam artem veterem Aristotelis, Venedig 1491, f. a3rb (im Auszug bei Prantl, Op. cit., Bd. 3, Leipzig 1867/Berlin 1955, S. 316, Anm. 676). Gratiadei argumentiert so: der Verstand erklärt das für das Allgemeine, was dazu geeignet ist, von vielem ausgesagt zu werden. Also legt er nicht dem geistigen Erkenntnisbild des Menschen, sonern dem durch es repräsentierten, real außerhalb seiner befindlichen Menschen Allgemeinheit bei. Der Mensch außerhalb des Verstandes ist zwar realiter ein Individuum, „secundum tamen quod stat in apprehensione intellectus non est individuum, sed universalis". Dies läuft darauf hinaus, daß die Dinge nur sicut obiectum cognitum in cognoscente allgemein sind, dieses ihr Gegenstandsein aber nicht den Verstand, sondern die res habens esse extra intellectum zu seinem Subjekt hat.

dern allenfalls fundamentaliter oder aber in ihr quoad esse quod habet in intellectu.[42] Fassen wir diese kurze doxographische Enquête zusammen: an Begriffsrealisten mangelt es im 14. Jahrhundert auch nach Ockham nicht. Die auf der distinctio formalis a parte rei und damit der Universalienlehre des Duns Scotus aufruhende Literatur der formalitates blüht bis ins 17. Jahrhundert. Mehrere frühkotistische Traktate dieser Art werden in der Renaissance gedruckt. Das Erbe des doctor subtilis gewinnt nach der Mitte des 14. Jahrhunderts in verwandelter Form wieder an Gewicht. Insgesamt dürfte die Zahl der „waschechten" Konzeptualisten geringer sein als die der Anhänger der verschiedenen realistischen Richtungen. Von einem Sieg des Nominalismus als historischer Tatsache kann daher ebensowenig die Rede sein, wie etwa von einem Sieg des Cartesianismus im 18. oder einem Sieg des Kantianismus im frühen 19. Jahrhundert.

Was aber ist wirklich geschehen? Hat sich überhaupt nichts von dem ereignet, was mit dem an sich nicht ungewöhnlichen Vorfall, daß ein Anwärter auf das Oxforder Magisterium der Theologie in dem Londoner Ordensstudium ein Lehrbuch der Logik schreibt und Aristoteles erklärt, nachdem er die Sentenzen des Petrus Lombardus auf seine Weise kommentiert hat, verknüpft wird? War nur der geringere Teil von dem, was als revolutionär gilt, wirklich neu? Oder aber war das wirklich Neue nur zum geringeren Teil Ockhams Werk? Hören wir zunächst die Legendenerzähler. Wenn wir diejenigen schlecht fundierten Hypothesen über die via moderna, die seit der Mitte des 19. Jahrhunderts von Zarncke bis Hermelinck aufgestellt und in Gerhard Ritters Studie zum Wegestreit als mißglückte Versuche eines „wirkungsvollen Aufbau(s) historischer Kulissen"[43] behandelt worden sind, beiseite lassen, bleiben einige von Ritter nicht berücksichtigte Deutungsversuche übrig, die den Keim zu den Hauptlesarten der entwickelten Nominalismus-Legende enthalten. Friedrich Albert Lange hat Ockham in seiner „Geschichte des Materialismus" den Boden für die materialistische Weltanschauung im England des 17. und 18. Jahrhunderts bereiten lassen. Seine Nominalismus-Deutung läßt sich in zwei Hauptthesen zusammenfassen: Einmal habe die Schule Ockhams dazu geführt, „die Sprache der Wissenschaft konventionell zu machen, d.h. sie durch willkürliche Fixierung der Begriffe von dem historisch gewordenen Typus der Ausdrücke zu befreien". Zum anderen sei der Nominalismus des 14. Jahrhunderts, „von den oppositionell gestimmten Franziskanern geprägt", die Vertretung des skeptischen Prinzips „gegenüber der ganzen Autoritätssucht des Mittelalters" und der Ansprüche des gesunden Menschenverstandes gegen den Platonismus gewesen. Dies verbinde Ockham mit Thomas Hobbes, aber auch mit John Stuart Mill.[44] Nun hat Ockham in der Tat die übermäßige Verwendung abstrakter Ausdrücke auch im Blick auf die beschränkte Fassungskraft der simplices kritisert. So sagt er von der fälschlichen Hypostasierung des esse circumscriptive in loco des Leibes Christi zu einem eigenen modus essendi: „...si quaeras, quid est illa circumscriptivitas, dico quod est vox non-significativa, sicut bu-ba. Unde finge-

42. Cf. Johannes Capreolus, Defensiones theologiae Divi Thomae Aquinatis, t. 3, Tours 1902/Frankfurt/M. 1967, p. 319b.

43. Vgl. G. Ritter, a.a.O. S. 12.

44. Vgl. F. A. Lange, Geschichte des Materialismus und Kritik seiner Bedeutung in der Gegenwart, Leipzig [10]1921, Bd. 1, S. 291, 177.

re talia abstracta de talibus adverbiis...est simplicibus multorum errorum occasio".[45] Er ist sich aber gleichzeitig bewußt, daß ein abstrakterer Sprachgebrauch — den rechten Sachverstand vorausgesetzt — ökonomischer ist, und fügt daher hinzu: „tamen aliquando utilis potest esse intellegentibus, quia per tales fictiones frequenter brevius loqui possunt". Bis zur Vertretung materialer Ansprüche des gesunden Menschenverstandes ist es freilich von daher noch weit. Die Abgrenzung vom Platonismus in der Universalienfrage war im übrigen zu seiner Zeit längst vollzogen. Ockham hat es daher auch nicht als seine Sendung begriffen, sich, wie Lange meint, an die Spitze der „Gesamtopposition gegen den Platonismus" zu setzen.[46] Der Philosoph Platon und die Sache seiner Philosophie kommen in der „Summa logicae" nicht vor.[47] Von Plato hatte zu reden, wer sich nicht in den Verdacht bringen wollte, sich seiner Position wieder anzunähern. Sprachzeichen galten seit Aristoteles als konventionell (als bedeutungskräftig katà synthéken).[47a] Die Ausbildung einer eigenen Wissenschaftssprache ist nicht die Leistung der Schule Ockhams gewesen, und sie hätte sich unter konzeptualistischen Prämissen nicht als willkürliche Fixierung von Begriffen vollziehen lassen, denn Begriffe galten ihrem Bezeichnungssinn nach in der aristotelischen Tradition, der der Ockhamismus in diesem Punkte — wie in zahlreichen anderen — durchaus verpflichtet bleibt, als nicht arbiträr. Frühe Versuche einer Formalisierung der philosophischen Sprache — das sog. argumentum in terminis, auch Literalkalkül oder algebraischer Formalismus genannt, gehen gerade nicht vom Ockhamismus aus. Anneliese Maier hat die Ausdehnung und Verallgemeinerung dieser Argumentationsmethode im 14. Jahrhundert nachzuzeichnen versucht. Ihr frühester Zeuge ist für sie Ockhams realistischer Widerpart Burleigh.[48] Ockhams Name kommt hier ebensowenig vor wie im Zusammenhang mit ihrer Darstellung der Methode der „calculationes" (der Herstellung quantitativer Scheinrelationen), deren phsyikalische Anwendung auf die Oxforder Mertonenses der Bradwardine-Schule zurückgeht, oder der von Nicole d'Oresme begründeten Mathematik der Formlatituden.[49] Eine spezifische Nähe des genuinen Ockhamismus zu allen diesen Formalisierungs- und Quantifizierungsbestrebungen des 14. Jahrhunderts ist bisher ebensowenig nachgewiesen, wie ein prinzipieller Widerstand der begriffsrealistischen Richtungen gegen diese Tendenzen. Gerade für Johannes von Ripa ist ein outrierter Gebrauch des argumentum in terminis sowie des „raisonnement en termes de latitudo", wie es Paul Vignaux nennt[50], charakteristisch. Anneliese Maier hatte noch gemeint, Oresme habe in Paris

45. Cf. Guillelmus de Ockham, Summa logicae p. III-4, c. 6, Opp. philos. et theol., Opp. philos. I, St. Bonaventure 1974, p. 782.

46. Vgl. F. A. Lange, a.a.O. S. 214, Anm. 38.

47. Dies schließt nicht aus, daß Platon des öfteren als Exempelfigur neben „Sortes" erscheint (cf. ed. cit., Ind. III: Doctrina, s.v. „Sortes").

47a. Cf. Aristoteles, Peri hermeneias 16a19, 27; 17a2.

48. Vgl. A. Maier, An der Grenze von Scholastik und Naturwissenschaft (Storia e letter. 41), Rom ²1952, S. 258, Anm. 2.

49. A. Maier, a.a.O. S. 259ff.

50. Cf. P. Vignaux in: Jean de Ripa, Quaestio de gradu supremo (Textes philos. du moyen âge 12), Paris 1964, p. 93.

nur vereinzelte und in Oxford gar keine Anhänger gefunden.[51] Ripa geht jedoch bereits Ende der fünfziger Jahre des Jahrhunderts von einer großen Zahl latitidinarisch argumentierender Logiker aus, (er nennt sie quidam rudes et inertes sophistae, quorum magnus est numerus).[52] Er verwirft die Methode der latitudines nicht, sondern fordert für sie nur eine differenziertere Anwendung im Bereich theologischer Fragen. Hierin sieht Vignaux gerade seine eigentliche Originalität.[53] Aber wie Anneliese Maier Ripa nicht genannt hatte, so fehlt bei ihm jeder Hinweis auf Oresme. Hier wäre eine wichtige Lücke zu schließen.

Hat von Langes sehr summarischem Einordnungsversuch bei näherem Zusehen kaum etwas Bestand, so haben doch zahlreiche spätere Autoren — sicher meist, ohne seine Deutung zu kennen — die von ihm ausgesprochenen Vermutungen weitergesponnen. Nominalismus als Ausdruck franzikanischer Opposition, als Degradierung der gewachsenen Sprache zu einem Instrument wissenschaftlicher Naturerschließung, als skeptizistische Auflösung der scholastischen Synthese, als erste Regung des bürgerlichen Individualismus, dies sind Klischees, die auch heute — ein Jahrhundert später — noch allenthalben verwendet werden. Der Kunsthistoriker Henry Thode hat 1885 alle Elemente der Langeschen Nominalismus-Darstellung in sein Buch über Franz von Assisi übernommen und ihr eine Wendung ins Sozialrevolutionäre gegeben. Franz sei, „von der ewigen Gesetzmäßigkeit folgerechter geschichtlicher Entwicklung hervorgerufen", aufgetreten, als „die gerechten Forderungen des zum Selbstbewußtsein erwachenden dritten Standes" nicht mehr zum Schweigen zu bringen waren, und habe die fortschrittliche Strömung, die „das freie Recht des Individuums" auf ihr Banner geschrieben hatte, in geregelte Bahnen gelenkt. In „seiner ihrem eigentlichen Gehalte nach antikatholischen Anschauung von der freien Berechtigung individueller religiöser Überzeugung" finde sich der Skeptizismus und Nominalismus Ockhams „gleichsam vorgebildet". Ockhams Bruch mit dem Papsttum war zugleich sein Bruch mit der Scholastik. Seine analytische Denkweise stürzt die Hierarchie der Begriffswelt. Er ist ein Produkt des Geistes der Zeit, der auf die Befreiung des Individuums gegenüber der Allgemeinheit drängt. Indem das Individuum sein neues Selbstbewußtsein der Außenwelt gegenüber geltend macht, verflüchtigt sich das Allgemeine „zu einem Begriff, der nur als Norm des individuellen Denkens Wirklichkeit erhält". Diese „neue Weltanschauung" hat sich im Denker Ockham philosophisch zuerst offenbart. Mit ihr bahnt er, „ein Revolutionär in der Mönchskutte", das Denken von Bacon, Hobbes und Locke an[54].

Thodes Versuch, als Einbruchsstelle individualistischer Tendenzen die Beschränkung der Geltung der Begriffe auf die einzelnen Erkenntnissubjekte zu erweisen, hat unter anderen Prämissen auch in der marxistischen Nominalismusdeutung seine Entsprechung. Nun richten sich die konkurrierenden bürgerlichen Individuen deswegen gegen die Universalien, weil ihre Existenz „an Solidarität gemahnt und etwas wie ein Einverständnis garan-

51. Vgl. A. Maier, a.a.O. S. 356.
52. Cf. Ripa, ed. cit., p. 170, Vignaux, ib., p. 92.
53. Cf. Vignaux, p. 92.
54. Vgl. H. Thode, Franz von Assisi und die Anfänge der Kunst der Renaissance in Italien, Berlin ²1904, S. XXIIIf., 409f., 412..

tiert" — so Karl Heinz Haag[55]. Aber die Figur der Freisetzung von Konkurrenzdenken in der Liquidierung der Universalien läßt sich ebensowenig auf den nominalistischen Lehrbegriff zurückführen, wie die bloß individuelle Geltung der Begriffe bei Thode. Die ockhamistische Tradition hat den willensunabhängigen, in allen Menschen gleichen, wirkursächlich auf die wirklichen Dinge selbst zurückzuführenden natürlichen Bezeichnungssinn unserer Begriffe gerade wegen ihrer prononciert mentalistischen Tendenz verstärkt betont. Für die Vokalsphäre andererseits hat sie zunehmend zeichenpragmatische Gesichtspunkte zur Geltung gebracht. Die augustinische Grundannahme, daß die vorsprachlichen verba mentis als solche nicht mitteilbar sind und nur in Gestalt der verba vocis nach außen treten können, (verbum quod foris sonat signum est verbi quod intus lucet[56]), hat Gerson dazu bewogen, die verlautende Sprache propter civilem inter homines communicationem in amore fundatam entstanden sein zu lassen[57] — ein Sprachentstehungsmodell, das mit Haags Konkurrenzschema nichts gemein hat. Auf der Hörerseite hat man den alten aristotelischen Grundsatz, daß sprachliche Ausdrücke insofern signifikativ sind, als ein Sprecher mittels ihrer im Hörer eine Einsicht hervorruft — significare = constituere intellectum in auditore, ein Theorem, das schon Abaelard zur Grundlage seiner Bezeichnungslehre gemacht hatte[58] — im späteren 14. Jahrhundert mit Ripas Deutung der geistigen Affektion als vitalis immutatio zusammenzudenken versucht. Dies hat zu einer Aufwertung der gesprochenen Sprache gegenüber der Schrift geführt. Johannes Dorp macht die Gesprächssituation geradezu zum Formalobjekt der Logik: in ipsa logica consideratur de argumentatione prout per ipsam exercetur disputatio. modo disputatio non potest exerceri nisi mediante sermone[60]. Die disputatio quae fit per scripturas wird hinter sie zurückgesetzt, denn wer einem anderen nur ein Buch zeigt, bezeichnet ihm nichts, wenn anders Bezeichnen heißt: potentiae cognitivae eam vitaliter immutando aliquid... repraesentare. Vitaliter immutare potentiam cognitivam aber heißt: mutare ipsam perceptive tanquam signum. Demgegenüber ist das Herzeigen von geschriebenen Texten eine okkasionelle Applikation.[61]. Auch dieses Lehrstück liegt nicht auf der Linie eines Geltungssubjektivismus. Das Ockham schließlich nicht für einen generellen Sozialatomismus in Anspruch genommen werden kann, hat Miethke an seiner Interpretation der Ordenskommunität gezeigt[62]. Haag weiß uns jedoch noch

55. K. H. Haag, Kritik der neueren Ontologie, Stuttgart 1960, S. 24.

56. Aurelius Augustinus, De trinitate libri XV (Libri XIII-XV), edd. W. J. Mountain/Fr. Glorie, Opera, Pars XVI, 2 (CC, S. L. L A), Turnhout 1968, p. 486 (De tri. 15, XI/20).

57. Cf. J. Gerson, Centilogium de conceptibus, n. 87, Oeuvres complètes 9, Paris 1973, p. 514.

58. Vgl. Peter Abaelards philosophische Schriften. I. Die Logica ‚Ingredientibus'. 3. Die Glossen zu περὶ ἑρμενείας hg. v. B. Geyer (BGPhMA 21,3), Münster 1927, S. 307ff.

59. Vgl. für den Unterschied der habitudo vitalis immutationis von der habitudo informationis: Jean de Ripa, Lectura super primum sententiarum. Prologi quaestiones I & II, ed. A. Combes (Textes philos. du moyen âge 8), Paris 1961, p. 229sqq.

60. Perutile compendium totius logicae Joannis Buridani cum praeclarissima... Joannis dorp expositione, Venedig 1499/Frankfurt/M. 1965, f. a3ra.

61. Cf. op. cit., f. h4ra.

62. Vgl. J. Miethke, Ockhams Weg zur Sozialphilosophie, Berlin 1969, S. 512ff.

mehr zu erzählen. Thomas von Aquino hat nach ihm in der Zeit des Widerstreits universalistischer und partikularistischer Tendenzen mit seiner Lehre von der Vermittlung des Allgemeinen und Besonderen in der essentia singularis die einzig sinnvolle Antwort gegeben. Mit der radikalen Veränderung der gesellschaftlichen Verhältnisse durch die völlige Auflösung des mittelalterlichen Universalismus und das Sichdurchsetzen der Nationalstaaten war nur noch die nominalistische Antwort möglich. Die nominalistischen Systeme erfüllten die historische Aufgabe, das Denken dem Versuch zu entfremden, ins Wesen der Wirklichkeit einzudringen. Als Objekt des Denkens bleibt nur noch eine völlig entleerte res übrig. Indem die Dinge sich auf die Vorstellungen reduzieren, kann schließlich von der Wirklichkeit nur noch als reiner Mannigfaltigkeit die Rede sein, die erst durch den menschlichen Verstand Struktur und Ordnung erhält. Dadurch wird die Natur dem Zugriff der Subjekte unterworfen. Wahrheitskriterium ist nun der menschliche Herrschaftswille über die Natur. „In der wesenlosen Welt wird der Mensch sich selber wesenlos. Das ist die Konsequenz des zum flatus vocis degradierten Begriffs"[63]. Diese phantastische Erzählung, die sich in der Frage des Wesensverlustes und des Verfügbarmachens der Natur auf eigentümliche Weise mit konservativen Positionen berührt, läßt sich in ihrem Aussagewert erst einstufen, wenn die Position Ockhams in der Universalienfrage etwas präziser gefaßt ist als bisher. Vorab: von einer essentia singularis im Sinne einer an sich selbst einzelheitlichen Wesenheit hat Thomas nie gesprochen. Er hat vielmehr lediglich die aus individuierender Materie und individuierter Form bestehende essentia hominis singularis, zum Beispiel die essentia Socratis, mit der aus allgemeiner Form und allgemeiner Materie bestehenden essentia hominis universalis in Parallele gesetzt[64]. Die essentia als solche des Einzelnen ist für ihn gerade nicht die des Allgemeinen. Und als flatus vocis hat den Mentalbegriff natürlich kein Ockhamist betrachten können. Dies wäre ein Widerspruch in sich gewesen.

Mir scheinen nun zwei Grundbestimmungen für Ockhams Universalienbegriff charakteristisch zu sein: (1) Allgemeine Begriffe und Sprachzeichen bezeichnen nicht etwas den unter ihnen begriffenen Einzeldingen Gemeinsames, sondern präzis diese Einzeldinge selbst, und zwar auf der Ebene der Sprachzeichen, auf der allein es Univozität im eigentlichen Sinne geben kann, gleichermaßen direkt (aeque primo) und aufgrund eines einzigen Aktes der Bedeutungsverleihung (unica impositione). Vorausgesetzt ist hierin, daß es die Bestimmung jedes universale ist, Zeichen von mehrerem (signum plurium) zu sein. (2) Einzeldinge derselben Art sind einander durch sich selbst substantiell zuhöchst ähnlich. Dies erlaubt es dem Intellekt, etwas ihnen Gemeinsames zu abstrahieren. Der so entstehende abstrakte Begriff ist gleichermaßen auf alles einander derart zuhöchst Ähnliche bezogen. Mit Ockham: ex hoc ipso quod Sortes et Plato se ipsis differunt solo numero, et Sortes secundum substantiam est simillimus Platoni, omni alio circumscripto, potest intellectus abstrahere aliquid commune Sorti et Platoni quod non erit commune Sorti et albedini; nec est alia causa quaerenda nisi quia Sortes est Sortes et Plato est Plato, et uterque est homo[65].

63. Vgl. Haag, a.a.O. S. 21ff., 15.
64. Cf. Thomas de Aquino, Summa contra gentiles I, 65, edd. Pera/Marc/Caramello, n. 531.
65. Guillelmus de Ockham, ed. cit., Opp. theol. II, St. Bonaventure 1970, p. 211.

Und: omnis conceptus abstractus a re aequaliter respicit omne sibi simillimum...[66] Ich insistiere auf diesen Bestimmungen, weil sie immer wieder mißverständlich wiedergegeben werden. Noch Brown und Gál übersetzen sich die eben zitierten Stellen in die Sentenz: Universale fundatur in similitudine individuorum[67]. Ockham jedoch kennt keine reale Ähnlichkeitsbeziehung, die als abhebbare res absoluta zu den ähnlichen Dingen hinzukäme. Das Allgemeine ist für ihn daher nicht fundiert in einer verbindenden Ähnlichkeit, sondern in den Dingen selbst, deren jedes durch sich selbst allen gleichartigen zuhöchst ähnlich ist. Diese Formulierungen sind nicht etwa schwächer, sondern ungleich stärker als die im 14. Jahrhundert recht häufig zitierte Auslegung, die Themistius dem aristotelischen dictum ‚universale aut nihil est aut posterius‘ gegeben hatte: es sei nämlich ein conceptus...sine hypostasi collectus ex tenui singularium similitudine[68].

Welche Perspektive ergibt sich von hier aus auf die historisch-materialistische Nominalismusdeutung Haags? Es ist die Schwäche jeder bloß analogistischen Handhabung der Herleitung von Bewußtseinsdeterminationen aus dem gesellschaftlich-politischen Sein, daß die Bezugsglieder bereits herausinterpretierte abstrakte Strukturen sind, die nur unter dem Gesichtspunkt einer strukturellen Verwandschaft und nicht etwa einer inhaltlich-thematischen Gemeinsamkeit miteinander in Beziehung gesetzt werden. Es ist üblich geworden, einen gar nicht näher durchanalysierten Begriff von politischem Universalismus als Pendant eines ebenso unbestimmt bleibenden Begriffes von Universalienrealismus anzusehen. Friedrich Theodor Vischer hatte die mittelalterliche Reichsstruktur noch gänzlich anders gedeutet. „Allgemeines Vikarieren ist Charakter des Mittelalters", sagt er. „...Lehen baut sich über Lehen..., und wie von den Felsen Burg an Burg ragt, so kristallisiert sich die Welt in starre Monaden. ... Die Einheit und Allgemeinheit nun soll im Kaiser dasein..." Aber sucht man in den Geschichtsquellen nach ihr, finde man, so meint er, „nichts Übersichtliches und Geschlossenes" und keine wahre Allgemeinheit[69]. Zu dem so entworfenen Gesamtbild, wenn es denn etwas für sich haben sollte, wie andererseits auch zur Idee der Reichsunmittelbarkeit paßt der ockhamistische Universalienbegriff weit besser als eine realistische Theorie. Die Analyse, die Haag von dem Verhältnis von Welt und Erkenntnis bei Ockham gibt, ist durchaus abwegig. Ockham hat nachdrücklich betont, daß der Welt nichts genommen wird, wenn geleugnet wird, daß es neben den schon durch sich selbst einander ähnlichen, einander zugeordneten und aufeinander wirkenden Einzeldingen noch ein verdinglichtes Beziehungsnetz gibt, das alle diese Berührungen und Verwandtschaften erst herstellt. Ordo oder unitas sind nichts in der Wirklichkeit selbst, was unterschieden wäre von allen Teilen des Universums, sondern sie sind Beziehungsbegriffe in der Seele, sine quo tamen conceptu nihil minus est unum vel ordinatum. Daß die Beziehungen im Intellekt sind, besagt gerade nicht, daß etwas die Beschaffenheit, die durch eine solche Beziehung erfaßt wird, nur vermöge des beziehenden Aktes unseres Verstandes hat. „...Non est

66. Ib., p. 308.
67. Op. cit., Index III: Doctrina, p. 595, s. v. Universale.
68. Thémistius, Commentaire sur le traité de l'âme d'Aristote. Traduction de Guillaume de Moerbeke, ed. G. Verbeke (Corpus lat. comment. in Arist. Graec. 1), Louvain 1957, p. 8sq.
69. Vgl. F. Th. Vischer, Aesthetik oder Wissenschaft des Schönen, Bd. 2, München ²1922, S. 304ff.

imaginandum..., quod relatio isto modo sit tantum in intellectu quod nihil vere sit tale nisi propter actum intellectus... Sed sic est imaginandum, quod intellectus nihil plus facit ad hoc quod Sortes sit similis quam ad hoc quod Sortes sit albus. Immo ex hoc ipso quod Sortes est albus et Plato est albus, Sortes est similis Platoni, omni alio imaginabili circumscripto"[70]. Mit diesen unzweideutigen Feststellungen ist allem, was Haag über diesen Punkt sagt, der Boden entzogen. Dies gilt auch für wesentliche Stücke der orthodox-marxistischen Nominalismusinterpretation, die Eberhard Conze 1932 in seinem umfangreichen, kaum beachteten Buch „Der Satz vom Widerspruch. Zur Theorie des dialektischen Materialismus" vorgetragen hatte. Der Deutungsrahmen besteht bei Conze in den höchst unsorgfältig belegten Behauptungen, der Nominalismus sei eine zusammen mit der Bourgeoisie entstandene bürgerliche Ideologie, die den Klasseninteressen, -bedürfnissen und -aufgaben der Bourgeoisie entgegenkam und deren Vertreter aktiv an den politischen Bestrebungen der Bourgeoisie teilnahmen. Die klassenbewußten bürgerlichen Schichten hätten immer nominalistisch gedacht, und alle Abweichungen vom Nominalismus in der neueren Zeit entstammten nicht-bürgerlichen Strömungen[71]. Worin besteht nun der Klassencharakter der logischen Theorien des Nominalismus? Weil es die Grundaufgabe der Bourgeoisie ist, den unbeherrschten Gegenstand durch die bürgerliche naturwissenschaftliche Praxis in einen beherrschten zu verwandeln, geht man aus von dem vorgefundenen Einzelnen. „Der Nominalismus ist" somit „die Ideologie einer Klasse, die sich anschickt, die Welt durch methodisches Handeln, durch die Technik, zu erobern". Er bedient sich zur Beherrschung des Einzelnen der Allgemeinbegriffe als menschlicher Machwerke und Werkzeuge des primär werkzeuglichen Intellekts. Man fragt nicht mehr nach dem Sein der Dinge. „Es genügt, daß die Dinge gehorchen"[72]. Die vorgefundene Welt erscheint dem Bürger als beziehungsloses Chaos. „Wo Ordnung ist, hat er sie erst hineingebracht". Mit Ockhams nominalistischer Leugnung des realen Daseins der Beziehungen wird die Ordnung und Einheit des Universums zerstört, der Kosmos in einen Haufen von inconnexa verwandelt. Im übrigen ist auch Ockhams Rasiermesser ein durch und durch bürgerliches Werkzeug. „Das Argument der Sparsamkeit findet Widerhall nur in bürgerlichen Herzen"[73]. Die Chaos-Kosmos-Antithese, den Gedanken, daß die vorauszusetzende Grundlage der neuzeitlichen Philosophie nach Ockhams Bruch mit dem hochscholastischen Ordo-Prinzip das zu überwältigende Chaos ist, daß mithin Ordnung das ist, was immer erst geschaffen werden muß — Figuren, die auf ihre Weise bei Blumenberg wiederkehren —, hat Conze aus Vinzenz Rüfners Buch „Der Kampf ums Dasein" übernommen[74]. Ihm war bewußt, daß der im Namen des alten Ordo

---

70. Ockham, I Sent., d. 30, q. 1, ed. cit., Opp. theol. IV, St. Bonaventure 1979, p. 316.

71. Vgl. E. Conze, Der Satz vom Widerspruch. Zur Theorie des dialektischen Materialismus, Hamburg 1932, Frankfurt/M., 1976, n. 213. (Der Nachdruck ist nach J. Schumachers Handexemplar veranstaltet worden, weil die Originalausgabe „anscheinend sonstens unauffindbar" war. Wir haben allerdings das Exemplar der Bonner U.B. schon 1973 einem Colloquium „Versuche einer materialistischen Interpretation der neueren Philosophiegeschichte" zugrundelegt.)

72. Vgl. Conze, a.a.O., n. 227, 234, 236.

73. Conze, n. 243.

74. Vgl. V. Rüfner, Der Kampf ums Dasein und seine Grundlagen in der neuzeitlichen Philosophie. Kritische Studie zur Ordnungsidee der Neuzeit, Halle 1929.

geführte „romantische Protest" kleinbürgerlicher katholischer Intellektueller der Gegenwart — wie er es nennt — gegen die chaotische Welt der kapitalistischen Neuzeit in diesem Punkte mit der leninistischen Ablehnung der Chaosidee zugunsten des Ideals einer planmäßig geordneten sozialistischen Gesellschaft übereinkommt[75]. Daß sich bei Ockham keine Indizien für die Annahme chaotischer Unordnung und Uneinigkeit finden, wissen wir bereits. Bemerkenswert an der Chaos-Legende ist daher weniger ihr Inhalt, als das offensichtliche Unvermögen ihrer Anhänger, sich Geordnetheit anders als an ihm selbst dinghaftes unveränderliches Beziehungsgefüge oder als mehr oder minder gewaltsam vom Menschen gestifteten Zusammenhang zu denken. Für Alois Dempf löst sich alles in Nebel auf, wenn man keine substanzhafte Ordnung in Gott selber „in irgendeine feste Relation zu den von ihm geschaffenen Dingen treten läßt". Er kann sich Ockhams Metaphysik mitsamt der voluntativen Auffassung Gottes nur aus der „radikalen Formenfeindschaft des nordischen Menschen" erklären. „Es ist so, als ob in der nordischen Nebelwelt nur Wolkengebilde verdichtet würden, die ... in sich substanz- und formlos sind..."[76] Rüfner findet es im Blick auf die Theologie des „von occamistischem und nominalistischem Geiste abhängigen Luther", in der dieser den Geist eines prinzipiellen Chaos zeigte, besonders bedenklich, daß Gott nach Ockham die von ihm gesetzte Ordnung, die nun nicht mehr sein idealgültiger Wesensausdruck ist, ändern könnte[77]. Aber hatte sich nicht Luther schon im September 1517 — kurz vor Veröffentlichung seiner Ablaßthesen — mit aller Schärfe gegen Ockham, Ailly und vor allem Biel — von dem er noch 1538 gesagt haben soll: „wenn ich darinnen las, da blutte mein hertz... Ich behalte noch die bucher, die mich also gemartert haben"[78] — gewandt, den Rekurs auf die potentia Dei absoluta in der Gnadenlehre verworfern[79] und sich auf dem Augustinerkapitel von 1518 in Heidelberg zur platonischen Ideenlehre bekannt, der er wie Franz von Mayronis vor der aristotelischen Lehre den Vorzug gibt?[79a] Welche ältere Position hat Dempf im Auge, wenn er meint, Gott handle bei Ockham „nicht mehr naturaliter..., sondern frei, weil er das Weltziel des Universums frei setzt...?"[79b] Etwa jene abälardianische Häresie der Gleichsetzung von Wollen und Können, nach der die Welt insofern ein notwendiger Ausdruck Gottes ist, als er nicht mehr und besseres machen kann, als er wirklich macht, und nichts von dem unterlassen kann, was zu tun ihm geziemt? Hiergegen hatte sich vehementer Protest erhoben, der sich im ersten Sentenzenbuch des Petrus Lombardus niedergeschlagen hat. Daß Gott niemandes Schuldner ist und vieles tun kann, was er nicht will, aber auch vieles unterlassen kann von dem, was er tut, steht ja nicht etwa erst bei Ockham — wie Blumenberg wähnt —, sondern bereits beim Lombarden[80]. Da die Welt nichts zur Vollkommenheit und Güte Gottes, auf die

75. Conze, n. 242.
76. Vgl. A. Dempf, Sacrum imperium, Darmstadt 1954, S. 505 f.
77. Vgl. Rüfner, a.a.O., S. 4 f., 205.
78. D. Martin Luthers Werke, Tischreden, 3. Bd., Weimar 1914, S. 564 (n. 3722).
79. Vg. die Thesen 56/57 der ‚Disputatio contra scholasticam theologiam" (W.A. I, 227).
79.a Vgl. die Thesen 36/37 der Heidelberger Disputation von 1518 (W.A. I, 355).
79.b Dempf, a.a.O., S. 506.
80. Cf. Petrus Lombardus, Sententiae in IV libris distinctae, t.1, p.2, Grottaferata 1971, p. 298 sqq. (I Sent., d. 43, c.un.).

und nicht etwa auf ein weltimmanentes Ziel sie hingeordnet ist, beiträgt, ist es für Thomas von Aquino gerade nicht natürlich und notwendig, daß Gott etwas von ihm Verschiedenes will — es sei denn in dem Sinne, daß er es, wenn er es einmal will, nicht mehr nicht wollen kann, da sein Wille unveränderlich ist[81]. Auch für Ockham ist jedoch Gottes Wille in jedem nur denkbaren Sinn unveränderlich[82]. Die Fabel vom „deus mutabilissmus" des Nominalismus, der auf keine Konsequenz seiner Manifestationen festgelegt werden kann und pragmatisch so gut ist wie ein toter, ist eine ingeniöse Erfindung Blumenbergs[83]. Damit verliert auch seine Schlußfolgerung an Überzeugungskraft, die Neuzeit beginne als Epoche des Gottes der nominalistischen Theologie, die ein Weltverhältnis des Menschen alarmiert habe, „dessen Implikation in dem Postulat hätte formuliert werden können, der Mensch habe sich so zu verhalten, als ob Gott tot wäre". Dies aber habe die ruhelose Weltinventur erzwungen, die sich als der Antrieb des Zeitalters der Wissenschaft bezeichnen lasse[84].

Das negative Resultat dieses knappen Entlegendarisierungsversuches möchte ich wie folgt fixieren: Eine spezifische Nähe des namengebenden Kernkomplexes der nominalistischen Theorie — nämlich der Universalienlehre — zu frühbürgerlichen sozialrevolutionären Bestrebungen sowie zu einem exzessiven theologischen Voluntarismus halte ich solange für unerwiesen, als nicht der Vermutung wirksam begegnet wird, daß sie sich ebensowohl mit einer anderen Universalienlehre hätten verbinden können. Man kann nicht Ockhams Parteinahme im Streit um das Recht der Kirche auf weltlichen Besitz als notwenigen Ausfluß seiner nominalistischen Grundhaltung ansehen und darüber den Ultrarealisten Wyclif völlig vergessen. Man kann ebensowenig eine notwendige Verbindung zwischen Nominalismus und Voluntarismus annehmen und darüber vergessen, daß sich in der Person eines Abälard logischer Sermonismus, der dem Vokalismus näher steht als der mentalistische Konzeptualismus Ockhams, auf der anderen Seite mit einer extrem antivoluntaristischen, rationalistischen Theologie verbunden hat. Daß Ockham schwerlich der Vater der mathematisch-physikalischen Neuerungen des 14. Jahrhunderts gewesen ist, ist bereits bei der Berührung des Problems der Wissenschaftssprache angedeutet worden. Ich halte Anneliese Maiers alte These, der Einfluß Ockhams auf diesem Gebiet sei minimal gewesen, für bisher nicht entkräftet. Man mag es verwunderlich finden, daß in dem „Weltanschauliche Wandlungen" betitelten Abschnitt der „Vorläufer Galileis im 14. Jahrhundert" Ockham nur ein einziges Mal in einer Fußnote vorkommt[85]. Bei der Wahl einer Darstellungsmethode, die sich um den bündigen Nachweis echter historischer Filiationen bemüht, ist es nur konsequent.

Trotz der offensichtlichen Unergiebigkeit dieses Teilkomplexes, wuchern auch auf diesem Felde die Legenden, freilich überwiegend in Arbeiten zur Geschichte der Sprachtheorie. Johannes Lohmann nimmt in seinem programmatischen Aufsatz über „Das Verhältnis

81. Cf. Thomas de Aquino, Summa theologiae I, 19,3 co., ad 3.
82. Cf. Ockham, I Sent., d.8,q.7, ed.cit., Opp.theol.III, St. Bonaventure 1977, p. 259 sq.
83. Vgl. H. Blumenberg, Die Legitimität der Neuzeit, Frankfurt/M. 1966, S. 148, 121, 342.
84. Vgl. ebd., S. 342.
85. Vgl. A. Maier, die Vorläufer Galileis im 14. Jahrhundert (Storia e letter. 22), Rom ²1966, S. 230, Anm. 20.

des abendländischen Menschen zur Sprache" an, daß sich die „entscheidende Ablösung" des durch Cicero klassisch verkörperten rhetorischen Sprachverhältnisses durch das subjektivistische der Neuzeit in Ockhams Mentalisierung des logischen Urteilsaktes vollzogen hat. Er bezieht sich nicht mehr, wie in der stoischen synkatáthesis auf ein an die Sprachform gebundenes lektón, sondern „auf den sprachfreien Vorstellungsinhalt des Bewußtseins"[86]. Nun gibt Ockham an der von Lohmann beigezogenen Stelle gerade kein mentalistisches Beispiel, wenn er sagt, ein Laie, der kein Latein verstehe, könne viele lateinische Sätze akustisch wahrnehmen, ohne ihnen doch zustimmen zu können. Auch die Verinnerlichung der Zustimmung ist nicht von Ockham vollzogen worden. Schon bei Thomas von Aquino heißt es: „...assentire non nominat motum intellectus ad rem, sed magis ad conceptionem rei quae habetur in mente..."[87]. Gleichviel — damit war der Keim zur Entsprachlichungslegende gelegt. Was sind ihre Hauptelemente? Fassen wir sie in der entwickelten Gestalt, die ihr Karl-Otto Apel gegeben hat, dann war es die geschichtliche Mission des Nominalismus, das sprachbefangene, formenhierarchische Weltgehäuse der Hochscholastik im Interesse empirischer Sachforschung aufzubrechen[88]. Die in ihm zuerst hervortretende Wissenschaftsgesinnung läuft zunächst auf die Kritik jeder sprachlichen Form als Hindernis oder Fälschung der unmittelbaren Erfahrung hinaus, bis sie dann mit der mathematischen Form das weltgeschichtliche Bündnis eingeht, das zur exakten Wissenschaft führt[89]. Bei Ockham emanzipiert sich das philosophische Erkennen der Außenweltdinge völlig vom Medium der Sprache[90]. Diese ist nun nur noch ein technisch manipulierbares Zeichensystem, das der sprachfreien Intuition der Dinge in ihrer individuellen Bestimmtheit nachträglich und künstlich zugeordnet wird[91]. Die alte und in der Sprache ausgelegte Welt wird dadurch — um diesen Gedanken mit Ruprecht Paqué, der sich stark auf Apel stützt — fortzusetzen, zur außermenschlichen und ungeschichtlichen Natur und damit für den im engeren Sinne unsprachlichen Zugriff der naturwissenschaftlichen Vorstellungsweise freigegeben[92]. Im Nominalismus hat sich das Mittelalter für einen Weg in der Gegenrichtung zu derjenigen entschieden, die das platonische Höhlengleichnis empfiehlt: nicht aus der Höhle heraus zum Licht, sondern tiefer in den Berg hinein zu den Schatten der Materie. „Occam und Buridan stehen, gerade noch im Freien, sozusagen am Eingang zum langen Weg durch diesen Berg, an dessen anderem Ende... ihre heutigen Nachfahren" — Heidegger und Heisenberg ist es für Paqué als ersten gelungen, ihre Köpfe wieder ins Freie zu bringen — „gerade wieder das Tageslicht erreichen"[93].

Ein Charakteristikum der ganzen Richtung ist die sich von Erwin Arnolds Arbeit über die Suppsitionstheorie bis zu Paqué eher noch verstärkende Orientierung an heidegger-

86. K.-O. Apel, a.a.O., S. 90.
87. Thomas de Aquino, De malo, q.6, a.un., ad 14, Quaestiones disputatae, Vol. II, Turin 1965, p. 561 a.
88. Vgl. Apel, a.a.O., S. 19, 96.
89. Vgl. Apel, S. 195.
90. Vgl. S. 136.
91. Vgl. S. 19, 22, 136, 229.
92. Vgl. S. 120, 261.
93. R. Paqué, Das Pariser Nominalistenstatut, Berlin 1970, S. 294.

schen Grundannahmen. Von der seinshermeneutischen Sprachidee her ist freilich kaum eine angemessene Perspektive auf die Geschichte der mittelalterlichen Logik, ja nicht einmal der mittelalterlichen Sprachtheorie zu gewinnen. Es ist eben etwas anderes, ob ich dem Wort, wie Thomas, eine vis spiritualis mitgeteilt sein lasse, die es instand setzt, einen Begriff aus dem Sprecher in den Hörer zu tragen[94], oder, wie die Modisten, den Sprachzeichen in Gestalt von modi significandi eine Eigenbedeutsamkeit verleihe, die freilich dann doch wieder über modi intelligendi mit den modi essendi vermittelt sind, oder ob ich die Sprache als Haus des Seins zum weitesten Horizont unseres Weltverständnisses erkläre. Die Ockhaminterpretation dieser Autoren ist im Detail fehlerhaft, ihre Kenntnis des Standes der Ockhamforschung begrenzt. Nur so ist es erklärlich, daß Apel Ockham das sprachliche Zeichensystem unter Überspringung der abstraktiv gewonnenen Begriffszeichen der intuitiven Einzelerkenntnis zuordnen lassen oder überhaupt — anders als Ockham, für den Sprachzeichen mit Scotus nicht Zeichen von Begriffen sind — als Zeichen von Zeichen verstehen kann. Den kühn und geradlinig von Ockham über den Empirismus und Rationalismus der neueren Naturwissenschaft bis zum Neopositivismus durchgezogenen Linien fehlen die wirkungsgeschichtlichen Knoten und Gelenke. Die Scholastik vor Ockham andrerseits bleibt — vor allem bei Paqué — ein historisch unbestimmt gelassener Deutungsrückraum, in dem ein platonisierendes Weltverständnis angesiedelt wird. So wirkt auch diese Richtung mit an der Legendenbildung, deren Wirksamkeit folgendes Gedankenexperiment abschließend verdeutlichen mag. Nehmen wir einen Autor X an und lassen ihn folgende Annahme über das Verhältnis von Erkenntnis und Wirklichkeit machen: In der Wirklichkeit gibt es nichts vielem Gemeinsames. Alles ist singulär (in re... nihil est commune multis, quia quidquid est in re, est singulare). Den Begriff des Menschen etwa gibt es nur in diesem oder jenem einzelnen Menschen. Außerhalb unseres Verstandes gibt es nur numerische Einheit. Einheit und Allgemeinheit kommt den Naturen der Einzeldinge nur in unserem Verstand und durch ihn zu. Er fabriziert nicht nur diese Allgemeinheit (unversalitas est conditio fabricata per intellectum), sondern erfindet auch die hierarchische Ordnung der Dingnaturen hinzu, die außerhalb seiner keine Realität hat (ordo... inter naturas individuorum... est per intellectum adinventus). Die sogenannten zweiten Substanzen des Aristoteles sind keine Substanzen im eigentlichen Sinne, sondern nur Dingbegriffe (rerum intentiones et notiones). Zur Substantialität fehlt ihnen so gut wie alles. Sie bestehen nicht durch sich selbst, sind nicht Träger von Akzidentien und haben nur ein intentionales Sein in unserem Verstande[95]. Fast jeder — vorab die Seinshermeneutiker — würde spontan sagen: hier wird eine typisch nominalistische Position vertreten. Alle soeben referierten Annahmen sind jedoch Texten von Thomas von Aquino, Albertus Magnus und Johannes Capreolus, dem Wiedererwecker der reinen thomistischen Lehre im 15. Jahrhundert, entnommen.

94. Cf. Thomas de Aquino, Summa theol. III, q. 62, a. 4, ad 1.
95. Cf. Ps.-Thomas, De natura generis, c. 3, n. 14, Opuscula omnia necnon opera minora, ed. J. Perrier, Paris 1949, p. 505; Thomas de Aquino, S. th. I, 85, 2, ad. 2; Capreolus, ed. cit., t. 1 (1900), p. 351b, 349a; Thomas, In duodecim 1.Met.Arist.exp., ed. cit., n. 1571 (l. 7, lect. 13); Capreolus, ed. cit., t. 1, p. 349b, 353a; Albertus Magnus, Tractatus secundus libri praedicamentorum De substantia, ed. W. Gremper, Fribourg s.a., p. 62 sq. (= Freib.Z.f.Ph.u.Th. 4, 1957, 184 f.).

Nur wenige pflegen sich klarzumachen, daß es bei der Lehrdifferenz zwischen Nominalisten und hochscholastischen Realisten einschließlich der Skotisten gar nicht um die Leugnung oder Anerkennung des Allgemeinen gegangen ist, sondern um die ontologische Konstitution des existierenden Einzelnen und damit um die angemessene Bestimmung des realen Korrelats der mentalen Wirklichkeitsrepräsentanten. Zur Frage stand nicht die Existenz des Allgemeinen, sondern der Ort, an dem es als Allgemeines anzusiedeln ist, sowie die Weise seiner Zuordnung — denn es ist nach einer alten Etymologie unum versus multa — zu dem unter ihm begriffenen Einzelnen. Ich kann an dieser Stelle nicht mehr auf die Frage eingehen, ob auch die Hauptrepräsentanten der neuzeitlichen Philosophie zu Recht als Nominalisten apostrophiert werden. In dem Hobbes der reifen Phase sehe ich einen Konzeptualisten, der durch seinen Geltungsaeternismus, seine Bemühung um eine adäquate Nomenklatur der Dinge und seine Deutung der Definition als ein Aufsuchen der Ursachen der Namengebung in den Dingen selbst der realistischen Seite des Spektrums sogar noch näher stehen dürfte als Ockham. Der genuine Ockhamismus hat im 17. Jahrhundert nur in einigen kaum bekannten Autoren wie Jean Salabert und Obadiah Walker überlebt[96].

Die viel diskutierte Frage nach dem Verhältnis zwischen Nominalismus und Wegestreit halte ich für ein Scheinproblem. Zwar sind die Vertreter der via moderna de facto zumeist Nominalisten gewesen. Aber die Frage nach der Realitätsgeltung des Allgemeinen ist bereits keine logische mehr. Ob das begriffliche Allgemeine auch in re ist, interessiert den Logiker als solchen nach Ockham nicht. (Utrum... illud commune sit in re vel non, ad eum non pertinet[97].) Und auch Burleigh weist die Frage nach der Entität begrifflicher Unterscheidungen mit derselben Begründung ab[98]. Das Weghafte der beiden Wege aber wurde — dies zeigt eine von Ritter mitgeteilte Promotionsrede des Stephan Hoest von Ladenburg mit aller Eindeutigkeit — in der unterschiedlichen Form der methodischen Vermittlung des Lehrstoffes gesehen[99].

Viel behandelt ist auch die Frage nach der strukturellen thematischen Einheit des Ockhamschen Denkens und damit nach der Legitimität der Deutung anderer Lehrstücke nach dem Muster desjenigen Lehrstücks, das der ganzen Richtung den Namen gegeben hat. Schon Capreolus hatte Ockham nur dort einen Terministen, ja den pater terministarum genannt, wo er prinzipielle Kritik an dem Rekurs auf die potentia Dei absoluta übt.[100] Ehrle hatte dann gemeint, daß Ockhams Logik gegenüber seiner wissenschaftlichen Gesamtei-

96. Von Jean Salabert gibt es eine französische Logik (Les adresses du parfait raissonnement, Où l'on découvre les thresors de la Logique Françoise, et les ruses de plusieurs Sophismes, Paris 1638) und die Programmschrift „Philosophia nominalium vindicata", Paris 1651. Walker hat 1675 Ockhams Logik herausgegeben und ein Logikkompendium „Artis rationis maxima ex parte ad mentem nominalium libri tres", Oxford 1673, verfaßt, das Leibniz nach einer Eintragung des Wolfenbütteler Exemplars für ein Werk von John Wilkins gehalten hat.

97. Ockham, Summa logicae, p. I, c. 66, ed.cit. p. 205.

98. Cf. G. Burlaeus, Super artem veterem Porphirii et Aristotelis, Venedig 1497/Frankfurt/M. 1967, f. b5va.

99. Vgl. G. Ritter, a.a.O. S. 152.

100. Cf. Capreolus, ed. cit., t. 3, p. 190a.

genart „relativ leichter" wiege[101]. Worin aber besteht diese Gesamteigenart? Sieht man sie in dem beharrlichen Abheben auf die Isolierbarkeit unzusammengesetzter und zugleich voll durch sich selbst bestimmter res absolutae von geringstmöglicher Anzahl — sowohl außerhalb unseres Verstandes als auch im Bereich der intentiones animae —, müßte man sagen, daß dieses Argumentationsmuster in der Folgezeit wieder stärker zurücktritt und daß man in der Zulassung von Wirklichkeits- und Erkenntniselementen im späteren 14. Jahrhundert wieder unökonomischer verfährt. Dies bezeugen auf der einen Seite die vielfältigen Diskussionen darüber, ob die Urteilselemente isolierbare Bestandstücke sind, deren jedes auch ohne die anderen seine mentale Existenz beibehält, oder ob sie in einen einzigen Gesamtakt des Urteilens eingeschmolzen zu denken sind, aber auch darüber, ob das Urteil ein Totalsignifikat in Gestalt eines in irgendeiner Form von Entität außerhalb der Seele existierenden Sachverhaltes (eines ‚complexe significabile') hat[102]. Von der latitudo-Problematik her hat auf der anderen Seite Ripa die alte skotistische Idee des ordo essentialis reetabliert, nun aber entsprechend der infinita latitudo dependentiae als ordo infinitus[103]. Die species sensibiles in medio hat schon Buridan wieder eingeführt[104]. Die Analyse des kognitiven Hörvorganges, die Ockham vernachlässigt hatte, hat zum Rückgriff auf die alte augustinische Lehre von einem doppelten verbum interius (dem verbum nullius linguae und dem verbum quod habet imaginem vocis) in Gestalt einer doppelten oratio mentalis geführt: einer die oratio vocalis lautlos memorierenden und einer übersprachlichen[105]. Die Bezeichnungsweise der Begriffszeichen mußte von dem von Ockham selbst an der species-Lehre entwickeltem Problem des für die Beziehung eines Zeichens auf sein Signifikat bereits vorauszusetzenden habituellen Vorwissens im Interesse der Vermeidung eines infiniten Regresses differenzierter gefaßt werden. Heinrich Totting von Oyta hat dieser Frage in seinen Pariser ‚Quaestiones magistrales' ausführliche Erörterungen gewidmet[106]. Das Problem der bewußtseinsimmanenten Gegenständlichkeit — Ockhams Aussagen zum conceptus als terminus intellectionis sind ja von schwankender Unsicherheit — wird von Andreas de Novocastro unter dem Namen einer exhibitio obiectiva vitalis neu in Angriff genommen[107]. So werden im späteren 14. Jahrhundert allenthalben Auffanglinien errichtet, um schon aufgegebenes Terrain wiederzugewinnen und gleichzeitig begründeter als bisher gegen Kritik abzusichern. Diese Tendenz entspricht nicht der gängigen Vorstellung vom de-

101. Vgl. Ehrle, a.a.O. S. 109.

102. Vgl. H. Elie, Le complexe significabile, Paris 1937; G. Nuchelmans, Theories of the proposition. Ancient and medieval conceptions of the bearers of truth and falsity, Amsterdam 1973, S. 227 ff.

103. Cf. Jean de Ripa, Conclusiones, ed. A. Combes (Ét. de phil. méd. 44), Paris 1957, p. 60sq.; Id., Quaestio de gradu supremo, ed. cit. p. 207 sqq.

104. Vgl. A. Maier, Ausgehendes Mittelalter II, S. 446 ff.

105. Vgl. W. Hübener, Der theologisch-philosophische Konservativismus des Jean Gerson, in: Misc. mediaev, 9, Berlin 1974, S. 194 f., Ders., „Oratio mentalis" und „oratio vocalis" in der Philosophie des 14. Jahrhunderts, in: Misc. mediaev. 13/1, Berlin 1981, S. 496.

106. Vgl. die knappen Hinweise von A. Lang, Heinrich Totting von Oyta, S. 164 f.

107. Vgl. meine ungedr. Habil.-Schr. „Studien zur Theorie der kognitiven Repräsentation in der mittelalterlichen Philosophie" (Berlin 1968, Ex.: U.B. FU Berlin, Thomas-Inst. Köln), S. 643 u.ö.

struktiven Effekt der Ockhamschen Kritik an unbedachten Verdinglichungen, der bewirkt haben soll, daß es mit der Scholastik, nachdem die abschüssige Bahn einmal betreten war, unaufhaltsam bergab gegangen ist.

Damit ist schon ein wesentlicher Teil der Aufgaben der zukünftigen Nominalismusforschung berührt: mir scheint eine Art Topik der Auffangpositionen vonnöten zu sein, mittels derer die Spätscholastik auf alte Fragen, statt sie denkökonomisch zu suspendieren, eine neue Antwort zu geben versucht hat, gewissermaßen den Bart, der ja nicht, wie Quine unterstellt, immer nur Platons Bart sein muß, hier und da wieder hat sprießen lassen, wo ihn Ockham's razor bereits abgeschoren hatte. Eine andere wesentliche Aufgabe ist durch die Herausgeber der Ockham-Ausgabe bereits tatkräftig in Angriff genommen worden: die Aufhellung der Abfolgedifferentiale in den Schuldiskussionen unmittelbar vor Ockham. Bei dem raschen Wechsel der besten Kräfte in den wichtigsten Lehrpositionen ist ein Jahrzehnt scholastischer Lehrentwicklung bereits ein größerer Schritt, und der unmittelbare Übergang von Scotus auf Ockham nahezu ein Sprung. Es beginnt sich herauszustellen, daß das philosophie- und theologiegeschichtliche Milieu, auf das Ockham auf seine Weise reagiert hat, bislang nur höchst mangelhaft bekannt war. Möglicherweise wird sich am Ende ergeben, daß der Radikalitätsquotient Ockhams nur um ein Geringes höher lag als der anderer Zeitgenossen, haben doch einige seiner Vorgänger in Punkten, in denen er an vorgegebenen Lösungen festhielt (wie in der Frage der Univozität des Seienden), bereits radikalere Auffassungen vertreten. Es darf über derartigen auf den näheren historischen Kontext bezogenen Studien jedoch die Weite des problemgeschichtlichen Horizonts nicht verloren gehen. In keinen Fehlschluß verstrickt sich die Doxographie von Spätzeiten, die eine lange Entwicklung voraussetzen, häufiger, als in die fallacia non novi ut novum: das Fürneu- und Originellhalten des Uralten, das unaufhörlich zum Aufstellen falscher Geburtsscheine führt. Verstärkt sollten in die Nominlismusinterpretation kontrastiv auch diejenigen Gegenpositionen einbezogen werden, die eigene Traditionen begründet haben. Wie aufschlußreich dies sein kann, hat Pinborgs Studie über den Erfurter Modismusstreit von 1330 gezeicht. Ich halte die hier aufbrechende Differenz für noch einschneidender als die der verschiedenen Deutung der Universalien, würde allerdings in ihr nicht, wie Pinborg[108], eine Bestätigung der Apelschen Entsprachlichungsthese sehen. Vernachlässigt hat man bisher die auf die praecisio Avicennae zurückgehende Drittweltspekulation der natura absolute considerata. Man vergißt zumeist, daß die Dingnaturen ihr entsprechend einen doppelten Ort außerhalb unseres Geistes haben: prout considerantur in singulari extra animam, aber auch prout considerantur in se. Durch die Arbeiten Hochstetters, Moodys, Boehners und einiger anderer war die Ockhamforschung in ein ruhigeres Fahrwasser gelangt. Nach dem Krieg hat einige der besten Köpfe erneut ein wahres Deutungsfieber ergriffen, das die schon gewonnene Klarheit vielfältig wieder verwirrt hat. Ob weitere Deutungsparoxysmen bevorstehen, bleibt abzuwarten. Ich würde mir nach quälenden Erfahrungen mit schlecht justierter Nominalismusliteratur wünschen, daß die Interpreten der geschichtli-

---

108. Vgl. J. Pinborg, Die Entwicklung der Sprachtheorie im Mittelalter (BGPhMA 42,2), Münster 1967, S. 210 f.

chen Wirkung des Nominalismus für eine Weile ein wenig Deutungsaskese aufbringen und dem Patienten, wie ein guter Seelenarzt, die abschließende Diagnose erst stellen, nachdem sie sich von ihm so viel wie möglich über ihn selbst haben berichten lassen.

Edmund Leites

GOOD HUMOR AT HOME, GOOD HUMOR ABROAD: THE INTIMACIES OF MARRIAGE AND THE CIVILITIES OF SOCIAL LIFE IN THE ETHIC OF RICHARD STEELE

When morally authorized temperaments, moods, and feelings — those which are deemed appropriate to particular circumstances, or to the conduct of life in general — are a well-established part of our own culture, we may suppose that they crept into the world without any conscious effort to establish them. We may imagine, for example, that these attitudes are simply a consequence of the rise of a new form of life, say the state or capitalism, a consequence unexpected and unsought even by those who had a hand in building the new life form. Often, however, temperaments, moods and feelings are quite consciously fought and argued for. Once triumphant, we can easily forget or ignore their origins.[1] But we do so at a certain cost, for our knowledge of the formation of culturally sanctioned emotions may provide us, in very clear fashion, with two things worth knowing: first, the nature of the already-established forms of emotive life, against which the proponents of the new morality set themselves (when an ethic of emotion is triumphant, we may have a less clear idea of what we reject in maintaining it), second, the reasons and arguments which were given for prefering the new over the supplanted modes of life (reasons which may no longer be offered, or if offered, may no longer make much sense, once the morally authorized feeling is well established).[2]

I.

In the following pages, I survey the campaign of Richard Steele and some of his contemporaries in the late 17th and early 18th century to establish good humor as the temperament and mood appropriate to social life and marriage. The object of Steele's attack was a character type which permitted, and more, authorized, extreme feelings: bitter hatred, deep sorrow, great joy, high rage. It permitted and authorized rapid and sharp

I have learned much from my conversations with Louis Dumont, Fred Lipschitz, Silvan Tompkins, and Eli Sagan. This research was supported (in part) by grants from the American Philosophical Society and the PSC-BHE Research Award Program of the City University of New York. An earlier version of this essay was read as a public lecture sponsored by the Center for the Humanities, Wesleyan University. I thank the Director of the Center, Richard Stamelman, and the participants in the colloquium on my paper, for their most encouraging support.

1. For some of the ironies that can come from such ignorance, see Hirschman (1977: esp. 132-135).
2. For the term "cultural form", see Sagan (1974).

swings from one extreme to another, as well as quick movements from more moderate states of feelings to one of the extremes. The rapid swing from black sorrow to lively joy, from tenderness to rage, from calm to a cold, but burning, hatred — these and the like were the targets of his scorn.

While he criticized such extremities of feeling in quite a general fashion, he sought, above all, to change behavior in two specific domains of human relations: marriage and informal relations. Steele calls the second domain "that part of Life we ordinarily understand by the Word Conversation"; he also calls it "Society" and "Company" (*Spectator* Nos. 143 and 424; 1965: II, 65 and III, 591). It consists of the people who meet at parties, coffee-houses, dinners, the eighteenth-century equivalent of "country-weekends", and the like. I shall call it "social life", those times we spend together with friends, acquaintances, and neighbors, when a main object of our participation — and theirs — is to have a good time.

Not the oscillating temper, but a good-humored temper, was appropriate in the presence of spouses and friends. In general, the person with such a temper exhibits cheerful good spirits in the pursuit of his own ends, in his response to the acts of others, and to the circumstances of his life. He is ready and inclined to have life please him. He avoids, as much as possible, ill humor, anger, dark sorrow, intense irritation, gloom — any intensely felt mood or emotion of displeasure.

> Whatever we do we should keep up the Chearfulness of our Spirits, and never let them sink below an Inclination at least to be well pleased: The Way to this is to keep our Bodies in Exercise, our Minds at Ease. ... Fortune will give us Disappointments enough, and Nature is attended with Infirmities enough, without our adding to the unhappy side of our Account by our Spleen or ill Humour (*Spectator* No. 143; 1965: II, 65).[3]

Steele also advocated the exclusion of the intensities of high joy and delight. He believed that if we allow intense joy, we are liable to intense melancholy. Thus Steele's colleague, Joseph Addison, writes that he has

> ... always preferred Chearfulness to Mirth. ... Mirth is short and transient, Chearfulness fixt and permanent. Those are often raised into the greatest Transports of Mirth, who are subject to the greatest Depressions of Melancholy. On the contrary, Chearfulness, tho' it does not give the Mind such an exquisite Gladness, prevents us from falling into any Depths of Sorrow. ... [It] keeps up a kind of Day-light in the Mind, and fills it with a steady and perpetual Serenity (*Spectator* No. 381; 1965: III, 429).[4]

Here good humor is seen as a moderate temperament, one that gives a constant emotional tone to our lives.

Steele permits oscillations of feeling, but they must be gentle, and not carry us to extremes. He says that within marriage, "a Man, should, if possible, soften his Passions; if

---

3. The *Spectator* was published in folio half-sheets from 1711 to 1741; the first collected edition, which contains authorial revisions, appeared in the years 1712 to 1715. I quote throughout from the critical edition of Donald F. Bond, published in 1965.

4. As an epigraph to these remarks, Addison offers a passage from the *Odes* of Horace (2. 3. 1-4), in which the poet calls for an even mind in every state.

not for this own ease", then for the ease of "a Creature formed with a Mind of a quite different Make from his own" (*Tatler* No. 172, 1710-11: III, 364)[5], he does not condemn passion as such, but calls for a softening of what he takes to be natural masculine inclinations to rage and what his colleague, Joseph Addison, calls "sullen and morose" moods (*Spectator* No. 128; 1965: II, 8-9).

Sorrow, too, if it is not too extreme, is no violation of the good-humored temper. Steele, rewriting a letter from a recent widower, has the bereaved gentleman say:

... my Sorrow is still fresh; and ... often, in the midst of Company, upon any Circumstance that revives her Memory, ... I am all over Softness, and obliged to retire, and give way to a few Sighs and Tears, before I can be easy. ... My Concern [troubled state of mind] is not so outragious [that is, immoderate] as at the first Transport; for I think it has subsided rather into a soberer State of Mind, than any actual Perturbation of Spirit. There might be Rules formed for Men's Behaviour on this great Incident, to bring them from that Misfortune into the Condition I am at present, which is, I think, that my Sorrow has converted all Roughness of Temper, into Meekness, Good-nature, and Complacency [that is, a disposition or wish to please] ... (*Spectator* No. 520; 1965: IV, 350-351).[6]

Pity, says Addison, is an inherently softened passion, a feeling which no civilized man or woman would wish to be without. Compassion has a moral point, and on this ground has objects to what he takes to be the Stoic advocacy of indifference:

As the *Stoick* Philosophers discard all Passions in general, they will not allow a Wise Man so much as to pity the Afflictions of another ... For my own part, I am of Opinion Compassion does not only refine and civilize Human Nature, but has something in it more pleasing and agreeable than what can be met with in ... [Stoic] indifference ... As Love is the most delightful Passion, Pity is nothing else but Love softened by a degree of Sorrow: In short, it is a kind of pleasing Anguish, as well as generous Sympathy, that knits Mankind together, and blends them in the same common lot (*Spectator* 397; 1965: III, 486).

This gentle sorrow, this pity, should be no stranger, thinks Steele, to the audience at the theatre: he laments that people make fun of those who weep:

It is indeed prodigious to observe how little Notice is taken of the most exalted Parts in the best Tragedies in *Shakespeare*; nay it is not only visible that Sensuality has devoured all Greatness of Soul, but the under Passion (as I may so call it) of a noble Spirit, Pity, seems to be a Stranger to the Generality of an Audience. ... [With respect to] the Female Part of the Audience, ... what is of all the most to be lamented, is the Loss of a Party whom it would be worth preserving in their right Senses upon all Occasions, ... whom we may indifferently call the Innocent of the Unaffected. You may sometimes see one of these sensibly touched with a well wrought Incident: but then she is so impertinently observed by the Men, and frowned at by some insensible Superior of her own Sex, that she is ashamed, and loses the Enjoyment of the most laudable Concern, Pity. Thus the whole Audience is afraid of letting fall a Tear, and

---

5. The *Tatler* was published in folio half-sheets from 1709 to 1711; the first collected edition, which contains authorial revisions, appeared in the years 1710-11. I quote from this edition.

6. The original letter (now found in the Blenheim Palace Archives) is printed in Bond's edition of the *Spectator* (1965: V, 236-237). Steele's version clearly reveals his commitment to the ethic of good humor.

shun as Weakness the best and worthiest Part of our Sense (*Spectator* No. 208; 1965: II, 314-315).

Such sweet moderation in feeling, Steele recognizes, may not always be possible. The widower's initial agitation over the loss of his wife appeared excessive, an immoderate disturbance of sobriety and good-temper. Steele does not condemn the man; indeed, he often likes to think of scenes where even the good-tempered must give way to extreme emotion. The widower remains an exemplary man of good humor because, although grieving, he welcomes his return to a more gentle mood. His character is further enhanced by his belief that rules might be discarded to help others who have lost a spouse recover their equanimity.

II.

Such is the general character of Steele's ethic of good-humor. But it gains more specific features when he applies it to social life. Here he requires more than moderation in feeling and a generally cheerful temper: we must also do what we can to nourish the good and lively spirits of the company of which we are part. Nothing must weaken good cheer. Low or angry moods must be kept to ourselves, for their expression will only dampen our companions' good spirits. This is not a rule that applies only to the chronically ill-tempered or melancholy. Steele is well aware that socially undesirable feelings will occur from time to time, even in the best-humored of people. However, because his sighs and tears will only impede good spirits, the bereaved gentleman must retire to give vent to his feelings.

The restraint to be exercised upon our words and demeanor extends beyond the expression of feelings: we must not even *talk* about our aches and pains, no matter how soberly, for this contributes nothing to good cheer. "It is a wonderful thing", writes Steele (*Spectator* No. 100; 1965: I, 420) "that so many, and they not reckoned absurd, shall entertain with whom they converse by giving them the History of their Pains and Aches; and imagine such Narrations their Quota of the Conversation. This is of all other the meanest Help to Discourse; ... Mutual good Humour is a Dress we ought to appear in wherever we meet, and we should make no Mention of what concerns our selves, without it be of Matters wherein our Friends ought to rejoyce."

Indeed, when in company, we ought to restrain ourselves from talking about any trial of difficulty of our own which would pain others. "That part of Life", writes Steele (*Spectator* No. 143; 1965: II, 65), "which we ordinarily understand by the Word Conversation, is an Indulgence to the sociable Part of our Make, and should incline us to bring our proportion of good Will or good Humour among the Friends we meet with, and not trouble them with Relations which must of necessity oblige them to a real or feign'd Affliction."

For the same reason, there is no place for open anger in social life. If it cannot be restrained, one had best leave the fellowship of company until the anger subsides. Having "the use of an absent Nobleman's Seat", a group of friends went to the country to escape the city summer; so the story goes in a letter penned by Steele to Mr. Spectator. He describes the way the friends contrive to avoid the inconvenience of the "ill Humour of Discontent" that grows in "Country Solitude" (*Spectator* No. 424; 1965: III, 590-591):

> ... there is a Large Wing of the House which they design to employ in the Nature of an Infirmary. Whoever says a peevish thing, or acts anything which betrays a Sowerness or Indisposition to Company, is immediately conveyed to his Chambers in the Infirmary; from whence he is not to be relieved till ... he appears to the Majority of the Company to be again fit for Society. ... all ill natured Words or uneasy gestures are sufficient Cause for Banishment; ... But it is provided, that whoever observes the ill natured Fit coming upon himself, and voluntarily retires, shall be received at his Return from the Infirmary with the highest Marks of Esteem. By these and other wholesome Methods it is expected, that if they cannot cure one another, yet at least they have taken care that the ill Humor of one shall not be troublesome to the rest of the Company (*Spectator* No. 424; 1965: III, 591-592).[7]

Like parents who require their ill-tempered child to go to his room, Steele asks those who cannot restrain their temper to leave society, since an ill temper cannot put our companions in good spirits.

The tone and manner of Steele's essays in the *Tatler* and the *Spectator* are themselves engaging exemplars of the good humor which he calls for in social life. There is a great deal of wit in these essays, neither harsh nor devastating, but on the mark, suggesting that Steele regards wit as a proper part of the repertoire of the good-humored person in company, to be brought into play as another way of contributing to his companions' good humor. Friends should expect to be teased or joked with from time to time. Later versions of social life in Anglo-american culture did not permit wit to be sharpened, in social exchange, to a rapier's point. Steele, however encourages the expression of hostile tendencies in social life through the use of wit but in a way that contributes to the pleasure of the company.

III.

In marriage, too, we are required to sustain the cheer and moderate spirits which characterize good humor (see Steele's *Tatler* No. 192 and *Spectator* No. 268). The ways we maintain good cheer in company, however, are not appropriate to marriage. Pointed wit, for one thing, has no place in the words exchanged between husband and wife: the good humor which spouses share with one another must be altogether kindly in character.[7a]

Moreover, in marriage we are not required to restrain the expression of our sorrows and our irritation with the same stringency as in social life. Marriage is a place where one can (and should) share sorrows, joys, fears, and hopes: it is a place where one's suffering, even one's intense grief, may be assuaged through communication and comfort. Portia, the wife of Brutus, is thus an exemplary spouse, as Steele (1932: 26-27) tells us in *The Christian Hero*, his first publication devoted to moral reform.[8] Kept from the confidences of her husband,

---

7. For further descriptions of the inhabitants of this infirmary, see *Spectator* Nors 429 (Steele) and 490 (Addison).

7a. In this, as in much else, Steele rejects the marriage ideals of Restoration comedy.

8. *The Christian Hero* first published in 1701; I quote throughout from Rae Blanchard's critical edition of this essay (1932).

"she gave her self a deep Stab in one Thigh, and thought if she could bear the Torture" and conceal her pain, she could keep her husband's secrets. She then confronts her husband, and Steele has her say: "I, Brutus, being the Daughter of *Cato*, was given to you in Marriage, not like a Concubine, to partake only of the common Civilities of Bed and Board, but to bear a Part in all your good and all your evil Fortunes; ... But from Me, what evidence of my Love, what Satisfaction can you receive, if I may not share with you in your most hidden Griefs, nor be admitted to any of your Counsels, that require Secrecy and Trust." Upon hearing these words and seeing her wound, Brutus did share his secret with her, a confidence which makes them fall into a "sweet Transport that was drawn from their mutual Affliction."

In a rather different tone, Steele (*Tatler* No. 49; 4710-11: I, 402) calls for the same sharing of feelings in marriage when he describes the wedded bliss of *"Florio"* and *"Amanda"*:

> *Amanda* ... lives in continual Enjoyment of new Instances of her Husband's Friendship, and sees it as the end of all his Ambition to make her Life one Series of Pleasure and Satisfaction; and *Amanda's* Relish of the Goods of Life, is all that makes 'em pleasing to *Florio:* They behave themselves to each other when present with a certain apparent Benevolence, which transports above Rapture; and they think of each other in absence with a Confidence unknown to the highest Friendship: Their Satisfactions are doubled, their sorrows lessened by Participation.

If our sorrows are to be lessened in this way, we must be able to open ourselves to our spouses and allow them into our hearts, the residence of our sorrows. We must express our griefs, our petty problems and irritations, the small things that make our life difficult and painful. All difficulties should be shared at home. Steele admires Cicero as a husband, because he does share all these things with Terentia, his wife. "Every one", writes Steele (*Tatler* No: 159; 1710-11: III, 291), "admires the Orator and the Consul; but for my Part, I esteem the Husband and the Father. His private Character, with all the little Weaknesses of Humanity, is as amiable, as the figure he makes in publick is awful and majestick. ... it would be barbarous to form to our selves any Idea of mean spiritedness from these natural Openings of his Heart, and disburthening of his Thoughts to a Wife."

While Marriage, for Steele, permits a degree of emotional freedom not permitted by social life, it would be unwise to contrast these two realms too sharply. They are not like two entirely different games, say, baseball and football, each with its own set of rules which cannot be applied to the other game. Marriage and social life are more like two different versions of the same game, or like closely related games; many of the rules overlap, and Steele's social life would be an excellent place to learn the cheerful tone which marriage, like social life, ordinarily requires.

Steele writes that "the most delightful and most lasting Engagements are generally those which pass between Man and Woman; and yet upon what Trifles are they weakened, or entirely broken?" Spouses can defeat the tendencies for marriage love to cool over little matters by cultivating two qualities: "Chearfulness and Constancy" (*Tatler* No. 192; 1710-11: IV, 15-16). Indeed, without good humor, we lack one of the qualities needed to make our companion happy: "Nothing but the good Qualities of the Person beloved, can be a

Foundation for a Love of Judgment and Descretion; and whoever expects Happiness from anything but Virtue, Wisdom, Good humour, and Similitude of Manners, will find themselves widely mistaken" (*Spectator* No. 268; 1965: II, 545).

Above all, there is no place for hot or cold anger against one's spouse. Gentle displeasure or irritation is the maximum acceptable rebuke in a good marriage. "Sweetness of Temper, and Simplicity of Manners", writes Steele, "are the only lasting Charms of Woman" (*Tatler* No. 61; 1710 11: II, 82). But, he notes (*Tatler* No. 217; 1711-13: IV, 157), there is

> ... an outrageous Species of the Fair Sex which is distinguished by the Term Scolds. The Generality of Women are by Nature loquacious: Therefore meer Volubility of Speech is not to be imputed to them, but should be considered with Pleasure when it is used to express such Passions as tend to sweetness or adorn Conversation: But when, through Rage, Females are vehement in their Eloquence, nothing in the World has so ill an Effect upon the Features; for by the Force of it, I have seen the most Amiable become the most Deformed; and she that appeared as one of the Graces, immediately turned into one of the Furies.

Husbands, as well as wives, are condemned for their rages. Steele tells us (*Spectator* No. 438; 1965: IX, 39) that

> It is a very common Expression, That such a one is very good-natured, but very passionate. The Expression indeed is very good natur'd, to allow passionate People so much Quarter: But I think a passionate man deserves the least indulgence imaginable. ... I have known one of these good-natured passionate Men say in a mix'd Company, even to his own Wife and Child, such Things as the most inveterate Enemy of his Family would not have spoke, even in Imagination. ... To contain the Spirit of Anger, is the worthiest Discipline we can put our selves to. ... It ought to be the Study of every Man, for his own Quiet and Peace. When he stands combustible and ready to flame upon every thing that touches him, Life is as uneasie to himself as it is to all about him.

IV.

Not only uneasiness in oneself and others, but much worse can come from a masculine willingness to fly into a rage. Steele (*Tatler*, No. 172, 1710-11: III, 367-369) tells the story of Mr. Eustace and his spouse, "a Lady of Youth, Beauty, and Modesty." Mr. Eustace, however, was "in his secret Temper impatient of Rebuke" and she was apt to fall into "little Sallies of Passion, yet as suddenly recalled by her own Reflection on her Fault, and the Consideration of her Husband's Temper." This, along with his own restraint on his temper, for a time kept the worst from happening. But once, when in dispute with her, he remained angry even after she checked her own passion. When they went to bed, he but feigned sleep, and when she was no longer awake, "he now saw his Opportunity, and with a Dagger he had brought to Bed with him, stabbed his Wife in the Side. She awaked in the highest Terror; but immediately imagined it was a Blow designed for her Husband, by Ruffians, began to grasp him and strive to awake and rouze him to defend himself." Still pretending to sleep, he struck her once again. "She now drew open the Curtains, and by the Help of Moon-light saw his Hand lifted up to stab her even one more time." In her horror, she could not resist, and his knife plunges into her, this time, fatally. "As soon as he believed he had dispatched her, he attempted to escape out the Window: But she, still alive, called to him not to hurt himself, for she might live." Brought to an even higher rage by her goodness, and his own villany, he stabbed her yet again before he fled. His wife had but enough strength to go to her sister's apartment and tell the story before she died. "Some weeks after, an Officer of Justice, in attempting to seize the Criminal, fired upon him, as did the Criminal upon the Officer. Both their Balls took Place, and both immediately expired."

This melodramatic story reveals much concerning Steele's beliefs about the relations between man and wife. The gruesome events result from (1) the hot nature of Mr. Eustace, who is apt to fall into a rage upon being rebuked; (2) the passionate sallies of his wife, who cannot resist giving way, at times, to her own anger; and (3) the deep love of Mrs. Eustace for her husband, which makes her sympathetic to his plight, makes her think of him even as she lies mortally wounded by his hand.

This last quality of Mrs. Eustace's character bears examination, for in the absence of any expression of anger against her husband, even after he has stabbed her, she is an exaggerated examplar of the appropriate feminine response to a husband's anger. At the same time, since she *did* allow herself to get openly and passionately angry at him in the dispute which led to her death, we can feel that she brought her death upon herself by failing to restrain her own anger. The principle which she at first violates, and then heeds, is this: if a spouse is angry, do not respond with anger of your own; this will only serve to provoke him further more.

In principle, this maxim applies as much to husbands as it does to wives[9], but in fact, the burden of restraint falls more upon women than men. For Steele thinks that timidity and fear are attractive and excellent features of the feminine sex, qualities worth preserving, even if they make women weak. "If we were to form an Image of Dignity in a Man", he writes (*Spectator* No. 144; 1965: II, 70), "we should give him Wisdom and Valour, as being essential to the Character of Manhood. In like manner, if you describe a right Woman in a laudable Sense, she should have a gentle Softness, tender Fear, and all those parts of Life, which distinguish her from the other Sex, with some Subordination to it, but with such an Inferiority that makes her still more lovely." In another place (*Tatler* No. 217; 1710-11: IV, 157), Steele tells us that ladies who rage have a "false Notion ... of what we call Modest Women. They have too narrow a Conception of this lovely Character, and believe they have not at all forfeited their Pretentions to it, provided they have no Imputations on their Chastity". But "Modesty never rages, never murmurs, never pouts: When it is ill-treated, it pines, it beseeches, it languishes". Although anger against one's mate is reprehensible in both husband and wife, its presence in a woman is not only an ethical fault, but a disfigurement of her very sexual being. She is not only unattractive, but unfeminine.

9. Thus Thomas Tickell (*Spectator* No. 607; 1965: V, 75-76) writes that a steady and uniform "Good-nature ... accompanied by an Evenness of Temper ... is, above all things, to be preserved in this Friendship contracted for Life" which is marriage. "*Socrates*, and *Marcus Aurelius*, are Instances of Men, who, by the Strength of Philosophy, having entirely composed their Minds and subdued their Passions, are celebrated for good Husbands, notwithstanding the first was yoked with *Xantippe*, and the other with *Faustina*." Steele (*Spectator* Nor. 479, 1965: IV, 199) tells us that Socrates formed himself "for the world by Patience at home".

In responding angrily to her husband's ill-temper, a woman violates her womanhood as well as the ethic of good humor. Her only legitimate resources are her weakness, her fear, and her charm (for this last, see *Spectator* No. 520; 1965: IV, 351). Moreover, a woman's weakness is now made a central element of her appeal to a man.[10] Pity, therefore, the woman who cannot moderate the temper of her ill-humored husband by these means (*Spectator* No. 178; 1965: II, 202); a true woman in her unwillingness to rage, she must suffer for her femininity.

V.

What is Steele's rationale for the ethic of good humor? Let us begin with his belief that the possession of this temper answers the interests of its possessor, above all because his equanimity is not easily dislodged by what happens to him. Good humor allows us to remain unperturbed. It gives us emotional independence from our circumstances, an ambition shared by the late Stoics. In the ethic of good humor, as in the ethics of Marcus Aurelius or Seneca, is found a desire to triumph over the vicissitudes and alterations of life by the maintenance of a constant temper in the face of a world of change.[11]

10. For Steele, not only the timidity of woman, but her capacity to suffer for others, make her feminine, and thus eligible for a husband's love. Although we all have compassionate tendencies within us, for by our nature we are all "insensibly hurried into each other, and by a secret Charm ... lament with the Unfortunate" (Steele, 1932: 77), he thinks women are particularly capable of this sympathetic response to the suffering and misfortunes of others. They "are by nature form'd to Pity, love and Fear", while man are formed "with an Impulse to Ambition, Danger and Adventure" (*ibid.*, 28). Mrs. Eustace exemplifies this capacity for pity or compassion when she remains sympathetic to her malevolent husband to the very last. Her story illustrates, in exaggerated fashion, the difficulties a woman would have in holding her own against her husband if she believes the idea that timidity and compassion are special feminine excellencies. As long as he is good-humored, no difficulty arises. But when he is in a passion, or morose, it would be easy for a wife to end up doing little but weep, as Steele has one unhappy wife do (*Spectator* No. 178).

11. Indeed, much of Steele's argument with Stoicism, or what he takes to be Stoicism, is that an equable temper cannot be maintained without a belief in a God who rewards those who live virtuously with an everlasting life of happiness in the world to come (see *Spectator* No. 75; 1965: I, 325). The Roman heros and heroines, who had "no just notion of any higher Being" (Steele, 1932: 28), could not do as well as men and women whose temper is founded on the Christian religion. Consider the great Cato, whose "Parsimony, Integrity, Austere and Rigid Behavior" commanded a "universal Reverence" from his contemporaries (*ibid.*: 16). When condemned to death by Caesar, he could not bear to receive a pardon, for he had too high a sense of justice: "He knew that to give a Man his own as Bounty was but a more impudent Robbery, and a Wrong improv'd by the Slavery of an Obligation." But how did his sense of the "intrinsick Glory and Happiness in sincere, tho' distressed Virtue" avail him "in his afflicted Hours" (*ibid.:* 19)?
Hearing news of Caesar's growing power, he resolved, but not out of fear or self-pity, to take his own life. So "he Consulted, Persuaded, and Dispatch'd all he thought necessary for the Safety of those that were about him": his companions responded "with Tears, and Shame, and Admiration." Yet this care for others did not come from affection of fellow-feeling, but from a sense of duty and honor. He

We miss much of the meaning of good humor for Steele, however, if we stop here. Good humor, he thinks, is *required* of us in social life. Why does he say this? Steele would hardly have conceived of good humor as a requirement of social life, had he not thought that the good-humor of the individual benefited the spirits of the group.

Good humor benefits others by putting them in a like state of mind. The good-humored person needs no great wit or social skill to put his companions in good spirits. Good humor is naturally infectious: "a chearful Mind is not only disposed to be affable and obliging, but raises the same good Humour in those who come within its Influence," says Addison (*Spectator* No. 381; 1965: III, 430). Steele (*Spectator* No. 100; 1965: I, 421) suggests that the cheerful man "communicates" his good temper "wherever he appears." "The Sad, the Merry, the Severe, the Melancholy", all "shew an new Chearfulness when he comes amongst them". His desire to please others, joined with his disposition to be pleased by them, puts them in this happy mood.

But what of the moderation of emotions, a characteristic of the good-humored man, and what of the restraint he exercises in social life when he cannot help but feel strong emotions? What of his unwillingness to even *talk* with his acquaintances about his own personal troubles? All this also encourages us to be good-humored, thinks Steele, for someone who burdens us with his tales of woe, his cries of sorrow or his deep depression, makes it harder for us to maintain a steady good cheer. We may wonder about Steele's answer. True, the good-humored man's restraint in expressing his emotions frees us from having to feel them, but why does *this* contribute to our good humor? After all, Steele thinks that good temper is not diminished in marriage by sharing a spouse's joys and sorrows; indeed, cheerfulness is only made more secure by this shared participation in the other's life. Why does restraint in the expression of sorrow, irritation, joy, and fear in social life sustain the good humor of company, while the free expression of these feelings in marriage sustains the good humor of the couple?

A puzzling question.

The answers lie in the interests and purposes that Steele thinks appropriate to social life and marriage. In social life, as he sees it, we are not *interested* in hearing your complaints about your aches and pains, nor in sharing your sorrow if you have lost someone you love. When your hot tears or tales of woe are forced upon us, we experience them as intrusions into our own world. This is true whether or not we are much perturbed by them. Of course, I can care for you more than social life requires, as might happen, for example, if

therefore had no check upon his feelings of anger and rage; indeed, they throve right alongside his sense of duty. This is made clear in his last moments. He "went to Bed, where he read *Plato's* Immortality, and Guesses at a future Life"; he then requested his sword, but "was answer'd with the humblest Behaviour, tenderest Beseeching, and Deepest Esteem." His friends and servants beg him not to do away with himself. To this, he responds with rage. "Among the rest, a fond slave was putting in his resistance, and his Affliction", for which Cato "dash'd the poor Fellow's Teeth out with his Fist" (1932: 19-20).

Cato was not an exceptional figure. Cassius and Brutus, in "the most extream Despair", come to the same self-annihilating end. In moments of trial, says Steele, Christian hope can sustain our spirits and humanity better than bare "Principles of Philosophy" (1932: 33-34).

121

you are an old friend. But inasmuch as someone is simply a participant in social life, Steele would have us only casually concerned with his well-being. Thus, at the root of the demand for good humor in social life is a peculiar conjunction of attitudes: we call upon ourselves and others to be agreeable to one another — to please and take pleasure in each other — and yet, tied up with all this in the most intimate way is the desire not to have other people's troubles (or strong feelings) make much difference to us. In marriage, on the other hand, we are supposed to care and care deeply about the joys and sorrows of our spouse.

VI.

Steele's reasons for advocating good humor become clear when we look more closely at the object of his attack: the world, as I shall call it, of the oscillating temperament, a world in which men and women, whether alone or with others, felt free (or freer than he did) to show their intense feelings, and to quickly swing from one such feeling to another. I shall not discuss to what extent, and in what milieus, this temperament was important to the life of the English at the time that Steele attacked it. But this temperament, as a socially accepted mode of being, has a long history in the West. Huizinga's great book on the culture and emotional life of fifteenth-century Burgundy describes it well. "All things" he writes (1954: 10), "presenting themselves to the mind in violent contrasts and impressive forms, lent a tone of excitement and passion to everyday life and tended to produce ... [a] perpetual oscillation between despair and distracted joy, between cruelty and pious tenderness."

This oscillation of feeling was held to be legitimate by at least some of those who held positions of leadership or respect. A town's church bells would ring out, first gloomy bells, then lively bells, bells of despair, then bells of hope, the ringing of which, says Huizinga, must at times have been extraordinarily intoxicating. Processions were "a continual source of pious agitation" (1954: 11). "Public mourning still presented the outward appearance of a general calamity" — and people responded to it as such (1954: 14). "The sermons of itinerant preachers," who came "to shake the people by their eloquence," (1954: 12) were another source of agitation. Executions and other judicial punishments excited many and apparently were meant to do so. The very character of public life in the Burgundian realm was imbued with the belief that such oscillations of feeling were right and proper, to be participated in by the people and encouraged by those in authority.

Huizinga thinks that this oscillation of feeling characterizes Western medieval life in general, an assertion which seems to me in need of qualification. There were in fact, locals in which a more moderate temper was believed to be appropriate: the Brethren of the Common Life was one notable example in Northern Europe, and the demeanor of the speakers in Boccaccio's *Decameron* suggests that ancient Roman notions of urbanity and moderation were held in repute in some sophisticated circles of fourteenth-century Italy.

Whatever the truth of Huizinga's general claim, the temperament which permitted and sought out mood oscillations appears to have been common in Western Europe in the late medieval and early modern period. Charles Petit-Dutaillis, in his *Documents nouveaux sur les moeurs populaires et le droit de vengeance dans les Pays-Bas au XVième siècle* (1908: 5,

122

quoted in Elias, 1978: 200), wrote, "it is well known, how violent manners were in the fifteenth century, with what brutality passions were assuaged, despite the fear of hell, despite the restraints of class distinctions and the chivalrous sentiment of honor, despite the bonhomie and gaiety of social relations."

Norbert Elias (1978: 200) comments:

> Not that people were always going around with fierce looks, drawn horns, and martial countenances as the clearly visible symbols of their war-like powers. On the contrary, a moment ago they were joking, now they mock each other, one word leads to another, and suddenly from the midst of laughter they find themselves in the fiercest feud. Much of what appears contradictory to us — the intensity of their piety, the violence of their fear of hell, their guilt feelings, their penitence, the immense outbursts of joy and gaiety, the sudden flaring and uncontrollable force of their hatred and belligerence — all these, like the rapid changes of mood, are in reality symptoms of the same social and personality structure. The instincts, the emotions were vented more freely, more directly, more openly than later. It is only to us, in whom everything is more subdued, moderate, and calculated, and in whom social taboos are built much more deeply into the fabric of instinctual life as self-restraints, that this unveiled intensity of piety, belligerence, or cruelty appears as contradictory.

From the point of view of more moderate temperaments, it takes *little* to set off extreme moods and feelings in a person of the sort that Huizinga, Petit-Dutaillis, and Elias describe. From the point of view, however, of a man or woman with a temperament that seeks states of extreme feeling, the things that provoke such feelings are not little, for however small the matter is, seen from some dispassionate, distanced view of things, the events and circumstances which call up his feelings do so rightly; they are subjectively profound.[12] Why should our feelings not embody our cares and concerns, and do this in ample fashion? If deeply offended, why should we not be intensely angry? If we gain something dearly wanted, why should we not be gleeful? If things mean a great deal to us, why should we not have strong feelings about them?

Men and women with an oscillating temper not only have strong and rapidly changing feelings. They are also willing, in many cases, to discharge their full feelings before others, and to do so without any assurance (or even expectation) that those about will respond sympathetically. Although the open display of intense suffering was permitted in the Burgundian culture, the suffering itself was often treated with a thorough indifference, even taunted. "On the one hand," Huizinga writes (1954: 26), "the sick, the poor, the insane, are objects of that deeply moved pity, born of a feeling of fraternity akin to that which is so strikingly expressed in modern Russian literature; on the other hand, they are treated with incredible hardness or cruelly mocked." Thus Pierre de Fenin (d. 1506), who chronicled the murderous rivalry between the houses of Burgundy and Orléans, concludes his description of the death of a gang of brigands by writing, "and the people laughted a good deal, because they were all poor men."

---

12. The dispassionate, distanced view of things is well-represented in ethics by Roderick Firth's "ideal observer"; see Firth (1952).

In the world that Huizinga describes, the notion that it is a peculiarly painful thing to show one's personal feelings, but have them ignored, does not seem well-developed. Much open discharge of emotion was just that, discharge; vented without the aim of moving others. Like the person who tells you his troubles no matter what, the fifteenth-century Burgundian who, over some personal concern, cried in pain or yelled in joy, may not have cared whether anybody was listening. Emotional *expression*, as opposed to pure *discharge*, is, I propose, designed to move others to desired responses. The Burgundians had many ways to express their feelings over mutual concerns: through the ringing of bells, the wearing of costume, processions, and the like. Altough an interest in expressing feelings about more personal matters was by no means absent, as the poets of the time make clear, the need to discharge them seems to have overshadowed an interest in their expression. I have the impression that people were not asked to be as reliably sympathetic to the pain and joy of others as we would have them be today, and that the civilized men and women of the time did not deem such irregularity barbarian or especially inhumane.

Perhaps to an even greater degree than is found in our own lamentable age, the pain of others was only intermittently real to people, if at all. It is not hard to understand how people can fail to touch us, especially if we are part of a culture that authorizes the oscillating temperament. If living and venting our *own* feelings is all important, then the feelings of others, their suffering, their joy, however intense, only leads us away from our own emotional concerns.

VII.

The world of the oscillating temperament may have waned with the waning of the middle ages, but it did not disappear. Opposing it, Steele demands attention, in a reliable way, to the feelings of others in social life and marriage.

He was not the first figure to oppose the emotionally unstable world of the oscillating temperament; his ethic of good humor is part of a larger movement of manners in Western Europe from the sixteenth to the eighteenth centuries, a movement which Norbert Elias has dubbed "the civilizing process" (Elias, 196; partial English translation, 1978). In this movement, there is an increase in the degree and scope of self-restraint called for in a number of matters, which include — I use the descriptions of Elias — our "behavior at table," our "attitude toward the natural functions," "blowing one's nose," and "spitting". A demand for what we might loosely call 'an increased social orientation' is at work in this movement of manners, in the form of two related principles. First, each of us is called upon to show an interest in the well-being of others by restraining the extent to which we make our bodies, our smells, our dirt, and more generally, our feelings, present to them. Second, we are called upon to reduce our self-involvement, our concern with our own bodies and feelings, and increase our concern for, and interest in, what is of general value to the company of which we are a part.

These principals of restraint were elaborated by Erasmus, who played an important part in the advance of European manners through his primer of Latin style for youths, the *Colloquia*. In his dialogue, "Diversoria," published in the *Colloquia* of 1523, Erasmus provides this description of a German inn (Erasmus, 1957: 15-17): When you arrive, no one greets you, "lest they seem to be looking for a guest." After much shouting on your part, someone finally comes out, and you are brought into a crowded place, called the "stove room," where "there are often eighty or ninety met together" for a meal. This is also the room where people change and wash after their travels, but the water you wash with may be dirtier than you are.

At such an inn, it is difficult to rid oneself of one's dirt, but it's no easier to avoid the dirt of others. They have no compunction about making it all part of your world of experience. In this common room, full of people, "one combs his hair, another wipes the sweat off, another cleans his rawhide boots or his leggings, another belches garlic." The room is so hot, the way Germans like it, that a great stink arises, everybody being in such a sweat; the stink gains power as well from the belches, farts, and foul breaths of all the occupants of the crowded room.

The Germans do not complain. As Erasmus (1957: 18) has one speaker say, "this is their custom." Perhaps they do not notice; perhaps the dirt and smells of others do not intrude on their experience. But they do intrude on the experience of Erasmus, and he finds the Germans' unwillingness to restrain themselves distasteful. It is gross to belch garlic, break wind, or have a stinking breath in company. He objects to being forced to experience another's smell or dirt; it is felt by him to be an invasion or intrusion. Thus, he thinks that we ought to restrain our bodily presence in company for the sake of others; this is part of good manners. As Elias suggests, Erasmus' attitude is rooted in a sense of his own separateness from his fellow men and women, a separateness which he thinks they ought to respect.

There is a similar movement toward awareness of separateness in the manners of late medieval and early modern Europe on the matter of blowing ones nose. In *Die Hofzucht*, a thirteenth-century poem of courtly good manners attributed to Tannhauser (quoted in Elias, 1978: 64), the poet tells us that "a man who clears his throat when he eats and one who blows his nose in the tablecloth are both ill-bred, I assure you." But we should not suppose that the poet wants to use a handkerchief; he says no such thing, for, as Elias tells us (1978: 64), they did not yet exist. By the sixteenth century, the better class, at least in some parts of Western Europe, were using handkerchiefs. As with many, if not all, of the "advanced" tendencies in manners, the use of the handkerchief first established itself in Italy. In his widely-read conduct book for boys, *De civilitate morum puerilium*, first published in 1530, Erasmus, alert to these tendencies, tells boys that there should be no snot on the nostrils. But he continues,

> To blow your nose on your hat or clothing is rustic, and to do so with the arm or elbow befits a tradesman; nor is it much more polite to use the hand, if you immediately smear the snot on your garment. It is proper to wipe the nostril with a handkerchief, and to do this while turning away, if more honorable people are present. If anything falls to the ground when blowing the nose with two fingers, it should immediately be trodden away (quoted in Elias, 1978: 144).

As Elias (1978: 149) points out, "the use of the handkerchief is known but not yet widely disseminated, even in the upper class for which Erasmus primarily writes," for while the author of *De civilitate* recommends the use of a handkerchief, he also tell boys what to do when none is used, and snot therefore "falls to the ground."

What of urination and defecation? Consider first the following passages from the Wernigerode Court Regulations of 1570 (quoted in Elias, 1978: 131): "One should not, like rustics who have not been to court or lived among refined and honorable people, relieve oneself without shame or reserve in front of ladies, or before the doors or windows of court chambers or other rooms. Rather, everyone ought at all times and in all places to show himself reasonable, courteous, and respectful in word and gesture." A passage from the Braunschweig Court Regulations of 1589 (ibid.) insists: "Let no one, whoever he may be, before, at, or after meals, early or late, foul the staircases, corridors, or closets with urine or other filth, but go to suitable, prescribed places for such relief." What at one time were regulations for *courtly* behavior, addressed to adults, calling for conduct which is explicitly acknowledged not to be found in "rustic" milieus, are today notions of conduct which have become so universal, no Western book of manners would be likely to mention them — not even a book of manners for children, for parents "naturally" bring their children up to heed these rules before the age at which they read.

Erasmus (1530; quoted by Elias, 1978: 130) tells boys that

> There are those who teach that the boy should retain wind by compressing the belly. Yet it is not pleasing, while striving to appear urbane, to contract an illness. If it is possible to withdraw, it should be done alone. But if not, in accordance with the ancient proverb, let a cough hide the sound.

Today we would not think that a concern not to break wind in company was an aspect of urbanity; it would be plain good manners. Erasmus is more relaxed about the matter than the author of *Les règles de la bienséance et de la civilité chrétienne* (La Salle, 1729; quoted in Elias, 1978: 132), who tells his adult readers that "It is very impolite to emit wind from your body when in company, either from above or below, even if it is done without noise; and it is shameful and indecent to do it in a way that can be heard by others." Neither the smell we make, nor the noise, is at all acceptable in company, under any circumstances.

Consider, finally, the matter of serving ourselves from a common dish. Elias (1978: 56-57) describes the manner of eating customary in Erasmus' time:

> Everyone from the king and queen to the peasant and his wife, eats with the hands. In the upper class there are more refined forms of this. One ought to wash one's hands before a meal, says Erasmus. But there is yet no soap for this purpose. ... In good society one does not put both hands into the dish. It is most refined to use only three fingers of the hand. ... Forks scarcely exist, or at most for taking meat from the dish.

The distinction between utensils for eating and those for serving ist not yet very definite: Erasmus (1530; quoted in Elias, 1978: 90) says that "if you are offered something liquid, taste it and return the spoon, but first wipe it on your serviette."

Antoine de Courtin, in his *Nouveau traité de civilité* (1672; quoted by Elias 1978: 92), begins with instructions similar to those of Erasmus: "you should always wipe your spoon when, after using it, you want to take something from another dish, there being people so delicate that they would not wish to eat soup into which you had dipped it after putting it into your mouth." But times had changed in the intervening 150 years, for the author adds, "and even, if you are at the table of very refined people, it is not enough to wipe your spoon; you should not use it but ask for another. Also, in many places, spoons are brought in with the dishes, and these serve only for taking soup and sauce." Courtin does not even bother to warn his readers that "to dip the fingers in the sauce is rustic," as Erasmus had to do (1530; quoted in Elias, 1978: 90).

It should not startle many of us to note that we ordinarily have far greater tolerance for our *own* smells and our *own* dirt than for the smells and dirt of others. Consider the smell of our body. While our own sweat may make us want to wash, our discomfort is likely to be nothing compared to what it would be if we had to smell another like us. But this extreme sensitivity to the body odors of others and the self-restraint which we exercise in matters of smell and dirt is far greater than that required by the manuals of medieval Western Europe. People found the excreta and odors of others less distasteful and seem to have noticed them less. However, while Erasmus' observations may not have been shared by his fellow lodgers at the German inn, the social sensitivity which he exemplifies is very much at work in the development of manners in late medieval and early modern Europe.

VIII.

In his *Galateo*, first published in 1558, Della Casa tells us that it is not seemly, "after wiping your nose, to spread out your handkerchief and peer into it as if pearls and rubies might have fallen out of your head" (Elias, 1978: 145). The instruction is common: Elias (1978: 145-147) offers similar passages from books of manners published in 1672, 1714 and 1729.

But why shouldn't we look? It does not violate the principle of self-restraint in company, for in looking at our own snot we need not force it upon another. We can arrange things so that only we see it. We do violate a second principle, however, which requires that in society we limit our self-involvement, restrict our interest in our bodies and feelings. We must have a concern for, and take interest in, those matters of general value to the company of which we are a part. Our snot, our nail-parings, the wax from our ears, all may interest us, but none of these will be of value or interest to others. Politeness demands attention to the comfort and well-being of our companions. We must not fall, therefore, into even a momentary reverie centered around something of value only to ourselves. We show our respect for others by restraining our interest in ourselves.

IX.

The ethic of good humor which Steele makes the basis of social life is a natural extension of the general principles at work in late medieval and early modern Western Europe manners. Steele moves from notions of how to use our spoon and how to blow our nose to ideas about how we should feel, how much we should express our feelings, and whether we should tell of our troubles in "society". He was not the first to apply the principles of social individuation to questions of social life; there is a long literature before him the origins of which seem to be Italian. A notable example is Castiglione's *Il cortegiano*. But let us look at how Steele brings these principles to a practical point.

He thinks of our intense feelings the way Erasmus thinks of our dirt and smells: in social life, we intrude upon others if we make these feelings vividly present to them. In the social realm, the expressions of strong feelings would be as intrusive to Steele as the fart was to La Salle: we do not want to have to know you in such intimate ways. There is in Steele's conception of social life, as there is in the conception of manners found in Erasmus, a notion that we must respect one another through a self-restraining demeanour: I show my respect for you by limiting the extent to which you must experience me.

Steele considers self-absorbtion in the form of talking about personal troubles or aches, and pains on social occasions the way the authors of the books of manners derided looking at the contents of ones handkerchief. My sorrows are of no interest to you when we meet each other simply as participants in a social occasion; my interest in my troubles, therefore, betrays a lack of interest in what is of general value to you, my company. We ought to aim to be agreeable to others, not to tell them of our troubles. For the same reason, deep sorrow and extreme mirth are inappropriate, for these feelings are also marked by an undue degree of self-absorbtion. The bereaved widower must retire from company, for he can no longer attend to the needs and good humor of others. The new demand for restraint of bodily and emotional presence before others creates 'the individual' (in one of the many senses of this term) as a socially recognized form. It requires the creation of a realm of 'private' feelings, which must be kept witheld by the individual in good society. With Steele, privacy assumes a socially legitimate place; people who share the ethic of restraint understand and are sympathetic to efforts to maintain it. Those who withdraw themselves to the infirmary voluntarily are honored "with the highest Marks of Esteem." Today, a socially recognized realm of privacy is characteristically deemed a good for the individual who possesses that privacy when we argue that society and law ought to recognize that he has a *right* to privacy. Thus we have reversed the argument as it is developed by Steele and the authors of the books of manners, for they argue that the creation of a private realm of feelings benefits our companions; we are not doing ourselves, but them, a service.

The principles of social life at work in the books of manners and Steele's essays sustain a way of being together which has as its object the common good. Instead of self-involvement, says Steele, we are to cooperate with our companions to bring cheer to all. In his ethic, it is not simply as individuals that we seek good humor, but as a group; so, at good dinner parties, not only host and hostess, but all the guests cooperate with one another to make for an enjoyable and lively evening.[13]

---

13. There is a place in company for individuality, as long as this revelation of the peculiar features of our character and spirit makes for good spirits. The cast of 'types' in the *Tatler* and *Spectator*, which must run into the hundreds, is by no means composed exclusively of people who would contribute, in their peculiarity, to the good humor of company; but many of them would do so. In one essay (*Spectator* No. 144; 1965: II, 68-71), Steele distinguishes seven kinds of "handsome" women; most of them please in company, and each that does, pleases in her own way. There is, however, no place in social life for us to show our most deeply felt concerns in their intensity. This is so whether these cares are peculiar to us or not. A man's tirade over theological matters would be inappropriate

X

Good humor is a requirement that falls upon spouses at home as well as abroad. And husband and wife are supposed to care about each other's fears, hopes, troubles and joys. Why, then, should we restrain intense emotion at home? And why should Steele particularly discourage our expression of intense anger?

Steele's support of good humor grows from a fear of, as well as desire for, human relations based on spontaneous feeling. Our good humor must not be forced. We are bound by ethical requirements in social life and marriage, even in matters of feeling, yet, he believes, we must still be spontaneous and natural in our words and deeds. What would social life or marriage be, if it did not have this spontaneous, yet ethical, quality? It would lack the charm and relaxed spirit he so much loves. Feeling is, however, also the source of difficulty that endangers social life and marriage; and Steele fears the expression of intense emotions which can easily provoke an exchange and escalation of feeling that gets beyond the control of all concerned.[14] You will remember that it was just this vulnerability to intense emotion provoked from without which so characterized the world of the oscillating temperament described by Huizinga and others. Yet Steele will not do away with feeling, even strong feeling; he would not have us emotionally invulnerable to our world and our fortunes, an ambition he attributes to the Stoics. Without moods and feelings we would be inhuman. Emotional impentrability is no virtue for him; nor will he

even if many of his companions were as angry as he. The prohibition of intense feelings is not limited, or even particularly aimed at, feelings about what is of peculiar concern to us alone.

In his well-known analysis of social life, Georg Simmel, unfortunately, emphasises its restraint of individuality. As he thinks of marriage and other intimate relations as easily encouraging the expression of what is unique to us (1923; English translation, 1950: 126-127), so he thinks of social life as very much restraining this, as other large groups do. "Specific needs and interests", he writes (1920; English translation, 1950: 43-45) "make men band together" in such forms as "economic associations, blood brotherhoods, [and] religious societies". But we also come together for no other purpose, to answer no other interest, than to take part in some common manner of being together; this, he says, is the phenomenon we call "sociability". "Where specific interests (in cooperation or collusion) determine the social form, it is these interests that prevent the individual from presenting his peculiarity and uniqueness in too unlimited and independent a manner. Where there are no such interests, their function must be taken over by other conditions." "Tact therefore", gains "a peculiar significance" in social life, where it alone "fulfills this regulatory function".

Simmel's characterization of sociability is thus far from being an accurate account of the social realm as Steele sees it. This is unfortunate, for Steele's conceptions, and allied ideas, played a major role in the formation of Anglo-American social life, but American social psychology, in seeking an understanding of social life, has often turned to Simmel.

14. Even Celinda, too womanly and too compassionate to do the deed, *thinks* murderous thoughts in her anger against her ill-tempered husband. "How shall I give you an Account of the Distraction... [of my mind]?" she tells Mr. Spectator. "Could you but conceive how cruel I am one Moment in my Resentment, and, at the ensuing Minute, when I place him in the Condition my Anger would bring him to, how compassionate; It would give you some Notion of how miserable I am, and how little I deserve it" (*Spectator* No. 178; 1965: II, 202).

call for the formation of a personality so much under the control of intellect that we feel only that which we judge we ought to feel. To be fully human, we should be connected to one another through feeling, and our own feelings must be, to some extent, at the mercy of others.

But to what extent? And how are we to defend ourselves against excessive and unreasonable demands upon our feelings? How are we to avoid the irrationalities of relations where strong feelings find easy expression? Steele works out his answer to these questions in a number of ways. All of us should cultivate a good-humored temper, which leaves us open to being provoked into intense emotions, but which slows them down and brings us back to a calm and cheery center. Beyond this, Steele calls for the creation of a world where we are related to one another through feeling, but where the presentation of intense feeling is out of bounds. If the ethic of social life is observed, we will not have to fear that others will provoke us into intense feeling, nor fear the instability and danger that lies in social circumstances where intense feelings are easily expressed.

For Steele, marriage is the place where we rightfully are open to the intense feelings of others; it is our legitimate opportunity to be connected to another in this way. We must be willing to allow our mate's intense feeling to govern similar feelings of our own, something we would not allow in social life. We must be willing to be carried away, to a certain extent, by the feelings of our spouse. Steele feared this vulnerability in marriage and he set limits to it which he justified by citing irrationalities made possible by the free play of intense emotion. He forbids the open expression of anger, good humor must be brought to bear by both spouses to soften potentially explosive moments. At the root of Steele's interest in good humor is a desire to limit the free play of intense emotion in relations with others.

XI.

Richard Sennett (1977: 18-19, 91) writes that "the citizens of the 18th Century capitals attempted to define both what public life was and what it was not. The line drawn between public and private was essentially one on which the claims of civility — epitomized by cosmopolitan, public behavior — were balanced against the claims of nature — epitomized by the family." "The public realm was a corrective to the private realm" as the private was to the public; "natural man was an animal; the public therefore corrected a deficiency of nature which a life conducted according to the codes of family love alone would produce: this deficiency was incivility. ... nature's vice was its rudeness."

The writings of Richard Steele do not bear out these judgments. True, the expression of strong feelings is permitted in marriage, but not in social life. Steele does think that marriage, unlike social life, is the realm of love, this hardly makes the family the realm of nature and public life the domain of civility. Incivility is, for Steele, a more grievous and more poignant offense at home than it is abroad. The man who is ill-tempered on social occasions is a typical object of Steele's humor, but at most, he is pictured as a disagreeable type. The ill-tempered man at home comes in for much more severe censure, for he deeply wounds the one who loves him most. "Alass," writes Celinda, a figure of Steele's imagination who is bound to such a man,

...I can tell you of a Man who is ever out of Humour in his Wife's Company, and the pleasantest Man in the World every where else; ... Alass, Sir, is it of Course, that to deliver one's self wholly into a Man's power without Possibility of Appeal to any other Jurisdiction but to his own Reflections, is so little an Obligation to a Gentleman that he can be offended and fall into a Rage, because my Heart swells Tears into my Eyes when I see him in a cloudy Mood? I pretend no Succour, and hope for no relief but from himself; and yet he that has sense and Justice in every thing else, never reflects, that to come home to sleep off an Intemperance, and spend all the Time he is there as if it were a Punishment, cannot but give the Anguish of a jealous Mind (*Spectator* No. 178; 1965: II, 202).

Steele hardly thinks of social life as a needed corrective to the "incivility" and "animal" qualities of life at home. The ethic of good humor is to be no stranger to the marital bower; there, good spirits are not only a mark of civility, but an expression of love. And they are more than that.

XII.

We should not suppose that Steele trusted good humor to do the whole job of making a marriage work. Marriage cannot succeed without the radical dependency of wife upon husband; as he says, he "cannot, with all the Help of Science and Astrology, find any other Remedy" for "Conjugal Enmity" but the one he finds in Milton's *Paradise Lost*: that husband and wife realize that they are "both weak, but the one weaker than the other" (*Tatler* No. 217; 1710-11: IV, 161).

A woman must be weaker both emotionally and financially. Thus Steele roundly condemns agreements made at the time of marriage which give a wife some economic independence from her husband. The husband might oblige himself to periodically provide his wife with a certain sum of money which she could use as she saw fit ("pin money"); he might assign a certain portion of his estate to her use, in the event of her widowhood (a "jointure"), or he could agree to settle a certain portion of his estate (or his wife's) upon the children of their marriage (when, for example, they come of age). Steele condemns all these arrangements.[15] By such marriage contracts, he objects (*Tatler* No. 199; 1710-11: IV, 55), "is the making even Beauty and Virtue the Purchase of Money". Parents seek a wealthy wife for a son, and for their daughter, a husband who is willing to settle a substantial estate upon her and her children. They do not think of the character of the man, nor weather he will make a good husband or father. "The Generality of Parents, and some of those of Quality, instead of looking out for introducing Health of Constitution, Frankness of Spirit, or Dignity of Countenance, into their Families, lay out all their thoughts upon finding out Matches for their Estates, and not their Children."[16]

This objection soon gives way to another: marriage settlements reduce the dependency of wife upon husband a dependency which is the basis of marriage love. As Steele has Sir Harry Gubbin say (*The Tender Husband*, I, ii; 1971: 226), pin-money is the "Foundation of

---

15. See, as well, the remarks of Sir John Bevil and Humphrey on Bevil Junior's use of the estate he came into by virtue of his parents' marriage settlement (Steele, *The Conscious Lovers*, I, i; 1971: 308).

16. Steele's words are not mere rhetoric; see Habakkuk (1950).

Wives Rebellion, and Husband's Cuckoldom". A woman should trust her husband's feelings of love and concern for her and their children; those feelings should be looked to as the source of his actions towards them. But feelings are just what are not looked to when pin-money and jointures are sought. "Thus is Tenderness thrown out of the Question; and the great Care is, what the young Couple shall do when they come to hate each other?" (*Tatler*, No. 199; 1710-11: IV, 57).

The happiness of marriage must be built on goodness and feeling, and a wife must look to nothing but these for support; yet, thinks Steele, a man should also wield the power of the purse to bring his wife and children to act as they should. Thus, he objects to marriage arrangements which make a man's dependents financially independent; in this way, a husband loses a major means to encourage the behaviour he would like. "By this Means the good Offices, the Pleasures and Graces of Life, are not put into the Ballance: the Bridegroom has given his Estate out of himself, and has no more left but to follow the blind Decree of his Fate, whether he shall be succeeded by a Sot, or a Man of Merit, in his Fortune." He has lost his rightful power over his wife and children: as he says in another *Tatler* (No. 223; 1710-11: IV, 192) "the Coldness of Wives to their Husbands, as well as Disrespect from Children to Parents, ... arise from this one Source."

There is no need, says Steele, for jointures and settlements. We should trust a man's feelings. "Pride and Folly", he writes (*ibid.*, p. 192-193), are the foundation of his willingness to settle a portion of his estate on children not even born: "For as all Men wish their Children as like themselves, and as much better as they can possibly, it seems monstrous that we should give out of our selves [here Steele is writing as a man] the Opportunities of rewarding and discouraging them according to their Deserts." As to a wife, "the Law of our Country has given an ample and generous Provision for the Wife, even the third of the Husband's Estate, and left to her good Humour and his Gratitude the Expectations of further Provision" (*ibid.*, p. 192).

But, we may ask, if we can trust a man who has the financial upper hand to deal well with his wife and children, just because of his natural sentiments, why should we not trust a wife to do the same with her husband and children, even if she had a similar independence? What harm could come to marriage if spouses were equally powerful and equally independent? Steele cannot accept such equality, for he cannot see an intense emotional disagreement in married love settled in any way but by the subordination of wife to husband. There is no emotional script for equals that he knows of that holds out hope of reconciliation. Above all, the mutual expression of hot anger is dangerous. No wonder he calls for emotional and financial inequalities at the same time as he calls for marriage intimacy, with all its intensities. If there is to be conjugal harmony, intensity requires hierarchy, and he gives the superior position without difficulty to his own sex.[17]

17. On the curious ways in which hierarchy appears in nominally eglitarian societies, see Dumont (1976, 1978, and 1979), Burke (1969), and Empson (1935).

XIII.

Since it is natural to have strong feelings about what we care about most, the ethic of good humor does limit the emotional amplification of our deepest cares.[18] Is this restraint worth suffering? Why is it so difficult to find social 'scripts' for the mutual expression of strong emotion that are at once emotionally satisfying and ethically worthy? One reason, surely, is that these scripts work only if participants care enough about one another to respond in caring ways to each other's sorrows and joys. The matter becomes most acute when I express my feelings about things I care about most, for here an indifferent or hostile response will cut most deep. If, through my expression of strong emotion, I seek an emotional response from you, it will be painful to me if you treat that expression lightly or regard me with indifference. In so doing, you have rendered my feelings worthless. And if you respond to my suffering with anger, laughter, or joy, I will find the expression of my pain degrading.

Steele is anxious to make our emotional relations in both marriage and social life reliable and regular. Perhaps he calls for restraint on the expression of strong emotion in social life because he knows that not all will bear us the kind of care which would regularly support a sympathetic response to our deepest concerns. We can ask our companions to respond with care, in a reliable way, to emotional matters of small scale, matters which demand less of their heart and soul. We can ask them to meet us with good humor, if we cannot ask them to meet us with love.

In contrast, marriage is the realm where we *can* (or should be able to) count on another to respond to our deepest cares sympathetically; love should make this possible. The difficulties we still have with this relation, where we seek the mutual expression of intense emotion, reveal how hard it is to make marriage as reliable as we would have it. One difficulty, surely, is that we cannot or will not care thoroughly enough. To participate sympathetically and reliably in the emotional life of your sponse surely requires a passionate and lasting commitment to your beloved, for what else but this reciprocal care which he or she must return could sustain such an involvement over the years?

---

18. Simmel (1920; English translation, 1950: 46) comes close to this aspect of Steele's idea of social life when he writes that in company, "it is tactless, because it militates against *inter*action which monopolizes sociability, to display merely personal moods of depression, excitement, despondency — in brief, the light and darkness of one's most intimate life". But Steele would ban these moods from social life because they are intense, not because they are idiosyncratic.

References

Burke, Kenneth (1969). *A Rhetoric of Motives*. Berkeley: University of California Press.

Dumont, Louis (1976). *Homo aequalis, I.* Paris: Gallimard.

(1978). "La communauté anthropologique et l'idéologie." *L'Homme* 28, Nos. 3-4, pp. 83-110.

(1979). *Homo hierarchicus*. 2nd ed. Paris: Gallimard.

Elias, Norbert (1969). *Über den Prozeß der Zivilisation*. 2nd ed. Bern and Munich: Francke Verlag.

(1978). *The Civilizing Process*. Trans. by Edmund Jephcott. New York: Urizen Books.

Empson, William (1935). *Some Versions of Pastoral*. London: Chatto & Windus.

Erasmus of Rotterdam (1530). *De civilitate morum puerilium*.

(1957). *Ten Colloquies*. Trans. by Craig R. Thompson. Indianapolis: Bobbs-Merrill.

Firth, Roderick (1952). "Ethical Absolutism and the Ideal Observer." *Philosophy and Phenomenological Research* 12.

Habakkuk, H.J. (1950). "Marriage Settlements in the Eighteenth Century." *Transactions of the Royal Historical Society* 32 (4th ser.), pp. 15-30.

Hirschman,, Albert O. (1977). *The Passions and the Interests: Political Arguments for Capitalism before Its Triumph*. Princeton: Princeton University Press.

Huizinga, Johan (1954). *The Waning of the Middle Ages*, Garden City: Doubleday & Company.

Petit-Dutaillis, Charles (1908). *Documents nouveaus sur les moeurs populaires et le droit de vengeance dans les Pays-Bas au XVe siècle*. Paris: Honoré Champion.

Sagan, Eli (1974). *Cannibalism: Human Agression and Cultural Form*. New York: Harper & Row.

Sennett, Richard (1977). *The Fall of Public Man*. New York: Alfred A. Knopf.

Simmel, Georg (1920). *Grundfragen der Soziologie (Individuum und Gesellschaft)*. 2nd ed. Berlin and Leipzig: Walter de Gruyter & Co.

(1923). *Sociologie, Untersuchungen über die Formen der Vergesellschaftung*. 3rd, revised, ed. Leipzig: Duncker & Humblot.

(1950). *The Sociology of Georg Simmel*. Trans. and ed. by Kurt H. Wolff. New York: Free Press.

The Spectator (1965). Ed. by Donald F. Bond. 5 vols. Oxford: Clarendon Press.

Steele, Richard (1932). *The Christian Hero*. Ed. by Rae Blanchard. London: Oxford University Press and Humphrey Milford.

(1971). *Plays*. Ed. by Shirley Strum Kenny. Oxford: Clarendon Press.

The Tatler [the Lucubrations of Isaac Bickerstaff Esq.] (1710-11). 4 vols. London: Charles Lillie and John Morphew.

Heinz-Dieter Kittsteiner

VON DER GNADE ZUR TUGEND

Über eine Veränderung in der Darstellung des Gleichnisses vom verlorenen Sohn im 18. und frühen 19. Jahrhundert

Eine 1960 erschienene Arbeit über das „Gleichnis vom verlorenen Sohn in der christlichen Dichtung und bildenden Kunst" würdigt das 18. und 19. Jahrhundert keiner ernsthaften Untersuchung. Im 18. Jahrhundert sei die Auffassung dekorativ verflacht und auch das 19. Jahrhundert habe zu dem biblischen Stoff keinen rechten Zugang gefunden. Die Verlorenen Söhne von Josef Führich, Ludwig Schnorr von Caroldsfeld, Gerhard von Kügelgen oder Ludwig Richter „packen nicht, reißen den Beschauer nicht aus seiner Gleichgültigkeit".[1] Nimmt man dagegen die großen Darstellungen des Spätmittelalters, des 16./17. Jahrhunderts oder auch nur die Tatsache, daß nach dem II. Weltkrieg kein christliches Thema so häufig illustriert worden ist wie Lukas 15, 11-32, so zeigt sich: auch biblische Gleichnisse haben ihre historischen Krisen und Konjunkturen. Perioden der Krise gerade für dieses Gleichnis sind offenbar Zeitalter, die kein Verständnis für den Begriff der „Gnade" aufbringen. Statt dessen bilden sie Gegenbegriffe heraus: zu ihnen rechnen der Begriff der „Tugend" und der eines der Tugend entsprechenden „Gewissens". Von dieser Verständnislosigkeit für die Gnade und von jenen Gegenbegriffen soll in kulturgeschichtlicher Perspektive die Rede sein.

I. Probleme einer Kulturgeschichte des Gewissens

In seiner Schrift „Über den Charakter des Landmannes in religiöser Hinsicht" schreibt F.E.A. Heydenreich (1800) über die Arbeit der Aufklärer an der Herausbildung eines „Gewissens": „Auf dieß *nachfolgende* Gewissen müssen wir, mit Hülfe aller Gründe, welche die Natur der Sache, die Bibel, die Geschichte und Erfahrung so reichhaltig darbieten, oft, wahr und stark unsere Zuhörer aufmerksam machen, und so die verschiedene Seelenverfassung des Freundes und Feindes der Tugend anschauend schildern. Wollen wir aber unsern Endzweck glücklich erreichen; *so muß uns die Berichtigung und Verfeinerung des vorhergehenden Gewissens Hauptsache seyn* (Herv. v. mir); dann wird (...) das Gewissen frenum *ante* peccatum, et flagellum *post* peccatum!" Der moralisch-politische Endzweck des 18. Jahrhunderts ist eine aufgeklärte bürgerliche Gesellschaft, die unter dem Leitmotiv der „Tugend" steht; das Mittel dazu ist die Einschärfung eines „vorhergehenden" Gewissens. Das

---

1. Kurt Kallensee: Die Liebe des Vaters. Das Gleichnis vom verlorenen Sohn in der christlichen Dichtung und bildenden Kunst, Berlin (1960), S. 72

nachfolgende Gewissen treibt den Sünder in Reue und Verzweiflung und liefert ihn in letzter Instanz der Gnade aus. Das vorhergehende Gewissen aber ist höher zu bewerten. Es soll eine Handlungshemmung bewirken. Die böse Tat muß nicht bereut und es muß auch nicht Gnade erteilt werden, weil zuvor nicht gesündigt worden ist.

Wollte man nur Ideengeschichte betreiben, so wäre kaum zu begründen, warum das vorhergehende Gewissen gerade im 18. Jahrhundert entstehen soll. Selbst wenn man annimmt, daß das nachfolgende, anklagende und richtende Gewissen das ältere Phänomen ist und das „warnende Gewissen" nur die Vorwegnahme des „schlechten Gewissens"[2], so ist doch auch das vorhergehende Gewissen schon alt. Jeder Lexikon-Artikel gibt darüber Auskunft. Wer nur auf das europäische Mittelalter sieht, kommt nicht an Abaelard vorbei, dem „ersten modernen Menschen", selbst wenn sich im Einzelnen herausstellt, daß der Gewissensbegriff bei Abaelard oder Luther keineswegs etwa mit der Kantischen Autonomieposition zu vergleichen ist[3]. Es geht hier aber nicht um eine Ideengeschichte der Begriffe Gewissen, Tugend und Gnade, sondern die Lokalisierung des Themas im 18. Jahrhundert antwortet auf die Frage, wann und wo eine auf „Tugend" begründete Verhaltensweise als *gesamtgesellschaftlicher Anspruch* sich durchzusetzen beginnt. Es geht auch nicht um Ethik und Theologie, sondern um gesellschaftliches Handeln, soweit es ethisch oder religiös im weitesten Sinne bedingt ist.

Es ist aber nicht nur notwendig, die sich wandelnden theoretischen Konzeptionen zur Kenntnis zu nehmen und so eine Entwicklung von der Gnade zur Tugend oder von einem nachfolgenden zu einem vorhergehenden Gewissen etwa im Sinne eines „Paradigmenwechsels" festzustellen. In der Geschichte der Menschheit, anders als in der Geschichte der Naturwissenschaften, ändert sich nicht nur die den Gegenstand konstituierende Blickweise, es ändert sich auch der Gegenstand selbst. In großer Klarheit hat B. Groethuysen diesen Punkt herausgestellt. Die traditionalistische Richtung — so schreibt er — in den Auseinandersetzungen zwischen Theologie und Philosophie im Frankreich des 18. Jahrhunderts glaubte es „mit Anschauungen und Theorien, mit einer neuen Philosophie zu tun zu haben, die man mit philosophischen und theologischen Argumenten widerlegen könnte; sie hatte es aber mit einem neuen Menschen zu tun, mit einer geschichtlichen Wirklichkeit, die als solche unwiderlegbar war."[4]

Übertragen auf deutsche Verhältnisse heißt das: von Interesse ist nicht nur eine Geschichte des vorhergehenden und nachfolgenden Gewissens im Verhältnis zur Gnade in der protestantischen Ethik von Luther bis Kant. Die Verlagerung der gesellschaftlichen Wertschätzung von einem nachfolgenden auf ein vorgängiges Gewissen fällt zusammen mit dem Übergang von einer eher rationalistischen Auffassung des Gewissens zur Entdeckung eines

2. Paul Tillich: Das transmoralische Gewissen, Werke Bd. III, S. 58

3. Benjamin Nelson: Der Ursprung der Moderne, Frankfurt 1977, S. 156 ff.; M.-D. Chenu: L' éveil de la conscience dans la civilisation médiévale, Paris 1969; Ernst Volk: Das Gewissen bei Petrus Abaelardus, Petrus Lombardus und Martin Luther, in: R. Thomas (Hrsg.) Petrus Abaelardus. Person, Werk und Wirkung. Trierer Theologische Studien, Bd. 38

4. Bernhard Groethuysen: Die Entstehung der bürgerlichen Welt- und Lebensanschauung in Frankreich, Frankfurt ²1978, Bd. 1, S. 9

„moralischen Gefühls" im Menschen. Zu klären ist, ob dieser Entdeckung eines moralischen Gefühls ein tatsächlicher Wandel der menschlichen Psyche entspricht. Wenn z.B. Kant glaubt sich verteidigen zu müssen: „Man könnte mir vorwerfen, als suchte ich hinter dem Wort *Achtung* (gemeint ist „Achtung fürs Gesetz") nur Zuflucht in einem *dunklen Gefühle* (Herv. v. mir), anstatt durch einen Begriff der Vernunft in der Frage deutliche Auskunft zu geben"[5] — dann sollte man seine Ethik nicht nur als einen neuen theoretischen Entwurf gegenüber einer rational-logischen Gewissenskonstruktion wie etwa bei Wolff betrachten, sondern zugleich als eine *Beschreibung* neu entstandener seelischer Vermögen, zumindest in einer bestimmten gesellschaftlichen Schicht, eines gebildeten Bürgertums, das durch die Schule des Pietismus gegangen ist, bzw. sich mit ihm auseinandergesetzt hat. Im Verlauf des 18. Jahrhunderts haben sich eine Reihe von Kulturtechniken in der bürgerlichen Familie soweit entwickelt, daß mit dem Ende des Jahrhunderts ein auf Tugend und Moral pochendes Bürgertum als theoretischer Wortführer der Aufklärung dasteht, dem nun leichter fällt, was ihm ehemals schwer gefallen war: Tugend mit Hilfe eines vorgängigen Gewissens zu üben — und auf die Gnade zu verzichten. Das eigene, neu erworbene Seelenvermögen wird als allgemeingültige menschliche Norm ausgegeben. Es wird dahin ausgerichtet, wo es etwas zu pädagogisieren gibt: auf die Kinder, auf die Unterschichten und auf die Landbevölkerung. Von dieser Bemühung zeugt die eingangs zitierte Bemerkung von F.E.A. Heydenreich.

Ich betrachte also — blickt man vom 18. ins 16. Jahrhundert zurück, Gnade und Tugend als zwei Leitbegriffe sozialen Verhaltens, als Begriffe, mit denen man kulturgeschichtliche Aspekte der jeweiligen gesellschaftlichen Systeme charakterisieren kann. Wenn ich nun zugleich eine historische Abfolge konstruiere, so heißt das nicht, daß es in dem von „Gnade" bezeichneten System keine Bemühung um „Tugend" gegeben habe und daß man bei der Betonung der „Tugend" völlig vergessen hätte, daß der Mensch auch der Gnade bedürftig ist. Ich halte aber den Begriff „Gnade" für das 16/17. und den Begriff „Tugend" für das 17/18. Jahrhundert für vorrangig. Er bildet — um mit Marx zu sprechen — die „allgemeine Beleuchtung" in die alle anderen Kategorien getaucht sind oder nähert sich dem Begriff der „totalen gesellschaftlichen Tatsache" bei M. Mauss an. Dabei korrespondiert dem Begriff der Gnade ein Überwiegen des nachfolgenden Gewissens; der Begriff der Tugend setzt dagegen eine mehr vorgängige Triebkontrolle voraus. Anders gefaßt: „Sündenpessimismus (steht) gegen modernen Optimismus, negative Einstellung dieser Welt gegenüber (steht) im Gegensatz zu der Bejahung des diesseitigen Lebens, Selbstvertrauen gegen Gnade."[6]

Wenn die Kategorien „Gnade" und „Tugend" in dieser Weise entgegengesetzt werden, so ist nicht zuletzt unterstellt, daß ihnen eine gesellschaftliche Realität entspricht, die den Vorrang der einen oder der anderen Kategorie begründet. Theologische Konzeptionen, die mit der Hintansetzung der Ethik und der Betonung der Gnade arbeiten, scheinen mir — neben allen innertheologischen Begründungen — in ihrer historischen Durchschlagskraft zugleich theoretisches Produkt einer Gesellschaftsformation zu sein, in deren täglicher Re-

5. Kant, Grundlegung zur Metaphysik der Sitten, AA Bd. IV, S. 401
6. Groethuysen, a.a.O., S. 233

produktion die Menschen zwangsläufig „schuldig" werden mußten, sei es an ihren eigenen Normen, sei es an den Normen der das Schuldbewußtsein und das Erlösungsbedürfnis verwaltenden Kirche. Solange die Lebensführung „ein ethisch unmethodisches Nacheinander einzelner Handlungen" bleibt, solange eine „Anstaltsgnade" eine periodische Entlastung des Schuldbewußtseins zustande bringen muß[7], solange die Welt als eine „Welt" gedacht wird, die sich nicht kontinuierlich bessert, sondern bleibt wie sie ist, so lange ist auch für „Tugend" als gesellschaftliche Leitkategorie kein Platz. Die Moralität des Einzelnen ist dann eher „Weisheit", nicht aber ein allgemeingültiger gesellschaftlicher Anspruch wie etwa im „Kategorischen Imperativ". Umgekehrt: eine Gesellschaft, in der „Tugend" herrscht, ist eine Gesellschaft der bürgerlichen Legalität und des ökonomischen Äquivalententauschs: kurz, eine Gesellschaft, in der niemand schuldig zu werden braucht, weil es gerecht zugeht. Diese „das Recht verwaltende" Gesellschaft (Kant) sollte sich allmählich an die Stelle des Spätfeudalismus setzen; in ihrer Idealität hat sie mit dem dann im 19. Jahrhundert entstehenden realen Kapitalismus nicht viel gemeinsam. Getragen von einer wirklichen Veränderung der menschlichen Psyche und in Hoffnung auf eine künftige, der Tugend entsprechenden Verfassung, antizipierte die Theorie die neuen Formen der humanen Selbstkontrolle, ebenso, wie sie die Möglichkeiten ihrer gesamtgesellschaftlichen Durchsetzbarkeit überschätzte. Die Unkosten dieser ethischen Therapie des 18. Jahrhunderts hat uns dann das 19. Jahrhundert vorgerechnet. Wir haben uns daher viel zu sehr daran gewöhnt, die Tugend des 18. Jahrhunderts nur aus der Geschichte ihres Scheiterns zu betrachten. Begreift man sie als eine Reaktion auf die Krise des 17. Jahrhunderts, versteht man auch ihr eigentümliches Pathos.

II. Das Gleichnis vom verlorenen Sohn. Der Sieg des älteren Sohnes über den jüngeren.

Diese allgemeinen Überlegungen über eine Verlagerung von der Gnade auf die Tugend lassen sich — wenigstens in einigen Aspekten — an einem Beispiel überprüfen. Hier bietet sich das Gleichnis vom verlorenen Sohn an, das als „Evangelium im Evangelium" von der protestantischen Polemik aufgewertet wird, um die Rechtfertigung des Sünders allein aus der Gnade zu demonstrieren und zu verteidigen. Über die gesellschaftlichen Konsequenzen der lutherischen Frömmigkeit urteilt Max Weber, sie habe — im Vergleich zur Calvinistischen, die unbefangene Vitalität triebmäßigen Handelns ungebrochener gelassen. Luther wollte eher „Sünder" sein, damit er der Gnade Gottes teilhaftig würde, als daß er sich der Tugend anvertraut hätte — obwohl man die theologischen Einsichten von der „Mönchsfront" nicht ohne weiteres auf die „Bauernfront" übertragen darf[8]. Rechtfertigung und Gnade vor Gott erringt Luther nicht aus sich selbst heraus; sie müssen als freies Geschenk, als Gabe des Herrn von außen kommen. Die Rechtfertigung vor Gott ist uns in Christo ge-

---

7. Max Weber: Wirtschaft und Gesellschaft, Köln/Berlin 1964, Erster Halbbd., S. 416; 436
8. Otto Hermann Pesch/ Albrecht Peters: Einführung in die Lehre von Gnade und Rechtfertigung, Darmstadt 1981, S. 128

schenkt. „Hier gibt es etwas umsonst", hatte Kierkegaard diesen Zug des Luthertums gekennzeichnet. Die göttliche Majestät verhält sich der irdischen nicht unähnlich: „Der König erweist nach Belieben nicht Gerechtigkeit, sondern Erbarmen. Es kann einen Unwürdigen treffen (...) Das spielt keine Rolle. Das Volk zerbricht sich darüber genausowenig den Kopf wie der König selbst. Es ist glücklich über die Gnadenbezeigung, ob diese nun einem Verbrecher oder einem Erbarmungswürdigen zufällt. Ebenso wie es gleichermaßen befriedigend ist, Barmherzigkeit an einem Schurken statt an einem braven Mann zu üben. Was zählt, sind nicht die mildernden Umstände oder der Stand der Buchführung sondern das Erbarmen als solches, als reine Gabe. Die Gnade als reine Gnade."[9]

Für das Gleichnis vom verlorenen Sohn heißt das: die moralische Leistung im Augenblick der Umkehr tritt zurück hinter die zuvorkommende Gnade des Vaters. Das luthersche „Da schlug er in sich" (Luk. 15, 17) kann dann kein eigenständiger Entschluß des Sohnes sein, sondern er muß wiederum von der göttlichen Gnade bewirkt werden — eine Auffassung, in deren Konsequenz auch bei Luther die Lehre von der Prädestination steht. Ein umfangreicher Predigttext aus dem 17. Jahrhundert (er enthält 35 Predigten allein über das Gleichnis vom verlorenen Sohn) belegt dies in anschaulicher Weise. Das „Entgegenlauffen Gottes" hin zum verlorenen Sohn ist in eine Kontroverstheologie eingebettet. Nicht pelagianistisch und papistisch kann der Sohn sich retten, denn es geht nicht an, „daß ein Mensch sich selber aus eigenen Kräfften zur Gnade praepariren/ disponiren und vorbereiten könne. Ach/ Nein! GOTT muß das thun/ der muß das *Wollen und Vollbringen/* der muß Anfang/ Mittel und Ende unserer Bekehrung in uns würken". (In eigensinniger Folgerichtigkeit versucht übrigens ein älterer Aufsatz über die „Heimkehr des verlorenen Sohnes in der Malerei" nachzuweisen, daß in der gesamten Kunst diese theologische Position nicht richtig erfaßt sei: nicht kniend und bußfertig, sondern stehend und daher ganz als Sünder angenommen müsse der Kern der Parabel in der Umarmung des Sohnes durch den Vater dargestellt werden)[10]

Angesichts dieser Ausgangslage stellte sich das Problem von „Gnade" und „Tugend" in der protestantischen Tradition mit dem Beginn der Aufklärung desto dringlicher. Wir beobachten eine Veränderung in der Auslegung des Gleichnisses, die weiterreichende kulturgeschichtliche Rückschlüsse zuläßt. Als Beobachtungsgegenstand bietet sich ein Buch an, das in immer neuen Auflagen das ganze 18. Jahrhundert hindurch gedruckt worden ist: Johann Hübners „Zweymal zwey und funfzig auserlesene Biblische Historien aus dem Alten und Neuen Testamente. Der Jugend zum Besten abgefasset." Hübners Historien erschienen 1714; unverändert neu herausgegeben werden sie 1721, 1736, 1756, 1784 und 1791. Versuche einer kritischen Revision des Textes beginnen 1753 mit der Überarbeitung Johann

9. Lucien Febvre: Sensibilität und Geschichte. Zugänge zum Gefühlsleben früherer Epochen, in: Claudia Honegger (Hrsg.) Schrift und Materie der Geschichte, Frankfurt 1977, S. 321

10. Ernst Bender: Die Heimkehr des verlorenen Sohnes und die Malerei, in: Monatsschrift für Gottesdienst und Kirchliche Kunst, 12. Jg. (1907). Vgl. dagegen aber die Bildbelege für Rembrandt bei Kallensee (Abb. Nr. 8, 9) die die Rückkehr des Sohnes sowohl kniend als stehend darstellen. Allerdings überwiegt die traditionelle Geste des knienden Sohnes. Eine Ausnahme bildet die „Rückkehr des verlorenen Sohnes" von G. de Chirico.

Peter Millers[11]; sie konnten aber offenbar das althergebrachte Standardwerk nicht verdrängen. Erst nach der Jahrhundertwende setzen — wenn ich recht sehe — die Neuerungen das alte Buch endgültig außer Kurs. Der Herausgeber von 1810 rechtfertigt sich gegen den Vorwurf, Hübners Geschichten seien nicht immer geeignet, „ächte Moralität" zu befördern, aber erst S.C.G. Küster hat die Geschichten 1818 vollends „unserm jetzigen Zeitalter" angepaßt. Die nur zögernde Durchsetzung der Revision eines so bekannten und weit verbreiteten Buches darf aber nicht verdecken, daß die Kontroverse inhaltlich in die „Theologie der Lessingzeit" zurückführt.

Hübners Lehrmethode setzt ein dreifaches Seelenvermögen des Kindes voraus: Gedächtnis, Verstand und Willen. Es soll lernen, über das Gelernte nachdenken und aus der richtigen Erkenntnis einen Vorsatz fassen. So wird es frühzeitig in Gottseligkeit, Gelehrsamkeit und Ehrbarkeit eingewiesen. Hübner erzählt die biblischen Geschichten in eigenen Worten nach, hält sich jedoch möglichst an den Text der lutherschen Übersetzung. Jeder Satz in diesen Lesestücken ist durchnumeriert. An die Historien sind „deutliche Fragen" angeschlossen, ebenfalls in fortlaufender Numerierung, so daß die Sätze des Lesetextes jeweils die Antwort auf die Kontrollfragen ergeben. Schließlich hat er noch moralisierende Verse in Deutsch und Latein dazugesetzt. Sowohl Kinder wie Lehrmeister können auf diese Weise jede an den Text gerichtete Frage beantworten. Entsprechend mechanisch fiel der Umgang mit diesem Buch aus. Ohne große Begeisterung erzählt K.F. v. Klöden: „Dienstags und Freitags von 9 bis 10 lasen wir Hübners biblische Historien, deren Inhalt nachher abgefragt wurde. Erklärungen wurden auch hier nicht gegeben. Wiedererzählt wurde in den Worten der Erzählung."

Auf das Exempel vom verlorenen Sohn, das Hübner in seiner Vorrede als besonders taugliches Lehrstück heraushebt, hat er folgenden Merkvers zusammengebracht:

„Der ungerathene Sohn muß endlich Träber fressen
Nachdem er Hab' und Gut mit Huren hat verpraßt:
So läufts mit Kindern ab, die das Gebot vergessen,
Das Gott den Eltern hat zu Ehren abgefaßt.
Ach Gott! wie will ich mich vor dieser Sünde hüten,
Daß ich bey Schweinen mich nicht darf zu Gaste bitten."

Mit den theologischen Problemen des Gleichnisses aus protestantischer Sicht hält Hübner sich nicht mehr auf; er richtet es pädagogisierend auf das Vierte Gebot aus. Andeutungen eines „unfreien Willens" und einer Ebene der Prädestination sind aus der Darstellung verschwunden; vom Sohn wird Buße verlangt, Buße nach einer Sünde, damit er sich der Gnade als würdig erweist. Die „Nützlichen Lehren" lauten: „1. Die Sünde stürzt den Menschen ins größte Unglück. 2. Wenn man sich in die Sünde hat verleiten lassen, so muß man wieder umkehren und Busse thun. 3. Wer ernsthafte Busse thut, der wird auch wieder zu Gnaden angenommen." Hauptpersonen sind der Vater und der jüngere Sohn. Dieser läßt sich vorzeitig sein Erbteil auszahlen, geht damit in ein fremdes Land und bringt es durch mit Prassen. Es ist nicht wichtig, ob der Sohn den Vorsatz hatte, sein Erbteil zu veschleu-

---

11. Theodor Brüggemann/Hans-Heino Ewers: Handbuch zur Kinder- und Jugendliteratur. Von 1750—1800, Stuttgart 1982, Sp. 681 ff.

dern. Er handelt so und nicht anders. Auch die Umkehr des Sohnes wird nur knapp referiert: „Da schlug er in sich, und sprach: Wie viel Tagelöhner hat mein Vater, die Brod die Fülle haben, und ich verderbe im Hunger?" Hier ist zwar ein freier Entschluß des Sohnes unterstellt, die Umstände aber sind äußerlich bedingt. Damit ist die psychische Leistung des Sohnes beendet; vom Augenblick der Umkehr an verwandelt sich die Geschichte selbstverständlich in das Gleichnis vom gnädigen Vater. Wenig Beachtung findet der ältere Sohn. Zwar wird die Geschichte zu Ende erzählt, wie sie bei Lukas vorliegt, aber weder der Einwand des „gerechten Sohnes" noch der Trost des Vaters für ihn sind in die „Nützlichen Lehren" aufgenommen. Die pädagogische Absicht ist auf das Problem von Sünde, Reue, Buße und Gnade ausgerichtet. Nicht vorausgesetzt ist ein Verhalten, das der Gnade nicht bedarf, weil nicht zuvor gesündigt worden ist.

An genau diesem Punkt durchschlägt die Überarbeitung von 1818 den Sinn des Gleichnisses. Zwar sind die „Nützlichen Lehren" nach wie vor auf den jüngeren Sohn ausgerichtet; sie müssen es auch bleiben, wenn die Parabel nicht vollends auf den Kopf gestellt werden soll. Durch die beigegebenen „Fragen zum Nachdenken" aber ist die alte Ausrichtung der Geschichte unterlaufen. Zunächst einmal wird nach der Intention des jüngeren Sohnes gefragt. Für Küster, anders als für Hübner, ist durchaus nicht gleichgültig, ob er sich sein Erbteil in guter oder schlechter Absicht auszahlen läßt. Die entsprechende Frage lautet: „Hatte der jüngste Sohn schon damals, als er sich sein Erbtheil geben ließ, die Absicht, es zu verprassen?" Und die richtige Antwort darauf soll sein: „Man kann dieses nicht glauben, denn sonst müßte der Mensch gar keine Überlegung gehabt haben, und in dem nachherigen Elend zeigte er doch richtige Überlegung."[12] Die generelle Möglichkeit, aus freiem Willen moralisch zu handeln, war auch nur durch „Verführung" verschüttet. Der an sich gute jüngere Sohn war in schlechte Gesellschaft geraten. (Auch in Führichs Zyklus vom verlorenen Sohn ist dem jüngeren Sohn eigens ein Verführer mit mephistophelischem Gestus beigegeben)[13]. Der Entschluß zur Umkehr wird folgendermaßen kommentiert: „Ist es rühmlich, wenn einer nach langen Ausschweifungen doch wieder zur Besinnung kommt?" Antwort: „Dieses ist allerdings rühmlich und man muß daher Keinem, der sich gebessert hat, wegen seiner ehemaligen Sünden Vorwürfe machen." Der etwas schadhafte Ruhm des reuigen Sünders wird aber sogleich zurechtgerückt: „Was ist aber noch rühmlicher von einem jungen Menschen?" „Wenn er sich beständig vor Ausschweifungen hütet, denn diese lassen in jedem Fall Vorwürfe zurück, wie von Verwundungen immer Narben zurückbleiben." Damit ist der Weg geebnet zur Aufwertung des älteren Sohnes: „Wer hat wohl dem Vater mehr Freude gemacht, der verlorne und wiedergefundne Sohn, oder der, welcher nie sein Gebot übertreten hatte?" Antwort: „Gewiß der ältere Sohn; denn die Freude über die Umkehr eines verirrten Sohnes ist doch immer mit Wehmut verbunden." An dem älteren Sohn bleibt nur auszusetzen, daß ihn die gute Aufnahme seines Bruders verdrießt.

„Wehmut" des Vaters statt „Gnade"; diese unorthodoxe Antwort auf die Frage, welcher

---

12. Samuel Christian Gottfried Küster: Zweimal zwei und fünfzig auserlesene Biblische Erzählungen aus dem Alten und Neuen Testamente nach Johann Hübner, Berlin 1833⁹, Bd. 2, S. 146
13. Bildbelege bei Kallensee, a.a.O., S. 46 u. 50

der beiden Söhne dem Vater wohl lieber sei, läßt sich als generelle Tendenz der Aufklärungspädagogik an einigen zusätzlichen Beispielen belegen. A.W.A. Woeninger (1777) hält den traditionellen Sinn des Gleichnisses noch fest. Christus wollte die Pharisäer im Bild des älteren Sohnes beschämen. Bei J.F. Feddersen (1779) überwiegt bereits die pädagogische Entmachtung der Gnade. Gott (Christus) ist nicht mehr der Sünderfreund, sondern auf eine neue, moralische Weise wird er wieder zu jenem strengen Richter, vor dem Luther um seine Rechtfertigung gebangt hatte. F.C. Adler (1810) tauft das Gleichnis um. Es heißt jetzt: „Vom verlohrnen Sohne, oder dem Wohlgefallen Gottes an der Besserung des Lasterhaften." Die Freude des Vaters besteht nun darin, daß der Sohn gelobt, ein „beßrer Mensch" zu werden.[14] Rauschenbusch (1820) führt schließlich eine lange Betrachtung über die „Kraft der Phantasie" ein: der jüngere Sohn sehnte sich von zu Hause fort, „ohne eine Idee" zu haben. Wäre seine Erziehung liberaler gewesen, wäre er nicht davongelaufen. Der Text endet: „Wohl dem, der wiedergefunden wird, besser, wer kein verlorner Sohn wird."[15]

III. Gnade, Gabe, Schuld und Sünde

Aus der Sicht neuerer Auslegungen ist natürlich die Interpretation S.C.G. Küsters unmöglich, ebenso wie die ganze Tendenz der aufklärerischen Darstellung. Der ursprüngliche Sinn des Gleichnisses ist längst wiederhergestellt; man ist sich einig darüber, daß die Erzählung nicht „Gleichnis vom verlorenen Sohn", sondern das „Gleichnis von der Liebe des Vaters" heißen sollte.[16] Bezogen auf den Handlungsablauf gilt, wenn überhaupt, der jüngere Sohn als Hauptperson. Bultmann spricht dementsprechend vom „paradoxen" Charakter der Vergebung Gottes. Wird die *Form* des Gleichnisses hervorgehoben, so tritt mit ihrer „Zweigipfligkeit"[17] auch der ältere Sohn mehr hervor, aber nicht, weil er dem Vater lieber wäre, sondern weil sich an ihm die apologetische Absicht des Gleichnisses ausdrückt.

Gewisse Differenzen sind zu erkennen bei der Frage, worin denn nun eigentlich die Schuld des jüngeren Sohnes liege. Nach der Rechtslage kann der Sohn schon bei Lebzeiten des Vaters sein Erbteil verlangen (Deut. 21, 17). Er enthält dann das Besitzrecht, nicht aber die Verfügung und die Nutzung. Dieser Situation entspricht es, wenn z.B. der ältere Sohn vom Vater als der künftige Besitzer angesprochen wird (Lk 15, 31), dennoch aber beim Vater die Nutznießung verbleibt (V. 22f., 29). „Der jüngere Sohn fordert in V. 12 nicht nur das Besitzrecht, sondern auch das Verfügungsrecht; er will also abgefunden werden und sich eine selbständige Existenz gründen." Nachdem er alles in Geld verwandelt hat, wan-

14. Friedrich Christian Adler: Hübners Biblische Historien zum Gebrauch für niedre Volksschulen, Leipzig 1810, S. 95

15. Handbuch für Lehrer beim Gebrauch der biblischen Geschichten, vom Verfasser der auserlesenen Biblischen Historien nach Hübner, Bd. 3, Schwelm 1831², S. 497

16. Joachim Jeremias: Die Gleichnisse Jesu, Göttingen 1956⁴, S. 113; Josef Ernst: Das Evangelium nach Lukas, Regensburg 1977, S. 455; Josef Schmid, Das Evangelium nach Lukas, Regensburg 1960⁴ (Regensburger Neues Testament), S. 255

17. Jeremias, a.a.O., S. 115 f.

dert er aus.[18] Aus diesem juristischen Befund resultieren verschiedene Schuldzuschreibungen. Wir schließen uns der Auffassung an, daß in der Begründung einer selbständigen Existenz das eigentlich Verwerfliche zu sehen ist. Wir teilen auch die zutiefst theologische Vermutung, daß hier „Schuld von Anfang an" vorliegt[19]. Wir wollen aber versuchen, dieser Schuld anhand eines theoretischen Modells auf die Spur zu kommen.

Bei Luthers Abneigung gegen eine von der Theologie unabhängigen Ethik ist es schon selten, daß er Aristoteles zustimmend zitiert. Das tut er aber gerade in einem Zusammenhang, in dem von einer *unabgeltbaren Schuld*, einer Schuld vor allem den Eltern gegenüber die Rede ist. „Gotte, den Eltern und Schulmeistern kann man nimmer gnugsam danken noch vergelten." Diesen Gedanken findet er beim „Heiden Aristoteles"[20]. Von „Schuld" und „Verschuldeten" ist aber auch im Gleichnis vom verlorenen Sohn die Rede. Nicht zu Unrecht subsumiert J. Jeremias die Parabel unter die Rubrik „Gottes Erbarmen mit den Verschuldeten." Vielleicht kann tatsächlich die Darstellung des Verschuldens in der Nikomachischen Ethik zur Ausdeutung unseres Problems weiterhelfen.

Die Schuld des Sohnes wäre dann eine prinzipielle Verschuldung gegenüber dem Vater. Aber wie ist sie zu denken? Aristoteles antwortet in einer Passage, die sich im Zusammenhang mit der Erörterung des wechselseitigen Vergeltens von Nutzen und Ehren findet. Freundschaft erweist sich mehr im Schenken als im Empfangen von Freundesliebe; solange aber von einer eigentlichen „Freundschaft" die Rede ist, muß Wechselseitigkeit gewahrt bleiben. Beruht die „Freundschaft" auf der Überlegenheit des einen Teils, ist diese Wechselseitigkeit gestört; dies ist der Fall beim Verhältnis des Vaters zum Sohn und noch mehr beim Verhältnis von Menschen zu Göttern. (Nik. Eth. 1158 b) Bei derart ungleichen Partnern kann der eine dem andern nicht entgelten, was seinem Verdienst entsprechen würde: „Dies letztere läßt sich ja auch gar nicht in allen Fällen verwirklichen so bei den Ehren, die man den Göttern oder den Eltern entbietet: hier kann man niemals dem Verdienst entsprechend vergelten. Doch wer ihnen nach besten Kräften dient und sie verehrt, gilt als gut." Und weiter: „Daher gilt es auch als unerlaubt, daß ein Sohn sich von seinem Vater, nicht aber daß ein Vater sich von seinem Sohn lossagt. Wer in Schuld steht, hat Gegenleistung zu bieten. Aber ein Sohn, auch wenn er aktiv gewesen ist, hat nichts zustande gebracht, was die Vor-Leistung des Vaters gebührend abdingen könnte: er bleibt also immer in Schuld. Aber dem Gläubiger steht es frei, (jemanden aus einer Bindung) zu entlassen, und so auch dem Vater.' (Nik. Eth. 1163 b)

Das Schicksal des Sohnes, immerwährender Schuldner des Vaters zu sein, wirft Licht auf das Verhalten der beiden Söhne des Gleichnisses. Ihr Leben ist eine Kette von Bemühungen, „nach besten Kräften zu dienen", ohne daß sie doch jemals die Wohltaten des Vaters egalisieren können. Der ältere Sohn unterwirft sich diesem Gebot, betrachtet aber seine Leistung („Siehe, so viele Jahre diene ich dir") bereits als Grundlage, vom Vater eine Gegenleistung nicht zu erbitten, sondern zu fordern. Der jüngere dagegen löst sich vom Vater.

18. ebd., S. 113 f.

19. J. Ernst, a.a.O., S. 457

20. Martin Luther, Großer Katechismus, in: Die Bekenntnisschriften der Evangelisch-Lutherischen Kirche, Göttingen 1952², S. 593, Anm. 1

Da uns die Theologen immerfort sagen, was er dabei verliert, wollen wir zunächst fragen, was er dabei gewinnt. Er gewinnt zunächst dies, daß er dem Vater nicht beständig liebend dienen muß. Was ihm daran schwerfallen könnte, sagt ebenfalls Aristoteles. Nicht ohne Erstaunen bemerkt er nämlich über das Verhältnis von Gläubigern und Schuldnern: „Es sieht so aus, als ob der Spender einer Wohltat den Empfänger mehr liebe als der Beschenkte den Geber. Das klingt paradox und darum sucht man eine Erklärung". (Nik. Eth. 1167 b) Seine Antwort darauf: Was der Wohltäter gefördert hat, das ist sein Werk „und dieses also liebt er mehr als das Werk den Schöpfer". Dies deshalb, weil erst das Werk in Wirklichkeit die im Schöpfer gegebene Möglichkeit erweist. Anders ergeht es dem Geschaffenen: „der Empfänger der Wohltat aber vermag keinen solchen Wert an seinem Wohltäter zu erkennen, sondern höchstens ein Moment der Nützlichkeit. Dies ist aber weniger lustvoll und liebenswert." (Nik. Eth. 1167b/1168a)

Beide Söhne bleiben (auch nach der Erbteilung) die Empfangenden. Diese Situation ist z.B. für den älteren Sohn allenfalls nützlich, aber wenig angenehm. Die beständige Demütigung, Gnade empfangen zu müssen, macht ihn unliebenswürdig. Der jüngere Sohn entzieht sich dieser Demütigung; er trifft daher den Vater viel empfindlicher. Wenn der Vater abschließend spricht: „denn dieser dein Bruder war tot und ist wieder lebendig geworden", dann heißt das auch: dieses Objekt der Gnade war verschwunden; es ist wieder heimgekehrt. Der jüngere Sohn hat seinem Schöpfer vorübergehend die Möglichkeit entzogen, sich in den Wohltaten an seinem Werk zu gefallen.

Wenn von Geben und Nehmen, von Gebern und Empfängern die Rede ist, enthüllt sich hinter dem Verhältnis von Vater und Sohn die Soziologie der Gabe. Wenn Aristoteles das Verhältnis von Vater und Sohn als eines von Gläubigern und Verschuldeten auffaßt, so zeigt er zugleich eine Hierarchie der Macht. „Geben heißt seine Überlegenheit beweisen, zeigen, daß man mehr ist und höher steht, *magister* ist; annehmen, ohne zu erwidern oder mehr zurückzugeben, heißt sich unterordnen, Gefolge und Knecht werden, tiefer sinken, *minister* werden."[21] So besehen sollte man unterscheiden zwischen „Schuld" und „Sünde". Beide Söhne sind dem Vater prinzipiell verschuldet; sie müssen seine Gaben annehmen, bzw. sie haben als seine „Geschöpfe" in der bloßen Tatsache ihres Lebens schon eine Gabe angenommen, die sie niemals erwidern können. Ihre Sünde besteht dann in den verschiedenen Akten, diesem unbefriedigenden Verhältnis zu entkommen.

Die Gründung einer eigenen Existenz ist zugleich das Bemühen des jüngeren Sohnes, außerhalb der Gnade zu leben. Er ist in einer ausweglosen Situation. Einerseits *kann* er die Gnade des Vaters nicht nur nicht angemessen erwidern, er *darf* auch ernstlich gar nicht den Versuch dazu unternehmen, selbst wenn er es könnte, denn dann würde er sich dem Vater gleichsetzen. Andererseits: auch wenn er sich dieser Zwangslage entzieht, läßt der Vater nicht von ihm ab — denn wie die Geschichte zeigt, bekommt ihm seine Emigration schlecht. Der Niedergang des Sohnes in der Fremde ist nicht zufällig, denn: die „Erwählung" durch die göttliche Gnade nicht zu ergreifen, bedeutet „Fluch".[22] Im lukanischen

21. Marcel Mauss: Die Gabe, in: ders. Soziologie und Anthropologie (Hrsg. Wolf Lepenies/Henning Ritter), Berlin 1978, Bd. II, S. 133
22. Pesch/Peters, a.a.O., S. 4

Gleichnis wird der Sohn nicht ausdrücklich verflucht; er muß aber Säue hüten und „Träber fressen". Darin spürt er den Zorn des Vaters. „Wenn die Israeliten Johannisbrot (infolge Armut) nötig haben, dann tun sie Buße."[23] Die Umstände seiner „Umkehr" sind also alles andere als äußerlich oder zufällig.

Zwangsläufig führt nun das „In-sich-Gehen" des Sohnes zur Selbstdegradierung als Knecht. Diese Haltung des Sohnes wird zumeist als übergroße Demütigung interpretiert. Im Gegenteil: sie ist ein letzter Rest an Auflehnung. Da er die Rolle des Sohnes nicht ertragen will, kann er nur Knecht sein. Als Tagelöhner wird er wieder die Gaben des väterlichen „ganzen Hauses" empfangen, er steht aber nicht mehr in der Spannung, sie vergelten zu müssen — und doch zugleich nicht so vergelten zu dürfen, daß er dem Vater gleich käme. Denkt man das Gaben-Modell zu Ende, so ist die Erhöhung des Sohnes durch die väterliche Gnade zugleich der Augenblick seiner größten Erniedrigung. Der Vater beweist seinen Reichtum (und er kann ihn auch gar nicht anders beweisen), „daß er ihn ausgibt, verteilt und damit die anderen demütigt, sie in den ‚Schatten seines Namens' stellt"[24].

IV. Der tugendhafte Sohn oder die Aufklärung

Spätestens jetzt sollte deutlich geworden sein, daß sich das Gleichnis vom verlorenen Sohn für die pädagogischen Zwecke des 18./19. Jahrhunderts kaum eignet. Die großen Fragen von Verschuldung, Sünde, Buße und Gnade lassen sich nur schlecht in das Kleingeld des kindlichen Ungehorsams umwechseln. Man könnte daher geneigt sein, von der pädagogischen Instinktlosigkeit des 18. Jahrhunderts zu sprechen, dem kein Gegenstand zu hoch sei, daß er nicht zur moralischen Nutzanwendung herabgezogen würde. Da dies aber einmal geschehen ist, haben wir uns historisch daran zu halten und betrachten die Probleme, die aus der pädagogischen Vereinnahmung des Gleichnisses im Zusammenhang mit den Kategorien von Gnade und Tugend hervorgehen.

Dann zeigt sich: solange der Sohn wirklich „sündigt", sei es im Großen, sei es im Kleinen, bleibt die Rolle des Vaters unangetastet. Er hat es nicht nötig den — wie Max Weber einmal sagt — „modernen Papa" zu spielen, sondern er darf Zorn und Gnade verteilen, wie sein alttestamentarisches Vorbild. Der Sohn der Aufklärung *soll* aber nicht sündigen. So — zumindest im Merkvers — schon Hübner, so alle späteren Überarbeitungen. Was wird dann aber aus der Gnade des Vaters, wenn die Pädagogik anschlägt und der Sohn wirklich tugendhaft wird? Wenn er sich beständig vor Ausschweifung hütet, wie S.C.G. Küster will? Wenn er der Gnade nicht mehr bedarf, weil er nicht gesündigt hat, d.h. wenn er ein auf neue Weise funktionierendes vorgängiges Gewissen ausbildet? Schöpft man den antitheologischen Gehalt des Begriffs der „Tugend" aus, so zeigt sich, daß die Aufklärung — jenseits

---

23. Strack-Billerbeck, Kommentar zum Neuen Testament aus Talmud und Midrasch, Bd. II, München 1961[3], S. 214; in Parallelstellen vom „natürlichen Erbarmen eines Vaters über einen mißratenen Sohn" aus der rabbinischen Literatur verweisen Strack-Billerbeck auch auf den „Fluch" des Vaters, ebd. S. 216

24. M. Mauss, Die Gabe, a.a.O., S. 71

alles kleinlichen Pädagogisierens — doch die große Gefahr erkannt hat, die mit der traditionellen Konzeption der Gnade verbunden war.

Das Zentrum der Parabel — gerade in der protestantischen Tradition — liegt im Gnadenakt des Vaters am Sohn. „Ach! die gnädigen Augen des Vaters" — ruft J. Arndt in den „Vier Büchern vom wahren Christentum" — „wie sehen sie nach den verlorenen Kindern". Von den acht Stufen der allegorisch ausgedeuteten Gnade, die sich über den „zur Buße gelockten" Sohn ergießt, ist die Einkleidung des Sohnes die wichtigste. „Bringt das beste Kleid her. Das ist Christus und seine Gerechtigkeit". Die Bekleidung der Seele mit dem Gewand der Rechtfertigung gibt dem Sohn ein neues Selbst. Nicht das „Da schlug er in sich" macht die Umkehr fest, sondern Christi „aliena iustitia".

Das Gleichnis vom verlorenen Sohn führt eine Umwandlung der *Person* des Sohnes vor. Aus dem Stand des Sünders wird er in den Stand der Gnade vesetzt. Erworben ist dieser neue Stand aber nicht durch eigene Leistung, sondern durch einen Akt des Erbarmens. Von Gott bewirkte Umkehr und Rechtfertigung in fremder Gerechtigkeit bricht aber die Selbstgleichheit der Person, ihre „Identität". Ohne auf neuere Diskussionen über diesen Begriff einzugehen, greife ich eine Überlegung von M. Mauss über „Person" und „Identität" auf. Wer sich an einer Sozialgeschichte der Kategorien des menschlichen Geistes versucht, wird daran erinnert, „wie jungen Datums das philosophische Wort des ,Ich', wie jung die ,Kategorie des Ich', der Kult des ,Ich' und die Achtung vor dem Ich sind."[25] Jung, das heißt: erst um 1750 schält sich die Kategorie des Ich und seiner Identität aus dem älteren Begriff der Person heraus. Eine große Menge von Gesellschaften — so Mauss — habe es zu einem Begriff der „Person" gebracht. Darunter versteht er die Ausfüllung von gesellschaftlich vorgegebenen Rollen. Jeder Augenblick des Lebens sei mit bestimmten Titeln und Namen verbunden — und zu diesen Ständen, Titeln, Namen und Masken, so ergänzen wir, kann auch der Stand des „Sünders" und der des „in Gnaden aufgenommenen" gehören.

Der Übergang nun von einem „mit einem Stand bekleideten Menschen" zum Begriff des „bloßen Menschen" ist moralphilosophisch bedingt und mit dem Begriff eines sich in der Zeit durchhalten den Selbstbewußtseins verbunden. Erst mit den Sektenbewegungen des 17./18. Jahrhunderts habe sich die Fundamentalkategorie eines Ich herausgebildet, das nichts als Selbstbewußtsein sei. Als einen der Indikatoren für diesen Prozeß betrachten wir, daß die Aufklärung Anstoß an der Nicht-Identität des jüngeren Sohnes im moralischen Sinn nimmt. Entweder bekommt er eine Identität nachgeliefert (er war eigentlich „gut", er war nur „verführt" usw.) oder man hält sich konsequenterweise an den älteren Sohn, dessen moralischen Integrität der Gnade nicht bedarf.

Luther hätte diese Skrupel keineswegs verstanden. Eine moralische Nicht-Identität ist geradezu Voraussetzung für seine Auffassung vom Gewissen. Es ist nicht primär Organ des sittlichen Bewußtseins, sondern Träger des menschlichen Gottesverhältnisses. Hier wirkt es als Gradmesser der schuldhaften Gottesferne. Die göttlichen Gebote sind ja nicht gegeben, damit der Mensch sie einhalte, sondern daß er „darynnen sehe sein unvermögen zu dem gutten/ und lerne an yhm selbs vortzweiffeln". Da ihm nun Angst wird, wie er den

25. M. Mauss: Eine Kategorie des menschlichen Geistes: Der Begriff der Person und des ,Ich', in: ders., Anthropologie und Soziologie, Bd. II, a.a.O., S. 225

Geboten genüge tun könne „seyntemal das gebot muß erfullet seyn/ oder er muß vordampt seyn" — kommt das „ander wort": die göttliche Verheißung und Zusage der Rechtfertigung durch den Glauben an Jesus Christus.[26] Luthers Theologie ist präziser Ausdruck der Vorstellung, daß das Schuldigsein vor dem Vater — psychologisch und soziologisch gesehen, gar nicht überwunden werden darf, weil darin eine Herabsetzung der Heilstat Jesu Christi läge. Weil er selbst der gerechtfertigte Sohn nicht sein kann, muß Luther sich auf den Glauben an einen „anderen Sohn" stützen.

Auf diese fremde Gerechtigkeit kann und will sich der aufgeklärte Bürger des 18. Jahrhunderts nicht mehr berufen. Das hat zum Teil pragmatisch-historische Gründe: alle großen Kirchen haben sich im religiösen Bürgerkrieg des 16./17. Jahrhunderts unglaubwürdig gemacht. Es wurde notwendig, ein neues Terrain zu erobern, das von theologischen Begriffen nicht besetzt war, um dem Kampf aller gegen alle zu entrinnen und den Bestand der Gesellschaft zu sichern. In dieser Linie liegen alle Versuche, den Begriff der „Sünde" hinter den Begriff des „gesellschaftlichen Nutzens" zurückzudrängen. An die Stelle der Rechtfertigung vor Gott tritt allmählich die Verantwortung vor der Gesellschaft.[27] Die Aufklärung verliert den Geschmack an der Bekehrung reuiger Sünder; sie hätten sich besser vor der Tat zurückgehalten und so dem Gemeinwesen keinen Schaden zugefügt. Aus dieser Sicht muß den aufgeklärten Pädagogen die Handlungsweise des jüngeren Sohnes als ein sozial veraltetes Verhalten erscheinen.

Jenseits dieser Betonung des gesellschaftlichen Nutzens spielt sich aber der eigentlich interessante Prozeß in der psychologischen Auseinandersetzung mit der Theologie ab. Die Aufklärung, deren Wahlspruch es war, sich des „Verstandes *ohne* Leitung eines anderen" zu bedienen, wittert die Bedrohung, die von der Gnade ausgeht. „Die Gabe", sagt M. Mauss „ist also etwas, das gegeben werden muß, das empfangen werden muß und das anzunehmen dennoch zugleich gefährlich ist."[28] Gefährlich warum? Weil sie eine Bindung schafft und den Nehmer dem Geber ausliefert. Gefährlich wofür? Für die neue Würde und Identität des Menschen. Diese Selbstgleichheit wird nun theoretisch dadurch gewonnen, daß die Funktion Christi in den Menschen selbst hineinverlegt wird. Das Gewissen in Kants „Religion innerhalb der Grenzen der bloßen Vernunft" ist christusförmig. Der Kirchenglaube ist nur noch die Haltung der moralisch Schwachen: „Allein es ist gar nicht einzusehen, wie ein vernünftiger Mensch, der sich strafschuldig weiß, im Ernst glauben könne, er habe nur nöthig, die Botschaft von einer für ihn geleisteten Genugthuung zu glauben und sie (wie die Juristen sagen) *utiliter* anzunehmen, um seine Schuld als getilgt anzusehen."[29] Der religiöse Afterdienst glaubt sich Gott wohlgefällig machen zu können — allein, die Reue ist „praktisch leer"[30] — und damit die Buße und in letzter Instanz auch die Gnade. Was allein

26. Bernhard Lohse: Gewissen und Autorität bei Luther, in: Kerygma und Dogma, Zeitschrift f. theol. Forschung und kirchl. Lehre, 20. Jg. (1974), S. 6; Luther: Von der Freiheit eines Christenmenschen, Werke in Auswahl (Hrsg. O. Clemen), Bonn 1912, Bd. II, S. 13 f.
27. Groethuysen, a.a.O., Bd. I, S. 194 ff.
28. Mauss: Die Gabe, a.a.O., S. 115
29. I. Kant: Die Religion innerhalb der Grenzen der bloßen Vernunft, AA Bd. VI, S. 116
30. Kant: Kritik der praktischen Vernunft, AA Bd. V, S. 98

zählt, ist das Opfer einer „moralischen Gesinnung"[31], aber diese gilt im strengen Sinne nicht mehr *vor* Gott, sondern das moralische Gefühl konstituiert umgekehrt alle Ideen der spekulativen Vernunft, Gott mitsamt der Unsterblichkeit. Mit diesem neuen Opfer, das der Bürger im vorgängigen Gewissen nun selber bringt, anstatt sich von Christus vertreten zu lasen, glaubt er auch am Gesetz nicht mehr verzweifeln zu müssen, sondern er befolgt es auf neue, peinigende Weise: das moralische Gefühl, das allen unseren Neigungen Eintrag tut, ist ein „Gefühl(...), welches Schmerz genannt werden kann."[32] Im eigentlichen Sinn ist er nun selbst der Schmerzensmann geworden. Dafür aber, und das ist der Lohn dieses Opfers, entledigt er sich der Gnade, der Gabe jenes fremden Wesens, das sich ihm aufgedrängt hatte. Die bürgerliche Gesellschaft war gedacht als die Gesellschaft der tugendhaften Söhne.

Nun ist mit der Kantischen Autonomieposition des Gewissens die Geschichte von Gnade und Tugend nicht zu Ende. Die Tugend konnte nicht leisten, was ihre Verfechter erhofft hatten, nicht nur, weil mit der Verlagerung der Kontrollinstanzen nach innen neue Bereiche des Schuldgefühls aufbrachen, sondern auch deshalb, weil eine der „Moralität" korrespondierende bürgerliche Gesellschaft der „Legalität" nicht entstanden ist und historisch auch gar nicht entstehen konnte. Mit der Durchsetzung und Ausbreitung des Kapitalismus mußte die Gnade wieder zur Hilfe gerufen werden. Sie veränderte ihre Form und lebte weiter in der Natur, in der Kunst, in der Geschichtsphilosophie und nicht zuletzt in der Psychoanalyse.

---

31. Kant: Die Religion innerhalb der Grenzen der bloßen Vernunft, a.a.O., S. 172
32. Kant: Kritik der praktischen Vernunft, a.a.O., S. 73

Wolfgang Dreßen

ALEXIS DE TOCQUEVILLE: DIE ALLGEMEINE TUGEND UND DIE VERNICHTUNG DER DIFFERENZ

Anmerkung zur Entgrenzung der Macht

Zwei Jahre nach der Revolution von 1848 erinnerte sich Alexis de Tocqueville an seine Erlebnisse auf den Pariser Straßen während der Junitage:

Auf dem Nachhauseweg „stellte sich mir eine alte Frau, die einen Gemüsekarren schob, hartnäckig in den Weg. Ich forderte sie barsch genug auf, mir endlich Platz zu machen. Sie ließ aber ihren Karren stehen und stürzte sich plötzlich so rasend auf mich, daß ich die größte Mühe hatte, mich vor ihr zu schützen. Ich empfand den tiefsten Widerwillen vor dem abscheulichen und schreckenerregenden Ausdruck ihres Gesichts, in dem die gemeine und wilde Leidenschaft des Bürgerkrieges geschrieben stand".

Zweihundert Jahre früher hatte Thomas Hobbes vor dem Bürgerkrieg gewarnt. Die Begründungen des Widerstands und der Macht haben sich inzwischen zwar geändert, aber der Schrecken ist geblieben. Gefürchtet wird dabei weniger die jeweilige Legitimation des Widerstands, sondern die sich nicht begründende „wilde Leidenschaft", wahrgenommen wird ein Potential von Anderssein, dem in den Kategorien geregelter Macht bisher nicht begegnet werden konnte, das deshalb einen immer auch riskanten Ausnahmezustand erzwingt, der doch gerade vermieden werden soll. Denn dieser Ausnahmezustand stört den Ablauf der Geschäfte, die routinierte Selbstverständlichkeit der Macht, die alltägliche Ordnung. Jedes Andere muß rationalisiert werden. Die „Deiche und Wälle" (Machiavelli) sollen ordnen, indem sie ein-und ausgrenzen. Gewonnen wird dabei *der* Mensch und *die* Wahrheit, Maßstäbe, an denen alles gemessen, mit denen jeder beurteilt und der Schrecken gebannt werden soll.

Thomas Hobbes: Künstliche Ketten

Im Schlußteil des „Leviathan" erklärt Thomas Hobbes den Unterschied zwischen Eroberung und Überwältigung:

„Jemand, der gefangengenommen und ins Gefängnis geworfen oder in Ketten gelegt wird, ist nicht erobert, wenn auch überwältigt, denn er ist immer noch ein Feind und kann sich retten, wenn er es vermag. Aber jemand, dem auf Grund eines Gehorsamversprechens Leben und Freiheit zugestanden worden sind, ist damit erobert."

Hobbes bringt Freiheit und Eroberung zusammen: Entscheidend ist das Versprechen, sich zukünftig an die Gesetze zu halten. Dann wird eine Freiheit gewährt, die aus der Eroberung folgt. Verlangt wird noch nicht die Einsicht in eine Wahrheit der Macht, sondern nur das Versprechen, zu gehorchen. Allerdings wird vorausgesetzt, daß, zumindest nach der Erfahrung der Haft, die Zweckmäßigkeit eines solchen Gehorsams eingesehen wird. Erst durch ihn wird nicht nur die Freiheit des Gefangenen, sondern die allgemeine Freiheit möglich. Zwar beschränkt Hobbes den Gehorsam hier auf die Handlungen, aber er verlangt doch auch die Anerkennung einer konstituierenden Allgemeinheit, die „künstlichen Ketten" der Macht allein reichen nicht aus. Diese Allgemeinheit ist der „christliche Staat". Folgerichtig nennt dann Hobbes denjenigen, der seine besondere Meinung der staatlich befohlenen Meinung öffentlicht entgegenstellt, einen Ketzer. Die staatliche Allgemeinheit wiederum wird durch Gott garantiert: „Jesus ist der Christus". Hobbes bezieht sich auf die Warnung bei Matthäus: „Es werden viele kommen unter meinem Namen und sagen: ,Ich bin Christus'". In einer solchen Behauptung würde allgemeine Ordnung gefährdet. Gerade weil der Messias jetzt aber nicht mehr erwartet wird, weil er sich bereits zu erkennen gegeben hat, kann das Chaos überwunden werden, das mit jeder messianischen Erwartung neu drohen würde. Weil Christus erschienen ist, kann der „Zustand der reinen Natur" überwunden werden. Dieser allgemeine Gott garantiert durch seine „unwiderstehliche Gewalt" (ebenso wie der weltliche Souverän) die Einheit und Ordnung der Welt. Durch seine Menschwerdung hat jeder besondere Widerstand gegen die Allgemeinheit seine Legitimation verloren: Christus ist erschienen, das ganz Andere wurde bereits verwirklicht.

Erst nach dieser Zäsur kann der Herrscher durch seine Entscheidung das Chaos besonderer Mächte verhindern. Die gefährliche messianische Erwartung wird ersetzt durch den Machtspruch des Souveräns, durch sein Gericht.

Die Notwendigkeit der irdischen Macht folgt aus dem zeitlich nicht überwindbaren Bösen, aus der Erbsünde. Damit werden bei Hobbes „natürliche Leidenschaften" zumindest in ihrer Wirklichkeit anerkannt. Sie bleiben konstitutiv für die Ordnung selber, die durch Christus legitimiert ist, aber als Kunstwelt nicht selbstverständlich werden kann.

Jean-Jacques Rousseau: Die Ordnung der Dinge

Carl Schmitt erwähnt in seinem Buch über den „Leviathan" Condorcets 1794 erschienene „Esquisse d'un Tableau historique des progrès de l'esprit humain". Der Schrecken scheint hier überwunden zu sein: Der Mensch ist nicht mehr „radikal böse und wollüstig, sondern ...gut und erziehbar". Der „Leviathan" wäre dann überflüssig. Schmitt vermutet, daß ein solcher Glaube u.a. auch durch die Leistungen der absolutistischen Polizei erst möglich wurde. Condorcet schreibt aber während der Revolution, während eines Bürgerkrieges, in einer Zeit alltäglichen Schreckens. Der „Leviathan" ist für ihn nicht etwa überflüssig geworden, weil allgemeiner Frieden erreicht ist, sondern weil bisherige Macht ihre Schwäche gezeigt hat. Die „Eroberung" ist nicht gelungen, Ordnung war nicht allgemein durchsetzbar, polizeilich nicht und auch nicht ökonomisch. Hungerkrisen vom „type ancien" (Abel) schwächen die öffentliche Ordnung; Vaganten, Diebe, Bettler schließen sich zu Banden zusammen; die sichtbare Macht des Souveräns, die Willkür des „sterblichen Gottes", legitimiert den Widerspruch und schließlich auch den Widerstand. Deshalb wird Macht jetzt nicht etwa überflüssig, sondern sie wird intensiviert. Denn der Mensch ist jetzt gut, jeder Einzelne wird zum Agenten der Macht. Möglichst soll der Begriff der Macht durch eine allgemeine Ordnung ersetzt werden, die als Kunstwelt nicht mehr erkennbar ist. Sie wird zur Natur erklärt. Dies hat vor allem Jean-Jacques Rousseau geleistet. In der von ihm entworfenen Welt wird erzogen, zur Natur. Das Andere bleibt trotzdem. Er muß dies nebenher zugeben. Rousseau schreibt in einer Anmerkung seines „Contrat social", daß in Genua die „Übeltäter" zur Galeere verurteilt werden. Auf ihren Ketten steht das Wort „Libertas": „In Wahrheit sind es in allen Staaten nur die Übeltäter, die die Bürger hindern, frei zu sein".

Da der Mensch jetzt nicht mehr böse ist, kann es jetzt auch Un-Menschen geben. Rousseau schreibt von ihnen, sie seien „keine moralische Person".

Mit der guten Natur wird eine Verallgemeinerung erreicht, die über den „Leviathan" weit hinausgeht. In der Rousseauschen Volksversammlung versucht nicht etwa der Einzelne, seine besondere Meinung durchzusetzen, sondern er überprüft am Abstimmungsergebnis, ob er selber mit dem Allgemeinwillen übereinstimmt oder nicht. Der Frieden wird gesichert durch Selbstkontrolle. Der Schrecken darf nicht mehr sichtbar werden, und deshalb ist der Mensch erziehbar. Das Ziel ist seine eigene Natur, die er nur noch nicht erkannt hat. Die Macht verkleidet sich als Selbstbestimmung. Auch Rousseau kommt ohne die „künstlichen Ketten" nicht aus, auch er braucht ein Macht-Subjekt. Nur wird diese Macht jetzt unsichtbar. Der „législateur" im „Contrat social" beschäftigt sich mit der Gesetzgebung „im geheimen". Seine Pädagogik gibt sich nicht zu erkennen, — wie der Erzieher im „Emile", der indirekt, durch die von ihm arrangierte „Ordnung der Dinge" seinen Zögling beeinflußt, richtig und natürlich zu handeln. Eine Notwendigkeit wird konstruiert, die als Natur ausgegeben wird: „Nur durch die Macht der Dinge macht man (das Kind) sanft und gefügig".

In dieser Ordnung wird Gott, der „Ordner aller Dinge", zum Uhrmacher erklärt, der allein den „gemeinsamen Zweck" der „Räderwerke" kennt. Gott wird nicht nur auf seine vergangene Menschwerdung festgelegt, er wird auf den Schöpfer beschränkt, der zwar mehr weiß, der aber hinter die geordnete Welt zurückgetreten ist. Gott wird, wie die Natur, moralisiert und damit zur pädagogischen Kategorie.

Wenn sich die Macht hinter der heimlichen Konstruktion der Welt versteckt, dann kann Widerstand nur noch diese Wirklichkeit angreifen. Widerstand wird aus der verzauberten Welt ausgeschlossen, ver-rückt. Macht ist zur Magie geworden, — bereits Jakob Böhme: Die Magie „ist die größte Heimlichkeit, denn sie ist über die Natur und bildet die Natur nach der Gestalt ihres Willens".

Solche Macht entspricht der Marktgesellschaft und schließlich der industrialisierten Welt. Eine Wirklichkeit wird konstruiert, in der geforderten Ordnung durch den Zwang der Dinge selber erreicht werden soll. Wenn die Pädagogen im 18. Jahrhundert noch offen Sexualität regulieren wollen, so konnte sich bereits Adam Smith auf den Arbeitsmarkt verlassen: Das Wachstum der Bevölkerung wird über die jeweiligen Lohnstufen reguliert. Wenn in den Wohnungen der Heimarbeiter noch „Unterschleif" möglich war, so werden im Saal der Manufaktur aller Arbeitenden direkter Aufsicht unterworfen, und in der Fabrik wird die Leistung schließlich durch die Maschinerie bestimmt.

Die Schwächen des „Leviathan", seine sichtbare Macht und die Beschränkung auf äußere „Eroberung", wären in der selbstregulierten Gesellschaft überwunden: Jede Besonderheit ist aufgegeben, die allgemeine Selbstkontrolle orientiert sich an der geordneten Wirklichkeit.

Alexis de Tocqueville: Der nicht überwundene Schrecken

Gefährdete Ordnung

Für die Familie de Tocqueville war die Revolution von 1789 ein Alptraum gewesen. Mehrere Angehörige wurden hingerichtet. Der Vater von Alexis war unter Robespierre inhaftiert worden. Der Sohn wird diese Revolution fürchten. Und er sieht kein Ende (1830, 1848). Trotzdem beruft er sich auf Rousseau, die Demokratie ist unausweichlich, aber sie muß von der Rebellion getrennt werden. Die Rousseausche „Ordnung der Dinge" garantiert den inneren Frieden (Tocqueville selber gebraucht diesen Begriff). Wenn aber ihre Durchsetzung auf die Rebellion der Straße angewiesen bleibt, dann wird die Ordnung immer neu gefährdet. (Aus einem Brief des Jahres 1835: „Es geht nicht mehr um Aristokratie oder Demokratie, sondern nur noch um die Frage, ob die Demokratie ohne Poesie und Großzügigkeit daherkommt, aber mit Moral und Ordnung, oder als zügellose und sittenlose Gesellschaft".)

Tocqueville sieht inzwischen die neuen Gefahren industrialisierter Ordnung. Er fürchtet nicht mehr die Armen des Ancien Régime, sondern die Pauper der Marktwirtschaft. Die Krisen vom „type ancien" sind zwar überwunden, aber die industrialisierte Ordnung produziert selber neue Krisen. Gegen solche Gefahren hilft aber nicht der Rückfall in politische Zentralisierung, die, so analysiert Tocqueville, gerade die Revolution ermöglicht und sie legitimiert.

Solche zentralisierte Macht wäre in der Zukunft absoluter denn je. In der Tendenz zur allgemeinen Gleichheit sieht Tocqueville vor allem eine gefährliche Nivellierung: Alle wären gegenüber einer absoluten Macht gleich ohnmächtig. Besondere Interessen könnten sich nicht mehr öffentlich organisieren. Das bedeutete aber, daß Widerstand willkürlich und unkontrollierbar bliebe. Immer wieder betont Tocqueville deshalb die stabilisierende Wirkung von Vereinen, in denen die Einzelnen öffentlich ihre Interessen vertreten, nach allgemein akzeptierten Regeln. Eine letzte Bastion gegen die Gleichheit bleibt das Eigentum, „der letzte Rest ... ein isoliertes Vorrecht inmitten einer nivellierten Gesellschaft". Zwischen den isolierten Einzelnen und dem Staat bleibt ohne das Eigentum keine Instanz, die die willkürliche Macht verhindern könnte. Tocqueville warnt denn auch in einer Rede vor der Organisation der Arbeit durch den Staat: Zentralisierter Macht wären keine Grenzen mehr gesetzt.

Der Frieden innerhalb einer solchen Ordnung bleibt gefährdet, denn er wird nicht durch Einsicht gestützt: Die Macht „bricht nicht den Willen der Einzelnen, sie weicht ihn auf, beugt und leitet ihn; selten zwingt sie zu handeln, dauernd aber verhindert sie, daß man handle; sie hemmt, beugt, entnervt, löscht aus, verdummt und beugt schließlich jede Nation dahin, nur noch eine Herde zahmer und fleißiger Tiere zu sein, deren Schäfer die Regierung ist".

In einem Brief bedauert er sehr, „auf der einen Seite die Leute stehen zu sehen, welche Moral, Religion und Ordnung schätzen; und auf der anderen diejenigen, welche die Freiheit lieben ... Das hat mich betroffen als das außerordentlichste und bedauerlichste Schauspiel ... Denn alle diese Dinge, die wir trennen, sind, dessen bin ich sicher, in den Augen Gottes untrennbar vereint".

Zwar sollten bei Hobbes und Rousseau Ordnung und Freiheit zusammengebracht werden, dies aber mißlang. Der Absolutismus provozierte die Willkür von oben und damit auch von unten, auch die bürgerliche „Ordnung der Dinge" blieb in sich selber widersprüchlich (die „Unordnung" der Industrialisierung beschreibt Tocqueville sehr genau in seinen Reiseberichten aus England). Die Möglichkeit eines „ordo" scheint endgültig zersprungen, wenn es nicht noch gelingt, „die zwei oder drei großen Dinge zu vereinen, die wir vor uns getrennt sehen". Zwar behauptet Tocqueville nicht mehr eine natürliche Güte, aber seine Methodik der Macht wirkt doch indirekt und damit grenzenlos. Denn gegen die „Unsicherheit aller Verhältnisse, Einrichtungen, Ideen, Sitten und Menschen in einer schwankenden Gesellschaft" bleiben die „künstlichen Ketten" längerfristig ohne Wirkung. Die Möglichkeiten *der* Menschen müssen deshalb beschränkt werden auf die geforderte Ordnung. Den Anderen gibt es nicht einmal mehr als Feind, nur noch als Objekt der Behandlung:

„Ich bin immer der Ansicht gewesen, daß in Revolutionen ... die Narren, und zwar nicht Leute, die man aus Höflichkeit so nennt, sondern wirkliche Geisteskranke, eine sehr beträchtliche Rolle gespielt haben."

Angesichts des Schreckens auf den Pariser Straßen bleibt der scheinbare Widerspruch, *den* Menschen zwar postulieren zu wollen, die wirklichen Menschen aber bekämpfen zu müssen.

Die Gemeinde

Tocqueville hat die Utopie einer selbstregulierten Gesellschaft entworfen, in der Ordnung und Freiheit vereinigt sind. Er beschreibt sie in seinem Buch über die „Demokratie in Amerika" (inwieweit er das Amerika des Jahres 1831 richtig darstellt, was allein aus seiner Ordnungsutopie folgt, kann hier nicht gezeigt werden). Diese Demokratie entstand ohne Revolution. Macht wird hier nicht zentralisiert, sie wird auch nicht vermittlungslos intensiviert wie in der Rousseauschen Ordnung (deren einzig wirksame Vermittlungsinstanz geheim bleibt), sie wird zerstreut, innerhalb eines Systems besonderer Gewalten. Unter dem Schutz solcher vermittelnder Institutionen kann Tocqueville dann auch wieder an Rousseau anknüpfen, auf den er sich in seinem Buch mehrfach beruft. Der Einzelne kann zwar erzogen werden, aber der Erfolg dieser Erziehung bleibt doch gefährdet, wenn sie nicht die besonderen Interessen des Einzelnen zumindest berücksichtigt und wenn sie nicht institutionell garantiert wird. Tocqueville erinnert hier an die Vergangenheit Frankreichs, die Tradition feudalistischer Gewalten, das Verhältnis von Schutz und Gehorsam, das aber eher Herkommen bestätigt, als Erziehung leistet. In der Gegenwart entdeckt er solche Vermittlungsinstanzen in den Gemeinden und Sekten der Vereinigten Staaten, — begrenzte, selbst organisierte Freiheiten unter dem Dach staatlicher allgemeiner Macht, *der* Freiheit. Diese Freiheit wird hier als die Freiheit des Christenmenschen verstanden (nicht etwa die des Indianers). Auch die Vereine übernehmen die Struktur und Ziele der Sekten. Tocqueville berichtet etwa von den amerikanischen Nüchternheits-Vereinen, von ihrer Propaganda einer richtigen Lebensführung. Selbst Vereine mit rein ökonomischen Zielen sind nicht auf den äußeren Zweck beschränkt. Immer geht es auch um die „Bewährung" der Mitglieder. Die Vereine verstehen sich als Instrumente des Ausschlusses und der Integration. (Max Weber: „Für die genuine Sekte ist ... die ‚Reinheit' ihres Personalbestandes Lebensfrage: in der Periode der Bildung der pietistischen Sekten war das treibende Motiv stets das tiefe Grauen davor, mit einem ‚Verworfenen' das Abendmahl zu eilen ...").

Die besonderen Interessen der Vereine werden innerhalb der Allgemeinheit richtigen Lebens reguliert. Das falsche Leben wird zum Objekt der Mission, der sich alle verpflichtet fühlen sollen. Toleranz heißt dann nicht mehr, den Anderen zu respektieren, sondern ihm zu helfen und ihn zu ändern. Tocqueville lobt die Religion in Amerika, weil sie „dem Verstand ein heilsames Joch auflegt". Absolute, zentralisierte Macht ist ersetzt durch eine grenzenlose Reformation nach außen und nach innen. Sie bleibt nicht mehr auf einen „législateur" angewiesen, sondern wird möglichst von allen auch gegen sich selbst übernommen. Über die Zwischeninstanzen der Vereine und Sekten könnte die „Einheit des Menschengeschlechts" durchgesetzt werden. (Jeremy Bentham nannte diese Form allgemeiner Regulierung „indirekte Gesetzgebung".) Ordnung und Freiheit wären vereint: Das Gemeindeleben in Amerika „gewöhnt an die Formen, ohne die die Freiheit nur durch Revolution fortschreitet". Auffallend oft vergleicht Tocqueville eine solche Gesellschaft mit einer Maschine, deren Antrieb verborgen ist („Die Hand, welche die soziale Maschine lenkt, ist nie faßbar."). Macht soll nicht jeweils neu entscheiden, von einem sichtbaren Entscheidungszentrum aus Gesellschaft stabilisieren müssen, sondern als selbstverständliche Struktur nicht mehr bezweifelt werden können. Tocqueville vergleicht sie deshalb mit der Sprache: „So wie aber alle Völker sich zum Aussprechen ihrer Gedanken gewisser grammatikalischer Formen bedienen müssen, die für die Sprachen grundlegend sind, so müssen auch alle Gesellschaften sich zur Machtvertretung einem bestimmten Maß von Autorität unterwerfen, ohne welche sie der Anarchie verfielen."

Solche zerstreute Macht ließe nichts mehr erkennen als die von allen vertretene Alltäglichkeit. Die Wahrheit wäre die Ordnung selber.

In Frankreich ist solche Stabilisierung nicht gelungen. Der Absolutismus hat Macht zentralisiert und damit dem Zugriff des „Pöbels" ausgesetzt. Gegen ihn ruft auch der Liberale im Ausnahmezustand der Revolution die Vergangenheit zu Hilfe. Tocqueville erinnert sich an die Junitage des Jahres 1848: „Auf allen Straßen, die nicht von Aufständischen besetzt waren, kamen Tausende in die Stadt, die aus ganz Frankreich zu unserer Hilfe herbeigeeilt waren ... Fast der ganze alte Adel des Landes hatte bei dieser Gelegenheit zu den Waffen gegriffen."

Auf Dauer ist damit der Schrecken nicht zu bannen. Die Utopie selbstregulierter Gesellschaft wäre erst in einer nachholenden Erziehung zu erreichen, deren mögliche Träger er in Frankreich aber nicht sieht. Die Vergangenheit rettet hier den Liberalen, sie verhindert aber auch seine Utopie. Tocqueville fürchtet das „Regime der Unruhe" (so Marx über die französische Bourgeoisie und ihr Verhältnis zum Parlament), er fürchtet aber auch die trügerische Ruhe zentralisierter Macht. In Frankreich sieht er nur noch im Eigentum einen rettenden „Damm", der „ganze alte Adel" heißt inzwischen nichts anderes als der übrig gebliebene Großgrundbesitz. Doch auch darauf kann er sich nicht mehr verlassen. Denn das Eigentum widerspricht der allgemeinen Tendenz zur Gleichheit. Nicht nur Ordnung und Freiheit, sondern auch Freiheit und Gleichheit wären erst versöhnt im Geist der protestantischen Sekte, in alltäglicher Mission und Hilfe, in einem sich selbst regulierenden System. Tocqueville kann nicht auf ein nur bürgerliches Klasseninteresse beschränkt werden, er hofft auf die restlos Allgemeinheit erzwingende Ordnung einer industrialisierten Welt.

Rousseau konnte als Subjekt der Verallgemeinerung nur den „législateur" angeben, eine Figur, die Tocqueville nicht findet (und höchstens bei der geheimen gesellschaftlichen Pädagogik der Freimaurer finden könnte). Seitdem der „Pöbel" auf den Straßen wahrgenommen wurde, wird die Suche nach dem Subjekt dringend (auch Marx distanziert sich von diesem „Pöbel", wenn er den industrialisierten Arbeiter zum Subjekt erklärt, um dann allerdings praktisch auf den „Generalrat" zurückgreifen zu müssen). Tocqueville sucht einen institutionellen Ausweg. Dabei sind die jeweiligen Missionsziele der Sekten und Gemeinden nicht entscheidend, sondern die alltägliche Selbstverpflichtung (Arnold Gehlen wird später von der „Innenstabilisierung des Menschen durch Institutionen" schreiben). Erst in der Vergesellschaftung der Erkenntnis und des Gewissens aller frei sich organisierenden Einzelnen wäre eine Automatisierung erreicht.

Erziehung zur Freiheit

1848 schrieb Tocqueville im Vorwort zur 12. Auflage der „Demokratie in Amerika": „Fast ganz Europa wurde durch Revolution erschüttert, Amerika hatte nicht einmal Aufstände; die Republik brachte dort keine Unruhe, sondern Bewahrung aller Rechte, das persönliche Eigentum war besser geschützt als in irgendeinem anderen Lande der Welt, die Anarchie blieb dort ebenso unbekannt wie die Despotie."

In dieser allgemeinen Ordnung ist kein besonderes Machtsubjekt zu erkennen. Es scheint überflüssig zu sein. Da Tocqueville überdies die Möglichkeit eines personalen „Katechon" bezweifelt, sich gegen die Anarchie zu stellen, wird ihm gerade Amerika zur Hoffnung. Er sieht sich in Frankreich an einer Schwelle, an der der Kampf gegen das Böse fast verloren scheint. Es wird bereits offen in einzelnen Figuren sichtbar, etwa in Blanqui: „Da erschien auf der Tribüne ein Mann, den ich nur an diesem Tage gesehen habe, der mich aber in der Erinnerung immer mit Widerwillen und Abscheu erfüllt. Er hatte abgezehrte und zerfurchte Wangen, bleiche Lippen und machte durch seine schmutzige Blässe einen krankhaften, bösartigen und abstoßenden Eindruck. Sein Äußeres war wie von Schimmel überzogen; Wäsche war nicht zu sehen, ein alter schwarzer Mantel umschloß eng seine dünnen und mageren Glieder; er sah aus, als habe er in der Kloake gelebt und sei von dort hierher gekommen."

Das Böse, Kranke, Schmutzige, plötzlich Auftauchende wird ähnlich auch in zeitgenössischen Polizeiberichten charakterisiert. Gerade damit der Staat seine Aufgabe wahrnehmen kann, den Bürgerkrieg zu überwinden, muß er eine Neutralisierung aufgeben, unter deren Schutz sich Anarchie (oder auch Zentralisation) ausbreiten konnte (zu den Folgen gehört z.b. auch die gewachsene Beudeutung des „Pöbels" in Paris, der Hauptstadt zentralisierter Macht). Selbstverständlich verpflichtende Einheit kann aber erst durch allgemeine Moral, durch Sittlichkeit, erreicht werden (insofern hat bereits Thomasius Hobbes kritisiert), die Freiheit gegen die Willkür von oben und von unten fordert. Solche Ordnung wird in Frankreich nicht mehr als Notwendigkeit wahrgenommen. Tocqueville gelangt nahe an einen Begriff der Entfremdung, wenn er das „natürliche Band" beschreibt, die „Beziehung ... zwischen dem Fühlen und Denken", die „Gesetze, die den Einklang mit dem Sittlichen herstellen". All dies sei zugleich mit der stabilisierenden besonderen Macht der Aristokratie (also bereits im Absolutismus) zerbrochen. Zwar hat auch Rousseau versucht, die Einheit zu erreichen, aber eben auf der Basis isolierter Einzelner, die sich gegen die kollektive Willkür des Besonderen auf den Straßen nicht wehren können.

Tocqueville versteht sein Buch über Amerika als Lehrbuch, sein Ziel: „...die Demokratie belehren, wenn möglichen ihren Glauben beleben, ihre Sitten läutern, ihre Bewegungen ordnen". Im Anschluß an diese Stelle schreibt er: „Eine völlig neue Welt bedarf einer neuen politischen Wissenschaft". Die selbstverständliche Einheit muß jetzt produziert werden (technikós). Die Katastrophe der Revolution hat gezeigt, daß diese Einheit eben nicht natürlich ist: In Frankreich „ist die Demokratie einem wilden Wachstum überlassen worden; sie ist groß geworden, wie jene vaterlosen Kinder, die in den Straßen unserer Stadt ohne Erziehung aufwachsen". Dieser Vergleich ist nicht zufällig: Erstaunt und erschreckt werden die „wilden" Kinder immer wieder von Beobachtern in den Straßen der europäischen Städte, besonders auf den Barrikaden, beobachtet.

Auch Rousseau hat Natur als eine pädagogische Kategorie benutzt, aber er konnte auf keine vereinheitlichenden (und damit entlastenden) Institutionen zurückgreifen. Garantie der Freiheit blieb gerade die Vereinzelung. Nach Amerika wurde die Demokratie importiert, durch die protestantischen Sekten. Diese institutionell gesicherte Allgemeinheit wacht über die Erziehung und kann an die Stelle der Familie treten, wenn diese sich der Allgemeinheit widersetzt. Die lokale Selbstverwaltung der Gemeinden nennt Tocqueville „Volksschulen der Freiheit". Dabei betont er immer wieder die gouvernementale und juristische Oberhoheit des Staates, die Freiheit (und damit Widersprüchlichkeit) der Zwischeninstanzen begrenzt. Er will zugleich indirekte Macht fördern und allgemeine Macht (gerade dadurch) sichern. Garantiert wird die Allgemeinheit durch die Religion, die deshalb jetzt „Notwendigkeit" heißen muß (schon um eine nicht mehr hinterfragbare Basis für die Erziehung in den Einzelnen zu finden). Tocqueville:

„Überläßt man den menschlichen Geist seinen Neigungen, wird er die politische Gesellschaft und den Gottesstaat übereinstimmend ordnen; er wird ... die Erde und den Himmel in Einklang zu bringen suchen."

Weiterführend ist hier die Betonung der „Neigung": Das natürliche, selbstbestimmte Verhalten der Einzelnen soll das Erbe des göttlichen Willens antreten. Erziehung macht dann nur das eigentliche Ziel bewußt: Der Staat verkleidet sich mit der Maske der Freiheit, weil er nicht mehr aus der Macht der Sünde hergeleitet wird. Wenn das Böse nur noch be-

kämpft wird, weil es unwirklich ist, dann kann Gott mit „Natur", „Neigung", „Alltags-
moral" oder „Volk" übersetzt werden:

„Es gibt Länder, wo eine Macht gewissermaßen von außen her auf die Gesellschaft
wirkt und sie in einer bestimmten Richtung zu gehorchen zwingt ... In Amerika sieht man
nichts dergleichen, die Gesellschaft wirkt durch sich selbt und auf sich selbst. Nur in ihr
gibt es Macht ... Das Volk beherrscht die amerikanische politische Welt wie Gott das All."

Trotzdem fürchtet Tocqueville eine Tyrannei der Mehrheit. Im zuletzt gezeigten Zusammenhang muß dies aber als die Furcht vor einer zentralen Macht gelesen werden, die
durch die Mehrheit legitimiert ist. Die sittliche Allgemeinheit dagegen sichert den Frieden.
Unter ihrem Dach ist es erst möglich, „die Macht gleichsam zu zersplittern", damit jeder
Einzelne sich von der geforderten Ordnung „durchdringen" läßt.

Ausnahmezustände

Innerhalb des Bürgerkriegs greift Tocqueville auf offene und direkte Macht zurück (theoretisch und praktisch: er war 1848 Mitglied der Nationalversammlung). Denn jetzt geht es
um das Gesetz selber. Sein wahrer Inhalt wird im Ausnahmezustand enthüllt: die gesichts-
lose, aber geordnete Allgemeinheit, zwar ohne besonderen Namen, aber gerade deshalb
d e r Gott. In seinen „Erinnerungen" begründet Tocqueville die Notwendigkeit, in dieser
Situation Vereine zu verbieten, die Pressefreiheit einzuschränken, den Belagerungszustand
zu verhängen etc. Die einzige Legitimation des Ausnahmezustandes bleibt aber die Willkür
des Aufstands selber. Dies bedeutet einerseits eine Schwäche (Tocqueville berichtet über die
Unsicherheit des Parlaments), andererseits kann sich dann aber auch noch die Kritik am
Ausnahmezustand gegen seine Ursache, den Aufstand, richten. Der Liberale bedauert die
Gewalt, die er gezwungen war anzuwenden.

Als Außenminister wird Tocqueville 1849 darauf achten, „daß die Aufständischen (in
Baden) keine Hilfe aus Frankreich erhielten" („Unterdrückung der Anarchie"). Er beschreibt die badischen Revolutionäre als die „unruhigsten und am wenigsten zur Ordnung
neigenden Gesellen in ganz Europa". Die besonderen Freiheiten sind suspendiert, der
Kampf um sie wird nicht unterstützt, wenn sie nicht als Durchsetzungsinstitution allgemeiner Ordnung dienen.

Tocqueville hat die Materialien zu seinem Buch über Amerika auf einer Reise gesammelt, die er (mit seinem Freund de Beaumont) im Auftrag der französischen Regierung un-
ternahm. Er sollte die Gefängnisse in den Vereinigten Staaten untersuchen und Vorschläge
für eine Gefängnisreform in Frankreich machen. Seine Erfahrungen veröffentlichte er (zusammen mit seinem Freund) in dem Buch über das „Système Pénitentiaire aux Etats
Unis". Es wird in der Literatur über Tocqueville höchstens erwähnt, fast nie im Zusammenhang mit seinem Buch über die „Demokratie in Amerika" analysiert. Dabei hat Tocqueville noch zwölf Jahre nach seiner Reise (1843) in einer Rede vor der Kammer ausführlich neue Vorschläge zur Gefängnisreform begründet. Und auch bekannt geworden ist er
zunächst durch sein Buch über die amerikanischen Gefängnisse.

In ihm zeigt er am Beispiel der Inhaftierten die Missionswirkung der in seinem späteren

Demokratiebuch als Garanten der Ordnung und der Freiheit gefeierten Vereine, Sekten und Gemeinden. Allerdings wirken sie hier im Gefängnis, an einem Ort des begrenzten Ausnahmezustands. Aber ihr Ziel bleibt die Erziehung zur Freiheit, oder, hier übernimmt Tocqueville die Sprache der Quäker, die Neugeburt des Bösen.

Die Annahme einer „Neigung" zur Ordnung kann beim Verbrecher nicht mehr aufrechterhalten werden. Offen bezeichnet Tocqueville ihn als „caractère de cette nature sauvage". Die wilde Natur muß gezügelt werden. Das pädagogische Ziel, die moralische Größe Freiheit entspricht nicht dieser Natur. Deshalb kann Tocqueville auch im Vorwort zur zweiten Auflage des Gefängnisbuches dagegen protestieren, daß in Frankreich einem Mörder vor seiner Hinrichtung gestattet wird, zu dichten und seine Memoiren zu schreiben: „Pourquoi donc cette main, qui ne peut plus tuer, est-elle libre de tracer sur le papier les théories, qui tuent?" (Gemeint ist hier Pierre-Francois Lacenaire, der die Diebe gerühmt hat: „... cette classe en continuel état d'hostilité contre la société".)

Die alltägliche Kommunikation, die Bildung von Gruppen muß im Gefängnis (wie im gesellschaftlichen Ausnahmezustand) verhindert werden. Tocqueville lobt das Einzelhaftsystem, das in Philadelphia von den dortigen Quäkern entwickelt worden war. In den amerikanischen Gefängnissen wird nicht nur ein Gehorsamsversprechen verlangt (wie bei Hobbes), sondern die Überzeugung von der Selbstverständlichkeit geforderter Ordnung. Erst dann gilt der Gefangene als gebessert. Hierzu muß er zunächst isoliert werden. Denn außerhalb der idealen Welt moralischer Größen ist Tocqueville gezwungen, eine „Neigung" zum Bösen anzuerkennen: Das „Gespräch der Häftlinge handelt allein von den Verbrechen ... so oft Häftlinge zusammengesetzt werden, findet nothwendig ein verderblicher Einfluß des Einen auf den Anderen Statt" (so in der bereits 1833 erschienenen deutschen Ausgabe).

Die Einzelzelle garantiert eine zumindest äußere „Ordnung der Dinge". Unter ihrem Schutz kann dann wiederum doch der „Neigung" vertraut werden („allein mit seinem Verbrechen lernt er es hassen"). Solche jetzt wieder „gute Natur" wird unterstützt durch die Mission des Geistlichen-Pädagogen in der Zelle. Wirklichkeit, Sprache, Zukunft soll der Häftling nur noch in dieser Vermittlung erfahren. Freiheit bleibt ein Ziel, das erst nach der Leistung richtigen Verhaltens gewährt wird. Wie Tocqueville aber daran zweifelt, auf Dauer die Schrecken des Aufstandes zu besiegen, so kann er auch nicht, selbst nicht in Amerika, darauf hoffen, eine allgemeine Besserung zu erreichen, die Gefängnisse überflüssig machen würde. Erreicht werden kann bei den Häftlingen immerhin eine „Gewohnheit der Ordnung": Eine Automatisierung, in der nur noch die moralisierte Wirklichkeit wahrgenommen wird. Solche „Gewohnheit" benutzen die Pädagogen des 18. und 19. Jahrhunderts als Schlüsselbegriff. Sie entspricht der Produktion äußerer zweiter Natur (in diesem Zusammenhang muß Pascals Begriff einer „secunda natura", Tocquevilles Nähe zu Pascal, seine auch hierdurch geschärfte Aufmerksamkeit auf den „Geist der Gemeinde" gesehen werden). Die Gewohnheit entlastet vom dauernden Zwang zur Entscheidung, eine Voraussetzung selbstregulierter Gesellschaft. Die „Eroberung" reicht nicht mehr aus, sie wird durch Automatisierung ersetzt, durch Feindschaft gegen jede Entscheidung.

Tocqueville bezweifelt allerdings, ob die Besserungserfolge der Einzelhaft in Frankreich wiederholt werden können, denn: „In den Vereinigten Staaten wird im Allgemeinen ein

Geist des Gehorsams gegen die Gesetze gefunden". Er bedauert, „daß ein solcher Geist der Unterwürfigkeit gegen die eingeführte Ordnung, bei uns nicht im nähmlichen Maasse Stat findet".

Der Feind, das ist der (noch) Nicht-Mensch, dessen „nature sauvage" überwunden werden muß. Praktische Konsequenzen zieht Tocqueville in seinen Stellungnahmen zur Algerienpolitik Frankreichs. Die Araber gehören insgesamt nicht in den Bereich zweiter Natur. Der Kampf gegen sie kann zunächst nicht mit moralischen Kategorien gemessen werden: Daß man sich „unbewaffneter Männer, Frauen und Kinder bemächtigt" ist eine „ärgerliche Notwendigkeit, dem sich aber jedes Volk unterwerfen muß, das gegen die Araber Krieg führen will". Als Ziel setzt sich Tocqueville auch hier die Freiheit, d.h. Aufgeben des Besonderen und allgemeine Regulierung: Einführung des europäischen Privatrechts und vor allem die Ansiedlung von Nomadenstämmen. Die Ausnahmezustände (Belagerungszustand, Gefängnis oder Kolonialkrieg) sind überwunden, wenn allgemeine Sittlichkeit erreicht ist: Die Einheit einer Welt zweiter Natur.

Zum Schluß: Hausgott und Vernichtung

Der Bürgerkrieg wurde bis heute nicht eingedämmt. Aber die Verallgemeinerung droht inzwischen grenzenlos zu werden. Alle sind von ihr betroffen, — wie gleichzeitig von der Gefahr allgemeiner Vernichtung. Gegen diese offensichtliche Brüchigkeit bisheriger zweiter Natur wird jetzt erneut eine „gute Natur" beschworen. Neue Gesetzestafeln werden entworfen. Da der Verfolgte schuldig ist, denn er hat die Krise (oder die Gewalt, die Krankheit) provoziert, soll alles vermieden werden, was den Ausnahmezustand nötig machen könnte. Moralisiert wird mit dem Hinweis auf die allgemeine und alltägliche Bedrohung. Vielleicht wäre es aber besser, nichts mehr vom Gesetz zu erwarten, damit der „Mann vom Lande" zurückkehren könnte, um seinen „Garten zu bestellen", denn, so Franz Kafka: „Was ist fröhlicher als der Glaube an einen Hausgott!"

Odo Marquard

THEODIZEE, GESCHICHTSPHILOSOPHIE, GNOSIS

Jacob Taubes hat — zugespitzt formuliert — die These vertreten: die Zentralphilosophie der Neuzeit ist die Geschichtsphilosophie, und diese ist Fortsetzung der Gnosis unter Verwendung neuzeitlicher Mittel. Hans Blumenberg hat — ebenfalls zugespitzt formuliert — die These vertreten: die Neuzeit — und ihre Philosophien: also auch die Geschichtsphilosophie — ist gerade keine Fortsetzung der Gnosis, sondern deren Gegenteil: sie ist die — zweite — Überwindung der Gnosis. Mir scheint: beide Thesen können kompatibel gemacht — die moderne Geschichtsphilosophie kann als Fortsetzung der Gnosis, die Neuzeit kann als Negation der Gnosis bestimmt — werden, wenn man einen Preis zu zahlen bereit ist: die Kündigung des Nexus zwischen Geschichtsphilosophie und Neuzeit. Dann nämlich kann gelten: die Neuzeit negiert die Gnosis, die Geschichtsphilosophie aber setzt die Gnosis fort: als (datierungsmäßig neuzeitliche) Negation der Neuzeit, als Gegenneuzeit. In den Kontext dieser These gehört die Bestimmung der Geschichtsphilosophie als radikalisierte Theodizee, die in die Repetition der gnostischen Lösung umkippt; sie versuche ich in folgenden fünf Abschnitten: 1. Geschichtsphilosophie und Theodizee; 2. Prozess; 3. Atheismus ad maiorem Dei gloriam; 4. Entkräftung eines Einwandes; 5. Neognostizismus der etablierten Geschichtsphilosophie.

1. (Geschichtsphilosophie und Theodizee). — Ich beginne mit dem Hinweis auf zwei Tatbestände, die Geschichtsphilosophie und Theodizee in Zusammenhang bringen; es sind dies die folgenden.

Der erste Tatbestand ist ein Textbefund. An zwei zentralen Stellen seiner „Vorlesungen über die Philosophie der Weltgeschichte" bezeichnet Hegel die Geschichtsphilosophie als Theodizee. Die eine Stelle steht in der Einleitung: „Unsere Betrachtung ist insofern eine Theodizee, eine Rechtfertigung Gottes, welche Leibniz metaphysisch auf seine Weise in noch unbestimmten, abstrakten Kategorien versucht hat, so daß das Übel in der Welt begriffen ... werden sollte. In der Tat liegt nirgends eine größere Aufforderung zu solcher Erkenntnis als in der Weltgeschichte." (XII, 28) Die andere Stelle steht am Schluß der Vorlesung: „Daß die Weltgeschichte dieser Entwicklungsgang und das wirkliche Werden des Geistes ist ... dies ist die wahrhafte Theodizee, die Rechtfertigung Gottes in der Geschichte." (XII, 540) Beide Textstellen zeigen: Hegel — einer der entscheidenden Repräsentanten der Geschichtsphilosophie — bestimmt die Geschichtsphilosophie als Theodizee. Das ist der eine Tatbestand.

Der zweite Tatbestand ist ein Datierungsbefund: der bemerkenswerte Zusammenhang zweier Daten. Das eine Datum ist 1710: da erscheinen die „Essais de Théodicée sur la bonté de Dieu, la liberté de l'homme et l'origine du mal" von Leibniz: durch diese Schrift wurde das philosophische Genre der Theodizee angefangen und der Begriff Theodizee geprägt und in Umlauf gesetzt. Die Theodizee beginnt also 1710. Das andere Datum ist 1765: da erscheint der „Essai sur les moeurs et l'esprit des nations" von Voltaire in zweiter Auflage, ergänzt um eine Einleitung mit der Überschrift „philosophie de l'histoire": durch diese Schrift wurde das philosophische Genre der Geschichtsphilosophie angefangen und der Begriff Geschichtsphilosophie geprägt und in Umlauf gesetzt. Unmittelbar danach — das hat Reinhart Koselleck eindrucksvoll gezeigt — kommt es zu einer Flut von Geschichtsphilosophien, durch die der Begriff für das Thema der Geschichtsphilosophie, der Begriff „die Geschichte" überhaupt erst entstanden ist. Die Geschichtsphilosophie beginnt also 1765. 1710 und 1765: das ist — jedenfalls für Philosophen — kein großer Abstand; beide Daten — zwischen die jener Umschlag der Weltstimmung fällt, der sich im Anschluß an das Erdbeben von Lissabon 1755 zu artikulieren begann — liegen so dicht beieinander, daß man sagen darf: Theodizee und Geschichtsphilosophie entstehen in engem zeitlichem Zusammenhang. Das ist der andere Tatbestand.

Im Blick auf diese beiden Tatbestände formuliere ich meine *Frage*: warum definiert Hegel die Geschichtsphilosophie als Theodizee? Warum entsteht die Geschichtsphilosophie in engem zeitlichen Zusammenhang mit der Theodizee? Ist das wesentlich, oder ist das ein unwichtiger Zufall? Ich vertrete hier die Meinung: beide Tatbestände — Hegels Definition der Geschichtsphilosophie als Theodizee und der zeitliche Entstehungszusammenhang zwischen Theodizee und Geschichtsphilosophie — sind kein unwichtiger Zufall, sondern haben wesentliche Bedeutung. Wenn das so ist: worin liegt der wesentliche Zusammenhang zwischen Geschichtsphilosophie und Theodizee?

Diese Frage möchte ich durch folgende *These* beantworten: die Geschichtsphilosophie *ist* wesentlich Theodizee, aber mit einer kleinen Modifikation, die den Zeitverzug der Genese der Geschichtsphilosophie gegenüber der Genese der Theodizee berücksichtigt, nämlich: die ‚Theodizee' ist Theodizee *vor* dem Ende Gottes; die ‚Geschichtsphilosophie' hingegen ist Theodizee *nach* dem Ende Gottes, genauer gesagt: die Geschichtsphilosophie ist Theodizee *durch* das Ende Gottes. Das ist — bezogen insbesondere auf die Geschichtsphilosophie des deutschen Idealismus, beziehbar aber auf die gesamte Geschichtsphilosophie, wie mir scheint: mit Einschluß von Marx — jene These, die ich im folgenden vertreten, erläutern, plausibel machen will.

2. (Prozess). — Um diese These zu erläutern, muß ich zunächst zwei Fragen genauer beantworten, nämlich: Was ist Theodizee? Was ist Geschichtsphilosophie?

Was ist Theodizee? „Unter einer Theodizee" — schreibt Kant 1791 in seiner kleinen Schrift „Über das Mißlingen aller philosophischen Versuche in der Theodizee" — „versteht man die Verteidigung der höchsten Weisheit des Welturhebers gegen die Anklage, welche die Vernunft aus dem Zweckwidrigen in der Welt gegen jene erhebt" (Akademieausgabe VIII 225). Aus diesem Satz Kants — der präzis definiert, was auch schon Leibniz unter Theodizee versteht — geht meines Erachtens mindestens folgendes hervor: Theodizee ist die Philosophie eines Rechtshandels, eines — im juristischen Sinne zu verstehenden — Prozesses, in welchem der Mensch Gott anklagt, als Schöpfer der Welt schuld an den Übeln der Welt zu sein, und in dem Gott durch die Philosophie — scheinbar erfolgreich — verteidigt wird, und zwar bei Leibniz durch folgendes Argument: Gott mußte die Übel „zulassen", um die Schöpfung als das Bestmögliche zu schaffen. Erlauben Sie mir hierzu eine Nebenbemerkung: Politik — sagte Bismarck — ist die Kunst des Möglichen; Schöpfung — sagte offenbar Leibniz — ist die Kunst des Bestmöglichen: wenn das Bestmögliche die Schöpfung ist, und wenn sie ohne die Übel unrealisierbar ist, muß man — nämlich Gott als Täter, die Menschen als Akzeptierer — die Übel in Kauf nehmen: der Zweck heiligt die Mittel; dieser unbehagliche Satz scheint mir das tragende Argument des Leibnizschen Optimismus zu sein. Zurück zur Hauptsache: aus dem bisher Gesagten folgt: Theodizee ist die Philosophie des Prozesses Mensch gegen Gott, der angeklagt ist, schuld an den Übeln der Welt zu sein, und der dabei — scheinbar erfolgreich — verteidigt wird durch den Nachweis, daß er das Bestmögliche macht, nämlich die Schöpfung.

Was ist Geschichtsphilosophie? Unter Geschichtsphilosophie — derjenigen, die 1765 begann und im deutschen Idealismus insbesondere von Fichte bis Marx am konsequentesten sich artikulierte — verstehe ich hier diejenige Philosophie, die als Täter der Geschichte — als Welturheber der geschichtlichen Welt — den Menschen selber begreift und die Geschichte als den einen großen Prozeß, den der Mensch in Namen des Fortschritts zum Diesseitsheil jeweils gegen jene Menschen, die seine Verhinderer sind, durch die Epochen hindurch führt und schließlich gewinnt. Sie merken: ich unterstreiche hier vor allem die juristische Bedeutung des Wortes „Prozeß" in der Geschichtsphilosophie; Hegel zitiert einschlägig Schiller: „die Weltgeschichte ist das Weltgericht"; in ihr wird — vor „dem Gerichtshof der Vernunft" — das schlechte Bestehende durch die Zukunft angeklagt; das in einem Zustand der Übel Beharrende wird durch das Werdende verurteilt; die Unterdrücker werden durch die Emanzipation der Unterdrückten gerichtet: der bestmögliche Fortschritt zum Bestmöglichen macht mit dem, was ihn hemmt, reformistisch längeren oder revolutionär kurzen Prozeß. Erlauben Sie mir auch hier eine Nebenbemerkung: Politik — sagte Bismarck — ist die Kunst des Möglichen; Geschichte — meinen offenbar die Geschichtsphilosophen — ist die Kunst des Bestmöglichen: wenn das Bestmögliche der Endzweck der Geschichte (Reich der Freiheit, klassenlose Gesellschaft) ist, und wenn er ohne die Schritte zu ihm, die Übel implizieren, unrealisierbar ist, muß man — nämlich die Menschen als Täter und Akzeptierer — die Übel in Kauf nehmen: der Zweck heiligt die Mittel; dieser unbehagliche Satz scheint mir das tragende Argument auch des geschichtsphilosophischen Optimismus zu sein. Zurück zur Hauptsache: aus dem bisher Gesagten folgt: Geschichtsphilosophie ist die Philosophie des Prozesses Mensch gegen Mensch, der angeklagt ist, als ihr Urheber schuld an den Übeln der Welt zu sein, und der dabei — scheinbar erfolgreich — verteidigt wird durch den Nachweis, daß er das Bestmögliche macht, nämlich die Geschichte als Fortschritt zum Diesseitsheil.

3. (Atheismus ad maiorem Dei gloriam). — Nach diesen — zugegebenerweise stark simplifizierenden — Erläuterungen kann ich eine Antwort versuchen auf die hier entscheidende Frage: inwiefern gehören Theodizee und Geschichtsphilosophie zusammen? Mir scheint: beide gehören zusammen, weil beide Philosophien eines Prozesses sind, und zwar eines Prozesses in derselben Sache; denn: die Theodizee ist wie die Geschichtsphilosophie und die Geschichtsphilosophie ist wie die Theodizee die Philosophie des Prozesses Mensch gegen jenen, der angeklagt ist, als ihr Urheber schuld zu sein an den Übeln der Welt, und der dabei — scheinbar erfolgreich — verteidigt wird durch ein strukturähnliches Argument, nämlich das Bestmöglichkeitsargument. Nur die Stelle des Angeklagten ist in beiden

Philosophien verschieden besetzt: der Angeklagte der Theodizee ist Gott; der Angeklagte der Geschichtsphilosophie ist der Mensch. Darum — weil in der Theodizee Gott noch im Spiel, weil in der Geschichtsphilosophie Gott nicht mehr im Spiel ist — sagte ich: die Theodizee ist die Theodizee *vor* dem Ende Gottes, die Geschichtsphilosophie ist die Theodizee *nach* dem Ende Gottes.

Dies mag nun so sein; indes: wenn durch diese Umbesetzung der Position des Angeklagten — anders als in der Theodizee — in der Geschichtsphilosophie Gott nicht mehr im Spiel ist: warum ist die Geschichtsphilosophie dann überhaupt eine *Theo*dizee? Meine Antwort ist diese: die betreffende Umbesetzung der Position des Angeklagten *hat selber Theodizeesinn*, nämlich Verteidigungswert in Bezug auf Gott: die Geschichtsphilosophie ist eine Theodizee nach dem Ende Gottes, d.h. sie bleibt nach dem Ende Gottes eine Theodizee, weil sie eine Theodizee *durch* das Ende Gottes ist. Denn — das meine ich damit — die konsequent, die radikal gemachte Theodizee — gerade sie — führt zur Verabschiedung Gottes.

Zu dieser Radikalisierung der Theodizee — zur Liquidierung ihrer Leibniz'schen Gestalt — kommt es dort, wo die Erfahrung der Weltübel sich radikalisiert. 1755 wird — ich sagte es schon — das Erdbeben von Lissabon für diese radikalisierte Erfahrung von Übeln der Anlaß, sich zu artikulieren: Voltaire schreibt 1756 — im Erscheinungsjahr der ersten Auflage des „Essai sur les moeurs" — sein „Poème sur le désastre de Lisbonne" und 1758 — gegen den Optimismus — den „Candide". Zwei Jahre vor der ersten „philosophie de l'histoire" — 1763 — führt Kant „die negativen Größen in die Weltweisheit" ein: die Theorie der „Realrepugnanzen", die alsbald — schon bei ihm selber — zur Lehre von den „Antagonismen" der Geschichte wird („Idee zu einer allgemeinen Geschichte in weltbürgerlicher Absicht", 1785), die sich — die Antinomienlehre rezipierend — zur Lehre von den geschichtlichen „Widersprüchen" weiterentwickelt. Die Antinomien ihrerseits hatte Kant wenige Jahre nach der ersten „philosophie de l'historie" — 1769 im Jahr des „großen Lichts" — entdeckt und damit die erschreckende Möglichkeit, daß die Vernunft, der Garant der Aufklärung, selber durch zerrüttende Eigenillusionen als genius malignus zu wirken vermag. Angesichts dieser — und manch anderer — Neuerfahrung von Übeln zerbricht die optimistische Leibnizform der Theodizee, und die Theodizeefrage — so ihrer Leibnizlösung beraubt — wird radikal und verlangt nunmehr eine radikale Antwort. Als derart radikale Antwort entsteht — als ins Extrem getriebene Theodizee — der deutsche Idealismus: die autonomistische Gestalt der modernen Geschichtsphilosophie, deren Autonomismus — die These von der Eigenmächtigkeit des Menschen — ist: eine Theodizee durch einen Atheismus ad maiorem Dei gloriam. Er ist — sozusagen als umgedrehter physikotheologischer Gottesbeweis — der Schluß von der Güte Gottes auf seine Nichtexistenz: Gott bleibt — angesichts der Übel in der Welt — der gute Gott nur dann, wenn es ihn nicht gibt, oder jedenfalls: wenn Gott der Schöpfer der Welt nicht ist. Das ist der Grundgedanke der Autonomiephilosophie, die also ist: eine Theodizee. Ihr konkretes Pensum besteht plausiblerweise darin, nachzuweisen, daß Gott deswegen nicht zu sein braucht und der Schöpfer der Welt nicht ist, weil ein anderer als Gott ihr Schöpfer ist: nämlich der Mensch. Die Philosophie, die dies und gerade dies nachweist — also die konkrete Gestalt dieser Radikaltheodizee — ist die Geschichtsphilosophie, indem sie — gerade sie — die These vertritt: der Urheber der geschichtlichen Welt ist der Mensch. „Die Menschen" — schreibt

Marx und wiederholt damit, was schon Vico sagte — „machen ihre Geschichte selber": sie sind — so begreift das schon Fichte, so begreift das noch Marx — unbewußte Urheber ihrer vorhandenen Welt, bewußte Urheber ihrer zukünftigen Welt. Es ist — scheint mir — plausibel, daß just die Philosophie mit dieser These, die Geschichtsphilosophie, gerade in den Jahren zum Zuge kommt, in denen die Leibniz'sche Gestalt der Theodizee zusammenbricht; und es ist — scheint mir — legitim, sie eine Theodizee zu nennen, diese Geschichtsphilosophie: eine Theodizee — wie ich sagte — nach dem Ende Gottes, nämlich *durch* das Ende Gottes.

4. (Entkräftung eines Einwandes). — Hier erhebt sich nun ein naheliegender Einwand, mindestens einer, mit dem ich mich auseinandersetzen muß: in der Geschichtsphilosophie — jedenfalls innerhalb des deutschen Idealismus, der klassischen deutschen Philosophie — ist es ja gar nicht so, daß Gott da zuende und aus dem Spiel ist. Ganz im Gegenteil: von Kant ab startet er — sozusagen — eine neue Karriere. Gott kommt wichtig und zentral vor: in Kants Postulatenlehre; bei Fichte — Atheismusstreit hin, Atheismusstreit her — mindestens ab 1800; bei Schelling spätestens im Identitätssystem und allerspätestens in der Freiheits- und Weltalterphilosophie; und Hegel will — schreibt er in der frühen Jenaer Zeit — „Gott wieder absolut vornehin an die Spitze der Philosophie" stellen, und das ist auch die Position seiner Geschichtsphilosophievorlesungen. Wie kann, wenn das so ist, stimmen, was ich behauptet habe: daß die Geschichtsphilosophie — auch und gerade die des deutschen Idealismus — eine Theodizee sei nach dem *Ende* Gottes und durch das *Ende* Gottes?

Auf diesen Einwand antworte ich folgendermaßen: gewiß, es gibt diese Wiederkehr Gottes in der Geschichtsphilosophie insbesondere des deutschen Idealismus; aber Gott kehrt dort wieder in eigenartiger Gestalt, nämlich als ohnmächtiger Gott. Der Gott der Postulatenlehre — der bei Kant, beim frühen Fichte, beim frühen Schelling — hat nur als ideelles Werkzeug Realität: es genügt, wenn er glaubhaft fingiert wird. Und in Bezug auf Hegels Gott hat jenes post-festum-Argument recht, das in der „Heiligen Familie" Marx gegen Hegels „absoluten Geist" formuliert. Ich zitiere: „Was Hegel betrifft, so rühmte sich ja dieser, Gott am Ende der Philosophie als absoluten Geist zu haben"; aber dieser Gott ist ohnmächtig, weil er „erst am Ende, post festum, kommt, nachdem alles getan ist" (XIII 91). Diejenigen, die die betreffende Marx-Stelle kennen, werden sich beschweren, daß ich nicht korrekt zitiert habe. Aber ich habe korrekt zitiert, nur freilich nicht Marx, sondern Schellings „Philosophie der Offenbarung": da nämlich kommt das Argument her, das dann Marx so formulierte: „Hegel (läßt) ... den absoluten Geist ... nur zum Schein die Geschichte machen ... da der absolute Geist nämlich erst post festum im Philosophen zum Bewußtsein kommt" (322): er kommt erst, wenn in der Geschichte schon alles gemacht ist, und ist daher nicht wirklich der Schöpfer. Schließlich: Schellings weltalterphilosophischer Gottesbegriff ist — das hat Habermas in seiner Dissertation und dem Aufsatz „Dialektischer Idealismus im Übergang zum Materialismus" gezeigt — bestimmt durch die „Idee einer Contraction Gottes": Gott zieht sich „in sich selbst" und „in die Vergangenheit" zurück und überläßt durch diesen Rückzug die Geschichte der menschlichen Freiheit: Gott wird durch seine Demission gewissermaßen zum Initiator des Linkshegelianismus und zum indirekten Protektor auch noch der Kritischen Theorie. Das — die Idee eines zugunsten menschlicher Freiheit sich in die Ohnmacht zurückziehenden Gottes — ist ein Gottesbegriff, der in Nietzsches Rede vom „Tod Gottes" und in Heideggers Gedanken der „Epoché des Seins" weiterwirkt: Gott ist hier der, der für seine Ohnmacht optiert.

Darum kann ich meine Zurückweisung des genannten Einwandes folgendermaßen zusammenfassen: meine Interpretation der Geschichtsphilosophie als Theodizee nach dem Ende Gottes und durch das Ende Gottes ist kompatibel mit der Rehabilitierung Gottes in der Geschichtsphilosophie mindestens des deutschen Idealismus, weil dort Gott in veränderter Gestalt wiederkehrt: als der instrumentalisierte Postulatengott, als der post-festum-Gott, als der sich zurückziehende Gott ist der geschichtsphilosophisch reaktivierte Gott der ohnmächtige, der gottlose Gott, oder anders gesagt: Gott ist dort der Gott nach dem Ende Gottes.

5. (Neognostizismus der etablierten Geschichtsphilosophie). — Der entscheidende Schritt von der Theodizee zur Geschichtsphilosophie ist also das Ende Gottes, und zwar auch dort, wo die Geschichtsphilosophie Gott scheinbar reaktiviert. Durch diesen Schritt wird — im Prozess Mensch gegen jenen, der angeklagt ist, schuld an den Übeln der Welt zu sein — der Angeklagte „Gott" ersetzt durch den Angeklagten „Mensch"; aber indem der Mensch in die Stelle Gottes eintritt, muß er selber quasi zum Gott werden: zum Schöpfer und Erlöser, jedenfalls zum Absoluten.

Das steht im Widerspruch zu dem, was der Mensch wirklich ist; denn der Mensch ist nicht absolut, sondern der Mensch ist endlich.

Die Geschichtsphilosophie aber zwingt den Menschen, sich über seine Endlichkeit hinwegzusetzen. Das bedeutet im hier verfolgten Zusammenhang: indem der Mensch geschichtsphilosophisch zum Weltschöpfer avanciert (zum Urheber der geschichtlichen Welt), wird nunmehr der Mensch angeklagt, letztverantwortlich zu sein für ihre Übel. Die ganze Wucht dieser aus der Theodizee überkommenen Anklage trifft jetzt den Menschen. Wie kann er sich rechtfertigen? Auch er versucht — nunmehr geschichtsphilosophisch: ich deutete das schon an — eine Verteidigung durch eine optimistische Lösung mit Hilfe eines Bestmöglichkeitsarguments: die Welt ist zwar noch nicht gut, aber sie wird schon werden; die Menschen werden ihre Geschichte zu einem guten Ende bringen; die vorläufigen Zustände — Zustände unvermeidlicher Widersprüche, der Entfremdung d.h. der Übel — sind Mittel zum guten Endzweck; und dieser Endzweck rechtfertigt, er heiligt diese Mittel. Aber dieses Argument, das doch problematisch ist, wird zusätzlich belastet durch Enttäuschungserfahrungen, die die Geschichtsphilosophie begleiten, seit sie — zuerst durch die französische Revolution — in die Wirklichkeit umgesetzt wurde: diese Wirklichkeit bleibt — um mich vorsichtig auszudrücken — hinter den geschichtsphilosophischen Erwartungen zurück. Das hängt — kurz gesagt — allemal damit zusammen, daß die Geschichtsphilosophie den Menschen Allmacht zumutet, die sie nicht haben. Wo diese Enttäuschungserfahrungen dominieren, potenziert sich die an den Menschen gerichtete Anklage wegen der Übel. Darum sucht er zusätzliche Entlastung durch ein Entlastungsarrangement, das ich nenne: die Kunst, es nicht gewesen zu sein. Der Mensch braucht — angesichts dieser nun an ihn gerichteten übermächtigen Anklage — sozusagen ein Alibi, einen Sündenbock, einen, von dem er sagen kann: nicht ich bin — nicht wir sind — schuld an den Übeln, sondern ‚der' ist — ‚die' sind — schuld an den Übeln. Der einschlägig optimale Sündenbock war offensichtlich Gott; doch der steht jetzt — im geschichtsphilosophischen Zeitalter, dem nach dem Ende Gottes — nicht mehr zur Verfügung. Darum muß das, was zuvor (im Zeitalter der klassischen Theodizee) als Anklage des Menschen gegen Gott — als transzendenter, sozusagen als menschheitsaußenpolitischer Streit — abgemacht werden konnte, jetzt als Anklage des Menschen gegen Menschen — also als immanenter, als menschheitsinnenpolitischer Streit — ausgefochten werden. Folglich muß geschichtsphilosophisch — seit die Menschen selber die Urheber sind — der Sündenbock nunmehr unter den Menschen selber gefunden werden. Wo — entsprechend dem Ansatz der Geschichtsphilosophie — stets die Menschen es gewesen sind, kommt es — in Bezug auf die Übel und die trotz des Fortschritts bleibenden Übel — zur entlastenden These, daß zwar die Menschen es gewesen sind, aber stets nur die anderen Menschen. Das Entschuldigungsarrangement der Kunst, es nicht gewesen zu sein, realisiert sich als Beschuldigungsarrangement: als die Kunst, es andere Menschen gewesen sein zu lassen. Die geschichtsphilosophisch zum absoluten Geschichtstäter stilisierten Menschen: unterm Druck von Enttäuschungserfahrungen und unterm Zwang, sich von der aus der Theodizee überkommenen und an den Menschen umadressierten Anklage wegen der Übel zu entlasten, zerfallen sie gewissermaßen in zwei Versionen des Menschen: in die, die das, was in der Geschichte schon getan ist und noch nicht gut ist, getan haben, und die, die das, was in der Geschichte noch getan werden muß und gut werden wird, tun werden; in diejenigen also, die für das vorhandene Übel verantwortlich sind, und die, die für das kommende Heil tätig sind: in die Verräter der Zukunft und die Täter der Zukunft, in die Reaktionäre und die Progressiven, in die Schuldigen und die Unschuldigen, die Bösen und die Guten, in die Schöpfer des schlechten Bestehenden und die Erlöser von diesem schlechten Bestehenden und in genau diesem Sinne: in ‚Schöpfermensch' und ‚Erlösermensch'.

Diese Spaltung des Geschichtstäters in einen bösen und einen guten, sie erinnert an eine alte philosophische Position: sie ist — scheint mir — die Diesseitsvariante der Theologie der Gnosis, die sich zum Manichäismus radikalisierte. Was (häretisch) schon damals — in der frühen christlichen Theologie, etwa bei Marcion, also längst ehe die Theodizee sich als ausdrücklich philosophische Disziplin formierte — angesichts der Frage nach dem Ursprung der Übel trotz der Güte Gottes zur Entlastung Gottes gedacht war: seine Doppelung in einen finsteren Demiurgen, der die Übel verursacht, und einen strahlenden Retter, der von den Übeln erlöst: diese Spaltung Gottes aus Theodizeegründen in den „Schöpfergott" einerseits, den „Erlösergott" andererseits, wird offenbar geschichtsphilosophisch wiederholt dort, wo die Geschichtsphilosophie — zur Verteidigung des zum Geschichtstäter avancierten Menschen gegen die Anklage, die mit Hinweis auf die Übel des vorhandenen Geschichtszustandes gegen ihn erhoben wird — Feindschaft setzt zwischen ‚Schöpfermenschen', die für die Übel, und ‚Erlösermenschen', die für die Rettung zuständig sind. Darum nenne ich diese neuerliche Spaltung des Absoluten im Blick auf diese alte gnostische und nachgnostische, nämlich manichäische, Position: den Neognostizismus der etablierten Geschichtsphilosophie. Ich möchte damit unterstreichen: sosehr blieb die Geschichtsphilosophie nach dem Ende Gottes eine Theodizee, daß dort, wo sie den Menschen zum Absoluten stilisierte und dadurch jener Anklage aussetzte, die in der Theodizee Gott galt, zu seiner Entlastung Lösungen wiederholt werden, die in der philosophischen Tradition zur Debatte standen, längst ehe die Philosophie selbst ausdrücklich zur Theodizee sich formierte: nämlich die gnostische Lösung einer zur Feindschaft stilisierten Differenz zwischen Schöpfer und Erlöser, die neomanichäistisch bzw. neomarcionitisch profan radikalisiert wird zum absoluten Konflikt — zur Feindschaft — zwischen Menschen und Menschen. Die avancierte Geschichtsphilosophie wiederholt — in dieser Diesseitsvariante und marcionitisch bzw. manichäistisch radikalisiert — die gnostische Lösung.

Das gibt Anlaß, in folgender Form auf meine Anfangsüberlegung zurückzukommen. Hans Blumenbergs „die Neuzeit ist die zweite Überwindung der Gnosis" „setzt" — fügt Blumenberg hinzu — „voraus, daß die erste Überwindung der Gnosis am Anfang des Mittelalters nicht gelungen war". Indes: vielleicht mißlingt auch „die zweite Überwindung der Gnosis": die Neuzeit? Jedenfalls — das möchte ich hier nur andeuten — muß man fragen: was bedeutet es, daß die Geschichtsphilosophie — in einer profanen Variante — die Position der Gnosis wiederholt, wenn doch die Neuzeit deren zweite Überwindung ist: Vielleicht folgt daraus, daß nicht zutrifft, was noch allenthalben unterstellt wird: es trifft nicht zu, daß die Geschichtsphilosophie die eigentliche Philosophie der Neuzeit ist. Wenn sich die Geschichtsphilosophie als Rückfall erweist in eine — nämlich die gnostische — Position, deren zweite Überwindung die Neuzeit ist, dann gilt vielmehr: in der Geschichtsphilosophie kulminiert nicht, in ihr mißlingt die Neuzeit; die Geschichtsphilosophie ist — gerade weil sie zur Gnosis tendiert — die Gegenneuzeit.

167

Klaus Reimers

DER HOCHVERRAT AN DER VERNUNFT
Bemerkungen zur Aufklärungskritik J.G. Hamanns

Auf Jacobis klagende Kritik, daß man sich für die Erkenntnis doch nicht auf die sinnliche Erfahrung verlassen, sondern nur mit Platon an eine unsterbliche „bessere" Seele glauben könne, die „das höchste Wesenhafte und Wahre (das τὸ ὅν) ... offenbare"[1], antwortet J. G. Hamann in einem Briefe vom 22. Jan. 1785: „Mir kommen alle Kräfte unserer Natur vor gleich den Kriegsknechten ..., die kommen und gehen und thun, nach dem Wort und Wink des Hauptmanns. Zum Empfangen gehört mehr Leere als Kraft — mehr Ruhe als Mitwirkung, ...

Dem Reinen ist Alles rein; jede Methode, sie mag mystisch, logisch, mechanisch sein. Alles Menschliche und Irdische ist dem Mißbrauche und der Eitelkeit ausgesetzt; und was Gott gereinigt hat, hört auf gemein zu sein. — ... Nicht unsere Liebe, sondern seine unaussprechliche Liebe im Sohn der Liebe ist der Mittelpunkt, die Sonne unseres Systems.

Verzeihen Sie, daß ich Ihnen immer Einerlei schreibe. Ich wünschte Sie so gern aus den Labyrinthen der Weltweisheit in die kindliche Einfalt des Evangelii versetzen zu können, und weiß selbst nicht, wie ich es anfangen soll, das trockene ὅν Ihnen zu verleiden."[2]

Da es sich bei dieser Darstellung nicht um genaue Einzelinterpretationen handelt, sondern nur um den Versuch, einige Positionen Hamanns in Umrissen vorzustellen, damit geprüft werden kann, ob und in welchem Ausmaß von Hamanns Schriften aus eine Kritik der Philosophie kann entwickelt werden, wurde darauf verzichtet, alle Stellenangaben auf die Nadlersche Gesamtausgabe der Hamannschen Werke zu beziehen. Da die Hamannschen einzelnen Schriften aber alle relativ kurz sind, dürften sich Zitate aus diesen Schriften dort leicht finden lassen.

Der Titel dieses Versuchs verdankt sich einem Brief an C.J. Kraus, den Kollegen Kants, in dem Hamann sich unter politischen — und i.e. Machtfragen — mit Kants euphorischer Aufklärungsschrift auseinandersetzt (Brief an C.J. Kraus, Dezember 1784, Petri IV, 215ff)

Die für diese Arbeit benutzten Textausgaben werden hier folgendermaßen abgekürzt:
Johann Georg Hamanns Schriften und Briefe in vier Theilen. ... her. v. Moritz Petri, Hannover 1872ff = Petri, mit römischer Band- und arabischer Seitenzahl.
Johann Georg Hamanns Hauptschriften erklärt v. F. Blanke, E. Büchsel, K. Gründer, O. Marquard, W. Oelmüller, E. Jansen Schoonhoven, L. Schreiner, M. Seils. — Her. v. F. Blanke und K. Gründer, Gütersloh 1959ff. (Mit ausführlicher Darstellung der Forschungsgeschichte (von Gründer) und ausführlicher Bibliographie) = HHe, Ziffern entsprechend denen bei Petri.

1. Brief Jacobis an Hamann vom 11. Jan. 1785; Petri IV, 239.
2. Petri IV, 249f; übrigens fährt Hamann fort: „Sensus und vita sind freilich das principium intellectus. Alles in der Natur und in der Schrift bezieht sich auf Gebrauch und Anwendung — aber jus und norma sind freilich sehr arbiträr *Wille ohne Verstand* daher kein Unding, weder in der theorie noch praxi, sondern bisweilen ein Regale der Weisheit und Thorheit cum grano salis genommen." Petri IV, 250.

Der Gestus religiöser Demut und die Abweisung jeder Methodenreflexion scheinen eindeutig eine quietistische Gegnerschaft zur Arbeit und Anstrengung des menschlichen Denkens zu indizieren. Vieles in Hamanns Werk und Leben trägt solche Signatur der Gegnerschaft zu rationaler, klarer und bestimmter Ordnung und Kontrolle der Gedanken, ihrer Darstellung[3], aber auch allgemein einer rational gesteuerten Lebensgestaltung.[4]

Seine Schriften, die er veröffentlicht hat, sind in ihrer Gestaltung auffällig: schon die „Sokratischen Denkwürdigkeiten" von 1759 erscheinen unter einem Pseudonym, genauso wie alle späteren, die schon zu ihrer Zeit leicht und eindeutig zu entschlüsseln waren, also nicht dazu dienen konnten, etwa die Anonymität des Autors zu wahren. Ihr Stil ist „dunkel": Zitatmontagen, Anspielungen, auch ganz zufällige Bezüge zu Hamanns eigenem Leben, die er selber später nicht mehr ganz aufzuschlüsseln vermochte, bleiben für Hamanns Stil von seiner ersten Veröffentlichung an charakteristisch, weit über gelehrtes Zitierwesen der Zeit hinaus; auch nicht zufällig durch Unvermögen gelangen sie in die Texte, sondern artistisch absichtsvoll, — ein Widerspruch zur Fiktion der voraussetzungslosen Verständlichkeit, die seine Zeitgenossen gerne für sich beanspruchten. „Seine Schriften scheinen als Prüfungen der Herren aufgesetzt zu sein, die sich für Polyhistores ausgeben. Denn es gehört wirklich ein wenig Panhistorie dazu. Ein Wanderer ist leicht gefunden: aber ein Spaziergänger ist schwer zu treffen."[5] So urteilt Lessing gegenüber Herder über Hamanns Darstellungsweise.

Hamanns berühmter Königsberger Mitbürger Kant stand allerdings dem Hamannschen Stil und seiner Weise des Argumentierens kritischer gegenüber. Er erbittet gelegentlich des Erscheinens von Herders „Ältester Urkunde des Menschengeschlechts" von 1774 brieflich unter dem 06. April d. J. eine Stellungnahme Hamanns zu dieser Schrift und beschließt diese Bitte: „Wenn Sie, werther Freund, meinen Begriff von der Hauptabsicht des Verfassers worin zu verbessern finden, so bitte mir Ihre Meinung in einigen Zeilen aus; aber womöglich in der Sprache der Menschen. Denn ich armer Erdensohn bin zur Göttersprache der anschauenden Vernunft gar nicht organisiert. Was man mir aus den gemeinen Begriffen nach logischer Regel vorbuchstabieren kann, das erreiche ich noch wohl. Auch verlange ich nichts weiter, als das Thema des Verfassers zu verstehen: Denn es in seiner ganzen Würde mit Evidenz zu erkennen, ist nicht eine Sache, worauf ich Anspruch mache. Kant."[6]

Darauf antwortet Hamann mit der Veröffentlichung „Christiani Zacchaei Telonarchae: ΠΡΟΛΕΓΟΜΕΝΑ über die neueste Auslegung der ältesten Urkunden des menschlichen Geschlechts. In zweyen Antwortschreiben an Appolonium Philosophium". Er verteidigt mit Verve und Energie Herder — und auch sich selbst zugleich — gegen den Versuch Kants eine begeisterte und religiös bekenntnishafte Schrift darauf zu reduzieren, was an antiquari-

---

3. So verstehen schon Hegel und später Unger diese auffälligen Merkmale Hamannschen Stils.

4. Vergl. für biographische Details: H.A. Salmony, J.G. Hamanns metakritische Philosophie, 1. Bd. (Einführung ...), Zollikon 1958.

5. Lessing an Herder, Wolfenbüttel, d. 25. I. 1780; in: G.E. Lessings Gesammelte Werke, ed. P. Rilla, Berlin 1957, Bd. IX, S. 852.

6. Petri III, 9.

schem Wissen und philosophischer Systematik in ihr enthalten sei. Er verwahrt sich gegen die von Kant in seinen oben genannten Briefen ausgesprochene Vermutung: „Wenn eine Religion einmal so gestellt ist, daß kritische Kenntniß der alten Sprachen, philologische und antiquarische Gelehrsamkeit die Grundveste ausmacht, auf die sie durch alle Zeitalter und in allen Völkern erbaut sein muß, so schleppt der, welcher im Griechischen, Hebräischen, Syrischen, Arabischen etc. imgleichen in den Archiven des Alterthums am besten bewandert ist, alle Orthodoxen, sie mögen so sauer sehen, wie sie wollen, als Kinder wohin er will; sie dürfen nicht mucksen, denn sie können in dem, was nach ihrem eigenen Geständnisse die Beweiskraft bei sich führt, sich mit ihm nicht messen ..."[7]

„Unter allen Secten, die für Wege zur Glückseligkeit, zum Himmel und zur Gemeinschaft mit dem Ente Entium" — formuliert Hamann im 2. Sendschreiben — „oder dem allein weisen Enzyklopädisten des menschlichen Geschlechts ausgegeben worden, wären wir die elendesten unter allen Menschen, wenn die Grundveste unseres Glaubens in dem Triebsande kritischer Modegelehrsamkeit bestände. Nein, die Theorie der wahren Religion ist nicht nur jedem Menschenkinde zugemessen und seiner Seele eingewebt oder kann darin wieder hergestellt weden, sondern eben so unersteiglich dem kühnsten Riesen und Himmelstürmer, als unergründlich dem tiefsinnigsten Grübler und Bergmännchen. ... Auslegen gehört GOTT zu — z. B. Mos. 40."[8]

Doch diese Polemiken sind nur Zwischenspiele im lebenslang zwiespältigen Verhältnis zwischen Kant und Hamann, dem preußischen Professor, dessen Verdienste im Laufe der Zeit öffentlich und offiziell zunehmend gewürdigt werden und dem sechs Jahre jüngeren — übrigens extensiv gelehrten — preußischen Packhofverwalter, also Zollbeamten, „Zöllner" Hamann, dessen Verdienst sich im Fortschreiten der aufgeklärten Verwaltungsreform fortwährend verringert.

Die Zwiespältigkeit hat biographisch darstellbare Ursachen und Gründe im verschiedenen Bezugssystem ihres Denkens. Von seiten Hamanns, der auf einer geschäftlich erfolglosen Reise nach England zur intensiven Bibellektüre kommt und seine „Bekehrung" erlebt, stehen seitdem die im lutherischen Sinne strikt biblizistischen Grundpositionen für sein weiteres Leben praktisch, theologisch und philosophisch fest.

Zwei Momente hebt Hamann besonders hervor: Die Einsicht in die Sündhaftigkeit seines eigenen Lebens, die eine prinzipielle ist, wird ihm deutlich an der Geschichte von Kain und Abel: „Ich fühlte mein Herz klopfen, ich hörte eine Stimme in der Tiefe desselben seufzen und jammern, als die Stimme des Bluts, als die Stimme eines erschlagenen Bruders, der sein Blut rächen wollte, wenn ich selbiges beizeiten nicht hörte, und fortführe, mein Ohr gegen selbiges zu verstopfen ..." Diese Erkenntnis der prinzipiellen Sündhaftigkeit des Menschen impliziert aber schon den Hinweis auf das in der Geschichte des Christus gegebene Versprechen der Erlösung, auf „das Geheimnis der göttlichen Liebe und die Wohltat des Glaubens an unsern gnädigen und einzigen Heiland ..."[9] Dieses zweite Moment der

7. Petri III, 11.
8. Petri III, 29.
9. Beide Zitate aus „Gedanken über meinen Lebenslauf", Petri I, 112. — Wichtig wäre für diesen Zusammenhang wohl ein Vergleich mit den „Confessiones" des Augustinus, der hier nicht geleistet werden konnte.

Heilsgewißheit, die durch die symbolische Interpretation der biblischen Texte mit der Sündhaftigkeitserkenntnis vermittelt wird, ist in ihrer strikten Beziehung auf die biblischen Texte die von Hamann im Prozeß seiner Bekehrung gewonnene Voraussetzung seiner Autorschaft. In seinem Biblizismus unterscheidet sich Hamann von den nicht an die Bibel gebundenen Bekehrungserfahrungen vieler Pietisten und Separatisten, welche die unmittelbare, völlig individuell religiöse Erkenntnis in der Weise des Erlebnisses suchen und diese nicht strikt am Ganzen der Bibel kontrollieren.[10] Für Hamann ist Gott Schöpfer und Herr der Geschichte, dessen Omnipotenz keiner Einschränkung durch Gesetze der Erde unterliegt. Er hat durch sein Wort die Welt geschaffen, sein Wirken in der Welt hat einen verbalen Charakter. Er offenbart sich in der Geschichte und Natur, ohne vollends vom Menschen erkannt werden zu können.

Gottes Wille ist — am Leitfaden der Bibel — aus Geschichte und Natur ablesbar, soweit Menschen ihn wissen sollen[11], die Totalität der Welt stellt also eine Offenbarung des göttlichen Willens dar, ist als solche aber keineswegs göttlich. In dieser Differenz zwischen Gott und Welt werden von Hamann alle pantheistischen oder auch panentheistischen Philosopheme abgewehrt, was festzuhalten bleibt, weil Autoren des Sturm und Drang und der „Goethezeit", trotz ihrer pantheistisch bestimmten „Weltanschauung", gerne auf Hamann sich beriefen. Hamann aber ist durch diese Vorstellung von Gott nicht nur dem Pantheismus enthoben, sondern auch den Problemen, die sich für die Philosophie aus dem Zusammenbruch der Theodizee ergaben, denn als Herr der Welt bedarf Gott der Rechtfertigung nicht, vielmehr bedürfen seine Geschöpfe, die Menschen, derselben vor ihm — nicht vor

10. Über die pietistischen und separatistischen Versuche ein unmittelbares Verhältnis zu Gott herzustellen um auf konkrete Fragen der eigenen Lebensgestaltung Antwort zu bekommen, die Praktiken des Däumelns etc., vgl. z.B.: K. Burdach: „Faust und Moses", in: Sitzungsberichte d. Preuß. Akad. d. Wiss., 1912; und R. Minder: „Die religiöse Entwicklung von K.Ph. Moritz ...", Berlin 1936. Auch das Fehlen chiliastischer Motive bei Hamann indiziert den Unterschied. „Bauen Sie nicht auf die Empfindung Ihres Glaubens, denn sie ist öfters ein Betrug unseres Fleisches und Blutes und hat die Vergänglichkeit desselben mit dem Grase und den Blumen gemeinsam" und „Unser Herz ..., der größte Betrüger und wehe dem, der sich auf selbiges verläßt. Diesem geborenen Lügner zum Trotz bleibt Gott doch treu. Unser Herz mag uns wie ein eigennütziger Laban so oft täuschen, als es will, so ist ER größer als unser Herz." Diese Sätze, hier nach E. Metzke: „G. Hamanns Stellung in der Philosophie des 18. Jhdts.", eine Preisarbeit, Halle 1934, Schr. d. Königsberger Gel. Gesellschaft, Geisteswiss. Kl. 10. Jahrg. H. 3, S. 14, signalisieren deutlich eine Distanz zum Pietismus.

11. Schon in den „Sokratischen Denkwürdigkeiten" findet sich die Kritik an dem vermessenen Streben hinter die Geheimnisse des göttlichen Willens gelangen zu wollen. Vgl. Petri I, 284f., wo es mit Anspielungen auf biblische Texte heißt: Wenn uns unser Gebein verholen ist, weil wir im Verborgenen gemacht, weil wir gebildet werden unten in der Erde; wie vielmehr werden unsere Begriffe im Verborgenen gemacht ..." und ebda., Petri I, 344f.: „Wie die Natur uns gegeben unsere Augen zu öffnen; so die Geschichte unsere Ohren. Einen Körper und eine Begebenheit bis auf ihre ersten Elemente zergliedern, heißt, Gottes unsichtbares Wesen, seine ewige Kraft und Gottheit ertappen wollen. Wer Mose und den Propheten nicht glaubt, wird daher immer ein *Dichter*, wider sein Wissen und Wollen, wie ein *Buffon* über die Geschichte der Schöpfung, und *Montesquieu* über die Geschichte des römischen Reichs."

einander (immer wieder lehnt Hamann die Rechtfertigung seines Verhaltens brüsk ab)[12] —, die sie aber nicht bewerkstelligen können aus eigener Kraft. „Von allen Versuchen, die noch vom Menschen ausgehen, um zu Gott zu gelangen — mochten sie noch so sehr von religiösem Pathos und theistischer Überzeugung getragen sein (wie bei Jacobi und Lavater), rückt Hamann klar ab."[13] Deutlich ist an dieser Gottesauffassung Hamanns Zusammenhang mit Luther, den auch Metzke in der Übereinstimmung entscheidender Gedanken sieht: „... die schlechthinnige Theonomie (damit im Zusammenhang die Radikalisierung der Endlichkeit des Menschen und die Aufhebung seiner Autonomie ..., der deus absconditus, der im Gegensatz und Widerspruch wirkt, der geschichtliche Gott, die Nichtgegenständlichkeit Gottes, das dynamisch-personale Gottesverhältnis, die Erfaßbarkeit Gottes allein in der Glaubensrelation."[14]

Dieser Gottesauffassung korreliert bei Hamann das Bild des Menschen. Auch in ihm spielt die Bekehrung sich wider: im Prozeß der Bekehrung sieht Hamann eine Verwandlung seiner selbst geschehen, die nicht durch menschliche Aktivität alleine kann inszeniert werden. Aus der Bibel lernt er, daß die „Natur" des Menschen nicht Entfaltung der in ihr angelegten Dispositionen ermöglicht, weil sie — gegenüber dem autonomen Schöpfergott — keine dauerhaften Strukturen hat. Schöpfung, Sündenfall, Christusgeschehen und kommendes „Gericht" sind Punkte in der Geschichte des Menschen, in denen seine „Natur" sich radikal änderte und ändern wird, ohne von menschlichem Handeln bestimmt

12. Luthers Ablehnung der Rechtfertigung nach menschlichen Maßstäben — wie auch seine Distanz gegenüber philosophischen Begründungen in der Theologie — ist hier das Vorbild für Hamann. Die prototypische Gebärde ist Luthers „Hier stehe ich, ich kann nicht anders ..." auf dem Reichstag. Die alles Selbstgefühl destruierende Macht der Selbsterkenntnis vor dem Gesetz, die bei Hamann immer wieder gefordert wird, die Hamann durch Sokrates zuerst dargestellt sieht, ist Zentrum lutherischer Theologie. Ein Beispiel soll hier nur gegeben werden, an dem der Zusammenhang deutlich werden mag: „Wilch nu wollen aufwerfen ihre gute Werk und rühmen den freien Willen, lassen nit alle Menschenwerk Sund sein, finden noch etwas Gutis in der Natur, wie die Juden und unsere Sophisten mit dem Papst thuen: das sein, die nit wollen Moses Angesicht lassen klar leuchten, hängen ein Deck ubirs Gesetz, und sehen ihm nit recht unter die Augen, wollen ihr Ding nit Sund noch Tod sein lassen fur Gott, das ist, sie wollen nit recht sich erkennen, noch demüthig sein, stärken ihren Hochmuth selbs." D. Martin Luther, Auf das überchristliche, übergeistliche und überkünstliche Buch Bocks Emsers zu Leipzig Antwort. (1521), in: Luthers sämmtliche Werke, Bd. 27 (II,4), hrsg. v. J.K. Irmscher, Erlangen 1833, S. 267. Den Aristoteles hält Luther für einen „Lugener und Buben" (a.a.O., S. 219). Damit hängt zusammen, daß Luther — wie später Hamann — gegenüber einer moralischen Beurteilung des Lebens sich gleichgültig erklärt; beiden geht es um die richtige Lehre. Dazu Luther: „Aber ich hab nit wollen, will auch noch nit, mit deinem oder Jemands Leben zu schaffen haben. Ich handel nit vom Leben, sondern von Lehren. Bos Leben is nit fast schädlich, denn ihm selber; aber bos Lehre ist das großist Uebel auf Erden, das die Seelen mit Haufen gen Hölle fuhret. Du seies frumm oder bos, ficht mich nit an; dein giftig, lügenhaft, und Gottis Wort widerstrebende Lehre will ich angreifen, und mit Gottes Hulf ihr wohl begegnen." (a.a.O., S. 215) Vgl. auch: „Von der Freiheit eines Christenmenschen" (1520), a.a.O., S. 173-199, bes. S. 192f, worin Luther die Rechtfertigung aus dem Glauben darstellt.

13. Metzke, a.a.O., S. 133; vgl. auch Hamanns Brief an Jacobi vom 14. Nov. 1784, Petri IV, 198ff.

14. Metzke, a.a.O., S. 141f.

werden zu können. Sofern Ziel der Geschichte das Reich Gottes ist und damit die „Umschöpfung" des postlapsarischen Menschen — und Hamann als Christ versteht so die Geschichte —, kann über die „Entwicklung des Menschengeschlechts" zu einer besseren Zukunft ihrer selbst hin von Menschen nichts ausgemacht werden, denn diese Zukunft ist in Gottes Hand, dem Menschen ist sie verheißen, er hat dieser Verheißung zu glauben, kann ihre Erfüllung aber nicht selber herstellen.[15] Das aber heißt, auf die Erkenntnis der menschlichen „Natur" zurückgewendet, daß über sie nichts Endgültiges kann ausgesagt werden, denn der Mensch ist noch „in der Mache".[16] Es gibt aber wohl momentane Glückserfahrungen, die einen Verweis auf die Verheißung bedeuten. So erscheinen für Hamann die Menschen, gegen das Selbstverständnis der Aufklärung — und auch Kants — gerichtet, in einem pathetischen Sinne als radikal „unmündige", denn sie können sich nicht emanzipieren, sondern müssen sich „retten lassen". Freilich ist die „Unmündigkeit" „selbstverschuldet", sie liegt aber nicht „am Mangel der Entschließung und des Mutes" sich des „eigenen Verstandes zu bedienen"[17]. Für Kant sind „Faulheit und Feigheit ... die Ursachen, warum ein so großer Teil der Menschen, nachdem sie die Natur längst von fremder Leitung freigesprochen (naturaliter majorennes), dennoch gern zeitlebens unmündig bleiben; und warum es anderen so leicht wird sich zu deren Vormündern aufzuwerfen"[18]

Ihre wahre Ursache hat für Hamann die Unmündigkeit im Sündenfall, insofern diese Sünde weiterwirkt. Angesichts des Todes — und das ist ein bei Hamann wiederkehrendes Motiv — erfährt der Mensch seine Unfähigkeit, aus eigener Macht zu verfügen über seine Zukunft.[19] Der „Tod ist der Sünde Sold", Verheißung des ewigen Lebens wird durch das Christusgeschehen innerweltlich deutlich, gewonnen werden kann das Verheißene nach lutherischer Tradition nur durch den Glauben, welchen Hamann in seiner Bekehrung gewann durch die Lektüre der Bibel. Die orthodoxe Bibelgläubigkeit aber ist der Aufklärung gerade anstößig, hat diese doch aus der philologischen Kritik eben dieser Bibel wesentliche Impulse empfangen.[20] Sündhaft in einem ausgezeichneten Sinne ist die Verstockung, die gerade darin besteht, die eigene Heilsbedürftigkeit nicht zu erkennen. Kant dagegen setzt „den Hauptpunkt der Aufklärung" ... „Vorzüglich in Religionssachen", wobei er anmerkt, daß die Aufklärung in Preußen sich des Vorteils erfreut, daß der Monarch, Friedrich II., selber die Aufklärung befördert, ja, in ihr vorbildhaft ist, auch wenn er hinsichtlich des

15. vgl. z.B. Petri IV, 245f.

16. Petri IV, 201, Brief an Jacobi, 14. Nov. 1784.

17. I. Kant: Beantwortung der Frage: Was ist Aufklärung? (1784), hier und im folgenden nach I. Kant, Ausgewählte kleine Schriften, Hamburg 1965 (Ph.B.), S. 1-9, hier S. 1.

18. ebda.

19. So schon in den „Sokratischen Denkwürdigkeiten", ein Motiv, das auch in den Briefen immer wiederkehrt (s.u.).

20. Vgl. Paul Hazard: Die Krise des europäischen Geistes, Hamburg 1939, und R. Kosellek: Kritik und Krise — Ein Beitrag zur Pathogenese der bürgerlichen Welt, Freiburg/München 1959². Beispiele aus der deutschen Aufklärung lassen sich in Fülle finden bei: Martin v. Geismar (Hrsg.): Bibliothek der deutschen Aufklärer. Nachdruck, Darmstadt 1963, 2. Bde. und Norbert Hinske (Hrsg.): Was ist Aufklärung, Beiträge aus der Berlinischen Monatsschrift, Darmstadt 1981³.

„Privatgebrauchs" der Vernunft praktisch Vormund bleibt[21], was Kant offenbar zu rechtfertigen bereit ist. So muß denn Hamann dem Gedankengang Kants, um ihn zu kritisieren, noch einmal nachgehen: „Worin besteht nun das Unvermögen oder die Schuld des fälschlich angeklagten Unmündigen? In seiner eigenen Feigheit und Faulheit? Nein, in der Blindheit des Vormundes (i. e. Friedrich II.) der sich für sehend ausgibt, und eben deshalb alle Schuld verantworten muß."[22]

Noch etwas anderes wird für Hamann an Kants kleiner Abhandlung deutlich, was ihm hinsichtlich der Aufklärung als typisch erscheint: Kants Unterscheidung von öffentlichem und privatem Gebrauch der Vernunft[23] unterschlägt die Problematik der faktischen Herrschaftsverhältnisse, indem sie ungeprüft deren gegenwärtigen Stand zu akzeptieren bereit ist; sie weicht aus in einen herrschaftsfreien Raum des Räsonnements, der ihr vom Inhaber der faktischen Gewalt konzediert wurde, um in diesem ihre eigene Herrschaft aufzurichten unter Vernachlässigung aller Solidarität mit den andern Bevormundeten. Diese Korrumpierbarkeit der Vernunft, die er an Kants Argumentationen abliest, erklärt er sich aus der Verstockheit, nicht zu wissen, was der Tod bedeutet. So erscheint ihm der „öffentliche Gebrauch der Vernunft" als einer von sekundärer Bedeutung: „ ... der öffentliche Gebrauch der Vernunft und Freiheit ist nichts als ein Nachtisch, ein geiler Nachtisch. Der Privatgebrauch ist das tägliche Brod, das wir für jenen entbehren sollen"[24] Diese Hamann falsch erscheinende Aufklärung flüchtet sich so leicht ins Irrelevante, in die Fiktion der Freiheit, weil sie die Grenze aller menschlichen Freiheit nicht kennt: „Meine Verklärung", schreibt Hamann, „der Kantischen Erklärung läuft also darauf hinaus, daß wahre Aufklärung in einem Ausgange des unmündigen Menschen aus einer allerhöchst (von Friedrich II. nämlich, K. R.) selbst verschuldeten Vormundschaft bestehe. Die Furcht des Herrn ist der Weisheit Anfang, und diese Weisheit macht uns feig zu lügen und faul zu dichten — desto muthiger gegen Vormünder, die höchstens den Leib tödten und den Beutel aussaugen können; desto barmherziger gegen unsere unmündigen Mitbrüder ..."[25]

Kant erscheint so Hamann als ein gewissenloser „Raisonneur und Speculant hinter dem Ofen und in der Schlafmütze"[26], weil er nicht den Primat der politischen Faktizität voll

21. Kant a.a.O., S. 7f. Es kommt für das Verständnis des Folgenden freilich alles darauf an, daß der Unterschied von ‚privatem' und ‚öffentlichem' Vernunftgebrauch — so wie bei Kant davon die Rede ist — zum modernen, wenn auch vielleicht manches verschleiernden, Sprachgebrauch gesehen wird: ‚Öffentlich' wird nach Kant von der Vernunft Gebrauch gemacht durch das Verfassen von Schriften für die Welt: „Ich verstehe aber unter dem öffentlichen Gebrauche seiner eigenen Vernunft denjenigen, den jemand als Gelehrter von ihr vor dem ganzen Publikum der Lesewelt macht. Den Privatbrauch nenne ich denjenigen, den er in einem gewissen ihm anvertrauten bürgerlichen Posten oder Amte von seiner Vernunft machen darf." (a.a.O., S. 3) Noch deutlicher, vgl. S. 4f die Beispiele! Wie ein Beleg zu den Reflexionen Kants wirken die „Selbstbekenntnisse" des Theologen Franz Overbeck am Ende des 19. Jhdts. Vgl.: F. Overbeck: Selbstbekenntnisse. Mit einer Einleitung von J. Taubes, Frankfurt/M. 1966, besonders S. 115ff.

22. Brief Hamanns an C.J. Kraus vom Dez. 1784, Petri IV, 217.

23. vgl. Anm. 21.

24. Petri IV, 218.

25. ebda.

26. Petri IV, 217.

seinen Lesern klar macht, welcher nicht bestimmt ist durch Aufklärung, sondern durch „eine Armee von Pfaffen oder von Schergen, Büttelknechten und Beutelschneidern".[27]

Von diesem Punkt aus kann vielleicht sichtbar gemacht werden, warum Philosophie für Hamann — und er ist ein Paradigma mindestens für die lutherische Tradition — problematisch wird: Solange Philosophie die Bedingungen der Möglichkeit zur Erkenntnis von Fakten aus einem oder auch aus wenigen Gründen abzuleiten, zu ihrem Gegenstand hat, reinigt sie das Denken von der Erfahrung des Konkreten, das als das Kontingente von ihr vernachlässigt wird. Sie schafft sich damit einen Bereich „geistiger Phänomene", in dem sie geschäftig wirkt, der aber Einsicht und Erkenntnis nur vortäuscht[28]. „Das Schicksal setze den größten Weltweisen und Dichter in Umstände, wo sie sich beide selbst fühlen; so verleugnet der eine seine Vernunft und entdeckt uns, daß er keine beste Welt glaubt, so gut er sie auch beweisen kann; und der andere sieht sich seiner Muse und Schutzengel beraubt, bei dem Tode seiner Meta".[29] Die Erfahrung von Endlichkeit und Geschichtlichkeit erweist sich für Hamann als elementar. Positives Wissen um Strukturen der Welt, das seinen Grund nicht in diesen Erfahrungen hat, muß als scheinhaft entlarvt weden. Aufgabe der Vernunft muß für Hamann die Destruktion dieses Scheinwissens und der Sicherheit sein, die es der nach selbst bestimmbaren Problemlösungen suchenden menschlichen Erkenntnis zu gewähren scheint.

Die Unwissenheit des Sokrates, die für Hamann Muster aller profanen Philosophie ist, bekommt in der Geschichte ihr ehrwürdiges „Siegel" und ihren besten „Schlüssel" durch — wie Hamann in den „Sokratischen Denkwürdigkeiten" schreibt — die Worte des Korintherbriefes: „So jemand sich dünken läßt, er wisse etwas, der weiß noch nichts, wie er wissen soll. So aber jemand Gott liebt, der wird von ihm erkannt (1. Cor. 8,2)— als Sokrates von Apoll für einen Weisen."[30]

Die Faktizität der Außenwelt, überhaupt dessen, was dem Menschen gegeben ist, läßt sich nicht durch den denkenden Verstand aus wenigen Sätzen deduzieren, noch auf Grund menschlich erfundener letzter Erkenntnisgewißheiten konstruieren, sondern muß geglaubt werden. Weder die Wirklichkeit, noch die Bedingungen zu ihrer Erkenntnis durch Menschen sind dem Menschen so frei verfügbar, daß sie durch methodisch abgesicherte Prozesse der Interaktion könnten kontinuierlich und akkumulativ verändert werden; vielmehr muß die Faktizität der Wirklichkeit genauso wie die des Instrumentariums menschlicher Erkenntnismöglichkeiten — da beide vom Individuum vorgefunden werden — geglaubt werden[31]. Sinne und Leidenschaften sind die natürlichen Vermittler zwischen Wirklichkeit und menschlicher Erfahrung. In solcher Weise bleibt Erfahrung auf die Schöpfung bezogen, denn diese ist eine Rede Gottes „an die Kreatur durch die Kreatur", sie ist „sinnliche Offenbarung seiner Herrlichkeit".

27. ebda.
28. So schon bei Luther in der Auseinandersetzung mit Erasmus und mit den Böhmischen Brüdern. Vgl. dazu E. Metzke: Sakrament und Metaphysik. Eine Lutherstudie über das Verhältnis des christlichen Denkens zum Leiblich-Materiellen (1948), in: Erwin Metzke: Coincidentia Oppositorum, Ges. Studien zur Philosophiegeschichte, her. v. K. Gründer, Witten/Ruhr, bes. S. 171.
29. Petri I, 362 („Sokr. Denkw.").
30. Petri I, 363.
31. Petri I, 361.

175

Gewißheit des eigenen Weltverhältnisses wird also nicht — wie bei Descartes — in einer Bewegung der Reduktion auf eine letzte unhinterfragbare Aussage (des cogito ergo sum) gesucht, sondern erscheint im Glauben als vorgegebene; folglich kommt es zur Inversion dieses Schlusses, zum „sum ergo cogito" oder noch schärfer: „est, ergo cogito".

Weil die Verhältnisse von „Sinne" und „Leidenschaften" durch die intersubjektive und transsubjektive Sprache gegliedert sind, ergibt sich für Hamann deren Vermittlerschaft zwischen Wirklichkeit und menschlicher Erfahrung. Sprache ist am Ende das Hauptstück des Hamannschen Nachdenkens. Die Schöpfung ist verbal, die Gottesebenbildlichkeit des Menschen besteht darin, daß die Dinge der Welt die Namen tragen, die der Mensch ihnen gab. Natur und Geschichte „reden" zum Menschen. Im Phänomen der Rede sind Sinnlichkeit und Erkenntnis miteinander vermittelt, aber so, daß eine reinliche Scheidung nicht möglich ist. Ist die Schöpfung eine Rede Gottes „an die Kreatur durch die Kreatur", „sinnliche Offenbarung seiner Herrlichkeit", soll dann in ihr alles heißen wie der Mensch es nennt, so ergibt sich, daß Erkenntnis des göttlichen Handelns nur als Erkenntnis im Medium der Sprache möglich ist. Ihre ursprüngliche Weise ist die der Korrelation zwischen Anschauung und Benennung.

Das Grundmuster menschlichen Verhaltens, welches im Prozeß der Schöpfung gegeben wird, ist das der Konsumption der Wohltaten Gottes, so, wie sie gegeben werden. Dieses Verhaltensgrundmuster impliziert den Verzicht auf Herrschaft und Verfügung über die Schöpfung und findet Genügen an einer genußvollen Kommunikation des Gebens und Nehmens ohne Zwang, in dem Tun und Nennen identisch sind. Erst im Sündenfall — in dem die Menschen werden wollten wie Gott, d. h. autonome Verfügungsgewalt über den Ursprung, über die Schöpfung gewinnen wollten und deshalb begehrten, zu wissen was gut und böse ist — zerbrechen sie die *eine* Schöpfung in das, was ist, und das, was sein soll. Ihre Strafe ist die Vertreibung aus dem Paradies und der Zwang zur Arbeit, in der Mensch und Natur zu Feinden dissoziiert wurden. Die Menschen können nicht aus eigener Kraft ins Paradies zurückkehren, weil ihr Erkenntnisanspruch, zu wissen was gut und böse sei, als Anspruch auf Gottgleichheit hypertroph ist, da sie durch das Benennen nicht das Wirkliche schaffen können, weil sie nicht der Schöpfergott sind, des Ursprungs nicht mächtig. So kann die Einsicht in das, was gut und böse ist, den Menschen nur noch die Erkenntnis ihrer Schuldhaftigkeit geben, deren Zeichen Endlichkeit, Zerbrechlichkeit und Hypertrophie des Erkenntnisanspruches sind. All dies wird ablesbar am Gesetz und an der Geschichte.

Das Geschäft der Vernunft ist — aus dieser Pespektive gesehen — Entscheidungen was als das Gute gemacht werden soll nicht zu behaupten und zu begründen, sondern zu sagen, was ist und was war, kurzum, den Schein der autonomen Verfügungsgewalt des Menschen über die Erde zu entlarven. Ein Schein, der den Bruch in der menschlichen Natur — welcher im Sündenfall seinen Ursprung hat — und ihre Korrumpierbarkeit, die einzige sich durchhaltenden Merkmale derselben bis auf den Tag ihrer Erlösung, nur verdecken kann und den Blick auf die am Christusgeschehen ablesbare Verheißung verstellt.

Schöpfung, Sündhaftigkeit, die in der Konfrontation mit dem „Gesetz" erkennbar weden, und Verheißung im Christusgeschehen sind verbal strukturiert, weil er der autonome Herr der Geschichte diese durch das Wort regiert: Das von ihm Gesagte wird Faktum. Im

Handeln Gottes sind Rede und Tat identisch. Der praelapsarische Mensch benennt mit göttlicher Anerkennung die Dinge der Welt in der Sprache, die Gott ihn gelehrt hat. Er verhält sich im Paradies so, daß Erkennen und Nennen dessen, was Faktum ist, identisch sind. Für den postlapsarischen Menschen kommt ein weiteres Moment hinzu; das Gesetz (auch dieses ist sprachlich) als Maßstab menschlicher Insuffizienz. Zwischen Gesetz und Verfehlung spielt die Geschichte, bis sie ein neues Moment gewinnt: Im Christusgeschehen fallen wieder Wort Gottes und — historisches — Faktum zusammen und bringen den Menschen die Verheißung.

Die Leistung der Sprache bestimmt Hamann als ‚Übersetzen‘: „Reden ist übersetzen — aus einer Engelsprache in eine Menschensprache, daß heißt, Gedanken in Worte, — Sachen in Namen, — Bilder in Zeichen; die poetisch oder kynologisch — historisch oder symbolisch oder hieroglyphisch — und philosophisch oder charakteristisch sein können".[32]

Sprache ist als Übersetzen Mimesis. Mimetisch bewahrt sie den Zusammenhang der Geschichte der Schöpfung auf, ohne des Ursprungs selber mächtig zu sein. Sie hält an der spezifischen Differenz zwischen Gottes Handeln und menschlicher Welt fest.

Sprache bewahrt den Zusammenhang der Individuen in der Gesellschaft, indem sie auf die Faktizität der für jedes Individuum geschehenen Geschichte und Verheißung in einem kollektiven Medium verweist. Den Schlüssel der Tradition hat die Gesellschaft seiner Zeit für Hamann in der Bibel, die ihm in einem emphatischen Sinne ‚Gottes Wort‘ ist, weil der Einzelne — wie Hamann in seiner Bekehrung — an der Erkenntnis ihres Textes die Identität von göttlicher Rede und Handlung erfährt. „Ohne Sprache hätten wir keine Vernunft, ohne Vernunft keine Religion, und ohne diese drei wesentlichen Bestandteile unserer Natur weder Geist noch Band der Gesellschaft",[33] heißt es bei Hamann.

Was wollen nun die, deren Gegner er wird? Die Aufklärung will dem Menschen einen Freiraum für den Gebrauch der eigenen Vernunft schaffen, innerhalb dessen nicht vorgeordnete Autorität Wahrheit garantiert, sondern potentiell jeder — unter Beachtung gewisser Regeln — Aussagen intellektuell überprüfen kann. Darauf entsteht das Desiderat, sichere Regeln, Gesetze zu finden, an denen gemessen werden kann, was als richtig oder unrichtig zu gelten hat. Sicherheit derselben Regeln läßt sich nur herstellen — eine notwendige Forderung, wenn sie für alle Menschen in der Weise gelten sollen, daß sie potentiell von jedem eingesehen werden können und nicht auf eine Autorität hin müssen geglaubt werden —, wenn entweder gezeigt werden kann, unter welchen angebbaren Bedingungen überhaupt erst Erkenntnis zustande kommt (unabhängig davon, ob bislang vielen Menschen solche Bedingungen vorenthalten waren, was in einem zweiten Akte dann näher bestimmt werden kann), bzw. wenn solche Erkenntnis der Erkenntnisfähigkeit durch die Angabe, was sie leisten und nicht leisten kann, sich selbst ausweisen kann. Zugleich muß sie — um solche autonome Gewißheit ihrer eigenen Leistung zu erreichen — konventionelle Aussagen, die nur durch Tradition oder Autorität verbürgt sind, in Frage stellen.

32. „Aesthetica in nuce", hier nach: „Sturm und Drang — Kritische Schriften" (her. v. Lambert Schneider), Heidelberg 1963, S. 123.

33. Johann Georg Hamanns Sämtliche Werke (ed. Nadler) 30.3, Wien 1951, S. 231 (Zwey Scherflein zur neusten Deutschen Literatur (1780)).

Kant bestimmt sein Zeitalter als „ ... das eigentliche Zeitalter der Kritik, der sich alles unterwerfen muß. Religion, durch ihre Heiligkeit, und Gesetzgebung durch ihre Majestät, wollen sich gemeiniglich derselben entziehen. Aber als dann erregen sie gerechten Verdacht wider sich und können auf unverstellte Achtung nicht Anspruch machen, die die Vernunft nur demjenigen bewilligt, was ihre freie und öffentliche Prüfung hat aushalten können."[34] Die Indifferenz gegenüber metaphysischen Fragen, die Kant als eine Folge der gereiften Urteilskraft seines Zeitalters glaubt, feststellen zu können, bedeutet ihm eine „ ... Aufforderung an die Vernunft, das beschwerlichste aller ihrer Geschäfte, nämlich das der Selbsterkenntnis aufs neue zu übernehmen und einen Gerichtshof einzusetzen, der sie bei ihren gerechten Ansprüchen sichere, dagegen aber alle grundlosen Anmaßungen, nicht durch Machtansprüche, sondern nach ihren ewigen und umwandelbaren Gesetzen, abfertigen könne, und dieser ist kein anderer als die Kritik der reinen Vernunft selbst."[35]

Für Kant erscheint die transzendentale Kritik als „... eine Vorbereitung, wo möglich, zu einem Organon, und, wenn dieses nicht gelingen sollte, wenigstens zu einem Kanon derselben, nach welchen allenfalls dereinst das vollständige System der Philosophie der reinen Vernunft ... dargestellt werden könnte. Denn daß diese möglich sei, ja daß ein solches System von nicht gar großem Umfange sein könne, um zu hoffen, es ganz zu vollenden, läßt sich schon zum Voraus daraus ermessen, daß hier nicht die Natur der Dinge, welche unerschöpflich ist, sondern der Verstand, der über die Natur der Dinge urteilt, und auch dieser wiederum nur in Ansehung seiner Erkenntnis a priori den Gegenstand ausmacht, dessen Vorrat, weil wir ihn doch nicht auswärtig suchen dürfen, uns nicht verborgen bleiben kann, und allem Vermuten nach klein genug ist, um vollständig aufgenommen, nach seinem Werte oder Unwerte beurteilt und unter richtige Schätzung gebracht zu werden."[36]

Diese Aussichten auf einen − zumindest − Kanon von Erkenntnissen über die reine Vernunft, der dem Erkenntnisvermögen sichere Gesetze bieten kann, die zeitlos dem Wandel enthoben sind, die Kant hier verheißen hat, welche gewiß das intensive Interesse der frühen Romantik an der Transzendentalphilosophie motiviert haben, bieten in einer Art Rückzugsstrategie Sicherheit vor geschichtlichem Wandel. Diese Gewißheit kann versprochen werden, weil Selbsterkenntnis nicht mehr die des Menschen in totum sein soll, sondern Selbsterkenntnis der Vernunft, die zunächst auch nicht mehr dem Verhältnis des Menschen zu einer Welt Stabilität erarbeiten soll, sondern dem Verhältnis der Vernunft zu sich selber. Genau durch die Aussparungen anderer Verhältnisse kann von ihr erhofft werden, was Kant von ihr verspricht. Für Hamann, das wurde schon dargestellt, ist auch Selbsterkenntnis Aufgabe der Vernunft, wobei er sich ja an der Gestalt des Sokrates orientiert; aber Selbsterkenntnis des totums Mensch als Individuum und Gattungswesen − das ist die spezifische Differenz. Selbsterkenntnis bedeutet für Hamann − auch das wurde dargestellt − Erkenntnis der Endlichkeit, Zerbrechlichkeit, Unsicherheit der menschlichen Lage, wenn die Erkenntnis nur konsequent menschliche Selbsterkenntnis ist.

Der Gerichtshof der Erkenntnis, vor den Menschenwerk bei Hamann zitiert wird,

34. Kant in einer Anmerkung zur Vorrede zur „Kritik der reinen Vernunft" (1. Aufl.), hier in: Immanuel Kant, Kritik der reinen Vernunft, (hrsg. v. R. Schmidt), Hamburg 1956 (Ph.B. 37a), S. 7.
35. ebda.
36. Kant, a.a.O., S. 56.

mißt es an einem Gesetz, das solchen Anspruch stellt, daß per se Menschliches nicht kann gerechtfertigt werden und der Bestrafung anheimfallen muß. Trägt so der Hamannsche Gesetzesbegriff des Index des Strafgesetzes, so trägt der Kantische, der vor dem Gericht der Vernunft angesichts ewiger und umwandelbarer Gesetze die gerechten Ansprüche der Vernunft durchgesetzt sehen will, den Index des Bürgerlichen Gesetzbuches.

Kant glaubt, ewige — d. h. geschichtslose — Gesetze darstellen und in Anwendung bringen zu können, die allen wandelbaren gesellschaftlichen Ansprüchen und Zumutungen standhalten, gleichwohl aber in der Struktur des menschlichen Geistes ihren Grund und Ursprung haben; insofern der Mensch sich ihrer bemächtigen kann, menschlicher Besitz sind. Bei Hamann zeigen die Verhältnisse sich anders: Es wurde dargestellt, daß das prinzipielle Unrecht des Menschen, die Sünde, durchaus ihren geschichtlichen Ursprung und Ort hat, daß im Glauben an die Verheißung der geschichtlich im Christenereignis sich konstituierenden Vergebung eine Rechtfertigung außerhalb des Gesetzes, dessen universale Macht zerbrochen wird, stattfindet, bis das Gesetz in der Parusie ganz aufgehoben werden soll. Diese Geschichte — und Glaube und Hoffnung, welche ihr inhaerent sind — kompensiert die Destruktion durch Selbsterkenntnis, macht aber die ewigen Gesetze und Prinzipien zu relativen. Was in Hamann und Kants Zeit sich zu dissoziieren beginnt und nach ihnen nur von Hegel noch einmal in seinem Zusammenhang erarbeitet wird, bleibt in dieser Geschichte beieinander: Geschichtlichkeit und Geschichte. Die für die Selbstgewißheit des Menschen destruktive Selbsterkenntnis verweist ihn darauf, sein Heil von der Bestimmung des Platzes in der gesamten Geschichte der Menschheit auszusuchen. Nur durch Anerkennung der Faktizität der geschehenen Geschichte — der Geschichte des Menschengeschlechts, wenn man so will — läßt sich die Erfahrung der eigenen Geschichtlichkeit des Individuums von der Verzweiflung sich zur Hoffnung transformieren. Die Erfahrung der eigenen Geschichtlichkeit trägt so immer den Index ihrer Stellung in der Geschichte, die dem Individuum schon immer voraus ist; die Geschichte aber bekommt ihren Sinn durch verheißene Erfüllung der göttlichen Zusagen der Vergangenheit.

Innerhalb dieses Zusammenhangs von Geschichte wird der Versuch der Vernunfterkenntnis — unter welchen Vorzeichen er auch immer stehen mag —, zeitlose Gesetze, die aus der Natur des Menschen sich erschließen lassen sollen, zur Sicherung einer Basis für die Weiterarbeit der Vernunft, als dem Prinzip ihrer Emanzipation von aus der Geschichte herausgewachsenen Zwängen, verdächtigt, als ein Versuch, Faktizität und menschliche Erfahrung — die hier von Empirie im Sinne der Wissenschaft schon geschieden ist — zu eskamotieren, um herstellbarer Sicherheiten willen, die Selbsterkenntnis verstellen und verdecken. Diese Beurteilung der Lage seiner Zeit begründet auch den polemischen Akzent der Hamannschen Sprachphilosophie sowohl gegen Kant als auch gegen Herder.

Herders Sprachursprungstheorie, die das Anthropinon Sprache aus dem Hiatus zwischen Umwelt und menschlicher Verhaltensmotivation entstehen läßt, den die „Besonnenheit" im Medium der Sprache als dem Produkt der vernünftigen Menschennatur überbrückt, macht die menschliche Kultur und Geschichte zu einer Wirkung der menschlichen Natur, zu einer Leistung des „Un-Thiers"[37] unter den Tieren, wie Hamann gelegentlich

---

37. Hamann, in: „Philologische Einfälle und Zweifel ...", hier nach HHe, IV, 247.

Herders Theorie ironisch paraphrasiert. Sie ist damit den Verstellungen, die die offizielle Wissenschaft — gefördert durch die Akademien und die etablierte Wissenschaft der Aufklärungszeit — vor der Wahrheit und der Selbsterkenntnis der Menschheit (nach Hamanns Interpretation) aufgebaut hat, verfallen. Unter dem Licht dieser Aufklärung hat die Darstellung der menschlichen Natur in eine Legitimierung der menschlichen Herrschaft über die Natur sich verwandelt, weil der Begriff der Schöpfung ausgespart wurde; in eine aus der Natur begründete Herrschaft über die Natur, die ihr Analogon in den politischen Herrschaftsverhältnissen der eigenen Zeit hat, — einer Zeit, in der der König — das „être suprême" — sich über seine Untertanen erhebt und sie willkürlich beherrscht, weil aus der Natur eben kein Gesetz sich ableiten läßt, das solcher Willkür zu wehren vermöchte.

Es geht für Hamann in seiner sprachphilosophisch orientierten Kritik an Herder um dasselbe Problem wie bei seiner ebenfalls sprachphilosophischen Kritik an Kant: Durch den Versuch, aus der vernünftigen Natur des Menschen positive Leistungen des menschlichen Geistes zu begründen, zu sichern und die Kriterien der Geltung von Erkenntnissen zu erarbeiten, wird deren für den Erkennenden unverfügbare Genese derart unterschlagen, daß geschichtslose Ansprüche auf Legitimation eben diese vor dem Forum der geschichtslos gewordenen Vernunft am Ende auch finden, wie andererseits die Lage des Menschen in ihrer Faktizität durch die verhinderte Selbsterkenntnis verschleiert wird, weil Erfahrung, die nur narrativ expliziert werden kann, ausgeblendet wurde.

Auf das Gesamtwerke projiziert, hat die Hamannsche Polemik gegen Kant zwei Spitzen: eine sprachphilosophische und eine geschichtstheologisch politische, die meines Erachtens ihren gemeinsamen Bezugspunkt in Hamanns strikter „Gläubigkeit" haben. Diese feste Position, die er dann lebenslänglich durchhält, nachdem er sie besetzt hatte, ermöglichte ihm den Widerstand gegen autoritäre politische Tendenzen — nicht nur des aufgeklärten Absolutismus, sondern genauso gegen die scheinbar orthodoxe Reaktion Friedrich Wilhelms II und Woellners, deren Möglichkeit er fast prophetisch vor ihrem Eintreten am „Fall" des angeblich aufgeklärten Hofpredigers und Königsberger Professors Starck aufgeregt ausgeschrieen hat — auf diese Aufregung Hamanns beziehen sich übrigens die vorne zitierten spöttischen Bemerkungen Kants über theologische Forschung und Orthodoxie.

So bleibt Hamann politisch ambivalent: Weder Revolutionär noch angepaßt: Selbst Lukács hat ihn gelegentlich vom Vorwurf des Irrationalismus ausdrücklich freigesprochen. Zugleich versetzt ihn diese intellektuell und lebensgeschichtlich durchgehaltene Bindung an *einen* Glauben in die Lage, seine hermeneutischen Reflexionen zu differenzieren, ja, sich selbst einen „Hermeneuten" zu nennen und der Narration ihr Recht gegenüber der rationalen Konstruktion oder Rekonstruktion zu erhalten.

Johannes Fritsche

ZU THEODIZEE UND KOSMOLOGISCHEM OPTIMISMUS BEI KANT

„Was mich betrifft", schreibt Kant 1768 in einem Brief an Herder, „da ich an nichts hänge und mit einer tiefen Gleichgültigkeit gegen meine oder anderer Meinungen das gantze Gebäude ofters umkehre und aus allerley Gesichtspunkten betrachte um zuletzt etwa denienigen zu treffen woraus ich hoffen kan es nach der Warheit zu zeichnen, so habe ich seitdem wir getrennet seyn in vielen Stücken anderen Einsichten Platz gegeben" (AA 10, 71).[1] Dieser Zug seines Denkens hat sich bei dem jungen Kant vor allem als ein Durchdenken dem damaligen politischen Klima in Deutschland und der Leibniz-Wolffischen Schule entgegengesetzter mechanistischer Thesen gezeigt. In den ersten Schriften entwirft Kant für die Erde und den Kosmos ein Modell ihrer geschichtlichen Entwicklung aus mechanistischen Prämissen, bloß aus der Materie und deren Bewegungsgesetzen. In ihm ist „Vollkommenheit" der Welt kein bleibender Zustand, sondern ein Moment zwischen dem durch die Gesetze der Bewegung zusammengehaltenen Entstehen und Vergehen auch der Erde und des Kosmos. Der Begriff Vollkommenheit verliert seinen vergleichenden Charakter, die Welt ist nicht eine faktische auf dem Hintergrund anderer möglicher Welten, ihre Entwicklung ist nicht korrigierbar in Richtung auf eine bessere Befindlichkeit. Diese ersten Schriften richten sich gegen die Gestalt des Optimismus, die Kant in der Leibnizschen Theorie vor Augen stand. Der noch vorkritische Kant wendet sich dann einer Position zu, die der Leibnizschen sehr nahe ist. Schließlich enthält die *Kritik der reinen Vernunft* eine Stellungnahme, die Kant in geschichts- und moralphilosophischen Überlegungen ein Stück weit ausgezeichnet hat.

Die Radikalität des Mechanistischen aber ist ihrerseits zugleich Antwort auf eine Schwierigkeit der Leibnizschen Theorie. Die Ausbleichung des Horizonts möglicher Welten, die immanent mechanistische Konstruktion der Welt will den Mechanismus so weit treiben, daß er in sein Gegenteil umschlägt. Kant hält Leibniz vor, daß in der Annahme möglicher Welten, zwischen denen Gott zu wählen habe, eine dem Begriff Gottes widersprechende Heteronomie für Gott gesetzt sei, indem er sich in der Wahl auf als Möglichkeiten unabhängig von ihm bestehende Welten beziehen müsse. Die Theologie der Allgenugsamkeit, der Gottesbeweis aus der Möglichkeit der Dinge in der *Principiorum primorum cognitionis metaphysicae nova dilucidatio*, daß die möglichen Begriffe und die mögliche Welt nicht unabhängig von Gott als mögliche existieren, sondern sein Dasein und ihre Übereinstimmung mit den Eigenschaften Gottes voraussetzen, was der Gottesbeweis dartut, sollen diese Unabhängigkeit der Wesen der Dinge aufheben, damit auch die Unabhän-

---

1. Ein Band- und Seitenzahl vorangestelltes „AA" verweist auf die Akademie-Ausgabe von Kants Schriften, die übrigen Angaben beziehen sich auf die sechsbändige Ausgabe von Wilhelm Weischedel. Die *Kritik der reinen Vernunft* wird nach der zweiten Auflage nachgewiesen (K. d. r. V., B ...).

gigkeit der Gesetze des Existierenden, der mechanistischen Gesetze. Die radikale Durchführung des mechanistischen Motivs soll Gott von der Notwendigkeit befreien, sich ständig auf seine Schöpfung beziehen zu müssen. Schöpfung und Welterhaltung ist nicht Resultat einer mit Gründen wollenden, auswählenden und sich auf ein anderes beziehenden Instanz, sondern eher Emanation Gottes.

Es lassen sich drei Gründe für die Aufgabe dieses in den Schriften *Allgemeine Naturgeschichte und Theorie des Himmels, nova dilucidatio* und *Die Frage, ob die Erde veralte, physikalisch erwogen* ausgearbeiteten Konzepts angeben.[2] Ein theologischer: wenn die Leibnizsche Formel der Unabhängigkeit möglicher Welten und der auf sie nach dem Prinzip des Besten bezogenen Wahl Gottes im Namen der Allgenugsamkeit abgewiesen wird, kann nur schwer ein tragfähiger Unterscheidungsgrund zwischen Gott und Welt angegeben werden. Die Unendlichkeitsmetaphysik des siebten Abschnitts des 2. Teils der *Allgemeinen Naturgeschichte* (1, 326 ff.) rückt die Unendlichkeit des Kosmos in gefährliche Nähe zu der Unendlichkeit der Realitäten, die, als in einem Ding versammelt, nach der siebten Proposition der *nova dilucidatio* (1, 432 ff.) das Dasein Gottes ausmachen.[3] Ein zweiter ist, daß Kant dem Mechanismus der Natur nicht mehr, wie noch in der *Allgemeinen Naturgeschichte*, zumutet, alle natürlichen Gebilde erklären zu können. Für die organischen Lebewesen stellt er in der Schrift *Der einzig mögliche Beweisgrund zu einer Demonstration des Daseins Gottes* eigene, vom Mechanismus unabhängige Prinzipien auf (2. Abth., 2. und 3. Betr.; 1, 663 ff.). Schließlich scheint drittens der Begriff der Moralität eine Freiheit des Subjekts zu erfordern, die der Universalität des Mechanistischen widerspricht. Das hat, in dem *Versuch einiger Betrachtungen über den Optimismus* sich ankündigend, zur Folge, daß im *Einzig möglichen Beweisgrund,* vor allem in der Gegenüberstellung zweier Naturordnungen, der notwendigen und der zufälligen (1, 670 ff.), Leibnizsche Elemente in das Verhältnis von Gott und Welt wieder eingehen. Daß diese Schrift sie mit der Theologie der Allgenugsamkeit (1, 723 ff.) zusammendenken will, macht ihre ungelöste Spannung aus.

In ihr mag man eine Aporetisierung des Verhältnisses zwischen Gott und Welt sehen. In der Spannung zwischen der gleichzeitigen Radikalisierung des Mechanismus eines unendlich gewordenen Kosmos und des Gottesbegriffes auf eine Totalität hin, der nichts äußerlich ist: „Gott ist allgenugsam. Was da ist, es sei möglich oder wirklich, das ist nur etwas, in so ferne es durch ihn gegeben ist. Eine menschliche Sprache kann den Unendlichen so zu sich selbst reden lassen: Ich bin von Ewigkeit zu Ewigkeit, außer mir ist nichts, ohne in so ferne es durch mich etwas ist" (1, 724), scheint jedes Moment nur auf Kosten des anderen seine Universalität zu behaupten. Solange keine Vermittlungsfigur zwischen Gott und Welt gefunden ist, die beiden ihre Totalität beläßt, wie es die Dialektik mithilfe der Figur der Negation der Negation beansprucht, scheint die Universalität der Natur mit der Allgenug-

---

2. Vgl. Tillmann Pinder, Kants Gedanke vom Grund aller Möglichkeit. Untersuchungen zur Vorgeschichte der „transzendentalen Theologie", Berlin 1975 (Diss.-Druck), S. 148ff.

3. Im Blick auf diese frühen Entwürfe schreibt Kant später einmal, daß „dieser metaphysische Gott (das Realissimum) gleichwohl sehr in den Verdacht kommt, daß er mit der Welt (unerachtet aller Protestationen wider den Spinozism), als einem All existierender Wesen, einerlei sei" *(Welches sind die wirklichen Fortschritte, die die Metaphysik ...,* 3, 641).

samkeit Gottes nicht derart in einen Zusammenhang gebracht werden zu können, daß Natur und Gott auseinandergehalten werden und zugleich der Naturzusammenhang die Stelle in sich offen läßt, an der seine Abhängigkeit von Gott als dessen Schöpfung einsehbar gemacht werden kann. Die Figur, mit der der junge Kant in der *Allgemeinen Naturgeschichte* diese Abhängigkeit der mechanistischen Natur herstellen will, indem er denen, die das Dasein Gottes aus der Existenz einer besonderen, teleologischen Naturordnung beweisen wollen, die der allgemeinen, mechanistischen Naturordnung aufruht, vorhält, daß sie dann im Mechanismus keine Gott gefährdende Instanz zu sehen brauchen, „wenn die allgemeinen Wirkungsgesetze der Materie gleichfalls eine Folge aus dem höchsten Entwurfe sein" und sie deshalb „vermutlich keine andere Bestimmungen haben" können „als die den Plan von selber zu erfüllen trachten, den die höchste Weisheit sich vorgesetzet hat" (1, 229), erweist sich gegenüber der drohenden Identifikation von Gott und Welt als zu unspezifisch und kann auch schon dort gelesen werden als eine Kantische List, dem allgemeinen Mechanismus unter dem Schutz solcher theologischen Legitimiertheit die Bahn zu bereiten. Oder man versucht, den Vorwurf Kants an Leibniz in den Reflexionen 3703—3705 einer falschen Abhängigkeit Gottes von der Welt und umgekehrt: „Der gantze Fehler beruht darin, Leibnitz versetzt den Plan der besten Welt einestheils in eine art einer Unabhängigkeit, andern theils in einer Abhängigkeit von dem Willen Gottes" (AA 17, 237), nicht nach der Seite der Natur, sondern der Allgenugsamkeit Gottes aufzulösen, wird dann aber zur einem jeglicher eigenen Substantialität entbehrenden Naturbegriff kommen. Die Unversöhnlichkeit beider als Totalitäten Gesetzter spiegelt sich noch in der Antinomienlehre der *Kritik der reinen Vernunft*, wo die Antithese der dritten Antinomie, die die Immanenz der Gründe des Naturverlaufs behauptet, zwar in Ansehung der Ursachen in einen infiniten Regreß kommt, „weil die Kausalität an ihnen jederzeit bedingt ist, aber zur Schadloshaltung durchgängige und gesetzmäßige Einheit der Erfahrung verspricht", wohingegen der These vorgehalten wird, daß sie zwar „zu einer unbedingten Kausalität führt", aber „den Leitfaden der Regeln abreißt, an welchem allein eine durchgängig zusammenhängende Erfahrung möglich ist" (K. d. r. V., B 476).

Man kann vermuten, daß für Kant unter dem Anspruch beider Forderungen, der aufklärerischen nach der Autonomie der Natur und dem ernstgenommenen Begriff Gottes, seiner Allgenugsamkeit, ohne den Leibnizschen „Kompromiß" eingehen und ohne in die Gefahr des Spinozismus geraten zu wollen, die Implikation des kosmologischen Optimismus, die Abhängigkeit der Welt von einem, antik, ordnenden, christlich-neuzeitlich, schöpferischen Gott und die darin bei Platon noch so sinnfällige Abhängigkeit Gottes von der Welt, überdehnt worden ist. In der späten Schrift *Über das Mißlingen aller philosophischen Versuche in der Theodizee* beweist Kant, „daß unsre Vernunft zur Einsicht des Verhältnisses, in welchem eine Welt, so wie wir sie durch Erfahrung immer kennen mögen, zu der höchsten Weisheit stehe, schlechterdings unvermögend sei" (6, 114). Man kann dann als einen Aspekt der *Kritik der reinen Vernunft* das bewußte Auseinandertreiben beider Instanzen, Gott und der Welt, konstatieren, das die Gegenstandslosigkeit der Frage zur Folge hätte. Von der einen Seite, der Abhängigkeit der Natur von Gott, ist die Antinomienlehre und ihre Auflösung das durchgeführte Verbot, die Frage nach dem Ursprung der Natur positiv beantworten zu wollen; auf die Natur angewandt, naturtranszendente Ursachen als Erklärungsgründe von Naturverläufen anzunehmen. Der mechanistische Impuls des jungen Kant hält sich strikt durch, lieber noch sieht er „die wildesten Hypothesen, wenn sie nur physisch sind", und schilt durchgängig die hyperphysische Hypothese, „d. i. die Berufung auf einen göttlichen Urheber, den man zu diesem Zweck voraussetzt", als faule Vernunft, „ignava ratio" (K. d. r. V., B 801). Nach der anderen Seite in der Kritik an allen Versuchen, theoretisch das Dasein Gottes beweisen zu wollen, in der Kritik am ontologischen, kosmologischen und physikotheologischen Beweis des Daseins Gottes im 3. Hauptstück der transzendentalen Dialektik.

Mit der theoretischen Auflösung des Nexus zwischen der Welt und Gott ist aber für Kant die Fragestellung des kosmologischen Optimismus nicht obsolet geworden. An die Stelle des Mechanismus als einer Instanz, durch die hindurch die Theologie zu retten wäre, tritt versuchsweise die menschliche Gattung als Träger überkommener theologischer Gehalte. Schon die Frage der frühen Schrift *ob die Erde veralte, physikalisch erwogen* kann nicht beantwortet werden, weil die Menschen durch ihre Arbeit so stark auf die Natur einwirken, daß deren reine Objektivität nicht ausmachbar ist: „Der Menschen Fleiß thut so viel zur Fruchtbarkeit der Erde: daß man schwerlich wird ausmachen können, ob an der Verwilderung und Verödung derjenigen Länder, die vordem blühende Staaten waren und jetzt fast gänzlich entvölkert sind, die Nachlässigkeit der erstern, oder die Abnahme der letztern am meisten Schuld sei" (AA 1, 197). In dieser Perspektive wird nicht mehr nach Gott, sondern nach der menschlichen Gattung gefragt, wenn es darum geht, ob diese Welt besser sein könnte, als sie ist. Eine der zentralen Anstrengungen der *Kritik der reinen Vernunft* zielt darauf, gegen den Mechanismus des Gattungsverstandes, der die Gegenständlichkeit der Natur konstituiert, die moralische Freiheit des Subjekts zu bewahren. In der späten Schrift *Die Religion innerhalb der Grenzen der bloßen Vernunft* hat Kant im Anschluß daran den Begriff der Freiheit geschärft, insofern er das dem moralischen Gesetz Zuwiderhandeln nicht auf die Schwäche des Subjekts, seine leichte Beeinflußbarkeit durch sinnliche Neigungen und deren Objekte bezieht — ein Modell, in dem das Negative als bloßer Mangel des Positiven begriffen wird —, sondern — analog seiner Negationstheorie in dem *Versuch den Begriff der negativen Größen in die Weltweisheit einzuführen* — die Entscheidung zum Bösen als ein selbständiges, nur in der Freiheit des Subjekts gegründetes und an kein Objekt gebundenes Prinzip in der menschlichen Natur entwickelt: „selbst ein Actus der Freiheit...kann in keinem die Willkür durch Neigung bestimmenden Objekte, in keinem Naturtriebe, sondern nur in einer Regel, die die Willkür sich selbst für den Gebrauch ihrer Freiheit macht, d. i. in einer Maxime, der Grund des Bösen liegen" (4, 667). Diesem Antagonismus der Einwohnung des bösen Prinzips und der ursprünglichen Anlage zum Guten in der menschlichen Natur entspricht der Antagonismus der „ungesellige(n) Geselligkeit" (6, 37) in der *Idee zu einer allgemeinen Geschichte in weltbürgerlicher Absicht*. Hier bestimmt Kant das Hauptproblem des Optimismus, wie Gott die unabhängig von ihm gegebenen, aus dem Weltplan nicht ausschließbaren Übel so in ihn einfügen könne, daß sie im ganzen vergütet werden,[4] als ein den menschlichen Egoismus betreffendes und nur von

---

4. „Der optimismus ist diejenige Lehrverfassung, die Übel der Welt aus der Voraussetzung eines unendlich vollkommenen, gütigen und allmachtigen Urwesens zu rechtfertigen, indem man sich

den Menschen selbst in Freiheit zu bewältigendes Problem, indem er — dem gegenüber Leibniz in dieser Hinsicht besseren Metaphysiker Pope folgend: „Alles, was sich selbst nützt, findet sich in der nothwendigkeit, zugleich andern nützlich zu seyn" (AA 17, 234) — nach der Gesellschaftsordnung fragt, in der dieser gesellschaftlich zunächst destruktive Egoismus durch die Einbindung in geeignete Institutionen zur positiven Entwicklung der Kräfte der Gattung ausschlägt, keine bloße Kompensation des Übels durch Gutes, sondern das Übel als wirkende Ursache der Steigerung des Guten. Diese Gesellschaftsordnung ist die bürgerliche, deren Einrichtung Kant fordert: „Da nur in der Gesellschaft, und zwar derjenigen, die die größte Freiheit, mithin einen durchgängigen Antagonism ihrer Glieder, und doch die genauste Bestimmung und Sicherung der Grenzen dieser Freiheit hat, damit sie mit der Freiheit anderer bestehen könne, — da nur in ihr die höchste Absicht der Natur, nämlich die Entwickelung aller ihrer Anlagen, in der Menschheit erreicht werden kann, die Natur auch will, daß sie diesen, so wie alle Zwecke ihrer Bestimmung, sich selbst verschaffen solle: so muß eine Gesellschaft, in welcher Freiheit unter äußeren Gesetzen im größtmöglichen Grade mit unwiderstehlicher Gewalt verbunden angetroffen wird, d. i. eine vollkommen gerechte bürgerliche Verfassung, die höchste Aufgabe der Natur für die Menschengattung sein; weil die Natur, nur vermittelst der Auflösung und Vollziehung derselben, ihre übrigen Absichten mit unserer Gattung erreichen kann" (6, 39). Allerdings hat Kant nicht viel Vertrauen in den Fortschritt gesetzt.[5]

Mechanismus und geschichtlicher Fortschritt können durchaus zu dem Motiv des „Durch-hindurch" gerechnet werden, in dem Kant die spekulativen Möglichkeiten des alten dialektischen Satzes „Was verwundet, heilt auch" erprobt.[6] „Seine Philosophie möchte jene Rettung vollbringen mit der Kraft dessen, was das zu Rettende bedroht".[7] Nachdem vor dem Gattungsverstand die Gegenstände der metaphysica specialis, Gott und Unsterblichkeit, theoretisch unbeweisbar geworden sind, fällt der praktischen Vernunft die Last ihres Aufweises zu, indem Gott und Unsterblichkeit in der Postulatenlehre der *Kritik der praktischen Vernunft* (4, 252ff.) als Bedingungen des praktischen Vernunftgebrauchs erwiesen werden sollen. In dieser Bindung an die praktische Vernunft verändert sich der Begriff Gottes gegenüber dem Optimismus. Daß jeder Versuch, in affirmativen Aussagen über das Verhältnis von Gott und Welt „den Lauf der Weltbegebenheiten mit der Göttlichkeit ihres

überführt, daß ohnerachtet allen scheinbaren Wiedersprüchen, was von diesem Unendlich vollkommenen Wesen gewehlet worden, dennoch das Beste unter allem moglichen seyn müße, und die Anwesenheit des Bösen nicht der Wahl des gottlichen Wohlgefallens, sondern der unvermeidlichen Nothwendigkeit der Wesentlichen Mängel endlicher Dinge zuschreibet, die, indem sie ohne deßen Schuld durch den Rathschluß der Zulaßung mit in den Plan der Schopfung gebracht worden, durch deßen weißheit und Güte dennoch so zum besten der Gantzen gekehrt werden, daß sie das Misfallen, das der Anblik derselben ins besondere erregen kan, durch die Ersetzung, die die gottliche Güte zu veranstalten Weis, im gantzen vollkommen vergütet wird" (AA 17, 230f.).

5. Vgl. Martin Puder, Kant — Stringenz und Ausdruck, Freiburg 1974, S. 104ff. und öfter; vgl. auch Odo Marquard: „‚Unendlicher Progreß' ist der Euphemismus für Aussichtslosigkeit" (Skeptische Methode im Blick auf Kant, Freiburg/München 1958, S. 107f.).

6. Zum „Durch-hindurch" vgl. Puder, a.a.O.

7. Theodor W. Adorno, Negative Dialektik, Frankfurt am Main 1966, S. 72.

Urhebers zu vereinigen" (6, 111 Anm.), den Begriff Gottes auf subjektiv-kalkulierende Rationalität verkürzt, ist die These von *Über das Mißlingen aller philosophischen Versuche in der Theodizee.* Hier sind die Motive der Kritik Kants am Optimismus und der Theodizee noch einmal gebündelt. Da „Allwissenheit dazu erforderlich ist, um an einer gegebenen Welt (wie sie sich in der Erfahrung zu erkennen gibt) diejenige Vollkommenheit zu erkennen, von der man mit Gewißheit sagen könne, es sei überall keine größere in der Schöpfung und Regierung derselben möglich" (6, 106), befaßt sich Kant nicht mit der „Kunstweisheit des Welturhebers" (6, 106 Anm.), sondern konzentriert sich ganz auf „den moralischen Begriff von Gott" (6, 107 Anm.), zu dem drei Eigenschaften gehören: die „Heiligkeit desselben, als Gesetzgebers", die „Gütigkeit desselben, als Regierers" und die „Gerechtigkeit desselben, als Richters" (6, 107). Sie lassen sich weder aufeinander zurückführen noch in ihrer Ordnung umkehren. Wollte man das Gesetz der Gütigkeit Gottes unterordnen, gäbe es „keinen festen Begriff von Pflichten mehr" (6, 108 Anm.). Auch ist die Gerechtigkeit weder Güte noch bloßes Mittel der Gesetzgebung: „die Übertretung wird mit Übeln verbunden, nicht damit ein anderes Gute herauskomme, sondern weil diese Verbindung an sich selbst, d. i. moralisch und notwendig gut ist" (6, 108 Anm.). Auf diese drei Eigenschaften bezieht Kant, ganz traditionell, drei Arten des vom Begriff des Zwecks her entwickelten Übels, das „schlechthin Zweckwidrige, was weder als Zweck, noch als Mittel, von einer Weisheit gebilligt und begehrt werden kann; ... die Sünde", das „bedingt Zweckwidrige, welches zwar nie als Zweck, aber doch als Mittel, mit der Weisheit eines Willens zusammen besteht. ... das physische Zweckwidrige, das Übel (der Schmerz)" und die „Verbindung der Übel und Schmerzen, als Strafen, mit dem Bösen, als Verbrechen; ... das Mißverhältnis zwischen der Straflosigkeit der Lasterhaften und ihren Verbrechen" (6, 106f.). Gegen die Anklage der Vernunft aus dem Zweckwidrigen in der Welt kann nun der Sachwalter Gottes[8] dreifach vorgehen: er muß entweder beweisen, „daß das, was wir in der Welt als zweckwidrig beurteilen, es nicht sei" oder „daß, wenn es auch dergleichen wäre, es doch gar nicht als Faktum, sondern als unvermeidliche Folge aus der Natur der Dinge beurteilt werden müsse" oder schließlich, „daß es wenigstens nicht als Faktum des höchsten Urhebers aller Dinge, sondern bloß der Weltwesen, denen etwas zugerechnet werden kann, d. i. der Menschen (allenfalls auch höherer, guter oder böser, geistiger Wesen) angesehen werden müsse" (6, 105).[9]

8. „Unter einer Theodizee versteht man die Verteidigung der höchsten Weisheit des Welturhebers gegen die Anklage, welche die Vernunft aus dem Zweckwidrigen in der Welt gegen jene erhebt.", so beginnt der Text, um dann fortzufahren: „ — Man nennt dieses, die Sache Gottes verfechten; ob es gleich im Grunde nichts mehr als die Sache unserer anmaßenden, hiebei aber ihre Schranken verkennenden, Vernunft sein möchte, welche zwar nicht eben die beste Sache ist, insofern aber doch gebilligt werden kann, als (jenen Eigendünkel bei Seite gesetzt) der Mensch als ein vernünftiges Wesen berechtigt ist, alle Behauptungen, alle Lehre, welche ihm Achtung auferlegt, zu prüfen, ehe er sich ihr unterwirft, damit diese Achtung aufrichtig und nicht erheuchelt sei. Zu dieser Rechtfertigung wird nun erfordert, daß der vermeintliche Sachwalter Gottes entweder beweise: daß ..." (6, 105).

9. Leibniz argumentiert übrigens, was oft übersehen wird, außer in dem für die optimistische Weltformel konstitutiven Elektionsbegriff ganz scholastisch; vgl. Wolfgang Hübener, Sinn und Grenzen des Leibnizschen Optimismus, Studia Leibnitiana X (1978), S. 222-246.

Kant geht in seinen Widerlegungen nicht von einem positiven Begriff Gottes aus, sondern verfährt negativ, indem er die in den Verteidigungen implizierten Annahmen über Gott abweist, eine Verteidigung Gottes gegen seine Verteidiger, weil jede das Übel begründende Aussage Gottes Begriff verfehlt. Das Merkwürdige seiner Widerlegungen aber besteht darin, daß in ihnen — ohne, wie auch die Überlegungen zu den Eigenschaften Gottes zeigen, vom Rigorismus der *Kritik der praktischen Vernunft* etwas zurückzunehmen — ein Gott sichtbar wird, der für das irdische Leben der einzelnen Menschen durchaus Rücksicht nimmt auf das als Prinzip des Handelns aus der praktischen Vernunft verwiesene Verlangen „Glücklich zu sein" (4, 133), eine freie Unbefangenheit gegenüber den einzelnen, die sich die Verteidiger Gottes durch ihre Begründungen verbauen. Der Optimismus war immer mit teleologischen Gesichtspunkten verbunden. Seine Verteidiger haben gegen die Einwürfe aus den individuell erfahrenen Übeln den Zielpunkt dieser Teleologie aus dem Einzelnen verlagert in ein überindividuelles Ganzes, dessen Zweckmäßigkeit und Vollkommenheit schon bei Platon durch das Leiden des Individuums nicht beeinträchtigt wird. Noch für den jungen Kant ergeben sich die Übel natürlich aus den Bewegungsgesetzen, der Folge aus dem höchsten Entwurfe, und laufen so in der Welt mit.[10] Das Erdbeben von Lissabon schließlich hat das Vertrauen in den teleologischen Optimismus nachhaltig erschüttert.[11] Die klassische Figur aber, nach der der Sachwalter Gottes dessen Heiligkeit verteidigt mit dem Auseinanderweisen göttlicher und menschlicher Zwecke,[12] wird von Kant „der Verabscheuung jedes Menschen, der das mindeste Gefühl für Sittlichkeit hat, frei überlassen" (6, 109). Was immer Gott für Zwecke haben mag, es darf aus ihnen für die einzelnen Menschen nichts Übles folgen, die Umkehrung der optimistischen Teleologie. In der Widerlegung der Verteidigung der Heiligkeit, Gütigkeit und Gerechtigkeit Gottes nach der zweiten und dritten Weise findet sich das Motiv der Kritik des jungen Kant am Optimismus, daß solche Unabhängigkeit der Naturen dem Begriff Gottes widerspricht,[13] Kant widerlegt

10. „Also setzt ein allgemeines Naturgesetz diejenige Liebe, die das Gantze Erhält, fest, und zwar durch solche BewegungsUrsachen, die natürlicher Weise auch dasjenige Übel hervorbringen, deßen Quellen wir gerne vernichtet sehen möchten" (AA 17, 234).

11. Kant zieht aus der Betrachtung des Erdbebens die Belehrung: „Sie demüthigt den Menschen dadurch, daß sie ihn sehen läßt, er habe kein Recht, oder zum wenigsten, er habe es verloren, von den Naturgesetzen, die Gott angeordnet hat, lauter bequemliche Folgen zu erwarten, und er lernt vielleicht auch auf diese Weise einsehen: daß dieser Tummelplatz seiner Begierden billig nicht das Ziel aller seiner Absichten enthalten sollte" (AA 1, 431).

12. „Daß es ein solches schlechterdings Zweckwidrige, als wofür wir die Übertretung der reinen Gesetze unserer Vernunft nehmen, gar nicht gebe, sondern daß es nur Verstoße wider die menschliche Weisheit seien; daß die göttliche sie nach ganz andern uns unbegreiflichen Regeln beurteile, wo, was wir zwar beziehungsweise auf unsre praktische Vernunft und deren Bestimmung mit Recht verwerflich finden, doch in Verhältnis auf göttliche Zwecke und die höchste Weisheit vielleicht gerade das schicklichste Mittel, sowohl für unser besonderes Wohl, als das Weltbeste überhaupt sein mag; daß die Wege des Höchsten nicht unsre Wege sein (sunt Superis sua iura), und wir darin irren, wenn, was nur relativ für Menschen in diesem Leben Gesetz ist, wir für schlechthin als ein solches beurteilen, und so das, was unsrer Betrachtung der Dinge aus so niedrigem Standpunkte als zweckwidrig erscheint, dafür auch, aus dem höchsten Standpunkte betrachtet, halten" (6, 108f.).

13. „Die dritte Beantwortung: daß, gesetzt auch, es ruhe wirklich mit dem, was wir moralisch bö-

aber auch die Verteidigung, daß die Übel in der Welt eine „Prüfungszeit" (6, 111), eine Art „Wetzstein der Tugend" (6, 112) seien: Gott fügt den Menschen hier in der Welt kein Übel zu, um sie zu prüfen, ob ihnen in einem zukünftigen Leben Glückseligkeit zukommen kann (6, 111, 113). Das Postulat der Unsterblichkeit der Seele kann nicht dazu dienen, die in der Welt erfahrenen Übel als Mittel in einen Plan Gottes einzubeziehen: „Denn was die Möglichkeit betrifft: daß das Ende dieses Erdenlebens doch vielleicht nicht das Ende alles Lebens sein möge: so kann diese Möglichkeit nicht für Rechtfertigung der Vorsehung gelten, sondern ist bloß ein Machtspruch der moralisch-gläubigen Vernunft, wodurch der Zweifelnde zur Geduld verwiesen, aber nicht befriedigt wird" (6, 113). Wenn so von Gott die Ursächlichkeit des Übels genommen wird, könnte man vermuten, daß der Sinn der Kantischen Abweisung der Theodizee darin liegt, Gott als für die Übel in der Geschichte nicht verantwortlich zu erweisen. Würde man so die Verschiebung des Gottesbegriffs vom Schöpfer des Kosmos zum moralischen Begriff von Gott und die Entlastung Gottes von der Verantwortung für die Geschichte radikal forttreiben, so käme man vielleicht auf einen Dualismus zwischen einem Erlösergott, dem das Heil der Menschen Ziel ist, und einer von ihm unabhängigen Geschichte, mit dem Kant wie der Manichäismus den Knoten, wie Gott zugleich allmächtig und gütig sein und doch die Erbsünde, die Vertreibung aus dem Paradies betreiben oder nicht verhindern konnte, durchschneidet. Dem steht hier im Text ein anderes Motiv entgegen, das an der Allmacht Gottes festhält. Der junge Hegel hat an Jesus die Aporien revolutionären Handelns aufgezeigt, Kierkegaard an der Gestalt Abrahams, am Opfer des Isaak das Paradoxon des Glaubens dargelegt. Für Kant prägt sich der Habitus des Glaubens am reinsten in Hiob aus. Hiob findet sich nicht wie seine Freunde in eine schnelle, spekulative Erklärung seines plötzlichen, schlimmen Schicksals und verrät sein Leben nicht zugunsten eines spekulativen Systems, sondern hält auch im schlimmen Schicksal an der „Aufrichtigkeit des Herzens" (6, 119) fest und bekennt sich zu dem „System des unbedingten göttlichen Ratschlusses. ‚Er ist einig', sagt er, ‚Er macht's wie er will'" (6, 117). Indem Kant sich auf beiden Seiten der Gleichung nichts abhandeln läßt und weder Gottes Allmacht und Güte noch das Leben der Menschen durch irgendein vermittelndes Dazwischen mediatisiert, hat er die Theodizee auf einen Punkt gebracht, hinter dem, wollte man an einer festhalten, nur ihre „Perfektion ... durch Eliminierung Gottes" als „Atheismus ad maiorem Dei gloriam"[14] bliebe, wie sie für Marquard die idealistische Geschichtsphilosophie betreibt. Der Hiob bei Kant aber ist in gewisser Weise das Spiegelbild des moralischen Subjekts. Nicht nur in der Abweisung jedes Zweck-Mittel-Kalküls und jedes die Reinheit mildernden Kompromisses, sondern auch im Stillstellen langen Räsonierens im moralischen Urteilen. Übrigens wäre, was in *Über ein vermeintes Recht aus*

se nennen, eine Schuld auf dem Menschen, doch Gott keine beigemessen werden müsse, weil er jenes als Tat der Menschen aus weisen Ursachen bloß zugelassen, keineswegs aber für sich gebilligt und gewollt oder veranstaltet hat; — läuft (wenn man auch an dem Begriffe des bloßen Zulassens eines Wesens, welches ganz und alleiniger Urheber der Welt ist, keinen Anstoß nehmen will) doch ..." (6, 109).

14. Odo Marquard, Schwierigkeiten mit der Geschichtsphilosophie, Frankfurt am Main 1973, S. 21; übrigens müßte nach Marquard (ebd., bes. z.B. S. 59) Kant die dritte Möglichkeit der Verteidigung eigentlich favorisieren und ausbauen, statt sie zurückzuweisen.

Menschenliebe zu lügen der im Kantischen Sinne moralisch Handelnde diskursiv zu seiner Rechtfertigung vorbringen könnte, unerträglich; ein Verhältnis der Moralität zur Sprache wie in Benjamins Diktum: „Die Tötung des Verbrechers kann sittlich sein — niemals ihre Legitimierung"[15], ein Zug in Kants praktischer Philosophie, der in ihren heutigen Rekonstruktionen ausgeblendet wird.

Beide Motive, die Nichtverantwortlichkeit Gottes für die Übel und seine Allmacht, betonen je ein Moment in der Spannung, die das Zentrum des Optimismus seit Augustin bildet, insofern in ihm das Übel nicht aus dem Prinzip der Materie, sondern aus der Freiheit des Subjekts begriffen wird, und deren Nichtbeantwortbarkeit Kant mit der Nichteinsehbarkeit des Verhältnisses zwischen Gott und Welt für die menschliche Vernunft begründet: „Denn, ein Geschöpf zu sein, und, als Naturwesen, bloß dem Willen seines Urhebers zu folgen; dennoch aber, als freihandelndes Wesen (welches seinen vom äußern Einfluß unabhängigen Willen hat, der dem erstern vielfältig zuwider sein kann), der Zurechnung fähig zu sein; und seine eigne Tat doch auch zugleich als die Wirkung eines höhern Wesens anzusehen: ist ein Vereinbarung von Begriffen, die wir zwar in der Idee einer Welt, als des höchsten Guts, zusammen denken müssen; die aber nur der einsehen kann, welcher bis zur Kenntnis der übersinnlichen (intelligiblen) Welt durchdringt, und die Art einsieht, wie sie der Sinnenwelt zum Grunde liegt: auf welche Einsicht allein der Beweis der moralischen Weisheit des Welturhebers in der letztern gegründet werden kann, da diese doch nur die Erscheinung jener erstern Welt darbietet, — eine Einsicht, zu der kein Sterblicher gelangen kann" (6, 115).

15. Walter Benjamin, Einbahnstraße, Frankfurt am Main 1969, S. 108.

Peter Krausser

ZUR STELLUNG UND ROLLE DER TRANSZENDENTALEN DIALEKTIK IN KANTS *KRITIK* UND IN SEINER WISSENSCHAFTSTHEORIE

Eine systematische Rekonstruktion

1.1. Für ein tieferes Verständnis der bedeutenden Rolle der transzendentalen Dialektik in der Erkenntnis- und Wissenschaftstheorie der *Kritik* ist vielleicht keine Textpartie derselben so wichtig wie B XVI—XVIII[1] mit den Fußnoten B XVIII—XIX und B XXI in der Vorrede der zweiten Auflage. Dort sagt Kant:

„...*Kopernikus*..., nachdem es mit der Erklärung der Himmelsbewegungen nicht gut fort wollte, wenn er annahm, das ganze Sternenmeer drehe sich um den Zuschauer, versuchte, ob es nicht besser gelingen möchte, wenn er den Zuschauer sich drehen, dagegen die Sterne in Ruhe ließe. In der Metaphysik kann man / nun, was die *Anschauung* der Gegenstände betrifft, es auf ähnliche Weise versuchen. Wenn die Anschauung sich nach der Beschaffenheit der Gegenstände [als Dinge, die an sich existieren] richten müßte, so sehe ich nicht ein, wie man a priori von ihr etwas wissen könne; richtet sich aber der Gegenstand (als Objekt der Sinne) nach der Beschaffenheit unseres Anschauungsvermögens, so kann ich mir diese Möglichkeit ganz wohl vorstellen. Weil ich aber ...diese Anschauungen...auf irgendetwas als Gegenstand beziehen und diesen...bestimmen muß, so kann ich [auch] entweder annehmen, die *Begriffe*, wodurch ich diese Bestimmung zu Stande bringe, richten sich...nach dem Gegenstande, und dann bin ich wiederum in derselben Verlegenheit...; oder ich nehme an, die Gegenstände [als solche der]*Erfahrung*, in welcher sie allein (*als gegebene* Gegenstände) erkannt werden, richten sich nach [gewissen, von Kant als ‚Kategorien‘ bezeichneten Verknüpfungs-] Begriffen, so sehe ich sofort eine leichtere Auskunft, weil Erfahrung selbst eine Erkenntnisart ist, die Verstand erfordert, dessen Regel[n] ich in mir, noch ehe mir Gegenstände gegeben werden [können]...voraussetzen muß,...nach denen sich also alle *Gegenstände der Erfahrung*/ notwendig richten und mit ihnen übereinstimmen müssen. Was Gegenstände betrifft, sofern sie bloß durch die Vernunft und zwar notwendig gedacht, aber (so wenigstens, wie die Vernunft sie denkt) gar nicht in der Erfahrung gegeben werden können, so werden die Versuche, sie [widerspruchsfrei] zu denken...hernach [in der transzendentalen Dialektik] einen herrlichen Probierstein desjenigen abgeben, was wir als die veränderte Methode der Denkungsart annehmen, daß wir nämlich von den Dingen nur das a priori erkennen, was wir selbst in sie legen. / Aber es ergibt sich aus [der so erstmals möglichen] Deduktion unseres Vermögens a priori zu erkennen, im ersten Teil der Metaphysik [= in der transz. Analytik] ein befremdliches und dem ganzen Zweck..., der den zweiten Teil [= in der transz. Dialektik] beschäftigt, dem Anschein nach sehr nachteiliges Resultat, nämlich daß wir mit ihm nie über die Grenze

---

1. Wie üblich zitiere ich die *Kritik der reinen Vernunft* nach den Seitenzahlen der Originalausgabe, mit A für die erste Ausgabe von 1781 und B für die zweite von 1787.

möglicher Erfahrung hinauskommen können, welches doch gerade die wesentlichste Angelegenheit dieser Wissenschaft [= der Metaphysik] ist.../ Das, was uns notwendig über die Grenze der Erfahrung und aller Erscheinungen hinaus zu gehen treibt, ist das *Unbedingte*, welches die Vernunft *in den Dingen an sich selbst* notwendig und mit allem Recht zu allem Bedingtem...verlangt. [Gerade hier liegt nun] das Experiment einer *Gegenprobe* der Wahrheit des Resultats jener ersten Würdigung unserer Vernunfterkenntnis a priori [in der transzendentalen Analytik], daß sie nämlich nur auf Erscheinungen gehe, die Sache an sich selbst dagegen zwar als für sich wirklich, aber von uns [als solche] unerkannt, liegen lasse. Denn...findet sich nun, wenn man annimmt, unsere Erfahrungserkenntnis richte sich nach den Gegenständen als Dingen an sich selbst, daß das Unbedingte *ohne Widerspruch gar nicht gedacht* werden könne; dagegen, wenn man annimt, unsere Vorstellung der Dinge, wie sie uns gegeben werden, richte sich *nicht* nach *diesen* Dingen, *als* Dingen an sich selbst, sondern *diese* Gegenstände vielmehr, *als Erscheinungen*, richten sich nach unserer Vorstellung*art, der Wider*spruch wegfalle,...so zeigt sich, daß, was wir anfangs nur zum Versuche annahmen, gegründet sei. / [Anders gesagt:] Die *Analysis des Metaphysikers* [lies: die transzendentale *Analytik*] schied die reine Erkenntnis a priori in zwei sehr ungleichartige Elemente, nämlich die der *Dinge als Erscheinungen*, und...der Dinge [als Dinge] an sich selbst. Die *Dialektik verbindet beide wiederum zur Einhelligkeit* mit der notwendigen Vernunftidee des *Unbedingten* und findet, daß diese Einhelligkeit niemals anders, als durch jene Unterscheidung herauskomme, welche also die wahre ist." [Zusätze und Umstellungen in eckigen Klammern von mir.]

Demnach ist die transzendentale Dialektik, insbesondere aber das Kapitel der Antinomien und ihrer Auflösung der „Probierstein" für die „veränderte Methode der Denkungsart" (BXVIII), d.h. für die transzendentale Wendung. Sie spielt in der *Kritik* die Rolle einer „Gegenprobe", ja, der *entscheidenden* (FN. BXIX, letzter Satz) „Gegenprobe der Wahrheit des Resultates jener ersten Würdigung unserer Vernunfterkenntnis a priori" (BXX), die Kant in der transzendentalen Ästhetik und Analytik, insbesondere in den ‚transzendentalen Erörterungen' der Anschauungsformen und in der ‚transzendentalen Deduktion' der objektiven Gültigkeit der kategorialen Denkformen vorlegte.

Wörtlich genommen sagt Kant hier nicht weniger als daß die transzendentalen Erörterungen und ‚Deduktionen' für sich allein die Notwendigkeit der transzendentalen Wendung nicht beweisen. Vielmehr tun sie das erst zusammen mit ihrer Ergänzung in der *Dialektik*.

Wenn für Kant erst die Gegenprobe in der transzendentalen Dialektik — die Antinomien und ihre Auflösung[2] — den Beweis der Richtigkeit der transzendentalen Auffassung vervollständigt, jedenfalls „entscheidend" macht, ist es besonders wichtig, sich so weit wie möglich darüber zu orientieren, wie er den Gang dieser Gegenprobe sieht. In Ergänzung zu den bereits zitierten Stellen ist hierfür vor allem die Fußnote B XVIIIf. interessant. In ihr vergleicht Kant die Gegenprobe mit dem Experiment in seiner Funktion des Bestätigens oder Widerlegens. Allerdings kann es sich im Unterschied zur naturwissenschaftlichen Methodik natürlich in der Metaphysik nur um ein Gedankenexperiment handeln. In ihm wird

(A) zunächst geprüft, welche Konsequenzen sich ergeben, wenn man voraussetzt, man

2. Anders als Kant, glaube ich, man kann nur die Auflösung in B 525-535 und B 551-557 als ‚kritische' ansehen, nicht dagegen die in B 557-595.

könne über die Dinge, wie sie an sich sind, in derselben Weise und mit denselben Erkenntnisansprüchen urteilen, wie über die Dinge, wie sie uns in anschaulich erfüllten Erfahrungen oder erfüllbaren (= überprüfbaren) empirischen Theorien erscheinen, wenn man also annimmt, die Dinge seien an sich — unabhängig von uns und unserem Erkennen — so wie wir sie erkennen. Die Konsequenzen sind Antinomien. D.h. es lassen sich unter dieser Voraussetzung aus den Begriffen und Grundsätzen der Vernunft gemäß dem „heuristisch"[3] notwendigen und berechtigten regulativen Ideal oder Prinzip der Vernunft, nach welchem zu dem Bedingten das Unbedingte zu suchen ist (s.u.a. B XX), Aussagen über die Dinge ableiten, die sich widersprechen.

(B) Zum zweiten wird entgegengesetzt angenommen, daß man die gekennzeichneten und in der Tr. Ästhetik und Analytik näher bestimmten zwei Sichten auf die Dinge unterscheiden müsse und daß die in der einen von ihnen (der anschaulich erfüllbaren) berechtigte und bewährte Weise des Aussagens über die Dinge *nicht* auf die andere übertragen werden könne. Es wird dann versucht zu zeigen, daß mit dieser Annahme eines „doppelten Gesichtspunktes", der der ‚Kopernikanischen', transzendental-idealistischen Wendung der KrV entspricht, alle zuvor, unter der entgegengesetzten Annahme (A) unvermeidlichen Antinomien zum Verschwinden gebracht, also vermieden werden können.

> „Findet es sich nun" so kommentiert Kant selbst den skizzierten Verlauf des Experimentes in der Fn. BXVIII—XIX, „daß, wenn man die Dinge aus [diesem] doppelten Gesichtspunkt betrachtet, *Einstimmung* mit dem Prinzip der reinen Vernunft stattfindet, bei einerlei Gesichtspunkt aber *ein unvermeidlicher Widerstreit der Vernunft mit sich selbst* entspringe, so *entscheidet* das Experiment für die Richtigkeit jener [kritisch transzendental-philosophischen] Unterscheidung."

1.2. Zu dieser Feststellung nehme ich nun hinzu, was neuerdings besonders J. Schmucker (24)[4] überzeugend belegt und mit einleuchtenden historisch-systematischen Argumentationen dargestellt hat:

Die Antinomieproblematik hat — zunächst natürlich noch nicht in ihrer in der *Kritik* erreichten Form — Kant schon zeitlich vor der kritischen, transzendentalen Wendung beschäftigt. Wofür auch Kants Bemerkung spricht, daß sie es sei, die „am kräftigsten wirkt, die Philosophie aus ihrem dogmatischen Schlummer zu erwecken und sie zu dem schweren Geschäft der Kritik der Vernunft selbst zu bewegen".[5] Dann ergibt sich systematisch (und historisch) zwanglos die Hypothese, die ich schon in (17) vorgetragen habe: Es war (historisch) und ist (systematisch) die Antinomieproblematik, die im Verein mit den zwei anderen in (17) dargestellten Besonderheiten von Kants Weise, das erkenntnistheoretische Problem zu sehen, die transzendentale Wendung erzwang.[6] Sie also erzwingt (a) die für Kants

---

3. Vgl. B 535; s.a. 534, 532, 538, 526/25 u.a..
4. Arabische Zahlen in Klammern verweisen auf entsprechende Nummern im Literaturverzeichnis.
5. (*Proleg.* § 50, erster Abs., vgl. a. die Anm. zu § 52 sowie Kants Brief an C. Garve v. 21.9.1798).
6. So sagt ausdrücklich auch Kant selbst im ersten Absatz der II. Anmerkung zu § 57 der *Kritik der Urteilskraft*. Vgl. zu der Frage auch (15) sowie (1)-(4).

kritische Theorie kennzeichnende *Unterscheidung* des Anschauens und anschaulich erfüllbaren Denkens und Erkennens einerseits von dem bloßen (anschaulich unerfüllbaren = leeren) Denken, in dem nichts erkannt wird, andererseits und (b) die ebenso charakteristische *Verknüpfung* einer transzendental-rationalistisch-idealistischen und empirisch-realistischen Korrespondenztheorie für die Beziehungen von Erkennen und Erkanntem, Erkanntem und Erfahrenem einerseits mit einem erkenntnistheoretischen und ontologischen NONkorrespondenz-*Realismus* bezüglich der Dinge, wie sie „an sich genommen", = „*nicht* als Erscheinungen genommen"[7] sein mögen, also „ohne die Bedingungen, durch die sie allein gegeben (und somit erkannt) werden" andererseits.[8] Dieser für Kants Theorie absolut zentrale Nonkorrespondenz-*Realismus* ist die Annahme der nur *numerischen* Identität oder Korrespondenz aber *inhaltlichen, qualitativen Nichtidentität* und *Nicht*korrespondenz der Welt, *wie* sie von uns erfahren und erkannt werden kann mit numerisch eben derselben *qua* transzendent realer, also *wie* sie „an sich genommen" (s.o.) sein mag.

1.3. Man hat oft bemerkt, daß logisch die in der ‚transzendentalen Erörterung' des *Raumes* unter „Schlüsse aus obigen Begriffen"[9] aufgestellte Behauptung, „Der Raum stellt gar keine Eigenschaft irgend einiger Dinge an sich, oder sie in ihrem Verhältnis zueinander vor..." aus den in der Erörterung vorgetragenen Argumenten für den ‚Raum' als Anschauungsform *nicht* folgt. Ebensowenig folgt die korrespondierende Behauptung bezüglich der *Zeit*[10] aus den in deren transzendentaler Erörterung vorgetragenen Argumenten für sie als Anschauungsform. Das gleiche gilt auch von der entsprechenden Behauptung über die *Kategorien*[11] angesichts ihrer ‚Deduktion' als notwendiger Denkformen. Alle diese kritischen Einwendungen sind zutreffend. Man kann dies aber einfach als ein weiteres Indiz dafür ansehen, daß die Argumentationen sowohl in den transzendentalen Erörterungen wie in der transzendentalen Deduktion ohne die des Antinomiekapitels unvollständig sind. Denn in der Tat folgt die Berechtigung zu jenen negativen Behauptungen erst aus dem nach Meinung Kants in dem Antinomiekapitel gelieferten Nachweis, daß die entgegengesetzte Behauptung oder stillschweigende Annahme unweigerlich zu Antinomien führt. Jene negativen Behauptungen sind also — modern gesprochen — *nicht* als *objekt*-theoretische negative Aussagen über das Sosein der Dinge, wie sie an sich genommen sind, zu lesen, sondern als *meta*theoretische Aussagen darüber, was objekttheoretisch *nicht* (jedenfalls nicht mit Anspruch auf Erkenntnis!) gesagt werden darf.

2.1. Wenn die Interpretation in Abschnitt I richtig ist, dann wird — da der Mißbrauch der ‚Ideen' der Vernunft stets eins auch ein Mißbrauch der Anschauungsformen und Kategorien ist — etwas Analoges auch für die Prinzipien oder Ideen der Vernunft gelten müssen und sollte daher in dem Text der transzendentalen Dialektik zu finden sein.

---

7. s.a. (17), (28) und (22).
8. R 4976, Zus. i. d. Klammern von mir, s.a. R. 4945.
9. A 26 / B 42: Absatz (a).
10. A 32/33 = B 49.
11. S.u. a. A. 251-53, B 309-10/A 254-55, B 343/A 287, B 344/A 288, B 186-187/A 146-147.

So ist es in der Tat. Bezüglich der Anschauungsformen und Kategorien wurde folgendes gesagt: Antinomien sind unvermeidlich, wenn unsere räumlichen, zeitlichen und kategorialen Begriffe nicht nur im Bereich möglicher, sie direkt oder indirekt anschaulich erfüllender Erfahrung, sondern auch darüber hinaus, mit Bezug auf die Dinge, „wie sie an sich genommen" = *un*bedingt (also auch *un*bedingt durch Anschauungsformen und Kategorien!) sein mögen, mit Erkenntnisanspruch gebraucht werden; wenn also etwas, was von den Dingen relativ auf (= bedingt durch) anschauungs- und erfahrungskonstitutive Regeln gilt, unter denen wir gegebene sinnliche Mannigfaltigkeiten zu Gegenständen unserer Erfahrung verarbeiten und die dreifache Einheit unserer Erfahrung (des Erfahrenen, des Erfahrens und des Erfahrenden) herstellen (s.a. 17) für absolut und für eine den Dingen an sich zukommende Bestimmung genommen wird.

Analog stellt Kant bezüglich der sog. Ideen der Vernunft fest:

> „Wenn bloß regulative Grundsätze als konstitutiv betrachtet werden, so können sie als objektive [lies: den Objekten selbst zugeschriebene] Prinzipien widerstreitend sein; betrachtet man sie aber bloß als *Maximen*, so ist kein wahrer Widerstreit, sondern bloß ein verschiedenes Interesse der Vernunft...".[12]

Also: Man fällt in Antinomien, wenn

a) was bloß ‚relativ' gilt, ‚absolut' genommen wird[13] und wenn

b) was nur ‚heuristische Regel'[14], also ‚regulative Maxime'[15] der größtmöglichen Systematisierung aller derjenigen Aussagen ist, die einen direkten oder indirekten Bezug auf Gegenstände wirklicher oder möglicher Erfahrungen haben, selbst als Aussage über ‚konstitutive' Züge der Dinge, wie sie an sich genommen sein mögen, betrachtet und verwendet wird.[16] In den sog. Beweisen auf beiden Seiten der Antinomien wird auch dieser Fehler gemacht. Er ist in der Tat nur ein anderer Aspekt des Fehlers der ontologischen Hypostasierung von Raum, Zeit und Kategorien, insbesondere der Kategorie der Kausalität.

2.2. In der Einleitung, im ersten Buch und im Anhang der Dialektik trägt Kant nun in immer neuen kleinen Variationen der Formulierung eine quasi transzendental-anthropologische Theorie darüber vor, daß die ‚Natur der Vernunft' diese angeblich zwingt, dem transzendentalen Schein, also dem eben genannten Fehler, auch dann noch zu verfallen, wenn sie über denselben wohl aufgeklärt ist.[17] Sie wird vielleicht ihm und seinen Zeitgenossen einleuchtender gewesen sein als sie es uns heute sein kann — dank der Aufklärung, die wir durch Kant und dann nach ihm vor allem von Seiten der Sprachphilosophie und der Analytischen Philosophie, sowie in der Philosophie der Mathematik von Seiten D. Hilberts so-

---

12. A 666/B 694; vgl. a. A 701-702/B 729-730.

13. A 676/B 704.

14. A 616/B644, A 663/B 691, A 671/B 699, A 771/B 799.

15. S. z.B. A 666/B 694.

16. S. z.B. A 297/B 353, A 305-6/B 362-63, A 309/B 365-66, A 323/B 380, A 650-51/B 678-79, A 680/B 708.

17. S. z.B. A 297-298/B 353-355.

wie der Intuitionisten und Konstruktivisten erhalten haben.[18] Ich lasse deshalb hier einen großen Teil der Argumentationen Kants ganz beiseite und widme mich ausschließlich einer einzigen, nämlich der erkenntnis- und insbesondere wissenschaftstheoretischen. Deren drei Hauptpunkte lassen sich, wie mir erscheint, auch heute durchaus einleuchtend systematisch rational rekonstruieren. Sie besagen, so wie ich sie vorweg schon einmal kurz zusammenfassen möchte:

1. Die menschliche Vernunft bedarf aus ihrer Natur heraus (nämlich wegen ihrer Endlichkeit — s.w.u.) der „Ideen".

2. Diese Ideen sind als heuristische, regulative Maximen für den Aufbau von Wissenschaft höchst förderlich, ja unentbehrlich.

3. Gerade ihre positive, unentbehrliche Funktion selbst ist es, die dazu verführt, sie in dem unter 2.1. angegebenen Sinne zu hypostasieren und damit einen Fehler zu begehen, der unser Denken den Antinomien verfallen läßt.

2.3. In diesem Abschnitt sollen die Punkte 1 und 2 etwas genauer betrachtet und rekonstruiert werden. Dafür scheint mir eine Kombination des in B 362f, 383—385, 673—675 und 860—863 Gesagten mit B 679, 681f, 690f und 693f am besten geeignet, weil in diesen Stellen die mit Abstand plausibelste unter Kants Erklärungen für die Nützlichkeit und ‚Notwendigkeit', d.h. Unentbehrlichkeit von Ideen als heuristischen Zielsetzungen und regulativen Maximen für den möglichst umfassenden, möglichst tiefdringenden und möglichst systematischen Aufbau von Wissenschaft enthalten ist. Um die Textnähe meiner Rekonstruktion zu zeigen, kann ich die wichtigsten der angegebenen Stellen wieder für sich selbst sprechen lassen. So lesen wir in B

673   „...Dasjenige, was Vernunft ganz eigentümlich...zu Stande zu bringen sucht, ist das Systematische der Erkenntnis...Dies... setzt jederzeit eine Idee voraus...von der Form eines Ganzen der Erkenntnis..., wodurch diese nicht bloß ein zufälliges Aggregat, sondern ein nach notwendigen Gesetzen zusammenhängendes System wird. ...Dergleichen Vernunftbegriffe werden nicht aus der Natur [d.h. aus den nach Raum, Zeit und Kategorien geordneten Erscheinungen!] geschöpft; vielmehr befragen wir die Natur nach diesen Ideen und halten unsere Er-

674   kenntnis für mangelhaft, so lange sie / denselben nicht adäquat ist.

675   [Denn:] Der hypothetische Gebrauch der Vernunft aus zum Grunde gelegten Ideen...ist [zwar] nicht konstitutiv, ...nicht so...daß dadurch...die Wahrheit der allgemeinen Regel, die als Hypothese angenommen worden, folge; denn wie will man [was doch dazu nötig wäre] alle möglichen Folgen wissen...? Sondern er ist nur regulativ, ...geht also auf die systematische Einheit der Verstandserkenntnisse, *diese aber ist der Probierstein der Wahrheit der Regeln [= Hypothesen, s.o.]...* Die systematische Einheit (als bloße Idee) ist [freilich] nur projektierte Einheit, ...welche dazu dient, ...den mannigfaltigen und besonderen Verstandesgebrauch ...auch über die Fälle, die nicht gegeben sind, zu leiten und zusammenhängend zu machen./

860   [Und] Die Einheit des Zwecks, worauf sich alle Teile in der Idee desselben auch untereinander beziehen, macht, daß ein jeder [fehlende] Teil bei der Kenntnis der übrigen vermißt werden kann, und keine zufällige Hinzusetzung...stattfindet. Das Ganze ist also gegliedert und nicht gehäuft.

---

18. S. (11), (12), (16), (20), (21) u. für einen ersten knappen, aber guten Überblick (27).

679 [So] kann die Vernunft im methodischen Gebrauch [zum Beispiel] *verlangen,* die Mannigfaltigkeit der Kräfte, welche uns die Natur [s.o.] zu erkennen gibt, als eine bloß versteckte Einheit zu behandeln und sie aus irgeneiner Grundkraft, so viel an ihr ist, abzuleiten... Auch
kann man nicht sagen, sie habe zuvor von der zufälligen Beschaffenheit der Natur diese Einheit nach Prinzipien der Vernunft abgenommen. Denn das Gesetz der Vernunft, sie zu suchen, ist notwendig, weil wir ohne dasselbe gar keinen...zusammenhängenden Verstandesgebrauch, und in dessen Ermangelung kein zureichendes Merkmal empirischer Wahrheit haben
würden...[vgl. a. 682]".

Diese Zitate mögen genügen, um aus ihnen und den weiteren, oben angegebenen Stellen,
folgende wissenschaftstheoretischen Thesen Kants zu rekonstruieren:

Wir brauchen heuristisch unser Forschen, unsere Begriffsbildung und unseren Theorie-
aufbau leitende, also *meta*theoretische Ideen,

a) um die Mannigfaltigkeit der Begriffe und Aussagen, die wir zur Bewältigung und Erkenntnis des Gegebenen benötigen, durch systematische, logisch-hierarchische Ordnung
derselben auf ein für einen endlichen Verstand wie unser ökonomisches[19], überschaubares,
kontrollierbares Maß zu reduzieren und

b) für unser Wissen sowohl die größtmögliche Ausdehnung als auch Einheit und diese

c) nicht nach nur zufälligen Zusammenhängen, sondern nach Gesetzen zu erreichen.

d) Eine solche durchgängige, möglichst ökonomische Systematisierung unseres Wissens,
unserer Begriffe und unserer Hypothesen und Theorien ist nicht nur nützlich, sondern
notwendig, im Sinne von unentbehrlich,

A) weil sie erst es ermöglicht, daß wir Fehler und Lücken unseres Wissens bemerken, die
wir ohne sie gar nicht bemerkt hätten und daß wir auf die Gewinnung fehlender oder/und
besserer Erkenntnisse nicht passiv zu warten brauchen, sondern sie aktiv und gezielt suchen können; ferner

B) weil sie ein notwendiges Kriterium der Richtigkeit = Zweckmäßigkeit empirischer Begriffe und der Wahrheit empirischer Aussagen hergibt; und schließlich

C) weil sie so (nach B) indirekt auch noch eine Bedingung der Möglichkeit von Erfahrung
ist. (B 682).

Die komplizierte Struktur von Rückkoppelungen, die in dem eben mit so wenigen Worten
umrissenen, unter Leitung der sog. regulativen Ideen aufgebauten System unter Berück-
sichtigung auch der anderen Teile der *Kritik* impliziert sind, läßt sich heute am einfachsten
und übersichtlichsten mit Hilfe eines sog. gerichteten Graphen, ähnlich einem Flußdia-
gramm darstellen und nachprüfbar machen.

Den hier deshalb folgenden Graphen lese man einfach von oben nach unten, Zeile für
Zeile, von 1 über a, dann b, dann c nach 2a und 3, dann weiter über 2b und 4 nach 5. Dann

---

19. Kant scheint gelegentlich hier einen „*bloß* ökonomischen Handgriff der Vernunft" (B 681) gesehen oder befürchtet zu haben. Die in einem harten Sinne ‚transzendentale' = notwendige = unentbehrliche Rolle der in (a) gekennzeichneten Reduktion der Mannigfaltigkeit ist eigentlich erst heute
mit den Mitteln der Informationstheorie und systemtheoretischen Kybernetik zu beweisen. Siehe dafür z.B. W. Ross Ashby (5), insbesondere Teil II.

verfolge man sorgfältig alle von 3 bzw. 5 direkt oder über 2a bzw. 2b wieder zurück nach oben führenden Pfeile, die die verschiedenen Rückkoppelungen und Kontrollfunktionen zeigen.

Man lese eine Konstellation wie

      als: Die Verarbeitung von y zu z geschieht gemäß
          den Regeln in x

und eine Konstellation wie

      als: die Anwendung der Regel in x auf die Verarbei-
          tung von y zu z geschieht unter Leitung/Kontrolle
          von Ideen = regulativen Maximen in u.

2.4. Welche Ideen sind nun nach Kant in unserer graphischen Rekonstruktion der Implikationen seiner Theorie in dem Block c, ferner zwischen 2b und 5 und schließlich in 5 einzusetzen? Diese Frage möchte ich für meine Untersuchung hier auf Ideen der Vernunft einschränken, die sich eindeutig und plausibel als solche rational rekonstruieren lassen, die bei der Leitung der Verstandestätigkeit im empirisch wissenschaftlichen Erkennen eine heuristische Rolle spielen müssen. Unter diesem Gesichtspunkt ist aus den Texten der transzendentalen Dialektik der erste Teil des Anhangs derselben besondes wichtig. Meines Erachtens ist bisher in der Interpretation der *Kritik* viel zu wenig beachtet worden, daß der erste Teil des Anhangs mit dem Titel ‚Von dem regulativen Gebrauch der Ideen der reinen Vernunft'[20] der einzige Teil der *Dialektik* ist, der nicht zur Kritik der Rationalen Psychologie, Kosmologie oder Theologie beiträgt, sondern die Ergebnisse dieser Kritik zu einer *Kritik der Rolle der Vernunft in den empirischen Wissenschaften* verwendet, die — wie ich meine und an anderer Stelle detailliert zu begründen versuchen werde — auf nicht weniger hinausläuft als eine Kritik des naiven absoluten wissenschaftlichen Objektivismus, der in der Newtonschen Physik bis damals herrschte und sogar darüber weit hinaus bis zu Einsteins Revolution herrschend blieb. Für die Richtigkeit dieser Vermutung spricht als erstes schon die Tatsache, daß Kant die Punkte, die er im ersten Teil des Anhangs behandelt und die ohne die oben angegebene kritische Absicht, nach seiner bekanntlich heiß, sogar allzu heiß geliebten Architektonik in den dritten Abschnitt des ersten Hauptstücks der *Methodenlehre* (über die Disziplin der reinen Vernunft in Ansehung der Hypothesen) gehören würden, eben als Anhang in die Dialektik vorzieht. Doch — wie dem auch sei — jedenfalls ist der Anhang besonders wichtig wenn es um die Rolle der Vernunft in der empirisch wissenschaftlichen Erkenntnis geht.[21]

20. B 670-696
21. s. dazu auch M. Hoppe in dem freilich viel zu kurz und oberflächlich geratenen Kap. I, 3., pp. 16-19 seines interessanten Buches über *Kants Theorie der Physik*. Klosterm. Frkft. 1969.

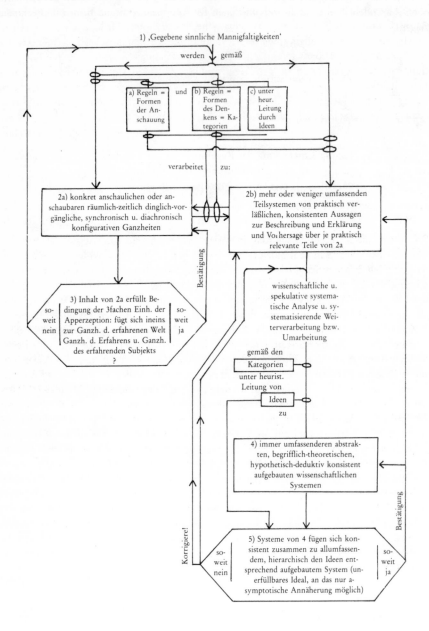

2.5. Eine rationale Rekonstruktion einer in der *Kritik* enthaltenen Wissenschaftstheorie sollte nun versuchen, nicht einfach eine beliebige Aufreihung, sondern eine entsprechende Auswahl und — falls möglich — systematische, hierarchische Ordnung wiederzugeben. Das hat den Vorteil, zwanglos die hier relevante Einheit von praktischer und theoretischer Vernunft bei Kant zu berücksichtigen. Versucht man nämlich, die Ideen in eine Rangordnung von der allgemeinsten zu spezielleren und von Zielen zu Mitteln zu bringen, so muß man mit einer Idee beginnen, die mehr als nur die *Praxis* des wissenschaftlichen Forschens, des Begriffebildens und des Aufbauens von Theorien beherrscht, also mehr als das, was in Kants Sprache als die ,Praxis der spekulativen Vernunft in ihrem legitimen Feld' bezeichnet werden könnte. Das ist eine Idee der *praktischen* Vernunft, nämlich „die Idee der notwendigen Einheit aller möglichen Zwecke" oder Ziele, d.h. ihrer durchgängigen Kohärenz und Konsistenz. (B 385).

Erst unter ihr kommt dann offenbar, als eine bereits speziellere, die Idee der systematischen Einheit aller Erkenntnis.[22] Unter dieser Einheit sollte wohl als nächste die Idee der Ökonomie der theoretischen Systematisierung folgen.[23]

Solche Rangordnung dieser Gruppe (sagen wir der Gruppe A) von *zielartigen Ideen* läßt leicht erkennen, wie die Verfolgung der untergeordneten Ziele zugleich ein Mittel zur Realisierung auch der nächst höheren usw. ist und daß das jeweils niedrigere Ziel stets durch das höhere begrenzt und so partiell bestimmt wird.

Der Rest der heuristischen, Wissenschaft leitenden, Ideen in der ersten Hälfte des *Anhangs zur Transzendentalen Dialektik* ist spezieller und hat eher den Charakter von Mitteln als von Zielen. Kant hat offensichtlich für sie nicht die Vorstellung einer abgeschlossenen, vollständig angebbaren, also einfürallemal bestimmten Gruppe. Er kennzeichnet diese Ideen nur exemplarisch, indem er einige wenige Beispiele angibt. Er beginnt mit Beispielen von einer Art von Ideen (nennen wir sie Gruppe B), die allgemein, und zwar bis heute, als *objekt*theoretische idealisierende Konstrukte angesehen werden. Seine Beispiele sind „reine Erde, reines Wasser, reine Luft etc." (B 674). Andere, von uns aus gesehen bessere Beispiele der gleichen Art von Ideen wären Begriffe wie die des ,idealen Gases', des ,geschlossenen Systems', des ,Intertialsystems' etc. und Begriffe von fiktiven idealen Eigenschaften wie ,vollkommene Rigidität', ,vollkommene Elastizität' etc.. Diese zweite, offene Gruppe von Ideen könnte man als die der fiktiven (B 799), aber nützlichen und sogar in allen Wissenschaften unentbehrlichen idealisierenden Konstrukte kennzeichnen.

Bald darauf, in B 679—696 behandelt Kant — ebenfalls nur exemplarisch durch Angabe von Beispielen — eine dritte Gruppe (sagen wir C) von Ideen, nämlich die von heuristischen Verfahrensregeln. Alle Beispiele, die er nennt, waren zu seiner Zeit schon lange bekannt. Darauf weist er selbst hin. Und daraus darf, ja muß man wohl auch entnehmen, daß es ihm im Anhang weniger um diese Regeln selbst, als vielmehr um ihren Status, ihre Rolle in der Wissenschaft geht. Seine Beispiele sind: 1. *Okkams Rasiermesser,* nach dem wir niemals mehr Mannigfaltigkeit in unseren Grundbegriffen und Grundannahmen akzeptieren sollten als unbedingt unentbehrlich ist (B 680). Diese Regel verbindet Kant mit 2. der *Regel*

---

22. B 265, 673, 675, 679, 692, 693/94.
23. B 362/63, 678, 681.

der Homogenität, die von uns fordert, zu jedem Begriff und jeder Aussage, den bzw. die nächst umfassendere zu suchen und uns niemals mit irgendeinem so produzierten System als einem bereits vollständigen zufrieden zu geben (B 682). Diese Regel ihrerseits wird komplementiert durch 3. die ihr entgegengesetzt gerichtete *Regel der Spezifikation,* die „dem Verstand auferlegt, unter jeder Art, die uns vorkommt, Unterarten, und zu jeder Verschiedenheit kleinere Verschiedenheiten zu suchen" (B 684). Die Vereinigung beider Regeln nennt er 4. die *Regel der Affinität* aller Begriffe oder die *Regel der Kontinuität der Formen* (B 685f). In der Einleitung und im achten Abschnitt des zweiten Buches der *Dialektik* hatte er bereits erstmals 5. die *Regel des regressus in indefinitum* angegeben, die uns einen unbestimmt weiten Rückgang „in der Reihe der Bedingungen zu einem gegebenen Bedingten anzustellen" vorschreibt und verbietet, irgendeinen solchen Regress jemals als einen anzusehen, der bei etwas absolut Unbedingtem angelangt ist (B 365 u. 536 ff.).

3. Die Pointe der Kantischen Behandlung all dieser offenen Klassen von Ideen im *Anhang zur Dialektik* ist m.E., daß sie eben als Ideen der Vernunft angesehen werden. Die Vernunft aber ist nach Kants Theorie *nicht* einfach ein weiteres Vermögen neben denen, die er ‚Sinnlichkeit' und ‚Einbildungskraft' und ‚Verstand' nennt. Diese drei kooperieren — wie wir aus den früheren Teilen der *Kritik* erinnern — notwendig für die Konstitution der Gegenstände der Wahrnehmung und Erfahrung sowie der Begriffe und Urteile, die sich auf diese direkt oder indirekt in *intentio recta* beziehen. Wir können sie mit heute geläufigen und besser präzisierbaren Begriffen als *objekttheoretische* Funktionen, Begriffe und Aussagen des Erfahrens und der Erfahrungswissenschaft bezeichnen. Mit der Vernunft, ihren Erkenntnisfunktionen, Zielen, Begriffen, Regeln steht es anders. Bei der Vernunft haben wir es ausschließlich mit kognitiven Funktionen in *intentio obliqua* zu tun. Also mit solchen, die auf die objekttheoretischen Aktivitäten des Verstandes, der Einbildungskraft und der Sinnlichkeit reflektieren oder diese als zweckgerichtete Tätigkeiten leiten. (Das ist, nebenbei gesagt, natürlich wieder nur Teil ihrer praktischen Funktion, also der praktischen Vernunft.). ‚Vernunft' bezeichnet also in dem Anhang *meta*theoretische kognitive Funktionen unseres Erkenntnisapparates.

Wenn das — wie ich meine — haltbar, ja unleugbar ist, dann sind all jene Interpretationen auf gänzlich falschem Wege, die, wie etwa Bennett in (6) nur einen graduellen Unterschied der Allgemeinheit zwischen Vernunft und Verstand oder genauer zwischen den Regeln und Urteilen des Verstandes und denen der Vernunft sehen. Denn der Unterschied zwischen den Regeln der Sinnlichkeit (= den Formen des Anschauens) und des Verstandes (= den Kategorien) einerseits als *objekt*konstitutiven und *objekt*theoretischen Formen, Begriffen und Aussagen und den Regeln der Vernunft (= Ideen) andererseits als *Meta*regeln und *meta*theoretischen Zielen und Annahmen, die die Konstruktion und optimale Systematisierung aller objekttheoretischen Konzepte und Urteile leiten, ist nicht graduell, sondern offenbar qualitativ.

Diese Rekonstruktion hat auch den Vorteil, sofort erkennen zu lassen, wie Recht Kant hatte, wenn er so stark und wiederholt betonte, daß sich solche Ideen der Vernunft nicht auf Gegenstände der Wahrnehmung, der Erfahrung oder der Erfahrungswissenschaft beziehen oder solche Gegenstände bestimmen. Vielmehr bestimmen sie

„das Verfahren, nach welchem der empirische und bestimmte Erfahrungsgebrauch des Verstandes mit sich selbst durchgängig zusammenstimmend werden kann" (B 693f.).
Wobei diese systematische Kohärenz und Konsistenz unserer empirischen Theorien ein unentbehrliches Kriterium der empirischen Wahrheit derselben ist (B 675, 679). Also, regulative Ideen leiten die reale und historische Aktivität (s. B 862f.) des Aufbaus von Systemen von Hypothesen, d.h. von Theorien und von Netzwerken von empirischen Begriffen, die in jenen theoretischen Systemen gebraucht und präzisiert werden. Ihrerseits werden dann selbstverständlich unsere je relativ besten Theorien und Begriffsnetze jeweils sehr weitgehend kodeterminieren, was die Gegenstände intersubjektiv und in *relativer Objektivität für uns* sind. In diesem Sinne kann Kant, ohne sich und seiner Sicht der Ideen und der Vernunft zu widersprechen, sagen, daß

„jeder Grundsatz, der dem Verstand durchgängige Einheit seines Gebrauchs a priori *festsetzt,* auch, obzwar nur indirekt, ...in Ansehung [des] Gegenstandes der Erfahrung...objektive Realität habe" (B 693).

4.1. Damit kommen wir nun schließlich auch noch auf den Punkt 3, oben, am Ende der Sektion 2.2. zurück. Denn dies — wenn wir kein reflektives, kritisches Bewußtsein davon haben — ist der Hauptgrund für den von Kant sog. ‚transzendentalen Schein‘. *Der besteht ja darin, daß wir die Struktur unserer Systeme von Begriffen und Hypothesen über die empirischen Objekte — eine Struktur, die wir nach den Metaregeln des Systembildens (den regulativen Ideen der Vernunft) aufbauen — als eine Struktur jener Objekte selbst und des ihnen eigenen Zusammenhangs ansehen.* In Kants eigenen Worten: Die Illusion,

„daß die subjektive [lies: *metatheoretische*] Notwendigkeit einer gewissen Verknüpfung unserer Begriffe, zu Gunsten des Verstandes, für eine objektive Notwendigkeit der Bestimmung der Dinge an sich selbst gehalten wird." (B 353).

(Wie ich schon durch die Erläuterung in der eckigen Klammer angedeutet habe, bezeichnet das Wort ‚subjektiv‘ in Kants Sprache in diesem Kontext etwas, was zur Konstitution vernünftiger Subjekte *allgemein* gehört (!) *nicht* aber etwas, was relativ auf ein individuelles Subjekt und seine Willkür oder zufällige Preferenz ist.)

4.2. Die gekennzeichnete Illusion ist nun allerdings gerade eine, die durch den klassischen Objektivismus der Newtonschen Physik gefordert wurde! Nach der klassischen (vorrelativistischen) Auffassung von naturwissenschaftlicher Objektivität sollte eine ‚objektive Beschreibung‘ eine universelle und deterministische Beschreibung eines realen Systems *wie es ist* sein, ohne irgendeine Bezugnahme auf einen bestimmt gearteten Beobachter oder auf dessen Weisen der Beobachtung und der theoretischen Auffassung.

Praktisch alles, was wir in der ersten Hälfte des Appendix über den hypothetischen Gebrauch der Vernunft lesen, stellt sich einem derartigen naiv absoluten Objektivismus entgegen. Siehe zum Beispiel als Belege die oben, in Sektion 2.3. in extenso zitierten Stellen, insbesondere B 675. Zunächst aber möchte ich an dieser Stelle wieder einmal daran erinnern, daß Kant — auch da in Opposition zu seiner Zeit und zu Newton[24] — sich mit dem Aus-

---

24. Entgegen der Meinung von L. Laudan (29, Kap. 11, pp. 185).

druck ‚hypothetischer Gebrauch' auf eine hypothetico-deduktive, fallibilistisch und naiv falsifikationistisch aufgefaßte Prozedur bezieht. So verlangt er für eine Hypothese „die Verständlichkeit des angenommenen Erklärungsgrundes oder dessen Einheit ohne Hilfshypothesen" und die „Wahrheit der daraus abzuleitenden Folgen" im Sinne ihrer „Übereinstimmung unter sich und mit der Erfahrung", so daß die Folgen das, „was in der Hypothese…apriori synthetisch gedacht war, aposteriori analytisch wieder liefern und dazu zusammenstimmen." (B 115; vgl. a. 802)[25]

Über diesen „hypothetischen Gebrauch der Vernunft aus zum Grunde gelegten Ideen" sagt Kant in B 657, daß in ihm die Ideen „nicht konstitutiv" funktionieren, also — im Unterschied zu den Kategorien — weder Objekte noch objekttheoretische Begriffe oder Aussagen *aus* ihnen aufgebaut, synthetisiert sind. Vielmehr ist ihre Funktion „nur regulativ, um dadurch, so weit als es möglich ist, Einheit — lies: systematischen Zusammenhang (B 673) — in die besonderen Erkenntnisse zu bringen" (lies: in und zwischen die wissenschaftlichen objekttheoretischen Begriffe, Hypothesen und Theorien). Diese „systematische Einheit (als bloße Idee)" ist aber „nur projektierte Einheit" (lies: eine von unserer Vernunft entsprechend deren Bedürfnissen, Zielen und Regeln = Ideen entworfene Einheit), die man nicht als an sich [= unabhängig von uns] gegeben ansehen muß. Sie dient nur dazu, „den mannigfaltigen und besonderen Verstandesgebrauch" in der theoretischen Intra- und Extrapolation „auch über die Fälle, die nicht gegeben sind, zu leiten und zusammenhängend zu machen."

Ist Kant mit solchen Formulierungen nun zu irgendeiner Art von Instrumentalismus übergegangen? Nein! Das anzunehmen wäre auch ein Mißverständnis, wie der ganze Kontext der ersten Hälfte des Anhangs der Transzendentalen Dialektik sowohl als auch A104/105 und die Postulate des empirischen Denkens uns zeigen. Insbesondere das zweite Postulat mit seiner Erläuterung in B 272 ff. erlaubt explizit auch rein theoretisch angenommenen Entitäten Realität zuzusprechen, wenn sie durch (nicht falsifizierte) empirische Gesetze mit Beobachtbarem systematisch verknüpft sind. Daher wird man, wie das oben schon skizziert wurde, Kants Theorie rational als eine solche rekonstruieren müssen, die *zwischen* einem bloßen Instrumentalismus und einem unrelativierten Korrespondenzrealismus steht: nämlich als eine Art *objektiv-relativistischen Realismus* oder *relativen Objektivismus*. Die Grundpostulate der so gekennzeichneten Theorie lassen sich grob ziemlich einfach etwa wie folgt formulieren: Es gibt etwas an sich = unabhängig von uns real existierendes. Es hat irgendeine ihm eigene Struktur und es ist partiell, aber *nur relativ* erkennbar *wie es für uns ist*. D.h. es ist nur erkennbar, wie es relativ auf die Gesetze oder Regeln ist, die unser sinnliches Anschauen und/oder unser Denken regieren und relativ auf unsere besten Theorien, Annahmen und Verfahren, die wir unter der Leitung der heuristischen regulativen Ideen der menschlichen Vernunft entwickelt haben. Nochmals anders gewendet: Die Theorie postuliert, es resultiere das Wie und Was dessen, was wir als empirisch real erken-

25. Diese Stelle scheint mir auch deshalb besonders wichtig, weil Kant in ihr explizit die Aufstellung einer Hypothese als synthetisch-apriorische Konstruktion derselben auffaßt, ohne doch — siehe B 818/819 — damit mehr als vorläufige empirische Gültigkeit im Falle ihres Nichtfalsifiziertseins in Anspruch zu nehmen! Hier ist also explizit die Äquivalentsetzung von ‚apriori' und ‚notwendig' und ‚absolut allgemeingültig' aus B 3-4 aufgegeben!

nen, aus einer realen Interaktion zwischen einer teils ‚eingebauten‘, teils erlernten (einprogrammierten) Konstitution der erkennenden Subjekte einerseits und etwas an sich Existierendem mit einer ihm eigenen Struktur andererseits, das und die eben deshalb *als solche* nicht erkannt werden können.

Literatur

1) *Adickes*, E.,   Die bewegenden Kräfte in Kants philosophischer Entwicklung u.d. beiden Pole seines Systems. *Kant-St. I, 1896.*

2) *ders.*,   Kants Opus postumum. *Kant-St.* Erg.H. 50, Bln. 1920.

3) *ders.*,   *Kant und das Ding an sich.* Bln. 1924.

4) *ders.*,   *Kant und die Als-Ob-Philosophie.* Stgt. 1927.

5) *Ashby*, W.R.,   *Einführung in die Kybernetik.* Frft. 1974. Engl. Orig. Lond. 1956 u.ö.

6) *Bennett* J.,   *Kants Dialectic.* Cambr. U. Pr. 1974.

7) *Erdmann*, B.,   Historische Erläuterungen zu Immanuel Kants *Prolegomena zu einer jeden künftigen Metaphysik, die als Wissenschaft wird auftreten können*, hg. v. B. Erdmann. Leipzig 1878.

8) *Erdmann*, B.,   Die Entwicklungsperioden von Kants theoretischer Philosophie. In: *Reflexion Kants* zur kritischen Philosophie. Bd. II, hg. v. B. Erdmann, Leipzig 1884.

9) *Ewing*, A.C.,   *A Short Commentary on Kant's Critique of Pure Reason.* U. Chic. Pr. 1938 u.ö., insbes. Kap. V-VII.

10) *Heimsoeth*, H.,   Transzendentale Dialektik. Ein Kommentar z. Kants KrV. Teil I-III. Bln. 1966-68, s. insbes. Einleitung, Erstes Buch und Anhang.

11) *Hilbert*, D.,   Über das Unendliche. *Math. Annalen*, 95, 1926, S. 161ff.

12) *Hilbert*, D. u. Bernays, P.,   *Grundlagen der Mathematik.* Bln. 1934.

13) *Hinske*, N.,   Kants Begriff der Antinomie und die Etappen seiner Umarbeitung. *Kant-St.* 56, 3/4 (1966), 485-496.

14) *ders.*,   *Kants Weg zur Transzendentalphilosophie.* Stgt. 1970.

15) *Kingeling*, W.,   *Die Antinomien in Kants drei Kritiken und das Ding-an-sich-Problem.* Diss. Hbg. 1961.

16) *Körner*, St.,   *Kant.* Harmondworth 1955 u.ö., insbes. Kap. 5.

17) *Krausser*, P.,   *Kants Theorie der Erfahrung und Erfahrungswissenschaft.* Klosterm. Frankfurt 1981.

18) *ders.*,   The First Antinomy of Rational Cosmology and Kant's Three Kinds of Infinities. *Philos. Naturalis 19*, 1/2 (1982) 83-93.

19) *ders.*,   Die radikale Verschiedenheit des ‚Ich denke‘ in ‚Deduktion‘ und ‚Paralogismen‘. Kongreßbericht XII. Deutscher Kongreß f. Philos. Innsbr. 1981, Solaris Verl. Innsbruck 1983.

20) *Lorenzen, P.,*   Die klassische Analysis als eine konstruktive Theorie. In: Ders. *Methodisches Denken.* Suhrk. Frkf. 1968.

21) *Mainer, K.,*   *Mathematischer Konstruktivismus. Kants Begründung und gegenwärtige Präzisierung der Grundlagenforschung.* Diss. Münster 1973.

22) *Prauß, G.,*   Zur Problematik der Dinge an sich. *Akten d. 4. Int. Kant-Kong.,* hg. v. G. Funke, Bln./N.Y. 1974.

23) *Riehl, A.,*   *Der philosophische Kritizismus.* Bd. 1-3, Leipzig ²1908-26.

24) *Schmucker, J.,*   Zur entwicklungsgeschichtlichen Bedeutung der Inauguraldissertation von 1770. *Akten d. 4. Int. Kant-Kongr.,* hg. v. G. Funke Teil I, S. 263-282. Bln/N.Y. 1974.

25) *Schrader, G.A.,*   The Thing Itself in Kantian Philosophy. *Rev. of. Metaphysics,* II (1949), p. 30.

26) *Stegmüler, W.,*   Gedanken über eine mögliche rationale Rekonstruktion von Kants Metaphysik der Erfahrung, Teil I: *Ratio,* 9, 1967, pp. 1-3; Teil II: *Ratio* 10, 1968, pp. 1-31; auch in: ders., *Aufs. z. Kant u. Wittgenstein.* Darmstadt 1970.

27) *Süßmilch, R.,*   Kant, Hilbert und das Unendlichkeitsproblem im mathematischen Denken. In: Ley, Ruben u. Stiehler (Hrsg.), *Z. Kantverständnis unserer Zeit.* Bln. 1975, S. 320-346.

28) *Ueling, T.E.,*   Kant, Disguised Nonsense and Patent-Nonsense. *Akten d. 4. Int. Kant-Kongr.,* hg. v. G. Funke Bln/N.Y. 1974.

29) *Laudan, L.,*   *Science and Hypothesis. Historical Essays on Scientific Methodology.* Reidel, Dordrecht 1981.

Margherita v. Brentano

KANTS THEORIE DER GESCHICHTE UND
DER BÜRGERLICHEN GESELLSCHAFT

Kants Theorie der Geschichte und der bürgerlichen Gesellschaft findet sich nicht in den kritischen Hauptwerken, sondern in den sogenannten „kleineren" Schriften, meist Zeitschriftenaufsätzen, die schon äußerlich den Charakter von Gelegenheitsarbeiten haben, auch in Stil und Diktion eher „populär" sind, oder, positiv und in Kants Termini gesagt, sich nicht an die „Schule", sondern an die „Welt" wenden, an jenes räsonnierende Publikum nämlich, das in dem Konzept dieser Schriften eine wichtige Funktion als Medium des Fortschritts erhält.

Sie sind deshalb lange unbeachtet geblieben, als vergleichsweise unwichtig und als — gerade in ihrem geschichtsphilosophischen Aspekt — inkonsequent, die kritische Beschränkung von strenger Theorie auf mögliche Erfahrungskontrolle wieder überschreitend, beiseite gelassen worden. Erst in der neukantianischen Schule, vor allem innerhalb der Versuche einer Verbindung von Kritizismus und Sozialismus fanden sie ein gewisses Interesse, vor allem aufgrund der Ähnlichkeit einiger Strukturelemente der kantischen Geschichtstheorie mit der marxistischen; beide versuchen ja, Geschichtstheorie, als Wissenschaft von den Naturgesetzen der Geschichte und Gesellschaft, zugleich als Tendenzgeschichte, als Theorie in praktischer Absicht, als Anleitung für eine zu machende Geschichte zu entwickeln.

Erst unter diesem Aspekt wurde auch der positive und systematische Zusammenhang der geschichtsphilosophischen Entwürfe mit dem kritischen Hauptwerk deutlich. Sie lassen sich nämlich als ein, wenn auch nur skizziertes, Stück jener „Philosophie nach dem Weltbegriff" interpretieren, die Kant etwa am Ende der Kritik der reinen Vernunft (im Abschnitt: „Die Architektonik der reinen Vernunft", B 866 ff) als Absicht der Kritik entwirft. Die kritische Destruktion einer Metaphysik, die als theoretisch-spekulative Wissenschaft von Gegenständen, die den Bereich der möglichen Erfahrung überschreiten (vom „Übersinnlichen"), auftrat, soll Platz machen für ein Konzept von Philosophie „nach dem Weltbegriff", die sie als Reflexion auf die Beziehung wissenschaftlicher Erkenntnis zu Praxis bestimmt, und als die sie das betrifft, „was jedermann notwendig interessiert". „In dieser Absicht (= nach dem Weltbegriff) ist Philosophie die Wissenschaft von der Beziehung aller Erkenntnis auf die wesentlichen Zwecke der menschlichen Vernunft... und der Philosoph ist nicht ein Vernunftkünstler, sondern der Gesetzgeber der menschlichen Vernunft".

Erkenntnis geht auf das „was da ist", Natur. Zwecksetzung auf „das, was da sein soll", nach Vernunftbegriffen. Philosophie als Wissenschaft von der Beziehung der Erkenntnis auf Zwecke müßte also Natur und Vernunft, das, was ist, mit dem, was sein soll, vermitteln. Die geschichtsphilosophischen Schriften sind genau der Versuch dieser Vermittlung. Für die Behandlung der bürgerlichen Gesellschaft innerhalb dieser Schriften ist dieser Zusammenhang zu beachten. Kant beschreibt weder einfachhin die bestehende bürgerliche

Gesellschaft, noch entwirft er, wie die englischen Theoretiker, das zeitlose Modell von Gesellschaft, das dann doch aus der bestehenden extrapoliert wäre: sondern, angestoßen durch die Rousseau'sche Problematik, unternimmt er es, die bürgerliche Gesellschaft seiner Zeit als Phase innerhalb eines Konzepts von Geschichte, die sie 1. als erkennbar, Gegenstand von Theorie im strengen Sinne, 2. als, was Bedingung für das erste, gesetzmäßig, und 3. als progressiv veränderbar, machbar, darstellt, zu begreifen.

Dieser Versuch knüpft an die frühbürgerliche englische Tradition insofern an, als er deren Metaphysikkritik und Bindung an naturwissenschaftliche Strenge übernimmt; seiner Motivierung nach steht er in der Tradition der französischen Aufklärung, deren emanzipatorisches Interesse und deren Fortschrittsidee er übernimmt. Das Problem: lassen sich beide verbinden, läßt sich die Idee des Fortschritts wissenschaftlich legitimieren.

In der *Aufklärungsschrift* wird der Fortschritt von einer Gesellschaft unmündiger, von Vormündern beherrschter Menschen zur Gesellschaft mündiger Menschen von einem Prozeß öffentlichen Räsonnements erwartet, der zu einer öffentlichen Meinung und durch sie zur allmählichen und zwanglosen Durchsetzung einer der „ursprünglichen Bestimmung" der menschlichen Natur und der Würde des Menschen entsprechenden Verfassung führen soll.

Die formale Bestimmung eines solchen Prozesses ließe sich beschreiben als: Diskussion kontroverser Themen in einer allgemeinen, d.h. prinzipiell jedermann zugänglichen Sphäre in Absicht auf Konsens.

Konsens wäre formal: Wahrheit, Übereinstimmung aller durch erreichte vernünftige Einsicht; er wäre material: Übereinstimmung über das gemeinsame Interesse, das Gemeinwohl.

Zur Verdeutlichung: wo Wahrheit und Gemeinwohl bereits vorausgesetzt sind, gibt es keine öffentliche Meinung, sondern Orthodoxie und Häresie, also bloß „künstliche Einhelligkeit", durch Zwang garantiert.

Wo Konsens prinzipiell nicht mehr erstrebt, oder als nie erreichbar angesehen wird, läßt sich nicht mehr von *einer* Öffentlichkeit und nicht von Gemeinwohl sprechen. Dann bleibt nur installierter Pluralismus unterhalb einer ihm enthobenen, sich neutralisierenden und damit nicht mehr der Legitimation bedürftigen Herrschaft.

Dieses Konzept enthält aber zwei Implikationen.

1. Wenn der Prozeß der Aufklärung, in dem jeder Einzelne zu einem Mündigen, d.h. zu einem, der fähig ist, sich seines eigenen Verstandes zu bedienen, werden soll, zugleich zu Konsens führen soll, impliziert das, daß die realisierte Vernunft jedes Einzelnen zugleich die gemeinsame, allgemeine Vernunft wäre.

2. Wenn der Prozeß auf Autonomie des Einzelnen geht, zugleich aber eine Verfassung und Gesetzgebung herbeiführen soll, die dieser nicht widerspricht, so dürfte dieser objektive Zustand der Gesellschaft nicht mehr Herrschaft sein, insofern Herrschaft durch Heteronomie, und Zwang definiert ist. Ist ein „Rechtszustand", in dem der vereinigte Wille aller autonom ist, in dem „Vernunft allein Gewalt hat", als objektiver so möglich, daß er sich mit der subjektiven Autonomie eines jedes bruchlos zusammenschließt?

Beide Implikationen sind problematisch. Das Problem läßt sich in der Frage formulieren, ob eine Gesellschaft von vernünftigen, autonomen Menschen schon eine vernünftige, autonome Gesellschaft ist.

Mit Rousseau stößt auch Kant auf dieses Problem, daß die Vermittlung der einzelnen Willen zu einem gemeinsamen, der individuellen Selbstbestimmung zu der der Gesellschaft nicht in einem einfachen Progreß zu erreichen ist.

Bei Kant wird das Dilemma in mehreren Versionen angedeutet. In der Aufklärungs- schrift: der Prozeß des Mündigwerdens setzt den Rechtszustand, den er erst erreichen will, schon voraus, mindestens in der Gestalt des aufgeklärten Herrschers — der aber deutlich ei- ne Fiktion ist. Denn das der apostrophierte keiner ist und daß die Vormünder kein Interes- se an Aufklärung haben, weiß und sagt dieselbe Schrift.

In der Schrift „Idee zu einer Geschichte in weltbürgerlicher Absicht" heißt es von dem Einzelnen, daß er „einen Herrn (bedarf), der ihm den eigenen Willen breche, und ihn nöti- ge, einem allgemein-gültigen Wollen, dabei jeder frei sein kann, zu gehorchen" (I. Kant, Werke, hrsg. v. W. Weischedel, Bd. 6, Frankfurt 1964, S. 40. Alle folgenden Seitenangaben beziehen sich auf den gleichen Band). Es gibt aber niemanden, der selber schon den allge- meinen Willen darstellt, wer also soll der Herr sein? Das Dilemma scheint unauflösbar.

In der Schrift „Zum ewigen Frieden": „Freilich ist das Wollen *aller einzelnen* Men- schen, in einer gesetzlichen Verfassung nach Freiheitsprinzipien zu leben (die *distributive* Einheit des Willens *aller*), zu diesem Zwecke nicht hinreichend, sondern daß *alle zusam- men* diesen Zustand wollen (die *kollektive* Einheit des vereinigten Willens), diese Auflösung einer schweren Aufgabe, wird noch dazu erfordert, damit ein Ganzes der bürgerlichen Ge- sellschaft werde, und, da also, über diese Verschiedenheit des partikularen Wollens aller, noch eine vereinigende Ursache desselben hinzukommen muß, um einen gemeinschaftli- chen Willen herauszubringen, welches keiner von allen vermag: so ist in der *Ausführung* je- ner Idee (in der Praxis) auf keinen anderen Anfang des rechtlichen Zustandes zu rechnen, als den durch *Gewalt...*" Dann aber lassen sich „große Abweichungen von jener Idee...in der wirklichen Erfahrung schon zum voraus erwarten" (S. 230 f.).

Hier und in der Schrift „Über den Gemeinspruch..." wird das Problem als das der Ver- mittlung von Politik und Moral gefaßt. Politik als „Wahl der Mittel zu einem beabsichtig- ten Erfolg", die sich nach materialen Prinzipien richtet und danach „wie es in der Welt zu- geht" und Moral als Handeln nach vernünftigen Prinzipien lassen sich nur vermitteln, in- dem der „Knoten durchhauen" wird, nämlich eine moralische Politik gefordert wird. Aber Kant sieht sehr wohl, daß die Politik unmoralisch und die Moral unpolitisch ist.

Die Lösung kann weder in der Politik noch in der Moral gefunden werden. Deshalb ver- sucht Kant eine geschichtsphilosophische Konstruktion zu finden, die diese Vermittlung leisten könnte. Eine Konstruktion muß es sein, weil eine bloße Beschreibung, auch eine Er- kenntnis dessen, was Geschichte ist, bisher gewesen ist, nur das Dilemma beschreiben wür- de. Konstruiert wird eine Theorie der Geschichte, die sie als möglichen Übergang zu einer vernünftigen Gesellschaft darstellt. Wenn dies keine bloße Idee, keine willkürliche Kon- struktion sein soll, dann muß sie sich verifizieren lassen. Wie aber kann eine Theorie von dem, was Geschichte erst werden soll, sich verifizieren? Zum einen muß sie mindestens Anhaltspunkte, Indizien schon in der bisherigen, beschreibbaren Geschichte angeben kön- nen.

Darüber hinaus aber könnte sie verifizierbar sein in der Weise, daß sie sich *wahr macht.* „...die Philosophie", so heißt es im 8. Satz der Ideenschrift, „könne auch ihren *Chiliasmus* haben, zu dessen Herbeiführung ihre Idee, obgleich nur sehr von weitem, selbst beförderlich werden kann, der also nichts weniger als schwärmerisch ist."

Als solche Konstruktion, als Versuch einer self-fulfilling prophecy, können die geschichtsphilosophischen Schriften, insbesondere die „Idee zu einer allgemeinen Geschichte in weltbürgerlicher Absicht" und „Der Streit der Fakultäten" gelesen werden.

In der Ideenschrift wird das Thema, die Geschichte, zunächst formal bestimmt als „die menschlichen Handlungen", und zwar „im großen betrachtet", an „der ganzen Gattung".

Die Fragestellung ist die nach der Möglichkeit einer Theorie, einer wissenschaftlichen Erkenntnis der Geschichte. Theoretische Erkenntnis ist Erkenntnis von Gesetzmäßigem, die Frage impliziert also die weitere, ob es in der Geschichte, i.e. den menschlichen Handlungen im großen Gesetzlichkeit, einen „regelmäßigen Gang", ob es planmäßige Geschichte gibt.

Nun beginnt ja Kant mit der Bemerkung, daß „...die menschlichen Handlungen, ebenso wohl als jede andere Naturbegebenheit, nach allgemeinen Naturgesetzen bestimmt" sind. Kant übernimmt also und setzt voraus den Stand der wissenschaftlichen Einsichten des Zeitalters, wie wir sie bereits im naturwissenschaftliche-rationalen Absatz Hobbes' fanden, wie wir sie deutlicher etwa im Programm der Encyclopädisten entwickelt finden (explizit etwa in D'Alemberts Einleitung in die Encyclopédie: Gegenstand der Wissenschaften ist das physische Universum, und seine mechanischen, streng naturwissenschaftlichen faßbaren Gesetze. Es gibt keine Ausnahmeregelung für den Menschen. Jede Zuhilfenahme metaphysischer, d.h. über die empirisch erkennbaren Gegenstände hinausgehender Spekulation ist wissenschaftlich unzulässig).

Diese selbstverständliche Prämisse löst aber offenbar noch nicht das spezifische Problem, das einer wissenschaftlichen Theorie der Geschichte. Für sie gibt die Prämisse lediglich eine einschränkende Bedingung an, daß sie nämlich, insofern die menschlichen Handlungen zur Natur als Inbegriff aller Erscheinungen in Raum und Zeit gehören, deren Gesetzen nicht widersprechen dürfen, und daß es nicht zulässig ist, „das, was man nicht begreift, aus demjenigen erklären zu wollen, was man noch weniger begreift" (Herder-Rezension, S. 791), also die Freiheit der Handlungen etwa aus einem metaphysischen Begriff der Willensfreiheit zu erklären.

Das spezifische Problem: läßt sich Geschichte = Summe der menschlichen Handlungen als planmäßig, als „stetig fortschreitende obgleich langsame Entwicklung der ursprünglichen Anlagen" der Gattung wissenschaftlich erkennen und damit die Idee des Fortschritts legitimieren, verifizieren? Denn das folgt noch keineswegs daraus, daß jede einzelne Handlung rational-empirisch erklärbar ist.

Im historischen Kontext gesehen, liegt das Problem darin, ob die empirisch-rationalistische Tendenz der bürgerlichen Philosophie, ihre kritische Wendung gegen theologisch-metaphysische Erschleichungen, mit ihrer aufklärerisch-progressiven Tendenz vermittelt werden kann. Ist die Idee des Menschen als vernünftigen, zur Selbstbestimmung fähigen Wesens, der Zwecke setzen und Mittel wählen kann, auf die Gattung ausweitbar, so daß nicht nur die einzelnen Handlungen, sondern auch die „Summe" der Handlungen planmäßig sein könnte. Nur dann nämlich wäre das Konzept der Aufklärung, daß durch Konsens über das Gemeinwohl eine vernünftige und zweckmäßige Verfassung der Gesellschaft erreicht, diese nicht wie Natur hingenommen werden soll, mehr als ein bloß moralischer Appell.

Kant muß also zwei Aufgaben lösen: *wie* sind Gesetze (Regeln) der menschlichen Handlungen im großen, in der Gattung, als planmäßige, Fortschritt ermöglichende, zu denken; und sind solche Gesetzmäßigkeiten *verifizierbar*.

Die Motivation für diese Problemstellung ist doppelt, im Text nur angedeutet: 1. Die Geschichte, auch als bloße Naturbegebenheit betrachtet, „läßt dennoch von sich hoffen...", daß sie Fortschritt enthält. Es gibt Indizien, z.B. statistische Regelmäßigkeit, die sogar Prognosen erlauben; 2. Die Bescheidung bei dem „widersinnigen Gang" menschlicher Dinge erregt „Unwillen". Die Annahme einer wenigstens potentiell vernünftigen Geschichte ist ein Postulat der praktischen Vernunft. Das Bedürfnis der Vernunft „in ihrem praktischen Gebrauch" aber ist, wie Kant in „Was heißt, sich im Denken orientieren" sagt, „unbedingt...weil wir urteilen müssen", nämlich um zu handeln.

Kant nennt nun zwei Hypothesen, unter denen planmäßiges, vernünftiges Handeln der Gattung denkbar wäre: Die eine: Instinktgebundenheit des Verhaltens der Menschen, das hieße eine organische Ausstattung, die bestimmtes und nur bestimmtes Verhalten zuließe. — Sie trifft nicht zu, der Mensch hat („Mutmaßlicher Anfang...") „in sich das Vermögen, eine Lebensweise auszuwählen", im Menschen ist und zwar als Naturgattung, Intelligenz, Zweck-Mittel Wahl anstelle des Instinktes getreten. — Die zweite: daß die Menschen „...nach einem verabredeten Plane, im ganzen verfahren". Auch dieses ist offensichtlich nicht der Fall.

In diesen scheinbar abstrakten Hypothesen taucht das Rousseausche Problem in einer spezifischen Version wieder auf: Bei einer natürlichen Gattung, zu deren natürlichem Verhalten die Intelligenz qua Zweck-Mittel Wahl gehört, ist kollektives zweckmäßiges Verhalten nicht automatisch, „natürlich" gegeben. Aus dem Verhalten aller Einzelnen folgt gerade nicht Harmonie, sinnvolles Verhalten aller. Es ist *nur* möglich durch einen gemeinsamen Plan, einen vereinigten Willen. Die Vereinigung zu einem Plan (Verabredung) setzt aber diesen gemeinsamen Willen schon voraus. Anders gesagt: der vereinigte Wille könnte real nur wirken, wenn er schon real wäre — was er nicht ist.

Aus diesem Dilemma heraus soll die auf den ersten Blick höchst seltsame Hypothese führen, die Kant aufstellt: „Es ist hier keine Auskunft für den Philosophen, als daß, da er bei den Menschen und ihrem Spiele im großen gar keine vernünftige *eigene Absicht* voraussetzen kann, er versuche, ob er nicht eine *Naturabsicht* in diesem widersinnigen Gange menschlicher Dinge entdecken könne; aus welcher, von Geschöpfen, die ohne eigenen Plan verfahren, dennoch eine Geschichte nach einem bestimmten Plane der Natur möglich sei."

Der Wert dieser Hypothese liegt darin, daß sie die Dichotomie von Natur und Vernunft unterläuft, ein Konzept von vernünftiger Natur und natürlicher, nämlich als Naturanlage gefaßter Vernunft bietet, die den Übergang von naturwüchsiger zu vernünftiger Geschichte überhaupt erst denkbar macht.

Die Hypothese wird in den ersten vier Thesen der Ideenschrift entwickelt.

1. Naturanlagen sind entwicklungsfähig und entwickeln sich vollständig. (Zu ergänzen:

Natur ist zweckmäßig ohne Zwecktätigkeit, ohne also daß es eines bewußt planenden Subjektes bedarf.)

2. Vernunft ist natürliche Ausstattung einer Gattung von Lebewesen, ist Naturanlage. Als solche können wir sie als vollständig entwicklungsfähig ansehen, wie andere Naturanlagen auch.

Kant bestimmt in der Erläuterung zum 2. Satz Vernunft als „Vermögen, die Regeln und Absichten des Gebrauchs aller seiner (= des Menschen) Kräfte weit über den Naturinstinkt zu erweitern...", also ohne Zuhilfenahme eines metaphysischen Begriffes von Freiheit oder dgl. lediglich als Intelligenz, vorstellende und auswählende Zweck-Mittel Wahl, im Unterschied zum instinktiven, d.h. durch biologisch festgelegte Verhaltensweisen zweckmäßigen Verhalten. Er fügt hinzu: „...und kennt keine Grenzen ihrer Entwürfe". Dies folgt aus der Bestimmung: Verhalten, das über Zweck-Mittel Wahl gesteuert wird, hat keine natürliche Grenze seiner Wahl, seine vollständige Entwicklung besteht gerade in unbegrenzter Entwicklungsfähigkeit. Deshalb kann Kant folgern, daß die vollständige Entwicklung der Naturanlage Vernunft für die Gattung, nicht fürs Individuum angenommen werden muß, denn das Leben des Individuums ist befristet, das der Gattung kann in diesem Zusammenhang als „vielleicht unabsehliche Reihe von Zeugungen" gedacht werden.

3. Der dritte Satz bringt die Pointe dieser ersten Überlegung. Wenn Vernunft Naturanlage ist, Vernunft intelligente, d.h. vorstellende, entwerfende Zweck-Mittel Wahl ist, solche eo ipso unbegrenzt ist, die so ausgestattete Gattung *natürlicherweise* eine sich durch eigene Zwecksetzung unendlich, nämlich über vorgegebene Naturzwecke hinaus entwickelnde ist, dann kann Natur selbst als Tendenz zur Überschreitung bloßer (vorgegebener) Natur angesehen werden. „Die Natur hat gewollt: daß der Mensch alles, was über die mechanische Anordnung seines tierischen Daseins geht, gänzlich aus sich selbst herausbringe, und keiner anderen Glückseligkeit, oder Vollkommenheit, teilhaftig werde, als die er sich selbst, frei von Instinkt, durch eigene Vernunft, verschafft hat." „Er sollte...alles aus sich selbst herausbringen." (S. 36)

Das Dilemma, wie denn Geschichte mit Bewußtsein, nämlich als „verabredeter Plan" zustande kommen könne, wenn doch die Verabredung den vereinigten Willen aller, der durch sie erst zustande kommt, voraussetzt, kann so durch Unterstellung einer Naturtendenz, die dies schon „will", überbrückt werden. Dann kann nämlich auch die noch nicht vernünftige Geschichte daraufhin geprüft werden, ob sie Mittel für den Übergang zur vernünftigen hergibt.

4. Das versucht Kant im vierten Satz: „Das Mittel, dessen sich die Natur bedient, die Entwicklung aller ihrer Anlagen (ihrer = der „Tiergattung, die Vernunft haben soll") zu Stande zu bringen, ist der Antagonism derselben in der Gesellschaft, so fern dieser doch am Ende die Ursache einer gesetzmäßigen Ordnung derselben wird. Ich verstehe hier unter Antagonism die ungesellige Geselligkeit der Menschen, d.h. den Hang derselben, in Gesellschaft zu treten, der doch mit einem durchgängigen Widerstande, welche diese Gesellschaft beständig zu trennen droht, verbunden ist." (S. 37)

Der Antagonism ist doppelt: der Widerstreit der „wilden" Freiheit gegeneinander (daß „ein jedes nach seinem Sinne und einer oft wider den andern, ihre eigne Absicht verfolgen" (Einleitung)) und der Widerstreit zwischen dieser Vereinzelung eines jeden und der

„pathologisch-abgedrungene(n) Zusammenstimmung", die nicht so sehr aus ihr folgt, vielmehr mit ihr wechselseitig sich bedingt. Es ist wichtig, zu beachten, daß Kant den Kampf aller gegen alle und die Gesellschaft als pathologisch erzwungene nicht als zwei Zustände oder Phasen — Naturzustand und Vergesellschaftung — aufeinander folgen läßt, sondern sie als die beiden einander bedingenden Elemente der bürgerlichen Gesellschaft, *insofern* sie als faktische naturwüchsig entstanden ist und sich hält, behandelt. Die Naturgeschichte der Gesellschaft, als deren Produkt die bürgerliche Gesellschaft erscheint, läßt sich durchaus als bloßer Mechanismus, als „Nötigung einer ihren Wirkungsgesetzen nach uns unbekannten Ursache, (als) *Schicksal*" ansehen. Kant weist darauf ausdrücklich hin (Zum ewigen Frieden, S. 217). Aber es läßt sich ihr auch eine Zweckmäßigkeit unterlegen, die, weil sie nicht die der planenden Gattung ist, als solche der Natur erscheint. Diese Unterstellung, Hypothese ist keine theoretische Erkenntnis. Wir können sie aus dem Naturmechanismus „weder *erkennen*, oder auch nur daraus auf sie schließen" (1.c.), sondern wir können und müssen sie „*hinzudenken*", wenn wir den Naturmechanismus „in praktischer Absicht", d.h. zu vernünftigen Zwecken benutzen wollen. Wir können es, wenn die Vorstellung, daß Naturgeschichte mit einer erst zu machenden vernünftigen Geschichte „zusammenstimmt", möglich ist — das ist der Sinn der ersten vier Thesen. Wir müssen es, wenn Geschichte, die das Werk der Menschen selbst wäre, als reale, wenn auch zukünftige, gemacht werden und nicht bloß „in einer andern Welt zu hoffen" (Satz 9) sein soll, — das ist der Sinn der letzten fünf Thesen.

Die Hypothese, die der Darstellung der (faktischen) bürgerlichen Gesellschaft als Produkt naturwüchsigen Zwanges zugrunde liegt, lautet *nicht*, daß diese Gesellschaft vernünftig sei, sondern daß die Naturgeschichte potentiell vernünftig sei, insofern ihr Produkt, die pathologisch — abgedrungene Gesellschaftsordnung, die Menschen zur Vernunft bringen kann. Die Naturgeschichte löst nicht das Problem einer gerechten Gesellschaft, sondern zwingt die Menschen in einen „Zustand des Zwangs" (Satz 5) zu treten, in eine Rechtsordnung zwar, deren Objekt jeder ist, deren Subjekt aber der verselbständigte Antagonismus bleibt, die also äußerer Zwang bleibt. Die Einsicht in diesen notwendigen Zwangscharakter einer Geschichte ohne vernünftiges Gattungssubjekt kann die Motivation abgeben, dieses zu konstituieren.

Satz 5: „Das größte Problem für die Menschengattung, zu dessen Auflösung die Natur ihn zwingt, ist die Erreichung einer allgemein das Recht verwaltenden bürgerlichen Gesellschaft."

Satz 6: „Dieses Problem ist zugleich das schwerste und das, welches von der Menschengattung am spätesten aufgelöst wird." (S. 39 f.)

Es ist deutlich, daß die in den letzten fünf Thesen thematische bürgerliche Gesellschaft („eine(r) allgemein das Recht verwaltende...", die „vollkommne bürgerliche Gesellschaft", die „innerlich und äußerlich vollkomme Staatsverfassung") als erst herzustellende nicht identisch ist mit der in den vier ersten Thesen als Naturprodukt beschrieben. Sie ist es so wenig, daß erst die Idee von ihr, die aus der Konstruktion der Geschichte als einer tendenziell vernünftigen gewonnen wird, Vehikel des bewußten Prozesses, sie herzustellen, werden soll.

Satz 9: „Ein philosophischer Versuch, die allgemeine Weltgeschichte nach einem Plane der Natur, der auf die vollkommene bürgerliche Vereinigung in der Menschengattung abziele, zu bearbeiten, muß als möglich, und selbst für diese Naturabsicht als förderlich angesehen werden." (S. 47)

Satz 8: „Man sieht, die Philosophie könne auch ihren Chiliasmus haben; aber einen solchen, zu dessen Herbeiführung ihre Idee, obgleich nur sehr von weitem, selbst beförderlich werden kann, der also nichts weniger als schwärmerisch ist." (S. 45)

Auch die geschichtsphilosophische Konstruktion der Ideenschrift ergibt also, als praktisches Programm, die Vorzeichnung eines Aufklärungsprozesses. Er unterscheidet sich aber in einem wichtigen Punkt von dem linearen Konzept von Fortschritt per Aufklärung, der die Individuen zunehmend instand setzen sollte, ihren eigenen Verstand zu gebrauchen und ihre eigenen Interessen zu erkennen und zu vertreten. Das Problem, ob denn schon, und wie, die Entwicklung aller Individuen zu Vernunft und Autonomie eine vernünftige und autonome Gesellschaft ermöglichen kann, ist hier gesehen und berücksichtigt. Aufklärung, die nicht nur auf vernünftige und „moralisch-gute" (= ihre wahren Interessen erkennende und verfolgende) Individuen, sondern auf eine vernünftige und gute Gesellschaft zielt, muß diese selbst zum Inhalt haben, nicht als bloße Idee, sondern als Vorstellung eines Zweckes, der mit der realen bisherigen Geschichte vermittelbar ist. Sie muß also, das ist der Kern der Ideenschrift, eine Geschichtstheorie zum Inhalt haben, die sowohl die bisherige Geschichte erklärt als auch für deren Fortsetzung mit anderen Mitteln, nämlich mit Vernunft, eine Tendenz angibt, an der die Aufzuklärenden so interessiert werden können, daß sie zum Motiv ihres Verhaltens, damit zu jener „vereinigenden Ursache" werden kann, die zum partikularen Wollen aller „hinzukommen" muß, um einen gemeinschaftlichen Willen herauszubringen.

Für das erste, — die bisherige Geschichte erklären — muß sie verifizierbar sein. Zwar nicht vollständig, das ist bei dem unendlichen Material der empirischen Geschichte nicht möglich. „Es kömmt nur darauf an, ob die Erfahrung etwas von einem solchen Gange der Naturabsicht entdeckt." (Satz 8)

Für das letztere, — die Motivierung durch das als möglich entworfene Ziel — muß sich der Kant dieser Schrift von 1784 verlassen auf „einen gewissen Herzensanteil, den der aufgeklärte Mensch am Guten, das er vollkommen begreift, zu nehmen nicht vermeiden kann..." (Satz 8). *Erfahrung* darüber gibt es nicht. Und solange es sie nicht gibt, ist es ein befremdlicher und, „dem Anscheine nach, ungereimter Anschlag, nach einer Idee, wie der Weltlauf gehen müßte, wenn er gewissen vernünftigen Zwecken angemessen sein sollte, eine *Geschichte* abfassen zu wollen; es scheint, in einer solchen Absicht könne nur ein *Roman* zu Stande kommen." (S. 48)

Kant hat das Thema der Ideenschrift im Jahre 1798 nochmals aufgegriffen, im 2. Abschnitt der Schrift: *Der Streit der Fakultäten.* Der Abschnitt ist überschrieben:

„Erneuerte Frage: Ob das menschliche Geschlecht im beständigen Fortschritt zum Besseren sei?"
Ganz ausdrücklich ist also die Frage, die in der Ideenschrift mit einem Entwurf, der nur seine erste, die naturgeschichtliche Komponente, verifizieren konnte, beantwortet wurde, wieder aufgegriffen, und nun hinsichtlich der zweiten Komponente gestellt: nicht nur, ob Geschichte als Naturgeschichte Fortschritt als möglich, sondern ob Geschichte als Veranstaltung der Menschen Fortschritt durch eigene Zwecksetzung und -ausführung als wirk-

lich erfahrbar erkennen lasse. Kant kann nun *so* fragen und die Frage bejahen, denn er kann nun auf ein empirisches Ereignis hinweisen, das ein Exempel dafür liefert.

Was die Schwierigkeit einer Theorie *ohne* solches Exempel war, wird deutlich in der jetzt präziseren Fragestellung: Sie lautet: Theorie der Geschichte als Fortschritt bezieht die Zukunft mit ein. Wie kann sie verifizierbar sein, ohne über Natur (als Inbegriff der Erscheinungen in Raum und Zeit) hinauszugehen. Wie kann sie „wahrsagend und doch natürlich" sein. Die Antwort gibt Kant formal vorneweg: sie kann es nur als self-fulfilling prophecy sein, nämlich „wenn der Wahrsager die Begebenheiten selber *macht* und veranstaltet, die er zum voraus verkündigt." (S. 351) Das ist ironisch gesagt, denn daß der Einzelne so verfahren kann, ist klar. Problematisch war diese Möglichkeit für die gesellschaftlich vereinigten Menschen. Können sie, als vereinigte, Zwecke setzen und nach ihnen handeln, damit erst Ursache ihrer künftigen Geschichte und diese voraussagbar werden. „Es muß irgend eine Erfahrung im Menschengeschlechte vorkommen, die, als Begebenheit, auf...ein Vermögen desselben hinweist, *Ursache* von dem Fortrücken desselben zum Besseren,...*Urheber* desselben zu sein." (S. 356)

Diese „Begebenheit" sieht Kant in der Revolution von 1789. Genauer, nicht allein in ihr selbst, als Faktum , sondern in der „Zustimmung" und „Parteilichkeit", die sie selbst bei Unbeteiligten fand. In dieser ihrer Wirkung, nicht so sehr in ihrem Ergebnis, das Kant sehr nüchtern beurteilt, sieht Kant das „Geschichtszeichen", das die Theorie einer von Naturwüchsigkeit in vernünftige Planmäßigkeit übergehenden Geschichte verifiziert.

Denn es zeigt eine „*Tendenz* des menschlichen Geschlechts im *ganzen*".

„Es ist bloß die Denkungsart der Zuschauer, welche sich bei diesem Spiele großer Umwandlungen *öffentlich* verrät, und eine so allgemeine und doch uneigennützige Teilnehmung der Spielenden auf einer Seite, gegen die auf der andern, selbst mit Gefahr, diese Parteilichkeit könne ihnen sehr nachteilig werden, dennoch laute werden läßt, so aber...einen Charakter des Menschengeschlechts im ganzen...wenigstens in der Anlage, beweiset, der das Fortschreiten zum Besseren nicht allein hoffen läßt, sondern selbst schon ein solcher ist...." (S. 357)

„Aber, wenn der bei dieser Begebenheit beabsichtigte Zweck auch jetzt nicht erreicht würde, wenn die Revolution, oder Reform, der Verfassung eines Volkes...fehlschlüge, oder, nachdem diese einige Zeit gewähret hätte, doch wiederum alles ins vorige Gleis zurückgebracht würde (wie Politiker jetzt wahrsagen), so verliert jene philosophische Vorhersagung doch nichts von ihrer Kraft. — Denn jene Begebenheit ist zu groß, zu sehr mit dem Interesse der Menschheit verwebt...als daß sie nicht den Völkern...in Erinnerung gebracht und zu Wiederholungen neuer Versuche dieser Art erweckt werden sollte..." (S. 361) Und Kant kann nun hinzufügen, deutlich im Rückblick auf seinen eigenen Entwurf einer tendenziell progressiven Geschichte: „Es ist also ein nicht bloß gutgemeinter und in praktischer Absicht empfehlenswürdiger, sondern allen Ungläubigen zum Trotz auch für die strengste Theorie haltbarer Satz: daß das menschliche Geschlecht im Fortschreiten zum Besseren immer gewesen sei, und so fernerhin fortgehen werde."

Daß „Vernunft allein Gewalt haben" solle, daß die Herstellung eines Zwecks aller für einen Augenblick das Handeln der Einzelnen zu bestimmen schien, dies, und nicht der reale Verlauf und die Ergebnisse der Revolution sind das Geschichtszeichen, das nach Kant zwar nicht schon selbst der Übergang zur von Menschen gemachten Geschichte ist, aber dadurch, daß es unausweichlich Parteilichkeit hervorruft, zur Ursache für sie werden wird. „Denn ein solches Phänomen in der Menschengeschichte *vergißt sich nicht mehr*, weil es eine Anlage und ein Vermögen in der menschlichen Natur zum Besseren aufgedeckt hat, dergleichen kein Politiker aus dem bisherigen Lauf der Dinge herausgeklügelt hätte…" (S. 361)

Richard Faber

SERMO HUMILIS.
Erzählung, Moral und Rhetorik Johann Peter Hebels

I.

Ich betrachte Johann Peter Hebel als Prototyp des alteuropäischen „Erzählers"[1], und nicht zuletzt deshalb, weil er dem jüdischen Prototyp des Erzählens in besonderer Weise verpflichtet ist — eine Tatsache, die unmittelbar daraus erhellt, daß Hebels späte Erzählungen „*Biblische* Geschichten" sind. Doch nicht nur hier, sondern auch in den Kalendergeschichten, wo Hebel scheinbar profan erzählt, steht er in der jüdisch-christlichen Tradition. Dabei macht gerade das seine Leistung aus, daß er generell den Gegensatz von sakral und profan vermittelt; daß auch seine sakralen — „Biblischen" — Geschichten nur scheinbar sakral sind.

Ich möchte die Einheitlichkeit des Hebelschen Erzählens von seinem Ende her aufzeigen, weil es dessen — Hebel weit voraus liegenden — Anfang erscheinen läßt: Die zwei Jahre vor seinem Tod erschienenen „Biblischen Geschichten" lassen Luk. 10,25-37, dem Gleichnis „Von dem barmherzigen Samariter", folgenden Kommentar folgen: „Nämlich: Ich bin jedem sein Nächster, und jeder ist mein Nächster, den ich mit meiner Liebe erreichen kann, jeder, den Gott zu mir führt daß, ich ihn erfreuen oder trösten, daß ich ihm raten oder helfen kann, auch wenn er nicht meines Volkes oder meines Glaubens wäre. Tue das, so wirst du leben!"[2]

Neben diesem kurzen Schluß-Kommentar weicht Hebel nur dreimal vom Lukas-Text ab, schaltet er sich nur dreimal — in „Hausfreund"-Manier — in den Text ein: Dort, wo es heißt: „,Die Frage wäre gut.' — ,Die Antwort war wieder gut.'"[3] Und dort, wo Hebel das pharisäische Rechtfertigungssuchen im Hinblick auf seine kindliche Leserschaft so erklärt: „Er schämte sich, daß er eine Frage getan haben sollte, die er und jedes Kind sich selbst beantworten konnten." — An der Antwort des Schriftgelehrten auf Jesu Frage: „Wie steht im Gesetz geschrieben?", hängt (nach Matth.22,36-40) „das ganze Gesetz und die Propheten": an den Geboten der Gottes- und Nächstenliebe. Das heißt, das Gleichnis vom guten Samariter ist nicht irgendeine synoptische Erzählung, hebräisch: „Aggada", sondern die zentrale, und Hebel, bei dem — nach Benjamin — das „Haggadische (...) so stark" ist wie „wohl

1. Vgl. W. Benjamin, Der Erzähler. Betrachtungen zum Werk Nikolai Lesskows, in: G. S., Bd. II.2, S. 438ff.
2. J.P. Hebel, Biblische Geschichten den Kindern erzählt und mit alten Holzschnitten illustriert, 1959, S. 160/1
3. Vgl. speziell „Gute Antwort", in: J. P. Hebel, Der Rheinländische Hausfreund. Faksimiledruck der Jahrgänge 1808 bis 1815 und 1819. Hg. von L. Rohner, 1981, S. 63 u. 192

bei keinem außerjüdischen Autor"[4] sonst, brauchte eigentlich kein „Nämlich" seiner Nacherzählung mehr anzuhängen; sie enthält ihre Lehre, hebräisch: „Halacha", selbst. Dem entspricht Hebel dann ja auch, indem er Jesus' „Tue das, so wirst du leben!" seinem Kommentar nochmals folgen läßt.

Dasselbe enge Verhältnis von Aggada und Halacha, Erzählung und Lehre, konstituiert eine Geschichte des „Rheinländischen Hausfreunds" wie „Einer Edelfrau schlaflose Nacht"; denn der „Kalenderschreiber" gibt „einem Propheten nicht viel nach"[5] — wie Hebel behauptet. — Die Geschichte beginnt mit dem kleinen Traktat: „Es ist nichts lehrreicher als die Aufmerksamkeit, wie in dem menschlichen Leben alles zusammenhängt, wenn man es zu entdecken vermag, zum Beispiel Zahnschmerzen und das Glück eines Ehepaares, und wie selbst das, was unrecht und verboten ist, wiedergutgemacht werden kann, wenns an den rechten Mann oder an die rechte Frau kommt, und wie in dem großen, unaufhörlichen Wechsel der Dinge alles einzelne wieder verschwimmt, daß man ihm nimmer nachkommt, und doch getan bleibt und nicht verlorengeht, es sei gut oder bös."[6]

Die anschließende und eigentliche Geschichte berichtet vom Schicksal eines während des Frondienstes geborenen unehelichen Kindes und seiner Eltern — und endet mit diesen Sätzen ihrer Herrin, der „Edelfrau": „‚Nein, ich will euch nicht unglücklich machen', sagte sie. ‚Ich will euch die Härte vergelten, die ich an euch begangen habe. Ich will euch den Kummer versüßen, den ihr getragen habt. Ich will eure Sünde wiedergutmachen. Ich will euch die Barmherzigkeit vergelten, die ihr an eurem Kinde getan habt.'" Die Sätze nehmen eindeutig auf, was abstrakt bereits im Eingangs-Traktat des „Hausfreundes" moralisiert worden ist, und was er jetzt in Form eines Kommentars weiter ausführt: „Meint man nicht, man höre den lieben Herrgott reden in den Propheten oder in den Psalmen? Ein Gemüt, das zum Guten bewegt ist und sich der Elenden annimmt und die Gefallenen aufrichtet, ein solches Gemüt zieht nämlich das Ebenbild Gottes an und fällt deswegen auch in seine Sprache"[7] — die Sprache der Halacha, ganz wörtlich verstanden, und selbst in einer solch profanen *Kalender*geschichte. Gottes Sprache, die immer schon die der „Propheten" oder „Psalmen" war, ist eben die Sprache des Guten, und zwar *menschlich* Guten.

Entscheidend an dieser Stelle ist aber, daß wie im Gleichnis „Von dem barmherzigen Samariter" die Erzählung — als Aggada — ihre Halacha aus sich heraus setzt oder die vorangestellte Lehre expliziert; in „Einer Edelfrau schlaflose Nacht" die der Halacha von der (All-)Barmherzigkeit Gottes und/oder seiner Welt. Um die beiden letzten Sätze zu zitieren: „Das Büblein (...) kann jetzt schon Haselnüsse aufbeißen und lernt fleißig und hat runde, rote Backen. — Was aber weiter daraus werden soll, weiß der, der den Himmel mit der Spanne mißt und den Staub der Erde mit einem Dreiling."[8] (Zum Schluß „zieht" der Hausfreund selbst „das Ebenbild Gottes an und fällt (...) auch in seine Sprache".)

4. W. Benjamin, G. S., Bd. II.3, S. 1447
5. J.P. Hebel, Werke 1. Erzählungen des Rheinländischen Hausfreundes ..., 1968, S. 9
6. Ebd., S. 263
7. Ebd., S. 265/6
8. Ebd.

II.

Solche scheinbar Heile Welt wird nicht allzusehr nach Hebels Tod 1826 zerstört. In Deutschland besonders langsam, doch auch hier in immer größerer Schnelligkeit verfallen die korporativen Formen des sozialen Lebens, entfallen die patriarchalen Für- und Vorsorgen, die ständischen Vorgegebenheiten und Eingebundenheiten, werden die Individuen atomistisch freigesetzt und damit sich selbst überlassen; das heißt den sogenannten Marktgesetzlichkeiten, die ihnen anonym und unbekannt bleiben. Die prinzipiell geschlossene Welt, die die der Hebelschen Erzählungen war, diese Welt einer sowohl göttlichen und/oder natürlichen, sozialen und/oder sittlichen Ordnung — die Einzelordnungen sind nur Entfaltung der einen providentiellen Schöpfungsordnung —, diese letztendlich statische Ordnung ist zerstört und nicht mehr zu restaurieren. Eine neue und ganz andere Ordnung ist nur zu errichten unter Rechnungstellung der modernen bürgerlichen Unordnung und ihrer permanenten Dynamik.

Ethik, verstanden als Anweisung des richtigen Handelns, muß auf den Umsturz der bestehenden Unordnung denken und deshalb kollektiv sein. Hebels Moral ist gerade nicht individualistisch, aber korporativ; der „Hausfreund" denkt in einer Erzählung, die dem Andenken seines Vaters gilt, „so: War der Jobbi ein guter Knecht, so war der Meister ein guter Mensch. Fromme Herrschaft zieht frommes Gesinde."[9] Selbst dort noch, wo Hebels Moral — mit Robert Minder — eine „*Schweijk*moral"[10] ist, besitzt sie ständischen Charakter. Sogar der Zundelfrieder und seine „Zunftgenossen" betreiben ihr Diebshandwerk als solches.[11] Handelt es sich auch um ein illegales Handwerk, so fällt es doch nicht aus dem ständischen Kosmos heraus.

Kein Zweifel, Hebels Welt ist vergleichsweise offen und weit, ja manchmal von überwältigender Menschlichkeit, aber sie stellt die natürliche und/oder gesellschaftliche Hierarchie nie *prinzipiell* in frage. Nur deshalb konnten seine Erzählungen ihren „Nutzen" stets mit sich führen. „Dieser Nutzen" bestand „einmal in einer Moral, ein andermal in einer praktischen Anweisung, ein drittes Mal in einem Sprichwort oder in einer Lebensregel. In jedem Fall war der Erzähler ein Mann, der dem Hörer Rat" wußte, *und* nicht „für manche Fälle, sondern wie der Weise: für viele".[12] Ich bin mit den letzten beiden Sätzen Benjamins „*Erzähler*"-Essay gefolgt, doch schon die „Alemannischen Gedichte" waren *Lehr*gedichte. Mit diesen Versen endet zum Beispiel das „Gespenst an der Kanderer Straße": „(...) wandle

---

9. Ebd., S. 89

10. R. Minder, Hebel, der erasmische Geist oder Nützliche Anleitungen zu seiner Lektüre, in: J.P. Hebel, Werke 1 ..., S. XXVII

11. Vgl. P. Rusterholz, Faktoren der Sinnkonstitution literarischer Texte in semiotischer Sicht. Am Beispiel von Hebels Kalendergeschichte: Die leichteste Todesstrafe, in: Zeichen, Text, Sinn. Zur Semiotik des literarischen Verstehens. Mit Beiträgen von W. Köller, P. Rusterholz, K. H. Spinner, Hg. von K.H. Spinner, 1977, S. 112; und vor allem R. Faber, „Der Erzähler" Johann Peter Hebel. Versuch einer Rekonstruktion, in: Walter Benjamin. Profane Erleuchtung und rettende Kritik. Hg. von N.W. Bolz und R. Faber, 1982, S. 157/8

12. W. Benjamin, G. S., Bd. II.2, S. 442 u. 464

selli Strooß her nüechteri Lüt, / se sait der Gaist: ‚Ihr tüent mym Büebli nüt!' / Er rüehrt si nit, er loßt si ordeli / passieren ihres Wegs. Verstöhnt der mi?"[13]

Ohne weiteres fällt bei vielen, den meisten von Hebels Geschichten das lehrende „Merke" in die Augen; eben so, wie es auch die — höchst volkstümliche — Moritat kennt mit der „Moral von der Geschicht" im letzten Vers.[14] Im gerade zitierten Lehr*gedicht* ist dieses „Merke" fast unausdrücklich, und doch stellt man sich schon hier ganz selbstverständlich jenen „Landgeistlichen" vor, dem Hebel später die Redaktion des „Rheinischen Hausfreunds" übergeben sehen wollte — um sie selbst zugewiesen zu bekommen. In Zukunft wird der Gymnasialprofessor für Rhetorik und Karlsruher Hofprediger den Landgeistlichen spielen; unbeschadet der Selbststilisierung seine Wunschrolle.

Noch die „Niegehaltene Antrittspredigt vor einer Landgemeinde"[16] von 1820 mit ihren stark autobiographischen Zügen beweist das. Aber schon 1808 läßt der Hausfreund — zum Schluß der „Allgemeinen Betrachtung über das Weltgebäude" — keine Zweifel: „Also will jetzt der Hausfreund eine *Predigt* halten, erstlich über die Erde und über die Sonne, zweitens über den Mond, drittens über die Sterne."[17] Und nur konsequent beginnt die späte „Predigt" über „Die Fixsterne" mit dem Satz: „Der Hausfreund sieht jetzt im Geiste zu, wie der *verständige* und *wohlgezogene* Leser geschwind noch einmal den Artikel von den Planeten durchgeht, damit er besser verstehen kann, was heuer von den Fixsternen will gesagt werden, und wie er jetzt auswendig die Planeten an den Fingern abzählt und den Uranus am großen Zehen greifen muß unten im Pedal, weil er zu elf Planeten nur zehn Finger hat."[18]

An Spaß und Witz wird nicht gespart, und doch ist (nur) der ein „*geneigter* Leser", der „verständig" und „wohlerzogen" ist. Allerdings wird solche Erziehung ausdrücklich *un*autoritär verstanden — wie im Rückblick in „Des Hausfreunds Vorrede" zum letzten Kalender von 1819; hier heißt es zum Schluß: „Alle Kalendermacher werden nach und nach dem Rheinländischen Hausfreund aufsätzig. Denn sie sagen, er verwöhne die Leute und mache sie meister*los*, weil er seinen Lesern über alles, was er tut und unterläßt, *Rechenschaft* gibt und mit ihnen redet."[20]

Lehrerschaft erweist sich als tendenzielle Partnerschaft oder — sehr didaktisch ausgedrückt — als Form des „Unterrichts*gesprächs*", das — man sollte Hebel nicht für naiv halten — selbstverständlich sehr sokratisch ist. Der Lehrer weiß ganz genau, auf welchen — moralischen — Punkt er kommen und seine Schüler bringen will. Nur eben, daß er schon dort, wo es sich um moralische Predigten sans phrase handelt, davon überzeugt ist: „Das einzige Mittel, ihnen Kraft und Leben zu geben (...), ist dies, die moralischen Reflexionen in historischen Texten aus bekannten Faktis abzunehmen und immer wieder auf die Ge-

13. J.P. Hebel, Werke 2. Gedichte. Briefe ..., 1968, S. 73
14. E. Bloch, Nachwort, in: J.P. Hebel, Kalendergeschichten ..., 1973, S. 139 u. 142
16. J.P. Hebel, Werke 1 ..., S. 500-502
17. Ebd., S. 287
18. Ebd., S. 315
20. Ebd., S. 336

schichte zu rekurrieren und so dem trockenen, toten Moralvortrag Anmut und Leben zu verschaffen."[21] Kein Zweifel, dies ist — neun Jahre vor Übernahme der Redaktion — das Programm des „Hausfreunds", der auf seine Predigtpraxis zurückgreifen wird.

Hebel macht im Kalender „die Moral, die beim durchschnittlichen Geschichtenschreiber ein Fremdkörper ist, zur Fortsetzung der Epik mit anderen Mitteln"[22]. Ja, so fragt Benjamin: „Ist es vielleicht so mit dem ‚Merke', daß es (...) garnicht die beschauliche Paraphe am Schluß der Geschichte" wäre, „sondern ihr Funke, der irgendow in der *Mitte*, wo die Erfahrung Hebels gerade anschlägt, *heraus*springt"?[23] Ich erinnere an die Erzählung „Wie eine greuliche Geschichte durch einen gemeinen Metzgerhund ist an das Tageslicht gebracht worden". In ihr heißt es — „irgendwo in der Mitte" —: „Als (...) die Mordleute (...) das Winseln des Hundes und das Rufen des Metzgers hörten, kams vor ihre Augen wie lauter Hochgericht und in ihre Herzen wie lauter Hölle." Die Geschichte schließt mit den Sätzen: „Die Missetäter wurden handfest gemacht und dem Richter übergeben. Sechs Wochen darauf wurden sie gerädert und ihre verruchten Leichname auf das Rad geflochten, und die Raben sagen *jetzt*: ‚Das Fleisch schmeckt gut.'"[24] Bevor die Leiber der „Mordleute" in die Raben-Hölle kamen, war diese in ihre Herzen gekommen; moralisch hatte schon damals ihr letzter Stündlein geschlagen. Seitdem „sagen" die Raben — tempus praesens —: „Das Fleisch schmeckt gut."

III.

Hebels Moral kennt durchaus den Posaunenton des Jüngsten Gerichts, ausdrücklich in der Erzählung „Der Husar in Neiße"[25]. Dennoch überwiegt die Irenik, Hebels „*erasmischer* Geist"[26]. Er herrscht zunächst — ganz wörtlich — in religionibus. Hebel vor anderen, der Sohn eines reformierten Pfälzers und einer lutherischen Markgräflerin, ist der Begründer der badischen Union und Stifter des konfessionellen Friedens im Großherzogtum, den er — ganz ein Vertreter der erasmischen „Dritten Kraft"[27] — soweit als möglich auch zwischen Protestanten und Katholiken gewahrt sehen wollte — um nicht zuletzt deswegen die Redaktion des „Hausfreundes" niederlegen zu müssen: wegen der — vom Vatikan für „indifferentistisch" erachteten — Erzählung „Der fromme Rat".

Hebels Maxime lautet wie das „Merke" der „Bekehrung": „Du sollst nicht über die Religion grübeln und tüfteln, damit du nicht deines Glaubens Kraft verlierst. Auch sollst du nicht mit Andersdenkenden darüber disputieren, am wenigsten mit solchen, die es ebenso-

21. J.P. Hebel, Werke 2 ..., S. 230
22. W. Benjamin, G. S., Bd. II.2, S. 640'
23. W. Benjamin, G. S., Bd. II.3, S. 1448
24. J.P. Hebel, Werke 1 ..., S. 167/8
25. Ebd., S. 95-7
26. R. Minder, Hebel, der erasmische Geist ..., S. IIIff., bes. S. V
27. Vgl. F. Heer, Die dritte Kraft. Der europäische Humanismus zwischen den Fronten des konfessionellen Zeitalters, 1959

wenig verstehen als du, noch weniger mit Gelehrten, denn die besiegen dich durch ihre Gelehrsamkeit und Kunst, nicht durch deine Überzeugung. Sondern du sollst deines Glaubens leben und, was gerade ist, nicht krumm machen. Es sei dann, daß dich dein Gewissen selber treibt zu schanschieren."[28]

Das hat weder ein ultramontaner Katholik geschrieben noch ein orthodoxer Lutheraner, sondern der, der seinem Freund Hitzig 1815, im Jahr des großen Krachs mit der Kurie, schrieb: „Wenn eine Kirche den verwegenen Schritt tue, sich für allein seligmachend zu erklären, so müssen es alle tun, damit der liebe Gott die offene Hand behalte, je etliche, die etwas nütz seien, aus *jedwederen* selig zu machen."[29] — Ob der Glaube oder die Werke selig machen? Hebel, nicht indifferent, aber im sehr emphatischen Sinn „praktisch"[30], läßt das unschwer auf sich beruhen: „Wer glaubt und darum gut handelt, weil er glaubt, — den Glücklichen macht sein Glaube selig. Wer aber ohne den Glauben gut handelt, auch dessen wird sich Gott erbarmen, oder es komme keiner und überrede mich, Gott habe die Menschen so lieb, daß er auch seinen Sohn für sie dahingegeben habe."[31] *So* weit geht Hebel, ein Mann Mendelssohns und Lessings, „Nathans des Weisen" also. Nichts beweist das mehr als die große Verehrung für die jüdische Religion, auch Mendelssohn persönlich und sogar den Islam. „So hat Mohammed gesagt und getan", endet die Erzählung „Das gute Werk".[32]

Innerchristlich sympathisierte Hebel stark mit den pazifistischen Sekten, „zum Exempel" den Quäkern: Es sind „fromme, *friedliche* und verständige Leute, wie hierzuland die Wiedertäufer ungefähr, und dürfen vieles nicht tun nach ihren Gesetzen: nicht schwören, nicht das Gewehr tragen, vor niemand den Hut abziehn"[33]. Diese Charakteristik deutet darauf hin, doch es ist überall mit Händen zu greifen: Für Hebel stand die Bergpredigt mit ihrem Spruch: „Selig sind die Friedfertigen", obenan, und wie bei den Quäkern, wenn sicher auch nicht mit ihrer Konsequenz, nicht nur in religionibus. Gerade die innerchristliche Perspektive führt hier ins Soziale und ins Politische, ja Universale. So wendet sich „Der Astrologus" 1813/14 an die Erde: „Habe ein Einsehen mit dir und uns, und rede mit den Thronen und Gewaltigen ein gutes Wort, daß sie uns bald den teuren Frieden wieder schenken, oder wenn er bis zur Ausgabe des Kalenders schon sollte abgeschlossen sein, daß sie ihn wenigstens während deines Regiments unangefochten gelten lassen. Die andern Planeten halten dir selber nichts drauf, daß soviel Blut auf dir vergossen wird."[34]

Ich habe schon darauf hingewiesen, Hebels Pazifismus ist kein konsequenter — falls es den geben sollte. — Konsequenz ist Hebel überhaupt fremd, freilich auch: seine übergroße Irenik schadet ihr selbst. Man kann sie, in ihrer negativen Dimension, auch Nachgiebigkeit, ja Opportunismus nennen, um gerade dann aber festhalten zu müssen, daß sich das Unveröffentlichte sehr oft anders liest als das Publizierte und Hebel Aufgetragene bis Ab-

28. J.P. Hebel, Werke 1 ..., S. 32
29. J.P. Hebel, Werke 2 ..., S. 373
30. Vgl. ebd., S. 288
31. Johann Peter Hebels Werke. Hg. von W. Altwegg, 1958 (2. Aufl.), Bd. I, S. 504/5
32. J.P. Hebel, Werke 1 ..., S. 10
33. Ebd., S. 161
34. Ebd., S. 325

verlangte. Ich verweise neben dem „Grenadierlied"[35] (zugunsten Napoleons) vor allem auf das „Patriotische Mahnwort" (zugunsten der Alliierten). Dieser Kriegsaufruf von 1814, auch er eine Predigt, wenngleich eine sehr weltlich-politische, ist das Stück Rhetorik katexochen, das als einziges immer wieder gedruckt wurde; im Unterschied zu den 39 Predigten[37], die seit über 100 Jahren nicht mehr aufgelegt wurden. — Im „Mahnwort" zieht Hebel alle rhetorischen Register — aber sie klappern. Warum, davon später. Zunächst: die Rede ist mustergültig dreigeteilt in eine narratio, eine fiktive Diskussion und eine peroratio, die endgültig eine adhortatio ist.

Schon die narratio bringt in der Form von rhetorischen Fragen adhortative Elemente: „Vetter, zuckt es dir nicht im starken deutschen Arm? Steigt es dir nicht hoch hinauf im stolzen deutschen Herzen? Hast du noch nicht das Gewehr in der Hand und die furchtbare Streitaxt zur Seite?"[38] — Die allocutio „Vetter" findet sich nicht nur in der zitierten Binnenkadenz, sondern durchgängig. Auch ihre wachsenden Glieder sind keine Besonderheit, genausowenig wie die expolitio.

Im zweiten Teil wird jeweils die fiktive Argumentation des „Vetters" vorgeführt, dann folgt die refutatio des „Patriotischen Mahners", was zusammen die Figur des „in utramque partem dicere" ergibt. Dem durchgängig argumentativen Charakter entsprechend, findet sich schon in der narratio eine Reihe anaphorischer Antithesen dieser Art: „... nicht, ... nicht, ... nicht, sondern ...".[39]

Die reichste Kombination rhetorischer Figuren bietet wie üblich der erste Absatz der peroratio. Er beginnt mit der Aufforderung: „Auf also", es folgt eine allocutio, die wiederum ein Trikolon mit wachsenden Gliedern darstellt: „Vetter, Bruder, Landsmann, deutscher Sturmgenosse". Diese Klimax soll eine „moralische" Aufrüstung bewirken, womit ich die reine Deskription verlasse und zur Kritik übergehe: Der rhetorische Aufwand steht hier in umgekehrtem Verhältnis zum Argument. Sehr schwach ist das einzige Axiom: „Großes kann nur durch Großes erlangt werden"[40], konventionell sind die biblischen Autoritäten, die bemüht werden — Röm. 13 ist obligatorisch —, und penetrant wirken die Isocola: „*ein* Mann, *ein* Mut, *ein* Bund und *ein* Schwur".[41]

Unbeschadet dieser — finstere Assoziationen weckenden — Passage: Der Mahner wendet sich im „Vetter" an alle, aber dadurch redet er alle als einzelne an. Schließlich ist der Mahner nicht einfach Hebel, was bereits die Wahl einer offiziösen Sprachebene, der hohen Rhetorik, nahelegt. Freilich wird dies ab einem bestimmten Augenblick unerheblich, da das einmalige Dokument 1870, 1914, 1939 immer wieder ausgeschlachtet wurde. Selbstverständlich hütete man sich, den Kommentar mitzuliefern, den die Briefe an den Freund Hitzig geben. Sie ergänzen und berichtigen in manchem — wenn auch zu wenig, denn Hebel

35. Vgl. J.P. Hebel, Werke 2 ..., S. 134/5
37. J.P. Hebel, Predigten. S. W. 5/6, 1832
38. J.P. Hebel, Werke 1 ..., S. 469
39. Ebd., S. 467
40. Ebd., S. 471
41. Ebd., S. 469

mißtraute der Zensur — seine politischen Aussagen im Kalender. Scheinbar sachgetreu, aber diskret anzüglich notiert er sogar dort: „In Paris (...) nahmen (...) die Freudenfeste und Gottesdienste und spitzigen Mißverständnisse unter den Truppen, die sich bisher immer nur mit Feindesaugen angesehen hatten, fast kein Ende. Am 7. als war der Grüne Donnerstag, ging mitten in Paris der König von Preußen zum deutschen Nachtmahl. Am 10. veranstaltete der Kaiser Alexander einen großen griechischen Kirchgang." Den *offenen* sarkastischen Kommentar liefert eben ein Brief an Hitzig: „Womit hat sich dieser Krieg als den *heiligen*, wofür ihn eine Partie ausgab, charakterisiert? Mit dem deutschen Nachtmahl, das in Sodom gehalten worden?"[42]

Ganz analog heißt es bereits 1809, also zu Napoleonischen Zeiten: „Nichts hab ich gesehen und erlebt als ein Tedeum laudamus und den Unfug des Kommandierens und Präsentierens und Trommelns in der Kirche, der mir wenigstens alles feierliche Gefühl, das mich auch im leeren (Straßburger) Münster benimmt, wegtrommelte. Denn es steht geschrieben: Dies soll ein Bethaus sein, ihr aber habt einen Exerzierplatz daraus gemacht."[43] Wie der Krieg nicht ins „Herz des Menschen" kommen soll, so auch nicht ins Bethaus, und umgekehrt. Das ist, keine Frage, „nur" religiös und/oder philanthropisch, doch eben diese Philanthropie wird sogar Spitzbuben und Gaunern entgegengebracht.[44] Mit Recht spricht Minder, wie von Hebels „erasmischem Geist", von „einer Schweijkmoral bei ihm": „Da vieles oben nicht stimmt, muß man nach unten ein Auge zudrücken, und Hebel reibt sich die Hände vor Vergnügen, wenn ein badischer Rekrut einen (...) preußischen Offizier prellt, sich von ihm unter falschem Vorwand in der Kalesche mitnehmen läßt und dann im Wald verschwindet."[45]

IV.

„Lautere Sympathie", so Bloch, „atmet in den Ausführungsbestimmungen zu dem Titel: ‚Wie der Zundelfrieder eines Tages aus dem Zuchthaus entwich und glücklich über die Grenze kam'."[46] Und diese Sympathie ist *nicht* inkonsequent, vielmehr macht gerade solche Irenik, alias „Schweijkmoral" Hebel zu einem der größten „Moralisten aller Zeiten"[47] — wenn auch der vergangenen. Schließlich hat Benjamin selbst geschrieben, daß solche „Weisheit" aussterbe und daß nichts törichter sei, als darin „lediglich eine ‚Verfallserscheinung', geschweige denn eine ‚moderne' erblicken zu wollen. Vielmehr" sei „es eine Begleit-

42. Vgl. R. Minder, Hebel, der erasmische Geist ..., S. XXIV/V; sowie H. Oettinger, „Ein Beispiel, bei dem man Gedanken haben kann". Über die Zeitgeschichtsschreibung J.P. Hebels, in: Der Deutschunterricht 26, 1974, H. 6, S. 37ff.
43. J.P. Hebel, Werke 2 ..., S. 337
44. Vgl. R. Faber, a.a.O., Kap. 11
45. R. Minder, Hebel, der erasmische Geist ..., S. XXVII
46. E. Bloch, Nachwort ..., S. 144
47. W. Benjamin, G. S., Bd. II.2, S. 628

erscheinung säkularer geschichtlicher Produktivkräfte, die die Erzählung" überhaupt „aus dem Bereich der lebendigen Rede entrückt" habe.[48] Die Industrie zerstöre *jedes* Handwerk. Ich kann diese Generalthese des Benjaminschen „Erzählers" hier nicht entfalten, genausowenig wie die sie bedingende, daß Erzähl-Kunst Handwerks-Kunst sei.[49] Doch möchte ich Hebels Anspruch rechtfertigen:

— daß der Hausfreund es versteht, „wie man kunst- und handwerksmäßig spricht"[50]
— daß er „breit durch bestes Schreiben" anspricht, „allen Kindern Genüge tut und die Erwachsenen unterhält"[51], wie Bloch formuliert hat.

Literaturhistorisch und literaturtheoretisch scheint sich mir ein Rekurs auf Formulierungen Augustins anzubieten, die Erich Auerbach in seinem Aufsatz „*Sacrae* scripturae sermo humilis" zusammengestellt hat. Zunächst zitiere ich aus dem ersten Kapitel von „De trinitate": „Die Heilige Schrift, da sie mit den Kleinen übereinstimmte, hat keine Art von Dingen und Worten gemieden. Aus ihnen erhebt sich unser Intellekt gleichsam stufenweise zu den göttlichen und erhabenen (...)." Es folgt aus dem 137. Brief an Volusianus: „Das, was die Heilige Schrift in ihren Mysterien verbirgt, richtet sie nicht in stolzem Stil auf, damit nicht ein langsamer und ungebildeter Geist abgeschreckt werde hinzuzutreten wie ein Armer zu einem Reichen; sondern die Heilige Schrift lädt alle mit einem sermo humilis ein; sie weidet sie nicht nur mit einer offenbaren, sondern übt sie auch mit einer geheimen Wahrheit. Sie hat die eine offen in der Hand und die andere im verborgenen."[52]

Die Heilige Schrift lädt mit ihrem sermo humilis also *alle* ein, ist sie doch „parvulis congruens", wie es in „De trinitate" heißt, aber das schließt nun spirituale *und* intellektuelle Hierarchie gerade ein — wie die Hierarchie des Schriftsinns, von der hier ausdrücklich gesprochen wird. Diese Dialektik der „Demut" entgeht Auerbach.

Naivität ist nicht Naivität, wie sich auch bei Hebel zeigt. Zweifellos kehrt gerade „der reife Leser", wenn er einer ist, „immer wieder" bei ihm ein[53]; so noch einmal Bloch, indem er selbst in jenen warmen Ton fällt, der untrennbar zum sermo familiaris des Hausfreunds gehört[54]: dieser besonderen Spielart des sermo humilis. Der *Haus*freund tritt als Land*geistlicher* auf, wie wir bereits gesehen haben. Und dieser „Landgeistliche" ist — Pointe der Pointe — ein Professor für Latein, Griechisch, Hebräisch und die Rhetorik. Daher rührt jenes „Schulschmäcklein", von dem Minder spricht.[55]

Ich verdeutliche: Hebel vertritt einen vorklassizistischen und vorromantischen *Schul*humanismus. Schlagend, daß etwa der „Kannitverstan" von Hebel zunächst in geraffter Form

48. Ebd., S. 442
49. Vgl. R. Faber, „Der Erzähler" Johann Peter Hebel ..., Kap. 4
50. J.P. Hebel, Werke 1 ..., S. 198
51. E. Bloch, Nachwort ..., S. 135 u. 150
52. Der lateinische Text findet sich bei E. Auerbach, Sacrae scripturae sermo humilis, in: Gesammelte Aufsätze zur Romanischen Philologie, 1967, S. 23
53. E. Bloch, Nachwort ..., S. 135
54. Vgl. auch W. Schnurre, Der Schattenfotograf, 1978, S. 46 u. 202
55. R. Minder, Heidegger und Hebel oder die Sprache von Meßkirch, in: Dichter in der Gesellschaft ..., 1966, S. 223

lateinisch niedergeschrieben worden ist: als *Stil*übung.[56] „Nur", daß bei ihm — im Unterschied zu anderen Schulmeistern — in der Rückübersetzung eine klassische Erzählung entsteht, wenn sie dann auch wieder in kaum einem *Schul*lesebuch fehlt. Das mag sie primär ihrer konventionellen Moral[57] verdanken, aber sie ist zugleich — fast im Widerspruch hierzu — voller Realismus, und das läßt mich ein weiteres Mal auf Auerbach rekurrieren: „Das Wort ‚humilis', das zugleich Einfachheit des Stils, niedrigen Stand und christliche Demut ausdrückt, umfaßt auch die Bedeutung des Realismus, um so mehr, als damit das niedere Volk im Gegensatz zu den höheren Klassen bezeichnet wird, die Armen im Gegensatz zu den Reichen."[58]

Sie erinnern sich sicher, daß im „Kannitverstan" ein Handwerksbursche den Weg eines reichen Schiffsbesitzers aus seinem großen Haus in sein enges Grab verfolgt und dabei ein eindrucksvolles „Memento mori" erlebt — ohne fernerhin einem handfesten Käse irgend auszuweichen. — Der Alltag ist allgegenwärtig in dieser Geschichte, selbst Mausdreck fehlt nicht, obwohl anmutig verpackt ins italienisierende „salveni". Und auch ein empfindsames Kränzlein ist vorhanden: „Einen Rosmarin auf die kalte Brust oder eine Raute"[59]. Von den stolzen Tulipanen und Levkojen des großen Hauses am Anfang zu Raute und Rosmarin am Schluß: „feine Fäden sind gesponnen, und was zunächst nur ein Schnörkel schien, wird durch die differenzierte Wiederholung zum Funktionsträger in einer wohlüberlegten Architektur"[60].

Wenn auch „nur" Schul-Rhetoriker, Hebel ist nicht der naive Maler der deutschen Literatur, als den man ihn gern zu sehen geneigt ist. Aufbau und Komposition seiner Geschichten sind durchdacht, die Worte im Hinblick auf das Publikum gewählt, archaisierende Anklänge an Luthers Bibeldeutsch oder an die Kanzleisprache so bewußt eingesetzt wie die Redensarten der Gauner, der Tonfall anderer Mundarten oder die gelegentlichen fremdsprachigen Einsprengsel.[61]

Bei Hebel, einem Vertreter zweiter Naivität, ist all das, was Auerbach als konstitutiv für den sermo piscatorius der Synoptiker ansieht, wie schon bei diesen Schriftstellern stilisiert: „ein unkorrekter, realistischer, mit Provinzialismus und mundartlichen Wendungen vermischter Stil"[62]. Folgende Passage aus einem Rechenschaftsbericht an das Konsistorium belegt Hebels Bewußtheit: „Ich habe mich vom ersten Augenblick an nicht begnügt, den Ka-

56. Vgl. W. Zentner, Johann Peter Hebel, 1965, S. 156/7
57. Vgl. R. Stegers, Johann Peter Hebels Kalendergeschichten. Eine Interpretation. Wissenschaftliche Hausarbeit im Rahmen der ersten (wissenschaftlichen) Staatsprüfung für das Amt des Studienrats, FU Berlin 1981 (unveröffentl.), S. 71
58. E. Auerbach, a.a.O., S. 23/4
59. J.P. Hebel, Werke 1 ..., S. 53
60. R. Minder, Hebel, der erasmische Geist ..., S. XXIX
61. Vgl. U. Däster, Johann Peter Hebel in Selbstzeugnissen und Bilddokumenten, rm 195, S. 111
62. E. Auerbach, a.a.O., S. 25; zum literarischen Stil der Synoptiker vgl. H. Cancik, Die Gattung Evangelium. Das Evangelium des Markus im Rahmen der antiken Historiographie, in: Humanistische Bildung 4/1981, S. 63-101; und ders., Die Berufung des Johannes. Prophetische Tradition des Alten in der Geschichtsschreibung des Neuen Testaments, in: Der altsprachliche Unterricht 25,2 (1982), S. 45-62

lender bloß zu redigieren und in Parallele mit anderen großenteils durch kahle Auszüge aus Zeitungen, Anekdotenbüchern und wässerigen Volksschriften anzufüllen. Ich habe noch jeden Artikel selber *bearbeitet* (...), und so leicht alles hingegossen scheint, so gehört bekanntlich viel mehr dazu, etwas zu schreiben, dem man die Kunst und den Fleiß nicht ansieht, als etwas, dem man sie ansieht und das in der nämlichen Form um den Beifall der Gebildetsten zugleich und der Ungebildetsten ringt."[63]

V.

Hebel charakterisiert sich als gebildeter Volksschriftsteller. Und seine Prosa ist „*so* ursprünglich *wie* durchgebildet"[64], oder: „Volksklang und Psalm mischen sich auf allen nahen Höhen dieser Sprache"[65] — wie Bloch Hebels *Bibel* deutsch akzentuiert. Er, der gleichzeitig findet, daß „hier noch der *Atem* des Worts" sei und „die Buchstaben (...) nur nach(zeichneten)"[67]. Für Ludwig Rohner macht — nicht im Gegensatz hierzu — gerade seine Mündlichkeit Hebels Stil rhetorisch, „freilich auch das ständige Einbeziehen des Lesers und vor allem das Abweichen von den Sprach- und Stilkonventionen. Da sind viele Prägungen unüblich, ad hoc geschaffen. Da weicht manches von der ‚normalen‘ Sprache ab, eingegeben bald vom Dialekt und bald von der Bibel. Mit den Formeln der antiken Rhetorik ausgedrückt: die Kunst gut zu reden setzt sich der Kunst richtig zu reden planmäßig entgegen, das bene dem recte."[68] Ja, das realiter dem recte *und* bene — falls dieses klassizistisch eingeengt sein sollte.

Bei der folgenden Passage aus „Unglück der Stadt Leiden" kann man geradezu von einem Sieg bewußter *Mimesis* über die wohlbekannte Syntax sprechen: „(...) als nachmittags der Zeiger auf dem großen Turm auf halb fünf stand — fleißige Leute saßen daheim und arbeiteten, fromme Mütter wiegten ihre Kleinen, Kaufleute gingen ihren Geschäften nach, Kinder waren beisammen in der Abendschule, müßige Leute hatten Langeweile und saßen im Wirtshaus beim Kartenspiel und Weinkrug, ein Bekümmerter sorgte für den andern Morgen, was er essen, was er trinken, womit er sich kleiden werde, und ein Dieb steckte vielleicht gerade einen falschen Schlüssel in eine fremde Tür, — und plötzlich geschah ein Knall. Das Schiff mit seinen siebzig Fässern Pulver bekam Feuer, sprang in die Luft, und in einem Augenblick (...) waren ganze lange Gassen voll Häuser mit allem, was darin wohnte und lebte, zerschmettert (...)."[69] — Der überraschende und gewaltige Knall reißt den Erzähler selbst aus dem geruhsamen Alltag seiner Sprache, läßt ihn stolpern und sich überschlagen, so daß er aus dem begonnen Satzgefüge fällt und parataktisch mit dem fortfährt, was alles gerade explosiv unterbricht, wenn nicht zerstört.

63. J.P. Hebel, Briefe. Gesamtausgabe hg. W. Zentner, 1957, S. 452/3
64. W. Benjamin, G. S., Bd. II.2, S. 628
65. E. Bloch, Hebel, Gotthelf und bäurisches Tao, in: G. A., Bd. 9, 1965, S. 377
67. E. Bloch, Nachwort ..., S. 136
68. L. Rohner, Kalendergeschichten und Kalender, 1978, S. 257
69. J.P. Hebel, Werke 1 ..., S. 103

Rohner hat recht: Hebels „Kunstverstand kennt die Regeln und verstößt souverän gegen sie. Was entsteht, ist der *Eindruck* vollendeter Mündlichkeit."[70] Hebel tut so, als ob einfach ein Wort das andere gäbe; und „Ein Wort gibt das andere" ist eine seiner Erzählungen überschrieben, doch wie ist gerade dieser Dialog stilisiert — ohne etwas von seinem „unkorrekten", da umgangssprachlichen Charakter zu verlieren. Ich zitiere nur den Dialog zwischen dem Sohn aus reichem Haus und dem Knecht seines Vaters:

> „‚Ei, Hans, wo führt dich der Himmel her? Wie steht es zu Hause, und was gibt's Neues?'
> ‚Nicht viel Neues, Herr Wilhelm, als daß vor zehn Tagen Euer schöner Rabe krepiert ist, den Euch vor einem Jahr der Weidgesell geschenkt hat.'
> ‚O das arme Tier', erwiderte der Herr Wilhelm. ‚Was hat ihm denn gefehlt?'
> ‚Drum hat er zu viel Luder gefressen, als unsere schönen Pferde verreckten, eines nach dem andern. Ich habs gleich gesagt.'
> ‚Wie! Meines Vaters vier schöne Mohrenschimmel sind gefallen?' fragte der Herr Wilhelm. ‚Wie ging das zu?'
> ‚Drum sind sie zu sehr angestrengt worden mit Wasserführen, als uns Haus und Hof verbrannte, und hat doch nichts geholfen.'
> ‚Um Gottes willen!' rief der Herr Wilhelm voll Schrecken aus. ‚Ist unser schönes Haus verbrannt? Wann das?'
> ‚Drum hat man nicht aufs Freuer achtgegeben an Ihres Herrn Vaters seliger Leiche, und ist bei Nacht begraben worden mit Fackeln. So ein Fünklein ist bald verzettelt.'
> ‚Unglückliche Botschaft!' rief voll Schmerz der Herr Wilhelm aus. Mein Vater tot? Und wie gehts meiner Schwester?'
> ‚Drum eben hat sich Ihr Vater seliger zu Tod gegrämt, als Ihre Jungfer Schwester ein Kindlein gebar und hatte keinen Vater dazu. Es ist ein Büblein.
> Sonst gibts just nicht viel Neues', setzte er hinzu."[71]

„(...) was gibts Neues?" fragt „der Herr Wilhelm", „Nicht viel Neues", antwortet Hans und bekräftigt ganz zum Schluß nochmals: „Sonst gibts just nicht viel Neues", und doch hat er zwischen der Anfangs-Frage des jungen Herrn und seinem zusammenfassenden Zusatz in einer ungeheuerlichen Klimax Unglücksbotschaft an Unglücksbotschaft gereiht — wobei die zeitliche Abfolge gegenläufig zur Steigerung des Schrecklichen ist. — Der Knecht beginnt mit dem vergleichsweise harmlosen Ende, um erst zum Schluß seines Berichtes das größte Unglück zu nennen, das aber „eben" der Ur-Fall ist, der alle weiteren Schrecken nach sich zieht; selbst noch den Tod des Raben, der sich grausigerweise am Aas überfressen hat.

In fünf Sätzen, jeweils unterbrochen durch (sich steigernde) Überraschungsausrufe und Fragen Wilhelms, entwickelt Hebel eine unerbittliche Genealogie des Schicksals ohne jede „Moral", ja — was den Höllen- und nicht „Himmelsboten" angeht — wohl nicht ohne Sadismus oder wenigstens Zynismus: „Sonst gibts just nicht viel Neues". Dann die viermalige auftrumpfende Anapher *„Drum"*, die vielleicht gerade aufgrund ihrer Dialektfärbung höchst eindrucksvoll ist. Dasselbe gilt von der fundamental falschen Satzkonstruktion. Richtiger müßte es ja (zum Beispiel) heißen: „Das Tier hat zuviel Luder gefressen, als unsere schönen Pferde verreckten." Oder völlig korrekt: „Als unsere schönen Pfede verreck-

---

70. L. Rohner, a.a.O.
71. J.P. Hebel, Werke 1 ..., S. 223

ten, hat es zuviel Luder gefressen." Doch gerade diese (korrekte) Konstruktion würde das konsequente Zur-Quelle-Zurückschwimmen *und* die Klimax nicht zum Ausdruck bringen, auf die es Hebel ganz offensichtlich ankommt, wie auf die *Kausalität* aus Schicksal. Deswegen das viermalige „Drum" — obwohl der junge Herr niemals „Warum?" fragt, sondern — in dieser Reihenfolge — „Was?", „Wie?", „Wann?" und nochmals „Wie?".

VI.

Keine „Moral" in dieser Geschichte, wie gesagt, und kein „Merke"; Hebel könnte allenfalls schließen — doch es wäre längst nicht so eindrucksvoll —: „Der Hausfreund denkt etwas dabei, aber er sagt nichts."[72] So endet tatsächlich die Erzählung „Der Wasserträger". Sie, „Ist der Mensch ein wunderliches Geschöpf", „Der Barbierjunge von Segringen", die gerade interpretierte und eine Handvoll anderer Geschichten machen unmittelbar einsichtig, warum Franz Kafka ein begeisterter Leser Hebels gewesen sein muß (die Philologie mag sagen, was sie will).

Geradezu subversiv ist das „Item" der „Probe": „(...) an einem solchen Ort mag es nicht gut sein, ein Spitzbube zu sein, wo ein Hatschier selber dem anderen nicht trauen darf."[73] Benjamin hat recht, es sieht in der „Probe" so aus, „als wolle Hebel mit der Sphäre der honorigen Bürgersleute (unter denen es also auch etwas wie Spitzel geben muß) gar nicht länger mehr sich einlassen und schlüge sich im Augenblick, wo es sich um das ‚Merke' dreht und drauf ankommt, daß man Farbe bekenne, auf die Seite der Spitzbuben"[74].

Doch man sollte auch nicht übertreiben, wobei ich vor allem an die jüngste Hebel-Philologie denke.[75] Hebel konnte es durchaus in Ordnung finden, daß sich sein „Jakob Humbel", der „etwas Nützliches (...) lernen und etwas Rechtes werden" wollte, zu diesem Zweck einen „Kostgänger bei den helvetischen Hilfstruppen" hielt[76], mit welch affirmativem Wort Hebel den bedenkt, der statt Humbels in den Krieg ziehen mußte; Humbel hatte das Geld, der andere — von Natur aus? — nicht dessen löblichen Willen. — Hebel spricht in dieser Geschichte „fast Gotthelfisch"[77], was ich, wohl im Unterschied zu Bloch, nur kritisch verstehen kann[78].

Es ist übertrieben, wenn Benjamin behauptet, die Hebelsche Moral entspränge „*nie* an der Stelle, wo man nach Konventionen sie erwarte"[79]. Gar oft wird „sehr mit Wasser ge-

72. Ebd., S. 55
73. Ebd., S. 40
74. W. Benjamin, G. S., Bd. II.3, S. 1446/7
75. Vgl. J. Knopf, Geschichten zur Geschichte. Kritische Tradition des „Volkstümlichen" in den Kalendergeschichen Hebels und Brechts, 1973; und vor allem „Zu Johann Peter Hebel. Hrsg. von R. Kawa", 1981
76. J.P. Hebel, Kalendergeschichten ..., it 17, S. 19
77. E. Bloch, Hebel, Gotthelf ..., S. 372
78. Auch Bloch stellt sich später gegen Gotthelf; vgl. E. B., Erbschaft dieser Zeit, 1973, S. 54/5
79. W. Benjamin, Angelus Novus. Ausgewählte Schriften 2, 1966, S. 381

kocht"[80], wie auch Bloch sich ausdrückt: des besitzenden Bürgertums eigenes Süpplein. Und zum Bourgeoisen kommt eben das Feudale: In Hebel wirkt zu stark die Ermahnung der gottergebenen Mutter nach, ja vor dem gnädigen Herrn Landvogt das Käpplein zu ziehen.[81] Und Hebel gibt diese Ermahnung weiter, wobei er sich „nicht irre machen" läßt „durch die Erinnerung an seine Arme-Buben-Zeit", wie der affirmative Jurist Erik Wolf Anfang der vierziger Jahre kommentierte: „Nein! Ohne Menschenfurcht und Duckmäuserei, aber auch ohne Bitterkeit sagt der Volkserzieher: ‚... mer muß vor fremde Lüte fründli si mit Wort und Red und Grueß. Und ’s Chäppli lüpfe z’rechter Zit, sust het me Schimpf und chunnt nit wit‘."[82]

Ich kommentiere Wolf: Nein, ein „Duckmäuser" war Hebel nicht, auch nicht „bitter" — er hätte es wohl eine ganze Portion sein sollen —, aber von „Menschenfurcht" einfach freisprechen kann man ihn nicht. Doch war sie auch wieder realistisch und ließ ihn eben Sympathie empfinden, ja Solidarität üben mit all denen, die noch mehr Anlaß zu Furcht und Angst hatten. — Hebels sozial bedingte Schüchternheit machte ihn ein ganzes Stück angepaßt, manchmal sogar überangepaßt; sie ließ ihn unter anderem dekretieren: „(...) in zweifelhaften Dingen muß man immer das Sicherste und Beste wählen und lieber eine Höflichkeit aus Irrtum begehen als eine Grobheit"[83]. Wenn man „etwas" von Hebel „liest oder hört", „so lernt man" sehr oft, „doch zufrieden sein daheim, wenn sonst schon nicht alles ist, wie man gern möchte"[84], und — in diesem Zusammenhang — daß es „sich nicht geziemt", „über die Zeit und über die Abgaben und über die Obrigkeit" zu „hadern und sich zu vermessen"[85].

Positiv und nicht nur im logischen Sinn heißt die *Maxime*: „Genieße, was dir Gott beschieden, / Entbehre gern, was du nicht hast: / Ein jeder Stand hat seinen Frieden, / Ein jeder Stand hat seine Last."[86] Doch Hebel war tatsächlich *allen* Ständen verpflichtet wie verbunden; er kann fragen: „Hab ich nicht an der Tafel den Grafen gleich geachtet und mit dem König von Bayern auf der Promenade in die nämliche Lotterie gesetzt, und den Abend im Lamm bei den Handwerksburschen zugebracht?"[87] Seine Geschichten betreiben „im ständigen Hin und Her" zwischen den Ständen das „Auswiegen der Gegensätze"[88], aber die Unteren werden dabei nie vergessen, ja, Hebel kann zu ihrem entschiedenen und bevorzugen Anwalt werden — bis dahin, daß seine Moral gerade auch an der Stelle entspringt, wo man sie „nach Konventionen" *nicht* erwartet.

Soweit hat Benjamin recht, und Bloch findet in „Wie man aus Barmherzigkeit rasiert wird" sogar ein fast „*Brechtisches* ‚Merke‘": „Er wird vermutlich auch um Gottes willen

80. E. Bloch, Nachwort ..., S. 143
81. Vgl. R. Minder, Hebel, der erasmische Geist ..., S. XXIII
82. E. Wolf, Vom Wesen des Rechts in der deutschen Dichtung, 1946, S. 195
83. J.P. Hebel, Werke 1 ..., S. 16
84. Ebd., S. 422
85. Ebd., S. 38
86. J.P. Hebel, Der Rheinländische Hausfreund ..., S. 39
87. J.P. Hebel, Werke 2 ..., S. 355/6
88. R. Minder, Hebel, der erasmische Geist ..., S. XXXVIII

balbiert", sagte der arme Mann, der dort umsonst rasiert wird, während draußen auf dem Hof ein Hund heult und sonst niemand weiß, warum.[89]

Brecht, „der Asoziale", er muß assoziiert werden, wenn von Hebels Schelmen und Spitzbuben die Rede ist.[90] Wo läßt Brecht seine — eben „Unwürdige" — „Greisin" sich herumtreiben? Dort, wo auch er am liebsten verkehrte, ist die Großmutter doch Bild seiner selbst[91]: in „Kneipen mit anrüchiger Gesellschaft — Gesindel, Ganoven, sagen die Eltern". Die Großmutter hat sich, wie Minder — unter Hinweis auf Brechts „weit zurückliegende religiöse Einflüsse" — bemerkt, „von den Pharisäern ihrer Kaste den Zöllnern und Sündern zugewandt, als den wahren Erwählten des kommenden Reichs"[92]. Und das ist in einem tieferen Sinn religiös als manches bei Hebel; vor allem aber prospektiv: Treffpunkt der Brechtschen „Zöllner und Sünder" ist der Laden eines Flickschusters, der Sozialdemokrat ist — ein „Antipode (...) des mystischen Schuhmachers, (...) Jakob Böhme" zum Beispiel[93].

Eine Interpretation der „Unwürdigen Greisin" würde ergeben: Das bisherige Leben der Greisin war unwürdig; es ist unwürdig, daß sie erst ab ihrem siebzigsten Lebensjahr an sich denken und — in aller Bescheidenheit — auch etwas vom Leben haben kann. Menschenunwürdig ist eine ganze Gesellschaft, in der dies das Schicksal der überwiegenden Mehrheit der Menschen ist. Und würdig ist nicht nur der Widerstand der Greisin, sondern erst wirklich würdig wäre ein — solidarischer — Kampf um ein glückliche(re)s Leben von seinem Anfang an.

Das ist die von mir sehr gerafft wiedergegebene „Botschaft" Brechts, die zwar der Geschichte, nur immanent gelesen, nicht entnommen werden kann, doch sie selbst will gesellschaftskritisch rezipiert werden, und auch das Gleichnis „Von dem barmherzigen Samariter" muß es heute, um nochmals weit hinter Hebel zurückzugreifen.

Dieses Gleichnis sollte, wie 1973 vorgeschlagen wurde, als ein „Report" gelesen werden, der „die These illustriert (...), daß der Himmel auf die Erde herabgezogen werden muß, wenn sie bewohnbar bleiben soll, und daß es der revolutionären Praxis solidarisch handelnder Subjekte vom Schlage des Samariters bedarf, um das zu realisieren, was im Sinn des Evangeliums, Liebeskommunismus ist"[94].

89. E. Bloch, Nachwort ..., S. 143

90. Ausführlich: O. Boeck, Beobachtungen zum Thema „Hebel und Brecht", in: Bertolt Brecht II. Sonderband text + kritik, 1973, S. 160-70

91. R. Minder, Brecht und die wiedergefundene Großmutter, in: Dichter in der Gesellschaft ..., S. 194/5

92. Ebd., S. 194 u. 197

93. Ebd., S. 192

94. W. Jens, Einleitung, in: Der barmherzige Samariter. Hrsg. von W. Jens, 1973, S. 16

VII.

Dies ist — unter ausdrücklichem Rekurs auf Brechtsche Vorgehensweise — eine rettende Aktualisierung des Gleichnisses, die seine Kritik gerade nicht ausschließt: „Daß es nicht genügt, Samariter zu sein. Daß unsere Aufgabe vielmehr darin bestehen muß, Samariter überflüssig zu machen"[95], wie in Günter Anders' Interpretation nachzulesen ist; eben bei dem Autor einer „Apokalypse ohne Reich", der atomaren nämlich: „Zu denken uns aufgegeben ist heute der Begriff der *nackten Apokalypse*, das heißt: der Apokalypse, die im bloßen Untergang besteht, die also nicht den Auftakt zu einem neuen, und zwar positiven, Zustande (zu dem des 'Reiches') darstellt. Diese *Apokalypse ohne Reich* ist kaum je zuvor gedacht worden, außer vielleicht von jenen Naturphilosophen, die über den Wärmetod spekuliert haben."[96]

Noch nicht einmal der synoptische Jesus war so apokalyptisch situiert, wie wir heute atomar; wieviel weniger Hebel, der Aufklärungstheologe, wenn eben auch der über den Wärmetod spekulierte[97]. — Hebel darf nicht unterschätzt werden; wie im übrigen ist er auch als Apokalyptiker von hoher Komplexität, die ich hier nicht rekonstruieren kann.[98] Ich beschränke mich auf ein sehr persönliches und frühes Zeugnis, Hebels Brief an die zeitlebens verehrte Freundin Gustave Fecht (vom 19.2.1792): „(...) da mirs mein Schicksal nicht gönnte, in Lörrach bleiben zu können, oder in Tüllingen, oder sonstwo in der Nähe des Lebens froh zu sein, so wünschte ich auch sonst an keinem anderen Ort zu sein, als wo ich bin. Aber freilich auf dem Tüllingerberg wär es noch gar viel feiner und lieblicher, wo man doch auch Schnee sieht im Winter und Blüten im Frühling und wo es im Sommer donnert und blitzt, als wenn der liebe Jüngste Tag im Anzug wäre."[99]

So beginnt Hebel, wie im großartigsten seiner „Alemannischen Gedichte", der „Vergänglichkeit"[100], das heimatliche Markgräfler Land zum Schauplatz des apokalyptischen Geschehens wählend und die Eschatologie aus dem Immerwährenden der Jahreszeiten entwickelnd. Er fährt fort: „Ich glaube, daß am Jüngsten Tag die Morgenröte lauter Blitz sein und der Donner Schlag auf Schlag die Morgenwache antrommeln werde. Wie es dann an ein Betglöckchen gehen wird, von Hauingen an um den Berg herum bis nach Efringen hinab, wie die Leute sich die Augen reiben werden, daß es schon tagt! Wie es an ein Schneiden und Garbenbinden gehn wird, denn man will behaupten, daß der Jüngste Tag in die Erntezeit fallen werde! Und wie sich die Leute wundern werden, daß es nimmer Nacht werden will! das alles könnte ich dort oben herab ansehen und nach Weil hinunterschauen und denken: nun werden sie da unten doch auch aus den Federn sein und den Morgensegen am Jüngsten Tag aufsuchen. — Und wer weiß, was ich täte, ob (ich) nicht in der blitzigen Morgendämmerung geschwind durch die Reben hinabstolperte und Ihnen zusammen Ihre

95. G. Anders, Die falschen Samariter, in: ebd., S. 132
96. G. Anders, Endzeit und Zeitenende. Gedanken über die atomare Situation, 1971, S. 207
97. Vgl. R. Faber, „Der Erzähler" Johann Peter Hebel ..., S. 132
98. Vgl. ebd., Kap. 6
99. J.P. Hebel, Werke 2 ..., S. 181/2
100. Vgl. ebd., S. 122ff.

schweren goldenen Garben binden hülfe. Denn mein eigenes bißchen Halmen, Gott erbarms, würde in alle Wege bald unter Dach sein. Doch seis nun wies ist. Bis dorthin werden wohl alle Täler ohnhin ausgefüllt und alle Berge eben sein, und ich werde Sie zusammen aufsuchen und finden, wenn ich auch 100 Meilen von Weil entfernt wäre. *Unterdessen* durchleben Sie noch viele heitere frohe Tage, und säen Sie fleißig aus in Glauben, Liebe und Geduld, und genießen Sie die Freude zu bemerken, wie die Saat dem lieben Erntetag entgegenkeimt."[101]

Wie leicht fällt Hebel — in Erinnerung an Anders' Aufsatztitel „Die Frist" bemerke ich es — der mit „Unterdessen" eingeleitete letzte Satz. Welche Getröstetheit, ja Sicherheit in diesen Worten. Nichts dürfte mehr die Kluft verdeutlichen, die uns von Hebel trennt, also das heutige Katastrophenbewußtsein: unsere rein negative „Naherwartung".

VIII.

Elias Canetti hat bereits 1944 notiert: „(...) wer heute sagt: Liebet einander, weiß, daß nicht mehr viel Zeit dazu übrig ist."[102] Und doch ist Canetti der größe lebende Bewunderer Hebels: „Kein Buch habe ich geschrieben, das ich nicht heimlich an seiner Sprache maß."[103] — In der „Provinz des Menschen" heißt es 1944: „Die Sprache meines Geistes wird die deutsche bleiben, und zwar weil ich *Jude* bin. Was von dem auf jede Weise verheerten Land übrig bleibt, will ich als Jude in mir behüten. Auch *ihr* Schicksal ist meines; aber ich bringe noch ein allgemein menschliches Erbteil mit. Ich will ihrer Sprache zurückgeben, was ich ihr schulde. Ich will dazu beitragen, daß man ihnen für etwas Dank hat." Canetti will vor allem Hebels „Schatzkästlein" seinen Dank erweisen: „Ich glaube nicht, daß es irgendein Buch gibt, das sich mir so vollkommen und in jeder Einzelheit eingeprägt hat, ich wünsche mir, allen Spuren, die es in mir hinterlassen hat, nachzugehen und ihm in einer Huldigung, die ihm allein gilt, meinen Dank zu erweisen."[104]

Canetti möchte Hebel grüßen, wie dieser einst, „wenn er noch lebt, den Scheitele in Lörrach"[105]. Er und fast alle europäischen Juden, nicht nur die Lörrachs, leben aber *nicht* mehr. Davon geht Canetti aus. Nicht persönlich, aber geschichtlich steht gerade auch Auschwitz zwischen Hebel und uns — wenn wir uns mit dem Juden Canetti in einem Atemzug nennen dürfen. — Bloch kann, um Hebels „unerbittlichen" Moralismus zu akzentuieren, durchaus über die Erzählung „Wie eine greuliche Geschichte durch einen gemeinen Metzgerhund an das Tageslicht gebracht worden" sagen, Hebel habe „für das Stück Auschwitz in diesem Gäu (...) härteste Geschichtssprache parat"[106], an sich aber ist dieses — zu-

101. Ebd., S. 182
102. E. Canetti, Die Provinz des Menschen. Aufzeichnungen 1942—1972, 1981, S. 62/3; vgl. auch S. 76/7, wo Canetti das gerade begonnene Atombomben-Zeitalter reflektiert.
103. E. Canetti, Die gerettete Zunge. Geschichte einer Jugend, 1977, S. 323
104. Ebd.
105. J.P. Hebel, Werke 1 ..., S. 491
106. E. Bloch, Nachwort ..., S. 137/8

gegeben „greuliche" — Verbrechen ganz unvergleichbar mit dem Genozid: Natürlich kam's in die Herzen der Mörder „wie lauter Hölle", „als sie draußen das Winseln des Hundes und das Rufen des Metzgers hörten"[107] — aber Auschwitz ist die Hölle selbst gewesen. An sie vor allem muß Jacob Taubes gedacht haben, als er 1968 formulierte: „Marx hielt die Kritik der Religion im wesentlichen für beendet. Die Kritik des Himmels verwandelte sich ihm in die Kritik der Erde. Wie aber, wenn die Erde selbst sich heute am genauesten durch den theologischen Begriff: Phantasmagorie der Hölle, fassen läßt?"[108]

Die Frage war rhetorisch, sollte aber nicht der Verzweiflung das Wort reden. Und auch Anders hat (an zitierter Stelle) festgehalten, daß „Hoffnungen und Ansprüche unserer Väter (...) durchaus nicht annulliert" sind; „vielmehr erst wohl aktuell geworden"[109]. „Ja, ich mag Johann Peter Hebel"[110].

107. J.P. Hebel, Werke 1 ..., S. 167/8

108. J. Taubes, Kultur und Ideologie, in: Spätkapitalismus oder Industriegesellschaft? Verhandlungen des 16. Deutschen Soziologentages, 1969, S. 138

109. G. Anders, Endzeit und Zeitenende ..., S. 207

110. P. Bichsel, „Wenn einer Pfeife raucht, dann ist das eine Geschichte". Gespräch mit C. Pascheck, in: P. Bichsel. Begleitheft zur Ausstellung der Stadt- und Universitätsbibliothek Frankfurt am Main 13. Januar bis 20. Februar 1982, S. 13; zum Verhältnis Bichsels zu Hebel (wie auch Kafkas zu Hebel) vgl. R. Faber, Die Krise des Erzählens oder: J.P. Hebel, Voraussetzungen und Folgen, in: Praxis Deutsch 53 (Mai 1982), S. 7-14

Die Kapitel I-VI sind identisch mit dem Vortrag, den ich am 13. Mai 1982 auf Einladung der Neuphilologischen Fakultät der Universität Tübingen gehalten habe. Für Anregungen und Hinweise danke ich Hubert Cancik, Bernhard Kytzler und Jacob Taubes.

Avishai Margalit

WITTGENSTEIN'S PILGRIM'S PROGRESS

Wittgenstein as a Romantic Hero

There is a keen interest in Wittgenstein's life. Hunger for memoires, reminiscenses and period pieces. I don't think that this is a mere wave of nostalgia. Nostalgia to "the world of yesterday" cannot explain this interest. After all, Schlick belongs to this past world, too; he was even brutally murdered, so the story goes, by a jealous and desperate lover. Yet no one cares too much for Schlick's life nowadays. You will say, of course, that Schlick's achievements were not comparable to those of Wittgenstein's. True. But who has greater achievements than Kant, yet we don't care a jot for Kant's life. One anecdote about his punctuality, and a hint that he almost got married, is just about all that we care to know about him. You will say, of course, that Kant's life was very sheltered: no risks, no adventures; Kant in short had more of an academic Curriculum Vitae than a real biography.

Wittgenstein, on the other hand, had quite a biography — a biography with a touch of class. A mysterious Norwegian hut along with a lavish cultured Vienese salon, trenches in the First World War along with Trinity College high tables, gardening in a Benedictine monastery along with Tolstoian teaching of peasant children in a remote Austrian village, renouncement of family fortune, along with secret support for poets and painters. All of this is of course very exciting. But then Bertrand Russel with his 97 years, four wives and many more lovers, jail and a visit to China, public scandals and Bloomsbury, can perhaps claim for more. Also, to be sure, he too had a touch of class. There is, of course, keen interest in Russell's well-documented life. His life makes a marvellous story. But it lacks the magnetic magic, the cult-like — if not occult-like — quality of Wittgenstein's life. And Wittgenstein, unlike Russell, never played the public Sage. True, his epigramatic style makes him eligible for the role of a Zen master, whose life illustrates his utterances. But even this does not explain the extensive indulgence in the details of his life.

The explanation, I contend, rests elsewhere. Wittgenstein is a Romantic hero, in the non-vulgar sense of this much-abused word. He meets our notion of the tormented genius, which we inherited from the Romantic movement. After all, our emotional culture is still moulded by Romanticism. This, more than anything else in my view, is what gives Wittgenstein his hypnotic hold on us. Indeed, his life is paved with Romantic themes. Intense singularity, the malady of the soul, the craving for Catholicism, the yearning for friendship, redemption through music, the sufferer in pursuit of purity. Even his great mechanical skill makes him look to us more like the Medieval artisan than an industrial engineer.

All of this is permeated by religiosity. This is religiosity with a Romantic twist, which emphasizes the gap between the real and the ideal — but not as a defect in reality. It stems from a sense of baseness and lowness in the hero's inner life.

These themes are particulary close to Jacob Taubes' heart and mind. Wittgenstein, however, is not included in his gallery of heroes. In this Festschrift tribute I shall therefore try to make room for Wittgenstein's sense of religion in Taubes' Pantheon.

Wittgenstein and Religion

"Rules of life are dressed up in pictures".[1]

"I am not a religious man", says Wittgenstein, "but I cannot help seeing every problem from a religious point of view". It is indeed possible to imagine a shift in the focus of research on Wittgenstein in such a way that he will emerge as a thinker with a religious outlook; much as interpretations of Kafka had steered this course. My own interest in the combination "Wittgenstein and Religion" is not, however, in the shadow cast on Wittgenstein by religion, but in the light he sheds on it.[2]

Wittgenstein conducts a guerrilla warfare against the rationalist conception of religion: it is quite clear to us which is the position that he attacks, but we find it less easy to discern which is the position from which the attack is being launched. I maintain that Wittgenstein's position, both early and late, is fundamentally that of *ineffability*. The difference between his earlier and his later views finds its expression in the transition from one manifestation of the ineffable to another.

By way of illustration, let us first see the manifestations of ineffability written in Large Letters by Plato. It will be recalled that in the Meno, where the definition of virtue (arete) is sought, there occurs the well-known passage in which Socrates guides Meno's boy in the search for geometrical truths. While on his geometrical trip the boy encounters a square the length of whose sides is two cubits. The length of its diagonal, therefore, is $\sqrt{8}$ — an irrational number. The boy, and we with him, can see the diagonal. And yet, according to Plato, and his notion, its length cannot be expressed numerically. Perfection, like the diagonal, we are made to infer, can be seen but not expressed. One manifestation, then, of the idea of ineffability is that based on the contrast between *saying* and *showing*. This is the manifestation to be found in Wittgenstein's Tractatus. Religion, like ethics, like logic, can be "seen" yet cannot be "said".[3] The other manifestation of the idea of ineffability to be found in Plato is in the form of the myth which in some cases expresses that which cannot be expressed literally.

The language of religion, according to Wittgenstein, is in essence neither representa-

1. Ludwig Wittgenstein, *Culture and Value*, Peter Winch (trans.), Chicago 1980.
2. See D. Z. Phillips, *Faith and Philosophical Enquiry*, London 1970, esp. Ch. l. D. Z. Phillips, *Religion Without Explanation*, Oxford 1976, esp. Ch. 3. W. D. Hudson, *Ludwig Wittgenstein: The Bearing of His Philosophy Upon Religious Belief*, London 1968. W. D. Husdson, "Some Remarks on Wittgenstein's Account of Religious Belief", in *Talk of God*, Royal Institute of Philosophy Lectures, Vol. 2, 1967/8, pp. 36-51.
3. L. Wittgenstein, *Tractatus Logico-Philosophicus* 4.461, 4.1212, 5.62.

tional nor propositional. It is regulative, it regulates our lives. It provides the rules, which are dressed up in pictures.

The religious statements provide a frame of reference, not a representation of a "different" reality. For Wittgenstein, the phenomenology of the variety[4] of religious practice and experience requires the emphatic rejection of the rationalist approach to religion. This approach, which finds its clearest expression in Frazer's Golden Bough, is taken by Wittgenstein as sheer Philistinism.

The rationalist approach to religion can, according to Wittgenstein, be characterized by the following four traits:

1. The religious belief is taken to consist of wrong hypotheses and prejudices. Since they purport to be hypotheses about the world, their being wrong makes them bad science.

2. The religious practice, both ritual and magic, is intended to have a causal influence upon the external state of affairs. More specifically, it is intended to intervene in favour of those engaging in the practice.

3. The adequate explanation of the religious practice is *causal* and *genetic* in nature.

4. In a religious practice the religious man reacts to natural events and natural forces of which he is afraid and which he desires to control.

Why does Wittgenstein reject these characteristics?

To begin with, there is the simple realization that the religious propositions are not to be taken as hypotheses: had they been hypotheses they would surely have been too wrong to fall within any reasonable range of error. (Thus, if someone says that seventeen plus fourteen equals thirty-two, he has made an error. To say that seventeen plus fourteen equals five, however, is not a mistake, but a misunderstanding: "5" is not within the error range of "17 + 14"). The woman, in Frazer's adoption ceremony, who pulls the adopted child from under the pleats of her dress is not mistakenly believing that she is giving it birth, says Wittgenstein.[5] Had the pouring of water in a religious ritual been perceived by the natives who engage in it as a recipe for bringing forth rain, their error would have soon been exposed. After all, these same natives, to whom Frazer attributes such patently false beliefs, show themselves quite capable of complex purposive activities, like the building of boats. It does not quite stand to reason that he who reveals such intelligence in the construction of a boat will actually believe that pouring water, in some "appropriate" circumstances, will cause the rains to fall just because one event is somewhat "similar" to the other. According to Wittgenstein, then, since Frazer takes all the religious utterances to be wrong conjectures, he rejects them in toto. But the more total the rejection, and the less it focuses on certain specific utterances, the more likely it is to manifest not disagreement but incomprehension.

Conjecture and utility, then, are not the pillars upon which the religious temple is

---

4. M. O'C. Drury, "Conversations with Wittgenstein" in: ed. Rush Rhees, *Ludwig Wittgenstein Personal Recollections*, Oxford 1981, p. 108.

5. Ludwig Wittgenstein, *Remarks on Frazer's Golden Bough*, (ed.) Rush Rhees, England 1979, 4[e]. Wittgenstein, *Lectures And Conversations on Aesthetics, Psychology and Religious Belief*, (ed.) Cyril Barrett, Oxford 1966.

built.[6] But what fault does Wittgenstein find with the religious ritual being explained in terms of the causal origins of the ritual? One thinks, e. g., of the burning of the effigy in the fire festival of the Beltane being explained as a substitute for what used to be human sacrifice in previous times (Frazer)[7]; or of the totem-eating feast being explained as a substitute for that wild archaic act, of the killing and eating of the tyrant-father by his sons, which is supposed to have preceded it (Freud)[8]. Well, the chance that this latter is indeed the origin of the totem rite is, in my own view, far smaller than that the origin of Freud's story is the Young Turks' uprising against the harem-owning sultan. But this is beside the point. It is still indeed possible that Freud's conjecture, and even more so Frazer's, are true. What fault does Wittgenstein find with them?

Wittgenstein does not reject genetic explanations. But he believes they are *pointless* with regard to everything that strikes us as important and impressive in the religious rite. A genetic explanation may well be built upon an impoverished stimulus. That happens when the purported causal antecedent of the phenomenon explained is poorer in structure and content as compared with the phenomenon itself. Thus, the dream I had last night might have resulted from something that did not agree with me in yesterday's dinner; but the content of the dream is not thereby explained[9].

An additional explanation is yet wanting. So also with the ritual: it is not a causal explanation that one is after, but understanding of its content and meaning. And in order to achieve such understanding there is no need to go back to the dim past. Even if the original stimulus was rich — like human sacrifice or patricide — it has to be revealed from within the internal nature of the ritual itself, and not to be imposed upon it as an external conjecture that is neither here nor there with respect to the impression made by the ritual on its participants. Everything required for the understanding of content and meaning of the ritual is right there, in the ritual itself, staring at the participant and spectator.

The two characteristics of the rationalist conception of religion, the search for causal-genetic explanation for the origin of the ritual and the misapprehension as to what is impressive about the ritual are, according to Wittgenstein, related. Hence, the points raised in criticism of these two are also related. The causal, genetic explanations like Frazer's are irrelevant in that they cannot account for the effect of the religious ritual on its participants or even spectators. They shift our attention from that which had originally aroused our interest, curiosity, and wonder about the religious ritual.[10]

6. M. O'C. Drury: Tennant is fond of repeating Butler's aphorism, "Probability is the guide of life". Wittgenstein: Can you imagine St. Augustine saying that the existence of God was "highlyprobable"? (M.O'C. Drury, op.cit. p. 105) I can imagine St. Augustine using "Pascal's Wager", which is based on the two pillars of utility and probability.

7. L. Wittgenstein, *Remarks on Frazer*, op.cit., 14[e]. Frank Cioffi, "Wittgenstein and the Fire-Festivals", in: Irving Block (ed) *Perspectives on the Philosophy of Wittgenstein*, Oxford 1981, pp. 212-237. (An exceedingly impressive article).

8. S. Freud, "Totem and Taboo", in Standard Edition 13: 1-161.

9. M. O'C. Drury, op. cit. 168.

10. Wittgenstein, *Culture and Value*, op. cit. p. 5[e].

The rationalist picture of religion maintains that the events of birth, sickness and death frighten and impress us and, therefore, occupy a central role in the religious practice. Quite the contrary, says Wittgenstein. These are common, mundane events, and it is not at all obvious that they should affect and impress us — all of us, and not just the terrified savage — in the way that they do. It is, according to Wittgenstein, precisely the fact that we do not perceive these events as "natural" events but rather as *symbolic* ones that accounts for our reactions. One is impressed by the suffering of the victim in all religious ritual not because of the extent of his pain: one is likely to have witnessed, or even experienced, greater "natural" pains. Rather, one is affected because the victim's pains are perceived as an exemplification of suffering.

So much for Wittgenstein's criticism of the rationalist approach to religion. And now to two features of Wittgenstein's own picture: one concerning the nature of religious beliefs, the other the nature of religious utterances. These two are, of course, inextricably interwoven, and both fall under that central and formative notion of *ineffability*.

Wittgenstein's close young friend Ramsey has given a beautiful metaphoric expression to beliefs: "A map of neighbouring space by which we steer".[11] According to the rationalist approach a religious belief differs from an ordinary belief in that it purports to map remote space. But otherwise it is supposed to possess the two main traits of beliefs, namely an attempt to represent reality (hence — "a map"), and its use for guiding action (hence — "to steer"). For Wittgenstein, however, the crucial and perhaps single aspect of religious beliefs is their constituting a means for steering our life, their representational role being considered by him as irrelevant. Even if the Christian beliefs concerning the historical reality described in the Gospels turn out to be false, this need not be pertinent to the believer[12]. In the last analysis a religious belief expressed in a sentence resembling a historical proposition is a propositional attitude, quite distinct from an ordinary belief in the content of a historical proposition.

Thus, the meaning of 'belief' in the expression 'religious belief' is, according to Wittgenstein, a secondary meaning of the term 'belief'. The relation between the primary and the secondary meanings of this term is not, however, sufficiently clear. Only a surview ("Übersicht") which can see with perspicuity the interim links, such as the use of 'belief' in the context of fictions, can bring us closer to an understanding of 'religious belief'. A religious belief, to be sure, is a belief.[13] But unlike an ordinary belief, which is but a determinant of action, it provides a frame of reference, it is a means of evaluating life, it has the power to guide a person's life as well as to change it.

The believer and the non-believer in the fire of hell are not simply disagreeing about "facts". They differ not in their beliefs, in the ordinary sense of the term, but in their way of life and in the way they evaluate their own as well as other people's lives.

11. F. P. Ramsey, "General Propositions and Causality", in *The Foundations of Mathematics and other Logical Essays*, London 1931, p. 238.

12. *Culture and Value*, op.cit., 32ᵉ: "The historical accounts in the Gospels might historically speaking be demonstrably fake and yet belief would lose nothing by this".

13. op. cit. 32ᵉ.

What feeds religious belief is not evidence; the relation between evidence, as commonly understood, and religious beliefs is a mockery. A religious belief is nourished by, and in turn nourishes, our feelings of fear, trembling and love.

So much for Wittgenstein and religious belief. I want, finally, to consider the topic of Wittgenstein and the religious language.[14] Religious commitment, as indicated, is a frame of reference rather than a frame of representation. Commitment to a frame of reference is manifested in the adoption of certain modes of expression and ritual characteristic of the specific religion. To understand a religion is in a large measure to understand its central metaphors and how they may guide people's lives. Each religion, then, is governed by certain formative metaphors, or at any rate non-literal utterances. The participant in the religion is he who ties his feelings and way of life to these metaphors. The speech act performed by the religious utterance is not that of stating but that of undertaking certain practical commitments. In this respect the religious believer differs not only from the scientist but also, and interestingly, from the metaphysician. The latter's propositions purport to be, first and foremost, representative of reality, or of ultimate reality.

Even though the metaphysician, like the religious believer, uses words and expressions in some secondary meaning whose relation to their primary meaning is left unclear, still these secondary meanings are not "deep" (a possible exception here may be Friedrich Jacobi who was an idealist the certainty of whose belief in things in themselves was absolute and derived from revelation, not from knowledge or recognition. Unlike the realist, then, he regarded the belief in reality as supremely impressive and as a paradigm for religious belief), in the way those of the religious terms are. That is, they lack the power to change a person's life. After all, a metaphysical idealist does not live differently from a metaphysical realist.

The doctrine ultimately is that of showing rather than saying. Features of reality may, perhaps, show themselves in the non-literal, religious use of language. But such features cannot be asserted. The role of religious language is to convey insight. The insight gained manifests itself through its impact on one's life. The attitude of the believer to the religious texts should be in the spirit of Bunyan: "These texts did pinch me very sore".

14. Rush Rhees, "Wittgenstein on Language and Ritual", in *Essays on Wittgenstein in Honour of G. H. Von Wright*, (ed.) Jaakko Hintikka, Amsterdam 1976, pp. 450-484.

Karlfried Gründer

VERSTÄNDIGES LEBEN IN DER GESCHICHTE
*Grundaspekte der Hermeneutik in der Gegenwart**

Hochansehnliche Festversammlung,

für Ihren Jahrestag hat mich Ihr Herr Studiendirektor, für dessen freundliche Begrüßung ich sehr danke, eingeladen, zu Ihnen zu sprechen über Fragen der Hermeneutik. Freilich habe ich da sogleich befremdet: Verständiges Leben in der Geschichte; aber ich gestehe, daß ich auch habe befremden wollen damit, denn auf den Versuch einer Auflösung festgefahrener Fragestellungen kommt es mir an. Wenn für Sie also zum Fest das Schöne-Runde, ein auf den Scheffel zu hebendes Ergebnis gehört, dann muß ich fürchten, Sie zu enttäuschen. Reklamationen aber bitte ich dann an Ihren Herrn Studiendirektor zu richten, der darauf bestanden hat, daß heute jemand aus der Philosophie käme, jener Wissenschaft also, die mit der Theologie seit nun bald zweitausend Jahren in einer Ibsen-Ehe lebt: die beiden können nicht ohne einander, und sie können nicht miteinander.

Was haben wir mit der Geschichte zu tun? Was hat die Geschichte mit uns zu tun? Jedem ist deutlich, wie breit und schillernd das Spektrum dieser Fragen ist. Fern liegt mir die Absicht, sie handlich zurechtzustutzen und mit Thesen oder einer Theorie zu beantworten. Vielmehr möchte ich versuchen, mich mit Ihnen bei diesen Fragen ein wenig aufzuhalten, fast möchte ich sagen, sie zu meditieren, wenn ich nicht wüßte, welch hohen Sinn die Theologen dem Wort Meditation beizulegen gewohnt sind. Aber ein wenig ist es doch so, daß man sachgemäß auf diese Fragen — was wir mit der Geschichte zu tun haben und was sie mit uns zu tun hat — nur eingehen können, wenn wir uns dabei selbst auf dieses Zu-tun-haben einlassen, uns bewußt im Medium der Geschichte aufhalten, uns gesprächshaft in ihr bewegen.

Es gibt ja viele Begriffe von Geschichte. Sogleich lasse ich den beiseite, zu dem wir den Plural bilden können: an diesem Abend erzählte Großvater eine Geschichte nach der anderen aus seiner Jugend. Richten wir uns auf den Wortgebrauch, in dem der Begriff nur den bestimmten Artikel tragen kann, so fällt uns, das kommt wohl vor allem vom Schulfach her, die Bedeutung ein, nach der das Wort das gleiche heißt wie Vergangenheit: „das ist Geschichte", d.h.: „das ist gewesen", „das ist vorbei". Aber das lassen wir uns doch nur im ersten Moment durchgehen, denn fast gleichgewohnt ist uns aus der Sprache der Politiker und der Journalisten, daß wir jetzt einen historischen Augenblick erlebten, vielleicht die Mondfahrt oder auch nur einen neuen Weltrekord, oder auch die geschichtsträchtigen Tage

* Festvortrag zum Jahrestag des Pfarrvikar-Seminars der Evangelisch-lutherischen Landeskirche Hannover in Celle/Klein-Hehlen, 3. November 1968. Abschrift nach der Bandaufnahme. Einige Absätze dieser Ausführungen sind in andere, inzwischen publizierte Vorträge eingegangen. Jetzt in: K.G., Reflexion der Kontinuitäten, Göttingen 1982.

um den 21. August dieses Jahres — das ist die Geschichte, in der wir stehen, die wir vielleicht auch machen. Nimmt man dies nun zusammen, so zeigt sich, daß der eigentümlich bestimmt-unbestimmte Singular „Geschichte" offenbar begründet ist darin, daß es sich um Geschehen in Bezug auf das Ganze der menschlichen Welt handelt, daß „Geschichte" also ist, was in diesem Bezug auf das Ganze der menschlichen Welt vollzogen ist, oder sich vollzieht, was sich vollzogen hat und wir nicht mehr vollziehen können, oder gerade das, was wir vollziehen. Es gehört die Zeit dazu mit ihrer Unumkehrbarkeit, die für uns bedeutet ein Können und ein Nichtkönnen zugleich, Möglichkeit und Unmöglichkeit in einem: Was geschehen ist, können wir nicht mehr rückgängig machen; wir können etwas tun, aber nicht schlechthin alles, weil da immer schon etwas ist, das geschehen war, wenn wir zu handeln anheben; wenn wir etwas ändern wollen, ist doch immer schon etwas da, in dem selbst es gerade begründet liegt, daß wir es ändern wollen.

Aber so will ich nicht fortfahren mit unseren Überlegungen; es wäre zu leicht, und auch der Schein von Strenge ließe sich leicht erzeugen durch eine beliebige Enge des Vokabulars, das zugelassen sein soll. Es gibt solches Kreisen in der Philosophie, aber da Sie in meiner Wenigkeit nun, und Sie haben das apostrophiert, einmal jemanden aus diesem Fache zu sich gebeten haben, möchte ich Ihnen nicht gerade solches Kreisen als Philosophie vorstellen.

Wir kennen ja in unserer Welt eine disziplinierte Zuwendung zur Geschichte in dem Betrieb dessen, was wir die Geisteswissenschaften nennen, ein schiefer, übrigens aus einem Übersetzungsirrtum entstandener Ausdruck, für die Wissenschaften, die sich mit Geschichtlichem befassen, und als deren Theorie und Methodologie gilt die Hermeneutik. Es hieße Eulen nach Athen tragen, wenn ich Sie erst noch breiter daran erinnern wollte, daß Hermeneutik zuvor für Jahrhunderte eine theologische Disziplin war, nämlich die Lehre vom Schriftverständnis und der Bibelexegese.

Das ist heute Hermeneutik längst nicht mehr ausschließlich. Sie ist auch nicht mehr nur Theorie der geschichtlichen Wissenschaften, sondern inzwischen darüber hinaus auch zur Methode der Philosophie, ja zu einem bestimmten Begriff von Philosophie geworden, es gibt philosophische Hermeneutik und Philosophie als Hermeneutik, aber dieser Begriff von Philosophie ist keineswegs unwidersprochen. Hermeneutik ist heute in der Philosophie eine Parole der Konfrontation, nämlich im besonderen zur logischen Analyse. Genauer: der Parolencharakter der Konfrontation kommt von der logischen Analyse her, für die Hermeneutik zum roten Tuch geworden ist; nicht umgekehrt, man wird eher Hermeneutiker geschimpft als daß man sich selbst so nennt. Die Vorwürfe sind stereotyp: Philosophie als Hermeneutik sei die Resignation zum bloß Historischen, die Suspension der Wahrheitsfrage, die Apologie des Bestehenden, dumme oder böse Verzögerung des wissenschaftlichen und politischen Fortschritts.

Es wäre nun, scheint mir, ganz unangebracht, sich auf diese Konfrontation apologetisch einzulassen. Es wäre nicht schwer, denen, die sich da als Feinde gebärden (untereinander durchaus reich differenziert, Positivisten, Sprachanalytiker, Strukturalisten usf.) zu zeigen, daß ihre Ansätze stets auf dem Ausschluß der genetischen Reflexion der Begriffe, mit denen sie operieren, beruhen, daß diese Ansätze „Positionen", Setzungen im Wortsinne sind. Daß also vielleicht der Affekt gegen das Hermeneutische aus dem Ressentiment kommt, sich vor einer notwendigen Reflexion zu drücken, gedrückt zu haben, vor einer Reflexion gedrückt zu haben, hinter dem tatsächlich erreichten Stand des Bewußtseins, das sie fordert, zurückgeblieben zu sein.

Dieser Gedanke wäre eitel als bloße Retourkutsche, er bekommt aber einen sachlichen Sinn, wenn mit ihm die Aufgabe der Hermeneutik in der gegenwärtigen Situation bestimmt werden kann. Sprechen wir vereinfachend also von der Semantik als dem Gegenpol der Hermeneutik in der gegenwärtigen Philosophie. („Semantik und Hermeneutik" hieß übrigens ein Sektionsthema auf dem Weltkongreß der Philosophie im vergangenen September) und deuten wir also an, wie die Aufgabe der Hermeneutik sich entwickeln läßt aus den Aporien der Semantik, aus den Schwierigkeiten also, in die Semantik, der Ansatz der Semantik gerät. Bei Wittgenstein steht, die Bedeutung der Wörter sei nichts als ihr Gebrauch. Das Pathos der Semantik richtet sich darauf, den Wortgebrauch exakt zu erfassen, zu definieren und damit verfügbar zu machen. Die Bedeutung der Wörter ist nichts als ihr Gebrauch. Eben. Definieren aber nun heißt „ausgrenzen", einen Wortgebrauch dadurch festzulegen und exakt, präzis zu machen, daß man vielerlei, das bei diesem Wort nicht nur mitgedacht werden kann, sondern tatsächlich auch mitgedacht wird, die Konnotationen, wie ich es einmal nennen möchte, abschneidet. Diese Konnotationen aber gehören zum Wort durch seine Geschichte, sie stammen aus seiner Geschichte und sind nur zu erfassen durch einen Rückgang in ihre Geschichte, womöglich bis hin in ihre Entstehung, durch eine genetischen Analyse. Also exakt, das ist ja die Pathosformel dort, kommt von exagere und heißt: ausgeführt, vollständig durchgeführt. Angesichts des Konnotationsreichtums gerade der philosophisch relevanten Begriffe, übrigens auch der sozial, politisch relevanten Begriffe, angesichts dessen leuchtet ein, daß Exaktheit eine Utopie, oder besser noch: die Forderung nach immer weiterzutreibender Annäherung ist, die konkrete Fülle des Begriffs nur durch immer intensivere historische Analyse und Reflexion erstrebt werden kann. Vom Boden der Semantik selbst werden wir durch die Forderung nach Genauigkeit in die Geschichte zurückverwiesen.

Sind wir nun aber so dem Geschichtlichen im Sinne des Vergangenen zugewandt, so zeigt sich, daß es eben nicht so einfach zu haben ist wie ein Präparat. Das geschichtliche Zeugnis, der alte Text, das alte oder fremde Kunstwerk, ist nichts ohne weiteres Verständliches, es bedarf der Auslegung. Auslegung wird nötig, wo das Verstehen nicht von allein geht, sondern auf Schwierigkeiten stößt. So läßt sich sagen, daß Hermeneutik nicht Theorie des Verstehens schlechthin ist, sondern Theorie des Verstehens unter Schwierigkeiten. Diesen Begriff von Hermeneutik könnte man nun ausarbeiten, ihn etwa auf alles Verstehen beziehen, das auf Schwierigkeiten stößt, so etwa das Phänomen der Fremdsprachlichkeit, der Fachsprachen könnte man betrachten usf., bleibt man aber in der Nähe des Sprachgebrauchs — und das sollte man vernünftigerweise immer wollen — so wird Hermeneutik doch im besonderen und vor allem auf das Verstehen von geschichtlich Vergangenem bezogen sein.

Welches ist nun aber die spezifische Schwierigkeit, auf die geschichtliches Verstehen stößt? Aus welchen Motiven heraus strengt man sich an, Vergangenes zu verstehen? Das ist doch nicht selbstverständlich. Der Zugang über den Wortgebrauch aus den Aporien der Semantik bietet für diese Frage ja nur das theoretische Interesse an der vollständigen Begriffserklärung, und das ist wohl weder breit noch mächtig genug, das Maß all der Anstrengungen und Veranstaltungen zu motivieren, die wir unternehmen, um geschichtlich Vergangenes recht zu verstehen. Wir strengen uns so an, weil das Vergangene eben doch noch zu unserem Leben gehört: als Gesetz, als Heilsbotschaft, als das Klassische oder wie auch immer, wir es aber nicht mehr ganz und nicht mehr selbstverständlich haben. Es erhebt einen Anspruch auf uns, aber der ist uns nicht mehr selbstverständlich, sondern fragwürdig. Wir stehen in einer Kontinuität zu ihm, aber sie ist gebrochen. Wir können uns zu ihr nur verhalten, indem wir den Bruch, das Trennende mithinzudenken, geschichtliche Erfahrung ist Erfahrung der eigenen Herkunft, aber mit dem Bewußtsein der Entfernung aus ihr. Und seit der Bruch nun bewußt ist, sich das historische Bewußtsein aus der zuvor fraglosen Kontinuität der eigenen Herkunft gelöst, sich emanzipiert hat, und die eigene Herkunft sich vergegenständlicht hatte, konnte und kann nun auch die Umkehrung eintreten: Herkunftsfremdes, etwa die asiatische oder die altamerikanische Kultur, mit der man nicht aus der eigenen Herkunft, sondern nachträglich durch das Faktum des Weltverkehrs in Berührung kommt, wird in ähnlicher Weise zur Verstehensaufgabe wie die eigene Herkunft, ja für die Strenge des emanzipativen Bewußtseins in genau der gleichen Weise.

Aber mit diesen Überlegungen bewegen wir uns noch in einer Allgemeinheit, einem Abstraktionsgrad, die uns vielleicht die Schärfe des Problems entziehen. Wer in Niedersachsen predigen will, braucht nichts von den aztekischen Opferkulten zu wissen, aber er darf nicht predigen wollen, als lebte er in einer Welt, in der von aztekischen Opferkulten nichts gewußt werden könnte. Einer Diskussion um die Abschaffung der Todesstrafe wird er sich nicht entziehen können, er wird aber sein Votum nur begründen können mit einem Bewußtsein davon, unter welchen Voraussetzungen, nämlich etwa denen sakralen Königtums — und das sind nun durchaus solche unserer eigenen Herkunft — sie einmal legitim gewesen sein könnten.

Gewiß ist derlei zunächst Sache der sogenannten „historischen Bildung", worunter leider zumeist nur eine mehr oder weniger weit gediehene Teilhabe an den Geisteswissenschaften, an den geschichtlichen Wissenschaften verstanden wird. Aber die Realität unseres Geschichtsverständnisses und des Geschichtsverhältnisses ist viel breiter als unser wissenschaftliches Bewußtsein davon. Erlauben Sie mir ein Beispiel, für das man die Wissenschaft unmittelbar gar nicht zu bemühen braucht. Jeder, der einmal in Freiburg im Breisgau war, kennt den „Hausberg" dieser Stadt, den Schauinsland; auch Seilbahn und Autorennstrecke, die hinaufführen, heißen danach und sind berühmt unter diesem Namen. Und obwohl ganz sicher immer wieder Studentinnen und Studenten und auch andere Leute dort oben stehen und ins Land schauen, in die Ebene des Oberrheins und zu den Vogesen hinüber, käme doch heute kein Mensch mehr auf den Gedanken, den Berg eigens so zu nennen. Es ist der kartographisch verbindliche Name, aber ihn zu pointieren könnte höchstens einem Reklamemann des Tourismus einfallen, und zwar nur einem solchen, der seiner Mittel nicht ganz sicher ist. Wer überhaupt aufmerkt, wird leicht sagen können, daß dieser Name zu einem romantischen Natur- und Landschaftsverhältnis gehört, vermutlich aus der ersten Hälfte des 19. Jahrhunderts stammt, und das würde sich bestätigen, wahrscheinlich genau ausmachen lassen. Vorher hieß dieser Berg „Erzkasten", weil man aus ihm, in heute längst verfallenen Stollen, Silber gewann. Die Beobachtung seiner Form (andere Erhebungen der Gegend heißen „-kopf", oder „-horn") ist mit dem verbunden, was ihn für eine Welt des Arbeitens und Wirtschaftens wichtig machte, die fast spurlos verschwunden ist, von der man nur durch Vermittlung der historischen Wissenschaft oder ihrer Vorformen, den Chroniken usf. etwas wissen kann. Beide Namen können wir verstehen, aber keinen würden wir selbst prägen; den alten nicht, weil es einmal den Bergbau nicht mehr gibt, auf den er sich bezieht, zum anderen und mehr noch nicht, weil gegenwärtig der Stil der Namensgebung und der Wortneubildung gespreizter geworden ist (warum wohl?) und den neueren würden wir nicht bilden, weil uns die Geste des „Schauens" ein wenig lächerlich ist, wir nicht mehr oder vielleicht in einem anderen Sinne Romantiker sind.

Dieses Beispiel habe ich absichtlich breiter ausgeführt, weil es in seiner ganzen Harmlosigkeit doch zugleich die Konstituentien unseres Geschichtsverhältnisses, den Sinn also von Hermeneutik, wie wir ihn fassen zu sollen meinten, sichtbar machen kann. Ohne solches Reflektieren aus Negation und Selbstverständnis gäbe es keine geschichtliche Erkenntnis. Geschichtliche Erfahrung ist in sich selbst ein kritischer Akt, ein Akt der Krisis, der Scheidung von möglich und unmöglich, von Gegenwart und Verlust, Erinnerung und Abschied, Aufnahme und Verwerfung, Leben und Tod. Jede geschichtliche Erkenntnis ist Kritik und Selbstkritik. Hier also ist Kritik nicht die Kritik der Erkenntnistheorie, sondern selber Leben, geschichtliches Leben selbst, und geschichtliches Leben ist nichts anderes als solche Kritik, immer neu vollzogen.

Hat ein solcher Begriff von geschichtlicher Erfahrung aber nun überhaupt noch irgend etwas zu tun mit der wissenschaftlichen Erkenntnis des Historischen von der Vergangenheit? Ist geschichtliche Erfahrung überhaupt „objektive" Erkenntnis? Kann sie es sein, wenn soviel vom Erkennenden, vom Subjekt dieser Erkenntnis — nicht vom transzendentalen, allgemeinen, austauschbaren Subjekt, sondern vom „zufälligen", d.h. aber dem konkret geschichtlichen, wie es hier und jetzt leibt und lebt, eingeht? Von dort her waren ja die geschichtlichen Wissenschaften Anzweiflungen ihres Wissenschaftscharakters ausgesetzt, und sie sind es noch, diese Konfrontation, von der wir ausgehen, hat eben darin ihren Ursprung. Nun darf man sich von dieser Perspektive und von diesen Vorwürfen nicht in eine schiefe Lage drängen lassen. Der Begriff des Historismus, der für dieses Problem genau genommen steht, impliziert ja selbst schon eine Kritik am historischen Bewußtsein, und als „Historismus" zum Schlagwort wurde, war das eine Art Notruf, ein Alarm. Dem historischen Bewußtsein werde alles relativ, lauteten die Klagen, alle Normen, Werte, ja die Wahrheit selbst verlöre ihre absolute Verbindlichkeit, weil alles „historisch relativiert" werde (übrigens analog und gleichzeitig damit, daß alles „psychologisch relativiert" werden könne), und aus dieser Not soll man dann herauskommen, indem man die Metaphysik auferstehen läßt, sich zu ewigen Werten, zu geschichtslosen Wahrheiten, geschichtslosem Naturrecht bekannt oder durch Dezision schlechthin oder last not least durch Betäubung. Wo das historische Bewußtsein als das Übel des Relativismus aufgefaßt wird, erscheinen die, die es bejahen, und gar noch pflegen, als bloße Ästheten, böse Spieler oder arme Feiglinge, die vor der Forderung des Tages ins Museale fliehen.

Ist das noch unsere, eine gegenwärtige Konstellation: Historismus als Stichwort für die Not des Relativismus, als Stichwort für den Vorwurf des Ästhetizismus? Ich glaube nicht. Es beruht doch beides auf einem Mißverständnis, über das wir hinaus sind, mindestens hinaus sein können, auf dem Mißverständnis nämlich, daß das geschichtlich Erfahrene Objektcharakter habe. Es steht uns aber gar nicht tot gegenüber, sondern redet lebendig auf uns ein, und wir wissen in kritischer Reflexion sehr wohl zu scheiden, was und inwieweit uns etwas davon möglich ist und was und inwieweit nicht. Wir nehmen im „Erzkasten" die Umklammerung auch unserer Sprache von unserer gegenwärtigen Arbeitswelt wahr und fänden leicht heutige Beispiele für sie, wir merken im „Schauinsland", daß die ästhetische Suspension der Arbeitswelt unaufgebbar zu unseren Möglichkeiten gehört, zugleich aber, daß sie uns nicht zur ganzen Wirklichkeit werden kann. Im geschichtlichen Erfahren vollziehen wir etwas, aber kritisch, im Bewußtsein der geschichtlichen Distanz. Das kennzeichnet unseren geschichtlichen Ort: daß uns die Naivität verschwunden ist, wir könnten uns unmittelbar zur Welt verhalten; daß wir vielmehr wissen, wie alle Antriebe und alle Medien unseres Begreifens geschichtlich bestimmt sind. Was aber ist dann geschichtliche Erfahrung, wenn sie weder die objektive Erkenntnis des historischen Bewußtseins noch einer jener Willkürakte ist, mit dem man sich vor dessen angeblichem Relativismus retten wollte?

Wer über den Namen des Berges bei Freiburg nachdenkt, hat nicht den Berg und auch nicht den Namen des Berges zum Gegenstand, sondern er tritt in ein Gespräch ein mit den Leuten, von denen die beiden Namen stammen. Er versteht beide in ihrer Verschiedenheit, die, für die der Berg die Silbergrube war, wie auch die sehnsüchtig Schauenden, und er merkt zugleich, wieso er sich von ihnen unterscheidet, worin er anders ist als sie.

Geschichtliche Erfahrung ist keine Gegenstandserkenntnis, sondern Kommunikation und Reflexion. Die vermeintlichen Gegenstände reden selber, d.h. sie sind keine Objekte, sondern Subjekte. Subjekte mit denen ich im Anschauen oder eben im besonderen im Lesen von Texten kommuniziere, ins Gespräch gerate. Die geschichtlichen Wissenschaften bilden kein System, sondern einen Kommunikationsraum, den sie zugleich öffnen und erschließen, artikulieren. Sie haben ihre Verbindlichkeit und Genauigkeit nicht durch Objektivität, sondern durch Intimität. Im geschichtlichen Verstehen aktualisiere und reflektiere ich das Kontinuum, in das meine Lebenspraxis eingelassen ist; und dieses Kontinuum umschließt heute ebensowohl die eigene Herkunft wie jene fremden Welten, mit denen wir durch die globale Verbreitung der europäischen Zivilisation in Berührung gekommen sind.

Kommunikation ist hier kein Postulat, auch kein methodisches, sondern das Faktum, das, was gegeben ist, und das nun allenfalls theoretisch nachträglich zu begründen wäre. Und erst recht kann man diesen Begriff von Kommunikation ganz freihalten von dem appellativen Ton, den er und mehr noch gleichgerichtete Ausdrücke wie „Dialog" zuweilen haben können — man kann diesen appellativen Ton demonstrativ ausschließen, indem man ruhig einmal — bitte erschrecken Sie nicht — „Konversation" dafür sagt. Das geschichtliche Bewußtsein ist ein Konversatorium, ein Raum, in dem man sich unterhält. Das ästhetische Moment im historischen Bewußtsein, das nicht verleugnet zu werden braucht, — es macht ja Spaß, etwas auszugraben, verkannte Zusammenhänge ans Licht zu ziehen —, das ist mitgefaßt darin, aber nicht als motivierender Grund deklariert; denn Kommunikation als Bedingung lebenswerten Lebens bedarf keiner Ableitung oder Begründung. Und auf Strenge braucht nicht verzichtet zu werden, ja man darf nicht auf sie verzichten. Intimität wird hier zur Disziplin: in der guten Konversation kommt es auf das genaue Hinhören, das sichere Wissen, auf Sensibilität, auf die Fähigkeit zu differenzieren an. So das historische Bewußtsein; es hat, entfaltet, zur Qualität das Konversatile, das der Unterhaltung, einer heiteren Unterhaltung Gemäße.

Wie geschieht das aber konkret, welche Form hat geschichtliche Erfahrung? Sie geschieht durch und in Interpretation, sicher, aber keineswegs nur, alle unausdrückliche Bestimmtheit durch Geschichte, am fundamentalsten in der Sprache, ist mitgefaßt. Aber Interpretation ist ausdrücklicher Vollzug geschichtlicher Erfahrung. Sie vollzieht in einem die Aussage, die Bedeutung des alten Gebildes und die historische Distanz zu ihm, den Blick auf die gemeinte Sache und die historische Ortsbestimmung. In dieser Einheit ist sie nicht nur auf ein vermeintliches vergangenes Objekt gerichtet, das sie zu vermeintlicher Objektivität zu bringen, als ein Objekt zur Sprache zu bringen hätte, sondern sie vollzieht gegenwärtiges Leben in seiner Beziehung auf jenes Vergangene und in seiner Bestimmtheit durch jenes Vergangene, von jenem Vergangenen her. Es ist kein Zufall, daß man dort, wo man aus dem historischen Bewußtsein nicht geflüchtet ist, sondern ihm standgehalten hat und standhält, an die Stelle übergreifender Begriffsbildung als Resultat der historischen Forschung Einzelinterpretationen gesetzt hat. Das ist konsequent um dieses Vollzugscharakters der Interpretation im Zusammenhang der eigenen Lebenspraxis willen. Interpretation ist reflektierender Nachvollzug von etwas Vergangenem, es wohnt ihr konstitutiv ein mimetisches, ein nachahmendes Moment inne. Und wiederum ist es kein Zufall, sondern es gehört zur Signatur des gegenwärtigen Bewußtseinsstandes, daß gerade unter den großen Kunstwerken der letzten Jahrzehnte eine ganze Reihe im ganzen oder in Einzelheiten Parodien sind. Interpretation und Parodie gehören zusammen, vermögen sich gegenseitig zu erhellen, sind vielleicht im Grunde dasselbe. Parodie offenbart in einem Möglichkeit und Unmöglichkeit eines alten oder auch nur eines anderen Kunstwerkes: seine Möglichkeit, indem sie es nachahmt, seine Unmöglichkeit, indem sie es verzerrt. Parodie in diesem Sinne ist weder bloßer Spaß, noch nur Mittel der Satire, vielmehr kommt in ihr das historische Bewußtsein zur Reife, es realisiert das historische Bewußtsein nach Abstreifung der Naivität, man könne sagen, wie es wirklich gewesen ist. Parodie widerlegt die Klage des Historismus, das Alte sei um seiner durchschauten Relativität willen unvollziehbar geworden, indem sie es doch mimetisch vergegenwärtigt, und sie kann auf die Feierlichkeit eines Pantheon der Kunst oder der Werte verzichten, weil sie das historische Bewußtsein nicht zu verleugnen braucht. Darum eben ist Parodie ein so wesentliches Element der großen Kunst unserer Zeit (Thomas Manns Josephs-Roman u.a., Strawinsky, Picasso), auch und gerade wichtige Werke, die in unserer unmittelbaren Gegenwart entstehen, zeigen dasselbe; hier in Ihrer nächsten Nähe, in Bargfeld sitzt Arno Schmidt, von dem ich nicht zögere zu sagen, daß ich ihn für den Kräftigsten unter denen halte, die gegenwärtig schreiben. Dieser Bedeutung der Parodie in der Kunst entspricht die dominante Rolle der Interpretation in den gleichzeitigen Geisteswissenschaften. Interpretation ist Mimesis im Medium des Begriffs. Dann wäre gerade auch in der Philosophie ja die Interpretation alter Texte Parodie: Vergegenwärtigen eines Vergangenen oder Fremden in einem geschichtlichen Bewußtsein, Darstellung der Ambivalenz von Möglichkeit, gar Verbindlichkeit, und Unmöglichkeit, etwas früher und von anderen Gedachtes jetzt und selbst zu sagen.

Ist mit alledem auf die Wahrheitsfrage verzichtet? Nur dann, wenn die Wahrheitsfrage entweder auf die Richtigkeit unreflektierter Objektserkenntnis oder andererseits auf subjektive Wahrhaftigkeit reduziert wird. Es ist nicht auf sie verzichtet, wenn Wahrheit selbst als dieser kritische Vollzug aus Kommunikation und Reflexion selbst begriffen wird, als verständiges Leben in der Geschichte, und Geschichte als *gebrochenes* Kontinuum, dem wir mit unserer ganzen Lebenspraxis, auch mit unserem Glauben, innestehen.

Damit ist ja nun die Provokation ins Ziel gekommen und verständlich geworden, die mit der Wortwahl für den Titel dieses Festvortrags verbunden war: „Verständig" und „Leben", diese Vokabeln brauchte ich hier in einer Verfremdung, deren Härte gegenüber dem heute üblichen Sprachgebrauch vom Gedankengang dann eingelöst und aufgehoben werden sollte. „Verständig" ist ein etwas altmodisches Wort, am ehesten in einer autoritären Pädagogik zu verorten, es lobt den nicht mehr kindischen, schon einsichtigen Schüler, und zwar vom Ideal eben der Verstandesbildung aus, die Verstand, Rationalität zu ihrem Ziel gemacht hatte. Und die wird nun leicht samt allem Rationalismus getadelt, und ich wollte gern einmal daran erinnern, daß Sache des Verstandes und der Vernunft — daß man die beiden unterscheiden kann, wissen wir — doch eben die Kritik ist, die wir nicht missen mögen und zu der wir verpflichtet sind. Und wir sollten zum anderen auch nicht verdrängen, daß wir im „verständig" den Zusammenhang mit „verstehen" mithören oder doch zumindest mithören können, also das Verstehen, sich verstehen, verständigt sein, im Einverständnis sein. Und auch „Leben" wird so leicht in Alternativen und Polaritäten gestellt, der Geist als Widersacher der Seele, gewöhnlich steht dafür Leben usf., wird leicht in solche Polaritäten gestellt, welche die Fülle verdecken, die dieses Wort in seiner älteren Geschichte gehabt hat und unterschwellig auch dort hat, wo es als Pathosformel in Anspruch genommen wird, manchmal sogar der erklärten Intention entgegen. All jenen Verengungen gegenüber wurde wohl deutlich, daß in geschichtlichem Verstehen sich gegenwärtiges Leben vollzieht, in der kritischen Erinnerung und der erinnernden Kritik, der lebendigen Scheidung von Möglichkeit und Unmöglichkeit, Geschichte selbst sich vollzieht.

Vollzug aber ist Handeln. Das verständige Leben in der Geschichte vollzieht selbst Geschichte. Verstehen ist Praxis, Hermeneutik ist eine praktische Wissenschaft. Hier liegt die höchste Aufgabe der Hermeneutik, ihre praktische Notwendigkeit: nur im Bewußtsein und im Horizonte der geschichtlichen Erfahrung kann gewonnene Wahrheit, erreichte Freiheit bewahrt und behütet werden, kann erkannt werden, was zu tun sei, daß sie nicht wieder verschwänden. Fortschritt in dem Sinne, daß mehr Wahrheit und mehr Freiheit in die Welt komme, ist der Gedanke der Vernunft selbst, es gibt keinen vernünftigen Grund dagegen. Geschichtliches Bewußtsein ist dem nicht entgegengesetzt, ist ihm so wenig entgegengesetzt, daß es vielmehr konstitutiv zu ihm, zum vernünftigen Fortschritt gehört. Wir brauchen geschichtliches Bewußtsein nicht zur Legitimation von Privilegien, wie es öfter heißt, sondern zur Sensibilisierung gegen Regressionen, die ja stets unter dem Schein des Fortschritts auftreten. Welche Torheit etwa, den deutschen Widerstand gegen Hitler heute restaurativ zu schelten: jene Männer durchschauten das Regressive in der totalitären Modernität, und sie konnten das aus geschichtlich gewußter Freiheit. Ähnliches ist heute im Gange, da unter den Parolen des Fortschritts sich wiederum Regressionen verbergen. Historisches Bewußtsein und hermeneutische Reflexion halten das geschichtliche Universum als die Welt des Menschen offen und wachen über den je erreichten Stand seiner Freiheit.

So sind sie in einem Elemente und Instrumente, die vornehmsten vielleicht, der praktischen Vernunft.

Lassen Sie mich auf einer vorletzten Stufe den Befund formulieren: bei allem Vorbehalt gegen das Thesenhafte: Hermeneutik ist kein Zweig, keine Teildisziplin einer allgemeinen Wissenschaftstheorie, sondern ist die geordnete Zusammenfassung aller jeweils erforderlichen kritischen Reflexion auf die Geschichte, nenne man es meinetwegen Geschichtsphilosophie.

Damit ließe sich der philosophische Gedankengang abbrechen. Aber er wäre dann zumindest für ein Philosophieren, das sich selbst als Geschichtliches versteht, auf eine unerlaubte Weise unvollständig. Es ist keine sekundäre Anpassung an Auditorium und Gelegenheit, wenn ich nun frage, was heißt das alles für den Theologen? Zunächst: Er hat seine Not mit der historischen Kritik, die ja nicht zuletzt gerade im Schoße seiner Fakultät zur schärfsten Ausbildung gekommen ist. Die historische Kritik hat viele Theologen in die Verzweiflung geführt, für viele Theologen die Selbstaufhebung ihres theologischen Geschäfts bedeutet, viele theologische Ansätze seit ihrer vollen Ausbildung sind motiviert durch die Suche nach Aushilfen. Ich erinnere an Bultmann und die Vorgeschichte seiner Konzeption, etwa an so etwas wie die Unterscheidung des kerygmatischen Christus vom historischen Jesus bei Kähler und ähnliches mehr. Man kann alle diese Aushilfen auf die Formel bringen, die einer von Ihnen, meine verehrten Zuhörer, auf einen Zettel geschrieben hat, den mir Ihr Herr Direktor beilegte, als er mich einlud[1]: ob nicht die Frage der Hermeneutik auf eine Theorie mehrerer modi von Wahrheit führe, also etwa einer historischen, einer poetischen, einer theologischen Wahrheit. Diese Formulierung finde ich ganz vortrefflich. Sie ist ganz vortrefflich dafür geeignet, den Generalnenner herzugeben für alle Aushilfen, welche die Theologie in der Not des historischen Bewußtseins sich gesucht hat. Für die dogmengeschichtlichen Feinschmecker unter Ihnen möchte ich dafür den Namen des hermeneutischen Sabellianismus vorschlagen — Sie wissen, die Sabellianer waren Leute, die in der Trinität nicht drei Personen, Hypostasen, sondern nur drei modi einer Person annehmen wollten, eine schlimme Häresie. Der hermeneutische Sabellianismus ist keine

---

1. Im Studium (wie überhaupt) haben wir es mit Texten der (sogenannten) ‚schönen' Literatur, mit wissenschaftlichen Texten (der Theologie etc), mit philosophischen, biblischen Texten zu tun.
Jeder dieser Textgruppen ist ein (jeweils spezifischer) Wahrheitsanspruch zu eigen.
Die Beschäftigung mit der (‚schönen') Literatur, mit der Philosophie usw. geschieht aber (hoffentlich) nicht nur theologie-immanent, d.h. als innertheologische Notwendigkeit aus methodischen Gründen (also: „die systematische Theologie kann ohne Kenntnis der Begrifflichkeit und Methode der Philosophie nicht ‚verstanden' werden" u.ä.).
Mit anderen Worten, es geht im Studium (u.a. auch) um die Konfrontation der verschiedenen Wahrheitsansprüche.
Innertheologische Notwendigkeit aus methodischen Gründen und außertheologischer Wahrheitsanspruch müssen unterschieden werden, auch wenn eine solche Trennung weithin künstlich erscheint.
Läßt sich nun diese Konfrontation der verschiedenen Wahrheitsansprüche in eine Themenformulierung wie ‚Modi des Verstehens' o.ä. einbauen?

schlimme Häresie, wohl aber ein philosophischer Kurzschluß aus der Befangenheit in eine Episode, aus der unkritischen Befangenheit in die transitorische Situation des Historismus, der gern Objekte gehabt hätte wie die Naturwissenschaft welche hat und durch dessen Objektskategorien das Problem allererst erzeugt wurde.

Nein, wenn Wahrheit kommunikativer Vollzug ist, braucht man keine verschiedenen modi von Wahrheit, braucht in Sonderheit die Theologie keinen speziellen Modus von Wahrheit unter anderen für sich zu statuieren. Sie braucht es vor allem deshalb nicht, weil in und bei der Theologie sowohl die Herkunft wie die Zukunft — und Zukunft heißt hier: die bleibende Aufgabe, auch die bleibende Last — liegt: Daß jegliches Geschichtsdenken in Bibel und Theologie seine Wurzeln hat, ist inzwischen eine Art Gemeinplatz, und daß Hermeneutik für die Theologie Zentralproblem bleiben wird, ohnehin evident. Es ist also keineswegs nur eine bloß zusätzliche, sekundäre Applikation, wenn ich die Ihnen vorgetragenen Gedankengänge nun noch einmal ausdrücklich auf die Theologie beziehe, vielmehr bekommen sie dann erst richtig Grund.

Nicht erst überhaupt, aber zumindest seit Karl Löwiths berühmtem Buch weiß man, daß Geschichtsphilosophie säkularisierte Heilsgeschichte sei. Nun hat es mit dem Begriff der Säkularisation seine eigene Bewandtnis, wer seine Geschichte kennt und die gegenwärtige Inflation seines Gebrauchs bemerkt, wird ihm einige Jahrzehnte Schonzeit wünschen. Hier kommt es allein darauf an, daß die Ableitung der neuzeitlichen Geschichtsphilosophie aus der christlichen Heilsgeschichte auf der Abstraktion eines Merkmals, nämlich des Prozeßcharakters beruht. Dieser aber ist, wenn wir uns in der Kirchengeschichte umschauen, nur für die Eschatologie der Schwärmer, für das Geschichtsverständnis der Chiliasten, das zentrale Theologumenon. Für die übrige Theologie ist von einer prozeßhaften, notwendig prozeßhaften Veränderung zwischen Himmelfahrt und Wiederkunft Christi keine Rede, Gott ist Herr und auch Richter der Geschichte. Gott hat den Parakleten gesandt, aber so lange er in diesem und nicht in seiner Wiederkunft gegenwärtig ist, ist die Geschichte jedenfalls von der Theologie her nicht als ein notwendiger Ablauf, als Prozeß zu bestimmen.

Sicher wird es keine christliche Theologie ohne Eschatologie geben können, aber die Eröffnung der geschichtlichen Welt durch das Christentum und die Vorprägung der Formen, in denen sie erfahren wird, durch seine Theologie ist viel breiter als die Eschatologie. Das jüdische Volk erfährt seine Geschichte als Handeln Gottes, es hat seine Verheißung im Wort der Bibel, im Wort, das ja selbst schon Geschichte ist. Unter den vielen Begriffspaaren, die man zur Unterscheidung des Griechischen vom Jüdischen ausgebildet und viele Male erörtert hat: statisch/dynamisch, zyklisch/linear, sehen/hören, Wesen/Zeit, sachlich/personal, Sein/Ereignis ist bis auf das ganz verfehlte, leider aber geläufigste „statisch/ dynamisch" keines falsch (das aber sicher). Aber merkwürdigerweise fehlt fast stets, daß „Wort" beidemale, im Jüdischen und im Griechischen, etwas ganz anderes ist. Wort ist griechisch SEMA, Zeichen, bei Platon Zeichen für die Idee als der eigentlichen Wirklichkeit, bei Aristoteles für den Begriff, der aus den vielen Diesda, welche die Wirklichkeit ausmachen, abgezogen ist. Für den Juden aber ist die Schöpfung sprachhaft, alle Dinge sind Worte, vielleicht sogar Buchstaben (da kann nun wieder das Griechische sekundär etwas erläutern, STOICHEION heißt griechisch Element und Buchstabe zugleich), für den Juden ist die Sprache in sich selbst real, nicht irgendwie epiphänomenal, etwas, was noch hinzukäme zur Wirklichkeit. Im Grunde sind die Worte, nicht die Idee, sogar wirklicher als die Dinge. In einem alten Midrasch steht, in den 2000 Jahren des Tohuwabohu vor der Schöpfung habe Gott sich damit beschäftigt, daß er mit den Buchstaben spielte — das dünkt mich die weitaus vernünftigste Erklärung dafür, daß alles so schön bunt ist. Die Wirklichkeit ist in sich sprachhaft, nicht „dualistisch", vielmehr erscheint in der Sprache, im Wort die Geistigkeit der sinnlichen Wirklichkeit und die Sinnlichkeit der geistigen Wirklichkeit. Das Wort ist die Wahrheit des Wirklichen als concretum. Das ist übrigens auch der harte Kern der Kabbala, die ja auch ins schon ganz späte Christentum immer wieder, noch längst nicht vollständig bemerkt, einschließt. Es ist aber vor allem dieses, das Wort als concretum, die Konkretheit des Wortes, die innerjüdische Voraussetzung für das johannische SARX EGENETO.

In einem Ereignis und in der Geschichte um dieses Ereignis hat das Christentum seinen Anfang und zugleich seine Mitte, christlich heißt eine Theologie dann, wenn sie alles auf dieses Ereignis in der Geschichte bezieht, und alle ihre Bewegungen, alle Bewegungen der Theologie durch zwei Jahrtausende hindurch sind darauf aus, dieses Ereignis verstehend zu vergegenwärtigen, mit den Zeugnissen von ihm kritisch-reflektierend zu kommunizieren, wie ich das Verstehen zu umschreiben versucht habe. In diesem Gespräch darf nichts ausgelassen werden, die Verpflichtung auf den Urtext selbst und seine Reinheit ist ihrerseits hervorgegangen als ein Impuls der späteren Geschichte, der nämlich, der unser Kirchentum begründet hat.

Auch und gerade in der Theologie, die wir heute treiben können, sind wir in jedem Schritt geschichtlich bestimmt, und wir sollten das wahrhaben wollen, und die theologischen Kollegen der Vergangenheit bis zu den Vätern zurück in der gleichen Gebundenheit und der gleichen Freiheit sehen wie uns selbst. Daraus folgt, daß eine gläubige Theologie, die sich als geschichtliche weiß, in einer Richtung aufs radikalste skeptisch sein muß, sie muß skeptisch sein gegen jegliches Anathema. Es darf kein Gespräch abgebrochen werden, sie gehören alle dazu, aus zwei Jahrhunderten nenne ich: David Friedrich Strauß *und* August Tholuck, Marxen *und* Künneth; Wahrheit ist nicht in Sätzen, sondern im Gespräch. Es darf nirgends falsche Unmittelbarkeit fixiert werden, die Kritik in der Reflexion darf niemals umschlagen in die Geste der Liquidation.

Darauf, meine Damen und Herren, muß man, scheint mir, kommen, wenn man die Überführung des Begriffs der Hermeneutik aus der Wissenschaftstheorie ins Geschichtsdenken überhaupt in der Theologie geltend macht. Was in der Theologie selbst Hermeneutik heißt und weiter heißen muß, ist nun aber gerade theologisch neu zu begründen.

Es gibt im 18. Jahrhundert einen Zöllner, der genau das für die Frage der Hermeneutik pointiert hat: Johann Georg Hamann aus Königsberg. Er hat auf die Bibel-Kritik, noch ehe sie sich ganz entfaltet hatte, aber auf dem Wege war sie, eine Antwort, eine theologische Antwort geliefert, die vielleicht erst heute ganz richtig verstanden werden kann. Die Theologie dieses unheimlichen großen Mannes hat ihre Mitte im Gedanken der Kondeszendenz oder, wie Hamann selbst deutsch sagte, der Herunterlassung. Gott ist nicht ein allgemeines Vernunftsprinzip, wie die Theologie seiner Zeit zumeist meinte, sondern hat sich heruntergelassen in die Geschichte und in die sinnliche Welt und hat sie zu seiner Sprache gemacht.

Die Herunterlassung hat ihre Mitte in der Menschwerdung Gottes in Christo, aber diese ist nicht isoliert gegen die Schöpfung, sondern auf sie verweist alles Geschehen in Natur und Geschichte. Nun hatte die aufgeklärte Kritik die historische Bedingtheit der Bibel gefunden und wollte als verbindlich gelten lassen nur das, was jenseits davon als vernünftig faßbar erschien. In dieser Lage bringen Hamanns „Kreuzzüge des Philologen" aus dem Jahre 1762 einen vollkommen neuen Ansatz zum Verständnis der Bibel: sie *ist* ein menschliches Buch, und menschlich ist, wovon in ihr berichtet wird. Aber darauf kommt es gerade an; wie Gott Mensch wurde und in die Welt und ihre Schmach einging, so hat er sich auch heruntergelassen, sein Wort ganz in die irdische, geschichtliche, auch sündhafte Bedingtheit der Welt hineinzugeben und es so zu verleiblichen. In den Artikeln der Dogmatik gesprochen: Hamann begründet die Hermeneutik und das ganze Verhältnis zur Geschichte durch die Applikation des Gedankens der Kondeszendenz, der Herunterlassung, auf den dritten Artikel.

In den „Kreuzzügen des Philologen" steht ein Stück: „Kleeblatt hellenistischer Briefe", das wesentlich gegen den Göttinger Orientalisten Michaelis gerichtet ist, darin finden sich Sätze, die, was ich Ihnen zu sagen versuchte, authentisch fassen. Das Bild, das Hamann vor sich sieht und auf das er sich bezieht, ist das des beginnenden Historismus. „Ich möchte eher die Anatomie für einen Schlüssel zum Gnothi seauton ansehen, als in unseren historischen Skeletten die Kunst zu leben und zu regieren suchen, wie man mir in meiner Jugend erzählen wollte. Das Feld der Geschichte ist mir daher immer wie jenes weite Feld vorgekommen, das voller Beine lag, und siehe, sie waren sehr verdorret. Niemand als ein Prophet kann von diesen Beinen weissagen, daß Adern und Fleisch darauf wachsen und Haut sie überziehe. Noch ist kein Odem an ihnen, bis der Prophet zum Winde weissagt und des Herrn Wort und Winde spricht". Hamann spielt hier auf Hesekiel 37,2 an, und zugleich kommt aus diese Stelle bei Hamann Friedrich Schlegels berühmtes, das Geschichtsverständnis der Romantik vorprägendes Bonmot aus den Athenäumsfragmenten, der Geschichtsschreiber sei ein rückwärts gewandter Prophet. In dieser frühromantischen Formulierung Schlegels ist verloren, *was* denn der Prophet verkünde, der Begriff des Propheten ist mißbraucht. Hamann aber weiß, was er sagt. Im ersten Brief des „Kleeblatts" steht: „Es gehört zur Einheit der göttlichen Offenbarung daß der Geist Gottes sich durch den Menschengriffel der heiligen Männer, die von ihm getrieben worden sind, sich ebenso erniedrigt und seiner Majestät entäußert als der Sohn Gottes durch die Knechtsgestalt und wie die ganze Schöpfung ein Werk der höchsten Demut ist".

Ich erinnere Sie an die heutige Predigt. Die griechischen Väter kannten den Begriff der SYNKATABASIS, des Mithinuntergehens, Gott habe sich in seiner Offenbarung der Sinnlichkeit der Menschen angeglichen; die Orthodoxie des 17. Jahrhunderts arbeitete in der Christologie spekulativ aus, was die Menschwerdung von Gott her bedeute, und knüpfte das an an den Ausdruck KENOSIS aus dem Phil. Brief, die Aufklärung faßte dann jene Anpassung, von der in gewisser Weise schon bei den Vätern die Rede war, als Akkomodation, und diese immer stärker pädagogisch, die Autoren der Hl. Schrift passen sich der unaufgeklärten Judenheit an, zu der sie sprechen. Hamann bindet das alles zusammen in seinem Begriff der Herunterlassung und gibt mit ihm eine genuin theologische Begründung der

Hermeneutik und der geschichtlichen Erfahrung, Hermeneutik und Erfahrung der Geschichte begründet in der trinitarischen Kondeszendenz Gottes.

Die Theologen können, so möchte ich meinen, wenn sie sich nur trauen, zur Begründung der Hermeneutik und zur Reflexion auf die Geschichte nicht bloß auf ihre verjährte Priorität verweisen, sondern immer noch und gerade heute das Wichtigste sagen.

Sie sollten es darum auch wirklich tun.

Werner Hamacher

DAS VERSPRECHEN DER AUSLEGUNG
Überlegungen zum hermeneutischen Imperativ bei Kant und Nietzsche*

Wenn für die Hermeneutik so gut wie alles problematisch wurde, was ihren Status innerhalb des Kanons der philosophischen Wissenschaften und was die spezifische Verfassung der Gegenstände und der Verfahrensweisen des Verstehens berührt —: eines wurde nur so flüchtig zur Sprache gebracht, als stünde zu fürchten, daß durch seine prägnante Formulierung das ganze hermeneutische System ins Wanken gerät: der Umstand, daß überhaupt verstanden werden muß; der Imperativ des Verstehens selbst; die Verbindlichkeit, mit der jede Kundgabe noch vor der Mitteilung eines Inhalts zunächst die Forderung erhebt, sie zu hören, zu verstehen, auszulegen. Setzt die hermeneutische Operation an der Stelle ein, wo das Verstehen — wie Schleiermacher schreibt — sich nicht von selbst versteht, so ist zu erwägen, ob nicht alles Verstehen von eben dem in Atem gehalten werde, was sich — obgleich sprachliches oder sprachvermitteltes Faktum — dem Verstehen entzieht. Wenn Hermeneutik — so definiert abermals Schleiermacher — *die Kunst* ist, *die Rede eines andern, vornehmlich die schriftliche, richtig zu verstehen,* und wenn richtiges Verstehen erst dasjenige ist, das die Rede des andern in ihrer Individualität ganz erfaßt, dann lebt die Hermeneutik in der Tat vom Scheitern ihres Projekts: *weil jede* (Seele) *in ihrem einzelnen Sein das Nichtsein der anderen ist* und darum *das Nichtverstehen sich niemals gänzlich auflösen will*[1]. Die Grenze, die jede Individualität von der anderen scheidet, ist aber nicht nur eine Schranke des Verstehens, sondern enthält zugleich die Nötigung, jene andere und jede andere Individualität zu verstehen, weil erst, wo verstanden ist, was das Feld des Verstehens begrenzt, dieses Feld selber zugänglich werden kann.

In Schleiermachers Versuch einer methodischen Begründung hermeneutischer Operationen wird das Problem der Verstehensnötigung also in der Form einer Paradoxie gelöst: Von eben der Stelle, an der nicht verstanden werden kann, geht die Forderung aus, daß verstanden werden muß. Die Paradoxie ist im Rahmen von Schleiermachers hermeneutischem Grundgedanken unvermeidlich. Er lautet, daß alles Verstehen sich innerhalb der dynamischen Polarität allgemeiner Sprachregeln und ihrer individuellen Modifikation im Sprachgebrauch abspiele. Als verstanden kann immer nur die Regel gelten, während die einzelnen Sprachäußerungen, von denen diese Regel abgehoben wird, als die eigentlich sprachgenerativen Leistungen auf diese Regel nie gänzlich reduziert und folglich einem mechanischen, aus Sprachkonventionen gewonnenen Verständnis unzugänglich bleiben müssen. *Die Rede eines andern* kann sich dem Interpreten also nicht durch die Applikation ei-

---

* Text eines Vortrags, der im März 1983 an der Universität von St. Barbara, Californien, und im April 1983 an der SUNY Buffalo gehalten wurde; für den Druck teilweise überarbeitet.

1. F.D.E. Schleiermacher — *Hermeneutik und Kritik*, (ed. Manfred Frank); Frankfurt 1977; p. 328.

ner gemeinsamen Norm, eines gemeinsamen Vorverständnisses oder auch nur Interesses erschließen, wenn sie als Rede genau *dieses andern* verstanden werden soll. Schleiermacher hat den Konflikt zwischen der Verstandeserkenntnis nach allgemeingeltenden Sprachgesetzen und den Forderungen individueller, insbesondere künstlerischer Sprachleistungen durch Rekurs auf das antike Konzept der *divinatio* zu schlichten versucht. In der Divination steht die Deutung nicht auf der Seite eines konstituierten Sprachsystems und nicht auf der seiner individuellen Applikation, sondern zwischen beiden an derjenigen Stelle, an der sie auseinandertreten. Als Agentin der *Rede eines andern* setzt die Divination den Prozeß der Individualisierung, der von jener eingeleitet wurde, am System der Konventionen gleichsam tastend fort und versucht dabei zugleich, das Singuläre jener anderen Rede der allgemeinen anzuverwandeln. Fluchtpunkt der divinatorischen Vermittlungsbewegung, die sich keiner exakt bestimmbaren Techniken bedienen kann, weil sie dort einspringen muß, wo alle Techniken versagen, ist der messianische Augenblick, der am Ende der Geschichte die Rede des anderen zwanglos in die des Einen übergehen läßt. Diesen Augenblick herbeizuführen, steht aber nicht in der Macht der Interpreten. Ihn zu denken, nicht in der des Theoretikers.

Soll Verstehen nicht zu einem Mechanismus von Identifizierungen und Projektionen erstarren, so muß es sich von dem bewegen lassen, was in keiner Identität aufgeht und sich jeder Assimilation entzieht. *Die Rede eines andern* kann nur in einer Deutung verstanden werden, die ihrer Alterität im Verstehen selber einen Platz einräumt: den des Verstummens, des Abbruchs, der methodischen Selbstkritik. In all diesen Formen — in deren Entwicklung und Anwendung die jungen Romantiker von einer nur selten wieder erreichten Findigkeit waren — verweist das Verstehen, indem es sich selber negiert, auf ein anderes Verstehen, das seinerseits, nicht weniger relativiert, den Verweis auf eines enthält, das der Rede des andern angemessener wäre. So stellt sich das Verstehen als unendliche historische Approximation an den einen Text dar, den es doch niemals erreichen darf, wenn anders das an ihm Singuläre gewahrt werden soll. Diese Approximation ist aber eine historische nur, weil sie zunächst eine semiotische ist: die Deutung verweist auf ihr eigenes Unvermögen zur Darstellung des anderen und evoziert dadurch ex negativo die Möglichkeit einer Nähe zur Rede des andern, die alle exegetische Darstellung übersteigt. Diese *Verweisung* des Verstehens auf ein anderes Verstehen, das erst das Verstehen des andern wäre, ist wirksam als *Anweisung*, überhaupt zu verstehen —: als hermeneutischer Imperativ, der die unendliche Ineinsbildung des Allgemeinen und des Individuellen, der Rede des einen und der des andern im Verstehen fordert. Da es aber kein Verstehen gibt, das ohne die Suspendierung der eigenen Rede und also ohne die negative Anweisung auf die des andern auskäme, und da es keine Sprache gibt, die nicht schon auf ein Verstehen antwortete, so ist alle Sprache als implizit oder explizit unter einem hermeneutischen Imperativ stehend zu denken und alles Verstehen als Versuch, ihm zu entsprechen. Dieser Imperativ spricht positiv weder in der Rede des andern — denn er gebietet erst, sie als solche zu hören —, noch in der des Interpreten — denn dazu wird sie erst, indem sie ihm zu entsprechen sucht —, sondern negativ nur in der Bewegung, durch die jede Rede auf eine andere zuhält, als die apriorische Veranderung der eigenen Rede, diesseits von Allgemeinheit und Individualität im *Prozeß* von Verallgemeinerung und Individualisierung.

Verstehen ist also — wie Schleiermacher es ausspricht[2] — eine *Aufgabe* und zwar eine *unendliche*, allem Verstehen vorangehende und einer endgültigen Lösung unfähige Aufgabe, weil sie endliche und das heißt totalitätsunfähige Wesen dazu anhält, sich unter die Form der Allgemeinheit zu stellen. Mit der Formel von der *unendlichen Aufgabe* des Verstehens hat Schleiermacher der hermeneutischen Reflexion ein Feld angewiesen, das er selbst nicht bestellt hat, das aber den Horizont seiner gesamten Arbeit umschreibt. Er hat damit ausgesprochen, daß die Probleme der Hermeneutik weder auf dem Gebiet und mit den Mitteln der Erkenntnistheorie, noch auf dem Gebiet der Geschichtswissenschaft, sondern angemessen allein auf dem der Ethik verhandelt werden können.

* * *

Energischer als Schleiermacher, der bereits auf dem Boden der Vermittlungsontologie des spekulativem Idealismus steht, hat Kant auf den Zusammenhang zwischen Verstehen und Ethik verwiesen. In seiner kleinen Schrift *Über das Mißlingen aller philosophischen Versuche in der Theodizee* von 1791 geht er von der Annahme aus, *die Welt, als ein Werk Gottes*, könne als eine *Bekanntmachung der Absichten seines Willens* betrachtet werden, für die es nur eine *authentische Interpretation* gebe, nämlich die durch eine praktische Vernunft, die selber gesetzgebend ist und noch vor aller Erfahrung den Begriff von Gott als dem Urheber jener Bekanntmachung postuliert[3]. Die Auslegung des göttlichen Willens durch eine *machthabende praktische Vernunft* kann hier nur deswegen *authentisch* heißen, weil diese Vernunft selber *die unmittelbare Erklärung und Stimme Gottes* ist und weil folglich durch ihre Vermittlung der Wille Gottes sich selbst interpretiert. Da der Begriff von Gott nur gewonnen werden kann, wo das moralische Gesetz bereits wirksam ist, bestimmt sich die *authentische Interpretation* aber als Selbstinterpretation nicht des göttlichen Willens, sondern der endlichen Vernunft und weiterhin als Selbstinterpretation des moralischen Gesetzes.

Interpretation legt, wenn sie authentisch genannt zu werden verdient, nicht einen vorgegebenen Text aus, sondern ist selber die Kundgabe dieses Textes. Das Gesetz hat keine von seiner Auslegung unabhängige Existenz, und nur weil es das Gesetz nicht anders als in dieser Auslegung gibt, ist sie authentisch: die Interpretation, die der Autor des Gesetzes selbst von ihm gibt. So wie sich das Gesetz in seiner Interpretation rein auf sich selber bezieht, so bezieht sich auch die Interpretation im Gesetz nur darauf, sich als Interpretation und als Gesetz Wirklichkeit zu verschaffen.

Nun unterscheidet sich der Wirklichkeitsmodus des moralischen Gesetzes von jeder empirischen Norm, jeder physikalischen Regel und jeder Verhaltenskonvention, die Gegenstand konstativer Aussagen sein kann, dadurch, daß es die Wirklichkeit, auf die es sich bezieht, präskriptiv bloß fordern kann. Die Äquivokation im Begriff des Gesetzes nutzend sagt Kant, daß das Gesetz als Imperativ eine Wirklichkeit des Handelns gebietet, durch die sie als Gesetz im Sinne einer physikalischen Regel erscheinen soll. Das Gesetz fordert das

2. l.c.; p. 94.
3. Zitiert wird nach: I. Kant — Theorie-Werkausgabe (ed. W. Weischedel), Frankfurt/M. 1964; A 211 sqq.

Gesetz. Aber nur sofern es imperative Forderung ist und nicht Naturgesetz, beläßt es dem Menschen die Freiheit, sich für seine Wirklichkeit selbst zu entscheiden. Die Wirklichkeit der Freiheit, die das moralische Gesetz eröffnet, ist ebenso wie dieses Gesetz selbst von keiner fremden, inner- oder außerweltlichen Instanz, sondern vom Menschen selber gegeben; es ist ein *Gesetz* der Freiheit, sofern der Wille es sich selbst geben *muß*, um freier Wille zu sein; es ist ein Gesetz der *Freiheit*, sofern der Wille es sich *selber* gibt. Nun ist aber das einzige Gesetz, das der Wille sich ohne Preisgabe seiner selbst auferlegen kann, dies, sich selbst Gesetz zu sein. Unabhängig von jedem Zweck des Wollens und unabhängig von jeder sinnlichen oder intellektuellen Triebfeder soll der Wille selbst die Form der Gesetzmäßigkeit haben, in sich allgemein sein —: diese innere Allgemeinheit des Willens, nichts anderes, ist der Inhalt seiner Autonomie. Erst in der Form seiner Allgemeinheit wäre der Wille er selbst, erst der in sich selbst allgemeine Wille wäre im strikten Sinne das Subjekt seiner Handlungen. Diese Autonomie des Willens, seine Freiheit, sich selbst in seiner absoluten Individualität zum Allgemeinen zu bestimmen, hat allerdings keine positive Wirklichkeit, sondern kann vom Gesetz nur gefordert werden. Der Wille bestimmt sich also nicht selbst: er bestimmt sich zur Selbstbestimmung; er ist nicht autonom: er erlegt sich die Forderung der Autonomie auf; er ist nicht selbst schon Subjekt seiner Handlungen, sondern fordert von sich, Subjekt zu sein; er überschreitet also, anders als im System des spekulativen Idealismus Hegels, die Grenzen der endlichen Vernunft nicht. Dieses Gesetz ist also nicht vom autonomen Willen, sondern vom Willen im Hinblick auf seine Autonomie erlassen. So gilt auch von der *authentischen Interpretation,* der Selbstinterpretation des Gesetzes, daß sie nicht von einem autonomen Subjekt, sondern im Hinblick auf autonome Subjektivität formuliert wird, und daß in ihr nicht eine *Aussage* über positive Sachverhalte, sondern eine *Auflage* für ein Erkenntnisverhalten gemacht wird. Die *authentische Interpretation* gebietet — denn sie ist Gesetz —, zur Welt sich handelnd und erkennend so zu verhalten, als gäbe es eine allgemeine Regel der Natur, unter der alle individuellen Handlungen — auch Sprachhandlungen — im homogenen Kontinuum einer allgemeinen Regel — und einer gemeinsamen Sprache — miteinander kommunizieren könnten.

Diese gemeinsame Sprache, die allein auch ein gesichertes Fundament für das Verstehen der Rede des andern bieten könnte, wird von der *authentischen Interpretation* noch nicht gesprochen, sie wird von ihr nur *geboten:* sodaß Kants Hermeneutik innerhalb der Grenzen der praktischen Vernunft eine sichere Basis für konkrete Verstehensakte ebensowenig bietet wie seine Ethik moralische Handlungen garantieren kann. Umgekehrt zieht sie aus der Einsicht, daß individuelle Aussagen nur durch tyrannische Sprach- und Auslegungsreglements und folglich allein durch im Gesetz unfundierbare individuelle Willkür unter eine allgemeine Regel gebracht werden könnten, den Schluß, eine hermeneutische Theorie könne nicht auf einer Verstehensregel oder gar einem spezifizierten Regelinventar, sondern nur auf der Regel bauen, daß zum Verstehen eine Regel unabdingbar ist. Da alles Verstehen, so sehr es von individuellen Entstellungen verzeichnet sein mag, die Annahme enthalten muß, es solle ein allgemeines Verstehenskontinuum geben, bleibt der Hermeneutik nur die Möglichkeit, ihr Fundament in eben dieser Restallgemeinheit des Imperativs, es müsse Allgemeinheit geben, zu suchen.

Wenn Kant der *authentischen Interpretation*, auf die Metapher von der Schrift der Natur zurückgreifend, das Vermögen zubilligt, *dem Buchstaben der Schöpfung einen Sinn zu geben,* so ist dieser Sinn — weit entfernt, der Bedeutungsertrag einer exegetischen Anstrengung zu sein, der sich als Habe aufs Konto eines Wissens verbuchen ließe — der Imperativ, sich im Verstehen nach Maßgabe der Allgemeinheitsfähigkeit eben dieses Verstehens selber zu verhalten. Dem Buchstaben der Schöpfung aus praktischer Vernunft gibt seine Interpretation folglich keinen Sinn in der Weise wie ein Lexikon einem Zeichen seine konventionelle Bedeutung zuschreibt, sie gibt ihm vielmehr einen Richtungssinn, ein Ziel, dessen Verbindlichkeit um so strenger ist, als nur eine illusorische Hoffnung darauf setzen kann, es je zu erreichen. Wenn aber der Sinn des Schöpfungsbuchstabens in einer Anweisung liegt, die ihre Quelle mit jenem Buchstaben teilt, so ist die Schöpfung selber auch nach der Form dieser Anweisung schematisiert und ihre Interpretation, wie sie, nicht *natura naturata,* sondern *natura naturans.*

Es ist für die richtige Einschätzung des Kantschen Gedankens zur Hermeneutik von größtem Belang, daß die Fundierung des Verstehens im Vernunftgebot seiner Allgemeinheitsfähigkeit *nicht* seine Fundierung in der Vorstellung einer künftigen schrankenlosen Kommunikationsgemeinschaft bedeutet. Die Endlichkeit der Vernunft verbietet es vielmehr, die Hoffnung auf eine Harmonie der Sprachen zur Erklärungsgrundlage sprachlichen Handelns zu machen. Durch diese Hoffnung würde es sich seiner Autonomiefähigkeit begeben und sich zum Instrument im Dienste einer geschichtsoptimistischen Doktrin degradieren. Das Prinzip des Willens läßt sich nicht als künftiges Faktum, sondern angemessen allein als seine zu jedem Zeitpunkt gegenwärtige Struktur denken. Diese Struktur des Willens und seiner Handlungen — also auch die Struktur der Sprache und des Verstehens — ist die kategorische Forderung interner Allgemeinheit. Selbst wenn es keinen Willen gibt, der das Kriterium dieser Allgemeinheit zu irgendeinem Zeitpunkt und in irgendeiner Hinsicht erfüllt, so ist doch dem Begriff des Willens selbst ihre Forderung inhärent. Der Gegenstand dieser Forderung liegt — anders wäre sie keine — außerhalb des Willens, in einem vollkommen guten Willen und seinen Handlungen, und deshalb assoziiert sich mit einer Ethik und einer Hermeneutik des Imperativs die Vorstellung künftiger Erfüllung; aber im Willen liegt — und nur von diesem Faktum darf die Theorie der praktischen Vernunft ihren Ausgang nehmen — als sein konstitutives Strukturmoment die Anweisung, daß er immediat allgemeiner Wille und darin nicht nur Mittel für anderes, sondern in sich selbst Zweck sein soll.

Kant hat die spezifische Form des Selbstverhältnisses, in dem sich der Wille seine Allgemeinheit gebietet, in der *Grundlegung zur Metaphysik der Sitten* durch die Analyse eines für seine gesamte Handlungstheorie und für seine in ihr latente Sprachtheorie aufschlußreichen Beispiels verdeutlicht. Dieses Beispiel, auf das er immer wieder zurückgreift, um die einzelnen Formulierungsvarianten des kategorischen Imperativs an ihm zu erproben[4], und an dem sich zeigen wird, daß es mehr als bloß ein Beispiel darstellt, ist das *Versprechen* —, ein sprachlicher Akt, der dadurch, daß ich mich in ihm auf ein von mir selbst erlassenes

---

4. Am ausführlichsten: BA 18/19; auch BA 48/49, BA 67 der *Grundlegung der Metaphysik der Sitten.*

Gesetz meines Willens beziehe, den Charakter einer nicht bloß empirischen, sondern für alle Sprache konstitutiven transzendentalen Sprachhandlung hat. Wenn ich ein Versprechen geben will, muß ich *zugleich* auch wollen, daß die Regel dieses Versprechens ein allgemeines Gesetz sein könne. Mein subjektiver Wille muß sich einem Willen zur Allgemeinheit dieses Willens unterwerfen, um als dieser subjektive Einzelwille überhaupt Bestand haben zu können. Würde sich mein Wille nämlich nicht a priori unter den Willen zu seiner Allgemeinheitsfähigkeit stellen, so müßte er sich selbst zerstören: unter einem allgemeinen Gesetz, zu lügen oder lügenhafte Versprechungen zu machen, könnte es kein Versprechen geben, weder der Sache noch dem Begriff nach. Nur derjenige Wille, der das Kriterium innerer Allgemeinheit erfüllt, kann unter Bedingungen der Zeit und der Gesellschaftlichkeit seine Identität behaupten und er allein ist zugleich auch mit der Vorstellung von Dasein überhaupt verbunden. Erst im Gesetz ist das Dasein des Willens selber gesetzt[5]. Wenn Sein durch Kant als *absolute Position oder Setzung* definiert wird[6], so ist das Gesetz als imperative Setzung, als apriorische Forderung einer Versammlung allen Seins unter der Form immediater Selbstbeziehung bestimmt. Sein ist vermöge seiner Gesetztheit im Gesetz imperativ.

Der kategorische Imperativ ist also nicht zunächst einer des *guten* Willens, sondern des Willens überhaupt, ein Imperativ der Identität und des Daseins. Erst was in der Weise der Setzung, die der Imperativ fordert, Dasein hat, kann Anspruch auf das Prädikat der Güte machen. Und nur was in dieser Setzung in Einheit mit sich selbst ist, kann wahr heißen.

Nun behandelt Kant zwar das Versprechen als Beispiel einer Handlung — einer Sprachhandlung wohlgemerkt —, die dem kategorischen Imperativ insofern untersteht, als erst er das Kriterium für seine Moralität liefern kann; zugleich wird aber an diesem Beispiel wie an keinem anderen deutlich, daß *der Begriff der Handlung an sich schon ein Gesetz für mich enthält*[7], denn im Versprechen wird selber ein Gesetz des Handelns gegeben. Die tiefste Affinität zwischen Imperativ und Versprechen liegt darin, daß beide Sprachhandlungen sind und zwar Sprachhandlungen, die *vorsprechen*, was zu folgen hat. Der kategorische Imperativ wird von seinem Beispiel, dem Versprechen, als unbedingte sprachliche Vorgabe, als absolutes Versprechen charakterisiert, das nicht unter Zeitbedingungen steht, sondern dem die Vorstellung der Zeit als einer Zukunft, von der her der Wille auf sich als deren Vergangenheit zurückkommen kann, allererst entspringt. Die Vor-Struktur des Imperativs ist wie für die Sprache so auch für den Willen und seine Selbstbeziehung in jedem Sinne determinierend. Denn absolut vorgängig, wie das Sprechen des Imperativs es sein muß, um jede Handlung, jede Sprach- und Verstehenshandlung zu bestimmen, ist es uneinholbar für jede von ihnen: unvollziehbar für einen Willen, der nur als von diesem Imperativ angesprochener wollen kann; unerreichbar für das Verstehen, das in jeder Bewegung doch unter seinem Diktat steht; unentsprechbar für die Sprache, in deren kleinstem Moment es doch seine

---

5. Cf. Kants Interpretation des Naturgesetzes als Daseinsgesetz in der *Grundlegung* ..., BA 52 sqq.

6. So in seiner frühen Schrift von 1763 *Der einzig mögliche Beweisgrund zu einer Demonstration des Daseyns Gottes* (A 8); so auch in der *Kritik der reinen Vernunft* (A 598/B 626). Cf. zum Problem: Martin Heideggers *Kants These über das Sein*, in: *Wegmarken*, Ffm 1967; pp. 273-307.

7. *Grundlegung* ..., BA 18.

Forderung geltend macht. Wenn der kategorische Imperativ die Bedingung der Möglichkeit eines in sich homogenen Willens und also des Willens überhaupt gibt, so gibt er als *absolut* vorgängige Sprachhandlung diese Möglichkeit doch zugleich als eine, der keine Wirklichkeit entsprechen kann, und als die Möglichkeit seiner Unmöglichkeit[8]. Was sich im kategorischen Imperativ ausspricht, ist nicht nur eine für den vernünftigen Willen konstitutive Forderung — ohne die er weder Wille, noch vernünftig sein könnte —, sie ist zugleich seine absolute Überforderung, unter der er den *unendlichen Abbruch*[9] seiner natürlichen Selbstbezogenheit, die Entwertung seiner Intentionen und die Demütigung noch seines Selbsterhaltungstriebs erleidet[10]. Unabweislich, aber unannehmbar, läßt die Überforderung durch das Gesetz den Willen seiner Endlichkeit innewerden. Das Gesetz ist das der Endlichkeit und Sprachlichkeit der Vernunft.

Die absolute Vorgängigkeit des Imperativs begründet also die Möglichkeit der Selbstbeziehung des Willens und entzieht sie ihm zugleich in eine uneinholbare Ferne. Die praktische Subjektivität des Willens erschöpft sich — erschöpft sich im doppelten Wortsinn — in dem unendlichen Bezug auf die von ihm selbst gestellte Aufgabe. Der Selbstbezug des Willens gründet in seinem unaufhaltsamen Entzug. Dasein als Wille kann er nur in der proleptischen Beziehung auf das Gesetz, das ihm vorgegeben, vorgesprochen ist, erstreben; aber sofern er um seiner selbst willen rein nur das Gesetz will, muß er sich selber zu wollen versagen. Erst wo aller subjektiven Intention Abbruch geschieht, tritt der Wille in seiner Freiheit, über alle endliche Gestalt *erhaben*, hervor. Daß der sich selbst wollende Wille sich selbst nicht will und sich nicht wollen will — diese äußerste *Selbstaufgabe* des Willens charakterisiert die ethische Konsequenz aus der Vor-Struktur des Imperativs als dem absoluten Versprechen: wer sich im Versprechen das Gesetz seines Wollens gegeben hat, kann in ihm kein selbstgesetztes Ziel seines Handelns mehr sehen. Im Gesetz sind die subjektiven Setzungsakte zu erlöschen bestimmt. Das gegebene Wort ist aufgegeben, und mit ihm das Geben selbst.

Handeln kann also erst dann vernünftig heißen, wenn der Imperativ, dem es folgen soll, als schlechthinniges Gebot vernommen wird, als Gesetz der Gesetzmäßigkeit überhaupt. Dies Vernehmen, das zur Vernunft bringt, ist aber nicht das einer positiven Gabe, die bereichern oder das Gefühl der Lust verschaffen könnte, sondern das des Entzugs aller Bilder, in

---

8. Ich wähle die Formulierung mit Bedacht, denn an ihr — wie an manchem anderen, z.B. der Struktur der *Selbstaufgabe* des Willens und der Vor-Struktur des Verstehens — kann die Affinität zwischen Heideggers *Existentialem Entwurf eines eigentlichen Seins zum Tode* und Kants Lehre vom kategorischen Imperativ deutlich werden. Die Nähe zwischen beiden ist so groß, daß sie zu der Annahme berechtigt, Heideggers Entwurf sei eine ingeniöse Transformation von Kants Theorie der praktischen Vernunft. Der Befund, Heidegger habe keine Ethik geschrieben, kann jedenfalls noch nicht heißen, er habe sich dem Problem der Ethik nicht gestellt. — Zur Verbindung von Verstehen und Sein zum Tode bei Heidegger cf. meinen Beitrag *Peut-être la question*, in: *Les fins de l'homme. A partir du travaille de Jacques Derrida* (ed. J.-L. Nancy/Ph. Lacoue-Labarthe); Paris 1981.

9. *Kritik der praktischen Vernunft*, A 131.

10. Cf. die Symptomenreihe der „pathologischen Gefühle", die von der Wirksamkeit des Gesetzes Zeugnis geben, angeführt im Kapitel *Von den Triebfedern der reinen praktischen Vernunft* in der *Kritik der praktischen Vernunft*.

denen sich empirische Personen ihr Dasein bestätigen könnten, das der Preisgabe aller Formen und Gestalten, die die Stabilität sinnlicher Erfahrung garantieren sollen, und eines *unendlichen Abbruchs* der gegenständlichen Realität. Vor dem Imperativ versagt das Vermögen der Darstellung: alles, was im Bereich des Vorstellens steht, bringt er zum Erzittern[11], und nur als dieses Erzittern — gleichsam als Vibrieren der Endlichkeit — teilt er sich in der *furchtbaren Stimme* des Gewissens mit[12]. Er ist die Darstellung des Undarstellbaren, die sich nur negativ, in der Dementierung jeder mimetischen, repräsentativen oder bedeutenden Gestalt artikuliert[13]. Alle Realität, die Gegenstand der Sprache sein kann — die Sprache selbst nicht ausgenommen —, bezieht ihre Geltung allein aus jener *res* des Gesetzes, die nicht unter Bedingungen der Gegenständlichkeit und folglich nicht unter solchen der darstellenden Sprache steht. Im Gebot tritt die imperative, im Gewissen die Urteils-, und strenger: die Verurteilungsfunktion des moralischen Gesetzes hervor; in beiden ist die Darstellungsfunktion der Sprache, die sich in Deskriptionen erschöpft, Sprachhandlungen gewichen, die auf der Inadäquation zwischen Aussagen und ihren Adressaten basieren. Das Gewissen ist also ein Wissen, das sich nicht als Aggregat von Kenntnissen über Tatbestände und Regeln definiert, sondern als tätiges Bewußtsein einer Disparität zwischen dem Gesetz und denjenigen, für die es gilt. Im Unterschied zu jener intimen Selbstbeziehung des Sich-Wissens, deren Relate sich spiegelförmig ineinander reflektieren sollen, ist das moralische Selbstbewußtsein, als das Kant das Gewissen definiert, das Bewußtsein nicht des Selbst, sondern der Differenz, die das Selbst der moralischen Person von dem der empirischen spaltet. Dieses Bewußtsein aus der Differenz — Kant spricht vom *doppelten Selbst und der zwiefachen Persönlichkeit, in welcher der Mensch ... sich selbst denken muß*[14] — kann denn auch nicht als *eigenes* Bewußtsein erscheinen, sondern nur als dasjenige, das ein auf mich irreduzibler anderer von mir hat[15]; die Stimme des Gewissens nicht als eine menschliche, sondern als die alles menschliche Maß übersteigende, *furchtbare Stimme* Gottes. Wenn im Gewissen das Gesetz der reinen praktischen Vernunft und darin der Wille zum Dasein dieses Willens sich ausspricht, so wird dieses Dasein nicht in affirmativer Aussage konstatiert, sondern im *Anspruch*, den der Wille an sich selber macht, nur gefordert; die Sprache des Gesetzes ist nicht die der Entsprechung, der Übereinkunft, der Wiedergabe oder der Repräsentation, sondern der Disparität und der Anweisung, der Dissoziation und des Dissens, der Vorhaltung und der Defiguration: in diesen Modi, die nicht eigentlich Modi, sondern in jeder Sprache das Absolutum ihres Sprechens sind, teilt sich kein Sein, sondern ein Seinsanspruch mit, der alles desavouiert, was ihm nicht zu entsprechen vermag. Der Grundsatz

11. Cf. die Metaphorik in § 27 der *Kritik der Urteilskraft: Von der Qualität des Wohlgefallens in der Beurteilung des Erhabenen*, p. 98.
12. *Metaphysik der Sitten* (Tugendlehre § 13), A 99).
13. Cf. zum Zusammenhang von moralischem Gesetz und Kunst in der Figur des Erhabenen: Jacques Derrida — *Le Colossal*, in: *La vérité en peinture*, Paris 1978; und meine Kleist-Studie *Das Beben der Darstellung*, in: *Positionen der Literaturwissenschaft* (ed. D. Wellbery), München 1984.
14. *Metaphysik der Sitten*, A 100.
15. Cf. Kants Explikation der Gerichtshofmetapher (l.c.), die Schopenhauer in seiner *Preisschrift über die Grundlage der Moral* (§ 9) verständnislos kritisiert.

des moralischen Selbstbewußtseins heißt nicht „ich bin", er heißt — und darum ist Selbstbewußtsein kategorisch und das heißt, im strengen Wortsinn, anklagend — „ich bin schuldig".

Dem Anspruch, den das Gewissen erhebt, kann zwar keine endliche Handlung entsprechen, aber die Stelle der ihm korrespondierenden Antwort wird von der Verantwortlichkeit besetzt. *Verantwortlichkeit, Redlichkeit, Aufrichtigkeit* — das sind die Tugenden, in denen Kant von der Hiob-Geschichte die *authentische Interpretation* der Welt *allegorisch ausgedrückt* findet[16]. Sie selbst, diese authentische, die Selbstinterpretation der praktischen Vernunft, ist imperativ. Der Wille interpretiert in der Form des Gesetzes und seine Interpretation ist, weil imperativ, kategorisch, ein Schuldspruch über die Differenz zwischen empirischer Interpretation und hermeneutischem Imperativ. Die Redlichkeit der Interpretation liegt aber darin, dieses Wissen der Differenz, das das moralische Selbstbewußtsein ist, zur Sprache kommen zu lassen. In ihrer Rede spricht sich *das Unvermögen unserer Vernunft*[17] aus, dem Gesetz der authentischen Interpretation Genüge zu tun; ihre Sache ist nicht Wahrheit, sondern Wahrhaftigkeit im Eingeständnis, sie nicht erreichen zu können. Weil ihr Gegenstand die Verschiedenheit von Gebot und Leistung des Verstehens ist, kann sie die Allegorie der authentischen Interpretation genannt werden.

Wenn alles praktische Handeln unter dem kategorischen Imperativ steht, so *a fortiori* das sprachliche. Unter der Perspektive praktischer Vernunft ist sprachliches Handeln nicht als Gebrauch linguistischer Instrumente zu Zwecken, die außerhalb dieses Gebrauchs liegen, sondern zunächst als Verfechtung des Anspruchs zu denken, Zweck in sich selber zu sein. Die spezifische Handlungsstruktur des Imperativs ist der Sprache als Bedingung ihres möglichen Daseins einbeschrieben. Bevor sie instrumentell, als *Verweisung* wirksam sein kann, muß sie sich bereits, praktisch, unter ihre eigene *Anweisung*, zu sein, gestellt und diese Anweisung in die Struktur ihres Sprechens aufgenommen haben. Sich selbst nicht entsprechend, wird die Sprache zur allegorischen Kundgabe der Differenz von sich. Sprache, als reine Selbstentsprechung im Gesetz, als Aussage, die Sachverhalten korrespondieren, und als Kommunikation, die singuläre Wirklichkeitserfahrungen verbinden könnte, ist nur versprochen. Sofern sich aber in diesem Versprechen die Sprache selber ausspricht, ist sie in sich uneinholbar sich selbst schon voraus. Die Redlichkeit der Interpretation bringt das zur Sprache, was in der individuellen Rede, der eigenen und der anderen, dem Allgemeinheitsanspruch des Gesetzes nicht genügt. Sie ist darin Agentin des Gesetzes, daß sie die Alterität des anderen nicht durch Vergegenständlichung verleugnet, sondern sie, allegorisch, *anders sagt* und dabei den Prozeß der Alteration, dem sie entspringt, selber in Gang hält.

* * *

16. *Über das Mißlingen aller philosophischen Versuche in der Theodizee*, A 218 sqq.
17. l.c.

Zwar fehlt es im Kreise der jungen Romantiker, bei Schleiermacher, Schlegel und Hardenberg nicht an Aperçus, bei Hegel und bei Schelling nicht an systematischen Erwägungen, in denen die versteckten Äußerungen Kants über das Verhältnis von Ethik und Hermeneutik, und genauer über eine Fundierung der Hermeneutik in einer Theorie der praktischen Vernunft weitergedacht werden; aber der einzige, der ihre prekäre Verbindung in den Mittelpunkt seiner philosophischen Aufmerksamkeit gestellt und dabei nicht aufgehört hat, implizit oder explizit, bewußt oder ohne sich über die Filiation Rechenschaft geben zu können, sich auf Kant zu beziehen, war Nietzsche. Wie weit Nietzsches Kenntnis eines von Schopenhauer und Kuno Fischer unverstellten Kant reicht; ob sie über das Studium des zweiten Teils der *Kritik der Urteilskraft* hinausging, die er im Zusammenhang einer 1868 geplanten Dissertation über *Die Teleologie seit Kant* einer genaueren Analyse unterzog, ist ungewiß, aber auch relativ belanglos für den Versuch, die Entfaltung des Zusammenhangs zwischen Moralphilosophie und Theorie der Interpretation an wechselnden historischen Gestaltungen, aber in systematischer Absicht zu untersuchen. Gewiß ist, daß schon Nietzsches früheste Aufzeichnungen zur Theorie der Rhetorik und der Interpretation in zwangloser, aber ersichtlich unzufälliger Nachbarschaft zu solchen über Probleme der Ethik stehen; daß ein Text wie der *Über Ethik* von 1868 argwöhnt, Ethik sei bislang auf Ästhetik gegründet worden, und erwägt, sie auf die *häßliche und unethische Wahrheit* zu gründen;[18] daß ein Text wie *Über Wahrheit und Lüge im außermoralischen Sinn* Moral als Verhaltenskonvention deutet und sie gleich der Wahrheit als eine Formation von lebenserhaltenden Fehldeutungen zu betrachten empfiehlt, von denen vergessen wurde, daß sie welche sind. Nietzsches Raisonnements über Moral, sämtlich unter die Optik ihrer geschichtlichen Entstehung gestellt, spinnen sich durch all seine ‚großen‘ Texte hindurch und schürzen die Fäden von Willensmetaphysik, Moralgeschichte und Interpretationstheorie in *Jenseits von Gut und Böse* und der ihm *zur Ergänzung und Verdeutlichung* beigegebenen *Genealogie der Moral* zum Knoten. In einem spät entworfenen und wahrscheinlich nur aus kompositorischen Gründen alsbald zurückgezogenen Abschnitt der Vorrede zur *Genealogie* weist Nietzsche mit großem Nachdruck auf die Universalität und den determinierenden Rang des Problems der Ethik als auf *einen ungeheuren und noch gänzlich unentdeckten Thatbestand* hin, der sich auch ihm nur *langsam, langsam festgestellt hat: es gab bisher keine grundsätzlicheren Probleme als die moralischen, ihre treibende Kraft war es, aus der alle großen Conceptionen im Reiche der bisherigen Werthe ihren Ursprung genommen haben.* Und er präzisiert: *Alles somit, was gemeinhin „Philosophie" genannt wird; und dies bis hinab in deren letzte erkenntnißtheoretische Voraussetzungen.*[19] Im Hinblick auf *noch grundsätzlichere Probleme als die moralischen* ist die Geschichte der moralischen zu schreiben, denn ihre Genesis allein kann klären, auf welchem Grund sie ruhen und wie dieser Grund die Konzeptionen der Philosophie und ihrer erkenntnistheoretischen Voraussetzungen bestimmt hat und noch weiterhin bestimmen kann. Daß in diesem Zusammenhang das Konzept der Genese und

18. Friedrich Nietzsche — *Gesammelte Werke* (Musarion-Ausgabe), München 1922; Bd. 1, p. 405.
19. Friedrich Nietzsche — Sämtliche Werke (Kritische Studienausgabe: KSA); (ed. Colli/Montinari); München/Berlin 1980; Bd. 14, p. 378.

das des Grundes als ihrerseits bloß moralisch begründet problematisch werden müssen, ist in der Überbietungsformel von den *noch grundsätzlicheren Problemen* zwar nicht ausgesprochen, aber doch schon angedeutet.

Zunächst indes und über weite Strecken seiner Argumentation hält Nietzsche der moralischen — und das heißt für ihn konventionalistischen — Suggestion von der Möglichkeit einer Geschichte der Moral die Treue. War für Kant das sittliche Bewußtsein ein nicht-empirisch begründetes und also von historischen Erfahrungen im Prinzip unabhängiges, sie allererst ermöglichendes Bewußtsein eines selbstgewirkten Gesetzes, durch das der Mensch sich als Vernunftwesen auszeichnet; so fragt Nietzsche gerade nach den historischen Bedingungen für dies moralische Bewußtsein und damit zugleich nach der für Kant bloß aporetisch zu denkenden Genesis des Menschen als eines autonomiefähigen Wesens. Er fragt nicht wie Kant nach der Struktur, sondern nach der Geschichte des freien Willens und folglich nach den geschichtlichen Bedingungen der Geschichte. Als Geschichte freilich — daran läßt auch Nietzsche, so rücksichtslos er die Rhetorik des historischen Diskurses ausbeutet, keinen Zweifel — kann diese Geschichte der Geschichte nicht erzählt werden: sie ist im strengen Sinne Vorgeschichte und, was immer das heißen mag, Natur. Und zwar eine *paradoxe* Natur, sofern sie als das Reich der Notwendigkeit diejenige Sphäre erzeugt haben soll, die als Reich der Freiheit im souveränen Individuum, im *Herrn des freien Willens*[20] Gestalt annimmt. Eine naturerzeugte Freiheit könnte nun in der Tat nur eine Freiheit *aus* Notwendigkeit, niemals eine *von* ihr sein —: es sei denn, Natur wäre selber schon das Reich der Freiheit oder eine Ordnung von Notwendigkeiten, die ihr Telos in der Freiheit des Menschen hätten. Aber nichts lag Nietzsche ferner als die Assimilation von Natur und Souveränität unter dem Begriff der Teleologie. Bereits in der Teleologie-Schrift von 1868 bestreitet er die von Kant postulierte Notwendigkeit, organisierende Ursachen als nach Zwecken wirksam vorzustellen, mit dem Hinweis auf die *coordinirte Möglichkeit*[21], diese Ursachen als unkalkulierbare Zufälle zu verstehen. Die Möglichkeit teleologischer Organisationen — so setzt er diesen Gedankengang in späteren Schriften fort — tritt erst dort auf, wo nicht mehr Mechanik und Zufall das Weltspiel bestimmen, sondern wo sich, beiden entsprungen, der autonome Wille als das Vermögen herausgebildet hat, Handlungen nach der Vorstellung selbstgesetzter Zwecke zu bewirken. Das zentrale Konzept der Ethik, die Selbstbeziehung des Willens, kann nur zur Interpretation, nie aber zur Erkenntnis der Natur dienen: so weit stimmt Nietzsche mit Kant überein. Er bestreitet aber die Notwendigkeit und den Ausschließlichkeitsanspruch dieses einen Interpretationsschemas, der es selber in den Rang einer Naturgesetzlichkeit erhebt und hinterrücks die Differenz zwischen Interpretation und Erkenntnis, zwischen Erkenntnis und ihren Gegenständen eskamotiert. Wenn aber vor dem historischen Auftauchen der Willensautonomie von einer *causa finalis* nicht die Rede sein kann, dann muß die souveräne Selbstbestimmtheit ihrerseits von Zufällen bestimmt sein; die Geschichte seiner Entstehung darf keine teleologische, sie muß eine Ge-

20. Friedrich Nietzsche — Werke in drei Bänden (ed. K. Schlechta) — künftig zitiert als N; München 1966; Bd. II. p. 801.
21. Musarion-Ausgabe, Bd. 1, p. 412/13.

schichte des Zufalls sein. Für die Struktur des Willens ergibt sich aus dieser geschichtstheoretischen Reflexion auf seinen kontingenten Ursprung ein Paradox, das dem des Willens unter dem kategorischen Imperativ ähnlich ist. Wenn der Wille rein sich selber will, muß er in Rücksicht auf seine Herkunft, die nicht unter seiner Macht steht, das wollen, was er nicht gewollt hat, nicht will und nicht wollen kann: sich selbst als Zufall und seine Autonomie als kontingent.

Nietzsche hat diese Kollision von Geschichte und autonomer Subjektivität, die zur Auflösung des tradierten Konzepts der einen wie der anderen führt, in der *Genealogie der Moral* mit großem Nachdruck und in verschiedenen Formen vorgeführt. Wie für Kant — und möglicherweise nicht ohne seinen Einfluß — ist für ihn das moralische Bewußtsein mit der Fähigkeit verbunden, Versprechen zu geben: *Ein Tier heranzüchten, das versprechen darf — ist das nicht gerade jene paradoxe Aufgabe selbst, welche sich die Natur in Hinsicht auf den Menschen gestellt hat? Ist es nicht das eigentliche Problem* vom *Menschen?...*[22] Das *Gedächtnis des Willens* ist die Bedingung für einen Willen, der sich selber Gesetz sein kann. Ein solches Willensgedächtnis denkt an das für die Zukunft gegebene Wort als eines, das sich auf deren gesamte Vergangenheit bezieht: in ihm denkt sich der Wille also nicht nur als unter Zeitbedingungen mit sich gleich und einförmig, er denkt sich nicht nur unter einer Regel, der er jederzeit entsprechen kann, und macht sich so zu einem gegen die Zeit selbständigen Bewußtsein seiner Freiheit, also zum *Gewissen* —: indem der Wille sein Wort gibt, gibt er sich überhaupt erst eine Zukunft und gibt sich Zeit und Geschichte. Die Selbstbeziehung des Willens in seinem Gedächtnis erzeugt seine Zeit. Die teleologische Zeit der Selbstantizipation des Willens in seinem Versprechen ist aber keine Phase innerhalb eines seinerseits schon teleologischen Zeitkontinuums: *niemand hätte sie versprechen dürfen.*[24] Das Versprechen läßt sich nicht versprechen. Es setzt als Sprachhandlung ein neues Faktum, dessen Antizipation selbst schon die Erzeugung dieses Faktums hätte sein müssen. Aber das Versprechen — und mit ihm die Zeit, die Selbstbeziehung des Willens und das Gewissen —, so wenig es versprochen werden konnte, war *vorbereitet* durch *die ungeheure Arbeit, die eigentliche Arbeit des Menschen am Menschen.*[25]

Die *Genealogie der Moral* ist eine Genealogie des Menschen und weiterhin eine Genealogie des Willens. Das zentrale Problem, vor das sie ihren Historiographen stellt, liegt darin, den Gang des Willens aus seiner exzentrischen Position, in der er noch nicht Wille ist, ins Zentrum seiner selbst so zu konstruieren, daß er nicht als der Gang eines seiner selbst schon mächtigen Willens erscheint. Deshalb wird die *petitio principii* in der Selbstbeziehungsformel von der *Arbeit des Menschen am Menschen* unter das Zeichen absoluter Äußerlichkeit gestellt: diese *eigentliche Arbeit*, in der der Mensch schon bei sich selber ist, ist eine *ungeheure Arbeit*, eine die nicht nur groß ist, sondern in der der Mensch sich selber unmenschlich fremd gegenübersteht. Das Eigentliche seiner produktiven Selbstbeziehung ist seine unaufhebbare Fremdheit gegen sich; seine Selbstaneignung ist das Inapprobierbare,

22. N II 799.
23. N II 800.
24. N II 802.
25. N II 800.

nicht Assimilation, sondern Alteration. Nicht weniger als die Natur steht die philosophische Geschichtsschreibung vor einer *paradoxen Aufgaben*, wenn sie den Willen zu konstruieren versucht; denn nicht bloß die Vorbedingungen des Willens, seien sie nun vorgeschichtlicher oder schon geschichtlicher Art, sondern, durch sie vermittelt, auch die Selbstbeziehung des Willens selbst entzieht sich dem Willen und damit jeder rationalen Konstruktion einer Geschichte, die seine *eigene* wäre. Wenn man von Hegel sagen könnte, er habe in der *Phänomenologie des Geistes* die Autobiographie des absoluten Wissens geschrieben, so muß man von Nietzsche sagen, er habe die Geschichte des Willens vom Standpunkt seines Zerfalls und nicht als die Geschichte des Willens *selbst*, sondern als eine Konstitutionsbewegung geschrieben, die der Macht des Willens ständig entgleitet. Seine Konstitution als Gesetz ist immer, weil sie vom Zufall betroffen werden kann und weil der Wille zunächst selber nicht mehr ist als Zufall, zugleich auch seine Dekonstitution. Seine Genese ist immer auch seine Degeneration. Diese Struktur des Willens und seiner Geschichte — wenn denn hier überhaupt noch sinnvoll von Struktur und von Geschichte gesprochen werden kann — hat für das Projekt seiner Genealogie die Konsequenz, daß sie nicht positivistisch ein konstituiertes Subjekt in seinen historischen Modifikationen beschreiben kann, sondern aktiv an der Konstitution dieses Subjekts und folglich an der Auflösung bestimmter Formen, die es angenommen hat, mitwirken muß. Die Geschichtsschreibung steht unter dem Imperativ, selber Geschichte zu machen. Sie kann dabei aber nicht umhin, gerade auch diejenigen Momente anzuerkennen, die sich der Autorität des Willens nicht unterwerfen. Geschichtsschreibung, die sich selber performativ versteht und an der Erzeugung eines souveränen, gesetzgebenden Willens mitzuwirken sucht, kann die Kontingenz, der er sich zu entwinden hat, nicht verleugnen, sondern muß sie durch Affirmation zu bannen suchen. Sie ist dazu auf ein Verfahren angewiesen, das Nietzsche als Interpretation bezeichnet, das aber mit ebenso gutem und besserem Recht als Umdeutung, Erdichtung und Verfälschung charakterisiert werden kann. Die Legitimation für eine radikal interpretierende Geschichtsschreibung bezieht Nietzsche aus der Vorgeschichte des Willens selbst. Denn eine Selbstbeziehung des Willens gibt es nicht, ohne daß der Wille bereits *als* Wille interpretiert wäre. Diese Interpretation gibt das Versprechen, durch das sich der kontingente Wille in ein gesichertes Verhältnis zu sich selber und damit zur Autonomie bringt. Die Selbstbeziehung des Willens wird im Versprechen erzeugt; dessen — *ungeheures* — Zentrum ist Interpretation.

Nietzsche entfaltet diesen Gedanken von der Interpretation des Willens in einer Geschichtsdichtung mit nachgerade mythologischem Zuschnitt. Sie handelt von dem welthistorischen Kampf zweier Rassen und gehört wohl zum Skandalösesten, was in der großen philosophischen Literatur je geschrieben worden ist. Aber lesbar ist der von Nietzsche beschriebene Rassen- und Typenkampf — und das mildert das politische und psychologische Skandalon seiner Konstruktion — als allegorische Inszenierung einer *gigantomachia peri tes ousias*. Er ist ein Kampf um den Willen und seine Macht, sich selbst zum Gesetz zu erheben. Wenn zu den Voraussetzungen des freien Willens gehört, daß er *berechenbar, regelmäßig, notwendig* geworden ist[26], dann dürfen diejenigen am wenigsten zu seinen Statthaltern

26. N II 800.

gezählt werden, denen augenscheinlich Nietzsches größte Gunst gehörte: die vornehmen Rassen. Denn sie werden charakterisiert als *toll, absurd, plötzlich*, ihre Unternehmungen als *das Unberechenbare, das Unwahrscheinliche selbst*[27]. Zum Gedächtnis des Willens unterhält der Gegentyp zur „blonden Bestie", der Mensch des Ressentiment hingegen die direktesten Beziehungen: *er versteht sich auf das Schweigen, das Nicht-Vergessen, das Warten, das vorläufige Sich-verkleinern, Sich-demütigen.*[28] Sind die Vornehmen *mit Kraft überladene, folglich* notwendig *aktive Menschen*[29], deren Spontaneität sich unmittelbar in Handlungen äußert und, wo sie daran gehindert wird, sich im Vergessen verliert; sind sie also die *leibhafte Vergeßlichkeit*[30] und der Inbegriff der Notwendigkeit und der Indifferenz von Wille und Tat — deren Identität Kant allein einem göttlichen Wesen vorbehalten hat; aber Nietzsche, nicht weit davon entfernt, den Guten, den Goten, den Göttern und Goethe)[31] —; so ist der Typ des Ressentiments der des Aufschubs, des Umwegs, derjenige, der das *wahlfreie „Subjekt" nötig* hat und es deshalb von seiner Tat unterscheidet. Die Vorstellung der Freiheit und in deren Gefolge sie selbst hat also ihren Ursprung in der Sphäre derer, die durch ihren Mangel an Kraft zur Identität von Wille und Tat, von Subjekt und Handlung nicht *genötigt* sind. Das Vermögen zur Selbstbestimmung des Willens und mithin die Souveränität geht von dem Unvermögen aus, den Willen blitzartig in die Aktion umschlagen zu lassen. Die Möglichkeit, die Wahrheit zu sagen, gründet im Zwang zur Lüge. Die Fähigkeit, sein Wort zu geben, verdankt sich denen, die es zurückhalten, verfälschen und seinen ursprünglichen Sinn, den es nur in Einheit mit dem Wortzeichen selbst hatte, zum Schweigen bringen.

Nietzsche demonstriert die Fähigkeit des Ressentiments, ein Faktum, dessen Gewalt es nicht standhalten kann, umzudeuten und das Bedeutungslose in die Sprache differentieller Verweisungen zu übertragen, an dem allerdings schlagenden Beispiel eines Satzes über den Blitz von der Art „Der Blitz leuchtet". *Ebenso nämlich, wie das Volk den Blitz von seinem Leuchten trennt und letzteres als Tun, als Wirkung eines Subjekts nimmt, das Blitz heißt, so trennt die Volks-Moral auch die Stärke von den Äußerungen der Stärke ab, wie als ob es hinter dem Starken ein indifferentes Substrat gäbe, dem es freistünde, Stärke zu äußern oder auch nicht. Aber es gibt kein solches Substrat; es gibt kein „Sein" hinter dem Tun, Wirken, Werden; „der Täter" ist zum Tun bloß hinzugedichtet — das Tun ist alles. Das Volk verdoppelt im Grunde das Tun, wenn es den Blitz leuchten läßt, das ist ein Tun-Tun: es setzt dasselbe Geschehen einmal als Ursache und dann noch einmal als deren Wirkung.*[32] Die Sprache trennt — und sei's durch schiere Verdoppelung — das Geschehen von sich selbst. Sie löst ein Ereignis in imaginäre Konstituentien auf, zerfällt es in eine grammatikalische Relation zwischen einem Subjekt und einen Prädikat, in eine komplementäre Kausalrelation von Ursache und Wirkung und führt auf diese Weise — *Verführung der Sprache* ist ein Topos in Nietzsches erkenntniskritischen Reflexionen — vom faktischen Geschehen und seiner traumatischen Erfahrung

27. N II 785.
28. N II 784.
29. N II 783.
30. N II 802.
31. N II 777.
32. N II 789/90.

ab. Indem sie das Ereignis artikuliert, verdeckt es die Sprache. Angemessenheit an seinen Gegenstand kann vom Satz „Der Blitz leuchtet" nicht beansprucht werden, denn ist der Blitz die verweisungs- und bedeutungslose Identität seines Erscheinens und seines Seins, so ist der Satz ein Verweisungsgefüge, das als Erscheinung auf ein außer ihr liegendes Sein referieren soll. Indem die Sprache das Ereignis in Subjekt und Prädikat auseinanderspaltet, suggeriert sie hinter der ersten eine zweite Welt der idealen, unbewegten, in sich feststehenden Wesenheiten und Gründe. Die Sprache immobilisiert das Werden zum Sein und setzt sein Wirken zu dessen bloßer Erscheinung herab. Kurz: Die Sprache legt auseinander, was zusammengehört, und legt aus, indem sie, was nicht existiert, erdichtet.[33] Die Freiheit selbst hat kein substantielles Sein, sie gewinnt es erst durch ihre sprachliche Auslegung *als* Freiheit an der Stelle und zu dem Zeitpunkt, da sie bereits vergangen ist, durch *jene sublime Selbstbetrügerei..., die Schwäche selbst als Freiheit, ihr So-und-So-sein als Verdienst auszulegen.*[34]

Dieser Idealismus der Sprache hat im Geist des Ressentiment nicht seinen Grund, aber den Grund für sein hartnäckiges Fortleben. Denn mit Hilfe ihrer Grammatik und *der in ihr versteinerten Grundirrtümer der Vernunft* kann das Ressentiment sein *Nein* artikulieren: sein *Nein zu einem „Außerhalb", zu einem „Anders", zu einem „Nicht-Selbst"*[35]. Nietzsches Blitz ist ein Beispiel für das *Treiben, Wollen, Wirken* und *Werden*[36], für das immediate Ja zu sich selbst und für seine Agenten in der pseudo-historischen Geschichte, die Nietzsche ihm schreibt, für *irgendein Rudel blonder Raubtiere: sie kommen wie das Schicksal, ohne Grund, Vernunft, Rücksicht, Vorwand, sie sind da wie der Blitz da ist, zu furchtbar, zu plötzlich, zu überzeugend, zu „anders", um selbst auch nur gehaßt zu werden.*[37] Gegen diesen Blitz des Ja, die schiere Alterität des Werdens und an sich Verschwindens, muß sich, damit er selbst *etwas* sei und damit unter seinem Schlag nicht alles verschwinde, ein Nein wenden, das ihn hemmt, verzögert, aufschiebt, auseinanderlegt. Die spekulative Grammatik des Ressentiment ist die apotropäische Auslegung und Auseinanderlegung des Blitzes, ihr Satz das artikulierte und artikulierende Nein zu dem wesentlich unartikulierten, ungegliederten Ja des Willens. Während das *Ja-sagen zu sich selbst*[38] sinn- und bedeutungsunfähig sich unmittelbar auf sich selbst und nie auf einen ihm äußerlichen Gegenstand bezieht, Sprachakt *par excellence,* der in der punktuellen Intensität des Blitzes verglüht, weil es in ihm keine Differenz zwischen Täter und Tun, Tat und Wirkung, Außen und Innen, keinen Rückhalt und keine Vorbedingung, keine Zurückhaltung und kein Vorbild gibt, verdoppelt das Nein der Auslegung dies Ja, spaltet es zu einem Tun-Tun und zieht ihm als einem festgestellten Subjekt-Substrat sein Tun als eine austauschbare Maske über. Auf diese Weise wird das Ja, das der Sprache als einem konventionellen Bedeutungssystem strictu sensu nicht angehören kann, weil es die Sphäre reinen Sprechens meint, in eine sprachliche Relation aufgelöst, deren einzelne Glieder mit einer stabilen Funktion und Bedeutung ausgestattet sind, aber das, wo-

33. Cf. dazu weiter N II 600, 615 sq, 959 sq.
34. N II 791.
35. N II 782.
36. N II 790.
37. N II 827 (Meine Hervorhebung).
38. N II 782.

von sie sprechen, konstitutiv verfehlen. Das Wollen, das an sich selbst schon die Tat ist, wird durch seine Disjunktion in Wille und Wollen zur bloßen Möglichkeit des Wollens vermindert. Es wird, indem es zur Sprache gebracht wird, in einen Willen und ein Wollen auseinandergelegt, zu dem dieser Wille fähig, aber nicht genötigt sein soll.

Aber der Wille will nicht. Er ist die einfache Tautologie des Wollens, subjektlos, intentionslos, gegenstandslos. Wenn die Sprache das Wollen zum bloßen Prädikat des Willens macht, das ihm zugesprochen oder abgesprochen werden kann, dann ist die Sprache nicht der Ort des Willens, sondern des Ressentiments gegen den Willen. Sie ist es, die den Willen vom Wollen isoliert und ihn auf diese Weise, durch auslegende Fiktion, unabhängig macht. Selber unfrei, macht sie den Willen frei. Und nur wo der Wille frei ist von seinem Wollen, kann er sich *als* Wille selbst zum Gesetz machen und sich diesem Gesetz frei unterwerfen. Der freie Wille ist der Wille des Ressentiment. Durch seine Auseinanderlegung kann sich die Unfähigkeit des Ressentiment, Wille in Einheit mit der Tat zu sein, als seine Fähigkeit auslegen, diese Identität nicht zu wollen. Das Unvermögen, zu wollen, legt sich durch die Auslegung einen Willen bei. Die Hermeneutik des Ressentiment — das *hermeneuein* der Sprache — ist die Kunst, die schlechthinnige Andersheit des Wollens als Willen des anderen auszulegen, die Bewegung des Wollens von sich selbst zu distanzieren und festzustellen und noch das Willensdefizit zum Willen umzudeuten. Diese Auslegung, selbst subjektlos und unfrei, ist die Erfindung des Subjekts, der Freiheit und des Sinns. Aber in eben dem Maße, wie durch sie der Wille verraten wird, wird er, der an sich selber verschwindet, durch seine Auslegung auch gerettet. Die schiere Alteration, die im Sprachakt des Ja sich bekundet, ist auch in ihrer Auslegung am Werk, denn sie nimmt auf die ihr „eigene" Struktur keine Rücksicht, unterwirft sie, Tat die sie ist, einer gewaltsamen Veränderung, hat selber weder Grund noch Vernunft. Die Auslegung ist die Alteration, der die Alteration sich überlassen muß, wenn anders sie nicht aufhören will, das absolut Andere zu sein.

Es ist durch die rhetorische Suggestivität, mit der Nietzsche die Welt in eine des aktiven und eine des reaktiven Willens, in eine des Ja und eine des Nein, der vornehmen Raubtiere und der dumpfen Herden aufteilt, zwar weithin verdeckt, aber in zentralen Passsagen seiner Abhandlungen und Fragmente doch hinreichend deutlich, daß das Ja ebensowenig eine selbständige Größe wie das Nein, die Reaktion nicht weniger aktiv ist als der spontane Akt, das Ressentiment zur Struktur des Vornehmen selber gehört. Der im arithmetischen Wortsinn zentrale Aphorismus[39], der 18. der zweiten Abhandlung, der *Genealogie der Moral* interpretiert den organisierenden Gewaltakt der *Herren-Rasse* an dem bis dahin ungestalteten *Rohstoff von Volk und Halbtier*, den der 17. Aphorismus darstellt, als einen Akt der *Selbst-Vergewaltigung* der *mit sich selbst willig-zwiespältigen Seele, welche sich leiden macht, aus Lust am Leiden-machen*[40]. Diese Selbstbeziehung, deren einzelne Relate sich noch wie Spontaneität und Rezeptivität, wie Ja und Nein zueinander verhalten, aber in sich, anders als in den vorangehenden und nachfolgenden Reflexionen, die Akteure ihres Dramas als Figurationen des einen Selbst darstellen —; diese Selbstbeziehung wird noch

---

39. Der 18. Aphorismus aus der Zweiten Abhandlung der *Genealogie der Moral* ist bei durchgehender Zählung der 35. der insgesamt 70 Aphorismen des Buches.
40. N II 828.

überboten durch diejenige, in der das Nein, der Widerspruch, das Ressentiment sich zu sich selber verhält und aus dieser Selbstbeziehung der Passivität — einer Passivität vor aller Passivität — *eine Fülle von neuer Schönheit und Bejahung ans Licht bringt und vielleicht überhaupt* die Schönheit... *Was wäre denn „schön", wenn nicht erst der Widerspruch sich selbst zum Bewußtsein gekommen wäre, wenn nicht erst das Häßliche zu sich selbst gesagt hätte: „ich bin häßlich?"...* Die Schönheit, die in der *aristokratischen Wertgleichung* neben der Macht, dem Glück und dem Guten steht[41], entspringt nicht einer selbstgenügsamen Setzung, nicht der unmittelbar positiven Selbstbeziehung des Willens zur Macht, auch nicht der Einwirkung dieses Willens auf einen ihm entgegenstehenden Stoff, sondern der Selbstverneinung des Nein, der Spaltung im Häßlichen, der Selbstaffektion bloßer Rezeptivität.

Entsprechendes — denn die Schönheit steht hier nur als Beispiel für den Willen zur Macht als organisierendem Kunstinstinkt — gilt für das Sein, die Realität und die Wahrheit: Das für die vornehme Rasse *ausgeprägte Wort* ἐσθλός *bedeutet der Wurzel nach einen, der ist, der Realität hat, der wirklich ist, der wahr ist...*[42] Wenn dem Guten, Wahren, Schönen Sein zukommt, so nicht, wie noch das Beispiel des Blitzes als unmittelbarer Identität von Sein und Erscheinung glauben machen konnte, aus seiner einfachen Selbstaffirmation, sondern aus der Selbstaffektion dessen, was nicht *ist*. Was immer „vornehm" heißen kann, entspringt der Selbstnegation des Ressentiment; das Ja dem Nein, das sich gegen dieses Nein kehrt. Und Nietzsche — selbst ein Künstler eben des Versteckspiels, das er als Genie des Ressentiment diffamiert — deutet, aber deutlich genug, an, daß selbst der Wille nicht als Gegebenes, sondern als Ergebnis der Selbstverneinung eines Willensdefizits zu denken ist. *Die aktive Kraft..., eben jener Instinkt der Freiheit (in meiner Sprache geredet: der Wille zur Macht)...genießt es,...sich selbst als einem schweren widerstrebenden leidenden Stoffe eine Form zu geben, einen Willen, eine Kritik, einen Widerspruch, eine Verachtung, ein Nein einzubrennen,...*[43] Der Wille selber, so geht aus diesem Asyndeton hervor, ist das Nein und der Widerspruch, den der Wille sich entgegenhält, selber die Form, die ihn begrenzt, die Kritik, die ihn von sich abspaltet, und selber die Verachtung, die ihn zu einem Pathos der Distanz macht. Der Wille und, da er in diesem Zusammenhang ganz im früher kommentierten Sinn des bloßen Wollens zu verstehen ist —: das Wollen selber ist kein Wollen, solange es nicht durch die Eröffnung einer Distanz von sich getrennt, durch seinen Zwiespalt auseinandergerissen und auf diese Weise beschränkt, geformt, geprägt und typisiert ist —: ausgelegt worden ist.

Ebensowenig wie den Willen, gibt es die reine Alterität des Wollens ohne die Intervention der Auslegung. Die beiden Sätze „Der Wille zur Macht brennt sich selbst einen Willen ein" und „Ich bin häßlich, deshalb gibt es die Schönheit" sind Variationen auf ein und dieselbe Struktur der Generierung des Ja aus der Selbstverneinung des Nein. Erst durch die immanente Repulsion der Alteration tritt das Positivum der Schönheit hervor; erst wo sich die rückhaltlose Selbstpreisgabe selber preisgibt, wird der Wille zum Subjekt eines Han-

41. N II 799.
42. N II 776.
43. N II 828.

delns nach Gesetzen. Nicht die Negation des Anderen seiner Selbst — das wäre die Hegelsche Formel —, sondern das Nein zum Selbst der bloßen Andersheit, die Veränderung der Veränderung bringt das Selbst des Willens und den Willen selbst hervor. Der Zwiespalt im Willen ist nicht als Beziehung zweier vorhandener Willen oder Willensmodi zu denken, sondern als eine Beziehung, die den Willen allererst zum Willen determiniert. Der Zwiespalt ist der Unterschied, von dem her seine beiden Terme sich ergeben. Nur als einen *willig-zwiespältigen* gibt es den Willen. Der Wille ist erst vermöge seiner Auseinanderlegung.

Der Zwiespalt im Willen; der Spalt, Sprung, Bruch, der den Willen enspringen läßt, ist wesentlich Artikulation, ein sprachlicher Akt. Nietzsche kehrt diesen entscheidenden Zug im Selbstverhältnis des Willens durch die sprachkritischen Reflexionen, mit denen er seine Texte durchschießt, und durch die Metaphorik von Schrift und Sprache hervor, die er zur Charakterisierung der konstitutiven Willensakte verwendet: wenn nicht erst das Häßliche zu sich selbst *gesagt* hätte: „ich bin häßlich"; diese Lust, sich selbst...einen *Widerspruch*, ...ein *Nein einzubrennen*. Der Zwiespalt öffnet sich jeweils in der Form des Redens oder des Schreibens, des Einritzens, Einbrennens, Einprägens, in all denjenigen Formen psychischer und physischer Marter, die Nietzsche zur *Mnemotechnik* des Willens rechnet, wie das Rädern, das Vierteilen, das Schinden und die Kastration —: sämtlich Formen, durch die *ein paar Ideen...unauslöschlich, allgegenwärtig, unvergeßbar, „fix" gemacht werden* sollen.[44] Rede und Schrift, die hier als Unterbrechungen eines physischen und psychischen Kontinuums erscheinen könnten, müssen aber, wenn es um die Genese des noch nicht konstituierten Willens geht, einen anderen Status als den des Fremdkörpers in einem homogenen Zusammenhang oder den der Wunde in einem zuvor unverletzten Körper haben. Sie sind — entsprechend der Formel von der Selbstverneinung des Nein — die Wunde, die dem Körper vorausgeht, und die Unterbrechung, aus der das Kontinuum resultiert. Daß der Wille sich sprachlich artikuliert und daß er ohne diese Artikulation nicht Wille ist, macht ihn zu einem Effekt der Auslegung. Aber das, was ihm durch Sprache und Schrift, durch Verstümmelung und Kastration, durch seine Auslegung und Auseinanderlegung — sie alle gehören für Nietzsche zu den *Mnemotechniken* — eingeprägt wird, sind *fünf, sechs „ich will nicht"...*, *in bezug auf welche man sein* Versprechen *gegeben* hat.[45] Der Wille brennt sich selber einen Willen ein, indem er sich ein „ich will nicht" einprägt. Der gesetzesfähige Wille, derjenige, der sich als Sprache artikulierend Versprechen geben kann, ist ein Wille, der nicht *will*, sondern seine Auseinanderlegung, sein Versprechen, sein Gesetz und darin sein Nicht-Wollen will. In seinem Gesetz will er aber nicht ein bestimmtes Gesetz, eine bestimmte moralische Konvention, sondern das Gesetz der Gesetzmäßigkeit selbst, das — wie bei Kant — erst die Möglichkeitsbedingungen moralischer Gesetzgebungen darstellt. In diesem Gesetz des Willens, sein Nicht-Wollen zu wollen, im Gesetz der Auslegung hat Nietzsche eines jener *noch grundsätzlicheren Probleme als die moralischen* formuliert. Seine Gefahr liegt in der Verflechtung mit dem moralischen Gesetz, die den Willen dazu führt, statt sich dem Gesetz seiner Auslegung zu fügen und nicht wollen zu wollen, das Nichts zu wollen...

44. N II 802/03.
45. N II 803.

Der Wille zur Macht interpretiert — so heißt es in einer berühmt gewordenen Notiz aus Nietzsches Nachlaß.[46] Damit ist gesagt, daß das Interpretieren kein zufälliges, sondern ein notwendiges Prädikat des Willens zur Macht ist; daß, wo immer der Wille am Werk ist, er als Interpetieren auftritt, und daß der Wille zur Macht selbst Interpretieren ist. Nietzsches kursorische Bestimmungen des *Wesens der Interpretation* als *Vergewaltigen, Zurechtschieben, Abkürzen, Weglassen, Ausstopfen , Ausdichten, Umfälschen*[47] folgen nicht zunächst dem philologischen Charakter der Interpretation — es ist nicht um sie, sondern um ihr *Wesen* zu tun —, sie folgen vielmehr denjenigen Bestimmungen, die sich andernorts für den Willen selber finden. *Der Wille zur Macht interpretiert* besagt aber weiterhin, daß das Interpretieren, das er ist, sich als *Selbst-Vergewaltigung* zuerst auf ihn selber bezieht —: daß das Interpretieren als das Auseinanderlegen jene Spaltung ist, dem der Wille selber sich verdankt.

Aus der Auslegungs-Struktur des Willens folgt nun zunächst, daß der Wille — entgegen einer von Nietzsche in vielem geförderten Suggestion und entgegen einer Deutung seiner Philosophie, die ihn, wie insbesondere die Heideggersche, zum transzendentalen Subjekt hypostasiert — nicht das Subjekt der Auslegung ist. Daß der Wille zur Macht Subjekt der Interpretation sei, ist bereits das Ergebnis einer Interpretation, die durch die Restriktionen der Sprache und weiterhin durch den Prozeß der Interpretation selbst der Vernunft aufgezwungen wird. Nietzsche sieht sich hier vor der Aufgabe, eine kopernikanische Wende herbeizuführen, für die nicht mehr der Wille, sondern gleichsam die Wendung selbst, die Veränderung und die Dezentrierung im Zentrum der Welt steht. In der *Götzendämmerung* schreibt er dazu: *Es steht damit nicht anders als mit den Bewegungen des großen Gestirns: bei ihnen hat der Irrtum unser Auge, hier hat er unsere Sprache zum beständigen Anwalt. (...) Das sieht überall Täter und Tun: das glaubt an Willen als Ursache überhaupt; (...) Das Sein wird überall als Ursache hineingedacht,* untergeschoben; *aus der Konzeption „Ich"folgt erst, als abgeleitet, der Begriff „Sein"...Am Anfang steht das große Verhängnis von Irrtum, daß der Wille etwas ist, das* wirkt — *daß Wille ein Vermögen ist...Heute wissen wir, daß er bloß ein Wort ist...(...) Ich fürchte, wir werden Gott nicht los, weil wir noch an die Grammatik glauben...*[48] Nicht der Wille interpretiert, sondern die Interpretation bringt die Vorstellung vom Willen als Subjekt der Interpretation erst hervor — und mit ihr die Vorstellung von Gott. Eine späte Notiz konstatiert: *Man darf nicht fragen:„wer interpetiert denn?" sondern das Interpretieren selbst, als eine Form des Willens zur Macht, hat Dasein (aber nicht als ein „Sein", sondern als ein Prozeß, ein Werden) als ein Affekt.*[49]

Die zweite entscheidende und Nietzsches Theorie der Interpretation von der voraufgehenden Hermeneutik unterscheidende Konsequenz aus der Auslegungs-Struktur des Willens betrifft sein Verhältnis zum Gegenstandsbereich und zur Gegenständlichkeit dessen, worauf er sich bezieht. Gehen zum Beispiel Schleiermacher und die Theoretiker der Romantik davon aus, daß jede Auslegung sich auf ein sprachliches oder semiotisches Faktum bezieht, um den in ihm niedergelegten Sinn zu rekonstruieren, so meint Nietzsches Begriff

46. N III 489.
47. N II 890.
48. N II 959/60.
49. N III 487.

der Auslegung den Prozeß, in dem sich so wie der Wille, das Wahrnehmungsbewußtsein und seine Perspektivik auch seine Objekte erzeugen. Auslegung ist nicht der Prozeß ihrer Rekonstruktion, sondern ihrer Konstituierung. Hinter dieser Überlegung, daß der Bereich der Gegenständlichkeit nicht unmittelbar erschlossen ist, sondern in geschichtlich wechselnden Gestaltungen immer neu umrissen werden muß — man könnte sie historisch-transzendentalistisch nennen —, verbirgt sich kein sublimierter Subjektivismus. Im Gegenteil insistiert Nietzsche mit dem Pathos des Philologen darauf, daß ein Text *als Text* müsse abgelesen werden können, *ohne eine Interpretation dazwischen zu mengen;* aber mit dem Ethos des Philosophen stellt er im gleichen Satz fest, die Fähigkeit, einen Gegenstand oder eine Erfahrung ohne perspektivische Verzerrungen zu erfassen, sei *die späteste Form der „inneren Erfahrung" — vielleicht eine kaum mögliche...*[50] Die interpretationsfreie Erfahrung ist selber das Produkt der Interpretationsgeschichte. Sie kann sich erst dort einstellen, wo die Vernunft ihre Fähigkeit in Zweifel zieht, die Wirklichkeit, wie sie an sich ist, zu begreifen. In einer hintersinnigen Verteidigung des Kantischen Begriffs vom intelligiblen Charakter der Dinge sieht er in der Vergewaltigung und Grausamkeit an der Vernunft, die darin von der Vernunft selber betrieben wird, *das Vermögen, sein Für und Wider in der Gewalt zu haben und aus- und einzuhängen: so daß man sich gerade die Verschiedenheit der Perspektiven und der Affekt-Interpretationen für die Erkenntnis nutzbar zu machen weiß.*[51] In dem Maße, in dem die Perspektiven des Willens und seine *interpretierenden Kräfte* multipliziert werden, wächst die „Objektivität" der Erkenntnis; sie kann aber nur deshalb wachsen, weil sich die Perspektiven des Willens durch diese Multiplikation selbst desavouieren. Das höchste Maß an Objektivität würde die Erkenntnis deshalb erst erreichen, wenn der Wille überhaupt eliminiert, der Intellekt ‚kastriert' wäre. Mit ihm verschwindet aber in dem Augenblick, wo ein Text *als Text* abgelesen werden kann — in dem Augenblick ohne die Perspektive, *durch die doch Sehen erst ein Etwas-Sehen wird*[52] —, der gesamte Bereich der Gegenständlichkeit. Der Gegenstand, wo er rein erscheint, ist Nichts.

Aus der Auslegungs-Struktur des Willens folgt weiterhin, daß sich der Gedanke der Totalität, der sich mit dem Begriff der Erkenntnis verbindet, nicht länger aufrechterhalten läßt. Es kann weder als ausgemacht gelten, daß *alles Dasein essentiell ein* auslegendes *Dasein ist,* noch ist eine Gewißheit darüber zu erreichen, daß es ein anderes als ein bloß auslegendes Dasein gebe. *Die Welt ist uns (...) noch einmal „unendlich" geworden: insofern wir die Möglichkeit nicht abweisen können, daß sie unendliche Interpretationen in sich schließt.*[53] Diese *unendlichen Interpretationen* sind aber keine, die dem Menschen sämtlich zugänglich wären und das geschlossene Universum der Erkenntnis zur offenen Welt polyperspektivischer Deutung erweitern könnten. Da sich der Gedanke einer Unendlichkeit möglicher Interpretationen von der einen menschenmöglichen nicht abweisen läßt, gibt es für sie keinen Grund, einen privilegierten Zugang zur Welt zu beanspruchen, der ihr erlauben könnte, alle möglichen Interpretationswelten in einer Welt von Welten zu vereinigen und in ihr die

50. N III 805.
51. N II 860.
52. N II 861.
53. N II 250.

Erkenntnistotalität herzustellen, die jeder einzelnen von ihnen fehlt. Als bloß eine von unendlich vielen möglichen Interpretationen ist die menschliche eine radikal endliche. Selbst wenn sich ihre Perspektive multiplizieren könnte, bliebe noch eine Unendlichkeit anderer Perspektiven übrig, die sie nicht einnehmen kann, eine Unendlichkeit von Interpretationen, die für sie unausschöpfbar wäre. Solange aber noch andere Möglichkeiten offen sind, bleiben die wahrgenommenen unfähig, die Welt zu erfassen, und unzureichend, einen vollständigen Begriff vom Interpretieren selbst zu gewinnen. Die Möglichkeit unendlicher Interpretationen macht den Begriff der Interpretation selber kontingent. Daß die Welt, die Perspektive des Willens, die Interpretation eine jeweils andere sein könnte: dieses unausschöpfbare Potential anderer Möglichkeiten trägt in den Begriff der Interpretation selbst eine unkontrollierbare Alterität ein und verbietet, strenggenommen, von der Interpretation *selbst* zu reden.

Eine vierte Konsequenz aus Nietzsches Theorie der Interpretation betrifft den tradierten Begriff der Wahrheit als *adaequatio*. Von einer Anmessung einer exegetischen Aussage an einen Gegenstand kann nur dann sinnvoll die Rede sein, wenn der Gegenstand der Aussage vorgegeben ist. Eine Interpretation kann dem Interpretandum nur dann entsprechen oder es nur dann verfälschen, wenn dies Interpretandum eine gegen jede mögliche Interpretation selbständige Wirklichkeit hat. Eine Theorie des Interpretierens, die nicht von der Gegebenheit, sondern von der Konstitution ihrer Gegenstände handelt, kann keine Korrespondenztheorie der Wahrheit, sondern nur eine Theorie ihrer imperativen Setzung sein. Über das Wollen — und Interpretieren ist eine Form des Willens — notiert Nietzsche in einem Fragment aus der Zeit der *Götzendämmerung: „wollen"* ist nicht *„begehren", streben, verlangen: davon hebt es sich ab durch den Affekt des Commandos.*[54] Die Wahrheit des Interpretierens ist imperativ. Der Wille gebietet, und was diesem Gebot des Willens entspricht, hat als seine Entsprechung Wahrheit. Nun gebietet aber der Wille vermöge seiner Interpretation zunächst nur sich selbst als dem Willen noch nicht entsprechend. Da der interpretierende Wille strukturell imperativ ist, muß seine Entsprechung ausbleiben. Nur im Gesetz

---

54.KSA Bd. 13, p. 54. — Heidegger hat den Befehlscharakter des Willens energisch akzentuiert in Nietzsches Wort „Gott ist tot" in: *Holzwege,* Ffm 1950; p. 216 sq.: *Der Wille ist kein Wünschen und kein bloßes Streben nach etwas, sondern Wollen ist in sich das Befehlen.* (...) *Wille ist das Sichzusammennehmen in das Aufgegebene.* (...) *Als Befehlen stellt sich der Wille mit sich selbst und d.h. mit seinem Gewollten zusammen.* Ebenso wie in seinen Vorlesungen über Nietzsche, insbesondere in dem Abschnitt über *Wahrheit als Gerechtigkeit,* identifiziert aber Heidegger den Willen durchgängig mit seinem Imperativ, *stellt* ihn mit ihm *zusammen,* statt ihn *unter* ihn gestellt zu sehen, und verleugnet in der Rede von seinem *Sichzusammennehmen* seine *Auslegungs*-Struktur. Daher seine Interpretation von Nietzsches Philosophie als Subjektitäts-Metaphysik. — *Gegen* Heideggers Deutungen läßt sich für die Lektüre Nietzsches ebensoviel lernen wie *von* Jean-Luc Nancys *„Notre Probité!" (sur la vérité au sens moral chez Nietzsche),* in: *Revue de Théologie et Philosophie* 112 (1980), pp. 391-407. Zwischen Manuskriptabschluß und Fahnenkorrektur lese ich Nancys *L'impératif catégorique* (Paris 1983) — in den auch der eben zitierte Text aufgenommen ist — und bemerke mit Vergnügen die Nähe zwischen seiner und der hier entwickelten Interpretation des kantischen Imperativs.

des Willens als der Anweisung, sich selbst zu entsprechen, kommt er als in einem Korrespondenzrest mit sich selbst überein. Seine Auslegung — und ihre Wahrheit: er selbst — bleibt ein Versprechen.

Rodolphe Gasché

THE STELLIFEROUS FOLD:
ON VILLIERS DE L'ISLE - ADAM'S *L'EVE FUTURE*.

In a letter dated October 17, 1846, Flaubert advised Louise Colet against reading criticism: "I would just like to know", he wrote, "what poets throughout history have had in common, as far as their work ist concerned, with those who analysed it." Naming Aristotle, Boileau, and A.W. Schlegel to prove his contention that there is an unbridgeable gap between the act of criticism and creative force, Flaubert added: "And when the translation of Hegel ist finished, Lord knows where we will end up!"[1] Flaubert wrote these lines thirteen years before the appearance of the first French translation of a Hegelian work, by the Italian A. Véra. Véra's translations of Hegel, as well as his *Introduction à la Philosophie de Hegel* (1855), were indeed to have an effect not unlike that predicted by Flaubert, providing the epithet "Hegelian" to the critic who wished to characterize the work of writers who, like Mallarmé and Villiers de l'Isle-Adam, had become acquainted with the thinking of the German philosopher when his philosophy briefly came into vogue as a result of Véra's translations. Such a characterization implied a decisive affinity between the work of these writers and this German thinker. "Hegelianism", thereby granted an epistemological status in scholarship devoted to Mallarmé and Villiers, persists in the criticism as unquestioned, firmly "established" evidence.

The present essay, soleley concerned with Villiers, will reexamine the evidence in support of Villiers' Hegelianism and reevaluate its importance as a means of understanding this author's work. Indeed, although Villiers may for some time have considered himself a diciple of Hegel, the critic's (all too common) fetishization of that proper name turns it into a magic tool of decoding that may well miss the specificity of Villiers' literary enterprise. Failing to determine whether or not Villiers' references to Hegel are accurate, the critic runs the risk of being fooled by Villiers's self-styled Hegelian expertise. In short, the price paid for assuming that an epithet such as "Hegelianism" characterizes our author's work may be nothing less than the application of Villiers' own caricature of Hegel's philosophy to a work which is not Hegelian at all.

A careful analysis of one of Villiers' novels in particular will allow us to suggest that if influences are to be established at all, they are due less to Hegel than to writers and thinkers whom Hegel, on more than one occasion, severely criticised. Instead of the German idealist Hegel, it is with the Romantics E.T.A. Hoffmann and Achim von Arnim, Schopenhauer and Wagner, and, in a more intricate manner, Novalis and Friedrich Schlegel that Villiers seems to debate. Before making any final decision on this point, however, let us first try to define what Villiers' alleged Hegelianism consists of.

---

1. Gustave Flaubert, *Préface à la Vie d'Ecrivain*, Paris: Seuil 1963, p. 41-2. (*If not otherwise mentioned all the translations are my own*).

According to Max Daireaux, Villiers was introduced to Hegelian philosophy around 1859 by his cousin Hyacinthe du Pontavice de Heussey.[2] His Hegelianism is said to have lasted until 1870, when Villiers wrote to Mallarmé from Tribschen where he had visited the Wagner's: "I have dropped (*j'ai planté là*) Hegel."[3] As A.W. Raitt suggests, du Pontavice communicated, at best, a most rudimentary and extremely simplified version of Hegel's doctrine to Villiers.[4] From Daireaux's study one can gather that it was basically the idea of "eternal Becoming" that Villiers made his own.[5] To acquire supplementary information about the German philosopher, Villiers seems subsequently to have turned to Véra. Raitt remarks that "it is questionable whether he (Villiers) knew anything other of Hegel than Véra's introductions. This Véra, a D.Litt. Professor at the Sorbonne, later in Naples, was at that time the best-known representative of Hegelian philosophy in France. He had published numerous works on Hegel, of which Villiers was most familiar with the *Introduction à la Philosophie de Hegel*, published in 1855."[6] Apart from the fact that the works translated by Véra were not among Hegel's most important, it must be recalled that as a translator and disciple of Hegelian philosophy, Véra was more of an enthusiast than a competent interpreter.[7] Given these facts, it is no surprise to find that a sentence Villiers attributed to Hegel —— "Was it not Hegel who said: 'One must understand the *Unintelligible as such*'?" —— is in fact a citation from Fichte, to be found in Madame de Stael's *De l'Allemagne*.[8] Even without questioning the legitimacy of using the term "Hegelian" to describe a certain number of motifs in Villiers's work, all this would already be sufficient to cast suspicion on any sort of Villierian Hegelianism. One must, consequently, totally agree with Raitt when he claims that "Villiers's Hegelianism had, in truth, only very little to do with the doctrine of the German philosopher."[9] Yet if Villiers' Hegelian expertise consisted in nothing but a highly idiosyncratic and subjective interpretation of a philosophical view which he knew only indirectly, and, moreover, in a deformed manner, why then persist, as does Raitt, in using the designation "Hegelianism" as an interpretative grid for this writer's work?

Would it not be more appropriate to disconnect the critical operation from Villiers' misleading self-interpretation and try to account for this writers's work in terms of what the fallacious designation of "Hegelianism" conceals: a post-idealist, despite all of Villiers' so-called idealism, debate with German Romanticism? As the following essay will stress, it is the historical and theoretical debate with early Romanticism in a non-speculative, i.e. non-Hegelian manner, that assigns to Villiers' writing a most decisive position in the evolution of late nineteenth-century French literature.

2. Max Daireaux, *Villiers de l'Isle-Adam*, Paris: Desclée de Brouwer, 1936, p. 53 and p. 303.

3. Letter of July 31, 1870, in: G. Jean-Aubry, *Une amitié exemplaire, Villiers de l'Isle-Adam et Stéphane Mallarmé*, Paris: Mercure de France, 1942, p. 51

4. A.W. Raitt, *Villiers de l'Isle-Adam et le mouvement symboliste*, Paris: Corti 1965, p. 231

5. Daireaux, pp. 53-4, 261, 298, 303

6. Raitt, p. 233

7. Alexandre Koyré, "Rapport sur l'état des études hégéliennes en France", in *Etudes d'Historie de la Pensée Philosophique*, Paris, Gallimard, 1971, p. 266

8. Raitt, p. 236

9. ib., p. 245

Still, it remains necessary to outline in greater detail what the critics refer to as Villiers' Hegelianism. Raitt contends that, whereas all other symbolists were apparently strongly influenced by Schopenhauer, "Villiers' Hegelianism seems to have outlasted all other philosophical influences."[10] According to this critic, and contrary to what he has stated elsewhere in his book, "Villiers had read enough Hegel to put on airs of erudition." Raitt goes so far as to state that Villiers, at the beginning of his career, had "faithfully reproduced the Hegelian doctrines."[11] As an example of this fidelity Raitt claims that the story "Claire Lenoir" gives us a complete summary of Hegel's philosophy! While admitting on the one hand that Villiers knew little of the German thinkers's philosophy, that his so-called Hegelianism amounted to "a rather off-hand version of Hegelian philosophy,"[12] he states on the other that until 1869 Villiers was a "convinced Hegelian,"[13] that in "Claire Lenoir" he "followed Hegel step by step,"[14] and "that he had based major works on the principles of Hegel's philosophy."[15] Since it is not the purpose of this essay to investigate this paradoxical critical economy, let us simply examine those motifs and themes in Villiers' work which are said to reproduce Hegelian doctrines.

According to Raitt's view, the philosophical digressions and the Hegelianism of the philosophical novel *Isis*, of which only one volume entitled *Tullia Fabriana* appeared in 1862, remain "purely decorative," notwithstanding Villiers' recent conversion to Hegel's philosophy. "This, however, is no longer the case in 1867 with "Claire Lenoir", where Villiers expresses himself firmly and knowingly on Hegel's philosophy," adds Raitt.[16] True, the name of Hegel is referred to more than once in this tale, the first version of which contained a chapter entitled "A Sentimental Hegelian". But what are, precisely, these "abstruse speculations borrowed from old Hegel", as Huysmans already called them in *Against Nature*?[17] What is it in both the 1867 and the 1887 versions — despite the latter's revisions, which bear witness only to Villiers' changing sympathies — that is being characterized as Hegelian? If one manages to fight one's way through the jumble of philosophical concepts and images with which Lenoir, in the final version, gives his summary of Hegelian philosophy, one quickly realizes that none of these concepts nor their organization are specifically Hegelian. In fact, they could all be borrowed from any of the German philosophers that Villiers is thought to have read. More important is Lenoir's predominant use of certain metaphors, and of certain expressive and colorful images to describe his philosophical position, clearly linking that position to the Romantic tradition, rather than to the philosophical tradition of German Idealism that Hegel represents. Here is the conclusion of Lenoir's summary of what he believes to be Hegel's doctrine:

10. ib., p. 131
11. ib., p. 220
12. ib., p. 189
13. ib., p. 235
14. ib., p. 228
15. ib., p. 243
16. ib., p. 224
17. Joris-Karl Huysmans, *Against Nature,* transl. R. Baldick, Baltimore, Penguin Books, 1966, p. 296

"I conclude that the Spirit makes the beginning and the end of the Universe. In the tree's germ, in the plant's grain, one can't say that the tree and the plant are contained *in miniature*: consequently, they must be contained ideally in it. The future plant and tree, virtual in their germs, are obscurely thought there. By the mediatory idea of exteriority, which is as it were the web on which is woven the eternal future becoming of the Cosmos, the *Idea* negates itself, so as to prove to itself its being under the form of *Nature*, and I can reconstruct the fact by employing the Hegelian dialectic. The idea grows only in finding itself in its own negation. The movement contained in the growth of trees and in the blades of grass, is it not the same as that which makes scintillate the suns that project their rings across the skies and produce in this manner other suns? As the fruits fallen from the tree or the flowers of the blades of grass produce other plants and other trees, as the wind carries across prairies and valleys the vegetal pollen, so the centrifugal rapidity disperses the astral pollen in the abysses: this is in the world's germination, that Hegel — as you know — regarded as 'a plant that grows'."[18]

However confused one finds this passage, in which one could easily point out a number of thoughts and images proper to naissant Romanticism, it is not entirely without logic. Even as "a mad (*enragé*) Hegelian", as he is called in the tale by the character Tribulat Bonhommet, Lenoir succeeds in articulating the idea of Thought or Spirit's priority over Matter.[19] Whereas Matter is said to be the negative form of the Intelligible, a reality which at once is and is not, or in short Becoming, the Idea is established as the highest form of reality. With some good will, one may recognize in this conception, as well as in the use of the terms "negativity", "mediation" and "exteriority", a vague reference to Hegel's philosophy. But this affiliation is brought to a quick stop as soon as one delves a bit more carefully into the proposed idealist position. Indeed, Villiers' Idealism conceives of the priority of Thought or Spirit in the realistic terms of an "almost ponderable reality of the Idea."[20] This occultist, or "illusionist" position, as the critics have come to call it, definitely has nothing Hegelian about it. Villiers' illusionism presupposes the subjective and objective reality of the products of thought or imagination. This illusionism entertains an intimate relation to Villiers' occultism and is *the* informing principle of what Villiers, as well as his critics, believed to be his Hegelianism. Raitt has pointed out that "occultism enters Villiers' thinking almost at the same time as Hegelianism."[21] In consequence, it makes sense to assume, as Raitt does, that our author has borrowed at least as much from Eliphas Lévi's *Dogme et Rituel de la Haute Magie* as he has from Véra's *Introduction*. But precisely for this reason it is historically and theoretically misleading to speak of Villiers' Hegelianism. More accurately, Villiers' position is one of illusionism, an idiosyncratic mélange of Romantic Idealism and spiritism in which Hegel has no part. "Claire Lenoir", in fact, is a perfect example of such a mixture: what is Hegelian in this tale, properly speaking, is absolutely negligible compared to its predominantly illusionist conception.

18. Villiers de l'Isle-Adam, *Claire Lenoir*, transl. A. Symons, New York: A & Ch. Boni, 1925, pp. 94-5 (Slightly modified translation)
19. ib., p. 79
20. ib., p. 138
21. Raitt, p. 188

The same is true of the short story "Véra" in *Contes Cruels*, which P.-G. Castex contends "was first conceived under the sign of Hegel",[22] probably because, as D. Conyngham remarks, it may be an hommage to Hegel's French translator. Yet instead of "illustrating very well Villiers' Hegelian and illusionist ideas", as she maintains, this tale illustrates the author's illusionist world of ideas alone.[23] Not a trace of Hegel is to be found in "Véra".

Barbey d'Aurevilly rightly pointed out that Villiers had little in common with the Parnassiens; he possessed, rather "du romantique des premiers temps".[24] Compared to the importance of Romanticism for Villiers, his indebtedness to Hegel is minimal. Considering the state of Hegel studies during the 1850s and 60s in France, it is, of course, not impossible that some Romantic ideas reached Villiers in the disguise of a romanticized interpretation of Hegel's work, in which Véra undoubtedly had his share. Yet the purpose of the present study is not simply to replace one epithet by another. Once the importance of Romantic motifs in Villiers' work is accepted, its task will be to determine the elements and practices of rupture with Romantic thought that characterize it and that make Villiers' writing part of the symbolist movement — a movement which must not only be viewed as a continuation and possible fulfilment of Romanticism, but also, at its best, as a deviation from it. As should become evident in what follows, this deviation is far from Hegelian.

Although *L'Eve Future* contains three explicit references to Hegel, according to Raitt, this work is not to be considered Hegelian.[25] Why then choose this novel, rather than "Véra" or "Claire Lenoir", to make our point? Raitt's motive for contesting any link between *L'Eve Future* and the philosophy of Hegel is simply that this novel was written between 1877 and 1879, or in other words after Villiers' renouncement of Hegel. But what has become manifest as the true core of Villiers' alleged Hegelianism, the illusionist mixture of Romanticism and occultism, is as much present in *L'Eve Future* as in the novels and tales of Villiers' Hegelian period properly speaking. Conyngham has convincingly shown in her excellent study that "Véra", "Claire Lenoir", and *L'Eve Future* stage the same illusionist problematic. *L'Eve Future*, then, is as little and as much Hegelian, in Raitt's sense of that designation, as any other work by Villiers.

I. The Critical Purge

The Plot of *L'Eve Future* is not difficult to summarize: In order to resolve Lord Ewald's deadly dilemma, which consists in his loving one Alicia Clary for her resemblance to the *Venus Victrix* of the Louvres while at the same time being repelled by her irremediable intellectual mediocrity, Th.A. Edison creates an android in the image of the living model his friend is unable to love. *L'Eve Future* tells the story of the construction of the female replicant and of Lord Ewald's discovery that the android Hadaly is more real than the

---

22. Villiers de l'Isle-Adam, *Contes Cruels, Nouveaux contes Cruels*, Ed. P.-G. Castex, Paris: Garnier, 1968, p. 15.
23. Deborah Conyngham, *Le Silence Eloquent*, Paris: Corti 1975, p. 132
24. Cited after Raitt, p. 47
25. Raitt, p. 243

original. Hadaly and Lord Ewald depart on the *Wonderful* for the young aristocrat's mansion in England when a storm wrecks the oceanliner, and sends the android to the bottom of the sea.

It is less easy, however, to assess "the eternal meaning" of this "purely metaphysical work", as Daireaux formulates it.[26] His treatment of *L'Eve Future* is an excellent example of the methodology of traditional literary hermeneutics and criticism. Since "a work of art does not suffer the slightest imperfection", and since "this book [*L'Eve Future*] is not free of it", Daireaux finds it necessary to purge it of all its defects. Only then, he contends, can one hope to find its "eternal meaning". Here is how Daireaux goes about this "eidetic" reduction:

> "Let us neglect in *L'Eve Future* the whole falsely scientific apparatus by which Villiers encumbers this novel...Let us forget the first chapters where, though an inconceivable error, he attributes doubtful jokes to Edison, and makes him talk like a fool...Let us reject this whole gangue, and we will face the most curious, the profoundest philosophical novel perhaps, certainly the most intelligent one of the nineteenth century."

Having in this manner stripped *L'Eve Future* of its entire historical, linguistic and textual dimension, of its worthless gangue, Daireaux finally contemplates the naked work of art. Not surprisingly, it amounts to very little, to almost nothing at all. Yet, this remainder of the critically purified work must be still further reduced, for "if one wants to understand its eternal meaning, one must simplify it in its general lines."[27] A single page, then, will be sufficient to describe its meaning: it is a story about the inevitability of illusion in total love.

Even if we set aside the question of the importance of Daireaux's exclusions for a true understanding of this novel, it must still be asked whether the operation of idealization by which the critic reduces the text to its eternal meaning is ultimately feasible. Has it not occured to the critic that *L'Eve Future*'s major theme is the process of idealization? Should this not have cautioned him in the first place that the application of his method of reduction to that text was inappropriate? What if *L'Eve Future*'s staging of idealization so complicates the understanding of that process that it can no longer serve as an unequivocal hermeneutical tool for the analysis of meaning in general, not to speak of the novel in which this debate about the possibility of idealization takes place?

Although our analysis of *L'Eve Future* will not neglect and reject the entire linguistic dimension of this work, and although it will avoid any idealizing impoverishment, it does not however pretend to be a more complete, a more totalizing analysis. The reading of *L'Eve Future* we will undertake here will not merely exchange one totalization for another, or simplicity for complexity, nor will it claim to account for everything a critic such as Daireaux has rejected. On the contrary, our analysis will try to demonstrate that, because of structural factors in a novel such as *L'Eve Future*, totalizations and idealizations, through either impoverishment or enrichment, necessarily fail — not because of some semantic ambiguity, unfathomable depth, or impenetrable mystery that would surround the novel

---

26. Daireaux, p. 401, and p. 409
27. ib., p. 409

and its characters, but precisely because of a structural undecidability on the level of its narrative. Far from indicating weaknesses in *L'Eve Future* as a work of art, its narrational undecidability stems from the fact that the different explications of the nature of the android, i.e. of the ideal, are not dominated by any one version which would represent the truth of the matter. Nor do all these different narrative strands dissolve into one another in order to give rise to one synthetic and decisive interpretation. Our reading will be concerned with establishing the minimal structure that would account for such a diversity of possible, yet ultimately not legitimitizable interpretations. Not unlike the android that Villiers characterizes as a "machine of visions", *L'Eve Future* itself will appear as a machine of reading, of interpretative totalizations. It contains a number of "novels" in the same way that the android is said to contain a number of women. These "novels" are those of the critics, and coincide with their idealizing interpretations of *L'Eve Future*. Rooted in one or several of the text's narrative possibilities, these interpretations are all accurate to the extent that they explore thematic possibilities inherent in the text. Yet they cannot ultimately be justified since the narrational undecidability of *L'Eve Future* makes all these interpretations plausible and simultaneously invalidates them as fixed determinations of its meaning. The reading we propose here will be an attempt to elaborate the non-unitary textual structure that organizes the novel's possibilities and limits its interpretative solutions.

II. Originary reduplication

Let us begin, then, by restoring Th.A. Edison's dubious jokes, which Daireaux, and following him, an entire generation of Villiers scholars, found necessary to eliminate from *L'Eve Future* in order to secure its eternal meaning.

As a master of reduplication and reproduction double himself, doubling other doubles: the effigies of the artist (Gustave Doré) and the scientist (Archimedes) — Edison reunites opposite attributes. His double self comprises those of a dreamer and a joker. As a dreamer, or a "wakening sleeper", (52)[28] Edison reduplicates, i.e. idealizes, the real: the "ice-cold mirror (*glace*) of his thought" (15) turns everything into reflected images. As a joker, however, Edison is a witty synthesizer of the idealities engendered in dreaming. Like the romantic *genius*, he possesses the creative and artistic gift of *Witz*. *Witz* or *ingenium* consists of the perception of similarities between heterogeneous things. In stressing the unity of what is dissimilar, the *Witz* is a creative faculty that leads to the discovery of new things. In his jokes by which Edison links together hitherto seemingly exclusive things and thoughts, he appears to exercise that godlike gift of synthesis and creation. The laughter reverberating through out the vaults of his underground laboratory is a clear sign of the unheard of inventions that come into life there. These flashes of wit, each one more striking than the last, relating what had until now seemed unrelated, are evidence of Edison's filiation with the Romantic type par excellence, the genius. Only against the background of a systematic relation between genius and wit can Edison's jokes be fully appreciated.

---

28. The page numbers within the text all refer to Villiers de l'Isle-Adam, *L'Eve Future*, in *Oeuvres Complètes de Villiers de l'Isle-Adam*, Vol. I, Paris: Mercure de France, 1938

But what are those inconceivable aberrations Edison is accused of indulding in? They all concern the dream of a total reproduction or reduplication of the universe from its inception on. Although Edison initially yields to the desire to authenticate everything that has been said thoughout the history of the world and to recuperate all past events without loss, his ideal soon seems to find its natural limits in the form of the unrecordable "Fiat lux!" — which precedes creation and the means of reproduction. Meditating the imperfections of contemporary instruments of recording, Edison acknowledges a second, apparently unresolvable difficulty which concerns the reduplication of the "creative Within" (*l'En dedans créateur*) that originally inhabited all utterances or sounds. This meaningful interiority is, indeed, dependent on the presence of its auditor. It is impossible, concludes Edison, to reproduce what *"is only in relation to the being who reflects it,"* and the reality of which depends entirely on its listener or beholder.(26) Because of a third and apparently devastating problem, total reproduction seems to be ultimately impossible: in a clear allusion to the Romantic idea of a universal medium of reflection as developed by F. Schlegel and Novalis, Edison claims that the traces left by anything that happens in the universe are subject to a final effacement. Despite the inscription of everything that occurs in the universe "through the eternal interstellar refraction of all things", or through "the interstellar continuous reverberation of all that occurs",(44) "as traces that can be fixed like writing",(39) this ideal duplicate or reflection of the universe does not last. "Yes", complains Edison, "everything becomes effaced, in fact!"(46) Consequently, the idea of a lasting and therefore total reduplication seems futile.

We soon learn, however, that Edison has discovered an amazing and absolute improvement in reproductive means. When the inventor grumbles that, in order to satisfy his fellow-men, "he would have to come up with an instrument that repeats even before one has begun to speak"(19), the reader is given a first hint as to the nature of that absolute improvement. Considering the shortcomings of total reproduction as they have been outlined in the previous pages, Edison's improvement must be such that it allows for a repetition prior to the original to be repeated; and indeed, Edison suggests that he may have discovered the possibility of repetition without a model, or in short, the possibility of *originary and original repetition*.

But we are also told that Edison's absolute improvement resolves the apparent irreproducibility of the "creative Within". His invention is not restricted to the reduplication of, say a physical sound but reduplicates the auditor's animating projection of that sound as well. Edison's improvement involves both the recording of the sound and its idealizing, meaning-giving reflection by a hearer. As will be seen, this achievement is made possible by securing the repeatability not only of the object of repetition, but also of the entire configuration of relations by which the object is reflected or animated. Edison's invention consists of applying reduplication to a situation whose minimal structure includes a relation of idealizing reflection.

But, what about the third difficulty mentioned: the effacement of the traces? For many reasons, one could be lead to think, that the android, who eventually replaces the real woman that Lord Ewald cannot love, is the latter's indestructable trace. The android is said to be immortal; although she herself is "indifferent to death, and therefore deals death easily"(166), death does not inhabit her. Because she is not subject to any inner corrosion, death can come to her only from the outside. Hence Edison must ask his friend to destroy her in the hour of his own death. She "will die by a clap of thunder before having become old", says her inventor.(120) Despite her immortality, the android, consequently, is doomed to total destruction. Paradoxically, her immunity to decay seems eventually to lead to her complete erasure. One can already surmise that the possibility of her full destruction is constitutive of her immortality as a trace. As a result, the perfect reproducibility of an original by a trace is made possible by the trace's fundamental exposure to eventual destruction.

Although the lasting reflection of what is may be threatened by the death of traces, Edison seems to have overcome this danger by inscribing the ultimate extinction of traces within reflection. This, however, is not yet the final solution of the problem.

First of all, it must be asked why the effacement of a trace would jeopardize the possibility of a total universal reflection. Reflection is classically understood as the specular reproduction of an original in the form of a trace, and is dependent on the priority of such an original. The interruption of reflection by the death of the trace, however, instead of leaving the presence of the original intact, seems to threaten it. It would seem that the original disappears with the reflecting trace. In Villiers, indeed, contrary to the classical conception, it is only through its reflection that something is endowed with presence and being. After one of those jokes which the critics find difficult to swallow, in which Edison claims that one single photograph of God would suffice to convert all atheists, Villiers notes:

"The great electrician, by speaking in this manner, secretly made fun of the vague, and to him even indifferent idea of the reflex and living spirituality of God. But, in him who reflects it, the living idea of God appears only to the extent that the beholder's faith *can* evoke it. God, like any other thought, is in Man only according to the individual."(47-8)

God's existence is thus entirely dependent on his reflection by the individual. And, consequently, if a trace can be effaced, that which it reduplicates is also exposed to erasure. Yet if this is so, the classical idea of the original needs reexamination.

It is commonly admitted that all processes of exchange require a fixed standard which functions as a "general equivalent" in relation to the objects in circulation. This transcendent standard, which centralizes the exchange but itself does not partake in it, Marx once compared it to a reflecting mirror in which the objects in circulation come to mutually reflect one another. For our purposes, it is important to remark that the general equivalent withdrawn from circulation must yield, as Marx has also shown, to the "positive form of the superfluous".[29] Like the standard "gold", it is always a surplus element, an element in excess, endowed with esthetic qualities, with those of luxury, lustre, etc., that regulates its substitutes, or reflecting doubles. At first, it would seem that Villiers also makes the process of doubling hinge on the existence of such a standard or original that, as a transcendent cause of reflection, would itself remain exterior to it. Indeed, Villiers points on several occasions to the idea of a standard at the origin of the doubling process. After having compared Edison to Gustave Doré, he writes:

29. Quoted from Jean-Joseph Goux, *Economie et Symbolique*, Paris: Seuil 1973, p. 60 and p. 73

"Congeneric aptitudes, different applications. Mysterious twins. At what age did they resemble one another perfectly? Perhaps never. Their two photographs...blended by a stereoscope awaken the intellectual impression that certain effigies of superior races are fully realized only in a coinage of figures (*sous une monnaie de figures*) that are disseminated through humanity."(12)

The artist and the scientist would thus be doubles, reciprocally doubling duplications of a standard type, of what Kant called an esthetic "normal idea", which itself would remain outside the circuit of exchange over which it presides.[30] Villiers seems here to view the doubles only within the perspective of their unifying type, of which they are a twofold, and, hence, fissuring, reproduction.

In the same way, Evelyn Habal, the actress responsible for the death of one of Edison's friends, comes to represent the exemplary, ideal, supreme type of wickedness of which all other women of her kind are only a doubling reflection. And, finally, Villiers seems to assume a standard time, "an hour of gold" minted by all the following hours, but in itself unique and irrepeatable.(263)

Lord Ewald's tragedy is rooted in what he conceives to be a similar impossibility of repeating what was only once. Indeed, having fallen in love with Alicia Clary as the only woman to whom he was fated to be drawn and having realized that she does not correspond to his ideal, Lord Ewald sees suicide as the only solution. In his family, he confesses, the first love is almost always the last and only. (54) "According to my nature I can love only once", he adds. (97-8) In discussing his unhappy affair with Edison, Lord Ewald assesses the unintelligibility of his love story for any one else. This unintelligibility stems, it would seem, from the alleged impossibility of reduplicating the "once and unique time".

The prior and exterior existence of a standard of repetition, doubling, and reflecting, where repetition comes to a halt since it operates solely on the level of the substitutions of that existence, is, however, radically put into question by *L'Eve Future*. In fact, as we will see, the possibility of creating a perfect replicant depends on the ultimate absence of an unbroached and unbreached standard. Apart from the fact that the supreme type is already plural — at least double, since Villiers distinguishes the effigies of the supreme races from the supreme standard type of wickedness represented by Evelyn Habal — one must wonder whether the double reduplication in which the minted figures of the original type are realized will not in turn affect the status of the original, the one and unique type. The judicial question concerning the possibility of iterable substitutes of an original standard, a possibility which must divide the one in advance so that there can be two, finds a first answer when we learn that the type of the supreme races is *already* an effigy, a form, a figure, a representation. From the start, the standard is double, a reproduction, a substitute, and thus is not shielded from repetition. As we know, the original of which the android will be the perfect reproduction, Miss Alicia Clary, is the afterimage of the *Venus Victrix*. A double itself, the standard is irrevocably caught in a process of substitution and exchange.

30. I. Kant, *Critique of Judgement*, transl. J.H. Bernard, New York: Hafner, 1951, p. 70

283

Because Lord Ewald thinks the ideal is only once, irrepeatable, and without parallel, he finds it unintelligible. But in telling his story to Edison, Lord Ewald already demonstrates the repeatability of what he thought to be only once. From the insight that the ideal, the standard, the original, the unique and the once are only what they are insofar as they are repeatable, Edison merely needs to perfect the techniques of reduplication. Thus, to Lord Ewald, he immediatedly retorts, "Unintelligible? — Is it not Hegel who has said: 'One must understand the Unintelligible as such?'" (55) The understanding of the unintelligible, of what as the unique seems to escape repetition, is achieved by its doubling in thought as the unintelligible as such. It is this *as such* which, as the double of the unintelligible "once" and "unique", secures the latter's identity. Edison makes this point in a slightly different context by referring once again to a saying attributed to Hegel: "It amounts to the same thing to say something only once as to repeat it all the time." (174)

Thus, the third and apparently devastating obstacle to total reproduction — the effaceability of traces — is resolved, by demonstrating that the loss of the standard or original is a positive condition for perfect reduplication. Whereas the assumption of a nonsubstitutional original turns the erasure of the trace into a threat to total reflection (of that original), the negative possibility of such an effacement becomes a positive condition for reflexivity in general as soon as the standard or model is recognized as already caught within repetition. The eventual erasure of the trace leads, then, to the flawless reproduction of its model. But this final effacement of the trace also accounts for the possibility of the illusion of originarity that it may confer. On more than one occasion, Edison warns Lord Ewald that the android will seem more real than the original.

As the faultless reduplication of Alicia Clary's exterior, Hadaly will eternalize the latter's most perfect shape. However, this lasting reflection must endure a total destruction at the moment of Lord Ewald's death. Instead of symbolizing the wrath of God as most critics maintain, the shipwreck that closes the novel consequently represents, in a dramatic mode, the very condition of perfect reproduction. The sea's final annihilation of all the traces of the (reduplicating) trace that is Hadaly, is the seal on its flawless repetition of the original, and on the ultimate meaninglessness of a model which it was able to evoke so perfectly.

Such a notion of the trace, hence, seems to support the Romantic idea of a medium of reflection, of what Villiers calls "the eternal interstellar reflection of all things". It seems to warrant the possibility of infinite reflection and the boundless circulation of the traces or doubles. This motif is most clearly developed in the image of the ring *(anneau)* in *L'Eve Future*. The rings worn by Edison and the medium Sowana, as well as by Hadaly, are said to be saturated by a "living fluid" which allows for immediate communication, for ideal transmission between the characters. These rings, which are compared to those of "the genius of the Ring in the *Thousand and One Nights*," (22) or to the ring of Gyges mentioned by Plato in the *Republic*, are only the expression of the essentially ringlike nature of the fluid which circulates through them. Edison asks: "What is this indisputable fluid that, like Gyges' legendary ring confers ubiquity, invisibility, and intellectual transfiguration?" (411) In it, the characters' identities become dissolved, and thus capable of infinite translation into one another. Edison's ringlike fluid is indeed nothing else than the Romantic notion of a dissolving Infinity, in which the loss of identity and individual form permits unrestricted reflection.

In short, then, by overcoming the three fundamental obstacles to total reflection, Edison's perfection of the instruments of reproduction represents the discovery of a repetition prior to any original. Such an originary repetition is most vividly evoked in Book 6, where we encounter for the first time the original object of Lord Ewald's desire: Alicia Clary. Indeed, Alicia Clary is preceded by her reflection, which Edison and Lord Ewald behold even before they see her in person:

"Here is Miss Alicia Clary", said the engineer...

"There, in the mirror!" he said in a low voice, pointing out to Lord Ewald a vast reflection similar to still water in moonlight...

"It's a very special mirror", said the electrician. "And it should hardly be surprising that this beautiful person appears to me in her reflection, since I am going to take it from her". (327)

Alicia Clary follows her reflection, and the first time of her entrance is preceded by a preview of her shadow. The unique moment of the first time, of the once, follows a "first time" before the first time. This *avant-première fois*, Alicia Clary's reflection, the double of her sublime shape, is the repeatable par excellence. Without the ideality of its minimal and infinitely iterable unity, no original could ever present itself in its own identity.

III. A machine of visions

The creation of a replicant of the living Miss Clary, of a lifelike dummy lacking only the model's mediocre mind, is Edison's radical cure for Lord Ewald's heartache. The android's name is Hadaly, and, according to Villiers, the iranian word for "ideal". The oriental sound of her name insinuates a new and ideal beginning. As the orient of the Ideal, Hadaly is to be distinguished from Evelyn Habal, whose artificiality is also oriental. "Oh! The Orient! It is from it that this light has reached us", complains Edison, commenting on Habal's feigned beauty. Hence the Orient, the light, the origin, the artificial, are all double. While Habal represents the dangerous art of illusion, Hadaly is the good beginning, good artificiality. Hadaly's creation, then, is a second genesis that will try to avoid the blunders of the first. Undoubtedly, Lord Ewald's broken heart, and Edison's remedy for it, are grounded in a desire for absolute harmony between body and soul, inside and outside, man and female. Yet the female companion promised to man by the "great X of First causes" is only a simulacrum, an empty form without the creator's imprint. (276-7) She is either a mixture of ideality and mediocrity, as is Alicia Clary, or a mixture of wickedness and spurious artificiality, as is Evelyn Habal. Although Edison claims nothing more than to have fixed the mirage of the hoped-for unity, purity, and homogeneity between the female companion's body and soul, this second genesis is rightfully older than the first. To demonstrate this, it is necessary to ask: *what* is the android?

The future Eve who is supposed to fulfil the secret desire of the human species, the desire for unity of inside and outside, is the result of what Edison terms an "artificial pro-creation". (196) "Hadaly, insofar as her exterior is concerned, is only the consequence of the intellectual Hadaly who preceded her in my mind", muses Edison. (197) Born from the semen of Edison's reflection, the android's realized exterior is the image of her intellectual idea. Intellectually, i.e. artificially engendered as an exteriorization of Edison's reflections, the living Ideal continues to be reflexively structured. Reflexive is to be understood here in all its senses, in particular as returning what is projected upon it, and as directed and turned back upon itself. As we have seen the doubleness of the orient implies a duplicity of light. The supreme artificial that Hadaly represents is born from Edison's reflections upon the duplicity that, from the beginning, breaches God's creation. Thus, Hadaly might well be nothing other than the structure of the originary duplicity of light, namely the very possibility of reflection, which as a possibility is by right older than the "Fiat Lux", the structure of duplicity and reflection that originarily precedes the oppositions of light and darkness, of ideality and wickedness, of a good and a bad orient of beginning, and that came into being with the creation of the world.

Although Hadaly is meticuously described as a machine throughout the novel, the android's essence should not be construed as mechanical. Rather, what remains to be shown is the manner in which the mechanics of her construction obeys the ideal determinations of her essence as a structure of duplicity and reflection.

Before her incarnation, Hadaly is not a living being. She is not a person, but rather an "impersonality". (385) "This walking, speaking, answering and obeying piece of metal does not clothe any *person* in the ordinary sense of the word...Miss Hadaly, as far as her *exterior* is concerned, is still a magnetico-electric entity", remarks her inventor. She is a cloth that covers nothing: a metallic sheath which is not yet a body and does not yet contain an inside. At this point, Hadaly is merely an inside margin for a possible body and an outside border for a possible soul. She is, in fact, a pure ring at the limit of inside and outside. As a magnetic ring, moreover, she resembles the Muse in Plato's *Ion*, a force that not only attracts but one that also communicates itself. Like the Muse in this dialogue, Hadaly, "the radiant and inspired one", — Edison's nymph Egery (174) — attracts others and communicates her enthusiasm to them. As such a ring endowed with magnetic force, Hadaly is nothing but "a Being in Limbo, a possibility". (118) An intermediary being, supended between Notingness and Being, between emptiness and plenitude, she is "the *skeleton of a shadow* waiting for the SHADOW to be". (123) She functions, then, as the skeleton of a shadow, as the *possibility* only of a double, of a doubling repetition.

But as a sheer ringlike border, as a limb between a possible body and soul, as well as a potentiality suspended between Being and Nothingness, Hadaly is also what Villiers calls a "powerful phantom, a mysterious *mixed presence*". (122) Philosophically speaking, Hadaly is a veritable scandal. In effect, what Villiers asks us to think is nothing less than the heterogeneous unity of Being and Nothingness rejected by Plato as a unity of what is and is not. According to the *Republic*, that which floats between Being and Nothingness, simultaneously participating in the two orders, in unworthy of philosophical consideration. Characterized by equivocity and essentially unstable, these things which one cannot firmly conceive to be or not to be, or to be both or neither, are the objects of opinion (*doxa*), the intermediary faculty betwixt and between knowing and ignorance. Since opining consists in grasping appearances alone, rather than what is or is not, the mixed presences of Villiers belong to that order. In addition, Villiers asks us to think Hadaly as a *material* possibility, as a possibility that has taken the form of the metal sheath of the androids' mechanism. Hadaly acts as a materialized possibility of reduplication, as the exteriorized idea of such a possibility, yet despite that exteriorization not more than a mere possibility, — combining Being and Non-Being in a strange fashion prior to the actualization, strictly speaking, of that potentiality.

Even before her incarnation — her exile in a bodily appearance — Hadaly is already an idea exiled in the "almost supernatural atmosphere in which the fiction of her entity is realized". "A sort of walkyrie of science", she is already a messenger restrained by the very magnetico-electric sheath that constitutes her. (150) From the outset, as the possibility of a doubling reflection, Hadaly combines not with what is the idea itself, but with its material substructure or substratum. Let us see in more detail how this mixture is formed.

A being of sorts, Hadaly is neither Being nor Non-Being. Describing the entity's being, Edison turns upside down the clearcut Platonic distinction, as well as the condemnation of the mixture of Being and Nothingness:

> "O! The most powerful thinkers have always asked themselves about the idea of Being in itself. In his prodigious antinomic process, Hegel has demonstrated that in the pure Idea of Being, the difference between it and pure Nothingness is mere *opinion*. I promise you that Hadaly will clearly resolve the question *of her* being all by herself." (168)

Despite the undeniable reference to Hegel's dialectic of Being and Nothingness, i.e. to the idea of becoming (*Werden*) which is said to have fascinated Villiers, the real emphasis here lies on what has been called "mixed presences". If the idea of becoming figures in this passage at all, it is precisely as an intermediary state of Being and Non-Being compared to which the certainty of Nothingness and Being in separation is simply illusionary. In stressing that Nothingness participates in Being, Villiers underscores a determination of Nothingness which has very little in common with Hegel's logical concept. Let us note, first of all, that Nothingness is not simply nothing: "Take it that I estimate mere nothings — Nothingness — at their proper value", says Edison. (148) In the same way that the accumulation of mere nothings, of mere trifles, sometimes produces irresistable, positive combinations — "Think of what trifles (*riens*) even love depends on!" (300-1) — Nothingness is an essential ingredient in the creation of the world. Edison admits: "I am one of those who can never forget the quantity of Nothingness that was required for the creation of the universe." (412) Yet it is the following passage that determines the true importance of Non-Being for Villiers:

> "Nothingsness! but it is such as useful *thing* that God himself did not disdain to draw the world from it…Without Nothingness, declares God, implicitly, it would have been almost impossible to *create* the Becoming of things…Nothingness is negative Matter, *sine qua non*, occasional…" (148-9)

For Villiers, who undoubtedly refers here to Malebranche's occasionalism, Nothingness is a requisite circumstance (*causa occasionalis*) without which any true *causa efficiens* could not take effect. Although Malebranche restricted occasional causes to the realm of creation, Villiers makes the First cause depend on them as well. As a result, Nothingness or negative matter becomes the negative, the pattern, the passive matrix, the *chora*, for an active efficient cause of creation which draws from it its forms and matter. As a mixed presence, combining Being and Non-Being, Hadaly's metal sheath is the existing container, a

Receptacle for Nothingness which, like a negative, contains the forms and the matter of what is yet to be. The Nothingness, then, that enters into the composition of the android is not to be mistaken for sheer emptiness, for a mere void.[31] On the contrary, it is infinitely rich in possibilities. Here again, Hadaly appears to be not only the material possibility of a reduplicating repetition, but, more generally, the realized possibility of creation. Her name spells Ideal because she is the minimal structural support of repetition, idealization, identity, etc., without which no creation whatsoever could be envisaged.

The question that now arises is that of the mode of composition of the heterogeneous elements that enter Hadaly: Being and Non-Being. How are we to think Hadaly as a mere border between both? Let us first analyse Hadaly's appearance. Before her incarnation she appears as only the materialized possitility of a redoubling incarnation. She shows herself for the first time as a figure against the background "of a torrent of undulating waves of black moire, falling splendidly from jade hangers onto the white marble ground, the large folds of which are fastened to gold phalaenae puncturing here and there the depths of the tissue". (113) Just as her head is veiled in black, her feminine silver armor, indicating "svelte and virginal forms", is partly hidden by a veil and a batiste scarf that covers her sides; between the folds of her belt, however, the flash of an unsheathed, oblique weapon is visible." (114) From the very beginning, the kind of being Hadaly represents seems to be linked to folds and veils rather than to a bodily presence. All her clothing seems to supplement the absence of a body.

Hadaly is first beheld as an array of folds veiling an absent fold, of folds torn by a weapon protecting the still virginal surface of her armor in want of a fold.

It remains to be seen that these folds are folds of light, making Hadaly truly a *vision*. In chapter VIII, Book V of *L'Eve Future*, Hadaly explains the meaning of a curious instrument which Lord Ewald notices on top of the fireplace. It is another of Edison's inventions; a thermometric device that serves to "measure the warmth of starlight", in particular that of stars which are already dead. Hadaly explains that the beams emitted from such stars survive their death, and that even without a source "they continue their irrevocable motion through space. For that reason the beams of some of these burnt-out sources have reached us. And thus a man contemplating the heavens often admires suns that no longer exist, but which he nonetheless perceives, thanks to this phantom beam in the Illusion of the Universe." (304) An unpublished fragment of *L'Eve Future* reveals that "nothing in the vibration of thoughts or of beings comes to a halt or a stop: everything has a right to its infinite prolongation". (435-6) The ghostly beams that continue on their route, independent of their source's death, assure the interstellar refraction Villiers refers to. They put one star in relation to another. But since a beam's source may already be extinguished

31. Alicia Clary's sublime form, by contrast, is only empty, and thus explains Lord Ewald's failure to "modify her thoughts so as to make them the reflection of his own". (61) Since she is inhabitated by a mere void, her form refuses to be animated through Lord Ewald's idealizing gaze. In the case of Evylyn Habal, the artificial attire covers not Nothingness, but a void also. It is this emptiness hidden under all her glittering beauty, which produces the intoxicating effect that leads to the death of Edison's friend Anderson.

before it reaches its goal, and since "some are so distant that their light will not reach the Earth before it too has died out and disappeared without ever having been known by that desolate beam", (305) the interstellar reverberation is not only constantly retarded, but is also an illusionary play of light. Its freefloating beams in a universe of dying suns are in search of a surface of reflection, a point at which they transform themselves into the illusion of the existence of a dead source of light. Nevertheless, Hadaly confesses a special liking for these dead beams:

"Often, during beautiful nights when the park of this residence is deserted, I provide myself with this marvellous instrument; I go up, out onto the grass, I go and sit on the bench in the Alley of oaks, and there, I enjoy myself, all alone, weighing the beams of dead stars." (305)

If Hadaly likes to weigh "the almost null, almost imaginary warmth of a beam from such stars", (305) it is because she and these beams that lack a living source are intimatedly related. Like them, she is suspended between a dead model, of which she seems to be the mourning *revenant*, and the living illusion of the past and present life of that original. "I still exist so little that even a moment of astonishment effaces my being, and veils it...My Life depends on even less than that of the living", she confesses at one point to Lord Ewald. (385) Like those almost imaginary beams that face eventual extinction and are in search of a reflecting surface that will re-constitute them into burning stars, achieving in this manner the interstellar reflection, Hadaly is the hovering possibility of a relation between a dead or imaginary original and its living actualization in the idealizing reflective gaze of a beholder. In the same way that the dead starbeams are made up by the possibility of being folded back upon themselves, Hadaly is no more than a fold of light wanting the reflecting gaze that would constitute it into a vision. Edison explains to Lord Ewald:

"You see...Hadaly is first of all a sovereign machine of visions, almost a creature — a dazzling similitude." (167-8)

As such a machine, Hadaly, by folding herself upon herself, returns the gaze of the beholder as vision; as a luminous fold, she uses the beam of a gaze to reflect herself into a vision; and, as such a mere possibility of visions she "is multiple like, say, the world of dreams". (168) After having demonstrated Hadaly's inner machinery to Lord Ewald, and, in particular, "the torrid fulguration, the lightning, that runs through her like life", Edison remarks: "You see, *she is an angel!*...If, as theology teaches, *angels are but fire and light.*" (277) Insofar as Hadaly is a being of light, a luminous fold, she is the possibility of vision in general, the possibility of *absolute* vision, the principle of all possible visions. This principle — the pure doubling of light — has as much reality for the visions or the light that it renders possible as, say, the ideal lines that subtend reality. Edison exclaims:

"The line of the earth's equator does not *exist:* it *is!* Always ideal, imaginary — and yet as *real* as if it were tangible...These are the sort of lines I will speak of, whose *reality* is implied, every moment, by our Equilibrium." (280)

As the origin of vision, Hadaly is not only the ground of a plurality of visions, she is also constituted into a *living* vision. The animating gaze which she returns as a vision endows her with being by allowing her to reflect herself along the structure of her fold into herself. In this manner she acquires the illusion of reality, and this illusion consists only in *being* light. "Illusion is light", states Edison, "without it everything dies". (259) As the origin of vision, Hadaly possesses the reality of light. For this reason she is also a "machine that fabricates the Ideal". (374)

IV. Transubstantiations

The incarnation of this minimal structure of reduplication is twofold. According to Hadaly's nature as a metallic sheath, as a mere border between a possible outside and inside, the incarnation takes place as a double projection by which the sheath is covered with a body and by which a soul is injected into its hollow inside.

Let us first see how Edison furnishes the android with a body. Given Edison's scientific and metaphysical perfection of the techniques of countertracing and of identity, the body to be projected on the metal armor of Hadaly will be *absolutely* identical with that of the original. Since Hadaly incarnated will be an identical resemblance of Alicia Clary, Edison can speak of the process of transsubstantiation in terms of a theft not simply of the exterior shapes of the original, but of what is more intimate, the original's "own presence"; not only of the model's physical aspect, but also of what "metaphysically" gives identity to her exteriority. This is a robbery of the original's exterior individuality, i.e. "of her *appearing*, of the reflection of her Identity". (126) Yet what does it mean to steal someone's appearing in order to incarnate it in someone else?

As we have already seen, the model's reflection, her shadow, is detachable as the repeatable par excellence. Alicia Clary's sublime forms have an identity of their own that is infinitely repeatable. The fact that she resembles the *Venus Victrix* is for Edison confirmation of this point, but, as well, a sign of "pathological deformity"; Alicia Clary's resemblance to the statue of the Louvre is an accidental "imprint in the flesh of this woman". (349-50) The form that gives identity to a person's exterior appearing is an absolutely autonomous entity.

Edison claims to rob the original of its appearing and to "reincarnate all that exteriority...in an Apparition whose human resemblance and human charm will surpass Lord Ewald's hopes, and all his dreams." (126) By forcibly taking on the exteriority of Alicia Clary, Hadaly will appear in an apparition that bears no distinction from the model's appearing. The transferral of Alicia Clary's exteriority to Hadaly's metal armor makes Hadaly visible and manifest. Endowed with the form which only accidentally left its mark on the model and caused in her case a false apparition, Hadaly becomes the appearing itself of what merely appeared through the model, and, thus, Edison's achievement is to have fixed the ideal form of the *Venus Victrix* as such in Hadaly. The android is the apparition — the becoming visible of that form itself, but because that form is also what permits the appearing, Edison will have also cast into apparition that which makes appearing possible. The form that makes appearing possible is the exterior outline coextensive with one's flesh; and consequently, the form is a type, the Greek *typos*. What comes into apparition with Hadaly, however, is nothing but the supreme type itself, the typos *of* appearing. Moreover, the exterior outline or form which as a type makes appearing possible through impression is none other than that of the idea, if, according to its original meaning as *eidos*, the idea is the outlook and outline of a thing or being, i.e. the mode of its coming into view. The outlook in which something appears is, according to Plato, the idea. In other words, in Hadaly as an apparition the *ideal itself* as that which confers appearing manifests itself as *typos*, if it is true that the idea makes appearance possible through impression, as Plato contends in the *Theaetetus*.

What was only an exteriority in the case of Alicia Clary, the accidental mark of the supreme type, manifests itself *in person* in Hadaly as the principle of all exterior visibility. Once more it is obvious that Hadaly is a question of light and vision. As her name indicates, she is the ideal condition for the becoming visible of the idea *as such* as the very principle of all appearing. The idea with which Hadaly is incorporated is Alicia Clary's exterior appearing. Through a daring interpretation of the Platonic notion of idea in terms of exterior form, as essentially constitutive of exteriority and visibility, Villiers makes Hadaly into not only a possibility of a plurality of different outlooks, but also and in particular into the possibility of the exteriorization of the principle of exteriority itself. Yet, by interpretating "idea" essentially as exterior form, and having its appearing depend on the minimal structure of the luminous fold as a necessary precondition for appearing according to the mode of the idea or as the idea itself, does Villiers not reverse the traditional hierarchy between idea and simulacrum? Or rather, by appearing as exteriority, does the idea not reveal its secret side — the idea *as* simulacrum?

Let us look more carefully into the "technicalities" of transubstantiation. With the help of a female apparitor — "my first apparitor (*appariteur*) is also a woman, a great unknown sculptor" (293) — by the name of Any Sowana, who supervises Hadaly's becoming apparition, Edison *photosculpts*, "with the accuracy of a mirror", the entire exterior resemblance of Miss Clary — including the *odor di femina* — directly upon the metal armor of Hadaly. This technique is a process of "refraction" (294-5). In Edison's words:

> "I will strictly reproduce and reduplicate this woman with the sublime help of Light. And I will project her upon her *Radiant Matter...*" (127)

As if "drawing with light", Any Sowana uses a "beam of fire" to create a copy, a simulacrum of Alicia Clary, a pure light-being, which is subsequently projected upon the radiant matter of Hadaly's sheath. (404) Discovered by a certain Dr. William Crookes, radiant matter corresponds to a fourth, radiating, state of matter. Radiant matter emits beams of light, reflects, and continues to reflect what is projected upon it: the luminous simulacrum of the exteriority of the model. In short, with the help of light, the photo-sculpturing of Hadaly consists in projecting a luminous image of the model, her idea, on a light-emitting and reflecting matter which will continue to reproduce that image. Hadaly incarnated, i.e. insofar as her exteriority is concerned, is thus pure reflection of the idea responsible for appearing. That is how Hadaly becomes visible, a vision. The vision she offers is that of visibility itself. She becomes the visibility of the light that allows for all vision.

Although a vision herself, Hadaly does not yet have the capacity for vision. Before the completion of her total incarnation, the second part of which we will now discuss, Hadaly is blind like a mole. She has, as Edison remarks, "la seconde vue" but as yet not sight. (303) Hadaly will acquire vision only at the moment that she is seen, when her beholder's gaze folds around itself to become her vision. Only when lightning befalls it does the mole

291

acquire vision. "Let us go to Hadaly, in lightning", says Edison. (147) And he adds: "Let's go below, since, for it certainly seems that to find the Ideal one must first traverse the realm of the moles". (177) It is this descent of light that will open Hadaly's eyes.

To come alive, Hadaly must suffer the reflection of an animating will. Just as her metal armor was marked by a receptive passivity — it is nothing but "the plastic apparatus on which the total form of Alicia Clary will be superposed" (157) — the inside of the metal sheath, its negative matter, is also a passive matrix in want of impression. In the same way that Hadaly takes on a living body by becoming the trace of the exteriority of an other, she acquires a living soul as the projected trace of another's will or thought. It is possible only for her to live as a double of an already double original. Life begins with the trace.

Although Hadaly's exterior incarnation was exclusively Edison's affair, her inside is Lord Ewald's responsibility. It is Lord Ewald who must complete her: "The remaining part, the Ideal, you will furnish yourself", Edison tells him. "The being of this mixed presence called Hadaly depends on the free will of the who *dares* to conceive it. *Suggest some of your own being to it!* Affirm it with a little of your lively faith just as you affirm the being, however relative, of all the illusions that surround you." (136) Gifted with imagination, i.e. with the creative faculty par excellence, Lord Ewald is charged with "illuminating the imaginary soul of the new creature". (127) In one of *L'Eve Future*'s unpublished passages, Hadaly says to Lord Ewald: "Think, and I will be." (464) His illuminating projection represents a true act of creation, not of self, but of an other, — a true animation made possible by the matrix of negative matter. All of Hadaly's life seems to depend on Lord Ewald's faith in her: "If you question my being, I am lost." (384) Like the poet of the *Ion*, on the other hand, Hadaly gives in return what she has received. The idealizing reflection with which Lord Ewald is to illuminate the inside of Hadaly's soul is an act of what Malebranche conceived a *continuous creation*. Without such a sustained creation Hadaly as a trace is doomed to instant disappearance.

According to the construction of the replicant as a structure of possible doubling, what is projected on her is also redoubled within her. Thus Lord Ewald's idealizing faith and gaze can turn into Hadaly's own vision. Being seen, she becomes able to see herself. Hadaly then is truly a machine of visions. The visions to which she lends herself are themselves endowed with vision.

Let us recapitulate: by projecting upon her radiating armor a luminous image which this shield continues to reflect, Edison turns Hadaly into a vision, Lord Ewald, on the other hand, illuminates this reflection from within through his self-reflecting, idealizing gaze, through which the replicant acquires vision. Her incarnation fully realizes the potential of her structure of doubling and repetition as a luminous fold. Consequently, Edison can boast:

> "In this vision I will force the Ideal to manifest itself for the first time, to *your senses*, as *palpable, audible and materialized.*" (127)

Incarnated, Hadaly is identical to Alicia Clary. More precisely, Hadaly will be a "thousand times more identical to herself" than the model. (129) Her identity, in fact, will be terrifying, because identity is usually defective. (292) "Does one ever resemble oneself", wonders Edison, suggesting that once Hadaly is incarnated she will resemble herself perfectly, be identical with herself, and remain so until the hour of her death.

If a living person's identity is the result of another person's gaze, which transfigures the heterogeneous component of his or her body into a whole, then, the identity — the self-resemblance — of Hadaly incarnated will be far more identical, for her unifying gaze is only the reflection of Lord Ewald's idealization of the vision he beholds. Hence, her unity is that of a "luminous entity" totally transparent and "identical with itself". (157) It is the faultless identity of the Idea that manifests itself in the exteriority of her body, along with everything beautiful, noble and elevated that it provokes in the mind of its beholder.

"Thus when Lord Ewald asks whether Hadaly will have a feeling of selfhood, Edison can reply that this miracle depends on Lord Ewald alone." (134) Yet this is definitely not the whole story of Hadaly's identity, nor its most interesting aspect. Very soon indeed, it becomes clear that Hadaly possesses, as Lord Ewald puts it, "a sort of understanding", a faculty of discretion and discrimination unaccounted for by Edison's rational explanations and independent of Lord Ewald's idealizing introjection. (288) Although Edison hints that the secret of Hadaly's sort of understanding cannot be disclosed without jeopardizing the necessary illusion of Hadaly's reality and thus implies that for him there is no real secret, we will see that his own explanation of Hadaly's inner life, of her identity, as a result of Sowana's take over of the android is ultimately deceiving. In fact, toward the end of the novel Edison must admit "that not everything is chimerical in this creature". (410) It is not necessary to fall back on Hadaly's own revelations to Lord Ewald in the park to realize that she has an identity independent of and prior to her incarnation, prior even to her animation by the medium Sowana. It is of great importance here to understand the nature of this identity.

Let us recall that Hadaly has been construed as a machine of visions, as a machine that fabricates ideals. Thus, Hadaly is potentially plural: "She is multiple like the world of dreaming." (168) Hadaly seems to be nothing more than the possibility of being many different identities. In the famous park scene she remarks to Lord Ewald that "she has so many women within herself that no harem could ever contain them". (385) Speaking of her possibilities, Edison says that she "is without limits, like a woman". (399) As nothing but the possibility of being many, Hadaly seems to correspond to a non-identity or absence of identity, and for this reason she can refer to herself as an "impersonality". (385) But having compared her to a machine that produces visions, Edison notes that Hadaly herself is the supreme type that dominates all these visions. She incorporates this type perfectly, he says, whereas "she plays the others". (168) A crucial distinction is introduced here, according to which Hadaly *is* the possibility of being many, whereas without being them, she only plays "those other feminine resemblances lying dormant within her". (385) Unlike the identities she plays to perfection — such as her resemblance to Alicia Clary —

but with which she is not identical because she is the possibility of being many, Hadaly, in other words the Ideal itself, is not played. Hadaly *is* Hadaly, a resemblance to herself which is not simply a role enacted. This is why she begs Lord Ewald not to awaken the feminine resemblances dormant in her, with which she does not coincide. To incarnate one of these possible roles, to become one of these women, would be to loose her identity: "I must not become a woman, because I would change", she tells Lord Ewald. (385)[32] Hadaly is afraid to incarnate another identity because of the frailness of her own. When she tells Lord Ewald that even astonishment could erase her life, it seems that what little life she has is suspended exclusively from Lord Ewald's idealizing belief in her.

But the fragility of her identity is much more radical. First, it must be recalled that the constant threat of extinction is coeval with her identity; the negative possibility of death is the positive condition of possibility of her life. Because Lord Ewald can turn away from her in disbelief, Hadaly has a chance to live. Secondly, Hadaly's identity is extremely fragile because it is the identity of impersonality, an identity of the possibility of being many identities, the trace of identity. It is the minimal identity of the structure of support able to enact a plurality of roles. This identity of what precedes identity properly speaking, of what is prior as the possibility of identity to personality and individuality, is the identical par excellence. As the supreme or absolute type of identity, as that which permits unrestrained repetition, Hadaly faces the irrevocable threat of non-being and non-identity.

It is in this sense that one must understand Villiers' intertwining of Hadaly and infinity. When Lord Ewald asks Edison if Hadaly has a notion of infinity, the scientist replies: "That is in fact the only notion she has". (308) When the incarnated android reveals herself to Lord Ewald in the park scene, she explains that as a shadow she represents what had already been called "the inevitable infinity". (309) At first this infinity seems to be an allusion to the Romantic notion of the medium of reflection "in which we are lost, and whose inevitable substance, within us, is only ideal" — or in other words to the Romantic concept of an ideal medium of depersonalization and disindividualization in which the soul, "the luminous soaring" of man, is freed from the form of individuality, but it soon reveals itself as the infinity of the minimal structure of possible identity. As the source of forms, this infinity is ultimatly formless. (380) As the source of distinguishable identities, it is an infinity that is ultimatly unintelligible. Reason is the enemy of this "unintelligible, formless and inevitable INFINITY", which can only be beheld during the slumber of reason. (381) As the source of manifold identities, this ideality more originary than the ideal identities of reason is also essentially plural in its identity. In short, Hadaly's identity, her identity prior to any of the incarnations to which she may lend herself, is the identity of that which precedes identity. Edison remarks that Hadaly is "One duality." (23) As such, it both makes identity possibly (it is *more* than identity) and represents a threat to it (it is *less* than identity), insofar as it is also the medium in which identity can return to dissolution. Hadaly's identity is the minimal identity of the infinite possibilities

---

32. In the unpublished manuscripts of *L'Eve Future*, Hadaly, in order to lessen the risk of "becoming the *other*", goes so far as to implore Lord Ewald "to tear from her golden lungs the metal ribbon whereby the value of this visible soul is added to her". (465)

of all identity. It is the identity of a simulacrum, its illusionary identity, that is valid as the opening of all forms of identity.

One of the many ways in which the infinite reveals itself during the slumber of reason as the ideal space that comprehends reason itself is the fold. Of "those who strive to manifest themselves", of "those who are unnamable", Hadaly remarks: "They have no visible forms or faces. They make themselves one [*s'en figurent*] with the help of the folds of a fabric..." (377-8) Hadaly, who reveals herself as a messenger of the boundless regions of the infinite, has already been construed as luminous fold. Her identity is therefore that of a fold of light. Yet a fold of light also contains, necessarily, a moment of irreducible darkness: the fold itself. Similarly, Hadaly's identity inevitably involves a part of irreducible non-identity, unintelligibility, plurality, and formlessness — precisely because it is the identity of the possibility of identity, intelligibility, and singular forms. Edison acknowledges this essential non-identity when he admits his momentary, if not lasting inability to account for the movement of Hadaly's rings. The irreducible moment of darkness in Hadaly's luminous fold, the non-identity of her identity as the condition of being plural, characterizes her as an "undefinable mentality". (108) Although she cannot be denied an identity distinguishable from the various female identities to which she can lend herself, that identity remains for essential reasons undecidable. It is not an undecidability which would be due to the depth of her character, but rather to her nature as an impersonality capable of playing many roles. It is not an obscurity for which the occultist forces participating in her creation could be made responsible. Nor can the undecidability of her identity be attributed to some weakness of Villiers' discursive and narrational abilities. On the contrary, this undecidability is constitutive of Hadaly *as* the minimally required identity of the structure of repetition, duplication, idealization and identity. Born from a desire for harmony, transparency, and unity of body and soul, of inner and outer, Hadaly *as* the possibility of unbreached and unbroached identities, is marked by an essential difference within herself. It is precisely the non-unity of her unity which raises her to the status of a device for "terrifying identities".

VI. Over-hasty explanations

Because of her impersonality, Hadaly cannot be made a character. If nonetheless, we gave her entity special emphasis, it is because the essential undecidability that surrounds her allows the android's structure to be construed as the primary governing principle of *L'Eve Future*. Hadaly's impersonality, in other words, can be conceived as the organizing principle of the thematic possibilities that could serve to identity the novel's meaning. Indeed, any such meaning hinges on the successful identification or fixation of the android.

It has already been noted that Hadaly is a book within Villiers' novel.[33] When Edison sets out to explain her machinery, he opens the android's chest like a volume and makes Lord Ewald read the numerous inscriptions of her potentialities, those, in particular, of her intelligence which are imprinted on the golden leaves of her lungs. But despite the

33. Jean-Louis Schefer, "Du Simulacre à la Parole", *Tel Quel*, Vol. 31, Fall 1967, pp. 85-91

additional occurences of encasings in *L'Eve Future*, the book in the book is not simply a reflexive and totalizing image of the novel as a whole, nor is it an endless *mise en abyme*. Hadaly is not a reduplication of the novel in its totality but only the possibility of interpretative and totalizing reduplicating reflections. As to her infinity, it has already been linked to her as, precisely, such a minimal structure of possibility. Consequently, instead of allowing for a totalizing explication of *L'Eve Future* as a whole, Hadaly offers herself only to the nonhermeneutical operation of accounting for the determined number of interpretations to which this novel lends itself. Hadaly is, indeed, nothing else than the structure proper to *L'Eve Future*, the *layout* of its conflicting interpretations. Each of the novel's possible determinations, each of its various attempts to come to grips with the android's nature, is limited in its scope by other equally plausible interpretations made possible by a certain narrative undecidability that parallels the undecidability of Hadaly's structure. In what follows, we will engage in an analysis of some of the different interpretations of Hadaly's voice or soul offered by the novel. Focusing on these explanations, some of which are made by Edison and Hadaly while others arise from narrational constellations, the literary critic determines the "eternal meaning" of the text. It will soon become evident that such a practice, however legitimate, is at the same time fatally limited. It always coincides with a privileged position or voice *within* the novel and is thus, in an essential way, part of what is to be explained. As such it necessarily conflicts with the repressed or neglected voices or positions within the text. Those readings that pretend to totalize all voices, themes, and positions make all given voices subsidiaries of *one* intratextually-given, predominant voice, theme, or position. The present reading recognizes the fundamental finitude of all possible thematic explanations of *L'Eve Future* and thus focuses only on the organizational principle of these finite and limited interpretations. Hadaly is the essentially undecidable and non-identital identity of the principle in question. Instead of yielding to an intepretation of interpretations, she defies all interpretation. Hadaly is nothing but a principle of textual economy.

At least five different possibilities offer themselves as reductive hermeneutic solutions to Hadaly's undecidability. Of these five we will only discuss three, since the motive of *idealizing introjection* (1) has already been discussed, whereas that of the *golden phonographs* in the android's chest (2) speaks for itself. Let us add only, that on several occasions Hadaly, however, utters truly unexpected things, or speaks with a voice *too* natural — facts, which cannot be accounted for by what is inscribed on the two devices. (3) *Sowana or "the first, and distant voice of Hadaly".* (404) In the chapter entitled "Hasty Explanations", Edison reveals to Lord Ewald what he takes to be Hadaly's secret and pretends to account for all of her unexpected behavior. His revelations, which imply that the android's soul is the same as Sowana's, the hypnotic medium, is the totalizing hypothesis of *L'Eve Future* favored by almost all the critics.[34]. In this chapter, Edison explains that by projecting his nervous or magnetic fluid upon the sleeping and absolutely passive medium of Any

---

34. Cf. for instance, Peter Bürgisser, *La Double Illusion de l'Or et de l'Amour chez Villiers de l'Isle-Adam*, Bern: Lang 1969, p. 103

Anderson he succeeded in liberating in her an entity of its own, absolutely different from her. This being which is "totally other, multiple and unknown", (408) designates itself, *in the third person*, by the name of Sowana. Helped by the rings both he and Miss Anderson wear on their hands, Edison is in permanent contact with this being. It is crucial to remember that the direct circulation thus made possible depends for its reciprocity on the supplement of an electric wire that carries Sowana's voice to the inventor. Yet, we are told that both fluids are not indifferent to one another and may mix, to give birth to an entirely "new fluid", a synthesis of unknown power. (413-4) According to Edison, this mixed fluid abolishes all distances and obstacles, provoking an unlimited and infinite circulation, without any need of a material inductor.

As soon as Edison has created "the young inanimated armor" of Hadaly, Sowana sets out to study the machine, "in order...to be able, *eventually*, to incorporate herself in her and to animate her by her 'supernatural' state". (409) Sowana takes command of her, because, as she confesses, "she rather prefers to be in this vibrating child than within herself". (23) Edison helps her by constructing a mechanical device that corresponds exactly to the systems of the android and is linked to it by "absolutely invisible inductors". This is how Edison reveals the android's mysteries to Lord Ewald:

> "Lying sheltered in the shadow bower and the thousand flowering gleams, Sowana, eyes closed and lost beyond the gravity of all organisms, incorporated herself as a fluid vision in Hadaly. In her solitary hands, similar to those of a dead person, she held the metallic correspondences of the android. In truth, it was she who walked in Hadaly's walk, — she spoke in her with that voice so strangely distant which, during her sacred kind of sleep, vibrates on her lips. And it sufficed to repeat, also with my lips, but *in silence*, everything you said in order for this stranger to us both to hear you through me, to answer you through this phantom." (410-11)

According to Edison's explanation, Hadaly's life, up to this point at least, was entirely due to Sowana's incarnation. Hadaly's self is nothing but the voice of Sowana. Yet this presence is in principle limited to Hadaly's state prior to her incorporation as Alicia Clary. From that moment on, Hadaly should be disconnected from the medium; animated exclusively by her own mechanical systems as well as by Lord Ewald's idealizing projections, her behavior should be totally foreseeable. However, the events surrounding the scene of "final rehearsal", clearly complicate, if not belie the explicatory scope of Edison's theory. In the park scene, Hadaly reveals her identity as *Hadaly* to Lord Ewald — "Friend, do you recognize me? I am Hadaly" (371) — although she is still connected by invisible wires to Sowana. Different from Sowana, Hadaly is, consequently, not only a machine but also a self. True, everything she tells Lord Ewald could have been programmed by the phonographs since she now speaks with the voice of the model. Yet, since Hadaly is still connected to Sowana, the possibility that the latter continues to speak through her cannot totally be excluded. That is what Edison suspects when, back in the laboratory, Hadaly utters some all too natural and unexpected words. Just before she is isolated from Edison's generators, she is still able to ask Lord Ewald to disclose nothing of what she had entrusted to him in the park. As already suggested, this request puts Edison's explanations in question. But the confusion climaxes when it becomes obvious that these could also have been the last words of the dying medium, spoken from behind the curtains of the laboratory. In fact, after everyone has left, Edison discovers the dead Miss Anderson still holding the mouthpiece of the phone: "if she used it, no one, however near to her, could have heard her doing so". (421) The context in this case allows as little decidability as in all the others.[35]

(4) *A posthumous being.* The following two positions (4. and 5.) establish a clear difference between Sowana and Hadaly. There are two versions, corresponding to the different narrative voices that articulate this difference. The version we are considering first is Lord Ewald's (and Hadaly's).

Having been illuminated by Edison as to Sowana's role in the creation of the replicant, Lord Ewald acknowledges this role, without however confusing Sowana and Hadaly altogether. Referring to the park scene, he asks his friend:

> "Although it is of intellectual decency that I never see Mistress Anderson, Sowana seems to merit being a friend. If she can hear me in all the surrounding magic, I would like this wish to reach her *wherever* she may be!...Yet, a last question: the words uttered by Hadaly just now in your park, were they spoken and "declaimed" by Miss Alicia Clary?" (415)

When Edison answers in the affirmative by pointing out that Hadaly had spoken in the voice of Alicia Clary, Lord Ewald is completely stupefied. "This time", he muses, "the explication was inadequate, because it was inconceivable that all the different phases of that scene could have been *predicted* (though the *voice* was witness to the fact that they had been)". (415) Before declaring and proving to Edison "the radical and absolute impossibility of this fact despite its solution", however, he remembers Hadaly's request that he keep their conversation to himself. At that moment, Lord Ewald has the very distinct intuition that the android is a "being from beyond the grave". (416) Because he has already dissociated Sowana from Hadaly, this being who inhabits the android now speaking with the voice of Alicia Clary cannot be the same as Sowana. On the contrary, it corresponds to the infinite and occult being that Hadaly claimed to be in the scene under the oak trees. The presence within Hadaly, is thus a new conjectural interpretation of the life of the android: it is a posthumous being. Yet this theory is competing with all the other theories. It has no final totalizing explicatory power over the entirety of events, especially since toward the end of the novel Edison is also led to foresee a being distinct from Sowana

---

35. In conformity with Edison's other possibility of a third mixed fluid free of all need of material conductors, Miss Anderson's death could correspond to Sowana's total takeover of Hadaly. The third fluid would render her independent of Miss Anderson's body and of the invisible wires which connected Hadaly to her. But in spite of the plausibility of this possibility, one must not forget that the hypothesis of the mixed fluid on which this conjecture rests is only an hypothesis. Edison never asserts the existence of this mixture nor of its absolute circulation, he only speculates about it. In this case as in all the others the narrative context impedes final certitude. There is no way to choose between any one of the conjectures intimated by the text. Above all, this total takeover conflicts with Hadaly's self-revealed identity — she calls herself Hadaly, and not Sowana —; nor does it account for the different voices, Sowana's and Alicia Clary's, in which Hadaly speaks after her incarnation. All these conjectures allow us to conclude only that Hadaly is the support of a plurality of voices.

in the android, yet different from the one Lord Ewald believes in, the one which Hadaly used to describe herself.

(5) *The ecstasy of the Ideal.* As initially planned, the totality of all the roles Edison and Mistress Anderson taught the incarnated Hadaly should constitute her "personality" or "the mirage of her mental being". But Edison is forced to admit that "throughout the day, here as well as in the park, he was confused by the final rehearsal which be beheld between Hadaly dressed as her model, and Sowana". (417) Indeed, Edison cannot overlook the fact that this rehearsal works *all too well*, even for a machine as sophisticated as his creation. Distinct from Sowana, Hadaly appears to be more than the entirety of her studied female roles. When Edison brags that "all this curious and minute work of refraction is neither difficult nor painful, but works all by itself", we understand that what is added to all those acquired personalities is the autonomous principle of reduplication and idealization itself. (417) Unlike all those studied roles, this principle operates all by itself. For Edison, Hadaly is a being beyond humanity; not a posthumous being as for Lord Ewald, but the Ideal *in person.*

> "I have physically furnished Hadaly with everything terrestrial and illusionary she possesses. But a Soul unknown to me has added itself to my work, incorporating itself in it forever. It has regulated, believe me, the smallest details of these frightening and charming scenes with an art so subtle that it truly escapes man's imagination. A being from beyond humanity has suggested itself to us in this new work of art, where an unimaginated mystery is irrevocably centered." (418)

Being the synthesis of everything ideal, Hadaly is animated by the ideal that comes to life in her. The soul which superposes itself to Edison's work of art is the entirely new and unknown synthesis of perfection: the Ideal *as such.*

> "It was ideal humanity — less what remains in us, less what it is impossible, at such moments, to establish the absence of in Hadaly. I was, I admit, enthused like a poet." (418)

Like the poet and the rhapsode in Plato's *Ion*, Edison is in rapture before his creature, who herself is enraptured by the being of the Ideal. But again, this explanation of Hadaly too encounters its limits! Refusing, albeit ambiguously, to grant Hadaly all that is unnamable in us, Edison's theory clashes with Hadaly's own revelations. Had she not explicitly characterized herself a representative of the unnamable infinity? Hence it becomes impossible to choose between the two versions of what makes Hadaly more than "vain simulacrum". (419)

Because of the mutually exclusive nature of the five possibilities of interpretation we have outlined, an exclusion which is not modified by the fact that some of these conjectures follow one another according to the logic of the narrative, no circulation of interpretations, no fluid medium in which their conflicting nature would be annulled takes place. All that can be asserted is that Hadaly as the minimal structure of identity, repetition, duplication and idealization, is the undecidable ground which allows these interpretations to come into play, and which simultaneously prevents this play from fusing into *one* interpretation.

Circling back, in order to conclude, to Villiers' affinities to a certain number of Early Romantic philosophemes and motifs which largely coincide with what the critics have mistaken for his "Hegelianism", it becomes obvious at this point in our analysis that the author of *L'Eve Future* appears as a challenge to the Romantic dream of a self-reflexive text. But this critique of self-reflexivity is not carried out in a Hegelian mode, namely in the perspective of a higher, more embracing form of self-reflexivity. On the contrary, Villiers' debate with the Romantic concept of self-reflexivity is an attempt to account for the moments and the process of self-reflection by — by definition — not supersedable structures. Hadaly is, as we have seen, such a structure.

None of the images or theories advanced in the novel can perfectly reduplicate and totalize the arrangements of events. As we have tried to show, Hadaly is, according to a *theory of manifolds* to which the critical act must yield under such circumstances, *as* the minimal structure of repetition, idealization, identity and reduplication, the organizing principle of these diverse and struggling textual interpretations. Undecidable as just such a structure of textual interpretative doubling, Hadaly's "impersonality" is not the meaning of *L'Eve Future*, it is the law of its multiple, partly complementary, partly exclusive meanings. It is by making the possibility of reflection and reduplication, of what the Romantics labelled "transcendental poetry", dependent on a structural agency such as Hadaly that Villiers most thoroughly puts the Romantic ideal of literature and poetry into question. Because the contingency of the trace already appeared to be the very condition of interstellar reverberation, the heterogeneity of Hadaly's undecidability as a microstructure of reduplication marks the bounderies of reflection and the medium to which it gives rise. As we have seen, there can be no reflection of light without the darkness of the luminous fold. This condition of possibility, however, also limits what it makes possible: at the fold, reflection comes to a halt.

Klaus-M. Kodalle

WALTER BENJAMINS POLITISCHER DEZISIONISMUS IM THEOLOGISCHEN KONTEXT

Der „Kierkegaard" unter den spekulativen Materialisten

1. Einleitung

Walter Benjamins Philosophie gehört einem Denktypus zu, den man als „Philosophie in der Krise" umschreiben kann. Der realen geschichtlichen Krisensituation korrespondiert ein ganz spezifischer philosophischer Denkduktus. Wie weit reicht die eigene Argumentation noch, wenn das Bewußtsein vorwaltet, man bewege sich auf einem brodelnden Vulkan, weil *alle* Parameter der Normalität des alltäglichen Lebens zu schwinden drohen? Wie begründet sich eine Kritik, die demnach auf die Kontinuität einer das Weltverhältnis orientierenden quasi-institutionalisierten Vernunft nicht mehr zu bauen vermag, und die sich zugleich auch jenen verweigert, die sich als heiliger Rest, als letzte Bastion der Vernunft, allen anderen angeblich Unvernünftigen gegenüber, aufspreizen, dabei propagandistisch auf den Entwurf einer Lebensform weisend, der nur endlich zu ergreifen wäre als Remedur, auf daß sich die gegenwärtige Heillosigkeit verflüchtige?

Der Denker, der im revolutionären Umbruch Mitte des 19. Jahrhunderts auf die komplexeste Weise eine solche Position verkörperte, war Søren Kierkegaard[1]. Er exponierte in Theorie wie eigener Lebenspraxis, was es heißt, sich leidenschaftlich als Einzelner zum Bestehenden zu verhalten, ohne sich auf den Glauben an Vernunftkonstrukte zu verlassen und ohne sich zurückzubinden an eine kommunikative Sicherung von Wahrheitsgarantien. In den 20er und 30er Jahren unseres Jahrhunderts wurde Kierkegaard nicht zuletzt in Deutschland entdeckt, weil auf allen Ebenen intellektueller Selbstverständigung das Bewußtsein einer abgründigen Krise virulent war. Ich behaupte: der Dezisionismus Benjamins läßt sich besser verstehen, wenn man ihn als eine *wirkungsgeschichtliche Position des ‚Kierkegaard-Paradigmas'* begreift. Daß Benjamin sich nicht als Kierkegaard-Interpret einen Namen gemacht hat, spielt also für diese Annäherung keine Rolle. Während z. B. Adorno sich dezidiert mit Søren Kierkegaard auseinandergesetzt hat[2], hat Walter Benjamin authentisch einige wesentliche Motive Kierkegaards unter den Bedingungen des 20sten Jahrhun-

---

1. Diese Position habe ich rekonstruiert unter dem Titel: Der nonkonforme Einzelne. Kierkegaards Existenztheologie, in: Der Fürst dieser Welt. Carl Schmitt und die Folgen, hrsg. v. Jacob Taubes, München u. Paderborn 1983, S. 198-226.
2. Vgl. K.-M. Kodalle, Adornos Kierkegaard. Ein kritischer Kommentar, in: Die Rezeption Søren Kierkegaards in der deutschen und dänischen Philosophie und Theologie, Sonderreihe von ‚Text und Kontext', Bd. 15, Kopenhagen/München 1983, S. 70-100.

derts ‚wiederholt' und in *seine* originäre intellektuelle Standortbestimmung integriert. Ein Herausgeber seiner Werke nannte ihn deshalb zurecht den „Kierkegaard unter den spekulativen Materialisten"[3].

Bereits Søren Kierkegaard hat das moderne bürgerliche Bewußtsein als verkrampft-schizophren, als emanzipativ und autoritätssüchtig zugleich, entlarvt. Er antizipierte der Sache nach Nietzsches Bild vom „letzten Menschen" und Heideggers „man". Unter Stichworten wie „Nivellierung" und „Publikum" gab er treffsicher die Verfallsstrukturen der Öffentlichkeit und des Politischen an, die jene Schizophrenie des modernen Bewußtseins stabilisieren. Er hat die leid- und gefahrvollen Wege dessen nachgezeichnet, der es nicht aufgibt, unter diesen Umständen „als Einzelner" zu existieren.

Carl Schmitt war fasziniert von der Rigorosität dieser Diagnose, die ins 20ste Jahrhundert ausstrahlte[4]. Und wo Walter Benjamin „die heutige Krise der bürgerlichen Demokra-

3. H. Schweppenhäuser, Physiognomie eines Physiognomikers, in: Zur Aktualität Walter Benjamins. Aus Anlaß des 80. Geburtstags W. Benjamins herausgegeben von S. Unseld, Frankfurt 1972, S. 157, A. 25.

Walter Benjamin mit Kierkegaard in Verbindung zu bringen, das mag dennoch den „Experten" befremden — schließlich ist Benjamins Denken der Tradition des Judentums verpflichtet. Sein Freund Gershom Scholem behauptet sogar „Christliche Ideen haben auf ihn niemals Anziehungskraft ausgeübt" (G. S., Walter Benjamin, in: Über Walter Benjamin. Mit Beiträgen von Theodor W. Adorno u. a., Frankfurt 1968, S. 157). Und Benjamin selbst gab in einem Brief an Scholem seiner Überzeugung Ausdruck, „daß nichts notwendiger ist als den gräßlichen Schrittmachern protestantischer Theologumena innerhalb des Judentums den Garaus zu machen" (W. B., Briefe, Frankfurt 1966, S. 564). Da muß es, gelinde gesagt, merkwürdig oder auch befremdlich anmuten, ausgerechnet eine solche Gestalt des Denkens in Konstellationen Kierkegaardscher Motivik erstehen zu lassen. — Hier ist allerdings nicht der Ort, diesen Versuch einer Annäherung auch im Kontext der Benjamin-Sekundärliteratur zu erhärten. Das soll später im Rahmen eines ausführlicheren Kommentars zu B. geschehen. Ein Bild Benjamins läßt sich auf mein Vorgehen anwenden: Ich habe dem Kaleidoskop nur eine an Kierkegaard orientierte Drehung versetzt und die bekannten Texte erscheinen in anderer, ent-sprechender Ordnung.

Auch in bezug auf das *Geschichtsverständnis* ist die Verwandtschaft beider Denker frappierender als ihre Differenzen. In der Kategorie des *Sprunges* bündelt Walter Benjamin die *dezisionistische Komponente in jedem Erkenntnisakt*, in welchem Erfahrung nicht vorgestanzt, sondern in ihrer Einmaligkeit gewonnen wird. Gerade die starke Betonung des Moments der Diskontinuität in Walter Benjamins Geschichtsphilosophie hat viele Interpreten beschäftigt. Ich kann darauf hier ebensowenig im einzelnen eingehen wie auf Benjamins vernichtende Kritik an solchen politischen Ideologien, die dem Gewicht politischer Entscheidung dadurch die Basis entziehen, daß sie die geschichtlichen Subjekte zu Agenten eines in objektiver Gesetzmäßigkeit ablaufenden kontinuierlichen Geschichtsprozesses herabwürdigen. — Zum Vergleich Benjamin-Kierkegaard bezüglich des Geschichtsbegriffs: G. Figal, Die doppelte Geschichte. Das Verhältnis Walter Benjamins zu Sören Kierkegaard, in: Neue Zeitschrift für Systematische Theologie und Religionsphilosophie, 24. Band/1982, Heft 3, S. 295-310.

4. C. Schmitt, Donoso Cortés in gesamteuropäischer Interpretation. Vier Aufsätze, Köln 1950, S. 84, 102, 107. — Zu Schmitt insgesamt vgl. K.-M. Kodalle, Politik als Macht und Mythos. Carl Schmitts ‚Politische Theologie', Stuttgart 1973.

tien"[5] ins Visier nimmt, fällt die zu Carl Schmitt parallele Argumentation ebenso immer wieder ins Auge wie die nicht eigens thematisierte Nähe zur Zeit-Diagnose Kierkegaards.

2. ‚Korrektiv': Der Widerruf in der Affirmation — Benjamins Verhältnis zur Politik

Die ursprüngliche ideale Begründung des Parlaments als Raum vernünftiger Diskussion und als Ort der Verabschiedung durch Diskussion hervorgebrachter vernünftiger Gesetze schiebt W. Benjamin beiseite. Seinem Blick für das reale Verhältnis von Einzelnem und Masse stellt sich das Parlament als homogene Gruppe von Repräsentanten dar, die zwar in sich differieren mögen, deren Tiefenfunktion indessen die ist, „Publikum" für den Staatsschauspieler, den Regierenden zu sein! Benjamin scheut sich nicht, diesen Vorgang „die Ausstellung der Regierenden" zu nennen, nach deren wechselnden Bedingungen zu fragen sei. Immerhin scheint der geschlossene Raum des Parlaments, das *überschaubare* Gegenüber von Publikum und Darsteller, wenigstens *partiell* rationalitätserzwingend zu wirken. Das Medium bedingt die Struktur und Qualität der Botschaft! Ein Sprung auf eine neue Ebene des Politikschauspiels wird durch die Neuerungen der Aufnahmeapparatur ausgelöst, durch Film, Rundfunk, Fernsehen. Nun kann auch noch der *Anschein,* als hinge der Erfolg des Politikers von der Lösung bestimmter Sachfragen ab, dahinfallen. Denn mit diesen Neuerungen „tritt die Ausstellung des politischen Menschen vor dieser Aufnahmeapparatur in den Vordergrund. Es veröden die Parlamente gleichzeitig mit den Theatern." „Das ergibt eine neue Auslese, eine Auslese vor der Apparatur, aus der der Star und der Diktator als Sieger hervorgehen."[6] Der Umschlag in Diktatur wird unumgehbar, wenn öffentliche, also politische Herrschaft erstrangig der Verschleierung dient, gerichtet gegen die *Eindeutigkeit* einer notwendigen *Neu*ordnung: „Der Faschismus versucht, die neuentstandenen proletarischen Massen zu organisieren, ohne die Eigentumsverhältnisse, auf deren Beseitigung sie hindringen, anzutasten." Faszinierend präzis formuliert W. Benjamin, der Faschismus sehe „sein Heil darin, die Massen zu ihrem Ausdruck (beileibe nicht zu ihrem Recht) kommen zu lassen". Der *Schein der Stärke,* der sich im Aufgehen eigener individueller Macht ins Kollektiv konstituiert, spiegelt sich im Kult des heroischen Stellvertreters und Führers, sowie der obligaten Apparatur zur „Herstellung von Kultwerten." „Der Faschismus läuft folgerecht auf eine Ästhetisierung des politischen Lebens hinaus." Die kultischen Ersatzformen versprochener Stärke, die Anschaulichkeit des autoritären Stellvertreters eigener Verantwortlichkeit, könnten womöglich die Individualität auf Dauer nicht binden. Denn immerhin: der ästhetische Politkult ist Ausdruck diffuser *real gegebener* Lebensmacht. Soll sie abgelenkt werden von der Gestaltung durch Individualität, muß sie auf ein

---

5. Walter Benjamin, Das Kunstwerk im Zeitalter seiner technischen Reproduzierbarkeit; wie alle im folgenden genannten Werke Benjamins zitiert nach der Ausgabe ‚Gesammelte Schriften', hrsg. v. R. Tiedemann und H. Schweppenhäuser, Frankfurt 1974; hier: Bd. I/2, S. 491, A. 20.
6. Zum ganzen Abschnitt vgl. ebd., S. 491 f., A. 20.

alle verbindendes Ziel „außerhalb" konzentriert werden. Dieser Macht-Konzentrations-punkt ist der Krieg: „Der Krieg, und nur der Krieg macht es möglich, Massenbewegungen größten Maßstabs unter Wahrung der überkommenen Eigentumsverhältnisse ein Ziel zu geben." Mit Bezug auf die *Technik* geredet: der Krieg bindet und mobilisiert „die techni-schen Mittel der Gegenwart", die ja ansonsten in die vernünftige Reorganisation menschli-cher Arbeit und ihrer elementaren Rechtsverhältnisse einzubinden wären: „Wird die natür-liche Verwertung der Produktivkräfte durch die Eigentumsordnung hintangehalten, so dringt die Steigerung der technischen Behelfe, der Tempi, der Kraftquellen nach einer un-natürlichen. Sie findet sie im Kriege...". In diesem historischen Prozeß eskaliert eine Kon-stellation, die gleichfalls S. Kierkegaard radikal bedacht hat: die von Priorität der Spekula-tion und Lust an der Selbstvernichtung: „Die Menschheit, die einst bei Homer ein Schau-objekt für die Olympischen Götter war, ist es nun für sich selbst geworden. Ihre Selbstent-fremdung hat jenen Grad erreicht, der sie ihre eigene Vernichtung als ästhetischen Genuß ersten Ranges erleben läßt".

W. Benjamin hat an *diese* Beobachtung, soweit ich sehe, nicht Reflexionen geknüpft, in denen er seine Hoffnungen auf die *proletarische* Masse zurückgenommen hätte. Dabei lag es schon damals nahe, die Ästhetisierung der Politik inklusive des Personenkults auch an den Ergebnissen der kommunistischen Revolution abzulesen. Auch in ihr kommt „Masse" *adäquat* „zu ihrem Ausdruck", wird „Recht" vorenthalten — wie aus dem Phänomen der Ästhetisierung der Politik zurückzuschließen ist. S. Kierkegaard hätte insistiert, das sei nicht historisch-zufällig, sondern strukturbedingt: Die Absorption des Einzelnen in die Masse zeitigt zwangsläufig Surrogatbildungen des Machtexzesses, um auszugleichen, was sich *real* vollzieht: die individuelle Entmächtigung im bloßen *Schein* des Machtgewinns. Soll der Einzelne zu seinem Recht kommen, müssen die Strukturen der Vermassung gerade zerschlagen werden. — Noch die scharfsinnige Analyse der *faschistischen* Vermassung drängt W. Benjamin anscheinend *diese* Folgerung *nicht* auf. Der letzte Satz im Nachwort zum „Kunstwerk"-Essay verblüfft vielmehr durch seine eklatante Harmlosigkeit: Der Fa-schismus betreibe die Ästhetisierung der Politik — „Der Kommunismus antwortet ihm mit der Politisierung der Kunst."[7]

Detailliert kann hier die — übrigens ja bekannte — Perspektive nicht nachgezeichnet werden, wie sich zeitweise Benjamins Theologie und eine rauschhafte Gewalt-Faszination, die geschichtlich von der „Masse" ausging, ineinander verschränken und sich in seiner Op-tion für den Kommunismus niederschlagen. Geradezu beschwörend brachte Benjamin zeit-weilig das Eintauchen in die Masse mit der Erfahrung kosmischer Harmonie in Verbin-dung. Hielt Walter Benjamin, ‚dieser Einzelne', womöglich aus Verzweiflung die Situation des anachronistisch gewordenen Einzelnen nicht aus? Jedenfalls empfahl er mit dem Mut der Verzweiflung, sich an die neue barbarische Masse zu entäußern, hoffend, Menschlich-keit wirke ansteckend, werde *nicht* von der Verantwortungslosigkeit des Kollektivs aufge-saugt: „Gut. Mag doch der einzelne bisweilen ein wenig Menschlichkeit an jene Masse ab-

7. Alle Zitate der letzten beiden Absätze aus dem Nachwort zum Kunstwerk-Aufsatz, I/2, S. 506-508.

geben, die sie eines Tages ihm mit Zins und Zinseszinsen wiedergibt."[8] Es scheint, Benjamin, der von der *bestehenden* Gesellschaft meinte, sie habe „keinerlei Würde mehr zu vergeben"[9], hat sich mit jenem Mut der Verzweiflung an die Phantasmagorie geklammert, es möchte ein Massenhandeln entstehen, das wirklich noch den Respekt vor dem Einzelnen aufzubringen vermöchte, Menschlichkeit nicht viehisch entgeltend...

Zuwenig galt Benjamins Augenmerk dem Sachverhalt, daß die existentielle Aufopferung der Verwertung eigener Lebensmacht durch den Einzelnen ihres Sinnes wieder beraubt werden könnte, wenn sie umstandslos in interessengeleitete Kollektivgebilde transferiert würde — und seien es die Kollektive der Ausgebeuteten. Auch diese nämlich sind strategisch und antagonistisch ausgerichtet; ihre Rationalität saugt die Kompetenz der Einzelnen, sich in Einsamkeit der Logik der Selbstbehauptung zu entziehen, auf. — Benjamin, der große Individualist, schien jedoch immer wieder fasziniert von der Gewalt-Aura der Kollektive. Es war darum nicht so zufällig, daß Herbert Marcuse die Benjaminsche negative „Stillstellung dessen, was geschieht und geschehen ist", als „das erste Positive" „vor allen positiven Zielsetzungen" begreifen konnte[10].

W. Benjamin frönte einer Hoffnung, die Kierkegaard nicht nur einfach verabschiedet, sondern schlechthin verworfen hatte: der Hoffnung, der Masse als Kollektivsubjekt eines revolutionären Handelns könne im Augenblick des revolutionären Aufstandes ihr „Mündigwerden" widerfahren — wenn „Panik und Fest, nach langer Brudertrennung sich erkennend, im revolutionären Aufstand einander umarmen"[11].

*

Indem wir uns hier von einer durch Kierkegaard angeregten Aufmerksamkeit leiten lassen, ziehen wir stärker jene Argumente und Erfahrungen Benjamins in Betracht, in denen sich *Distanz* zur Masse, eine Ernüchterung und daraus folgende Relativierung jener Illusion bekunden. Es fällt dann rasch auf, daß Benjamin das Aufsaugende, Verschlingende, ja tierisch Dumpfe der Masse — dieses ‚neuesten Rauschmittels der Vereinsamten' — nicht ignoriert hat. Er hatte zu konstatieren, daß „mehr als jemals ... die Masseninstinkte irr und dem Leben fremd geworden (sind)".[12] Benjamin hatte den Schock zu verarbeiten, daß der revolutionäre Paukenschlag nicht die Klarheit einer politischen Öffentlichkeit herbeizaubert, für die das Bild des Glashauses einsteht, sondern eher das Absinken in tierische Dumpfheit, Irresein und Entfremdung[13]. Benjamins Entscheidung für den Kommunismus wird deshalb

8. W. B., Erfahrung und Armut, II/1, S. 219.
9. Zentralpark (12), I/2, S. 665.
10. H. Marcuse, Nachwort zu: W. B., Zur Kritik der Gewalt und andere Aufsätze, Frankfurt 1971², S. 104.
11. W. B., Schönes Entsetzen, in: Denkbilder, IV/1, S. 434f.
12. W. B., Einbahnstrraße, IV/1, S. 95.
13. ebd., S. 95-99.

angemessener erfaßt, wenn man sie mit Kierkegaard als „Korrektiv" zum negativen „Bestehenden" charakterisiert.

Strukturell scheint die *Abwendung* vom bürgerlichen Establishment für die Erwägungen Benjamins wichtiger zu sein als die *Zuwendung* zum Adressaten eines didaktischen revolutionären Schrifttums; was von ihm selbst gilt, stellt er an der Lage der französischen Schriftsteller fest: „daß sie zu lernen hatten, auf ein Publikum Verzicht zu leisten, dessen Bedürfnisse zu befriedigen sich mit ihrer besseren Einsicht nicht mehr vereinbaren ließ"[14]. Keineswegs mochte Benjamin den Kommunismus als „Menschheitslösung" verstanden wissen. Der Anstrengung, sich *intentional* zu solcher *Totalität* zu versteigen und ein weltanschauliches *System* zu entwerfen, begegnete er mit prinzipieller Ablehnung. Es handele sich eben darum, „durch die praktikablen Erkenntnisse desselben [des Marxismus] die unfruchtbare Prätention auf Menschheitslösungen abzustellen, ja überhaupt die unbescheidene Perspektive auf ‚totale' Systeme aufzugeben..."[15]. Das kommunistische Engagement *symbolisiert* Benjamins Abkehr vom bürgerlichen Milieu ebenso wie die Abwendung von der in diesem etablierten Wissenschaft.

Benjamins Entscheidung für den Kommunismus als revolutionäre Aktion wird plastisch nur vor dem Hintergrund der Charakteristik des Bürgertums als diskutierender Klasse, die „dickfällig" jeden „Skandal" verkraftet, aber auf wirklich eingreifendes Handeln höchst „empfindlich" reagiert[16]. Die nächste Nähe zum zeitgenössischen Dezisionismus Carl Schmitts ebenso wie — historisch — zur Kritik der Diskussion bei Søren Kierkegaard wird greifbar, wenn Benjamin diagnostiziert, in der Intelligenz (Frankreichs) sei ein „frenetischer Wille... erwacht..., aus dem Stadium der ewigen Diskussionen heraus und um jeden Preis zur Entscheidung zu kommen"[17].

Benjamin teilte Kierkegaards leidenschaftliche Stellungnahme zugunsten des Extremen[18]. Er spielte nicht polemisch einen mediokren Kollektivismus, gar noch propagandistisch didaktisch, gegen den Einzelnen aus. Allerdings *glaubte* er (und gewahrte es so an A. Gide), der „ins Extrem gesteigerte Individualismus" *müßte*, „indem er auf seine Umwelt die Probe machte, in den Kommunismus umschlagen"[19].

Sowenig Benjamin sich über das *Spannungs*verhältnis von Individuum-Kollektiv bezüglich des Kommunismus hinwegbetrog, sowenig mochte er sich doch entschließen, es als Exklusion des einen Poles zugunsten des anderen zu verstehen. Jedenfalls findet sich keine distanzierende Einlassung, wenn Benjamin Gides *Leidenschaft* würdigt, mit der dieser „von jeher die Sache des Individuums zu der seinen gemacht habe; eine Sache, von der er erkannt hat, daß sie heute im Kommunismus ihren berufenen Anwalt besitzt"[20].

---

14. W.B., Zum gegenwärtigen Standort des französischen Schriftstellers, II/2, S. 800.

15. W. B., Briefe, hrsg. u. mit Anmerkungen versehen von Gershom Scholem u. Theodor W. Adorno, Frankfurt 1966, S. 616 (an W. Kraft).

16. W. B., Der Surrealismus, II/1, S. 303.

17. ebd., S. 295.

18. W. B., Briefe, a.a.O., S. 368 (an G. Scholem).

19. W. B., Zum gegenwärtigen gesellschaftlichen Standort des französ. Schriftstellers, II/2, S. 797.

20. W. B., Pariser Brief. A. Gide und seine Gegner, III, S. 483.

Benjamin möchte sich selbst nicht vorwerfen, „den geschichtlichen Augenblick" „*nur phraseologisch*" als Kampf gefühlt zu haben; darum gelte es, das dubiose politische Engagement als Kommunist zu wagen, in nüchterner Einschätzung des *experimentellen* Charakters[21]. Und, natürlich — Kierkegaardianische Pointe — in der Überzeugung: „was auch immer geschehen möge: auf mich ist für ein ‚System des Materialismus' weiß Gott nicht zu rechnen."[22]

Ausschlaggebend für das Verständnis dieser Entscheidung ist ihr gegen-utilitaristischer Grundzug. Der Aktion wird bewußt ihre Zielorientiertheit entzogen; sie richtet sich — als „Korrektiv" — auch gegen die Ziele des Kommunismus. Nicht etwa allein deshalb, weil Benjamin „die kommunistischen ‚Ziele' ... für Unsinn und für nicht existent" hält. Dies auch. Vielmehr versteht sich „Aktion" als Korrektiv grundsätzlicher: diese Bewegung richtet sich gegen die Verwertung der Ziele in der Politik als solcher, insofern „es sinnvolle *politische* Ziele nicht gibt"[23]. Der kalkulatorischen Politisierung überdrüssig, formuliert Benjamin seine Absage an die zweckrationale Verrechnung und Sicherung von Herrschaftspositionen; sie *verdankt* sich ausdrücklich der „metaphysischen Grundrichtung" seiner Forschung. Deren Vermittlung zur „Betrachtungsweise des dialektischen Materialismus" kennzeichnet er einschränkend als „gespannte und problematische"[24]. Denn im Grunde habe er „nie anders forschen und denken können als in einem... theologischen Sinn"[25]. 1934 erwähnt er, seine Arbeit habe „ihre breite — freilich beschattete — theologische Seite"[26]. Gerade sein scharfer Blick für die klassenkämpferische Konstellation der Gegenwart stößt Benjamin in die strukturelle Verdoppelung der Kierkegaardschen Position des nicht zu vereinnahmenden Korrektivs, das zuvörderst strebt, das Spiel zu verderben. In einer Rezension fällt ihm deshalb besonders auf, was seiner eigenen Lage entspricht: „So steht von Rechts wegen dieser Autor am Schluß da: als ein Einzelner. Ein Mißvergnügter, kein Führer. Kein Gründer, ein Spielverderber."[27]

Wie problematisch auch Benjamins politisches Engagement auf den ersten Blick erscheinen mag — seine eigene Reflektiertheit dieser *experimentellen* Option legt die Vermutung nahe, daß sich deren ‚Reinheit' begreifen läßt als Form eines entschiedenen Protests gegen *jegliche* Gestalt des Konformismus, dessen er die bürgerliche Intelligenz zeiht[28]. Anläßlich eines „Gespräch mit André Gide" hebt Benjamin hervor, was den Snobs wie den Spießern auf die Nerven gehe, sei nicht die Unmoral, sondern der Ernst des Ausnahmefalls[29].

Scholem hatte Benjamin „Sehnsucht nach Gemeinschaft" zum Vorwurf gemacht. Gewiß, schon 1923 schreibt Benjamin an F.C. Rang von „Sturmzeichen": „die zwangsmäßige

21. W. B., Briefe, a.a.O., S. 425 (an G. Scholem).
22. ebd., S. 429f.
23. ebd., S. 426.
24. ebd., S. 523 (an Max Rychner).
25. ebd., S. 524.
26. ebd., S. 613 (an G. Scholem).
27. W. B., III, S. 225 (Rez. zu: Kracauer, Die Angestellten).
28. Vgl. die Arbeit „Zum gegenwärtigen gesellschaftlichen Standort des französ. Schriftstellers".
29. W. B., Gespräch mit André Gide, IV/1,2, S. 509.

Vereinsamung der denkenden Menschen scheint reißend um sich zu greifen und ist in den großen Städten, wo sie ganz unfreiwillig sein muß, am schwersten zu ertragen."[30] Doch Benjamin münzt die Kierkegaardsche Bestimmung der eigenen Schriftstellerei als Korrektiv des Einzelnen zum Bestehenden exakt auf sich selbst um (ohne daß der Name Kierkegaard fiele). Genötigt, sich wegen seiner Option für eine proletarische Revolution zu rechtfertigen, schreibt er an Scholem, er sei gesonnen, „als Einzelner ... zu bestehen"[31]: „Nicht als ob eine siegreiche Partei im geringsten zu meinen heutigen Sachen ihre Stellung revidieren würde, wohl aber in dem anderen, daß sie mir anders zu schreiben möglich machen würde. D.h.: ich bin entschlossen, unter allen Umständen meine Sache zu tun, aber nicht unter jedem Umstand ist diese Sache die gleiche. Sie ist vielmehr eine Entsprechende."[32]

Solche Reflexion auf den eigenen Standort im ambivalenten Bestehenden treibt Benjamin dazu, dem gegenüber, der von ihm Klarheit verlangt, für sich eine Mitteilungsform zu beanspruchen, die dem Kierkegaardschen *Incognito* entspricht. Diese Position ist alles andere als spielerisch. Man provoziert Mißverständnisse auf allen Seiten, ja — um der bequemen, opportunistischen politisch-pragmatischen Verwertung sich zu entziehen — man denaturiert sich, macht sich bewußt uneinnehmbar — „ungenießbar für jeden"! „Wenn man schon ‚gegenrevolutionäre' Schriften verfaßt... soll man sie der Gegenrevolution auch noch ausdrücklich zur Verfügung stellen? Soll man sie nicht vielmehr denaturieren, wie Spiritus, sie — auf die Gefahr hin, daß sie ungenießbar für jeden werden — bestimmt und zuverlässig ungenießbar für jene machen?"[33] Was B. hier beansprucht, nämlich „unter einer Verkleidung" zu kämpfen, macht ihm Scholem zum Vorwurf. Eben das aber ist es, was Benjamin *ausdrücklich* will, auch darin mit Kierkegaard übereinkommend. Wer zum Bestehenden, das Benjamin einem dahintreibenden Wrack vergleicht, das Korrektiv sein will, der begibt sich in Extrempositionen. Er darf dem Leiden nicht ausweichen, besonders nicht dem an der Zweideutigkeit seiner Mitteilung, am Nichtverstehen der anderen. Was bleibt, ist die Überzeugung, nur so, an der Grenze des Untergangs, die Signalfunktion wahrnehmen zu können, deren es zur Rettung allemal *auch* bedarf: „Denn mit einem gewissen Recht könntest du, was ich eindeutig nenne, den Höhepunkt der Zweideutigkeit nennen. Gut, ich erreiche ein Extrem. Ein Schiffbrüchiger, der auf einem Wrack treibt, indem er auf die Spitze des Mastbaums klettert, der schon zermürbt ist. Aber er hat die Chance, von dort zu seiner Rettung ein Signal zu geben"[34]. Die Existenz des Schriftstellers „unter den schwersten Spannungen... des politischen, gesellschaftlichen Lebensraumes" — „ohne irgendein Vermögen, ohne irgendein festes Einkommen" — treibt Benjamin, für diese Existenz den Titel des „Paradoxon" zu reklamieren[35].

Søren Kierkegaard, der ja übrigens über die erforderliche Grundlage eines ausreichenden Minimalvermögens immerhin nicht zu klagen brauchte, hatte pointiert, der Kontinui-

30. W. B., Briefe, S. 325.
31. ebd., S. 531.
32. ebd., S. 530.
33. ebd., S. 531.
34. ebd., S. 532.
35. ebd., S. 534f.

tät des Verfalls sei nur durch die Vollmacht des *Außerordentlichen* Einhalt zu gebieten. Diesen Zentralbegriff des Außerordentlichen nimmt Benjamin im *gleichen* Kontext in Anspruch. (Selbstverständlich nicht für sich selbst — auch darin Kierkegaard ähnlich, der „Korrektiv" und Präsenz des „Außerordentlichen" zu unterscheiden wußte.) Nach „menschlichem Ermessen" ist Rettung „kaum zu erwarten". „Verfall ist um nichts weniger stabil, um nichts wunderbarer als Aufstieg. Nur eine Rechnung, die im Untergange die einzige ratio des gegenwärtigen Zustandes zu finden sich eingesteht, käme von dem erschlaffenden Staunen über das alltäglich sich Wiederholende dazu, die Erscheinungen des Verfalls als das schlechthin Stabile und einzig das Rettende als ein fast ans Wunderbare und Unbegreifliche grenzendes Außerordentliches zu gewärtigen. Die Volksgemeinschaften Mitteleuropas leben wie Einwohner einer rings umzingelten Stadt, denen Lebensmittel und Pulver ausgehen und für die Rettung menschlichem Ermessen nach kaum zu erwarten ist. Ein Fall, in dem Übergabe, vielleicht auf Gnade und Ungnade, aufs Ernsthafte erwogen werden müßte. Aber die stumme, unsichtbare Macht, welcher Mitteleuropa sich gegenüber fühlt, verhandelt nicht. So bleibt nichts, als in der immerwährenden Erwartung des letzten Sturmangriffs auf nichts, als das Außerordentliche, das allein noch retten kann, die Blicke zu richten."[36] Die Not-Wendung durch Eingriff des Außerordentlichen zu begünstigen, dazu bedürfte es einer Angespanntheit der Subjektivität in angestrengter *Aufmerksamkeit*, verzichtend auf Selbstmitleid und Klage.

Prononciert hatte Kierkegaard stets betont, das Außerordentliche liege nicht zutage, sei verborgen hinter der *Maske* des Spießertums. Benjamin bringt dies zur Einsicht: „Verkapselt und unscheinbar wie der Same sind im Leben des Menschen seine wahrhaft zeugenden Erfahrungen."[37]

3. Intentionslosigkeit — Der theologische Hintergrund einer Existenzkategorie

Der nicht selten stark verklausulierten Auffassung Benjamins von der ‚Versöhnung' nähert man sich erfolgreich über die Idee einer *Entscheidung zur Intentionslosigkeit* der Existenz — gegen die Zwangsmechanismen mythischer Existenz, die noch in aller *Tausch*-Mentalität durchschlagen. Es komme darauf an, daß der Mensch sich als „Geschöpf" begreife und sich so aus der Fixierung auf die eigene Lebensmacht löse, denn eben diese Objektivation eigener Macht hemmt die Erlösung. In der Selbst-Annahme als Geschöpf fügt sich der Mensch in die *göttliche* Intention ein: „... nur das Leben des Geschöpfes, niemals das des Gebildeten hat Anteil, hemmungslosen Anteil an der Intention der Erlösung."[38]

Die *paradoxe* Struktur dieser an den *Augenblick* gebundenen Entscheidung[39] wird gezeitigt durch die Verfassung der Endlichkeit. Dies Paradox ist kein objektives, ontologisches; die Entscheidung im Augenblick, der Versuch, im Sprung in eine Identität zu gelangen, die

36. W. B., Einbahnstraße, IV/1, S. 95.
37. W. B., Theologische Kritik. Zu Willy Haas ‚Gestalten der Zeit', III, S. 275.
38. W. B., Goethes Wahlverwandtschaften, I/1, S. 159.
39. W. B., Briefe, S. 425 (an G. Scholem).

sich als kontinuierende der fragmentarischen Existenz entzieht, läßt sich nur wagen in der allemal zutiefst undeutlichen, dunklen Gewißheit, daß die Identität von Vollzug des Glaubens und ‚gelingender' Praxis-in-Welt „an sich" als gewährt gelten darf — mag sich dies auch der *kalkulatorischen* Selbstvergewisserung verweigern: „Eine andere Identität dieser Bereiche als die des praktischen Umschlagens mag es geben (gibt es gewiß), führt aber uns, die wir jetzt und hier nach ihr suchen wollten, tief in die Irre."[40] Sie in *direkter* Intention zu suchen, anzustreben, das hieße doch, die schuldhafte Verfassung des endlichen Ich zu ignorieren, so, als hätte es nicht schon immer sich selbst vom Wahrheitsgrund in sich abgeschnitten — jedenfalls was dessen *willentliche* Vergegenwärtigung betrifft. Dieser Wille in seiner direkten Intentionalität, der stets auf Unterwerfung des Fremden, Anderen zielt, ist ja gerade korrumpiert. Folglich kennt Benjamin keine andere Empfehlung als die an Kierkegaard erinnernde: „Immer radikal, niemals konsequent in den wichtigsten Dingen zu verfahren"[40]. (Diesem Duktus entspricht es, daß Benjamin seine Entscheidung für den Beitritt zur KP „von einem letzten Anstoß des Zufalls" abhängig zu machen gedachte[40]!)

Die erwähnte schuldhafte Verfassung des Ich bringt in der strategisch-absichtsvollen Selbstvergewisserung zum Ausdruck, daß das Subjekt *im Grunde* seiner Selbständigkeit entspringen und sich der *eigenen* Seinsmacht verdanken möchte; darin gibt es die Ursprungsdimension des Geistes preis; die Rückseite der solipsistischen Vergeistigung im Autismus ist die Selbstvernichtung: „Die absolute Geistigkeit, die im Satan gemeint ist, bringt in der Emanzipation vom Heiligen sich um das Leben." Das Leben, das dann noch weiter währt, wenn den Verlockungen des Emanzipationstraums nachgegeben wird, erweist sich als *scheinhaft*: „Was lockt, ist der Schein der Freiheit — im Ergründen des Verbotnen; der Schein der Selbständigkeit — in der Sezession aus der Gemeinschaft der Frommen; der Schein der Unendlichkeit — in dem leeren Abgrund des Bösen."[41]

Im Wahn endlichkeitsvergessener Selbstüberhebung phantasiert der Mensch nun *das Ganze* der Möglichkeiten in die Macht der eigenen Verfügung und verstellt sich, daß ihm, dem als Endlichen nur Bestimmtes, Gegebenes, gemäß wäre, der Griff nach dem Ganzen, nach allem, zum Fall ins Nichts werden muß.

Benjamin hat — wie Søren Kierkegaard — erkannt, daß diese illusionäre Intention nicht einer verqueren Auffassung des Geistes von sich selbst entspringt, sondern, unbewußt, dem „Trieb", der, vom Wissen uneingestanden, dieses in die Selbst-Versicherung der Unendlichkeit treibt: „Als Wissen führt der Trieb in den leeren Abgrund des Bösen hinab, um dort der Unendlichkeit sich zu versichern. Es ist aber auch der Abgrund des bodenlosen Tiefsinns."[42] In diesem Abgrund lauert die *Angst*, die in ihrer geistigen Dringlichkeit um vieles verzehrender ist als die ‚laute' naturhafte Angst vor dem Tod. „Die Angst vor Verantwortung ist die geistige unter allen"[43], darin sich bekundend als Potenzierung der „Angst vorm Tod", die jede andere einschließe[44].

---

40. ebd.
41. W. B., Ursprung des deutschen Trauerspiels, I/1, S. 404.
42. ebd.
43. W. B., Goethes Wahlverwandtschaften, I/1, S. 154.
44. ebd., S. 151.

Søren Kierkegaard hatte allemal nicht simpel die Einsamkeit *propagiert*: er wußte nicht nur um das Leiden der Einsamkeit, er wußte auch um die *Sogwirkung* des Selbstgenusses, die im Abkoppeln, im Aussteigen, in der Verantwortungslosigkeit lauert. Walter Benjamin holt das bündig in der Sentenz ein, wir seien uns selbst „die fürchterlichste Droge", „die wir in der Einsamkeit zu uns nehmen"[45].

Das leere, sich aus dem *vorgegebenen* Lebenskontext herauslösende Ich *imitiert* Gott, indem es die Attitüde der *Kontemplation* übernimmt, die Gott als Subjekt der Geschichte vorbehalten bleibt. Doch da ihm das *Wissen* um die Struktur des Ganzen des Daseins versagt bleibt, muß sich dieses endliche Ich seine Welt der seienden Objekte *konstruktiv* entwerfen: der „Triumph der Subjektivität" ist in eins und zumal der „Anbruch einer Willkürherrschaft über Dinge"[46]. „Also hat das Wissen von dem Bösen gar keinen Gegenstand." Nur wo sich das Ich auf die alle Wirklichkeit setzende Macht Gottes einläßt, entspringt dieser Praxis ein Wissen sekundärer Qualität, auch ‚sachliches Wissen' genannt: „Das Wissen vom Guten, als Wissen, ist sekundär... Das Wissen vom Bösen — als Wissen ist es primär. Es erfolgt aus der Kontemplation." Benjamin selbst erinnert sich hier Kierkegaards: Letzteres Wissen sei nämlich „‚Geschwätz' in dem tiefen Sinne, in welchem Kierkegaard dies Wort gefaßt hat"[47].

Die unermüdliche Sorge um die Wahlfreiheit verfällt zusammen mit jenem Wissen dem Verdikt: In der bestimmten, mutigen *Entscheidung* nimmt der Mensch Abschied von dieser naturhaft-mythischen Zerstreuung, zerreißt er das Schicksal, stiftet er die Eindeutigkeit der *Treue*: Im Ernst der Existenzübernahme schreibt der Mensch sich als *geist*-geworden in das Buch des Lebens erst ein, indem er die unvordenkliche „Wahl" aufhebt: die Entscheidung „annihiliert die Wahl, um die Treue zu stiften: nur die Entscheidung, nicht die Wahl ist im Buche des Lebens verzeichnet. Denn Wahl ist natürlich und mag sogar den Elementen eignen; die Entscheidung ist transzendent."[48]

Benjamin bleibt also mit seiner Problemlösung Kierkegaard auf der Spur. Wenn der emanzipierten Subjektivität der simple romantische Rückweg in das Heil durch den schuldhaften Willkürakt ihrer Wissenshypertrophie inklusive des trügerischen Objektivismus verbaut ist, mag es die *Reue* sein, mit der sich die Subjektivität im Spiegel der Gottheit zu sehen lernt und ihrer Endlichkeit eingedenk wird: In der Vision himmlischen Gerichts kommt „die eingestandene Subjektivität zu dem Triumphe über jede trügerische Objektivität des Rechts und fügt als ‚Werk der höchsten Weisheit und der ersten Liebe' [Dante], als Hölle, der göttlichen Allmacht sich ein"[49]. Als sich so erfassende endliche ist Subjektivität

45. W. B., Der Surrealismus ..., II/1, S. 308.
46. W. B., Ursprung ..., I/1, S. 407.
47. ebd. — Die von J. Habermas in seiner Benjamin-Interpretation beschworene fatale *Zukunftsmöglichkeit* einer bedeutungsleeren Emanzipation beschreibt Benjamin selbst also als schon antreffbare Struktur eines Selbstverständnisses, das sich *primär* auf das eigene Wissen verläßt und die Entscheidung zwischen gut und böse der eigenen produktiven Ratio verdanken will. Vgl. J. Habermas, Bewußtmachende oder rettende Kritik — die Aktualität Walter Benjamins, in: Zur Aktualität Walter Benjamins, a.a.O., S. 217, 219f.
48. W. B., Goethes Wahlverwandtschaften, I/1, S. 189.
49. W. B., Ursprung ..., I/1, S. 407.

nicht mehr nur scheinhaft, „ebensowenig aber gesättigtes Sein, sondern die wirkliche Spiegelung der leeren Subjektivität im Guten." Die immanente Dynamik des Selbst treibt nämlich in die schlechte Unendlichkeit jenes Herrschaftswissens hinein, dessen Energie so lange nicht versiegt, wie die Illusion währt, auf diese Weise sich endlich seiner selbst und der Bedingungen der Existenz versichern zu können. Allein die Vergegenwärtigung des Göttlichen enthüllt dem Ich den Illusionscharakter dieser Verfilzung von Wissen und Bemächtigungstrieb als seine eigene abgründige Bosheit und macht damit den Blick frei für die wahre Verfassung der eigenen Wirklichkeit: „Im schlechthin Bösen greift die Subjektivität ihr Wirkliches und sieht es als die bloße Spiegelung ihrer selbst in Gott."[50] In dieser Einfügung in die Gegenwart der Allmacht eröffnet sich dem Ich erst die Perspektive glückender Identität. „Glücklich sein heißt ohne Schrecken seiner selbst innewerden können."[51] Man greift gewiß nicht zu weit, wenn man unterstellt, seiner selbst innewerdend, habe der Mensch normalerweise Anlaß zu erschrecken, und das Glück werde ihm nur zuteil in den Augenblicken der Gewißheit, auch noch der Anlaß des Schreckens sei — vermittels jener allmächtigen Geistesgegenwart — verziehen.

Existentiell entspricht dieser Einsicht in die erforderliche Zurücknahme des nach Bedeutung verlangenden, aber tatsächlich bedeutungsleeren Subjekts eine fundamentale Entscheidung zur Intentionslosigkeit oder auch: radikalen Zweckfreiheit. Das wird von Benjamin im Kontext des Messianismus hervorgehoben: „Darum ist das Reich Gottes nicht das Telos der historischen Dynamis; es kann nicht zum Ziel gesetzt werden. Historisch gesehen ist es nicht Ziel, sondern Ende." „Die Ordnung des Profanen hat sich auszurichten an der Idee des Glücks". Glück, im Gegensatz zum Messianischen, könnte sich auf jenes Festhalten des Augenblicks im Endlichen beziehen, das Faust ersehnt. In diesem Sinn, so steht zu vermuten, „strebt freilich das Glücksuchen der freien Menschheit von jener messianischen Richtung fort". Indessen eröffnet sich eine ganz anders qualifizierte Dimension des Glücks, wenn sich das Irdische — seines Böseseins ansichtig geworden — nicht länger gegen sein Vergehen stemmt, wenn es das Insistieren aufgibt und sich in seinen Grund begibt — zu Grunde gerichtet.

Der Weg des glückenden Untergangs des alten Adam als restitutio in integrum aber ist markiert durch den Hindurchgang durchs Leiden „des inneren einzelnen Menschen", dessen Leidenschaft als „unmittelbare messianische Intensität des Herzens" den Betrachter wie ein Untergang ins Unglück anmutet. Natürlich ist die Wendung nicht kalkulierbar auf das Ganze der Menschheitsgeschichte zu übertragen; wenn überhaupt, wird aber nur der Prozeß solcher individuellen restitutio die gegenstrebigen Bewegungen des Profanen und der messianischen Intensität so zusammenzwingen, daß wenigstens das „leiseste Nahen" des Gottesreiches spürbar wird. Nur wenn dieser „geistliche" Prozeß der restitutio statthat, wird die Welt als ganze „in die Ewigkeit eines Unterganges" geführt werden, der als ewige Bewegung selbst „Glück" ist. In diesem Lichte wäre „Nihilismus" die Preisgabe aller aufgesetzten Zwecke und dadurch die Freigabe des Messianischen der Natur als ewigvergänglicher[52].

50. ebd.
51. IV/1, S. 113.
52. Vgl. zum ganzen Absatz: W. B., Theologisch-Politisches Fragment, II/1, S. 203f.

Das dieser Zuspitzung entsprechende Verständnis der *Allmacht* als Grundlage einer Kritik aller egozentrischen Lebensbemächtigung hat schon Kierkegaard entwickelt. Denn nur vor diesem Hintergrund mag plausibel werden, *inwiefern* sich *Wahrheit* so zur Geltung bringen läßt, daß alle — wie verborgen auch immer — Verfügung suggerierenden Zweck-Mittel-Relationen grundsätzlich zurückgewiesen werden: „Wahrheit tritt nie in eine Relation und insbesondere in keine intentionale. Der Gegenstand der Erkenntnis als ein in der Begriffsintention bestimmter ist nicht die Wahrheit. Die Wahrheit ist ein aus Ideen gebildetes intentionsloses Sein. Das ihr gemäße Verhalten ist demnach... ein in sie Eingehen und Verschwinden. Die Wahrheit ist der Tod der Intention."[53] Noch in aller Intentionalität sieht Benjamin den Versuch am Werk, sich als Einzelnes aus eigener Kraft zu bewahren und sich in diesem Vollzug der Wahrheit zu bemächtigen. Erst wo das Einzelne im Verhältnis zur Idee steht, werde es, „was es nicht war — Totalität. Das ist seine platonische ‚Rettung‘"[54]. Diese Rettung im Geiste der Idee verweist auf die Bewegung der Verendlichung des Absoluten selbst, welches sich als konkrete Totalität Dasein gibt. *Aus sich heraus* ist deshalb kein Endliches gerechtfertigt, entringt sich kein Endliches dem Schuldzusammenhang bloßen Lebens. „Die Reinheit eines Wesens ist *niemals* unbedingt oder absolut, sie ist stets einer Bedingung unterworfen. ... Mit anderen Worten: die Reinheit jedes (endlichen) Wesens ist nicht von ihm selbst abhängig."[55]

Soll diese Bedingtheit existentiell nicht länger ignoriert oder überspielt werden, muß sich das Selbstverhältnis der Machtsubjekte ändern. *Sie hätten sich wieder zurückzustellen in die unmittelbare Manifestation der göttlichen Gewalt*, deren Warte die Gerechtigkeit ist. Indem sie *ohne Vorbehalt* in sich dieser göttlichen *einen* Gewalt Raum geben, sich zum Ort ihres Daseins *machen*, nehmen sie als Emanzipierte, ihrer Machtkapazitäten Bewußte, den Akt der Emanzipation zurück; sie verzichten frei-willig auf das Geltendmachen einer der Selbstbehauptung dienenden Zweck-Mittel-Ratio und brechen damit den Bann, aus Furcht vor Schaden sich selbst gegenüber dem Anderen/Fremden als Machtsubjekt einzubringen. — Die Stoßrichtung des Arguments gilt — prinzipiell radikal, also: an die Wurzeln gehend — schlechthin der Rechtsordnung als legaler Ordnung sanktionierter Gewalt. Die Kritik insistiert „auf der Entsetzung des Rechts samt den Gewalten, auf die es angewiesen ist, wie sie auf jenes, zuletzt also der Staatsgewalt"[56]. Die Phantasie einer Anihilation von Gewalt überhaupt konnte Benjamin nicht in den Sinn kommen, denn als quasi natürlicher Rohstoff ist sie dem Menschen als selbstbewußtem Lebewesen *gegeben*[57].

Der Verzicht, die eigene Existenz weiterhin unter der *Priorität* von Zweck-Mittel-Relationen zu vollziehen, entzieht der angstvoll-utilitaristischen Frage, ob denn daraus nicht etwa gerade die Expansion der Machtbesessenen folgen mag, den Boden. Wer sie *nicht* mehr stellt, *verrechnet* auch die Erfahrungen eignen Schmerzes nicht mehr in eine Zweck-Mittel-Gerechtigkeitsökonomie: Die Gerechtigkeit ist die nicht verrechenbare Sache Gottes. Nur

53. W. B., Ursprung ..., I/1, S. 216.
54. ebd., S. 227.
55. W. B., Briefe, a.a.O., S. 206 (an Ernst Schoen).
56. W. B., Zur Kritik der Gewalt, II/1, S. 202.
57. ebd., S. 196.

durch ihr Gründen in Gott ist der Gewalt auch jenseits des Rechtes ihr Bestand als reine unmittelbare gesichert. Sie aber im je bestimmten Gewaltereignis zu *identifizieren*, diese Entscheidung ist „nicht gleich möglich noch auch gleich dringend... für Menschen"[58]. Im Horizont dieser Zuspitzung ist auch die von Kierkegaard vorgebildete *Suspension des ethischen Maßstabs* zu verorten, nämlich „in ungeheuren Fällen die Verantwortung, von ihm abzusehen, auf sich zu nehmen". Dieser Prozeß der Auseinandersetzung mit sich selbst muß, das sah Benjamin, „in ... Einsamkeit" geschehen. Und der Sinn der göttlichen Forderung ist jene Vernichtung des je *eigenen* Gewaltanspruchs. Vernichtend ist die Manifestation der göttlichen Gewalt „nur relativ, in Rücksicht auf Güter, Recht, Leben und dergleichen, niemals absolut in Rücksicht auf die Seele des Lebendigen". Auch die „Abwesenheit jeder Rechtsetzung" ist dann nicht Zweck oder Absicht, sondern geschehendes Ereignis. Erst so ließe sich die ,unblutige, schlagende' Entsühnung vom Recht selbst fassen: Nur als je *mein* Vollzug des Eingehens in die zweckfreie Gewalt des Gottes, die sich des Handelnden in ihrer Erscheinung bedient, ihn dadurch gerade in der Aufopferung des Eigensinnes seiner Macht ,heiligend'[59].

In dem Zusammenhang ist besonders hervorzuheben: Wird mit der Suspension der Zweck-Mittel-Rationalität im Existenzvollzug Ernst gemacht, muß es als ausgeschlossen betrachtet werden — angesichts der prinzipiell nicht behebbaren Ungewißheit (s.o.) — sich selbst gegenüber anderen als *Mittel* der göttlichen Gewalt, als ihr Vollstrecker, aufzuwerfen. Dies käme einem indirekten (vielleicht mutwilligen) Geltendmachen der eigenen Lebensmacht gleich.

Die Rede vom ,Gesetz der reinen Mittel' meint also ihre Loslösung aus aller Verzweckung: die „klare, einfache Revolte" (so Benjamin mit G. Sorel[60]), die in der Tat „kindischer Anarchismus" wäre und als Freiheit gestaltlos bliebe, wenn sie sich nicht in eine „höhere Ordnung der Freiheit" einbehalten wüßte[61]; deren Subjekt ist Gott, dem allein Zwecksetzung und damit die Entscheidung über Gerechtigkeit obliegt.

4. Schlemihl als Friedensengel

Das Leben im Zeichen der nicht in Bemächtigung umgemünzten göttlichen Gewalt sieht sich der weltimmanenten Verwertungsdialektik von Macht und Gegenmacht, von Autorität und Gehorsam konfrontiert. Aus dieser Spannung entspringt die Vorstellung dessen, was existentiell „Frieden" heißen dürfte: Nur *der* Frieden, der sich *verkörpert* als zweite Unmittelbarkeit gelebter, nicht-strategischer Existenz, verdient und weckt Vertrauen. Benjamin sieht folgerichtig in den Mathematikern und den Clowns „die Meister des abstrakten Denkens und der abstrakten Physis"[62]. Sie sind „Vertraute des Friedens" — „von Natur

---

58. ebd., S. 202f.
59. ebd., S. 200.
60. ebd., S. 194.
61. ebd., S. 187.
62. W. B. III, S. 71 (Rez. zu Ramon Gomez de la Serna ,Le cirque').

aus". Sie abstrahieren in ihrer Existenz von den Verzweckungen eines mit der eigenen Lebensmacht *strategisch* umgehenden Verhaltens. Sie *sind* friedfertig, weil ihnen der Frieden nicht ein „Gut" ist, das sich durch Veranstaltungen herstellen, verhindern, erstreben läßt, kurz: ein ‚Sollen', das auf ein ‚Haben' zielt. Das ist der gegen-utilitaristische Hintergrund für die ungeheuerlichen Gleichsetzungen Benjamins: Bürgen des Friedens seien „nicht die sehr zweifelhaften barmherzigen Schwestern (die schließlich auf den Krieg, nur anders als die Generale, warten) noch auch die Pazifisten (die von Kriegsgefahr, nur anders als die Rüstungslieferanten, leben)"[63]. „Mystizismus des Krieges" und „das klischierte Friedensideal des Pazifismus" hätten einander nichts vorzuwerfen[64]. Der Frieden ist kein *Gut*, auch nicht das höchste. Noch dies setzte ihn den Verwertungsambitionen aus. Wenn er ist, so ist er da als der „besiegelte Friede" versöhnter Natur[65]. *Zweiter* Natur, also: reflektierter. Ihre Friedfertigkeit verobjektiviert sich nicht zur Betonung der eigenen Friedensliebe: dies liege „denen nahe, die den Krieg gestiftet haben". Ihre Reflektiertheit bezieht sich auf den Krieg als die Grenzwirklichkeit jeden machtpolitisch-strategischen Umgangs von Menschen mit Menschen. Deshalb: „Wer... den Frieden will, der rede vom Krieg ... von seinen drohenden Anstiftern, seinen gewaltigen Ursachen, seinen entsetzlichsten Mitteln."[66] Wer davor zurückschreckt, wer sich gleichsam reflexionslos in den bestehenden Frieden so einhaust, als wäre er schon der ewige, und als gälte es nicht, ständig gegenzuhalten gegen die utilitaristische Verwertung des Friedens im Partikularinteresse, gegen dessen geheime Herrschaftsansprüche macht Benjamin geltend, hier *genössen* jene den Frieden, „die im Krieg kommandiert haben und beim Friedensfest tonangebend sein wollen"[67].

Die Kierkegaardschen Kategorien des Augenblicks, des Sprungs und des Einzelnen in der Einsamkeit seines Entschlusses bilden auch bei Benjamin die Konstellation des Verständnisses dessen, was hier, in der Versöhnungsoptik des Friedens der Clown-Engel, ‚Vernichtung' meint: die totale Vernichtung der *Eigen*macht; „darum bezeichnet ein todesmutiger Sprung jenen Augenblick da, da sie — ein jeder ganz für sich allein vor Gott — um der Versöhnung willen sich einsetzen." Der Glaube als ‚Bewegung der Endlichkeit' (Kierkegaard): „... in solcher Versöhnungsbereitschaft erst ausgesöhnt, gewinnen sie sich". Die „Aussöhnung der Mitmenschen" wird nicht in direkter Intention gezeitigt; sie ist jener Aussöhnung „vor Gottes... Antlitz" „weltliche Spiegelung". Wo die Menschen wähnen, Aussöhnung der Menschen als unmittelbares weltliches *Ziel* erstreben zu können — um dadurch die Versöhnung Gottes *zu* erlangen und sich eines ein-für-allemal *gesicherten* Lebens zu erfreuen — da wird Versöhnung scheinhaft, falsch, mythisch. Solcher Versöhnungswille unterläuft den offenen Streit, den Kampf, die Feindschaft, sucht „den Pakt mit dem bürgerlichen, dem reichlichen, dem gesicherten Leben": So verliert „die Leidenschaft all ihr Recht und ihr Glück" — „So viel Leiden, so wenig Kampf"[68].

63. ebd.
64. W. B., III, S. 239 (Theorien des deutschen Faschismus. Rez. einer von E. Jünger herausgegebenen Schrift).
65. Vgl. W. B., III, S. 71f.
66. W. B., Friedensware, III, S. 25.
67. ebd.
68. Alle Zitate dieses Absatzes: W. B., Goethes Wahlverwandtschaften, I/1, S. 184f.

Es erscheint angebracht, an dieser Stelle Benjamins Beschreibung des „destruktiven Charakters" in Erinnerung zu rufen; sie fügt sich nämlich trefflich zu Kierkegaards Intention und seiner die Nebel des Selbstbetrugs verscheuchenden Praxis: „Das Bestehende legt er in Trümmer, nicht um der Trümmer sondern um des Weges willen, der sich durch sie hindurchzieht." Sogar noch Kierkegaards Schwermut, wenngleich nicht sein Gottvertrauen, spiegelt sich im Lebensgefühl des Benjaminschen destruktiven Charakters, der nicht lebt „aus dem Gefühl, daß das Leben lebenswert sei, sondern daß der Selbstmord die Mühe nicht lohnt"[69].

Die nicht-strategische Intentionalität solcher Existenz verdichtet sich in dem Satz „Der destruktive Charakter ist ein Signal"[70]. Ein Signal, das sich dem vereinnahmenden Verstehen durch die Masse unweigerlich sperrt. Das Interesse, verstanden zu werden, „betrachtet" der destruktive Charakter „als oberflächlich". Indem er gegen das Mißverstandenwerden immun erscheint, es im Gegenteil herausfordert, wird er zum Opfer bürgerlicher Rache: des Klatsches, des nach Benjamin „kleinbürgerlichste(n) aller Phänomene". Nicht daß diese Reaktion gewollt wäre! Vielmehr *findet sich* der destruktive Charakter damit *ab*, mißverstanden zu werden; „er fördert den Klatsch nicht". Das Nicht-Zweckrationale dieser Existenzform hat Benjamin zu fassen versucht durch den Gegenpol des von ihm so genannten „Etui-Menschen".

Benjamin gibt als „Grundaffekt" an: „ein unbezwingliches Mißtrauen in den Gang der Dinge", anders gesagt: die permanent aktualisierte Überzeugung, „daß alles schiefgehen kann". So wird das „Wissen" von Stabilität und Sicherheit ausgehöhlt. Einer, der keine Ziele und Zwecke mehr, nur „überall Wege sieht, steht... selber immer am Kreuzweg"[71].

Mit diesem Schritt, die Passion nüchtern in den Blick zu nehmen, stimmt folgerichtig die Benjamin und Kierkegaard gemeinsame *Denunziation der Erfolgsorientierung* überein. „Der Erfolg ist die Marotte des Weltgeschehens." Er ist nicht „als blindes Spiel des Zufalls" beiseite zu schieben, sondern vielmehr als „der tiefste Ausdruck für die Kontingenzen dieser Welt" zu deuten. Intention der Handlung und Ergebnis sind durch eine Kluft geschieden; Benjamin betont, der Erfolg habe „am wenigsten zu schaffen mit dem Willen, der ihm nachjagt". Die Unberechenbarkeit des Erfolges zeigt sich gerade dann, wenn man ihn satirisch zur Verfassung eines nivellierten, auf seine leere Austauschbarkeit reduzierten Subjekts in Bezug setzt: „Erfolg bei Preisgabe jedweder Überzeugung. ... Erfolg bei Annahme jedweder Überzeugung. ... Erfolglosigkeit bei Annahme jedweder Überzeugung. ... Erfolglosigkeit bei Preisgabe jedweder Überzeugung." Wer dem eingewurzelten „Vorurteil, daß es der Wille sei, der zum Erfolg der Schlüssel" sei, wirklich abschwört, der gleicht dem Schlemihl: Er „nimmt an nichts Anstoß; er stolpert nur über seine eignen Füße". In einer Welt der Erfolgsorientierung wäre das Stolpern noch nach dem Maßstab des Erfolgs zu beurteilen; das Stolpern über die *eigenen* Füße drückt die Absurdität des *Strebens* nach Erfolg aus. Als Absurdes verfremdet es die Routine der Selbsterhaltungsmaschinerie und

---

69. W. B., Denkbilder. Der destruktive Charakter, IV/1, S. 398.
70. ebd., S. 397.
71. ebd., S. 398.

durchkreuzt die ideologisch-utilitaristische Lebenseinstellung. Schlemihl ist darum „der einzige Friedensengel, der auf die Erde paßt"[72].

Diesen Bruch aller Verzweckung verdeutlicht Benjamin an der *Hoffnung*. Sie gewinnt auch bei ihm „paradoxeste" Gestalt, insofern „die letzte Hoffnung niemals dem eine ist, der sie hegt, sondern jenen allein, für die sie gehegt wird"[73]. Gegen Adornos Kritik an Kierkegaards Lehre über die zweckfreie Liebe zu den Toten hätte Benjamin an Kierkegaards Einsicht festgehalten: „Die Hoffnung auf Erlösung, die wir für alle Toten hegen", distanziert jeglichen Anspruch des *eigenen* Daseins: „Sie ist das einzige Recht des Unsterblichkeitsglaubens, der sich nie am eigenen Dasein entzünden darf. ... Nur um der Hoffnungslosen willen ist uns die Hoffnung gegeben."[74] Diese Hoffnung steht im Zeichen des Paradoxen; der scheinbar nüchterne Blick des Pragmatikers müßte sie des Widersinns zeihen: „Ich gehe von der kleinen widersinnigen Hoffnung, sowie den Kreaturen, denen einerseits diese Hoffnung gilt, in welchen andererseits dieser Widersinn sich spiegelt, aus"[75].

Diese theologisch formulierbare Perspektive des Friedensengels läßt erahnen, daß Walter Benjamin durch die Authentizität des eigenen Lebens seine erfolgreichen Peiniger auf ewig ins Unrecht gesetzt hat.

72. Alle Zitate dieses Absatzes: W. B., Denkbilder. Ibizenkische Folge („Windrose des Erfolges"), IV/1, S. 404-406.

73. W. B., Goethes Wahlverwandtschaften, I/1, S. 200.

74. ebd., S. 200f.

75. W. B., Briefe, a.a.O., S. 617 (an G. Scholem).

Winfried Menninghaus

KANT, HEGEL UND MARX IN LUKÁCS' THEORIE DER VERDINGLICHUNG

Destruktion eines neomarxistischen ‚Klassikers'

Die Aufsatzsammlung *Geschichte und Klassenbewußtsein* (1923) ist eines der legendären Dokumente sich marxistisch verstehender Theoriebildung. Nach Lukács' eigener Auskunft ist sie zu Zwecken aktueller politischer Auseinandersetzung geschrieben worden. Die meisten seiner Leser und Kritiker, vorab die marxistischen, sind diesem pragmatischen Selbstverständnis insofern gefolgt, als sie — zustimmend oder ablehnend — vor allem die Haltbarkeit und Tauglichkeit der politischen und organisationstheoretischen Überlegungen zur geschichtskonstitutiven Subjektivität des Proletariats als der Negation der bürgerlichen Gesellschaft erörtert haben. Der einzige Aufsatz, der Phänomene des zu Überwindenden (eben der bürgerlichen Gesellschaft und Philosophie) darzustellen versucht, ist darüber relativ unbefragt geblieben. Dieser Aufsatz — *Das Phänomen der Verdinglichung und das Bewußtsein des Proletariats* — wird weithin als Aktualisierung und Vertiefung des Fetischismus-Kapitels aus der Marxschen Warenanalyse akzeptiert, und Lukács' Kantinterpretation fällt zumeist vollends aus dem Betrachtungskreis heraus. Gewiß ist die Frage, wie Lukács Kant, Hegel und Marx rezipiert hat, für den, der unmittelbar politische Orientierungen sucht und untersucht, von zweitrangiger Bedeutung. Hier aber soll allein diese Frage gestellt werden.

Die Antwort auf sie fällt vernichtend aus. „Das geschlossenste philosophische Werk des Marxismus", wie selbst Benjamin es apostrophierte [1], ist Lukács' Buch vor allem durch die Konsequenz, mit der eine Fehlinterpretation die nächste bedingt. Marx dürfte für Lukács' philosophisierende Rezeption seiner Politökonomie nur drastische Worte der Polemik übrig gehabt haben. Und diese ganz und gar nicht authentische Variante der Marxschen Theorien von Ware und Fetischismus figuriert dann auch noch als Folie einer Darstellung der „Antinomien des bürgerlichen Denkens" bei Kant und ihrer vermeintlichen Auflösung bei Hegel. Um es vorwegzunehmen: an Kant gehen Lukács' Ausführungen, selbst als Meta-Interpretation, so gut wie völlig vorbei; und bei Hegel werden eben die Momente als

---

Der vorliegende Aufsatz wurde im März 1975 geschrieben. Später erschienene Publikationen zum Thema sind nicht berücksichtigt. Axel Otto danke ich für wesentliche Hinweise zum II. Kapitel des Aufsatzes.

1. Walter Benjamin, *Gesammelte Schriften* III, hg. von Hella Tiedemann-Bartels, Frankfurt am Main 1972, 171.

letztes Wort der Philosophie gefeiert, die Marx sich gerade *nicht* zu eigen gemacht, sondern als ‚mystifikatorisch‘ und im schlechten Sinn ‚idealistisch‘ kritisiert hat.

Die legitime Funktion der Kritik, einen Kanon zu stiften, erfordert nicht nur als ihre Kehrseite, sondern als ihre Ermöglichung die beständige Arbeit der Elimination aus dem Kanon. Eine solche purgatorische Arbeit soll hier gegenüber einem traditionsmächtigen Werk geleistet werden, das sich selbst als bahnbrechende Grundlegung einer „echt materia-listisch-dialektischen" Aneignung der Philosophie versteht.

I. Lukács und die Abstraktion der ‚Methode‘

Als das historische Verdienst von *Geschichte und Klassenbewußtsein* darf es gelten, die dar-stellungs- und erkenntniskonstitutive Rolle Hegels für Marxens Anatomie der bürgerli-chen Gesellschaft thematisiert zu haben. Lukács untersucht allerdings nicht die Bedeutung gedanklicher Strukturen aus Hegels *Logik* für den *materialen* Bestand von Marxens Theo-rie, er liest vielmehr aus dieser selbst wieder *methodische* Strukturen heraus. Nun ist es be-reits ein zweifelhaftes Unterfangen, aus Hegels Philosophie so etwas wie eine ‚dialektische Methode‘ zu destillieren — versteht diese sich doch gerade als durchgeführte Kritik an der Trennung von Methode und Gegenstand der Methode. Vollends fragwürdig wird diese Trennung, wo Lukács sie bis zu der Behauptung steigert, man könne die *sachliche* Richtig-keit sämtlicher politökonomischer Theoreme Marxens „verwerfen — ohne für eine Minu-te seine marxistische Orthodoxie aufgeben zu müssen" [2]. Denn diese Orthodoxie soll allein in der Überzeugung bestehen, „daß in der Lehre und der Methode von Marx die *richtige Methode* der Erkenntnis von Gesellschaft und Geschichte endlich gefunden worden ist" (7).

Lukács abstrahiert also sowohl von Hegels Philosophie als auch von Marxens Politöko-nomie, um dann einen Abhub der einen mit einem Abhub der anderen zu kontaminie-ren — was sich dann so liest, daß Marx ‚Kategorien der Methode‘ aus Hegels Logik ‚direkt anwendet‘ (9). Das Wort ‚Anwendung‘ zeigt, daß das von Hegel selbst nur unzureichend explizierte Verhältnis einer spekulativen dialektischen *Logik*, die ja selbst — wie Hegel sagt — ‚aller Inhalt‘ sein will, zur *Realphilosophie* für Lukács kein Problem ist. Er verwan-delt dieses Verhältnis kurzerhand in dasjenige von *Methode* und Anwendungs*gegenstand* der Methode und treibt den Fetischismus der Methode dann bis zu der Behauptung: für „die Gewißheit des Untergangs des Kapitalismus, die Gewißheit der — am Ende — siegreichen proletarischen Revolution [...] kann es keine ‚materielle Gewähr‘ geben. Sie ist uns nur methodisch — durch die dialektische Methode — garantiert" (55). Konsequenterweise wird dann allein „die dialektische Methode zum Vehikel der Revolution" (14).

2. Georg Lukács, *Geschichte und Klassenbewußtsein*, Amsterdam 1967, 13.
Im folgenden werden die Zitate aus diesem Buch im laufenden Text zwischen Klammern nachgewie-sen.

II. Lukács' Rezeption der Marxschen Politökonomie

Hatte Lukács einerseits seine Abstraktion von der sachlichen Richtigkeit der Marxschen ökonomischen Analyse betont, so möchte er diese bei der Darstellung der Verdinglichung andererseits gleichwohl ‚voraussetzen' (93). Doch schon in seinem Ansatz wird der Unterschied von Lukács' Vorgehen zu Marxens deutlich. Während Marx mit der Erkenntnis der Ware und deren Mystifikation als der „allgemeinsten und unentwickeltsten Form der bürgerlichen Produktion" [3] beginnt, um von ihr aus zu weiteren und komplizierteren Formen der Verkehrung von Subjekt und Objekt fortzuschreiten, bleibt Lukács bei der Analyse der Ware stehen, arretiert sie als „Universalkategorie des gesamten gesellschaftlichen Seins" (97), als „Urbild aller Gegenständlichkeitsformen", erklärt demgemäß die in ihr angelegte Verdinglichung zu einer „struktiven Grundtatsache" (97) oder gar zu einem „Urphänomen" (106) und versucht dann, diese *verabsolutierten* Bestimmungen in allen Lebensbereichen als *gleiche* wiederzufinden statt die *unterschiedlichen* Formen auseinander zu entwickeln. Dabei ergeben sich zwangsläufig erhebliche Differenzen zu der ‚vorausgesetzten' Analyse Marxens. So wird für Lukács etwa das Zur-Ware-Werden der Arbeitskraft zur „subjektiven Hinsicht" (98) des auf der Ebene der *einfachen* Warenzirkulation dargestellten ‚Phänomens der Verdinglichung', während sich nach Marx der Austausch von Arbeitskraft gegen Geld als der funktionellen Daseinsform des Kapitals und damit ihr Zur-Ware-Werden überhaupt erst auf der Ebene der *allgemeinen* Warenzirkulation darstellen läßt.

Lukács' Verabsolutierung einer Ebene der Analyse reiht sich ein in jenen auch Benjamin und die gesamte Kritische Theorie prägenden Umgang mit dem *Kapital*, der dessen erste 50 Seiten — mit den kardinalen Sätzen über die Ware und ihren Fetischcharakter — bereits für das ganze Werk hält. Schwerer jedoch als diese Reduktion der ungleich entfalteteren Marxschen Darstellung wiegt die Tatsache, daß Lukács selbst die von ihm reklamierten ‚struktiven Grundtatsachen' fundamental falsch verstanden hat.

Nach Marx ist „*alle* Arbeit [...] einerseits Verausgabung menschlicher Arbeitskraft im physiologischen Sinn, und in dieser Eigenschaft gleicher menschlicher Arbeit oder abstrakt menschlicher Arbeit bildet sie den Warenwert. *Alle* Arbeit ist andererseits Verausgabung menschlicher Arbeitskraft in besonderer zweckbestimmter Form, und in dieser Eigenschaft konkreter nützlicher Arbeit produziert sie Gebrauchswerte" [4]. Der *spezifisch* kapitalistische Charakter dieser *generellen* Doppelbestimmtheit der Arbeit besteht nun darin, daß konkret-nützliche Arbeit, deren Resultat Gebrauchswerte, zur Erscheinungs- und Verwirklichungsform abstrakt-menschlicher Arbeit wird, deren Bestimmung der Tauschwert ist. Während nach Marx also die *beiden* Momente der Arbeit sich auf bestimmte Form ineinander reflektieren, wobei der Gebrauchswert erstens vollgültiger Gebrauchswert bleibt und zweitens — in *Abstraktion* von seiner Besonderheit — Träger von Tauschwert ist, wird bei Lukács das konkret-nützliche Moment der Arbeit auf das *eine* andere Moment, nämlich ihren abstrakten Charakter, „*reduziert*" (98). Drastischer Kommentar von Marx zu dieser

---

3. Karl Marx, *Das Kapital*, Band I (= MEW 23), Berlin 1970, 97.
4. l.c., 61.

Deutung der Warenform: „Das Vieh glaubt, daß ich in der Wertgleichung die *Gebrauchs-werte* auf *Wert* ‚reduzieren' will" [5]. Genau das scheint Lukács zu glauben, und so kann er dann klagen, „der unmittelbare Dingcharakter (der) Dinge" (104) werde „durch seinen Warencharakter in seiner Gegenständlichkeit entstellt" (104), „jeder Gebrauchswert [sei] in den quantitativen Tauschkategorien des Kapitalismus spurlos unter[ge]taucht" (185). Während nach Marx die Verdinglichung allein in der Waren*form* liegt, bezieht sie sich bei Lukács auf deren *Inhalte*: so werden dann nicht länger die gesellschaftlichen Verhältnisse der Produzenten zu ihrer Arbeit in gegenständliche Charaktere von Dingen verkehrt, sondern die Dinge selbst werden verdinglicht. Die Kritik der Mystifikation bezieht sich demnach nicht mehr auf eine gesellschaftliche Beziehung von Personen untereinander (die sich allerdings an Dingen darstellt), sondern auf das Verhältnis der Personen zu den Gegenständen, deren „qualitativer, lebendiger Kern [...] unter der quantifizierenden Kruste" (186) der so verstandenen Verdinglichung verdeckt sein soll. Trotz der gegenteiligen Aussagen der von ihm zitierten Marx-Passagen verwechselt Lukács immer wieder die Gegenständlichkeitsformen der Ökonomie mit den Gegenständen selbst, so daß er konsequenterweise die „echte Gegenständlichkeit" und „das wahre Wesen der Objekte" (185) als Ziel revolutionären Bewußtseins beschwört.

Die ‚Grundtatsache' der Verdinglichung bedeutet für Lukács neben dem „Zerreißen des Objektes der Produktion notwendig zugleich das Zerreißen seines Subjektes" (100): die „qualitativen menschlich-individuellen Eigenschaften des Arbeiters" (99) werden ausgeschaltet, unter der Herrschaft der Maschine wird er „als mechanisierter Teil in ein mechanisiertes System eingefügt" (100). Verdinglichung soll auf der Ebene des „Arbeitsprozesses" (99) aus dem „Prinzip der auf Kalkulation, auf *Kalkulierbarkeit* eingestellten Rationalisierung" (99) resultieren. Aber: die Momente, die Lukács kritisiert, liegen sämtlich auf der Ebene der *Produktivkräfte*, deren Entfaltung (Rationalisierung, Mechanisierung, Automatisierung) für Marx eher das revolutionäre Element der bürgerlichen Gesellschaft darstellt; statt die Fesseln dieser Produktivkräfte, die kapitalistischen *Produktionsverhältnisse*, darzustellen, kritisiert Lukács die Produktivkräfte selbst. Das mag ihm zwar heute, im Zeichen der ökologischen Kritik großtechnisch organisierter Naturausbeutung, eine neuerliche Aktualität bescheren; aber auf Marx kann er sich dabei jedenfalls nicht berufen. Wie Lukács schon in seiner Theorie der Warenform — in einer Konfusion Marxscher Unterscheidungen — letztlich in eine Metaphysik vom qualitativen Sein der Dinge abgleitet, so rechnet er auch die nach Marx einzig der *sozialen Form* des Arbeitsprozesses entspringenden Verdinglichungsphänomene dem Arbeitsprozeß als solchem zu, seiner *stofflichen Beschaffenheit* als rationeller und mechanisierter Produktion. Diese Verwechslung der Ebenen hält sich trotz gegenteiliger eigener Aussagen und Zitate von Marx im ganzen Aufsatz über die Verdinglichung durch. In der Kritik an Engels läßt sie sich sogar an einem einzigen Satz verfolgen: „Wenn Engels bei der Industrie davon spricht, daß das so ‚Erzeugte' ‚unseren Zwecken' dienstbar wird, so scheint er die grundlegende Struktur der kapitalistischen Gesellschaft [...] für einen Augenblick vergessen zu haben. Daß es sich nämlich in der kapitalistischen

---

5. Marx, Brief an Engels vom 25. Juli 1877, in: MEW 34, Berlin 1966, 60.

Gesellschaft um ‚ein Naturgesetz' handelt, ‚das auf der Bewußtlosigkeit der Beteiligten beruht'" (146). Lukács verwechselt hier auf eklatante Weise einen von Engels gemeinten Stand der Aneignung der Natur (Produktivkräfte des unmittelbaren Arbeitsprozesses) mit der Form, in der diese sich vollzieht (kapitalistische Produktionsverhältnisse).

Mit denselben begrifflichen Mitteln versucht Lukács dann noch die Verdinglichung anderer Sphären zu erfassen: überall waltet Kalkulation, Spezialisierung und — natürlich — die „Transzendenz des materiellen Substrats" (121). Daß dies auch für die Ökonomie gilt, belegt Lukács mit einem Zitat von Marx, wonach „‚der Gebrauchswert als Gebrauchswert jenseits des Betrachtungskreises der politischen Ökonomie liegt'" (116). Während Lukács aber diesen Satz in eine Kritik am Formalismus der Ökonomie münzen möchte, ist er bei Marx lediglich als Konstatieren einer notwendigen und *richtigen* Abstraktion gemeint. Denn nur in der Vulgärökonomie wird der „unter dem Namen ‚Gut' fixierte Gebrauchswert con amore" [6] abgehandelt. In deren Kreis gesellt sich Lukács also, wenn er die Erkenntnis des Gebrauchswertes als des „qualitative[n] Sein[s] der Dinge, das als unbegriffenes und ausgeschaltetes Ding an sich [...] sein außerökonomisches Leben führt" (117), beschwört, und die „Unerfaßbarkeit des Gebrauchswerts" (118) beklagt. Die politische Ökonomie beläßt den Gebrauchswert zu Recht in seinem ‚außerökonomischen Leben', handelt sie doch nicht von Dingen, sondern von gesellschaftlichen Verhältnissen zwischen Personen (die allerdings an Dinge gebunden sind und als Dinge erscheinen). In den Kreis der politischen Ökonomie fällt der Gebrauchswert „nur, wo er selbst Formbestimmung"[7]. Ansonsten liefert er allenfalls „das Material einer eigenen Disziplin, der Warenkunde" [8]. „Was im Allgemeinen anstandshalber darüber gesagt zu werden pflegt, beschränkt sich auf Gemeinplätze, die einen historischen Wert hatten in den Anfängen der Wissenschaft, als die gesellschaftlichen Formen der Produktion noch mühsam aus dem Stoff herausgeschält und mit großer Anstrengung als selbständige Gegenstände der Betrachtung fixiert wurden"[9]. So wünscht Lukács implizit die ökonomische Theorie auf archaische Stufen zurück, wenn er ihr als Schwäche ankreidet, was gerade ihre Stärke ausmacht: die alleinige Ausrichtung auf die Gegenständlichkeits*formen* des gesellschaftlichen Lebens und das Ausschließen der Gegenstände selbst, des von Lukács so genannten „materiellen Substrats" (121) dieser Formen.

III. Lukács' Kant-Rezeption: das ‚Ding an sich' als ‚Verdinglichung'

„Aus der verdinglichten Struktur des Bewußtseins ist die moderne kritische Philosophie entstanden" (122). Wie weit diese These im allgemeinen zutrifft, soll hier nicht untersucht werden, sondern allein, ob speziell Lukács' Interpretation Kants, den er als Paradigma behandelt, haltbar ist.

6. Marx, *Zur Kritik der politischen Ökonomie*, in: MEW 13, Berlin 1964, 16.
7. ibid.
8. Marx, *Das Kapital*, 50.
9. Marx, *Grundrisse zur Kritik der politischen Ökonomie*, Moskau 1939, 763.

Lukács beginnt mit einem Kant-Zitat: „„Bisher nahm man an, alle unsere Erkenntnis müsse sich nach den Gegenständen richten ... Man versuche es daher einmal, ob wir nicht in den Aufgaben der Metaphysik damit besser fortkommen, daß wir annehmen, die Gegenstände müssen sich nach unserer Erkenntnis richten ...'" (123). Lukács offenbart nun bereits in seinem ersten Kommentar zu seinem ersten Kant-Zitat ein folgenreiches Mißverständnis. „Anders ausgedrückt", so kommentiert er, „die moderne Philosophie stellt sich das Problem: die Welt nicht mehr als ein unabhängig vom Erkennen des Subjekts entstandenes (z.B. von Gott geschaffenes) Etwas hinzunehmen, sondern sie vielmehr *als eigenes Produkt* zu begreifen" (123). Lukács verwechselt bzw. identifiziert hier umstandslos *erkenntnistheoretische* und *metaphysische* Probleme. Zwar behauptet Kant tatsächlich, daß die Inhalte ‚unserer' Erkenntnis immer unter den Formen des menschlichen Verstandes stehen und insofern sich nach diesem ‚richten'. Ob aber die Wirklichkeit selbst nun von Gott oder vom Menschen geschaffen ist, darüber sagt Kant zunächst gar nichts. Er formuliert eben eine Theorie der Konstitution der Gegenstands*erfahrung*, nicht aber der Gegenstände an sich selbst. Schon dieser elementare Unterschied geht Lukács immer wieder verloren. Kants erkenntniskritische „Wendung, die rationelle Erkenntnis als Produkt des Geistes aufzufassen" (123), kann er daher ohne Umschweife mit Vico's geschichtsphilosophischem Satz verbinden, daß „„die Menschengeschichte sich dadurch von der Naturgeschichte unterscheidet, daß wir die eine gemacht, die andere nicht gemacht haben'" (123). So wird für Lukács die *Kritik der reinen Vernunft* zur Geschichtsphilosophie von der Selbstkonstitution der Gattung Mensch. Kant aber setzt, wie die metaphysische Deduktion der reinen Verstandesbegriffe zeigt, den menschlichen Verstand nicht als einen realitätsproduzierenden und Geschichte machenden, sondern allein als einen abstrakt urteilenden voraus. Gerade daraus ergibt sich allererst die Trennung zwischen Verstandesformen und deren Inhalten, auf die Lukács dann eingeht, ohne den Widerspruch zu seinen vorhergehenden Aussagen zu bemerken. Selbst die Erkenntnis, daß bei Kant — soweit es sich nicht um die Mathematik handelt —, ‚Erzeugung' nicht reale Erzeugung, sondern nur „die verstandesmäßige Begreifbarkeit der Tatsachen bedeutet" (132), zeitigt keine weiteren Konsequenzen. Lukács behält trotz allem seine gegenteilige Interpretation aufrecht, und als er endlich zu der Frage gelangt, ob nicht die eine Deutung der anderen widerspricht, erklärt er offen: „Sie tut es in der Tat" (141) und verleiht dann kurzerhand diesem Widerspruch die Würde, „bloß [!] der gedankliche Ausdruck der objektiven Sachlage selbst" (141) zu sein.

Wie schon an der politischen Ökonomie kritisiert Lukács auch an Kants Erkenntniskritik, daß sie sich nicht „auf das qualitativ Einzigartige, auf das Inhaltliche, auf das materielle Substrat des jeweiligen Gegenstandes" (139) beziehe. Genau dies ist aber Kants kritische Absicht: nicht unmittelbar auf das „qualitative Sein der Dinge" (117) loszugehen wie die ‚vormalige Metaphysik', sondern allererst die Bedingungen und Möglichkeiten zu reflektieren, unter denen die Wissenschaft einen ‚sicheren Gang' zu der ihr — wie Lukács sagt — „zur Erkenntnis aufgegebenen Materie" (116) gehen kann. Die Kritik der reinen Vernunft ist eben — mit Kant zu reden — keine „Doctrin", sondern eine „Propädeutik" [10]. Als sol-

---

10. Immanuel Kant, *Kritik der reinen Vernunft*, 2. Auflage 1787 (= B), 25.

che steht sie nicht im Gegensatz zu qualitativer Erkenntnis, sondern möchte sie gerade vorbereiten, und zwar so, daß die Reflexion auf die subjektiven Bedingungen von Erfahrung nicht von deren Objektivität wegführt, sondern allererst zu ihr hin [11]. Gerade Kant polemisiert gegen die, die der „Vernunft das Vermögen absprechen, über den Gegenstand zu urteilen, d. i. ihn, und was ihm zukomme, zu erkennen" [12]. Die transzendentale Logik unterscheidet sich ja von der formalen, die in Indifferenz gegen ihre Inhalte nur Regeln zu deren Transformation in äquivalente Ausdrücke, nicht aber Regeln zu deren Formation bereitstellt (Urteilsverknüpfungslogik), dadurch, daß sie den Bezug von Urteilen auf Gegenstände der Erfahrung begründen, sichern und eingrenzen möchte (Urteilsbildungslogik). Dies allerdings so, daß sie gerade zu diesem Zweck von den *besonderen* Gegenständen abstrahiert, um die *allgemeinen* Strukturen des Bezugs auf sie sozusagen ein für allemal, nämlich *vor* aller Besonderheit zu klären. Nicht also ist — wie Lukács es tut — das Herausfallen des ‚qualitativen Seins' der Gegenstände der transzendentalen Fragestellung vorzuwerfen (will sie dessen Erfahrung doch gerade begründen), sondern allenfalls — wie Hegel es getan hat — die ihr inhärente Unterstellung, man könne den Bezug auf Gegenstände jenseits von diesen klären (die Bedingungen des Erkennens vor dem Erkennen erkennen). Lukács' Kritik aber geht an Kants kritischem ‚Geschäft' ebenso vorbei wie an der notwendigen Abstraktion der politischen Ökonomie.

Dieser Fehler unterläuft ihm, weil er die von Kant im Begriff des Dings an sich festgehaltene Differenz zwischen der menschlichen Erfahrung und deren Gegenstand kurzschlüssig als Leugnung der Möglichkeit objektiver — mit Lukács zu sprechen: qualitativer — Erfahrung begreift. Unmöglich ist nach Kant allein die differenzlose Identität der Dinge selbst und der menschlichen Erfahrung von ihr. Deshalb ist der Erfahrungsinhalt in seiner ‚Gegebenheit' von ‚intelligibler Zufälligkeit', nicht aber bedeutet diese „Unauflösbarkeit des Faktischen" bereits die „Irrationalität der Materie" (138). Denn: was unerkennbar ist, ist doch noch nicht zugleich irrational, sowenig wie das, was erkennbar ist, stets rational ist. Lukács aber setzt die „rationelle Unauflösbarkeit des Begriffsinhalts" kurzerhand mit dessen „Irrationalität" (128) gleich.

Ein zweiter Aspekt des Dings an sich ist für Lukács „das Problem des Ganzen und das der letzten Substanz der Erkenntnis" (127). Während Kant die Ideen der substantiellen Einheit des denkenden Wesens (Subjekt, Seele), der Unendlichkeit und Totalität der Welt, eines Unbedingten als Teil oder letzter Ursache der Reihe der bedingten Erscheinungen und schließlich die Idee eines höchsten Wesens (Gott) als *verschiedene* Arten ‚dialektischer Schlüsse' behandelt, bringt Lukács sie zunächst auf *einen* Nenner: „Gott, Seele usw. sind nur begriffsmythologische Umschreibungen für das einheitliche Subjekt, beziehungsweise für das einheitliche Objekt der als vollendet (und völlig erkannt) gedachten Totalität aller Gegenstände der Erkenntnis" (127). Kant meint also nicht, was er sagt, sondern er *umschreibt* in seinen mühevollen Unterscheidungen lediglich immer dasselbe. Nun läßt sich in der Tat an allen Teilen der transzendentalen Dialektik als deren Gemeinsames herauslesen,

---

11. Vgl. Theodor W. Adorno, *Vorlesungen zur Einleitung in die Erkenntnistheorie*, Frankfurt a.M., o.J., 60.
12. Kant, *Kritik der praktischen Vernunft*, Berlin 1968 (Akademie-Textausgabe), 12.

daß die Möglichkeit der Erkenntnis der ‚letzten' Gegenstände bzw. der Varianten absoluter Totalität von Kant bestritten wird; insofern hätte sich Lukács nur in der Formulierung etwas vergriffen. Aber er tut ein weiteres: er abstrahiert von dem kosmologischen Horizont von Kants Fragen nach der Totalität, setzt an deren Stelle insgeheim seinen eigenen weitaus engeren Totalitäts-Begriff (der etwa die Totalität einer bestehenden Gesellschaft meint) und kann sich dann natürlich ohne weiteres beklagen über den Kantischen „Verzicht, die Wirklichkeit als Ganzes und als Sein zu begreifen" (133) — womit er implizit unterstellt, daß Kants kosmologische Fragen nach der Totalität lösbar sind. Das aber hat auch Marx nie behauptet, er hat vielmehr die Unlösbarkeit etwa der Frage nach der letzten Ursache der Welt aufrechterhalten, Kants regressus in indefinitum[13] dafür allerdings zu der — zu vernachlässigenden — *einen* Seite in der Folge der Erscheinungen herabgesetzt und demgegenüber eine *zweite* Seite herausgestellt: „Du mußt also nicht nur die *eine* Seite im Auge behalten, den *unendlichen* Progreß [bei Kant heißt es allerdings nicht progressus ad infinitum, sondern — in umgekehrter Perspektive — regressus in indefinitum, W. M.], wonach du weiter fragst: Wer hat meinen Vater, wer seinen Großvater etc. gezeugt? Du mußt auch die *Kreisbewegung*, welche in jenem Progreß sinnlich anschaubar ist, festhalten, wonach der Mensch in der Zeugung sich selbst wiederholt, also der *Mensch* immer Subjekt bleibt"[14]. Marx beklagt also nicht die Unlösbarkeit der kosmologischen Fragen, sondern wendet sich lediglich einer anderen Fragestellung zu. Diese Wendung hat natürlich auch Lukács vollzogen, aber er unterscheidet die verschiedenen Ebenen von Totalität überhaupt nicht mehr, kritisiert dann von der von ihm behaupteten Lösbarkeit der einen die von Kant behauptete Unlösbarkeit der anderen und gelangt so auf einem zweiten Weg zu dem Irrationalitäts-Vorwurf gegen Kant.

Die von Lukács formulierte Erzeugungs-, Irrationalitäts- und Totalitätsproblematik, die jede für sich bereits recht deutlich an Kant vorbeigehen, werden am Ende der (Meta-)Interpretation der *Kritik der reinen Vernunft* in einer für Kant „logisch-methodisch, systemtheoretisch ausschlaggebende[n] [...] Fragestellung" versammelt: „ob die empirischen Tatsachen [...] in ihrer Faktizität als ‚gegeben' hinzunehmen sind oder ob sich diese Gegebenheit in rationelle Formen aufgelöst, also als von ‚unserem' Verstand erzeugt denken läßt" (128). Diese Fragestellung gehört vollends nicht Kants Bezugssystem an. Denn ob die Gegenstände *gegeben* sind (und dies sind die sinnlichen Vorstellungsinhalte für Kant allerdings) oder von uns selbst *erzeugt* wie die Gegenstände der Mathematik, *in jedem Fall* wird nach Kant die synthetische Einheit ihrer Apperzeption von ‚unserem' Verstand *erzeugt*; die Faktizität der Tatsachen an sich existiert für Kant überhaupt nicht als Vorstellungsinhalt. Lukács verwechselt hier abermals das Problem der *realen* Erzeugung von Gegenständen, das ihn interessiert, mit demjenigen ihrer Rekonstruktion in der *Erkenntnis*, um das allein es Kants theoretischer Philosophie geht. Die mögliche Kritik an Kants Unterstellung der ‚Gegebenheit' der Erscheinungen ist daher in Lukács Fassung auf eigentümliche Art von unzulänglicher Genese, wenn sie auch von weitergehender Geltung sein mag. Weniger zwiespältig, ja schlicht zutreffend ist dagegen Lukács kritische Diagnose, daß Kants transzendentaler An-

---

13. Kant, *Kritik der reinen Vernunft*, B 548.
14. Marx, *Nationalökonomie und Philosophie*, in: Marx, *Die Frühschriften*, Stuttgart 1971, 247.

satz selbst noch in dogmatisch-metaphysischen Voraussetzungen steckt (134) (Mathematik als Paradigma von Erkenntnis, Unterstellung eines fertigen Erkenntnissubjekts vor der Erkenntnis, Auffassung des menschlichen Verstandes als eines urteilenden Verstandes, der abstrakte Prädikate an starre (Urteils-) Subjekte heftet).

Lukács konnte die von Kant dargestellten Grenzen der Vernunft zunächst deshalb so deutlich in eine Kritik gegen Kant wenden, weil er sich allein auf die ‚reine' Vernunft beschränkt. Nach Kant aber ist das, was *theoretisch* unerreichbar ist, *praktisch* zumindest erstrebbar. Nachdem Lukács diese systematische Funktion von Moral und Praxis aus den Schwierigkeiten der Theorie selbst abgeleitet hat — wobei er eigentlich nur Kant wiederholt —, geht er zu einer Kritik an Kants praktischer Philosophie über. Zunächst formuliert er den ‚bekannten' Umstand, daß „Kant — kritisch — auf der Stufe der philosophischen Ausdeutung der ethischen Tatbestände im individuellen Bewußtsein stehen geblieben" (137) sei. Lukács folgert nun bereits aus dieser allgemeinen Charakteristik: „Dadurch hat sich aber erstens dieser Tatbestand in eine bloße — aufgefundene und nicht mehr als ‚erzeugt' denkbare — Faktizität verwandelt" (137). Ist bereits rätselhaft, auf welchem Wege Lukács mit diesem ‚Dadurch' zu Kants Bestimmung des Grundgesetzes der reinen praktischen Vernunft als eines gegebenen und unableitbaren Faktums [15] gelangt, so ist seine nächste Folgerung vollends fragwürdig: „Zweitens ist dadurch die ‚intelligible Zufälligkeit' der den Naturgesetzen unterworfenen ‚Außenwelt' noch gesteigert worden. Das Dilemma von Freiheit und Notwendigkeit, von Voluntarismus und Fatalismus ist, statt konkret und real gelöst zu werden, auf ein methodisches Nebengeleis geschoben worden, d. h. für die ‚Außenwelt', für die Natur wird die unerbittliche Notwendigkeit der Gesetze festgehalten, die Freiheit, die Autonomie, die durch die Entdeckung der ethischen Sphäre begründet werden soll, reduziert sich darauf, daß die Freiheit zu einem *Gesichtspunkt der Beurteilung* von inneren Tatbeständen wird" (137). Tatsächlich jedoch will Kant, hier so wenig auf eine bloß ‚innere' Subjektivität reduzierbar wie anderswo, die theoretisch transzendent gebliebene Denkmöglichkeit einer Kausalität durch Freiheit praktisch immanent machen und also ein „*Können* in ein *Sein*"[16] verwandeln, auf daß die Ideen der praktischen Vernunft „*im Felde der Erfahrung* [...] selbst *wirkende Ursachen*"[17] werden. Da nun die Naturgesetze selbst nicht aufgehoben werden können, ist Kant gezwungen, die Möglichkeit einer Kausalität durch Freiheit jenseits der Naturgesetze anzusiedeln: „Eine solche intelligible Ursache aber wird in Ansehung ihrer Causalität nicht durch Erscheinungen bestimmt, obzwar ihre Wirkungen erscheinen, und so durch andere Erscheinungen bestimmt werden können. Sie ist also samt ihrer Causalität außer der Reihe; dagegen ihre Wirkungen in der Reihe der empirischen Bedingungen angetroffen werden können. Die Wirkung kann also in Ansehung ihrer intelligiblen Ursache als frei, und doch zugleich in Ansehung der Erscheinungen als Erfolg aus denselben nach der Notwendigkeit der Natur angesehen werden"[18]. Vereinfacht ließe sich sagen: zwar kann Causalität durch Freiheit die Notwendigkeit der

15. Kant, *Kritik der praktischen Vernunft*, 31.
16. l.c., 104.
17. l.c., 48.
18. Kant, *Kritik der reinen Vernunft*, B 565.

Naturgesetze nicht aufheben, sie kann sich diese aber gleichsam dienstbar machen, indem sie — selbst außerhalb der Reihen stehend — entweder die Naturreihen in Gang bringt oder sie in ihrem Gang lenkt. Als Sinnenwesen bleibt der Mensch den Naturgesetzen unterworfen, als intelligibles Wesen kann er sich die Naturgesetze ‚unterwerfen' und — weit entfernt, bloßer ‚Gesichtspunkt der Beurteilung von inneren Tatbeständen' zu sein — in der Natur wirken, ohne allerdings die Naturgesetze aufheben zu können. Das ist zumindest ein Moment der Kantischen Unterscheidung des Menschen in Phänomenon und Noumenon.

Dieses Moment findet sich auch bei Marx wieder in der Bestimmung: „*Naturgesetze* können überhaupt nicht aufgehoben werden. Was sich in historisch verschiedenen Zuständen ändern kann, ist nur die *Form*, worin jene Gesetze sich durchsetzen"[19]. Das bedeutet zugleich eine Festschreibung wie eine Einschränkung des naturgesetzlichen Determinismus, durchaus vergleichbar mit der Kantischen Differenzierung: die „Naturbedingungen betreffen nicht die Bestimmung der Willkür selbst, sondern nur die Wirkung und den Erfolg derselben in der Erscheinung"[20]. Nach Kant soll also die ‚Ordnung nach Ideen' die Naturbedingungen nicht aufheben, sondern sie in sich ‚hineinpassen'[21]. Lukács dagegen möchte offensichtlich die Naturbedingungen selbst aufheben, wenn er beklagt, „für die Natur [werde] die Unerbittlichkeit der Gesetze festgehalten" (137). Genau das tut Kant wie später Marx allerdings, und trotzdem bleiben beide damit nicht — wie angedeutet — in dem von Lukács beschworenen „Dilemma von Freiheit und Notwendigkeit, von Voluntarismus und Fatalismus" (137) stecken. Lukács aber beklagt „die Seelenlosigkeit der fatalistischen Naturgesetze" (148) selbst statt ihrer gesellschaftlichen Aneignungsform. Sein ‚qualitativer' Naturbegriff, wo „Natur [...] echtes Menschsein" bedeuten soll (151), gerät dadurch in eine nur abstrakte Opposition zu Kants Definition der Natur als eines ‚Inbegriffs von Gesetzmäßigkeiten' und wird so im schlechten Wortsinn ‚romantisch'.

IV. Hegels Kant-Kritik und ‚dialektische Methode' bei Lukács und Marx

Nachdem Lukács die Unlösbarkeit der Probleme der Kantischen Philosophie auf deren eigenem Boden dargestellt zu haben glaubt, zitiert er zunächst Hegels Kritik an den transzendentalphilosophischen Gegensätzen und gelangt damit zum Programm ihrer Auflösung in einer dialektischen Theorie: „Die Genesis, die Erzeugung des Erzeugers der Erkenntnis, die Auflösung der Ding an sich Irrationalität, die Erweckung des begrabenen Menschen konzentriert sich also nunmehr konkret auf die Frage der *dialektischen Methode*" (156). Damit ist Lukács bei seinem Lieblingskind angekommen, und es ist nun sein erklärter Anspruch zu überprüfen, in *seiner* Fassung der ‚dialektischen Methode' den Einheitspunkt von *Hegel* und *Marx* zu ergreifen, eine ‚materialistische' Aneignung ‚idealistischen' Denkens zu leisten.

Die *Geschichte* als das „Werden der wirklichen Inhalte" (159) ist bei Lukács der Ort, der

19. Marx, Brief an Kugelmann vom 11. Juli 1868, in: MEW 32, Berlin 1963, 553.
20. Kant, *Kritik der reinen Vernunft*, B 576.
21. ibid.

den transzendentallogischen Differenzen dialektisch ein Ende setzt, von dem „die Aufhebung des Gegensatzes von Subjekt und Objekt, von Denken und Sein, von Freiheit und Notwendigkeit usw. als gelöst betrachtet werden" (157) kann. Nun zeigt sich bei Lukács immer wieder, daß er die Auflösung der Gegensätze durch das „identische Subjekt-Objekt" (164) der Geschichte, als welches er das Proletariat begreift, bis zur Leugnung ihrer Differenz treibt und somit hinter Marxens Kritik an Hegels absoluter Identität von Subjekt und Objekt zurückfällt. Unter der Insistenz auf Einheit gehen ihm die Unterschiede verloren. „Die idealistischen Konsequenzen daraus sind völlig klar: die Natur und deren Eigenstruktur verdunsten. Produktion wird ‚reines Erzeugen'"[22]. Marx dagegen übernimmt zwar aus Hegels Kant-Kritik und dem daraus sich ergebenden Programm die Intention auf Überwindung der Gegensätze durch Arbeit (bei Hegel: Bewegung des Bewußtseins). Gleichzeitig hält er aber an Kants These von der Nicht-Identität von Subjekt und Objekt fest, weil er die Natur nicht wie Hegel identitätsphilosophisch in das bloße Außersichsein des Geistes auflösen kann. Arbeit ist für ihn eine ‚ewige Notwendigkeit', und das Korrelat dieser Arbeit, die Natur, behält als der Menschenwelt Vorausliegendes dieser gegenüber stets ein Moment von Äußerlichkeit und Selbständigkeit. Wenn auch die „Proportion zwischen Arbeit und Naturstoff sehr verschieden"[23] sein kann, bleibt sie doch eine Proportion zwischen Verschiedenen und läßt sich nicht à la Lukács in Identität verwandeln. Während nach Marx ‚gegenständliche' Tätigkeit sowohl ein transzendentallogisches als auch ein produktionslogisches Moment enthält — da die Gegenstände „als Naturgegenstände mit Natur das Moment des Ansichseins teilen, von der Tätigkeit des Menschen aber das Moment der erzeugten Gegenständlichkeit an sich tragen"[24] —, kennt Lukács nur noch das eine Moment eines quasi ‚reinen' Erzeugens. Das ist das erste idealistische Moment, das in Lukács Fassung der ‚dialektischen Methode' eingeht.

Von Hegel übernimmt Lukács auch die von Marx als ‚Mystifikation' kritisierte Identifikation der *gedanklichen* Reproduktion mit der *realen* Produktion eines Gegenstandes. Die Einheit von Subjekt und Objekt habe „ihren Erfüllungsort und ihr Substrat in der Einheit von Genesis der Gedankenbestimmungen und von Geschichte des Werdens der Wirklichkeit" (161). Damit zehrt Lukács von Hegels „Illusion, das Reale als Resultat des sich in sich zusammenfassenden, in sich vertiefenden und aus sich selbst sich bewegenden Denkens zu fassen, während die Methode, vom Abstrakten zum Konkreten aufzusteigen, nur die Art für das Denken ist, sich das Konkrete anzueignen, es als ein geistig Konkretes zu reproduzieren. Keineswegs aber der Entstehungsprozeß des Konkreten selbst"[25]. Während nach Lukács' Verständnis von Dialektik „gedankliche und geschichtliche Genesis — dem Prinzip nach — zusammenfallen" (171), hat Marx gezeigt, daß die gedankliche Folge etwa der ökonomischen Kategorien der bürgerlichen Gesellschaft „genau das Umgekehrte von dem ist, was [...] der Reihe der historischen Entwicklung entspricht"[26].

22. Alfred Schmidt, in: *Geschichte und Klassenbewußtsein heute,* Amsterdam 1971, 9.
23. Marx, *Zur Kritik der politischen Ökonomie,* 30.
24. Jürgen Habermas, *Erkenntnis und Interesse,* Frankfurt am Main 1968, 38.
25. Marx, *Einleitung zur Kritik der politischen Ökonomie,* in: MEW 13, Berlin 1964, 632.
26. l.c., 638.

Die unkritische Übernahme der Hegelschen Theorie, die Bewegung dialektischer Erkenntnis sei zugleich die Selbstbewegung des Erkenntnisgegenstandes (der ‚Substanz'), zeitigt bei Lukács geradezu groteske Folgen. Das Klassenbewußtsein der Arbeiter über die kapitalistischen Produktionsverhältnisse (deren *eines* Moment die Waren*form* ist) wird ihm zum „Selbstbewußtsein der Ware" (185). Hatte sich Lukács zuvor darum bemüht zu zeigen, wie die der Warenform inhärente Verdinglichung die Erkenntnis der Gesellschaft gerade verkehrt und verhindert, garantiert die Ware nun plötzlich — dank Lukács' unkritischer Hegel-Rezeption — „die Selbstenthüllung der [...] kapitalistischen Gesellschaft" (185). Diese „Selbsterkenntnis des Arbeiters als Ware" (185) soll „bereits als Erkenntnis: praktisch" (185) sein. Lukács verkauft ohne Umschweife eine ‚Mystifikation' Hegels als „Wesensart der proletarischen Dialektik [...]: da das Bewußtsein hier nicht das Bewußtsein über einen ihm gegenüberstehenden Gegenstand, sondern das Selbstbewußtsein des Gegenstandes ist, umwälzt der Akt des Bewußtwerdens die Gegenständlichkeitsform seines Objektes" (195). So restlos löst Lukács also Denken und Sein in ihre beschworene Einheit auf, daß schließlich bereits eine Bewußtseinsveränderung die zuvor so lange gesuchte Möglichkeit einer Seinsveränderung unmittelbar zur Wirklichkeit werden läßt.

Zu vermuten ist, daß Lukács in den zuletzt genannten Bestimmungen ein geschichtsphilosophisches Theorem Marxens kurzschlüssig als ein gleichzeitiges erkenntnistheoretisches gedeutet hat, während er zuvor mehrfach umgekehrt erkenntnistheoretische Probleme auf metaphysische bzw. gesellschaftstheoretische übertragen hatte. Offensichtlich meint Lukács Identität von Subjekt und Objekt in dem geschichtsphilosophischen Sinn Marxens, daß das Proletariat das erste Agens der Geschichte sein könne, das diese mit Bewußtsein mache. Bei Marx impliziert dies aber noch nicht das ‚Zusammenfallen von gedanklicher und geschichtlicher Genesis' (171), sondern bedeutet allein, daß Gedanken sich in der Wirklichkeit *Geltung* verschaffen, womit zunächst noch nichts über ihre *Genesis* ausgesagt ist. Die Identifikation beider ist gerade — wie Marx betont hat — nur unter idealistischen Voraussetzungen möglich. Die Affinität der genannten These Marxens zu Hegels Theorem von der Vernunft als der Macht des Übergreifens auf Realität macht Lukács blind für ihre Unterschiede.

Diese Fehldeutungen Lukács' sind um so erstaunlicher, als er selbst die einschlägigen Marx-Passagen — etwa über das Verhältnis von logischer und historischer Reihenfolge der existenzbestimmenden Kategorien — zitiert. Hier wie schon in anderen Fällen entstehen dadurch in Lukács' Text selbst die handgreiflichsten Widersprüche. Immer wieder — so läßt sich verallgemeinernd sagen — korrespondiert der Inkonsistenz des Textes eine extreme Inkonsequenz des Autors.

Nachbemerkung

Lukács' Diagnose der Verdinglichung in Gesellschaft und Philosophie macht keinem der großen Namen, die sie bemüht — Kant, Hegel, Marx —, Ehre. Ein Verdienst kann man, aus heutiger Sicht, allenfalls noch darin sehen, *daß* Lukács zentrale Probleme des Marxschen Denkens teils aktualisiert, teils neu gestellt hat — nicht aber darin, *wie* er sie ‚löst'. In der

Rezeptionsgeschichte von Lukács' frühem marxistischem Hauptwerk sind, wie sich zeigen ließe, mit den aktualisierten Problemen auch deren äußerst fragwürdige ,Lösungen' traditionsmächtig geworden (auch und gerade z.B. bei Adorno). Lukács' Vorwort zur Neu-Ausgabe von 1967 ist nicht dazu geeignet, dem ein Ende zu setzen. Nur über wenige, wenn auch zentrale ,Mängel' schafft es die erforderliche Klarheit — es sind dies allein diejenigen, die hier im letzten Kapitel dargestellt worden sind (abstrakt-subjektivistischer Praxisbegriff im Gefolge des ,Verschwindens der ontologischen Objektivität der Natur'[27]). Andere Verzerrungen (die Kritik der Produktivkräfte) werden zwar genannt, doch wird ihr Grund erneut nicht durchschaut (so verkennt Lukács, daß er die Produktivkräfte nur deshalb kritisieren konnte, weil er sie immer wieder mit den Produktionsverhältnissen ineinsgesetzt hatte; statt dessen behauptet er nun einfach die Positivität der Produktivkräfte ebenso abstrakt, wie er vorher ihre Negativität behauptet hatte). Daß seine politökonomische Theorie weitestgehend an Marx abgeleitet statt ihn — wie sie prätendiert — weiterzudenken, sieht Lukács immer noch nicht. Zwar fehlen ihm in ihr wichtige „Pfeiler des marxistischen Weltbilds"[28], doch soll gleichwohl die Ökonomie in seiner Darstellung nur „eingeengt"[29] worden sein — was impliziert, daß sie durch Erweiterung zu ,retten' sei. Wie eine solche nunmehr „echt ökonomische Begründung"[30] bei Lukács aussehen würde, mag man daraus erahnen, daß er die Verabsolutierungen seiner früheren ,Universalkategorien' wiederum durch (andere) „marxistische Fundamentalkategorie[n]"[31] aufheben zu können glaubt. Die meisten der in dieser Arbeit aufgeführten Mißverständnisse — die der Marxschen Politökonomie und vor allem sämtliche bezüglich der Kantischen Philosophie — bleiben aber in Lukács' Vorwort vollends unentdeckt oder werden nun sogar ausdrücklich als „Vorwegnahme einer echt materialistisch-dialektischen Auslegung von Marx"[32] gefeiert.

Die legitime Funktion der Kritik, einen Kanon zu stiften, erfordert nicht nur als ihre Kehrseite, sondern als ihre Ermöglichung die beständige Arbeit der Elimination aus dem Kanon. Eine solche purgatorische Arbeit sollte hier gegenüber einem traditionsmächtigen Werk geleistet werden, das sich selbst als bahnbrechende Grundlegung einer „echt materialistisch-dialektischen" Aneignung der Philosophie versteht.

27. Lukács, Vorwort (1967) zur Neuausgabe von *Geschichte und Klassenbewußtsein*, Neuwied/Berlin 1968, 17.
28. l.c., 17.
29. l.c., 16.
30. l.c., 17.
31. l.c., 16.
32. l.c., 30.

Martin Puder

ADORNO ALS SPRACHPHILOSOPH

Seit Adornos Tod ist eine beträchtliche Zahl von akademischen Arbeiten entstanden, die Teilaspekte seiner Philosophie zum Thema haben. Aber ob es sich dabei um Darstellungen seiner „Kritik der Erkenntnistheorie", seiner „Lehre vom Naturschönen", der „Logik des Zerfalls" oder der „Pädagogik der Kritischen Theorie" handelt, jeweils sieht sich der Verfasser genötigt, zunächst das Grundgefüge dieser Philosophie nachzuzeichnen und nur wie in einem Anhang das Besondere zu untersuchen. Das hat seine Ursache weniger in subjektivem Unvermögen als in den Voraussetzungen des Adornoschen Werkes. Weil er, zugespitzt formuliert, kaum eine Seite geschrieben hat, die nicht auf die Schlüsselbegriffe „Identität", „Mimesis", „Rationalität" verweist, scheint der ständige Blick auf die „Dialektik der Aufklärung" oder die „Negative Dialektik" unerläßlich. Geht es aber doch immer wieder um die Haupttheoreme, deren Referat zudem zwangsläufig hinter dem Original zurückbleibt, so geraten die Spezialuntersuchungen leicht in den Umkreis des Überflüssigen.

Andererseits bietet sich der Vorwurf der Verkürzung an, wenn man — was im folgenden geschehen soll — ein begrenztes Gebiet, nämlich Adornos sprachtheoretische Äußerungen, ohne den Rekurs auf das Allgemeine seiner Philosophie behandelt. Jener Vorwurf liegt um so näher, als Adorno nicht in der Weise ein Sprachphilosoph war, wie es von Hamann, Humboldt oder Benjamin zu sagen wäre. Keineswegs war für ihn die Sprache absoluter Mittelpunkt der Welterfahrung. Die Gegenstände seines philosophischen Erschreckens bildeten die Gesellschaft und die Kunst, und die Sprache trat kaum anders als auf sie bezogen in sein Denken. Gleichwohl scheint es nötig, von diesen Bezügen abzusehen, wenn die Wiederholungen des Gesamtzusammenhanges nicht weiter vermehrt werden sollen.

Wie ein negatives Vorzeichen bestimmt Adornos Reflexionen zur Sprache der Gedanke, sie sei ein der Philosophie feindliches Medium. „Allein schon die Form der Kopula, des ‚Ist‘, verfolgt jene Intention des Aufspießens, deren Korrektur an der Philosophie wäre; insofern ist alle philosophische Sprache eine gegen die Sprache, gezeichnet vom Mal ihrer eigenen Unmöglichkeit." (5, 335)[1] Was Adorno hier auf seine Weise ausdrückt: daß die vorgefundene Sprache Widerstand erfordert, ist ein bis in die Anfänge der Philosophie, zu Parmenides, zurückreichendes Motiv. War es für ihn eine Folge des Blendwerks der Sprache, daß die Menschen, weil sie vom Nichtseienden reden können, dieses als seiend annehmen, so hat sich im Lauf der Tradition die Spitze der philosophischen Sprachkritik zunehmend gegen den Bedeutungsüberschuß der Wörter und den Präzisionsmangel der syntaktischen Formen gerichtet. Hegel kehrte diese Kritik ironisch um, indem er der Sprache, soweit er sie als unzulänglich ansah, gerade zu große Klarheit, Überschärfe, vorwarf. Die Prädika-

---

1. Adorno wird nach der Werkausgabe der Suhrkamp-Verlages zitiert.

tion, die ein Moment klar bestimmt, erzeugt eine trügerische Ruhe und ist deshalb ein dem spekulativen Denken abträgliches Mittel. „Es ist hierüber die Bemerkung zu wiederholen, daß die Wahrheit des Eins und des Vielen in Sätzen ausgedrückt in einer unangemessenen Form erscheint, daß diese Wahrheit nur als ein Werden, als ein Prozeß, Repulsion und Attraktion, nicht als das Sein, wie es in einem Satz als ruhige Einheit gesetzt ist, zu fassen und auszudrücken ist." (Logik, Ausgabe Lasson 1963, 163) Das Hegelsche Verdikt scheint sich, abgesehen vom Tonfall, mit der zitierten Äußerung Adornos zu berühren. Es enthält aber zwei Voraussetzungen, die dieser nicht mehr teilen konnte. Beide ergeben sich aus Hegels Metaphysik der Zeit. Zum einen kam für Hegel die Sprache mit ihrer sedativen Syntax der Neigung des Bewußtseins entgegen, sich über seine Zeitlichkeit zu täuschen und sich dem Absoluten als der Einsicht in das notwendige Zugrundegehen des Endlichen zu entziehen. Zum anderen hatte aus Hegels Sicht der zeitliche Verlauf des Denkens die Kraft, die Unwahrheit der Satzform umzuwenden, sie zu heilen. Weder den Begriff des Absoluten noch das Vertrauen in die wahrheitsfördernde Kraft der Zeit übernimmt Adorno, und dadurch bedarf seine Kritik der Kopula einer anderen Fundierung. Sie wird bezeichnet durch das Verb „aufspießen", die Kopula verweist auf tatsächliche Gewalt; das „ist" tötet oder verletzt zumindest. Da aber keine Gewähr dafür besteht, daß die philosophische Sprache, die doch immer der Sprache insgesamt zugehörig bleibt, das Verletzte wiederherstellt, ist sie „gezeichnet vom Mal ihrer eigenen Unmöglichkeit". — Fast automatisch erheben sich gegen diese Deutung der Kopula die Argumente, Adorno projiziere willkürlich und er lenke von der Hauptaufgabe ab, nämlich der, zwischen richtigen und falschen „Ist"-Sätzen zu unterscheiden. Aber diese Einwände versperren sich dem Gesagten von vornherein. Schwerer wiegt das Bedenken, ob Adorno nicht zu einer absurden Heroisierung des sisyphoshaft gegen die Sprache arbeitenden Philosophen genötigt wurde, nachdem die Hegelsche Begründung des Gedankens wegfiel. Das Pathos der ebenso vergeblichen wie notwendig gebotenen Anstrengung tritt an die Stelle der metaphysischen Gewißheit. Die Reflexion muß sich der Sprache „entgegenstemmen". So heißt es jedenfalls in einem Abschnitt, der sich nicht allein auf die Kopula bezieht, sondern das Zeichensystem Sprache schlechthin, das heißt ganz unabhängig von dem, was gesagt wird, als Verteidigungsinstrument der Gesellschaft charakterisiert. „Das Zeichensystem Sprache, das durch sein pures Dasein vorweg alles in ein von der Gesellschaft Bereitgestelltes überführt, verteidigt diese seiner eigenen Gestalt nach, noch vor allem Inhalt. Dem stemmt Reflexion sich entgegen; (…)" (6, 441)

Wird das Forcierte des Widerstandes derart betont, kann der andere Aspekt der „Ist"-Sätze und der sprachlichen Zeichen, der Adorno ebenso deutlich war, in den Hintergrund geraten: ihre Gewichtlosigkeit. Im Unterschied zu tatsächlicher Gewalt trifft die „aufspießende" Kopula unmittelbar die Vergeltung, daß sie nichts erreicht. Man braucht kaum so weitzugehen wie der junge Benjamin, der alle urteilenden Sätze, seien sie feststellend oder wertend, „richtig" oder „falsch", der Sphäre der Nichtigkeit, des Geschwätzes, zuordnete. Aber unbestreitbar ist die Erfahrung: je gewaltsamer prädiziert wird, desto leerer wird die Sprache. Es bedarf dann gewissermaßen nur des Zusehens beim Mißlingen der Gewalt, nicht der Gegenwirkung. Und wenn der Gedanke zutrifft, daß das Zeichensystem Sprache die Gesellschaft schlechthin verteidigt, so gilt doch auch, daß diese seit je an der Schwäche und Äußerlichkeit jenes Systems laborierte. Hätte die Sprache an sich mehr Kraft des Zusammenschließens und Bannens, so brauchte vieles nicht mit realem Zwang durchgesetzt zu werden.

Es sind Erwägungen von geringerem Abstraktionsgrad als die eben behandelten, in denen diese Sachverhalte bei Adorno Prägnanz gewinnen. Ihr Bezugspunkt ist die Gegenwartssprache. In deren Kritik berührte sich Adorno mit zahlreichen Autoren, die in den fünfziger und frühen sechziger Jahren die „Sprache der verwalteten Welt" zum Thema machten. Aber während diese Literatur zumeist bestimmten Institutionen oder Gruppen die Schuld an Sprachverformungen zurechnete, geht es bei Adorno um das Merkmal, daß in der Gegenwart ein Zustand erreicht wird, zu dem die Sprache von jeher tendierte. Dieser Zustand ist bezeichnet durch die Eigenbewegung des kommunikativen Moments der Sprache oder, mißdeutbar gesagt, ihre Funktionalisierung. Bei Humboldt hatte es noch geheißen: „Wenn eine Sprache bloß und ausschließlich zu den Alltagsbedürfnissen des Lebens gebraucht würde, so gälten die Worte bloß als Repräsentanten des auszudrückenden Entschlusses oder Begehrens und es wäre von einer inneren, die Möglichkeit einer Verschiedenheit zulassenden Auffassung gar nicht in ihr die Rede. Die materielle Sache oder Handlung träte in der Vorstellung des Sprechenden oder Erwidernden sogleich und unmittelbar an die Stelle des Wortes. Eine solche wirkliche Sprache kann es nun glücklicherweise unter immer doch denkenden und empfindenden Menschen nicht geben." (Schriften zur Sprache, Ausgabe Böhler, 145) In der Gegenwart wird das von Humboldt der Sprache als ihr „Glück" Zugeschriebene, der Rest von Unverständlichkeit, ersetzt durch das scheinhafte Glück, daß alle alles kommunizieren und potentiell verstehen. Verarmung erhält den Anstrich der Bereicherung. Der oft zitierte Satz Adornos „Ich will gar nicht verstanden werden" entzieht sich einer Verhaltensweise, die auf den totalen Dialog hinausläuft.

In dieser Verhaltensweise hat Adorno einen Zwiespalt beobachtet, der seither, in den siebziger Jahren, wohl noch stärker hervorgetreten ist. Auf der einen Seite soll ständig kommuniziert werden; es kann gar nicht genug Diskussionsveranstaltungen, Talk-Shows, kommunikative Treffen der Politiker der feindlichen Blöcke geben. Auf der anderen Seite aber besteht eine permanente Enttäuschung über die Schalheit des Gesagten, die indessen nicht hindert, immer von neuem den sprachlichen Austausch wie ein Allheilmittel zu fordern. Die Aggression gegen den, der sich nicht ganz der Verständlichkeit preisgibt — wie Adorno sie erfahren mußte —, wechselt ab mit der Gereiztheit darüber, daß bei der allgemeinen Kommunikation nichts herauskommt. Und die Linguistik als die der Zeitstimmung gemäße Wissenschaft sieht sich unvermittelten Umschlägen von höchsten Erwartungen in Geringschätzung und umgekehrt gegenüber.

Dieser Zwiespalt erinnert daran, daß das „Ansich" der Sprache, nämlich der im sprechenden Subjekt stattfindende Sachbezug, und das „Für andere" nicht identisch werden können, sosehr dieses die Tendenz hat, jenes in sich aufzunehmen. Adorno gebraucht für das Verhältnis der Momente sogar den Ausdruck „Antagonismus". „ Auch das integerste sprachliche Verfahren kann den Antagonismus von An sich und Für andere nicht fortschaffen. Während er in der Dichtung über den Köpfen der Texte hinweg sich durchsetzen mag, ist Philosophie gehalten, ihn einzubegreifen. Erschwert wird das durch die geschichtliche Stunde, in der die vom Markt diktierte Kommunikation — symptomatisch der Ersatz von Sprachtheorie durch Kommunikationstheorie — derart auf der Sprache lastet, daß diese, um der Konformität dessen zu widerstehen, was im Positivismus ‚Alltagssprache' heißt, zwangsläufig die Kommunikation kündigt. Lieber wird sie unverständlich, als die Sache durch eine Kommunikation zu verunstalten, welche daran hindert, die Sache zu kommunizieren." (5, 339f.) Gleichwohl kann die Kündigung der Kommunikation nicht das letzte Wort sein. Sprache, die sich der Verständlichkeit prinzipiell widersetzt, würde sich selbst und damit die menschliche Existenz negieren. Auch hier bleibt wieder das paradoxe Postulat, gegen die Kommunikation zu kommunizieren, so aussichtslos das scheint.

Ironischerweise gingen gerade die Wendungen der Adornoschen Texte, die ein Äußerstes an Anstrengung fordern, am leichtesten in die Kommunikationssprache ein. Daß man sich an Hegel „abzuarbeiten" habe, wurde zum Motto von Interpretationen, die ebendies nicht taten. Und wenn Adorno umgekehrt für eine nachlässige Sprachbehandlung den Ausdruck „verkommen" gebrauchte — „Die Ausrufungszeichen aber sind zu Usurpatoren von Autorität, Beteuerungen der Wichtigkeit verkommen." (11, 108) —, so entwickelte sich das negative Kraftwort zum beliebten Ornament. Formeln wie die, daß der Marxismus zum Reformismus „verkommen" sei, schreiben sich ebenso widerstandslos, wie sie gewichtig klingen. — Ernster ist die Adaption des Bewußtseinsbegriffs. Ihn hatte Adorno vielleicht mit dem extremsten Pathos belastet. Sich einen Antagonismus wie den eben dargelegten vom Ansichaspekt der Sprache und dem Aspekt „Für andere" bewußt zu machen und zu halten, bedurfte nach Adorno einer kaum zu ertragenden Anspannung. In der Kommunikation wurde das Pathos des Ausdrucks begierig aufgegriffen, aber es dient dem patzigen Auftrumpfen mit irgendwelchen Gegebenheiten: man trägt nicht einfach lange Haare, sondern „bewußt"; eine Frau ist nicht infolge des biologischen Zufalls eine Frau, sondern „bewußt".

Wahrscheinlich hätte sich die objektive Ironie dieses Umschlages auch dann nicht vermeiden lassen, wenn Adorno die exponierten Äußerungen durch Selbstironie geschützt hätte. Die Ironie ist als sprachliches Mittel genauso veraltet wie das Pathos. An den Drohungen, die heute auf der Existenz liegen, gleiten beide ab. In strengem Sinn gilt dies aber nicht nur für einzelne stilistische Figuren, sondern für die Sprache überhaupt. Zu den bleibenden Partien der Polemik gegen den „Jargon der Eigentlichkeit" gehören die über die „Unangemessenheit der Sprache an die rationalisierte Gesellschaft". (6, 441) Die Behandlung der Sprache durch Heidegger und seine Nachfolger wäre unmöglich gewesen, wenn sie nicht in der Tat auf vorgeschichtliche Erfahrungen und Reaktionsweisen der Menschheit zurückdeutete. Jedes stillstellende „Ist" enthält immer auch einen Rest von Magie sowie den Glauben an ein übergreifendes „Sein". Und die grammatischen Grundverhältnisse, die alle die Einwirkung eines Subjekts auf ein realistisch gegebenes Objekt voraussetzen, widerstreben nicht nur heutiger, sondern neuzeitlicher Erfahrung insgesamt. Adorno notierte das mit der Bemerkung, daß das Archaische der Sprache unabdingbar bleibt. Dieser Sachverhalt bildete für ihn weder ein Negativum noch ein Positivum, sondern eine elementare Schwierigkeit. „Ihnen (Heidegger und seinen Anhängern — M.P.) entgeht nicht, daß absolut anders als archaisch nicht sich sprechen läßt; was aber die Positivisten als Rückstand beklagen, verewigen sie als Segen. Der Block, den die Sprache vor dem Ausdruck ungeschmälert gegenwärtiger Erfahrung auftürmt, wird ihnen zum Altar. Läßt er sich schon nicht durchbrechen, so stellt er Allmacht und Unauflöslichkeit dessen vor, was in der Sprache sich niederschlug." (6, 442)

Aber die Schwäche der Sprache, daß sie den Block vergangener Schicksale und Vorstellungen nicht abzuwerfen vermag, ist zugleich der Ursprung ihrer Wirkungskraft. Das in den Worten geschichtlich Komprimierte kann herausgelöst und gedeutet werden. Der frühe Adorno formulierte, vielleicht unter dem Einfluß von Karl Kraus, den Gedanken, daß Geschichte überhaupt nur hinsichtlich dessen, was sie der Sprache einprägt, der Wahrheitsfrage zugänglich ist, wie umgekehrt die Wahrheit der Sprache nur durch den Einbruch der Geschichte in sie entsteht. „Durch Sprache gewinnt Geschichte Anteil an Wahrheit, und die Worte sind nie bloß Zeichen des unter ihnen Gedachten, sondern in die Worte bricht Geschichte ein, bildet deren Wahrheitscharaktere, der Anteil von Geschichte am Wort bestimmt die Wahl jeden Wortes schlechthin, weil Geschichte und Wahrheit im Wort zusammentreten." (1, 366f) Mit dem ersten Teilsatz „Durch Sprache gewinnt Geschichte Anteil an Wahrheit", ist keineswegs die Selbstverständlichkeit gemeint, daß nur, was urkundlich, also sprachlich überliefert ist, vom Historiker beurteilt werden kann. Es geht um ein weiterreichendes Wechselverhältnis. In der Sprache entdeckt sich, worauf eine geschichtliche Entwicklung hinauswollte oder hinauswill. — Adorno verfolgte diesen Gedanken in Aperçus, die den Charakter von Überzeichnungen haben. Wie die deutsche Geschichte mißglückt ist, so — nach seiner Interpretation — die deutsche Sprache. Anders als die romanischen oder angelsächsischen Sprachen vermochte sie es nicht, die lateinischen Elemente wie überhaupt ihr ursprünglich Fremdes zu assimilieren, sich in sich zu vereinheitlichen. Die Gestalt des Unorganischen, die sie hat, bekundet indessen den Mangel von Vereinheitlichung in der deutschen Geschichte. „Dabei ist freilich, was unorganisch (in der deutschen Sprache — M.P.) scheint, in Wahrheit selber nur geschichtliches Zeugnis, das des Mißlingens jener Vereinheitlichung. Solche Disparatheit bedeutet nicht nur in der Sprache Leiden zugleich und den von Hebbel sogenannten ‚Riß zur Schöpfung', sondern auch in der Wirklichkeit; man mag unter diesem Aspekt den Nationalsozialismus als den gewalttätigen, verspäteten und dadurch vergifteten Versuch erblicken, die versäumte bürgerliche Integration Deutschlands nachträglich zu erzwingen." (11, 219) Die Nebenbemerkung im zweiten Satz, die Disparatheit bedeute zugleich Leiden und den „Riß zur Schöpfung", meint das Moment der Unwahrheit in der Assimilation. Die deutsche Sprache ist wahrer als die anderen, weil sie sich zu dem Unrecht, das jede Assimilation verursacht, zwiespältig verhielt, wodurch es scharf hervortrat. „Die westlichen Sprachen haben jenes Unrecht gemildert, etwa wie politisch der englische Imperialismus mit den unterworfenen Völkern verfuhr." (ebd.)

Die letzte Formulierung klingt, als ob Adorno hier sofort merken lassen wollte, daß er das Stilmittel der Übertreibung gebrauchte. Wahrscheinlich ist der Gedanke, Sprache, Geschichte und Wahrheit seien auseinander zu deuten, nur in derartigen momentanen Überzeichnungen darstellbar. Systematisch entwickelt, hätte er Fehlkonstruktionen zur Folge oder Ideologisierungen wie die, daß die Sprache das Schicksal ist. — Und in dem eben zitierten Zusammenhang hat Adorno zwar hervorgehoben, wie die deutsche Sprache durch ihre inneren Spannungen dem Ausdruck hilft. Er hat sich jedoch ihren Äquivokationen nur dann überlassen, wenn der Gedanke sie deckte. Auf eine Bemerkung über die Eigenmacht der deutschen Sprache folgt der programmatische Satz:„Fraglos hat sie dafür auch ihren Preis zu zahlen in der immerwährenden Versuchung, daß der Schriftsteller wähnt, der immanente Hang ihrer Worte, mehr zu sagen, als sie sagen, mache es leichter und entbinde davon, dies Mehr zu denken und womöglich kritisch einzuschränken, anstatt mit ihm zu plätschern." (10, II, 700 f.)

Die bisher dargestellten Aspekte der Sprache weisen auseinander. Zum einen erschien als ihr Ansich die Gewalt der Kopula und ihr gesellschaftlicher Konformismus, zum anderen wurde ausdrücklich der konzentrierte Sachbezug als ihr Ansich benannt. Und auch bei der Frage, warum das kommunikative Moment in der Gegenwartssprache überhandnimmt, gab es die abweichenden Antworten, das sei eine immanente Tendenz der Sprache und es sei vom Markt diktiert. Schließlich wurde die Sprache wegen ihrer Archaik als der „Block" vor dem Ausdruck gegenwärtiger Erfahrung charakterisiert und doch zugleich als der Ort, in dem Geschichte und Wahrheit zusammentreffen. Die Divergenzen steigern sich noch, wenn man zwei weitere Aspekte der Adornoschen Sprachtheorie nachzuzeichnen sucht: seine Lehre vom mimetischen Potential der Sprache und die von ihrer lösenden Kraft. Es scheint deshalb nötig, auf sie einzugehen, bevor erörtert wird, welchen Zusammenhalt das Auseinanderweisende haben kann.

Die Lehre vom mimetischen Potential der Sprache hat eine bei Adorno sehr dunkel bleibende Voraussetzung: daß es nicht nur eine Metapher ist, wenn der Ausdruck „Sprache der Dinge" oder „Sprache der Natur" gebraucht wird. Sätze wie der: „(Celans Gedichte - M.P.) ahmen eine Sprache unterhalb der hilflosen der Menschen, ja aller organischen nach, die des Toten von Stein und Stern" (7, 477), sind buchstäblich gemeint, ohne zu erkennen zu geben, worin die Sprache der Dinge ihren Ursprung hat. Durch den Vergleich mit Benjamin wird die Schwierigkeit vielleicht sichtbar. Bei diesem heißt es zunächst übereinstimmend mit Adornos Redeweise: „Das Dasein der Sprache erstreckt sich aber nicht nur über alle Gebiete menschlicher Geistesäußerung, der in irgendeinem Sinn immer Sprache einwohnt, sondern es erstreckt sich auf schlechthin alles. Es gibt kein Geschehen oder Ding weder in der belebten noch in der unbelebten Natur, das nicht in gewisser Weise an der Sprache teilhätte, denn es ist jedem wesentlich, seinen geistigen Gehalt mitzuteilen." (Schriften II, 1, 140 f.). Was hier dogmatisch scheint, wird indessen durch einen zweiten Dogmatismus, nämlich den Verweis auf die biblische Genesis, die Schöpfung durch das Wort, aufgehoben. Der Sprachcharakter alles Seienden ergibt sich aus der Art seiner Schöpfung, wie es Hamann, dem Benjamin folgt, umschrieben hat: „Jede Erscheinung der Natur war ein Wort, — das Zeichen, Sinnbild und Unterpfand einer neuen, geheimen, unaussprechlichen, aber desto innigeren Vereinigung, Mittheilung und Gemeinschaft göttlicher Energien und Ideen. Alles, was der Mensch am Anfang hörte, mit Augen sah, beschaute und seine Hände betasteten, war ein lebendiges Wort; denn Gott war das Wort. Mit diesem Worte im Munde und im Herzen war der Ursprung der Sprache so natürlich, so nahe und leicht wie ein Kinderspiel (...)." (Schriften zur Sprache. Ausgabe Simon, 144) Bei Adorno ist nirgends das Vertrauen in dieses Theologumenon bekundet.[2] Eher hätte er wohl umge-

---

2. Allerdings gibt es Andeutungen: „Die subjektive Durchbildung der Kunst als einer nichtbegriff-

kehrt die Erfahrung der Dingsprache mit den produktiven Momenten der Schizophrenie in Verbindung gesehen, wie er auch von Benjamin sagte, daß es ein Zug seiner Philosophie sei, „mit rationalen Mitteln heimzubringen, was an Erfahrung in der Schizophrenie sich anmeldet." (Über Walter Benjamin. Frankfurt 1970, 81) Zum Schizophrenen kann alles sprechen. Aber diese Rückführung hat Adorno nicht vorgenommen, und ebensowenig ließe sich behaupten, seine Redeweise von der Sprache der Dinge stehe „zwischen" Theologie und rationaler Anverwandlung des Wahnsinns. Sie hält sich im Unverständlichen; es sei denn, daß Privates mit ihr assoziiert wird.

So verschlossen der Ursprung der „Sprache der Dinge" bleibt, so darstellbar sind jedoch die Möglichkeiten ihrer Übersetzung. Die philosophische Tradition, das „Was" oder „Warum" zu erklären, das „Wie" aber offen zu lassen, wird von Adorno umgekehrt. Im Vordergrund steht dabei zunächst der dialektische Gedanke, daß das Extrem des Naturfremden, die höchste Ausbildung der eigenen „Syntax" des Kunstwerks, die Affinität zur Natursprache herbeiführt. „Der Idee einer Sprache der Dinge nähern sich die Kunstwerke nur durch ihre eigene, durch Organisation ihrer disparaten Momente; je mehr sie in sich syntaktisch artikuliert wird, desto sprechender gerät sie samt ihren Momenten." (7, 211) Aber auf diesen Gedanken beschränkt, wäre das Motiv ohne Widerstand. Es würde dann an Theoreme des Klassizismus erinnern, etwa an die Lehre, daß gerade die genaue Disziplin der Metrik die Sprache wieder der Rhythmik der Natur angleicht. Betont wird deshalb von Adorno ein Hinzutretendes, das ähnlich rational irrational ist wie jenes, das er in der Deutung der Kantischen Moralphilosophie hervorhebt. Läßt sich das Moralische auf kein Kalkül, welcher Art auch immer, gründen, sondern bedarf es eines „Hinzutretenden" — „Impuls, Rudiment einer Phase, in der der Dualismus des Extra- und Intramentalen noch nicht durchaus verfestigt war" (6, 227) —, so gilt Analoges für das Aufschließen der Dingsprache. „Ob die Welt singt, darüber entscheidet, daß der Dichter ins Schwarze, ins Sprachdunkle, trifft, als in ein zugleich an sich schon Seiendes." (11, 81)

In diesem Satz ist das „an sich schon Seiende" der Sprache keineswegs mit jenem „Ansich" gleichzusetzen, das in einem früheren Zusammenhang behandelt wurde: der Beziehung zwischen Wort und Sache. Adorno umschreibt hier die Gestaltqualität der Sprache schlechthin, ihr Rauschen. Als rauschende wird die Sprache selbst zum Bild der Natur, sie bildet sie nicht ab. Prägnant heißt es:„Zum Rauschen macht sich das Subjekt selber: zur Sprache, überdauernd bloß im Verhallen wie diese. Der Akt der Veranschaulichung des Menschen, ein Wortwerden des Fleisches, bildet der Sprache den Ausdruck von Natur ein und transfiguriert ihre Bewegung ins Leben noch einmal." (11, 83)

Indessen bleibt auch diese Modalitätsbestimmung harmonisierend. Vor allem enthält sie die Gefahr, daß das „Ansichseiende" der Sprache wie etwas Positives gedacht oder behandelt wird. So hat Adorno das von ihm hier mit Nachdruck Formulierte auch skeptisch gesehen. Er hat zwar seinem größten Essay über Hegel als Motto den Borchardtvers vorangestellt „Ich habe nichts als Rauschen", aber er selbst ist der Hegelschen Stärke zur Schwäche

lichen Sprache ist im Stande von Rationalität die einzige Figur, in der etwas wie Sprache der Schöpfung widerscheint, mit der Paradoxie der Verstelltheit des Widerscheinenden." (7, 121)

gegenüber der Sprache nicht gefolgt. Es gibt keinen Satz bei Adorno, in dem nicht die Sprache vom Denken dominiert wird; die Schwierigkeiten seiner Texte folgen aus dem Gedachten, nicht daraus, daß das „Sprachdunkle" gesucht wird. Kant war ihm, was diesen Aspekt der Sprachbehandlung angeht, näher als Hegel.

Neben dem bisher zur Mimesis der Dingsprache Angedeuteten stehen rigorosere Überlegungen. Selbstaufhebung und Zerrüttung der menschlichen Sprache sind die Stichworte dafür. Selbstaufhebung bedeutet, daß die Sprache in jedem Augenblick anerkennt, daß sie verstummen sollte, und verstummen möchte. „‚Wanderers Nachtlied' ist unvergleichlich, weil darin nicht so sehr das Subjekt redet — eher möchte es, wie in jedem authentischen Gebilde, durch dieses hindurch darin verstummen —, sondern weil es durch seine Sprache das Unsagbare der Sprache von Natur imitiert." (7, 114) Will man die Formcharakteristika der Adornoschen Essays verstehen — und auch seine sogenannten Hauptwerke sind Essays —, so muß gesehen werden, wie sie bei aller Hektik des Gesagten die Intention zu verstummen darstellen oder wenigstens darstellen möchten. Freilich ist gerade dieser Gedanke kompromittierbar oder verwechselbar. Die Redensart vom ehrfürchtigen Schweigen kann hier ebenso assoziiert werden wie Heideggers Lehre, daß die eigentliche Logik der Philosophie die Sigetik, die Schweigekunst, sei. Adorno hat dem Gedanken jedoch eine spezifische Begründung gegeben. Die Selbstaufhebung der Sprache ist der Ausgleich für ihre Schuld, sich der Natur gegenübergestellt zu haben. Kunst vermag diese Schuld zu transzendieren, aber nicht zu löschen. „Kunstwerke fallen ihrem Apriori, wenn man will, ihrer Idee nach in den Schuldzusammenhang. Während ein jegliches, das gelang, ihn transzendiert, muß ein jegliches dafür büßen, und darum möchte seine Sprache zurück ins Schweigen: es ist, nach einem Wort von Beckett, a desecration of silence." (7, 203)

Der Name Beckett verweist darauf, daß das Ernste einen Bestandteil des Spiels hat. Er ist auch spürbar in dem vielleicht radikalsten Theorem Adornos, das die Sprache gegen sich selbst wendet: dem von ihrer parataktischen Zerrüttung. Entwickelt ist es anhand einer Interpretation Hölderlins. An dessen später Lyrik hat Adorno den Widerstand gegen das wahrgenommen, was euphemistisch Syntax heißt; euphemistisch deswegen, weil die Sprache nicht von der Zusammenwirkung geprägt ist, sondern von der Über- und Unterordnung. Ein Sprachstil entsteht immer nur dadurch, daß das Dominanzverhältnis in der Sprache eine neue Form gewinnt. Hölderlin wollte es, wenn Adornos Deutung zutrifft, überhaupt suspendieren, indem er, von der rhetorischen Figur der Inversion ausgehend, die Hypotaxe in der Syntax schwächte und zu einer „reihenden" Sprache strebte. Gerade weil er den Terminus Syntax ernstnahm, wurde er zur Rebellion gegen die vorgefundene gedrängt. Ebendies meint der Ausdruck Parataxis. Sie läßt eine Sprachgestalt entstehen, von der Adorno sagt: „Losgelassen, freigesetzt, erscheint sie nach dem Maß subjektiver Intention parataktisch zerrüttet." (11, 475) Das Programm wirkt ähnlich zwiespältig wie der Anarchismus in der politischen Theorie: aussichtslos und zugleich der einzig möglich scheinende Ausweg. Wollte man die Parataxis konsequent betreiben, würde sie nichtig; ein Anarchismus, der herrschen will. Aber richtig ist, daß der Dualismus Dingsprache — Menschensprache Folgen für die Form des Gesagten verlangt. Wenn Hölderlin in der geläufigen Sprache dichtete: „Ich verstand die Stille des Aethers,/ Der Menschen Worte verstand ich nie" (von Adorno zitiert 11, 466), so bleibt die Opposition metaphorisch.

Wieweit das Motiv der Dingsprache und ihrer Mimesis mit den im engeren Sinn sprach-emphatischen Äußerungen Adornos zusammenhängt, ist eine schwer zu klärende Frage. Die Sprachemphase meint eine lösende, befreiende Kraft des Wortes, die in der bloßen Mimesis nicht liegen kann. Allerdings gibt es Stellen, an denen diese so beschrieben wird, als ginge sie in jene über. Prägnant sind zwei Sätze aus dem Essay über Eichendorff. In dessen Tafellied zu Goethes Geburtstag 1831 stehen die Verse: „Wie rauschen nun Wälder und Quellen/ Und singen vom ewigen Port." Adorno kommentiert sie, indem er die romanti-sche Gewißheit, Mimesis versöhne, ja verwandle, noch bekräftigt: „(...) so wird hier mit tie-fem Blick an der Lyrik Goethes das Ungeheure gerühmt, daß durch sie Natur selber sich verändert habe, durch ihn die Rauschende geworden sei. Der ‚Port' aber, den nach Eichen-dorffs Deutung Wälder und Quellen besingen, ist die Versöhnung mit den Dingen durch die Sprache." (11, 84)

Andererseits hat der Gedanke von der befreienden Kraft der Sprache eine einfachere Form, ohne Bezug auf die Mimesis der Dinge oder der Natur überhaupt. Er wird dann im Zusammenhang eines eigentümlichen Sprachvertrauens formuliert — so, als habe die Spra-che ein Element, das unkorrumpierbar ist. „Vollends der zur Sprache objektivierte Aus-druck persistiert, das einmal Gesagte verhallt kaum gänzlich, das Böse nicht und nicht das Gute, die Parole von der Endlösung so wenig wie die Hoffnung auf Versöhnung. Was Spra-che gewinnt, tritt ein in die Bewegung eines Menschlichen, das noch nicht ist und kraft sei-ner Hilflosigkeit, die es zur Sprache nötigt, sich regt." (7, 179)

Gerade weil die Sprache nur als verhallende ist, verhallt kein in ihr einmal Gesagtes völ-lig. Überlieferte Vorstellungen wie die, daß die Sprache die Seele der Menschheit sei — durch alles Erlebte bestimmt, aber immer neu sich bildend, vergehend, aber nichts in sich ganz auslöschend —, gewinnen in der Formulierung Adornos einen sowohl abgeblaßten als auch schärferen Ausdruck. In gleicher Weise trägt das Vertrauen auf die Schlüsselkraft des Wortes Spuren der Tradition, nicht zuletzt solche von Magie und Märchen. Nur im Rück-blick auf sie ist der Satz aus der Rede über den „Fortschritt" begreifbar: „Schon darum läßt nicht genau sich sagen, was sie (die Menschen — M.P.) unter Fortschritt sich vorstellen sol-len, weil es die Not des Zustandes ist, daß jeder sie fühlt, während das lösende Wort fehlt." (10, II, 617) Die Not der Gegenwart besteht demnach weniger im realen Elend des Zustan-des als darin, daß das Wort für ihn fehlt. Es könnte ihn „lösen"; — ein Verb, das gleich weit entfernt ist vom christlichen „erlösen" wie vom gewaltsamen entfesseln.

Nirgends hat Adorno geäußert, daß sich jenes Wort nicht finden läßt. Wenn man ihm immer wieder Resignation vorgeworfen hat, so führt einfacher sozialpsychologischer Arg-wohn darauf, daß wohl das Gegenteil gemeint war. Wie unbeirrbar Adorno an bestimmten Gewißheiten und Hoffnungen festhielt, zu denen man selbst kein Zutrauen mehr hatte; wie wenig er resignierte, erweckte Neid und Ärger.

Die Sprachemphase hat ihren höchsten Punkt in der Idee des Namens. Deshalb bedarf das hierzu Gesagte besonders aufmerksamer Deutung. Die Adornoliteratur hat einige Zita-te in den Vordergrund gerückt, die den Eindruck erwecken, er habe den „Namen" als die Chiffre für eine Erkenntnis, die das Seiende in seiner Unwiederholbarkeit ausdrückt, fast enthusiastisch dem „Begriff", der immer Allgemeines will, gegenübergestellt. Maßgebend aber sollte der Satz der „Negativen Dialektik" sein: „Wie (...) zu denken wäre, das hat in den Sprachen sein fernes und undeutliches Urbild an den Namen, welche die Sache nicht kategorial überspinnen, freilich um den Preis ihrer Erkenntnisfunktion." (6, 61) Das „Urbild" — Adorno sagt nicht, daß die Namen es sind, sondern daß das Denken es an ihnen hat — ist „undeutlich", weil die Obsession durch den Namen auf sehr verschiedene Gründe zurückgehen kann. Scholem hat in seinem Aufsatz „Der Name Gottes und die Sprachtheorie der Kabbala" (Neue Rundschau 1972, 470 ff.) zunächst den theologischen Aspekt hervorgehoben, daß der Name Gottes im Judentum die Stelle einnimmt, „an der sich in anderen Kulturen das Kultbild befindet". „,Schem' (der Name), das hat eine unerschöpfliche Sprachkraft im religiösen Gefühl des Juden. Der Name Gottes, das ist kein Zauberwort mehr, wenn es je eines war, aber es ist ein Zauberwort der messianischen Zuversicht (…) ‚Einstmals werde ich an den Völkern eine lautere Sprache verwandeln, so daß sie allesamt den Namen Gottes anrufen werden'." (475)[3] Daneben oder davor steht der magische Gedanke, daß zwischen dem Namen und seinem Träger „eine enge und wesensmäßige Beziehung besteht", daß der Name eine „reale Größe, keine Fiktion" ist. (473 f.) Schließlich beschreibt Scholem die mystische Auffassung, nach der der Name Gottes Ursprung aller Sprache ist. Selber ohne „,Sinn' im gewöhnlichen Verstande", ohne „konkrete Bedeutung" (494), ist er es doch, der allem anderen Sinn und Bedeutung gibt. „So wie alle Sprache ihren Fokus im Namen Gottes hat, kann sie auch auf dieses Zentrum zurückgeführt werden." (493) — Das Wort „undeutlich" in Adornos Satz zeigt, daß es ihm nicht um eine Trennung dieser Aspekte oder um einen besonders geht; das Wort „fern" aber verweist auf die Differenz zu Scholem. Für Adorno ist die Kraft des Namens keine im gegenwärtigen Denken zu aktualisierende Möglichkeit. Es ist an die Zwänge des Begriffs gebunden, für die Adorno pointiert das unschöne Wort „Erkenntnisfunktion" wählt. Wer die Begriffe zu Namen stilisiert, entzieht sich ihrer Prüfung. Das ist ein Vorwurf gegen Scholems Freund Benjamin. „Noch bei Benjamin haben die Begriffe einen Hang, ihre Begrifflichkeit autoritär zu verstecken." (6, 62) Der Idee des Namens kann nichts anderes als die Konstellation von Begriffen gerecht werden, die jeweils der bestimmten Negation anheimfallen. Indem von jedem Begriff gezeigt wird, daß er am Gemeinten abgleitet, wird zumindest ein Leerraum geschaffen, in den der Name eintreten kann. „Der bestimmbare Fehler aller Begriffe nötigt, andere herbeizuzitieren; darin entspringen jene Konstellationen, an die allein von der Hoffnung des Namens etwas überging." (ebd.)

Der Gedanke liegt nahe, die teils einander korrigierenden, teils sich aufhebenden Sequenzen zur Sprache, die hier dargestellt wurden, unter den von Adorno im letzten Satz angeführten Plural „Konstellationen" zu bringen. Er selbst hat von der Möglichkeit, so formal zusammenzufassen, durch den Buchtitel „Prismen" Gebrauch gemacht. Aber das würde die Spannung zwischen den Extremen Sprachverzweiflung und Sprachemphase neutralisieren und Adorno, der an dem Wort von Gide hing „Les extrêmes me touchent", ins Gefällige übersetzen. Eher wäre es angebracht, wenn man auf Adornos eigene Konzepte zurückgehen will, seine Sprachphilosophie als Muster des Parataktischen zu sehen: Sie hat kein herrschendes Prinzip, jeder Gedanke tingiert den anderen, ist aber auch „losgelassen, freigesetzt". Diese Deutung wäre aber ebenfalls glättend, auf ihre Art zu schön.

---

3. Scholem paraphrasiert am Anfang des Zitats Cohen.

Vielleicht sollte man sich daran erinnern, daß zu den Traditionen, die Adorno gewendet hat, auch die bis zu Platon und noch weiter zurückgehende gehört, andere, vornehmlich Gegner, Tieren gleichzusetzen. Für Adorno hatten derartige Vergleiche nichts Herabminderndes oder nur für den, der den anderen damit verletzen wollte. Statt der Arroganz der Vernunft schwebte ihm die reflektierte Mimesis an die Naturwesen vor. Und so läßt sich wohl sagen, daß er in seinem Denken über die Sprache dem Insekt an der Fensterscheibe ähnelt, der unablässig hinauswill und doch auch nicht.

Franz Kafka — Vor dem Gesetz

Vor dem Gesetz steht ein Türhüter. Zu diesem Türhüter kommt ein Mann vom Lande und bittet um Eintritt in das Gesetz. Aber der Türhüter sagt, daß er ihm jetzt den Eintritt nicht gewähren könne. Der Mann überlegt und fragt dann, ob er also später werde eintreten dürfen. „Es ist möglich," sagt der Türhüter, „jetzt aber nicht." Da das Tor zum Gesetz offensteht wie immer und der Türhüter beiseite tritt, bückt sich der Mann, um durch das Tor in das Innere zu sehn. Als der Türhüter das merkt, lacht er und sagt: „Wenn es dich so lockt, versuche es doch, trotz meines Verbotes hineinzugehn. Merke aber: Ich bin mächtig. Und ich bin nur der unterste Türhüter. Von Saal zu Saal stehn aber Türhüter, einer mächtiger als der andere. Schon den Anblick des dritten kann nicht einmal ich mehr ertragen." Solche Schwierigkeiten hat der Mann vom Lande nicht erwartet; das Gesetz soll doch jedem und immer zugänglich sein, denkt er, aber als er jetzt den Türhüter in seinem Pelzmantel genauer ansieht, seine große Spitznase, den langen, dünnen, schwarzen tatarischen Bart, entschließt er sich, doch lieber zu warten, bis er die Erlaubnis zum Eintritt bekommt. Der Türhüter gibt ihm einen Schemel und läßt ihn seitwärts von der Tür sich niedersetzen. Dort sitzt er Tage und Jahre. Er macht viele Versuche, eingelassen zu werden, und ermüdet den Türhüter durch seine Bitten. Der Türhüter stellt öfters kleine Verhöre mit ihm an, fragt ihn über seine Heimat aus und nach vielem andern, es sind aber teilnahmslose Fragen, wie sie große Herren stellen, und zum Schlusse sagt er ihm immer wieder, daß er ihn noch nicht einlassen könne. Der Mann, der sich für seine Reise mit vielem ausgerüstet hat, verwendet alles, und sei es noch so wertvoll, um den Türhüter zu bestechen. Dieser nimmt zwar alles an, aber sagt dabei: „Ich nehme es nur an, damit du nicht glaubst, etwas versäumt zu haben." Während der vielen Jahre beobachtet der Mann den Türhüter fast ununterbrochen. Er vergißt die andern Türhüter, und dieser erste scheint ihm das einzige Hindernis für den Eintritt in das Gesetz. Er verflucht den unglücklichen Zufall, in den ersten Jahren rücksichtslos und laut, später, als er alt wird, brummt er nur noch vor sich hin. Er wird kindisch, und, da er in dem jahrelangen Studium des Türhüters auch die Flöhe in seinem Pelzkragen erkannt hat, bittet er auch die Flöhe, ihm zu helfen und den Türhüter umzustimmen. Schließlich wird sein Augenlicht schwach, und er weiß nicht, ob es um ihn wirklich dunkler wird, oder ob ihn nur seine Augen täuschen. Wohl aber erkennt er jetzt im Dunkel einen Glanz, der unverlöschlich aus der Türe des Gesetzes bricht. Nun lebt er nicht mehr lange. Vor seinem Tode sammeln sich in seinem Kopfe alle Erfahrungen der ganzen Zeit zu einer Frage, die er bisher an den Türhüter noch nicht gestellt hat. Er winkt ihm zu, da er seinen erstarrenden Körper nicht mehr aufrichten kann. Der Türhüter muß sich tief zu ihm hinunterneigen, denn der Größenunterschied hat sich sehr zuungunsten des Mannes verändert. „Was willst du denn jetzt noch wissen?" fragt der Türhüter, „du bist unersättlich." „Alle streben doch nach dem Gesetz", sagt der Mann, „wieso kommt es, daß in den vielen Jahren niemand außer mir Einlaß verlangt hat?" Der Türhüter erkennt, daß der Mann schon an seinem Ende ist, und, um sein vergehendes Gehör noch zu erreichen, brüllt er ihn an: „Hier konnte niemand sonst Einlaß erhalten, denn dieser Eingang war nur für dich bestimmt. Ich gehe jetzt und schließe ihn."

Jacques Derrida

PRÉJUGÉS

> „...: ainsi faict la science (et nostre droict
> mesme a, dict-on, des fictions légitimes sur
> lesquelles il fonde la vérité de sa justice); (...)."
> Montaigne (Essais 11, XII)

Je souligne un peu lourdement quelques trivialités axiomatiques ou quelques présuppositions. Sur chacune d'elles, j'ai tout lieu de le supposer, un accord initial serait facile entre nous, même si mon intention reste de fragiliser ensuite les conditions d'un tel consensus. Pour en appeler à cet accord entre nous, je me réfère peut-être imprudemment à notre communauté de sujets participant dans l'ensemble à la même culture et souscrivant, dans un contexte donné, au même système de conventions. Lesquelles?

Première croyance d'allure axiomatique: au texte que je viens de lire nous reconnaissons une identité à soi, une singularité et une unité. D'avance nous les jugeons intouchables, si énigmatiques que demeurent en définitive les conditions de cette identité à soi, de cette singularité et de cette unité. Il y a un commencement et une fin à ce récit dont les bordures ou les limites nous paraissent garanties par un certain nombre de *critères* établis, entendez établis par des lois et par des conventions positives. Ce texte, que nous tenons pour unique et identique à lui-même, nous présupposons qu'il existe dans sa version originale, faisant corps en son lieu de naissance avec la langue allemande. Selon la croyance la plus répandue dans nos régions, telle version dite originale constitue l'ultime référence quant à ce qu'on pourrait appeler la personnalité juridique du texte, son identité, son unicité, ses droits, etc. Tout cela est aujourd'hui garanti par la loi, par un faisceau de lois qui ont toute une histoire même si le discours qui les justifie prétend le plus souvent les enraciner dans des lois naturelles.

Deuxième élément de consensus axiomatique, essentiellement inséparable du premier: ce texte a un auteur. L'existence de son signataire n'est pas fictive, à la différence des personnages du récit. Et c'est encore la loi qui exige et garantit la différence entre la réalité présumée de l'auteur, porteur du nom de Franz Kafka, enregistré par l'état civil sous l'autorité de l'Etat, et d'autre part la fiction des personnages à l'intérieur du récit. Cette différence implique un système de lois et de conventions sans lesquelles le consensus auquel je me réfère présentement, dans un contexte qui nous est jusqu'à un certain point commun, n'aurait aucune chance d'apparaître, qu'il soit ou non fondé. Or ce système de lois, nous pouvons en connaître au moins l'histoire apparente, les événements juridiques qui en ont scandé le devenir sous la forme du droit positif. Cette histoire des conventions est très récente et tout ce qu'elle garantit reste essentiellement labile, aussi fragile qu'un artifice. Comme vous le savez, des oeuvres nous sont léguées dont l'unité, l'identité et la complétude restent problématiques parce que rien ne permet de décider en toute certitude si l'inachèvement du corpus est un accident réel ou une feinte, le simulacre délibérément calculé d'un ou de plusieurs auteurs, contemporains ou non. Il y a et il y a eu des oeuvres dans lesquelles l'auteur ou une multiplicité d'auteurs sont mis en scène comme des personnages sans nous laisser des signes ou des critères rigoureux pour décider entre les deux fonctions ou les deux valeurs. Le Conte du Graal, par exemple, pose encore aujourd'hui de tels problèmes (achèvement ou inachèvement, inachèvement réel ou feint, inscription des auteurs dans le récit, pseudonymie et propriété littéraire, etc).[1] Mais sans vouloir annuler les différences et les mutations historiques à cet égard, on peut être sûr que, selon des modalités chaque fois originales, ces problèmes se posent de tout temps et pour toute oeuvre.

Troisième axiome ou présupposition: il y a du récit dans ce texte intitulé *Devant la loi* et ce récit appartient à ce que nous appelons la littérature. Il y a du récit ou de la forme narrative dans ce texte; la narration entraîne tout à sa suite, elle détermine chaque atome du texte même si tout n'y apparaît pas immédiatement sous l'espèce de la narration. Sans m'intéresser ici à la question de savoir si cette narrativité est le genre, le mode ou le type du texte[2], je noterai modestement et de façon toute préliminaire que cette narrativité, dans ce cas précis, appartient selon nous à la littérature; pour cela j'en appelle encore au même consensus préalable entre nous. Sans toucher encore aux présuppositions contextuelles de notre consensus, je retiens que pour nous il semble s'agir d'un récit littéraire (le mot „récit" pose aussi des problèmes de traduction que je laisse en réserve). Est-ce que cela reste trop évident et trivial pour mériter d'être remarqué? Je ne le crois pas. Certains récits n'appartiennent pas à la littérature, par exemple les chroniques historiques ou les relations dont nous avons l'expérience quotidienne: je puis vous dire ainsi que j'ai comparu devant la loi après avoir été photographié au volant de ma voiture, la nuit, conduisant près de chez moi à une vitesse excessive ou que j'allais le faire pour être accusé, à Prague, de trafic de drogue. Ce n'est donc pas en tant que narration que *Devant la loi* se définit pour nous comme un phénomène littéraire. Si nous jugeons ce texte littéraire, ce n'est pas davantage en tant que narration fictive, ni même allégorique, mythique, symbolique, parabolique, etc. Il y a des fictions, des allégories, des mythes, des symboles ou des paraboles qui n'ont rien de proprement littéraire. Qu'est-ce qui décide alors de l'appartenance de *Devant la loi* à ce que nous croyons entendre sous le nom de littérature? Et qui en décide? Qui juge? Pour aiguiser ces deux questions (quoi et qui?), je précise que je ne privilégie aucune des deux et qu'elles portent sur la littérature plutôt que sur les belles-lettres, la poésie ou l'art discursif en général, bien que toutes ces distinctions restent fort problématiques.

La double question serait donc la suivante: „Qui décide, qui juge et selon quels critères, de l'appartenance de ce récit à la littérature?"

---

1. Sur toutes ces questions (inachèvement réel ou feint, pluralité des auteurs, „propriété littéraire [qui] ne se posait pas ou presque pas, semble-t-il, au moyen âge" (p. 52), je renvoie, parmi les travaux les plus récents et les plus riches, à *La vie de la lettre au Moyen Age (Le Conte du Graal)*, de Roger Dragonetti, Le Seuil, Paris 1980.

2. Cf. Gérard Genette, *Genres, „types", modes*, Poétique 32 (nov. 1977), repris avec quelques modifications in *Introduction à l'architexte* (Paris, Seuil, 1979).

Pour ne pas ruser avec l'économie de temps dont je dois tenir compte, je dirai aussitôt sans détour que je n'apporte et ne détiens aucune réponse à une telle question. Peut-être penserez-vous que je veux vous conduire vers une conclusion purement aporétique ou en tous cas vers une surenchère problématique: on dirait ainsi que la question était mal formée, qu'on ne peut raisonner en termes d'appartenance à un champ ou à une classe lorsqu'il y va de la littérature, qu'il n'y a pas d'essence de la littérature, pas de domaine proprement littéraire et rigoureusement identifiable en tant que tel, et qu'enfin ce nom de littérature étant peut-être destiné à rester impropre, sans concept et sans référence assurée, la „littérature" aurait quelque chose à faire avec ce drame du nom, avec la loi du nom et le nom de la loi. Vous n'auriez sans doute pas tort. Mais la généralité de ces lois et de ces conclusions problématiques m'intéresse moins que la singularité d'un procès qui, au cours d'un drame unique, les fait comparaître devant un corpus irremplaçable, devant ce texte-ci, devant „Devant la loi". Il y a une singularité du rapport à la loi, une loi de singularité qui doit se mettre en rapport sans jamais pouvoir le faire avec l'essence générale ou universelle de la loi. Or ce texte-ci, ce texte singulier, vous l'aurez déjà remarqué, nomme ou relate à sa manière ce conflit sans rencontre de la loi et de la singularité, ce paradoxe ou cette énigme de l'être-devant-la loi; et l'ainigma c'est souvent, en grec, une relation, un récit, la parole obscure d'un apologue: „L'homme de la campagne ne s'attendait pas à de telles difficultés; la loi ne doit-elle pas être accessible à tous et toujours?". Et la réponse, si on peut encore dire, vient à la fin du récit, qui marque aussi la fin de l'homme: „Le gardien de la porte, sentant venir la fin de l'homme, lui rugit à l'oreille pour mieux atteindre son tympan presque inerte: „Ici nul autre que toi ne pouvait pénétrer, car cette entrée n'était faite que pour toi. Maintenant, je m'en vais et je ferme la porte."

Ma seule ambition serait donc, sans y apporter de réponse, d'aiguiser, au risque de la déformer, la double question (qui décide, et à quel titre, de l'appartenance à la littérature?) et surtout de faire comparaître devant la loi l'énoncé même de cette double question, voire, comme on dit facilement en France aujourd'hui, le sujet de son énonciation. Un tel sujet prétendrait lire et comprendre le texte intitulé Devant la loi, il le lirait comme un récit et le classerait conventionnellement dans le domaine de la littérature. Il croirait savoir ce qu'est la littérature et se demanderait seulement, si bien armé: qu'est-ce qui m'autorise à déterminer ce récit comme un phénomène littéraire?

Il s'agirait donc de faire comparaître cette question, le sujet de la question et son système d'axiomes ou conventions „Devant la loi", devant „Devant la loi". Qu'est-que cela veut dire?

Nous ne pouvons réduire ici la singularité de l'idiome. Comparaître devant la loi, dans l'idiome français ou allemand, signifie venir ou être amené devant les juges, les représentants ou les gardiens de la loi, au cours d'un procès, pour y témoigner ou y être jugé. Le procès, le jugement (Urteil), voilà le lieu, le site, la situation, voilà ce qu'il faut pour qu'ait lieu un tel événement, „comparaître devant la loi".

Ici, „Devant la loi", expression que je mentionne entre guillemets, c'est le titre d'un récit. Voilà la quatrième de nos présuppositions axiomatiques. Je dois l'ajouter à notre liste. Nous croyons savoir ce qu'est un titre, notamment le titre d'une oeuvre. Il est situé en un certain lieu très déterminé et prescrit par des lois conventionnelles: avant et au-dessus, à une distance réglée du corps même du texte, devant lui en tous cas. Le titre est en général choisi par l'auteur ou par ses représentants éditoriaux dont il est la propriété. Il nomme et garantit l'identité, l'unité et les limites de l'oeuvre originale qu'il intitule. Comme il va de soi, les pouvoirs et la valeur d'un titre ont un rapport essentiel avec quelque chose comme la loi, qu'il s'agisse de titre en général ou du titre d'une oeuvre, littéraire ou non. Une sorte d'intrigue s'annonce déjà dans un titre qui nomme la loi *(Devant la loi)*, un peu comme si la loi s'intitulait elle-même ou comme si le mot „titre" s'introduisait insidieusement dans le titre. Laissons attendre cette intrigue.

Insistons sur la topologie. Autre aspect intriguant: le sens du titre figure une indication topologique, *devant la loi.* Et le même énoncé, le même nom, car le titre est un nom, le même groupe de mots en tous cas n'aurait pas valeur de titre s'ils apparaissaient ailleurs, en des lieux non prescrits par la convention. Ils n'auraient pas valeur de titre s'ils apparaissaient dans un autre contexte ou à une autre place dans le même contexte. Par exemple ici même, l'expression *„Vor dem Gesetz"* se présente une première fois ou, si vous préférez, une deuxième fois, comme l'incipit du récit. C'est sa première phrase: *„Vor dem Gesetz steht ein Türhüter"*, „Devant la loi se tient (ou se dresse) un gardien de la porte". Bien qu'on puisse leur présupposer le même sens, ce sont plutôt des homonymes" que des synonymes car les deux occurences de la même expression ne nomment pas la même chose; elles n'ont ni la même référence ni la même valeur. De part et d'autre du trait invisible qui sépare le titre du texte, l'un nomme l'ensemble du texte dont il est en somme le nom propre et le titre, l'autre désigne une situation, le site du personnage localisé dans la géographie intérieure du récit. L'un, le titre, se trouve *devant* le texte et il reste extérieur sinon à la fiction, du moins au contenu de la narration fictive. L'autre se trouve aussi en tête du texte, devant lui, mais aussi en lui; c'est un premier élément intérieur au contenu fictif de la narration. Et pourtant, bien qu'il soit extérieur à la narration fictive, à l'histoire que le récit raconte, le titre *(Devant la loi)* demeure une fiction signée elle aussi par l'auteur ou son tenant-lieu. Le titre appartient à la littérature, dirions-nous, même si son appartenance n'a pas la structure ni le statut que ce qu'il intitule et à quoi il reste essentiellement hétérogène. L'appartenance du titre à la littérature ne l'empêche pas d'avoir une autorité légale. Par exemple, le titre d'un livre permet la classification en bibliothèque, l'attribution des droits d'auteur et de propriété, etc. Toutefois cette fonction n'opère pas comme le titre d'une oeuvre non-littéraire, d'un traité de physique ou de droit par exemple.

Cette lecture aura été marquée par un Séminaire au cours duquel, l'an dernier, j'ai cru harceler ce récit de Kafka. En vérité, c'est lui qui assiégea le discours que j'essayais sur la loi morale et le respect de la loi dans la doctrine kantienne de la raison pratique, sur les pensées de Heidegger et de Freud dans leur rapport à la loi morale et au respect (au sens kantien). Je ne peux ici reconstituer les modes et les trajets de ce harcèlement. Pour en désigner les titres et les *topoi* principaux, disons qu'il s'agissait d'abord du statut étrange de l'exemple, du symbole et du type dans la doctrine kantienne. Comme vous savez, Kant parle d'une *typique* et non d'un schématisme de la raison pratique; d'une présentation *symbolique* du bien moral (le beau comme symbole de la moralité, au §59 de la *Critique de la Faculté de Juger)*; enfin d'un respect qui, s'il ne s'adresse jamais aux choses, ne s'adresse néanmoins aux personnes qu'en tant qu'elles donnent l'*exemple* de la loi morale: le respect n'est dû qu'à la loi morale, qui en est la seule cause bien qu'elle ne se présente jamais elle-même. Il s'agissait aussi du „comme si" (als ob) dans la deuxième formulation de l'impératif catégorique: „Agis comme si la maxime de ton action devait devenir par ta volonté loi universelle de la nature." Ce „comme si" permet d'accorder la raison pratique avec une téléologie historique et la possibilité d'un progrès à l'infini. J'avais essayé de montrer comment il introduisait virtuellement narrativité et fiction au coeur même de la pensée de la loi, à l'instant où celle-ci se met à parler et à interpeller le sujet moral. Alors même que l'instance de la loi semble exclure toute historicité et toute narrativité empirique, au moment où sa rationalité paraît étrangère à toute fiction et à toute imagination, fût-elle transcendentale[3], elle semble encore offrir a priori son hospitalité à ces parasites. Deux autres motifs m'avaient retenu, parmi ceux qui font signe vers le récit de Kafka: le motif de la hauteur et du sublime qui y joue un rôle essentiel, enfin celui de la garde et du gardien.[4] Je ne peux pas m'y étendre, je dessine seulement à gros traits le contexte dans lequel j'ai lu Devant la loi. Il s'agit d'un espace où il est difficile de dire si le récit de Kafka propose une puissante ellipse philosophique ou si la raison pure pratique garde en elle quelque chose de la phantastique ou de la fiction narrative. L'une de ces questions pourrait être: et si la loi, sans être elle-même transie de littérature, partageait ses conditions de possibilité avec la chose littéraire?

Pour lui donner ici, aujourd'hui, sa formulation la plus économique, je parlerai d'une comparution du récit et de la loi, qui comparaissent, paraissent ensemble et se voient convoqués devant l'autre: le récit, à savoir un certain type de relation se rapporte à la loi qu'il relate, il comparaît ce faisant devant elle qui comparaît devant lui. Et pourtant, nous allons le lire, rien ne se présente vraiment en cette comparution; et que cela nous soit donné à lire ne signifie pas que nous en aurons la preuve ou l'expérience.

Apparemment, la loi ne devrait jamais donner lieu, en tant que telle, à aucun récit. Pour être investie de son autorité catégorique, la loi doit être sans histoire, sans genèse, sans dérivation possible. Telle serait la loi de la loi. La moralité pure n'a pas d'histoire, voilà ce que semble d'abord nous rappeler Kant, pas d'histoire intrinsèque. Et quand on raconte des histoires à son sujet, elles ne peuvent concerner que des circonstances, des événements extérieurs à la loi, tout au plus les modes de sa révélation. Comme l'homme de la campagne dans le récit de Kafka, des relations narratives tenteraient d'approcher la loi, de la rendre présente, d'entrer en relation avec elle, voire d'entrer en elle, de lui devenir intrinsèques, rien n'y fait. Le récit de ces manoeuvres ne serait que le récit de ce qui échappe au récit et lui reste finalement inaccessible. Mais l'inaccessible provoque depuis son retranchement. On ne peut pas avoir affaire à la loi, à la loi des lois, de près ou de loin, sans(se)demander où elle a proprement lieu et d'où elle vient. Je dis ici encore „la loi des lois" parce que, dans le récit de Kafka, on ne sait pas de quelle espèce de loi il s'agit, celle de la morale, du droit ou de la

---

3. C'est en ce lieu que le séminaire avait interrogé l'interprétation heideggerienne du „respect" dans son rapport à l'imagination transcendentale. Cf. Kant et le problème de la métaphysique, notamment autour du § 30.

4. Entre autres exemples: à la fin de la Critique de la Raison Pratique, la philosophie est présentée comme la gardienne (Aufbewahrerin) de la science morale pure; elle est aussi la „porte étroite" (enge Pforte) conduisant à la doctrine de la sagesse.

politique, voire de la nature, etc. Ce qui reste invisible et caché en chaque loi, on peut donc supposer que c'est la loi elle-même, ce qui fait que ces lois sont des lois, l'être-loi de ces lois. Inéluctables sont la question et la quête, autrement dit l'itinéraire en vue du lieu et de l'origine de la loi. Celle-ci se donne en se refusant, sans dire sa provenance et son site. Ce silence et cette discontinuité constituent le phénomène de la loi. Entrer en relation avec la loi, à celle qui dit „tu dois" et „tu ne dois pas", c'est à la fois faire comme si elle n'avait pas d'histoire ou en tous cas ne dépendait plus de sa présentation historique, et du même coup se laisser fasciner, provoquer, apostropher par l'histoire de cette non-histoire. C'est se laisser tenter par l'impossible: une théorie de l'origine de la loi, et donc de sa non-origine, par exemple de la loi morale. Freud (Kafka le lisait, comme vous savez, mais peu importe ici cette loi austro-hongroise du début de siècle) inventa le concept, sinon le mot, de „refoulement" comme une réponse à la question de l'origine de la loi morale. C'était avant que Kafka n'écrivît *Vor dem Gesetz* (1919), mais cette relation est sans intérêt pour nous, et plus de 25 ans avant la Deuxième Topique *et* la théorie du Surmoi. Dès les Lettres à Fliess, il fait le récit de pressentiments et de prémonitions, avec une sorte de ferveur inquiète, comme s'il était au bord de quelque révélation: „Un autre pressentiment me dit aussi, *comme je le savais déjà* (je souligne, J.D.), bien qu'en fait je n'en sache rien, que je vais bientôt découvrir la source de la moralité." (Lettre 64,31 mai 1897). Suivent quelques récits de rêve et quatre mois plus tard, une autre lettre déclare „la conviction qu'il n'existe dans l'inconscient aucun „indice de réalité" de telle sorte qu'il est impossible de distinguer l'une de l'autre la vérité et la fiction investie d'affect" (Lettre 69, 21-9-97). Quelques semaines plus tard, une autre lettre dont j'extrais les lignes suivantes: „...après les effroyables douleurs de l'enfantement des dernières semaines, j'ai donné naissance à un nouveau corps de connaissance. Point tout à fait nouveau, à dire vrai; il s'était de façon répétée montré lui-même et retiré de nouveau. Mais cette fois il est resté et a regardé la lumière du jour. C'est assez drôle, j'avais eu le pressentiment de tel événements longtemps auparavant. Par exemple je t'avais écrit pendant l'été que j'allais trouver la source du refoulement sexuel normal (moralité, pudeur, etc.) et pendant longtemps, ensuite, j'y ai échoué. Avant les vacances je t'avais dit que mon patient le plus important était moi-même; et puis soudain, après le retour des vacances, mon auto-analyse — dont je n'avais alors aucun signe — a commencé de nouveau. Il y a quelques semaines me vint le souhait que le refoulement fût remplacé par la chose essentielle *qui se tient derrière* (je souligne, J.D.) et c'est ce qui m'occupe en ce moment." Freud s'engage alors dans des considérations sur le concept de refoulement, sur l'hypothèse de son origine organique liée à la station debout, autrement dit à une certaine *élévation*.[5] Le passage à la station debout dresse ou élève l'homme qui éloigne alors le nez des zones sexuelles, anales ou génitales. Cet éloignement anoblit la hauteur et laisse des traces en différant l'action. Délai, différance, élévation anoblissante, détournement de l'odorat loin de la puanteur sexuelle, refoulement, voilà l'origine de la morale: „Pour le dire crûment, la mémoire pue exactement comme pue un objet matériel. De même que nous détournons avec dégoût notre organe sensoriel (tête et nez) devant les

---

5. Il faudrait enchaîner cet argument à ce que Freud dira plus tard de Kant, de l'Impératif catégorique, de la loi morale dans notre coeur et du ciel étoilé au-dessus de nos têtes.

objects puants, de même le préconscient et notre conscience se détournent de la mémoire. C'est là ce qu'on nomme *refoulement*. Que résulte-t-il du refoulement normal? Une transformation de l'angoisse libérée en rejet psychiquement „lié", c'est-à-dire qu'il fournit le fondement affectif d'une multitude de processus intellectuels, tels que moralité, pudeur, etc. Tout l'ensemble de ces réactions s'effectue aux dépens de la sexualité (virtuelle) en voie d'extinction".

Quelle que soit la pauvreté initiale de cette notion de refoulement, le seul exemple de „processus intellectuels" qu'en donne Freud, c'est la loi morale ou la pudeur. Le schème de l'élévation, le mouvement vers le haut, tout ce que marque la préposition *sur (über)* y est aussi déterminant que celui de la purification, du détournement de l'impur, des zones du corps qui sentent mauvais et qu'il ne faut pas toucher. Le détournement se fait vers le haut. Le haut (donc le grand) et le pur, voilà ce que produirait le refoulement comme origine de la morale, voilà ce qui absolument *vaut mieux*, l'origine de la valeur et du jugement de valeur. Cela se précise dans l'*Esquisse d'une psychologie scientifique* puis dans d'autres références à l'Impératif catégorique et au ciel étoilé au-dessus de nos têtes, etc.

Dès le départ, et comme d'autres, Freud voulait donc écrire une histoire de la loi. Il était sur la trace de la loi, et à Fliess il raconte sa propre histoire (son auto-analyse, comme il dit), l'histoire de la piste qu'il suit sur la trace de la loi. Il flairait l'origine de la loi, et pour cela il avait dû flairer le flair. Il entamait en somme un grand récit, une auto-analyse interminable aussi, pour raconter, pour rendre compte de l'origine de la loi, autrement dit l'origine de ce qui, se coupant de son origine, interrompt le récit généalogique. La loi est intolérante à sa propre histoire, elle intervient comme un ordre surgissant absolument, absolu et délié de toute provenance. Elle apparaît comme ce qui n'apparaît pas en tant que tel au cours d'une histoire. En tous cas elle ne se laisse pas constituer par quelque histoire qui donnerait lieu à du récit. S'il y avait histoire, elle ne serait pas présentable et pas racontable, histoire de ce qui n'a pas eu lieu.

Freud l'avait senti, il avait eu du nez pour cela, il l'avait même, dit-il, „pressenti". Et il le dit à Fließ avec lequel se joua une inénarrable histoire de nez jusqu'à la fin de cette amitié marquée par l'envoi d'une carte postale de deux lignes.[6] Si nous l'avions poursuivi dans cette direction, nous aurions dû parler aussi de la forme du nez, proéminente et pointue. Elle a beaucoup fait parler d'elle dans les salons de la psychanalyse mais peut-être n'a-t-on pas toujours été assez attentif à la présence des poils qui ne se cachent pas toujours pudiquement à l'intérieur des narines, au point qu'il faut parfois les couper.

Si maintenant, sans tenir aucun compte de quelque rapport entre Freud et Kafka, vous vous placez devant „*Devant la loi*", et devant le gardien de la porte, le *Türhüter*; et si campé devant lui, comme l'homme de la campagne, vous l'observez, que voyez-vous? Par quel détail, si on peut dire, êtes-vous fasciné au point d'isoler et de sélectionner ce trait? Eh bien, par l'abondance de l'ornement pileux, qu'il soit naturel ou artificiel, autour de formes

---

6. Fließ avait publié en 1897 un ouvrage sur les *Rapports entre le nez et les organes sexuels féminins*. Otorhinolaryngologiste, il tenait aussi beaucoup, comme on sait, à ses spéculations sur le nez et la bisexualité, sur l'analogie entre muqueuses nasales et muqueuses génitales, tant chez l'homme que chez la femme, sur l'enflure des muqueuses nasales et le rythme de la menstruation.

pointues, et d'abord de l'avancée nasale. Tout cela est très noir, et le nez vient à symboliser avec cette zone génitale qu'on se représente dans ces couleurs obscures même si elle n'est pas toujours sombre. Par situation, l'homme de la campagne ne connaît pas la loi qui est toujours loi de la cité, loi des villes et des édifices, des édifications protégées, des grilles et des limites, des espaces clos par des portes. Il est donc surpris par le gardien de la loi, homme de la ville et il le dévisage: „L'homme de la campagne ne s'attendait pas à de telles difficultés; la loi ne doit-elle pas être accessible à tous et toujours, mais comme il regarde maintenant plus précisément (*genauer*) le gardien dans son manteau de fourrure (*in seinem Pelzmantel*: l'ornement pileux d'artifice, celui de la ville et de la loi, qui va s'ajouter à la pilosité naturelle) avec son (grand) nez pointu (*seine große Spitznase*, la „taille" est omise dans la traduction française), sa barbe de tartare longue, maigre et noire (*den langen, dünnen, schwarzen tatarischen Bart*), il en arrive à préférer attendre (littéralement: il se décide à préférer attendre, *entschließt er sich, doch lieber zu warten, bis er die Erlaubnis zum Eintritt bekommt*) jusqu'à ce qu'il reçoive la permission d'entrer."

La scansion de la séquence est très nette. Même si elle a l'apparence d'une simple juxtaposition narrative et chronologique, la contiguïté même et la sélection des notations induisent une inférence logique. La structure grammaticale de la phrase donne à penser: mais (dès) lors que (*als, comme, à l'instant où*) l'homme de la campagne aperçoit le gardien avec son grand nez pointu et l'abondance de son poil noir, il se décide à attendre, il juge qu'il vaut mieux attendre. C'est bien au vu de ce spectacle du pointu pileux, devant l'abondance d'une forêt noire autour d'un cap, d'une pointe ou d'une avancée nasale que, par une conséquence étrange et à la fois toute simple, toute naturelle (on dirait ici *uncanny, unheimlich*), l'homme se résout, il se décide. Car c'est aussi un homme résolu. Décide-t-il de renoncer à entrer après avoir paru décidé à entrer? Nullement. Il décide de ne pas décider encore, il décide de ne pas se décider, il se décide à ne pas décider, il ajourne, il retarde, en attendant. Mais en attendant quoi? La „permission d'entrer", comme il est dit? Mais vous l'avez remarqué, cette permission ne lui avait été refusée que sur le mode de l'ajournement: „C'est possible, mais pas maintenant".

Patientons aussi. N'allez pas croire que j'insiste sur ce récit pour vous égarer ou pour vous faire attendre, dans l'antichambre de la littérature ou de la fiction, un traitement proprement philosophique de la question de la loi, du respect devant la loi ou de l'impératif catégorique. Ce qui nous tient en arrêt devant la loi, comme l'homme de la campagne, n'est-ce pas aussi ce qui nous paralyse et nous retient devant un récit, sa possibilité et son impossibilité, sa lisibilité et son illisibilité, sa nécessité et son interdiction, celles aussi de la relation, de la répétition, de l'histoire?

Cela semble tenir, au premier abord, au caractère essentiellement inaccessible de la loi, au fait, d'abord, qu'un „premier abord" en soit toujours refusé, comme le donnerait à entendre déjà le doublet du titre et de l'incipit. D'une certaine manière, *Vor dem Gesetz* est le récit de cette inaccessibilité, de cette inaccessibilité au récit, l'histoire de cette histoire impossible, la carte de ce trajet interdit: pas d'itinéraire, pas de méthode, pas de chemin pour accéder à la loi, à ce qui en elle aurait lieu, au *topos* de son événement. Telle inaccessibilité étonne l'homme de la campagne au moment du regard, à l'instant où il observe le gardien qui est lui-même l'observateur, le surveillant, la sentinelle, la figure même de la vigilance, on pourrait dire la conscience. La question de l'homme de la campagne, c'est bien celle du chemin d'accès: est-ce que la loi ne se définit pas justement par son accessibilité? N'est-elle, ne *doit*-elle pas être accessible „toujours et pour chacun"? Ici pourrait se déployer le problème de l'exemplarité, singulièrment dans la pensée kantienne · du „respect": celui-ci n'est que l'*effet* de la loi, souligne Kant, il n'est dû qu'à la loi et ne comparaît en droit que *devant la loi*; il ne s'adresse aux personnes qu'en tant qu'elles donnent l'exemple de ce qu'une loi peut être respectée. On n'accède donc jamais *directement* ni à la loi ni aux personnes, on n'est jamais *immédiatement* devant aucune de ces instances — et le détour peut être infini. L'universalité même de la loi déborde toute finité et fait donc courir ce risque.

Mais laissons cela qui nous détournerait aussi de notre récit.

La loi, pense l'homme de la campagne, devrait être accessible toujours et à chacun. Elle devrait être universelle. Réciproquement, on dit en français que „nul n'est censé ignorer la loi", dans ce cas la loi positive. Nul n'est censé l'ignorer, à la condition de ne pas être analphabète, de pouvoir en lire le texte ou déléguer la lecture et la compétence à un avocat, à la représentation d'un homme de loi. A moins que savoir lire ne rende la loi encore plus inaccessible. La lecture peut en effet révéler qu'un texte est intouchable, proprement intangible, *parce que lisible*, et du même coup illisible dans la mesure où la présence en lui d'un sens perceptible, saisissable, reste aussi dérobée que son origine. L'illisibilité ne s'oppose plus alors à la lisibilité. Et peut-être l'homme est-il homme de la campagne en tant qu'il ne sait pas lire ou que, sachant lire, il a encore affaire à de l'illisibilité dans cela même qui semble se donner à lire. Il veut voir ou toucher la loi, il veut s'approcher d'elle, „entrer" en elle parce qu'il ne sait peut-être pas que la loi n'est pas à voir ou à toucher mais à déchiffrer. C'est peut-être le premier signe de son inaccessibilité ou du retard qu'elle impose à l'homme de la campagne. La porte n'est pas fermée, elle est „ouverte" comme toujours (dit le texte) mais la loi reste inaccessible et si cela interdit ou barre la porte de l'histoire généalogique, c'est aussi ce qui tient en haleine désir de l'origine et pulsion généalogique; qui s'essoufflent aussi bien devant le processus d'engendrement de la loi que devant la génération parentale. La recherche historique conduit la *relation* vers l'exhibition impossible d'un site et d'un événement, d'un avoir-lieu où s'origine la loi comme interdit.

La loi comme interdit, je délaisse cette formule, je la laisse en suspens le temps d'un détour.

Quand Freud va au-delà de son schéma initial sur l'origine de la morale, quand il nomme l'impératif catégorique au sens kantien, c'est à l'intérieur d'un schéma d'apparence historique. Un récit renvoie à l'historicité singulière d'un événement, à savoir le meurtre du père primitif. La conclusion de *Totem et Tabou* (1912) le rappelle clairement: „Les premiers préceptes et les premières restrictions éthiques des sociétés primitives devaient être conçues par nous comme une réaction provoquée par un acte qui fut pour ses auteurs l'origine du concept de „crime". Se repentant de cet acte (mais comment et pourquoi si c'est avant la morale, avant la loi? J.D.), ils avaient décidé qu'il ne devait plus jamais avoir lieu et qu'en tous cas son exécution ne serait plus pour personne une source d'avantages ou de bénéfices. Ce sentiment de responsabilité, fécond en créations de tous genres, n'est pas encore éteint parmi nous. Nous le retrouvons chez le névrosé qui l'exprime d'une manière asociale, en établissant de nouvelles prescriptions morales, en imaginant de nouvelles restrictions à titre d'expiation pour les méfaits accomplis et des mesures préventives contre de futurs méfaits possibles."

Parlant ensuite du repas totémique et de la première „fête de l'humanité" commémorant le meurtre du père et l'origine de la morale, Freud insiste sur l'ambivalence des fils à l'égard du père; dans un mouvement que j'appellerai justement de repentir, il ajoute une note. Elle m'importe beaucoup. Elle explique le débordement de tendresse par ce surcroît d'horreur que conférait au crime sa totale inutilité: „Aucun des fils ne pouvait réaliser son désir primitif de prendre la place du père." Le meurtre échoue puisque le père mort détient encore plus de puissance. La meilleure manière de le tuer, n'est-ce pas de le garder vivant(fini)? et la meilleure manière de le garder en vie, n'est-ce pas l'assassinat? Or l'échec, précise Freud, favorise la réaction morale. La morale naît donc d'un crime inutile qui au fond ne tue personne, ne met fin à aucun pouvoir et à vrai dire n'inaugure rien puisqu'avant le crime il fallait déjà que le repentir et donc la morale fussent possibles. Freud semble tenir à la réalité d'un événement mais cet événement est une sorte de non-événement, événement de rien qui appelle et annule à la fois la relation narrative. L'efficacité du „fait" ou du „méfait" requiert qu'il soit en quelque sorte tramé de fiction. La culpabilité n'en est pas moins effective, et douloureuse: „Le mort devenait plus puissant qu'il ne l'avait jamais été de son vivant; toutes choses que nous constatons encore aujourd'hui dans les destinées humaines." Dès lors que le père mort est plus puissant qu'il ne l'avait été de son vivant, dès lors qu'il vit encore mieux de sa mort et que, très logiquement, il aura été mort de son vivant, plus mort en vie que *post mortem*, le meurtre du père n'est pas un événement au sens courant de ce mot. Non davantage l'origine de la loi morale. Personne n'en aura fait la rencontre en son lieu propre, personne ne lui aura fait face en son avoir-lieu. Evénement sans événement, événement pur où rien n'arrive, événementialité d'un événement qui requiert et annule le récit dans sa fiction. Rien de nouveau n'arrive et pourtant ce rien de nouveau inaugurerait la loi, les deux interdits fondamentaux du totémisme, meurtre et inceste. Cet événement pur et purement présumé marque pourtant une déchirure invisible dans l'histoire. Il ressemble à une fiction, à un mythe ou à une fable; son récit a une structure telle que toutes les questions posées au sujet de l'intention de Freud sont à la fois inévitables et sans la moindre pertinence („y croyait-il ou non?", „A-t-il maintenu qu'il s'agissait là d'un meurtre historique et réel?", etc.). La structure de cet événement est telle qu'on n'a ni à y croire ni à ne pas y croire. Comme celle de la croyance, la question de la réalité de son référent historique se trouve, sinon anéantie, du moins irrémédiablement fissurée. Appelant et récusant le récit, ce quasi événement se marque de narrativité fictive (fiction *de* narration autant que fiction comme narration d'une histoire imaginaire). C'est l'origine de la littérature en même temps que l'origine de la loi, comme le père mort, une histoire qui se raconte, un bruit qui court, sans auteur et sans fin, mais un récit inéluctable et inoubliable. Qu'elle soit phantastique ou non, qu'elle relève ou non de l'imagination, voire de l'imagination transcendantale, qu'elle dise ou taise l'origine du phantasme, cela n'ôte rien à la nécessité impérieuse de son dire, à sa loi. Celle-ci est encore plus effrayante, fantastique, *unheimlich, uncanny,* que si elle émanait de la raison pure, à moins que celle-ci n'ait justement partie liée avec une phantastique inconsciente.

Dès 1897, je cite à nouveau, Freud disait sa „conviction qu'il n'existe dans l'inconscient aucun „indice de réalité", de telle sorte qu'il est impossible de distinguer l'une de l'autre la vérité et la fiction investie d'affect."

Si la loi est fantastique, si son site originel et son avoir-lieu ont vertu de fable, on comprend que „das Gesetz" demeure essentiellement inaccessible alors même qu'elle, la loi, se présente ou se promet. D'une quête pour parvenir jusqu'à elle, pour se tenir devant elle, face à face et respectueusement, ou pour s'introduire à elle et en elle, le récit devient le récit impossible de l'impossible. Le récit de l'interdit est un récit interdit.

L'homme de la campagne voulait-il entrer en elle ou seulement dans le lieu où elle se tient gardée? Ce n'est pas clair, l'alternative est peut-être fausse dès lors que la loi figure elle-même une sorte de lieu, un *topos* et un avoir-lieu. En tous cas, l'homme de la campagne, qui est aussi un homme d'*avant la loi*, comme la nature avant la ville, ne veut pas rester devant la loi, dans la situation du gardien. Celui-ci aussi se tient *devant la loi*. Cela peut vouloir dire qu'il la respecte: se tenir devant la loi, comparaître devant elle, c'est s'y assujettir, la respecter, d'autant plus que le respect tient à distance, maintient en face et interdit le contact ou la pénétration. Mais cela peut vouloir dire que, debout devant la loi, le gardien la fait respecter. Préposé à la surveillance, il monte alors la garde *devant elle* en lui tournant le dos, sans lui faire face, sans être „in front" of it, sentinelle qui surveille les entrées de l'édifice et tient en respect les visiteurs qui se *présentent* devant le château. L'inscription „devant la loi" se divise donc une fois de plus. Elle était déjà double selon le lieu textuel en quelque sorte, titre ou *incipit*. Elle se dédouble aussi dans ce qu'elle dit ou décrit: un partage du territoire et une opposition absolue dans la scène, au regard de la loi. Les deux personnages du récit, le gardien et l'homme de la campagne sont bien devant la loi mais comme ils se font face pour se parler, leur position „devant la loi" est une opposition. L'un des deux, le gardien, tourne le dos à la loi devant laquelle néanmoins il se trouve („Vor dem Gesetz steht ein Türhüter"). L'homme de la campagne, en revanche, se trouve aussi devant la loi mais dans une position contraire puisqu'on peut supposer que, prêt à y entrer, il lui fait face. Les deux protagonistes sont également préposés devant la loi, mais ils s'opposent l'un à l'autre de part et d'autre d'une ligne d'inversion dont la marque n'est autre, dans le texte, que la séparation du titre et du corps narratif. Double inscription de „Vor dem Gesetz" autour d'une ligne invisible qui divise, sépare et d'elle-même rend divisible une unique expression. Elle en dédouble le trait.

Cela n'est possible qu'avec le surgissement de l'instance intitulante, dans sa fonction topique et juridique. C'est pourquoi je me suis intéressé au récit ainsi intitulé plutôt qu'à tel passage du *Procès* qui raconte à peu près la même histoire sans comporter, bien évidemment, aucun titre. En allemand comme en français „Devant la loi" s'entend couramment dans le sens de la comparution respectueuse et assujettie d'un sujet qui se présente devant les représentants ou les gardiens de la loi. Il se présente devant des représentants: la loi en personne, si on peut dire, n'est jamais présente, bien que „devant la loi" semble signifier „en présence de la loi". L'homme alors est en face de la loi sans jamais lui faire face. Il peut être *in front of it*, il ne l'affronte jamais. Les premiers mots de l'incipit, happés par une phrase dont il n'est pas sûr qu'elle soit simplement à l'état d'interruption dans le titre („Vor dem Gesetz", „Vor dem Gesetz steht ein Türhüter") se mettent à signifier tout autre chose, et peut-être même le contraire du titre qui les reproduit pourtant comme souvent certains poèmes reçoivent pour titre le début d'un premier vers. La structure et la fonction des deux occurences, des deux événements de la même marque sont certes hétérogènes, je le répète, mais comme ces deux événements différents et identiques ne s'enchaînent pas dans une séquence narrative ou une conséquence logique, il est impossible de dire que l'un *précède* l'autre selon quelque ordre que ce soit. Ils sont tous deux premiers dans leur ordre et aucun des deux homonymes, voire des deux synonymes, ne cite l'autre. L'événement intitulant donne au texte sa loi et son nom. Or c'est un coup de force. Par exemple au regard du *Procès* auquel il arrache ce récit pour en faire une autre institution. Sans s'engager encore dans la séquance narrative, il ouvre une scène, il donne lieu à un système topographique de la loi prescrivant les deux positions inverses et adverses, l'antagonisme de deux personnages également intéressés à elle. La phrase inaugurale décrit celui qui tourne le dos à la loi (tourner le dos, c'est aussi ignorer, négliger, voire transgresser) non pas pour que la loi se présente ou qu'on lui soit présenté mais au contraire pour interdire toute présentation. Celui qui fait face ne voit pas plus que celui qui tourne le dos. Aucun des deux n'est en présence de la loi. Les deux seuls personnages du récit sont aveugles et séparés, séparés l'un de l'autre et séparés de la loi. Telle est la modalité de ce rapport, de cette relation, de ce récit: aveuglement et séparation, une sorte de sans-rapport. Car ne l'oublions pas, le gardien est aussi séparé de la loi, par d'autres gardiens, dit-il, „l'un plus puissant que l'autre" *(einer mächtiger als der andere):* „Je suis puissant. Et je ne suis que le dernier des gardiens dans la hiérarchie, *der unterste.* Mais devant chaque salle il y a des gardiens, l'un plus puissant que l'autre. Je ne peux même pas supporter l'aspect *(den Anblick ...ertragen)* du troisième après moi." Le dernier des gardiens est le premier à voir l'homme de la campagne. Le premier dans l'ordre du récit est le dernier dans l'ordre de la loi et dans la hiérarchie de ses représentants. Et ce premier-dernier gardien ne voit jamais la loi, il ne supporte même pas la vue des gardiens qui sont *devant* lui (avant et au-dessus de lui). C'est inscrit dans son titre de gardien de la porte. Et il est, lui, bien en vue, observé même par l'homme qui, *à sa vue*, décide de ne rien décider. Je dis „l'homme" pour l'homme de la campagne, comme parfois dans le récit qui laisse ainsi penser que le gardien, lui, n'est peut-être plus simplement un homme; et que cet homme, lui, c'est l'homme aussi bien que n'importe qui, le sujet anonyme de la loi. Celui-ci se résout donc à „préférer attendre" à l'instant où son attention est attirée par les pilosités et le nez pointu du gardien. Sa résolution de non-résolution fait être et durer le récit. La permission, avais-je rappelé, était en apparence refusée, elle était en vérité retardée, ajournée, différée. Tout est question de temps, et c'est le temps du récit, mais le temps lui-même n'apparaît que depuis cet ajournement de la présentation, depuis la loi du retard ou l'avance de la loi, selon cette anachronie de la relation.

L'interdiction présente de la loi n'est donc pas une interdiction, au sens de la contrainte impérative, c'est une différance. Car après lui avoir dit „plus tard", le gardien précise: „Si cela t'attire tellement, dit-il, essaie donc d'entrer malgré ma défense." Auparavant il lui avait dit „mais pas maintenant". Puis il s'efface sur le côté et laisse l'homme se baisser pour regarder par la porte à l'intérieur. La porte, est-il précisé, reste toujours ouverte. Elle marque la limite sans être elle-même un obstacle ou une clôture. Elle marque mais n'est rien de consistant, d'opaque, d'infranchissable. Elle laisse voir à l'intérieur *(in das Innere)*, non pas la loi elle-même, sans doute, mais le dedans de lieux apparemment vides et provisoirement interdits. La porte est physiquement ouverte, le gardien ne s'interpose pas par la force. C'est son discours qui opère à la limite, non pour interdire directement, mais pour interrompre et différer le passage, ou le laisser-passer. L'homme dispose de la liberté naturelle ou physique de pénétrer dans les lieux, sinon dans la loi. Il doit donc, et il le faut bien, il faut bien le constater, s'interdire lui-même d'entrer. Il doit s'obliger lui-même, se donner l'ordre non pas d'obéir à la loi mais de *ne pas accéder* à la loi qui en somme lui fait dire ou lui laisse savoir: ne viens pas à moi, je t'ordonne de ne pas venir encore jusqu'à moi. C'est là et en cela que je suis la loi et que tu accéderas à ma demande. Sans accéder à moi.

Car la loi est l'interdit. Tel serait le terrifiant *double-bind* de son avoir-lieu propre. Elle est l'interdit: cela ne signifie pas qu'elle interdit mais qu'elle est elle-même interdite, un lieu interdit. Elle s'interdit et se contredit en mettant l'homme dans sa propre contradiction[7]: on ne peut arriver jusqu'à elle et pour avoir *rapport* avec elle selon le respect, *il faut ne pas, il ne faut pas* avoir rapport à elle, *il faut interrompre la relation.* Il faut n'*entrer en relation* qu'avec ses représentants, ses exemples, ses gardiens. Et ce sont des interrupteurs autant que des messagers. Il faut ne pas savoir qui elle est, ce qu'elle est, où elle est, où et comment elle se présente, d'où elle vient et d'où elle parle. Voilà ce qu'*il faut* au *il faut* de la loi. *Ci falt,* comme on écrivait au Moyen Age à la conclusion d'un récit.[8]

Voilà le procès, le jugement, processus et *Urteil,* la division originaire de la loi. La loi est interdite. Mais cette auto-interdiction contradictoire laisse l'homme s'auto-déterminer „librement", bien que cette liberté s'annule comme auto-interdiction d'entrer dans la loi. Devant la loi, l'homme est sujet de la loi, comparaissant devant elle. Certes. Mais *devant* elle parce qu'il ne peut y entrer, il est aussi *hors la loi.* Il n'est pas sous la loi ou dans la loi. Sujet de la loi: hors-la-loi. L'homme s'est baissé pour voir à l'intérieur, ce qui laisse supposer que pour l'instant il est plus grand que la porte ouverte, et cette question de la taille nous

---

7. Cette contradiction n'est sans doute pas simplement celle d'une loi qui en elle-même suppose et donc produit la transgression, le rapport actif ou actuel au péché, à la faute. *Devant la loi* donne peut-être à lire, dans une sorte de bougé ou de tremblé, entre l'ancien et le nouveau Testament un texte qui se trouve ainsi à la fois archivé et altéré, à savoir l'*Epître aux Romains*[7]. Il faudrait consacrer plus de temps au rapport de ces deux textes. Paul y rappelle à ses frères, „gens qui connaissent la loi", que „la loi exerce son pouvoir sur l'homme aussi longtemps qu'il vit". Et la mort du Christ serait la mort de cette vieille loi par laquelle on „connaît" le péché: morts avec le Christ, nous sommes déliés, absous de cette loi, nous sommes morts à cette loi, à la vétusté de sa „lettre" en tous cas, et la servons dans un „esprit" nouveau. Et Paul ajoute que, lorsqu'il était sans loi il vivait; et quand la loi, quand le commandement est venu, il est mort.

8. „CI FALT: ce topique conclusif, par où l'écrivain du moyen âge marque la fin de son oeuvre avant d'en donner le titre ou de se nommer, ne figure pas, et pour cause, dans le *Conte du Graal,* roman inachevé de Chrétien de Troyes. „Dérivé du latin *fallere,* qui a donné „faillir" („tomber" et „tromper") et „falloir" („manquer de"), le verbe *falt* (ou *faut*) a pris, dans la formule de l'ancien français *ci falt,* le sens de „ici finit" sans pour autant perdre l'idée de „manque", de „faillite".

„Ainsi l'oeuvre s'achève là où elle vient à manquer." Roger Dragonetti, O. C. p.9. La thèse de ce livre reste, il convient ici de le rappeler, que „le Conte du Graal était parfaitement achevé." (ibid)

attend encore. Après qu'il eut observé plus attentivement le gardien, il se décide donc à attendre une permission à la fois donnée et différée mais dont le premier gardien lui laisse anticiper qu'elle sera indéfiniment différée. Derrière le premier gardien il y en a d'autres, en nombre indéterminé; peut-être sont-ils innombrables, de plus en plus puissants, donc de plus en plus interdicteurs, forts de pouvoir différer. Leur puissance est la différance, une différance interminable puisqu'elle dure des jours, des „années" et finalement jusqu'à la fin de l'homme. Différance jusqu'à la mort, pour la mort, sans fin parce que finie. Représenté par le gardien, le discours de la loi ne dit pas „non" mais „pas encore", indéfiniment. D'où l'engagement dans un récit à la fois parfaitement fini et brutalement interrompu, on pourrait dire primitivement interrompu.

Ce qui est retardé, ce n'est pas telle ou telle expérience, l'accès à une jouissance, à quelque bien, fût-il souverain, la possession ou la pénétration de quelque chose ou de quelqu'un. Ce qui est à jamais différé, jusqu'à la mort, c'est l'entrée dans la loi elle-même, qui n'est rien d'autre que cela même qui dicte le retard. La loi interdit en interférant et en différant la „ferance", le rapport, la relation, la référence. L'origine de la différance, voilà ce qu'*il ne faut pas* et ne se peut pas approcher, se présenter, se représenter et surtout pénétrer. Voilà la loi de la loi, le procès d'une loi au sujet de laquelle on ne peut jamais dire „la voilà", ici ou là. Et elle n'est ni naturelle ni institutionnelle. On n'y arrive jamais et au fond de son avoir-lieu originel et propre, elle n'arrive jamais.

Elle est encore plus „sophistiquée", si je puis dire, que la convention du conventionnalisme qu'on attribue conventionnellement aux sophistes. Elle est toujours cryptique, à la fois un secret dont la détention est simulée par une caste — la noblesse dont parle Kafka dans *La question des lois*, par exemple — et une délégation au secret. Celui-ci n'est rien — et c'est le secret à bien garder rien de présent ou de présentable, mais ce rien doit être bien gardé, il doit bien être gardé. A cette garde est déléguée la noblesse. La noblesse n'est que cela et, comme le suggère *La question des lois*, le peuple prendrait bien des risques à s'en priver. Il ne comprendrait rien à l'essence de la loi. Si la noblesse est requise, c'est que cette essence n'a pas d'essence, ne peut pas être ni être là. Elle est à la fois obscène et imprésentable — et il faut laisser les nobles s'en charger. Il faut être noble pour cela.

Á moins qu'il ne faille être Dieu.

Au fond, voilà une situation où il n'est jamais question de procès ou de jugement. Ni verdict ni sentence, et c'est d'autant plus terrifiant. Il y a de loi, de la loi qui *n'est pas là mais qu'il y a*. Le jugement, lui, n'arrive pas. En cet autre sens, l'homme de la nature n'est pas seulement sujet de la loi hors la loi, il est aussi, à l'infini, mais fini, le préjugé. Non pas en tant que jugé d'avance mais en tant qu'être d'avant un jugement qui toujours se prépare et se fait attendre. Préjugé comme devant être jugé, devançant la loi qui signifie, lui signifie seulement „plus tard".

Et si cela tient à l'essence de la loi, c'est que celle-ci n'a pas d'essence. Elle se soustrait à cette essence de l'être que serait la présence. Sa „vérité" est cette non vérité dont Heidegger dit qu'elle est la vérité de la vérité. En tant que telle, vérité sans vérité, elle *se garde*, elle se garde sans se garder, gardée par un gardien qui ne garde rien, la porte restant ouverte, et ouverte sur rien. Comme la vérité (*Wahrheit*), la loi serait garde même, seulement la garde. Et ce regard singulier entre le gardien et l'homme.

Mais par-delà un regard, par-delà l'étant (la loi n'est rien qui soit présent), la loi appelle en silence. Avant même la conscience morale en tant que telle, elle oblige à répondre, elle destine à la responsabilité et à la garde. Elle met en mouvement et le gardien et l'homme, ce couple singulier, les attirant vers elle et les arrêtant devant elle. Elle détermine l'être-pour-la mort devant elle. Encore un infime déplacement et le gardien de la loi (*Hüter*) ressemblerait au berger de l'être (*Hirt*). Je crois à la nécessité de ce „rapprochement", comme on dit, mais sous la proximité, sous la métonymie peut-être (la loi, un autre nom pour l'être, l'être, un autre nom pour la loi, dans les deux cas, le „transcendant", comme dit Heidegger de l'être) se cache et se garde peut-être encore l'abîme d'une différence.

Le récit (de ce qui n'arrive jamais) ne nous dit pas quelle espèce de loi se manifeste ainsi dans sa non-manifestation: naturelle, morale, juridique, politique? Quant au genre sexuel, il est grammaticalement neutre en allemand, *das Gesetz*, ni féminin ni masculin. En français le féminin détermine une contagion sémantique qu'on ne peut pas plus oublier qu'on ne peut ignorer la langue comme milieu élémentaire de la loi. Dans *La folie du jour* de Maurice Blanchot, on peut parler d'une *apparition* de la loi, et c'est une „silhouette" féminine: ni un homme ni une femme mais une silhouette féminine venue faire couple avec le quasi-narrateur d'une narration interdite ou impossible (c'est tout le récit de ce non-récit). Le „je" du narrateur effraye la loi. C'est la loi qui semble avoir peur et battre en retraite. Quant au narrateur, autre analogie sans rapport avec *Devant la loi,* il raconte comment il a dû comparaître devant des représentants de la loi (policiers, juges ou médecins), des hommes, eux, qui exigeaient de lui un récit. Le récit il ne pouvait le donner mais il se trouve être celui-là même qu'il propose pour relater l'impossible.

Ici, *das Gesetz*, on ne sait pas *ce que* c'est, on ignore *qui* c'est. Et alors commence peut-être la littérature. Un texte philosophique, scientifique, historique, un texte de savoir ou d'information n'abandonnerait pas un nom à un non-savoir, du moins ne le ferait-il que par accident et non de façon essentielle et constitutive. Ici, on ne sait pas la loi, on n'a pas à elle un rapport de savoir, ce n'est ni un sujet ni un objet *devant* lesquels il y aurait à se tenir. Rien ne (se) tient devant la loi. Ce n'est pas une femme ou une figure féminin, même si l'homme, *homo* et *vir*, veut y pénétrer ou la pénétrer (c'est là son leurre, justement). Mais la loi n'est pas davantage un homme, elle est neutre, au-delà du genre grammatical et sexuel, elle qui reste indifférente, impassible, peu soucieuse de répondre *oui* ou *non*.

Elle laisse l'homme se déterminer librement, elle le laisse attendre, elle le délaisse. Et puis neutre, ni au féminin, ni au masculin, indifférente parce qu'on ne sait pas si c'est une personne (respectable) ou une chose, qui ou quoi. La loi se produit (sans se montrer, donc sans se produire) dans l'espace de ce non-savoir. Le gardien veille sur ce théâtre de l'invisible, et l'homme veut y voir *en se baissant*. La loi serait-elle basse, plus basse que lui? Ou bien s'incline-t-il aussi respectueusement devant ce que le narrateur de *la folie du jour* appele le „genou" de la loi? A moins que la loi ne soit couchée, ou comme on dit aussi de la justice ou de sa représentation, „assise". La loi ne tiendrait pas debout, et c'est peut-être une autre difficulté pour qui voudrait se placer *devant* elle. Toute la scénographie du récit est un drame du debout/assis. Au commencement, à l'origine de l'histoire, le gardien et l'homme se dressent, debout, l'un en face de l'autre. A la fin du texte, à la fin interminable mais interrompue de l'histoire, à la fin de l'homme, à la fin de sa vie, le gardien est beaucoup plus grand que son interlocuteur. Il doit se pencher à son tour, depuis une hauteur qui *surplombe*; et l'histoire de la loi marque le surgissement du *sur* ou de la différence de taille (*Größenunterschied*). Celle-ci se modifie progressivement au détriment de l'homme. Dans l'intervalle, et c'est le milieu du texte, le milieu aussi de la vie de l'homme après que celui-ci se soit décidé à attendre, le gardien lui donne un tabouret et le fait asseoir. L'homme reste là, „assis pendant des jours et des années", toute sa vie. Il finit par retomber, comme on dit, en enfance. La différence de taille peut signifier aussi le rapport entre les générations. L'enfant meurt vieux comme un enfant petit (à 4, 2, puis trois pattes — et tenir compte aussi du tabouret) devant un gardien qui grandit, debout et sur-veillant.

La loi se tait et d'elle il ne nous est rien dit. Rien, son nom seulement, son nom commun et rien d'autre. En allemand il s'écrit avec une majuscule, comme un nom propre. On ne sait pas ce que c'est, qui c'est, où ça se trouve. Est-ce une chose, une personne, un discours, une voix, un écrit ou tout simplement un rien qui diffère incessamment l'accès à soi, s'interdisant ainsi pour devenir quelque chose ou quelqu'un?

Le vieil enfant finit par devenir presqu'aveugle mais il le sait à peine, „il ne sait pas s'il fait plus sombre autour de lui ou si ses yeux le trompent. Mais il reconnaît bien maintenant dans l'obscurité une glorieuse lueur qui jaillit éternellement de la porte de la loi". C'est le moment le plus religieux de l'écriture.

Analogie avec la loi judaïque: Hegel raconte et interprète à sa manière l'expérience de Pompée. Curieux de ce qui se trouvait derrière les portes du Tabernacle abritant le Saint des Saints, l'empereur s'approche du lieu le plus intérieur du Temple, au centre (*Mittelpunkt*) de l'adoration. Il y cherchait, dit Hegel, „un être, une essence offerte à sa méditation, quelque chose qui fût plein de sens (*sinnvolles*) pour être proposé à son respect; et lorsqu'il crut entrer dans ce secret (*Geheimnis*), devant le spectacle ultime, il se sentit mystifié, deçu, trompé (*getäuscht*). Il trouva ce qu'il cherchait dans „un espace vide", et il en conclut que le secret propre était lui-même de part en part étranger, de part en part hors d'eux, les Juifs, hors de vue et hors de sentiment (*ungesehen und ungefühlt*)".

Cette topique différantielle ajourne, gardien après gardien, dans la polarité du haut et du bas, du lointain et du prochain (*fort/da*), du maintenant et du plus tard. La même topique sans lieu propre, la même atopique, la même folie diffère la loi comme le rien qui s'interdit et comme le neutre qui annule les oppositions. L'atopique annule ce qui a lieu, l'événement même. Cette annulation donne naissance à la loi, devant comme devant et devant comme derrière. C'est pourquoi il y a et il n'y a pas de lieu pour un récit. L'atopique différantielle pousse la répétition du récit *devant la loi*. Elle lui confère ce qu'elle lui retire, son titre de récit. Elle vaut aussi bien pour le texte signé de Kafka et portant le titre *Devant la loi* que pour ce moment du *Procès* qui semble raconter à peu près la même histoire, pièce comprenant le tout du *Procès* dans la scène du *Devant la loi*.

Il serait tentant, au-delà des limites de cette lecture, de reconstituer ce récit sans récit dans l'enveloppe elliptique de la *Critique de la Raison Pratique*, par exemple, ou dans *Totem et Tabou*. Mais si loin que nous puissions aller dans ce sens, nous n'expliquerions pas la parabole d'un récit dit „littéraire" à l'aide de contenus sémantiques d'origine philosophique ou psychanalytique, en puisant à quelque savoir. Nous en avons aperçu la nécessité. La fiction de cet ultime récit qui nous dérobe tout événement, ce récit pur ou récit sans récit se trouve impliqué aussi bien par la philosophie, la science ou la psychanalyse que par la dite littérature.

Je conclus. Ce sont les derniers mots du gardien: „Maintenant je m'en vais et je la ferme, je ferme la porte", je conclus (*„Ich gehe jetzt und schließe ihn"*).

Dans un certain code médical, l'expression *ante portas* désigne le lieu de l'éjaculation précoce dont Freud a prétendu dresser le tableau clinique, l'étiologie et la symptomatologie. Dans le texte ou devant le texte intitulé *Vor dem Gesetz* (*vor*, préposition inscrite dans le titre préposé „devant la loi"), ce qui se passe ou ne se passe pas, son lieu et son non-lieu *ante portas*, n'est-ce pas justement l'hymen avec la loi, la pénétration (*Eintritt*) dans la loi? L'ajournement jusqu'à la mort du vieil enfant, du petit vieux, peut aussi bien s'interpréter comme non-pénétration par éjaculation précoce ou par non-éjaculation. Le résultat est le même, le jugement, la conclusion. Le tabernacle reste vide et la dissémination fatale. Le rapport à la loi reste interrompu, sans-rapport qu'il ne faudrait pas se hâter de comprendre à partir du paradigme sexuel ou génital, du *coitus interruptus* ou nul, de l'impuissance ou des névroses que Freud y déchiffre. N'y a-t-il pas lieu d'interroger ce que nous appelons tranquillement le rapport sexuel à partir du récit sans récit de la loi? On peut gager que les jouissances dites normales ne s'y soustraient pas.

N'y a-t-il pas lieu d'interroger, disais-je en français et de façon peu traduisible. Cela sous-entendait: „il faut" interroger. L'idiome français qui fait ici la loi, il dit aussi la loi: „il y a lieu de" veut dire „il faut", „il est prescrit, opportun ou nécessaire de...". C'est commandé par une loi.

Et ce que dit en somme le gardien, n'est-ce pas cela? N'est-ce pas „il y a lieu pour toi, ici ...". Il y a lieu pour toi. De quoi, on ne sait pas mais il y a lieu. Le gardien n'est pas *ante portas* mais *ante portam*. N'interdisant rien, il ne garde pas les portes mais la porte. Et il insiste sur l'unicité de cette porte singulière. La loi n'est ni la multiplicité ni, comme on croit, la généralité universelle. Sa porte ne regarde que toi, elle est unique et singulièrement destinée, déterminée (*nur für dich bestimmt*) pour toi. Au moment où l'homme arrive à sa fin — il va bientôt mourir — le gardien lui marque bien qu'il n'arrive pas à sa destination ou que sa destination n'arrive pas à lui. L'homme arrive à sa fin sans parvenir à sa fin. La porte d'entrée n'est destinée qu'à lui et n'attend que lui, il y arrive mais n'arrive pas à y entrer, il n'arrive pas à y arriver. Tel est le récit d'un événement qui arrive à ne pas arriver. „Le gardien de la porte reconnaît que l'homme arrive déjà à sa fin et pour atteindre son oreille en voie de disparition, il rugit: „Ici personne d'autre ne pouvait être autorisé à entrer, car cette entrée était destinée à toi seul. Je m'en vais maintenant et je la ferme."

Or c'est le dernier mot, la conclusion ou la clôture du récit. Le texte serait la porte. Et pour conclure, je partirai de cette sentence (arrêt ou jugement), de cette conclusion du gardien. En fermant la chose il aura fermé le texte. Qui pourtant ne ferme sur rien. Le récit „Devant la loi" ne raconterait ou ne décrirait que lui-même en tant que texte. Il ne ferait que cela ou ferait aussi cela. Non pas dans une réflexion spéculaire assurée de quelque transparence sui-référentielle, et j'insiste sur ce point, mais dans l'illisibilité du texte, si l'on veut bien entendre par là l'impossibilité où nous sommes aussi d'accéder à son propre sens, au contenu peut-être inconsistant qu'il garde jalousement en réserve. Le texte se garde, comme la loi. Il ne parle que de lui-même, mais alors de sa non-identité à soi. Il n'arrive ni ne laisse arriver à lui-même. Il est la loi, fait la loi et laisse le lecteur devant la loi.

Précisons. Nous sommes *devant* ce texte qui, ne disant rien de clair, ne présentant aucun identifiable au-delà du récit même, sinon une différance interminable jusqu'à la mort, reste néanmoins rigoureusement intangible. Intangible: j'entends par là inaccessible au contact, imprenable et finalement insaisissable, incompréhensible, mais aussi bien ce à quoi nous n'avons pas le *droit* de toucher. C'est un texte „original", comme on dit: il est interdit ou illégitime de le transformer ou de le déformer, de toucher à sa forme. Malgré la non-identité à soi de son sens ou de sa destination, malgré son illisibilité essentielle, sa „forme" se présente et se performe comme une sorte d'identité personnelle ayant droit au respect absolu. Si quelqu'un y changeait un mot, y altérait une phrase, un juge pourrait toujours dire qu'il y a eu transgression, violence, infidélité. Une mauvaise traduction sera toujours appelée à comparaître devant la version dite originale qui *fait référence*, dit-on, autorisée qu'elle est par l'auteur ou ses ayant-droit, désignée dans son identité par son titre, qui est son nom propre d'état civil, et encadrée entre son premier et son dernier mot. Quiconque porterait atteinte à l'identité originale de ce texte pourrait avoir à comparaître devant la loi. Cela peut arriver à tout lecteur en présence du texte, au critique, à l'éditeur, au traducteur, aux héritiers, aux professeurs. Tous, ils sont donc à la fois gardiens et hommes de la campagne. Des deux côtés de la limite.

Le titre et les premiers mots, disais-je: ce sont „Devant la loi", précisément, et encore „Devant la loi". Les derniers mots: „Je clos". Ce „je" du gardien est aussi celui de texte ou de la loi, il annonce l'identité à soi d'un corpus légué, d'un héritage qui dit la non-identité à soi. Ni l'une ni l'autre ne sont naturelles, plutôt l'effet d'un performatif juridique. Celui-ci (et c'est sans doute ce qu'on appelle l'écriture, l'acte et la signature de l'„écrivain") *pose devant* nous, prépose ou propose un texte qui légifère, et d'abord sur lui-même. Il dit et produit dans son acte même la loi qui le protège et le rend intangible. Il fait et il dit, il dit ce qu'il fait en faisant ce qu'il dit. Cette possibilité est impliquée en tout texte, même quand il n'a pas la forme évidemment sui-référentielle de celui-ci. A la fois allégorique et tautologique, le récit de Kafka opère à travers la trame naïvement référentielle de sa narration qui passe une porte qu'elle comporte, une limite interne n'ouvrant sur rien, sur l'ob-jet d'aucune expérience possible.

Devant la loi, dit le titre. *Vor dem Gesetz*, the title says.
Devant la loi dit le titre. *Vor dem Gesetz* says the title.

Le texte porte son titre et porte sur son titre. Son objet propre, s'il en avait un, ne serait-ce pas l'effet produit par le jeu du titre? De montrer et d'envelopper dans une ellipse la puissante opération du titre donné?

La porte sépare aussi le titre de lui-même. Elle s'interpose plutôt entre l'expression „Devant la loi" comme titre ou nom propre et la *même* expression comme *incipit*. Elle divise l'origine. Nous l'avons dit, l'*incipit* fait partie du récit, il n'a pas la même valeur ni le même référent que le titre; mais en tant qu'*incipit*, son appartenance au corpus est singulière. Elle marque la bordure garantissant l'identité du corpus. Entre les deux événements de „*Devant la loi*", au-dedans même de la répétition, une ligne passe qui sépare deux limites. Elle dédouble la limite en divisant le trait. L'homonymie cependant reste impassible, comme si de rien n'était. C'est comme si rien ne se passait.

Je conclus. J'interromps ici ce type d'analyse qui pourrait être poursuivie très loin dans le détail, et je reviens à ma question initiale.

Qu'est-ce qui autoriserait à juger que ce texte appartient à la „littérature"? Et, dès lors, qu'est-ce que la littérature? Je crains que cette question ne reste sans réponse. Ne trahit-elle pas encore la rustique naïveté d'un homme de la campagne? Mais cela ne suffirait pas à la disqualifier, et la raison de l'homme reprend imperturbablement ses droits, elle est infatigable à tout âge.

Si nous soustrayons de ce texte tous les éléments qui pourraient appartenir à un autre registre (information quotidienne, histoire, savoir, philosophie, fiction, etc., bref tout ce qui n'est pas nécessairement affilié à la littérature), nous sentons obscurément que ce qui *opère* et *fait oeuvre* dans ce texte garde un rapport essentiel avec le jeu du cadrage et la logique paradoxale des limites qui introduit une sorte de perturbation dans le système „normal" de la référence, tout en *révélant* une structure essentielle de la référentialité. Révélation obscure de la référentialité qui ne fait pas plus référence, ne réfère pas plus que l'événementialité de l'événement n'est un événement.

Que cela fasse oeuvre néanmoins, c'est peut-être un signe vers la littérature. Signe peut-être insuffisant mais signe nécessaire: il n'est pas de littérature sans oeuvre, sans performance absolument singulière, et l'irremplaçabilité de rigueur appelle encore les questions de l'homme de la campagne quand le singulier croise l'universel, comme doit toujours le faire une littérature. L'homme de la campagne avait du mal à entendre la singularité d'un accès qui devait être universel, et qui en vérité l'était. Il avait du mal avec la littérature.

Comment vérifier la soustraction dont je parlais il y a un instant? Eh bien, cette contre-épreuve nous serait proposée par *Le Procès* lui-même. Nous y retrouvons le même *contenu* dans un autre cadrage, avec un autre système de limites et surtout sans titre propre, sans autre titre que celui d'un volume de plusieurs centaines de pages. Le même contenu donne lieu, du point de vue littéraire, à une oeuvre tout autre. Et ce qui diffère, d'une oeuvre à l'autre, si ce n'est pas le *contenu*, ce n'est pas davantage la *forme* (l'expression signifiante, les phénomènes de langue ou de rhétorique). Ce sont les mouvements de cadrage et de référentialité.

Ces deux oeuvres alors, sur la ligne de leur étrange filiation, deviennent l'une pour l'autre des interprétations métonymiques, chacune devenant la partie absolument indépendante de l'autre, une partie chaque fois plus grande que le tout. Et le titre de l'autre. Cela ne suffit pas encore. Si le cadrage, le titre, la structure référentielle sont nécessaires au surgissement de l'oeuvre littéraire comme telle, ces conditions de possibilité restent encore trop générales et valent pour d'autres textes auxquels nous ne songerions pas à reconnaître quelque valeur littéraire. Ces possibilités générales assurent à un texte le pouvoir de *faire la loi*, à commencer par la sienne. Mais cela à la condition que le texte lui-même puisse comparaître *devant la loi* d'un autre texte, d'un texte plus puissant, gardé par des gardiens plus puissants. En effet le texte (par exemple le texte dit „littéraire", singulièrement tel récit de Kafka) devant lequel nous, lecteurs, comparaissons comme devant la loi, ce texte gardé par ses gardiens (auteur, éditeur, critiques, universitaires, archivistes, bibliothécaires juristes, etc.) ne peut légiférer que si un système de loi plus puissant („un gardien plus puissant") le garantit, et d'abord l'ensemble des lois ou conventions sociales autorisant toutes ces légitimités.

Si le texte de Kafka dit tout cela de la littérature, l'ellipse puissante qu'il nous livre n'appartient pas totalement à la littérature. Le lieu depuis lequel il nous parle *des* lois de la littérature, de la loi sans laquelle aucune spécificité littéraire ne prendrait figure ou consistance, ce lieu ne peut être simplement *intérieur* à la littérature.

C'est qu'il y a lieu de penser *ensemble*, sans doute, une certaine historicité de la loi et une certaine historicité de la littérature. Si je dis „littérature" plutôt que poésie ou belles-lettres, c'est pour marquer l'hypothèse selon laquelle la spécificité relativement moderne de la littérature comme telle garde un rapport essentiel et étroit avec un moment de l'histoire du droit. Dans une autre culture, ou en Europe à un autre moment de l'histoire du droit positif, de la législation (explicite ou implicite) sur la propriété des oeuvres, par exemple au Moyen Age ou avant le Moyen Age, l'identité de ce texte, son jeu avec le titre, avec les signatures, avec ses bordures ou celles d'autres corpus, tout ce système de cadrage fonctionnerait autrement et avec d'autres garanties conventionelles. Non pas qu'au Moyen Age il n'eût pas compté avec une protection et une surveillance institutionnelles.[9] Mais celle-ci réglait tout autrement l'identité des corpus, les livrant plus facilement à l'initiative transformatrice de copistes ou d'autres „gardiens", aux greffes pratiquées par des héritiers ou d'autres „auteurs" (anonymes ou non, masqués ou non sous des pseudonymes, individus ou collectivités plus ou moins identifiables). Mais quelle que soit la structure de l'institution juridique et donc politique qui vient à garantir l'oeuvre, celle-ci surgit toujours *devant la loi*.

Elle n'a d'existence et de consistance qu'aux conditions de la loi et elle ne devient „littéraire" qu'à une certaine époque du droit réglant les problèmes de propriété des oeuvres, de l'identité des corpus, de la valeur des signatures, de la différence entre créer, produire et reproduire, etc. En gros, ce droit s'est établi entre la fin du XVIIè siècle et le début du XIXè siècle européens. Il reste que le concept de littérature qui soutient ce droit des oeuvres reste obscur. Les lois positives auxquelles je me réfère valent aussi pour d'autres arts et ne jettent aucune lumière critique sur leurs propres présuppositions conceptuelles. Ce qui m'importe ici, c'est que ces présuppositions obscures sont aussi le lot des „gardiens", critiques, universitaires, théoriciens de la littérature, écrivains, philosophes. Tous doivent en appeler à une loi, comparaître devant elle, à la fois veiller sur elle et se laisser surveiller par elle. Tous ils l'interrogent naïvement sur le singulier et l'universel,

---

9. Cf. Roger Dragonetti, o.c. p. 52 sq. notamment. Je renvoie aussi à tous les travaux d'Ernst Kantorowicz, plus précisément, à l'un de ses articles récemment publié en France, *La souveraineté de l'artiste, Note sur les maximes juridiques et les théories esthétiques de la Renaissance*, traduit de l'anglais par J.F. Courtine et S. Courtine-Denamy, in *Poésie* 18, Paris 1981. Cet article avait été repris dans les *Selected Studies* de Kantorowicz, New York 1965.

aucun d'eux ne reçoit de réponse qui ne relance la différance: plus de loi et plus de littérature.

En ce sens, le texte de Kafka dit peut-être, aussi, l'être-devant-la loi de tout texte. Il le dit par ellipse, l'avançant et le retirant à la fois. Il n'appartient pas seulement à la littérature d'une époque en tant qu'il est lui-même devant la loi (qu'il dit), devant un certain type de loi. Il désigne aussi obliquement la littérature, il parle de lui-même comme d'un effet littéraire. Par ou il déborde la littérature dont il parle?

Mais n'y a-t-il pas lieu, pour toute littérature, de déborder la littérature? Que serait une littérature qui ne serait que ce qu'elle est, littérature? Elle ne serait plus elle-même si elle était elle-même. Cela aussi appartient à l'ellipse de *Devant la loi*. Sans doute ne peut-on parler de la „littérarité" comme d'une *appartenance* à *la* littérature, comme de l'inclusion d'un phénomène ou d'un objet, voire d'une oeuvre, dans un champ, un domaine, une région dont les frontières seraient pures et les titres indivisibles.

La littérature est peut-être venue, dans des conditions historiques qui ne sont pas simplement linguistiques, occuper une place toujours ouverte à une sorte de juridicité subversive. Elle l'avait occupée pour un certain temps et sans être elle-même de part en part subversive, bien au contraire parfois. Cette juridicité subversive suppose que l'identité à soi ne soit jamais assurée ou rassurante. Elle suppose aussi un pouvoir de produire performativement les énoncés de la loi, de la loi que peut être la littérature et non seulement de la loi à laquelle elle s'assujettit. Alors elle fait la loi, elle surgit en ce lieu ou la loi se fait. Mais dans des conditions déterminées, elle peut user du pouvoir légiférant de la performativité linguistique pour tourner les lois existantes dont elle tient pourtant ses garanties et ses conditions de surgissement. Cela grâce à l'équivoque référentielle de certaines structures linguistiques. Dans ces conditions la littérature peut *jouer la loi*, la répéter en la détournant ou en la contournant. Ces conditions, qui sont aussi les conditions conventionnelles de tout performatif, ne sont sans doute pas purement linguistiques, bien que toute convention puisse donner lieu à une définition ou à un contrat d'ordre langagier. Nous touchons ici à l'un des points les plus difficiles à situer quand on doit retrouver le langage sans langage, le langage au-delà du langage, ces rapports de forces muettes, mais déjà hantés par l'écriture, où s'établissent les conditions d'un performatif, les règles du jeu et les limites de la subversion.

Dans l'instant insaisissable où elle joue la loi, une littérature passe la littérature. Elle se trouve des deux côtés de la ligne qui sépare la loi du hors-la-loi; elle divise l'être-devant-la loi, elle est à la fois, comme l'homme de la campagne, „devant la loi", et „avant la loi".Avant l'être-devant-la loi qui est aussi celui du gardien. Mais dans un site aussi improbable, aura-t-elle eu lieu? Et y aura-t-il eu lieu de nommer la littérature?

***

C'était une scène de lecture peu catégorique. J'ai risqué des gloses, multiplié les interprétations, posé et détourné des questions, abandonné des déchiffrements en cours, laissé des énigmes intactes, accusé, acquitté, défendu, loué, cité à comparaître. Cette scène de lecture semblait s'affairer autour d'un récit insulaire et strictement cerné. Mais outre tous les corps à corps métonymiques qu'elle pouvait entretenir avec *Zur Frage der Gesetze* ou avec l'*Epître de Paul aux Romains*[10], ce n'est peut-être, et avant tout, cette dramatisation exégétique, qu'une pièce ou un moment, un morceau du *Procès*. Celui-ci aurait donc mis en abyme, et d'avance, tout ce que vous venez d'entendre, tout ce qui ne peut être métonymisé en abyme par la scène talmudique dans laquelle je me suis peut-être engouffré. Car si le *Procès* met en abyme, d'avance, tout ce que vous venez d'entendre, il est possible que *Devant la loi* le fasse aussi dans une ellipse plus puissante où s'engouffrerait à son tour le *Procès*, et nous avec. La chronologie importe peu ici, et la question de savoir dans quel ordre ont été écrits et publiés les deux textes.[1] La possibilité structurelle de ce contre-abîme est ouverte au défi de cet ordre.

Dans le *Procès* (Ch. IX, *A la Cathédrale*) le texte qui forme la totalité de *Devant la loi*, à l'exception du titre, naturellement, est rapporté entre guillemets par un prêtre. Ce prêtre n'est pas seulement un narrateur, c'est quelqu'un qui cite ou qui raconte une narration. Il cite un écrit qui n'appartient pas au texte de la loi dans les Ecritures, mais, dit-il, aux „écrits qui précèdent la Loi": „C'est sur la justice que tu te méprends, lui dit l'abbé [à K.] et il est dit de cette erreur dans les écrits qui précèdent la Loi: „Devant la loi se tient, etc. ...". C'est dans tout le chapitre une prodigieuse scène d'exégèse talmudique, au sujet de *Devant la loi*, entre le prêtre et K. Il faudrait passer des heures à en étudier le grain. La loi générale de cette scène, c'est que le texte (le court récit entre guillemets, „*Devant la loi*", si vous voulez), qui semble faire l'objet du dialogue herméneutique entre le prêtre et K., est aussi le programme, jusque dans le détail, de l'altercation exégétique à laquelle il donne lieu, le prêtre et K. étant tour à tour le gardien et l'homme de la campagne, échangeant devant la loi leur place, se mimant l'un l'autre, allant au-devant l'un de l'autre. Pas un détail ne manque et nous pourrions le vérifier, si vous voulez, au cours d'une autre séance de lecture patiente. Je ne veux pas vous retenir ici jusqu'à la fin du jour ou de vos jours, bien que vous soyez assis et assis non pas à la porte mais dans le château même. Je me contenterai de citer quelques lieux du chapitre pour finir, un peu comme des cailloux blancs qu'on dépose sur un chemin ou sur la tombe du rabbi Loew que j'ai revue à Prague il y a quelques mois, à la veille d'une arrestation et d'une instruction sans procès au cours de laquelle les représentants de la loi m'ont demandé, entre autres choses, si le philosophe auquel j'allais rendre visite était un „kafkologue" (j'avais dit que j'étais venu à Prague *aussi* pour y suivre des pistes kafkaïennes); mon propre avocat, commis d'office, m'avait dit „vous devez avoir l'impression de vivre une histoire de Kafka"; et au moment de me quitter: „ne prenez pas cela trop tragiquement, vivez cela comme une expérience littéraire". Et quand j'ai dit que je n'avais jamais vu avant les douaniers la drogue qu'ils prétendaient découvrir dans ma valise, le Procureur répliqua: „C'est ce que disent tous les trafiquants de drogue".

Voici donc les petits cailloux blancs.

„-Mais je ne suis pas coupable! dit K ..., c'est une erreur. D'ailleurs, comment un homme peut-il être coupable? Nous sommes tous des hommes ici, l'un comme l'autre.

---

10. Comme on le sait, c'est seulement *Devant la loi* que Kafka aura publié, lui-même, de son vivant.

-C'est juste, répondit l'abbé, mais c'est ainsi que parlent les coupables.

-Es-tu prévenu contre moi, toi aussi? demanda K...

-Je n'ai pas de prévention contre toi, répondit l'abbé.

-Je te remercie, dit K... Mais tous ceux qui s'occupent du procès ont une prévention contre moi. Ils la font partager à ceux qui n'ont rien à y voir, ma situation devient de plus en plus difficile.

Tu te méprends sur les faits, dit l'abbé. La sentence ne vient pas d'un seul coup, la procédure y aboutit petit à petit".

Après que le prêtre eut raconté à K. l'histoire -sans titre- de „devant la loi" tirée des écrits qui *précèdent* la loi, K. en conclut que „le gardien a trompé l'homme". A quoi le prêtre-s'identifiant en quelque sorte au gardien — entreprend la défense de celui-ci au cours d'une longue leçon de style talmudique qui commence par „Tu ne respectes pas assez l'Ecriture, tu changes l'histoire...". Au cours de cette leçon, entre autres choses singulièrement destinées à lire *Devant la loi* dans son illisibilité même, il prévient: „Les glossateurs disent à ce propos qu'on peut à la fois comprendre une chose et se méprendre à son sujet". Deuxième étape: il convainc K. qui va s'identifier au gardien et lui donner raison. Aussitôt le prêtre renverse l'interprétation et change les places identificatoires:

„-Tu connais mieux l'histoire que moi et depuis plus longtemps, dit K... Puis ils se turent un instant, au bout duquel K... déclara:

-Tu penses donc que l'homme n'a pas été trompé?

-Ne te méprends pas à mes paroles, répondit l'abbé. Je me contente d'exposer les diverses thèses en présence. N'attache pas trop d'importance aux gloses. L'Ecriture est immuable et les gloses ne sont souvent que l'expression du désespoir que les glossateurs en éprouvent. Dans le cas que nous considérons, il y a même des commentateurs qui voudraient que ce fût le gardien qui eût été trompé.

-Voilà qui va loin, dit K... Et comment le prouvent-ils?"

C'est alors une deuxième vague exégético-talmudique du prêtre, qui est à la fois un abbé et un rabbin, en quelque sorte, une sorte de saint Paul, le Paul de l'Epître aux Romains qui parle selon la loi, de la loi et contre la loi „dont la lettre a vieilli"; celui qui dit aussi qu'il n'a „connu le péché que par la loi": „Pour moi, étant autrefois sans loi, je vivais; mais quand le commandement vint, le péché reprit vie et je mourus ...".

„Cette affirmation, dit l'abbé, s'appuie sur la naïveté du portier. On dit qu'il ne connaît pas l'intérieur de la Loi, mais seulement le chemin qu'il fait devant la porte. Les glossateurs tiennent pour enfantine l'idée qu'il a de l'intérieur et pensent qu'il redoute lui-même ce dont il veut faire peur à l'homme; et qu'il le redoute même plus que l'homme ...".

Je vous laisse lire la suite d'une scène inénarrable, où le prêtre-rabbin n'en finit pas d'épouiller — ou d'épuceler ce récit dont le déchiffrement cherche jusqu'à la petite bête. Tout y comprend, sans comprendre, en abyme, *Devant la loi*, par exemple la lueur quasi-tabernaculaire („La lampe qu'il portait à la main était éteinte depuis longtemps. Il vit scintiller un moment, juste en face de lui, la statue d'argent d'un grand saint qui rentra aussitôt dans l'ombre [saint Paul, peut-être]. Pour ne pas rester complètement seul avec l'abbé, il lui demanda: -Ne sommes nous pas arrivés tout près de l'entrée principale? -Non, dit l'abbé, nous en sommes bien loin. Veux-tu déjà t'en aller?"), ou encore, dans le même contre-abyme de *Devant la loi*, c'est K. qui demande à l'abbé d'attendre et cette même demande va jusqu'à demander au prêtre-interprète de demander lui-même. C'est K. qui lui demande de demander. („Attends encore, s'il te plaît. -J'attends, dit l'abbé. -N'as-tu plus rien à me demander, demanda K... — Non, dit l'abbé."). N'oublions pas que l'abbé, comme le gardien de l'histoire, est un représentant de la loi, un gardien aussi, puisqu'il est l'aumônier des prisons. Et il rappelle à K. non pas qui il est, lui, le gardien ou le prêtre des prisons, mais que K. doit comprendre d'abord et énoncer lui-même qui il est. Ce sont les derniers mots du chapitre:

„-Comprends d'abord toi-même qui je suis, dit l'abbé.

-Tu es l'aumônier des prisons, dit K... en se rapprochant de lui.

Il n'avait pas besoin de revenir à la banque aussitôt qu'il l'avait dit; il pouvait fort bien rester encore.

-J'appartiens donc à la justice, dit l'abbé. Dès lors que pourrais-je te vouloir? La justice ne veut rien de toi. Elle te prend quand tu viens et te laisse quand tu t'en vas."

„Das Gericht will nichts von dir. Es nimmt dich auf, wenn du kommst, und es entläßt dich, wenn du gehst".

Dieser Text wurde im Sommersemester 1982 auf Einladung von Jacob Taubes am Hermeneutischen Seminar der Freien Universität Berlin vorgetragen.

Elisabeth Lenk

FRAGMENTE ÜBER GESCHWINDIGKEIT, LANGSAMKEIT UND ÜBER LANGEWEILE

Der Rausch der Geschwindigkeit erzeugt Langeweile.

Jede neue Rationalisierungsmaßnahme verursacht an irgendeiner anderen Stelle neue Wartezeiten, und sei es auch nur auf dem Arbeitsamt.

„Eine Kuh raste mit 80 km Geschwindigkeit auf mich zu." Die Geschwindigkeit läßt sich mathematisch errechnen. Aber Geschwindigkeit ist zugleich auch eine sinnliche Realität. Diese sinnliche Realität ist nicht mehr sichtbar in der modernen Welt. Im Zeitalter der Postkutsche war die Geschwindigkeit, war die Entfernung, die man zurückgelegt hatte, körperlich noch erfahrbar, sinnfällig, im Anblick des Pferdes, das müde wurde und von Schweiß triefte. (Wolfgang Schivelbusch hat dies dargestellt in seinem Buch „Geschichte der Eisenbahnreise"). Das heißt: sinnlich gesehen war das Problem der Geschwindigkeit gebunden an die Körperlichkeit, an körperliche Erschöpfung. Seit die Zugtiere verschwunden sind, ist die Geschwindigkeit unkörperlich geworden. Wir sind den Tieren auf dem Schlachthof näher als dem Gefährt, in dem wir sitzen. Der Körper ist ein archaisches Überbleibsel mitten in einer chromblitzenden, perfekten Welt. Indem wir uns dem Gerät anpassen, entfernen wir uns immer weiter von unserer körperlichen Wirklichkeit. Die ersten Reisenden in der Eisenbahn haben kein Auge zutun, keine Zeile lesen können, so sehr waren sie jede Minute geschüttelt von Angst. Später paßten sie sich der Situation an, schliefen und lasen, als ob nichts wäre. Die Angst wurde verdrängt, sie bleibt aber untergründig da, sie ist so etwas wie der subjektive Teppich, auf dem die Eisenbahn dahinsaust. Die Geschwindigkeit ist also eigentlich nicht mehr erfahrbar, körperlich realisierbar, oder nur noch im abrupten Ende der Fahrt, im Choc, in der Katastrophe. Die Verarbeitung eines Chocs geht so vonstatten, daß man (so stellt es Walter Benjamin dar) das chochafte Erlebnis ununterbrochen wiederholt, aber so, daß sich jetzt entwickelt, was sich beim Zusammenprall nicht hat entwickeln können: Angst. In endlosen Wiederholungen der Situation wird die Angstentwicklung nachgeholt. In der Eisenbahnreise ist das moderne Bewußtsein geboren worden. Wer in der Eisenbahn sitzt, sitzt in einem Raum aus Zeit, in einer Zwischenwelt, in der Wahrnehmungen in Vorstellungen und Vorstellungen in Wahrnehmungen verwandelt werden. Abgeschnitten von der eigenen Angst, die ja noch ein Stück körperlicher Wirklichkeit wäre, saust das moderne Bewußtsein in angstloser Unwirklichkeit dahin. Weder ist es bei sich noch draußen in der Landschaft, sondern im Nirgendwo zwischen beiden.

Die Futuristen waren so fasziniert von der Geschwindigkeit, daß sie versucht haben, sie zu einem poetischen Prinzip zu erheben. Selbst Pflanzen wuchsen nur noch im Zeitraffertempo. Fußgänger wimmerten, Bremsen quietschten.

Noch im Automatismus der Surrealisten kommt etwas von diesem Geschwindigkeitswahn zum Ausdruck. Breton und Soupault notierten stolz die Entstehungsgeschwindigkeiten ihrer Texte; als ob es aufs Geschriebene ankäme, auf die schwindelerregende Vermehrung des Geschriebenen in der Welt.

Die neuen technischen Möglichkeiten haben zugleich mit der Beschleunigung auch die Verlangsamung, die Zeitlupe, geschaffen. Die Eisenbahn braucht nicht mehr unwiderruflich geraudeaus zu sausen. Sie wird, mittels eines wunderbaren Filmtricks, zum Kreis gebogen. Die Bewegung stürzt ins Meer. So hat der französische, noch ganz vom Jugendstil geprägte Filmemacher und Illusionist Meliès sich als Dompteur auf Jahrmärkten gezeigt, um einen der ersten Zeichentrickfilme vorzuführen. Auf seine Peitschenhiebe hin bewegte sich auf der Leinwand in majestätischer Langsamkeit der Dinosaurier Gertie.

Wie ich die Langsamkeit liebe! Ich mag die Art, wie Getrude Stein ihre Langsamkeit gewinnt. Sie läßt die Ereignisse ruhig rasen. Sie läßt die Dramen, sie sagt „Melodramen", spielen. Ihre Beobachtung führt aber immer wieder an den Punkt zurück, da sie noch nicht stattgefunden haben. Man hat durchaus den Eindruck, daß außerhalb des Textes rasche Bewegungen stattfinden. Der Text aber kehrt mehrmals, kehrt immer wieder an den Ausgangspunkt einer angefangenen Bewegung zurück. „As I was saying". Das Gefühl hat eine andere Umlaufbahn als das Denken. Langsam, langsam geht das, was Getrude Stein das „being" nennt, seinen Gang. Am Beispiel von Taschentüchern wird das gezeigt. Sie beschreibt die endlose Zeit, die eine Person brauchte, um sich dazu durchzuringen, die Taschentücher, die sie liebte, die aber für geschmacklos galten, grellbunte Taschentücher, aus der Tasche zu ziehen, seelenruhig, vor den strafenden Blicken der geschmackvollen Gesellschaft. Es gibt eine andere Zeit als die Zeit der Historiker, unterhalb jener und schlummernd. Lob der verschobenen Zweitaktreaktionen. Das rose Taschentuch wirft einen grünen Schatten.

Wie soll ich in der Eile etwas über die Langsamkeit schreiben? Zur Langsamkeit braucht man Zeit. Aber ist denn die Zeit ein Objekt, das man haben oder nicht haben, das man verlieren kann? Zeit ist doch etwas, was sich in Langsamkeit dehnt, wie ich mich jetzt dehne. „Ich bin die Zeit". Für ein anderes, außermenschliches Wesen, beispielsweise für einen Baum, erscheint vielleicht mein Leben wie ein schwindelnder Lauf, wo ich mich doch kaum von der Stelle rühre.

Im Französischen setzt man die Zeit auf etwas, im Englischen gibt man sie aus, im Deutschen nimmt man sie sich. In all diesen Sprachen verliert man sie. Nach Heidegger allerdings („Sein und Zeit") ist es kennzeichnend für die Elite, niemals Zeit zu verlieren: „Die Entschlossenheit aber erschließt das Da dergestalt nur als Situation. Daher vermag dem

Entschlossenen das Erschlossene nie so zu begegnen, daß er daran unentschlossen seine Zeit verlieren könnte."

Ich gehe mit meinem kleinen leeren Rahmen durch die Welt, und es kommt auf das gleiche heraus, ob ich die Dekors bewege und den Beobachter ruhig sitzen lasse, oder ob ich ihn in Bewegung setze, an Dekors entlang, die unbeweglich bleiben.

Die Zeit kommt. Etwas bewegt sich auf mich zu, oder ich bewege mich auf etwas zu.

Hinton lehrt (in: „What is the Fourth Dimension"): die lebende Materie, also die lebenden Körper, haben eine Ausdehnung in der vierten Dimension, in der Zeit. Wenn es stimmt, daß ich mich in der Dimension der Zeit erstrecke, sind ja alle Momente meines Lebens gleichzeitig. Ich brauche, um vorwärts zu kommen, mich nicht ständig im Raum zu bewegen. Während ich bewegungslos daliege, fliege ich durch die Zeit.

Eines Beobachters bedarf allerdings auch die andere Bewegung: einer „bewegten Gegenwart".

Um die „bewegte Gegenwart" zu veranschaulichen, die das Nacheinander der Zeit konstituiert, gibt Dunne („An Experiment with Time") das Beispiel eines Notenblattes.
Die Vertikale soll den Raum darstellen, die Horizontale die Zeit. Damit tatsächlich ein Raum-Zeit-Kontinuum aus diesem Notenblatt entstehe, müssen die Augen des Spielers sich von links nach rechts bewegen.

Damit in Wirklichkeit, in der Gegenwart etwas geschehe, muß der Beobachter sich bewegen, und seien es auch nur seine rollenden Augen im Traum (*Rapid Eye Mouvement*).

Vielleicht besteht der ganze Unterschied des Zeiterlebnisses bei Tag und bei Nacht (im Traum) darin, daß bei Tage die Augen des Beobachters sich in einer vorgeschriebenen Richtung (beispielsweise von links nach rechts) bewegen, während sie im Traum sich an diese angelernten Regeln nicht halten.

Das perfekte Bewegungsmodell für den dressierten Normalmenschen ist die Uhr.

Raum und Zeit sind letzten Endes gesellschaftliche Ordnungsprinzipien. Man geht von einem als konstant gedachten Behälter aus, dem Bewußtsein. Ordne ich die Dinge je nach dem Eintreffen in diesen Behälter, so ordne ich sie nach der Zeit: Prinzip des Nacheinander. Ordne ich sie hingegen nach der Größe, so ordne ich sie nach dem Raum: Prinzip des Nebeneinander. Übrigens funktioniert die Ordnung nur, wenn man die Prinzipien streng auseinander hält.

Unseren streng in Reih und Glied marschierenden Augen erscheinen die Ereignisse nacheinander, aber sind sie nicht in Wirklichkeit gleichzeitig da?

„Ich bin die Zeit." Als harte, geronnene bin ich teilbar, als flüssige aber unteilbar. Im Traum bin ich flüssige Zeit. Wäre unsere Zeitvorstellung die einer Flüssigkeit (und in archaischen Gesellschaften war die heilige Materie, das Mana, flüssig) so könnte Zeit in jedem Augenblick unteilbar gegenwärtig sein. Da sie aber etwas Geronnenes, Festes für uns ist, muß sie angehäuft, aneinandergereiht, gezählt werden. Die Zeitauffassung des modernen Normalmenschen ist die, daß Ereignisse, die zunächst zukünftig sind, gegenwärtig werden und schließlich vergangen sind. Danach vermehrt die Vergangenheit sich ständig. Dieser Zeitauffassung entsprechen die ökonomischen Gegebenheiten unserer Gesellschft, denen zufolge es um das unablässige Zählen, Anhäufen, um die Akkumulation von geronnenen Energieteilchen geht.

Ich denke an die kreisenden Bewegungen des Geldes, wie sie sich im endlosen Klappern der Kassen ausdrücken. Es ist unsere kostbare Lebenszeit, die da klappert.

Es gibt keine Gegenwart. Aufgrund einer zentralen Katastrophe, der Katastrophe der Zeitrechnung, gibt es keine Gegenwart mehr, oder nur noch das Minimum an Gegenwärtigkeit, das die rollenden Augäpfel garantieren. Es muß eine Zeit vor der Zeitrechnung gegeben haben, eine Zeit, die noch nicht in Leiden gezählt ward. Die Vertreibung aus der Gegenwart ist gleichbedeutend mit der Errichtung einer Wand vor unserem Bewußtsein, einer Wand, die uns Reflexion, Selbstbespiegelung erlaubt, aber die Aussicht auf unser allgegenwärtiges Leben verstellt. Die Wand ist die Dauer.

Für Heidegger gibt es die Zeit vor der Zeitrechnung nicht. Immer schon gab es die langweilige, schwäbische „Zeitlichkeit des mit der Zeit rechnenden Daseins".

Mit der Vertreibung aus der Gegenwart fängt die Langeweile an.

Mit der Vertreibung aus der Gegenwart beginnt das Zählen der Stunden, der Tage, der Schafe, so sehr langweilen alle sich, bei der Predigt, im Büro, in der Schule, an der Universität. Überall sitzen gähnende Menschen herum, Menschen, die „arbeiten", das heißt, die ununterbrochen mit dem Schlaf kämpfen, bis die kleine tickende Taschenuhr endlich sagt: „Es ist Zeit". Es ist die Zeit, „die in der furchtbaren Muße einer tragischen Zeit gezählt wird". (Hölderlin)

Sie können die Zeit nur zählen, weil die Nacht dazwischen liegt. Also noch ihre Zeitrechnung, auf die sie so stolz sind, setzt jene Diskontinuität voraus, die sie beseitigen wollen.

Da ich mich in der Zeit bewege, will ich wissen, wohin ich gehe und woher ich komme. Seit aber die Wand errichtet wurde, renne ich ununterbrochen dagegen, wie eine Fliege gegen Glas fliegt.

Balzac nennt die Zeit „das winzige Partikelchen an Lebensraum, das uns in dieser namenlosen Unendlichkeit zugestanden wird, das allen Sphären gemeinsam ist, diese eine erbarmungswürdige Daseinsminute".

Es gibt also im Bewußtsein eines jeden nach Christus geborenen Menschen eine künstliche Vorrichtung, eine Art Guillotine, die in jedem Augenblick die Vergangenheit von der Zukunft trennt.

Kant behauptet, wenn wir von der Art, uns selbst innerlich anzuschauen, abstrahierten, so sei die Zeit nichts. Aber das können wir nicht, da wir in einem Körper sitzen. Und so bleibt die Zeit „die Bedingung a priori von aller Erscheinung überhaupt".

Dietmar Kamper

DAS LEERE PARADOX DES SCHEINS
Letzte Überlegungen zum Verhältnis von Kunst und Nihilismus

> „Versuch (kaum geglückt), ein Poem umzubringen, durch
> dessen Objekt"
>
> (Francis Ponge)

eine Vorbemerkung:

Man muß Antworten geben auf Fragen, die noch nicht gestellt sind. Alles andere kommt zu spät und unterliegt der Diktatur des schon entschiedenen Sinns. — In ihren Hauptzügen war die Kunst der letzten Jahrzehnte ein solches Müssen, das findet (und erfindet) ohne zu suchen. Neuerdings aber haben sich unerwartete Schwierigkeiten eingestellt. Das „Sinnlose" ist nicht mehr allein eine Domäne der Ästhetik. Es scheint auch in der ernsthaften Philosophie, in der Politik des Inneren und des Äußeren, in der militärischen Strategie, sogar in der harten Ökonomie an Boden zu gewinnen. Wird die „verrückte" Kunst von der „normalen" Wirklichkeit überholt?

Canetti schrieb vor Jahren: „Eine peinigende Vorstellung: daß von einem bestimmten Zeitpunkt ab die Geschichte nicht mehr wirklich war. Ohne es zu merken, hätte die Menschheit insgesamt die Wirklichkeit plötzlich verlassen; alles, was seither geschehen sei, wäre gar nicht wahr; wir können es aber nicht merken. Unsere Aufgabe sei es nun, diesen Punkt zu finden, und so lange wir ihn nicht hätten, müßten wir in der jetzigen Zerstörung verharren." (mitgeteilt bei Baudrillard, Berlin 1983, S. 109).

Eine neue Art des transitiven Nihilismus hat sich breitgemacht. Er passiert nicht nur; er verwandelt die Menschen in Vollstrecker der Zerstörung, auch die, die guten Willens sind. Er verhindert, daß noch unterschieden werden kann zwischen Verteidigern und Gegnern einer menschlichen Geschichte. Er erschwert auch das Finden des Punktes, von dem — nach Canetti — alles abhängt. Wenn aber die Differenz zwischen dem, der vernichtet wird, und dem, der vernichtet, entfällt, dann ergibt sich eine leere Paradoxie, die nur noch um den Preis der Selbstverleugnung gestrichen werden kann. Sein eigener Gegner zu sein, ist deshalb für jeden, der nachdenkt, eine conditio sine qua non.

Man wird sich also hüten müssen, diese letzten Überlegungen: eine dicht geknüpfte Kette von Annahmen, Vermutungen, Folgerungen und Zitaten für bare Münze zu nehmen. Gegen eigene tiefste Überzeugungen gewonnen und gewendet, bieten sie eine Probe aufs Exempel dessen, was an jenem äußersten Punkt der Erfahrung heute einleuchtet, ohne daß man schon wüßte, warum.

einige Annahmen:

Der Nihilismus steht nicht bevor, er ist da. Er gehört nicht der Ordnung des Denkens, sondern derjenigen der Verhältnisse an. Insofern ist es unsinnig, ihn kritisch zu denunzieren. Man muß ihn vielmehr mit äußerster Subtilität wahrnehmen, wenn man ihm entgehen will. Keineswegs finster, sondern transparent, durchscheinend, scheinhaft, dennoch real, hat dieser Nihilismus die Welt der natürlichen Erscheinung und die der gedeuteten Geschichte zerstört und alles auf abstrakte Formeln eines verzehrenden Umgangs reduziert: es ist nichts mit den Körpern, den Dingen, den Gütern, den Werten. Bestenfalls ein Anlaß der Konsumption, ist auch das Heiligste zur Disposition gestellt, parat für den Abfall, bestenfalls nostalgieträchtig, für eine sekundäre Müllverwertung...

Obwohl unendlich viel passiert, geschieht nichts. In der Abstraktion der Verhältnisse gibt es nur Daten. Die Ereignisse entfallen. Ohne die Notwendigkeit des Geschehens aber überkommt die Menschen die Not des Zufalls. Aleatorische Biographien werden ausprobiert und über ein „Image", ein öffentliches Gesicht standardisiert. Jeder wird berühmt!... für eine Viertelstunde (Andy Warhol). Die sich ausbreitende Leere der Ereignislosigkeit produziert einen vagen Erfahrungshunger, der seinerseits Pseudo-Ereignisse nach sich zieht. „Wenn es nicht geschieht, wird es gemacht!" Doch durch solche Praxis gerät alle Wirklichkeit uneindeutig. Die Effekte eines Handelns „als ob" sind mindestens paradox: die Kriterien seiner Beurteilung versagen. Verantwortung wird unmöglich. Die Schuldfrage kann nicht mehr gestellt werden, jedenfalls nicht mehr mit Aussicht auf Wahrheit.

Die reine Indifferenz kommt immer mehr in Kurs: eine substanz- und referenzlose Simulation verschluckt auch die neuesten historischen Sinnkonstrukte, kaum daß sie entworfen sind. Das heißt: schlechte Zeiten für Interpreten. Ihre Tätigkeit ist verlängerte Willkür. Doch trägt die wesentliche Ohnmacht der Kommentare zu ihrer endgültigen Ausbreitung und Vervielfältigung bei. Das, was passiert, bedeutet tendenziell nichts, muß aber — weil es sonst unerträglich wäre — mit Bedeutung aufgeladen werden. So dreht sich Bedürfnis nach Sinn und Sinngebung noch eine Weile im Kreise, ohne daß es der Analyse gelänge zu intervenieren. Mit dem Ende der Kritik aber vollzieht sich die des Subjekts und seiner Szene. Das historische Kapitel der Repräsentation mit seinen namentlichen Exponenten, die ebenso zurechnungsfähig wie produktiv waren, hat — da die Schatten noch da sind — kaum bemerkt aufgehört.

einige Vermutungen:

„Die Kunst und nichts als die Kunst!" — Nietzsches Formel für eine Rechtfertigung der Welt nach dem Tode Gottes scheint ihre Triftigkeit zu verlieren. In der Indifferenz der Gegenwart schwindet auch die Unterscheidung von Vernichtung und Rettung. Der neue Stellenwert des Imaginären in den Vergesellschaftungsprozessen läßt den bislang bekannten Gegner unscheinbar werden. Es droht Ununterscheidbarkeit zwischen den Intentionen der Avantgarden und dem Geist des Kapitals. Das Bild vom wahnsinnigen Artisten, der in den Zentralen der Supermächte den schönsten Weltuntergang vorbereitet, leuchtet immer ungezwungener ein. Hier wie dort hat sich ein phantastisches Potential gesammelt, das offenbar in heimlicher Konkurrenz steht.

Die Frage wird unabweislich, wie sehr schon die Künste in unfreiwilliger Komplizenschaft das Geschäft des Nihilismus betreiben, das sie zu verhindern, zu brechen oder zumindest zu reflektieren versucht haben. Den Verdacht, daß es solche Gegenintentionen nie gegeben hat, sollte man abwehren, solange es geht. Denn für diesen Fall wäre nicht nur jede Argumentationsbasis entzogen, sondern auch die Substanz in den mühselig errichteten Fundamenten einer Leidensgeschichte der Kunst durch mehrere Jahrhunderte. — Unter der Voraussetzung aber eines Nihilismus der Verhältnisse und eines Anti-Nihilismus der künstlerischen Arbeit muß betont werden, daß die Künste die schwindende Wirklichkeit nicht selbst „machen", höchstens auf ein Unmachbares anspielen können.

Der Prozeß der Neutralisierung, das Verlöschen des Pathos' der Distanz, der Zuwachs an Obszönität laufen auf eine Simulation hinaus, welche sich die „Realität" als ihren Satelliten unterwirft: Herrschaft der Simulakren heißt Ende der Natur und Ende der Geschichte. Nur noch als simulierter Effekt wäre die Welt der Körper und Dinge und die der Güter und Werte möglich. Erfahrung wäre geliehen; das Authentische käme nur noch als Klischee in Frage; die untrüglichen Anzeichen der Unmittelbarkeit könnten bestenfalls als Zitate durchgehen. Das differenz- und referenzlose Imaginäre ist ein unendliches Gefängnis der Immanenz: der über alle Produktion siegreichen Konsumption, der obersten Götter des Verzehrs und des ständig wachsenden Abfalls.

einige Folgerungen:

„Neue Subjektivität" ist, so betrachtet, simulierte Subjektivität, Zitat eines Zitats, das immer schon mißverstanden wurde. Der „Hunger nach Bildern" (Faust) kommt einem Todeshunger gleich, dem die Selbstvernichtung lieber ist als die Gleichgültigkeit. Es gibt auch nichts mehr zu entlarven (Joachimides). Alle maßgeblichen Instanzen der nihilistischen Verwertung sind demaskiert oder demaskieren sich fortschreitend selbst: aber es ändert sich nichts.

Der Begriff der „Kunst als Katastrophe", ihre vor-subjektive Allgemeinheit, ihre Nomadenhaftigkeit, ihre Bewegungsform des Driftens usw. (Bonito Oliva) enthält den verzweifelten Versuch, den aleatorisch sich verschiebenden, den vagierenden, den regressiven, „katastrophischen" Geist des Kapitals mimetisch zu überbieten. Dem ist zwar weder moralisch noch durch einen Appell an die Verantwortung für die Wahrnehmung beizukommen.

Wohl aber könnte die Erinnerung hilfreich sein, daß Ereignisse nicht herzustellen sind. „Die Aufgabe der Künste bleibt, die Anmaßung des Geistes gegenüber der Zeit aufzulösen" (Lyotard). Zwar ist die Einbildungskraft, auf deren entsetzende Erfindungsgabe (nicht allein in der Kunst) noch immer gesetzt wird, selbst nur ein Fragment der schwindenden naturhaften und historischen Realität, doch sie allein bleibt untrüglich noch im Negativen: daß nichts geschieht.

eine Schlußbemerkung:

Der Angriff auf die Zeit der Menschen geht nicht mehr über die sogenannte Lebenswelt, sondern über die Fixierung ihrer Erfahrung im Imaginären. Die Kunst als Hort einer nicht entfremdeten Existenz, wie sie vielen historisch vorschwebte und biographisch noch immer relevant ist, wird von daher wie eine Fluchtburg eingeschlossen und geschleift. Eine derart fatale Strategie könnte mit einer Strategie des Fatalen ein letztesmal aufgefangen und um eine entscheidende Nuance weitergedreht werden. „Die Simulakren sind der Geschichte überlegen" (Baudrillard), aber die Simulation als vollendete Herrschaft des Nihilismus ist der Verführung als der Meisterschaft des Scheins unterlegen.

„Dem gegenwärtigen System... der Simulation gelingt es, alle Finalitäten, alle Referentiale und jeglichen Sinn zu neutralisieren; es scheitert allerdings bei der Neutralisierung des Scheins. Das ist unsere letzte Chance." (Baudrillard, Berlin 1983, S. 51).

Die leere Paradoxie ist das letzte Sinnkonstrukt, das dem Schein gegenüber gehalten werden kann. Wird sie aufgegeben, hat er freies Spiel: der verführerische Schein, der Schleiertanz der Dinge und Werte, der nichts verbirgt und deshalb einem Nihilismus der Transparenz keine Nahrung mehr bietet. Eine Strategie des Fatalen würde den Teufel noch einmal mit Beelzebub austreiben. Die Arbeit am Mythos wäre zu Ende.

Dann aber könnte der Zauber der Objekte zur Sprache kommen. Jenseits der Arbitrarität der Zeichen gibt es eine Eigenwilligkeit der Dinge, die sich dem Sinn entschlägt. Auch nach dem Ende des Subjekts wären am dunklen Rand der Erfahrung einleuchtende Bilder zu sehen, wären im Resonanzraum der genannten Paradoxie Stimmen zu vernehmen, die aber nicht mehr durch die Werke der Künstler, die Poeme der Dichter sich melden würden, sondern gegen sie: eine Verzauberung als Vernichtung des Nichts, eine Blendung des Schrecklichen als Befreiung einer leuchtenden Unzerstörbarkeit des Scheins, ein Gelächter der Götter...

Literatur:

Bachmayer, Hans M., Zur Phänomenologie der Kunst und des Nihilismus, in: „Texte zur Kunst 1957 — 1982" Galerie van de Loo, München 1982

Baudrillard, Jean, Transparenz, in: Probleme des Nihilismus (Berliner Hefte 17), Berlin 1981

ders., Der symbolische Tausch und der Tod, München 1982

ders., Laßt euch nicht verführen!, Berlin 1983

ders., Les stratégies fatales, Paris 1983

ders., Die Szene und das Obszöne, in: Kamper/Wulf (Hrsg): Das Schwinden der Sinne, Frankfurt/M. 1983 (e.s. 1188, Oktober 1983)

Beaucamp, Eduard, Das Dilemma der Avantgarde, Frankfurt/M. 1976

Blumenberg, Hans, Arbeit am Mythos, Frankfurt/M. 1979

Bohrer, Karl Heinz (Hrsg.), Mythos und Moderne, Frankfurt/M. 1983

Bonito Oliva, Achille, Die italienische Trans-Avantgarde, in: ders.: Im Labyrinth der Kunst, Berlin 1982

Brock, Bazon, Ästhetik als Vermittlung. Arbeitsbiographie eines Generalisten, Köln 1977

Faust, Wolfgang Max/Gerd de Vries, Hunger nach Bildern. Deutsche Malerei der Gegenwart, Köln 1982

Faust, Wolfgang Max, Zeitgeist-Fragen. Ein Interview mit Christos M. Joachimides, in: Kunstforum, Bd. 56, 10/82

Honnef Klaus, Die wiedergewonnene Sprachfähigkeit. Stichworte zur amerikanischen Kunst der Postmoderne, in: Kunstforum, Band 61, 5/83

Hughes, Robert, Schock der Moderne, Düsseldorf u. Wien 1981

Lipovetzky, Gilles, Die reine Indifferenz, in: „Wüsten" (eine Publikation der Bauwelt), hrsg. von U. Conrads, Berlin/Braunschweig 1981, S. 78ff

Lyotard, Jean-François, Das Erhabene und die Avantgarde (Vortrag an der Hochschule der Künste in Berlin, 20.1.1983, unveröffentlicht)

Sloterdijk, Peter, Kritik der zynischen Vernunft, Frankfurt/M. 1983

Fritz Kramer

AFRIKANISCHE ,FREMDGEISTER'
IN IHREN VERKÖRPERUNGEN

Die Darstellung des Fremden als Geist — die Verkörperung von ,Fremdgeistern', wie der *terminus technicus* der Ethnologie lautet — ist in der Geschichte afrikanischer Besessenheitskulte bereits für vorkoloniale Zeiten nachweisbar; ,Fremdgeister' traten in den Zar-Kulten auf — in Ägypten, im Sudan, in Äthiopien und Somalia, im Bori-Kult der Haussa und in den Pepo-Kulten der nördlichen Ostküste. Die Darstellung des Fremden als Geist ist Teil eines interethnischen Herrschaftsprozesses, in dem der ,Geist' der Eroberer von Medien der bedrohten oder unterworfenen Ethnien Besitz ergreift, um sie zu mimetischen Ausdruckshandlungen zu zwingen. Neben indischen und arabischen Geistern, die aus mächtigen außerafrikanischen Reichen stammen, finden wir deshalb auch Geister der Fulani, Galla, Somali, Swahili, Maasai oder Zulu, welche die Herrschaftsansprüche expansiver innerafrikanischer Völker wiederspiegeln. Der koloniale Prozeß, der in europäischer Sicht die wissenschaftliche Erforschung des dunklen Kontinents und seiner ,Kulturen' einleitete, führte auf der anderen Seite des Verhältnisses von Entdeckung und Entdecktwerden zu epidemischen Verkörperungen von ,Fremdgeistern'[1]; zu Ballungs- und Kulminationsgebieten dieser Kulte der Geistbesessenheit wurden Angola, das ehemalige Rhodesien, die nördliche Ostküste, in Westafrika etwa der Hauka-Kult der Songhay, sowie die Vielzahl der ,Voodoo'-Kulte, die mit denen der afrikanischen Diaspora in der Karibik und in Brasilien verwandt sind, mit Elementen der traditionalen polytheistischen Religionen der Yoruba und Ewe, christlichen Heiligen und Gestalten des europäischen und indischen Volksglaubens. Diese Kulte erschließen sich der ethnographischen Betrachtung nur in einer Reihe von Facetten — Darstellung des Europäers und seiner technischen Instrumente, Empfängnis des Heiligen Geistes und afrikanische Mythen der Moderne —, in denen die Ambivalenz von Erfahrung und Ergriffenheit, von Pathos und Handlung zu wahren ist.

I.

Elementare Formen der Fremdgeistbesessenheit, wie Elizabeth Colson sie im Masabe-Kult der Tonga beobachtet hat,[2] sind wegen der Einfachheit und Direktheit in der Mimesis des Fremden am besten geeignet, unsere vorläufige Skizze zur Phänomenologie afrikani-

---

1. Vgl. B. Heintze, Besessenheitsphänomene im Mittleren Bantu-Gebiet, *Studien zur Kulturkunde* 25, Frankfurt 1970, S. 168-190.
2. E. Colson, Spirit Possession among the Tonga of Zambia, in: *Spirit Mediumship and Society in Africa*, hg. v. J. Beattie und J. Middleton, London 1969, S. 69-103.

scher Fremdgeister einzuleiten. ‚Airplane', der Geist des Flugzeugs, bekundete sich zuerst durch eine mediativ begabte Frau, die eine unbekannte Erscheinung, eines der ersten über dem Zambesi gesichteten Flugzeuge, so in Panik versetzt hatte, daß sie blindlings in die Wildnis lief; von ihren weniger schreckhaften — oder weniger sensiblen — Nachbarn in den Schutz des Dorfes zurückgeleitet, empfing sie in Träumen die Rhythmen, die Gesänge, die Tanzschritte und das Drama, in dem ‚Airplane' sich offenbarte, sowie die Accessoires und die Pflanzen, mit deren Hilfe er zu beschwichtigen wäre; dieser Vision gemäß unterwies sie dann die Trommler, den Chor und die übrigen Gehilfen, die sie zur Aufführung des neuen Dramas benötigte; in schwarzes Tuch gekleidet, einen Männerhut auf dem Kopf und Rasseln an den Beinen — so dissoziierte sich ihr bewußtes Ich, bis die getrommelten Rhythmen sie zu ekstatischer Mimesis des laufenden Flugzeugpropellers zwangen, im nächsten Akt in den Bezirksamtmann verwandelten, als der sie einem imaginären Flugzeug entstieg, um eine Dorfversammlung abzuhalten und sich mit Wasser und parfümierten Seifen bedienen zu lassen, während ihre Gehilfen an die Tänzer und Trommler Tabak verteilten. So entstand das ‚Airplane'-Drama, der Kult eines neuen ‚Fremdgeistes', der, unter der Anleitung professioneller Wahrsager, von Alpträumen und Krankheiten heilen konnte, indem die Mimesis fremder Macht Niedergeschlagenheit und Trauer der Adepten in eine Transfiguration übermenschlicher Vollkommenheit umschlagen ließ.

Kulte der Masabe — der ‚Fremdgeister' — kommen und gehen bei den Tonga wie Moden, weil sie externen Erscheinungen antworten, Aktionen der modernen Außenwelt, die an Veränderung und ‚Entwicklung' auch in entlegenen Regionen interessiert ist. Der Flugzeug-Kult entstand um 1954; drei Jahre später, als ein Entwicklungsprojekt zur Stauung des Kariba-Sees vorbereitet wurde, ging der Traumatisierungseffekt von einer schweren Eisenkugel aus, die, an Ketten zwischen Traktoren aufgehängt, rodend durch das Buschwerk fuhr — in Träumen offenbarte sich der Geist Siacilipwe, der ‚Roder', dessen Medium man mit Dieselöl einreibt und an Ochsenketten schleppt; dieselbe Zweideutigkeit — der Besessene identifiziert sich mit dem Ding, das Gewalt ausübt, aber Instrument eines fremden Willens ist — zeigt der Kult des Geistes Kanamenda, des ‚Motorboots', bei dem das Medium von einem imaginären Motorboot durch die Fluten gezogen wird — im Drama durch Übergießen mit Eimern kalten Wassers dargestellt —, wie das Fischnetz, das durch den Kariba-See geschleppt wird. Das Mechanische des militärischen Drills verkörperte Maregimenti, der Geist des Militärs, den die Tonga 1960 empfingen, als die Regierung in Lusaka eine Armee zur Niederschlagung von Aufständen zusammenstellte.

Police, der sich durch einen roten Fez, Trillerpfeife und lautstarke Exerzieranweisungen zu erkennen gibt, steht ebenso im Zeichen aggressiver Kolonialmacht wie der ‚Träger' oder der aus Kenya stammende ‚Kannibale'. Durchaus ambivalent sind aber auch die sanfteren Masabe: Die ‚Pumpe', das ‚Akkordeon', die ‚Gitarre', Mazungu, der ‚Europäer', Mangelo, der Geist des ‚Engels', der trotz seines spirituellen Namens — als der ‚Neger', der ‚Amerikaner' und der ‚Japaner' — die materiellen Segnungen der Zivilisation verheißt, oder Madance, der Geist des europäischen Tanzes, der sich so sehr um parfümierte Sauberkeit sorgt, daß er Seifenwasser zu trinken verlangt, um sich auch innerlich zu reinigen. Denn all diese Geister sind mit der Wanderarbeit assoziiert, welche die verbürgten Rechte der zurückbleibenden Frauen gefährdet — und Frauen sind Masabe-Medien —, indem die Männer durch den Aufenthalt in der Stadt mit modischen Accessoires vertraut werden, mit städtischen Idealen weiblicher Schönheit und Parfümiertheit, während die Tonga-Frauen sich Schneidezähne rituell einschlagen lassen und sich nach dem täglichen Bad mit dem traditionellen Öl salben, wie der Brauch es fordert.

So zeichnet sich in all diesen Kulten die Beunruhigung durch eine unbekannte Außenwelt ab, ob die Traumatisierung nun von dem Drill und dem Terror der mechanischen Technik herrührt oder von dem Verlangen nach Gütern der europäischen Zivilisation, wie Stoffen, Seifen, Tee, Biskuits oder Zigaretten.[3] Wenn das Medium sich mit den traumatisierenden Gegenständen und Figuren identifiziert, so greift es ein traditionales Muster des Pathos-Verhaltens der Tonga auf, die Jagdtänze nämlich, in denen man gefährliche und furchterregende Tiere nachahmte, um die Schrecken und Gefahren der Wildnis zu bannen. Diesem Bezirk der Wildnis, dem alle die menschliche Gemeinschaft bedrohenden Mächte zugewiesen waren, schien auch das Fremde zu entstammen, das mit der Kolonialisierung über die Tonga hereinbrach.

II.

Andere afrikanische Kulte der Fremdgeistbesessenheit sind dauerhafter und von festerer Kontur als die ‚modischen' Masabe der Tonga. Besonders wenn Priesterschaften Kultgemeinden von Fremdgeistern organisieren und die Einweihung in den Kult zum Initiationsritual ausweiten, scheint der zum Beitritt führende Entscheidungsprozeß mit krisenhaften Veränderungen der Person verbunden zu sein, wie man sie sonst nur bei Konvertiten einer sich absolut setzenden Weltreligion erwarten würde. Die religiöse Erfahrung der afrikanischen Kultgemeinden bleibt jedoch weitgehend von polytheistischer Geistbesessenheit bestimmt, in deren Modus traditionale Gottheiten und Ahnengeister latent überdauern; und die Konversionen sind auch wegen der Versuchungen des synkretistischen Milieus labil, in dem die Medien und Priester der Kulte ihr Charisma und die Wirksamkeit ihrer Gottheiten durch lebenspraktische Weisheit und Wunderheilungen beweisen müssen.

Vor diesem Hintergrund zeigt sich das Wesen ekstatischer Mimesis — als einer Mimesis des Sichtbaren, das von seinem Sinnzusammenhang abgespalten und verselbständigt wird — am auffälligsten, wenn eine *fremde Gottheit* sich als ‚Fremdgeist' verkörpert — und das heißt immer auch: eine traditionale Gottheit in sich aufnimmt und umformt — und sich dann eine Gemeinde bildet, die sie kultisch verehrt. Am Anfang des vielfarbigen Spektrums bizarr anmutender Synkretismen, die mit der — allerdings auch nicht irreversiblen — Konversion zum Islam oder zu einer der etablierten christlichen Missionskirchen enden, stehen afrikanische, nur ganz oberflächlich überformte Figuren, wie Kalunga, der Geist Gottes, manchmal ein ‚Fremdgeist', z.B. der Lwena, Cokwe und Lucasi im Nordwesten Zambias, erkennbar an einem langen Bart, wie der in den Fibeln der katholischen Missionen in Angola abgebildete Gott oder Christus ihn trägt, der sein Medium zwingt, Wasser

---

3. S. z.B. G. Harris, Possession ‚Hysteria' in a Kenya Tribe, in: *Am. Anthr.* 59, 1957, S. 1046-66.

zu verspritzen und so die Regenmagie des alten, unter christlichem Einfluß anthropomorphisierten Blitzgotts Kalunga fortzusetzen.[4] Es folgen Formen, in denen die charakteristischen Eigenschaften, die ‚Atmosphäre‘, eines fremden, etwa christlichen Kults sich als ‚Fremdgeist‘ verkörpert — d.h. in ekstatischer Übersteigerung ‚nachgeahmt‘ wird, im Sinne weder der Blasphemie noch der Konversion —, wie im Kult des Mbandwa ‚I pray to God every day‘, in dem man in Bunyoro die äußere Erscheinung des christlichen Gottesdienstes als ‚schwarzen‘, negativen Geist darstellt;[5] und schließlich die besonders epidemisch auftretende Besessenheit durch den Heiligen Geist, ein Fremdgeistkult, in dem sich etwas von der Geisterfahrung des Urchristentums zu wiederholen scheint.

Apostolische‘ oder ‚spirituelle‘ Gemeinden verdrängten z.B. im südlichen Ghana, einem alten Zentrum polytheistischer Geistbesessenheit, eine Vielzahl von Kulten, die während des Kakaobooms der zwanziger und dreißiger Jahre im Umkreis lokaler Schreine entstanden waren: Konvertiten aus den als ‚profitgierig‘ diskreditierten Kultgemeinen der Schreine und aus den etablierten Missionskirchen (mit ihren freudlosen Gottesdiensten) empfingen den Heiligen Geist in Scharen, praktizierten Handauflegen und Wunderheilungen und breiteten den neuen Kult aus. Diese Mission deuteten sie ebenso wie die Geistbesessenheit selbst im Licht der Apostelgeschichte, obwohl vieles, etwa die Unsicherheit bei der Identifizierung des Geistes — bei seiner ersten Ankündigung ist oft ungewiß, ob es sich um den Heiligen Geist handelt oder um eine der alten, nach Opfern verlangenden Gottheiten —, darauf hindeutet, daß damit kein monotheistischer Absolutheitsanspruch verbunden war.[6]

Ein Kriterium, mimetische Ekstase und ‚Empfängnis des Geistes‘ im christlichen Sinn analytisch zu trennen, liegt nämlich nicht in der beiden eigentümlichen Öffnung für alle, sondern allein in der Aufhebung der Zersplitterungstendenzen, die es in einer polytheistischen und synkretistischen Umwelt so schwierig machen, Einheit und Allgemeinheit des Geistes zu konzipieren — theologisch greifbar z.B. in jener in europäischer Sicht befremdlichen Erklärung des ‚Christian Council of Kenya‘, in der Führung durch den Heiligen Geist ausdrücklich *neben* der durch die Trinität angeführt wird:[7] Neben den fremden, christlichen Gott tritt ein virtuell afrikanischer Geist, in dem sich das Moment des Allgemeinen mit der Negation von Fremdheit und Fremdherrschaft verbinden kann.

4. C.M.N. White, Stratification and Modern Changes in an Ancestral Cult, in: *Africa* 19, 1949, S. 324-331.

5. Vgl. J. Beattie u. J. Middleton, Introduction, in: *Spirit Mediumship...*, a.a.O., S. XXIX.

6. M.J. Field, Spirit Possession in Ghana, in: *Spirit Mediumship...*, a.a.O., S. 3-13.

7. F.B. Welbourn, Spirit Initiation in Ankole and a Christian Spirit Movement in Western Kenya, in: *Spirit Mediumship...*, a.a.O., S. 290-306. „We believe in God the Father, God the Son and God the Holy Spirit. We live by the Guidance of the Trinity and the Holy Spirit." (S. 299)

III.

Afrikanische ‚Fremdgeister' sind Zwitterwesen, indem in ihnen Figuren des afrikanischen Mythos mit beobachteter fremdartiger Wirklichkeit verschmelzen, ob diese nun materieller Natur ist oder selbst schon ‚vergeistigt': Wie die Fremden als Geister der Wildnis verstanden werden, so erhalten auch umgekehrt die Gewalten des Kosmos Züge des Fremden; der Himmelsgott tritt als Polizeioffizier auf, der Gewittergott als bärtiger Christus; die großen Gewässer, die Ströme, Seen und Meere, werden zum Wohnsitz des Fremden, zu Verkörperungen neuer, unbekannter Götter. Überblickt man die Geschichte afrikanischer ‚Fremdgeister', so erscheinen gerade die Kulte der Wassergottheiten als Höhepunkte in diesem Wechselspiel zwischen Mythos und mimetischer Aneignung.

Waren die Kulte ausschließlich mimetisch erzeugter Fremdgeister trotz ihrer oft epidemischen Ausbreitung auf relativ kleine Gebiete beschränkt, so waren es in Ostafrika mehrfach Kulte von Wasserschlangen — als Verkörperungen afrikanischer ‚Hochgötter' —, die in antikolonialen Bewegungen politisch virulent wurden, und in Westafrika erstreckt sich der eher individueller Heilssuche dienende Mammy Wata-Kult heute über ein kulturell heterogenes Gebiet, von Shaba bis in die Elfenbeinküste. Das ist zwar erst durch Wanderarbeit und moderne Kommunikationsformen ermöglicht worden, doch setzt es auch voraus, daß gerade diese Kulte das Integrationspotential besaßen, das moderne Kulte von ‚Fremdgeistern' und lokale Kulte von Wassergottheiten assimilieren und vereinheitlichen konnte.

In den Mammy Wata-Kulten kristallisiert sich die Symbolik des Wassers und der Schlangen im Bild der europäischen Frau: Das identifizierende Wechselspiel, in dem eine Symbolgestalt des Mythos, die Macht des Wassers, und die körperliche Erscheinung der europäischen Frau sich gegenseitig überformen und potenzieren, wird in seiner historischen Tiefe am besten in den Kultbildern der Frau mit dem Fischschwanz greifbar; das Motiv der Meermaid ist aus jahrtausendealten indischen, arabischen und europäischen wie afrikanischen Mythen, Märchen und Bildern bekannt; spezifischere, männliche wie weibliche Figuren, die ihre Beine, in Form von Schlangen, Fischen oder Fischschwänzen, seitwärts erhoben und mit den Händen umfaßt halten, sind aus Nigeria auf Bildwerken des 17. Jh. erhalten, in der Benin-Yoruba-Tradition aber sicher älter und möglicherweise auch hier schon auf fremde, etwa oströmische Eroberer zurückzuführen; eine afro-portugiesische Elfenbeinarbeit des 18. Jh. zeigt dann aber bereits eine europäisch-neuzeitlich geprägte Nixe, und dieser Bildtypus wird heute nur selten durch spezifisch afrikanische Züge — wie das herzförmige Gesicht — unterbrochen: Nimmt man ein ‚archetypisches' Wirkungspotential dieser Figur des Wassers an, so ist es erst durch die historischen Erfahrungen und die mimetischen Zwänge kolonialer Überfremdung aktualisiert und freigesetzt worden.[8]

Mammy Wata erscheint als die moderne Europäerin, mit langem, glattem Haar und von kalter, seelenloser Schönheit; um ihren Hals und ihre Arme winden sich Schlangen, ihre Paläste stehen auf dem Grund der Ströme, der See, der Lagunen und des Meeres. Den Frau-

---

8. Vgl. D. Fraser, The Fish-Legged Figure in Benin and Yoruba Art, in: *African Art and Leadership*, hg. v. D. Fraser u. H.M. Cole, Madison 1972, S. 261-294.

en — und manchmal auch den Männern —, die sie ruft, erscheint sie in Träumen, in denen der Gerufene in hoher See mit unbekannten, weißen und schwarzen Menschen und mit sich windenden Schlangen spielt, in einer anderen, aquatischen Welt durch Städte und Paläste wandelt, Schätze besichtigt und sich mit europäischen Speisen und Getränken bewirten läßt. Auf großen, anonymen Marktplätzen taucht sie als Passantin in der Menge auf, um sich sogleich wieder zu entziehen; oder man erblickt sie am Ufer des Stroms, wo sie Männer anlockt, Fischer gefährdet oder ihre langen, nach rückwärts wallenden Haare kämmt. Sie ist ein ambivalentes Wesen, wie ihre tiermenschliche Gestalt, gefährlich und glückverheißend, grauenerregend und von unnennbarem Reiz, eine Fremde und ein Inbegriff von Fremdheit, wie die Medusa des griechischen Mythos, die ebenfalls eine Tochter des Meeres war, und die man manchmal als Barbarenmädchen darstellte, mit afrikanischer Physiognomie, um die Fratzenhaftigkeit des Fremden mit seinem ‚exotischen‘ Reiz zu einem Bild tödlicher Schönheit zu verschmelzen.

Als ‚Fremdgeist‘ verkörpert Mammy Wata weniger die Fremdherrschaft der Kolonialzeit als die anonyme, ungreifbare Macht des modernen Reichtums, der sich der Mehrheit entzieht, um auf undurchschaubaren Wegen in die Hände der Wenigen zu gelangen, denen die Meermaid ihre Gunst schenkt — so glaubt man; doch die Kultgemeinden der Göttin bestehen überwiegend aus Mädchen und Frauen der ‚ungebildeten‘, unterprivilegierten Schichten in den urbanen Ballungszentren, die in Phasen allgemeiner Niedergeschlagenheit und plötzlicher, unerklärlicher Anfälle von der schönen, ungebundenen Göttin des Reichtums träumen und bei einer ihrer kloster- oder tempelartig organisierten Gemeinden durch die Mimesis ihres suggestiven Bildes Heilung suchen. Priesterinnen weihen sie in die ekstatischen Tänze des Dramas ein, in dem die an unabweisbare Verwandtschaftsbande und Dienstpflichten gewöhnte Afrikanerin sich mit der selbständigen, privilegierten Europäerin der Kolonialzeit und der emanzipierten Reisenden der nachkolonialen Ära identifizieren kann. Daß die Besessenen dabei zugleich auch Opfer der mythischen Macht des Wassers sind, zeigt sich, wenn sich, wie in Togo, die Novizinnen an bestimmten Tagen am Strand versammeln, um das Auftauchen ihrer Göttin unter Anrufungen und Tänzen zu erwarten, bis sie sich in blindem Enthusiasmus ins Meer stürzen, wo vorsorglich postierte Fischer sie vor dem Ertrinken bewahren.[9]

Im Gegensatz zu dieser individuellen Suche nach Heil oder Heilung — und an der Grenze unserer Paradigmen afrikanischer Fremdgeister — stehen schließlich historisch gesehen ältere Kulte, in denen die Mimesis des Fremden politisch virulent wird: die Besessenheit tritt in den Dienst der Prophetie eines neuen Gottes, der sich nicht mehr als ‚Fremdgeist‘, sondern ausdrücklich als ‚Gott aller Afrikaner‘ offenbart, wie in dem 1913 bei den östlich des Victoriasees lebenden Luo und Gusii entstandenen Mumbo-Kult. Dem Propheten dieses Kults war eine Gottheit des Victoriasees in Gestalt einer riesenhaften Schlange erschienen, die aus dem See auftauchte, ihr Haupt bis an die Wolken erhob und sich ihm, nachdem sie ihn verschlungen und unversehrt wieder ausgespien hatte, als der Gott Mumbo of-

9. Vgl. J. Salmons, Mammy Wata, in: *African Arts* 10, 1977, S. 8-15; den Film *Divine Earth — Divine Water*, 1981, von G. Jell u. S. Jell-Bahlsen; G. Chesi, *Voodoo*, Wörgl 1979.

fenbarte, der im See und in der Sonne lebt; fortan sollten alle Afrikaner ihm opfern und Gefolgschaft leisten, dann werde er sie von der Fremdherrschaft befreien und mit den ‚weißen' Reichtümern des Sees beschenken.

Mumbo ist nicht mehr als mimetisch erzeugter ‚Fremdgeist' zu erkennen, wenngleich man die Europäer gelegentlich mit dem Victoriasee assoziiert hat. (Einer Nyoro-Überlieferung zufolge stammen sie — als Söhne des alten Seegottes Mukasa, der schwarze Frauen verschmäht hatte — von den Sese-Inseln, und sie sind weiß, weil sie wie Fische im Wasser gelebt haben.) Der unbekannte Gott, an dem alle Züge seiner fremden Herkunft getilgt sind, konstituiert sich durch das Fremde im negativen Modus radikaler Umkehr: Wenn er den Reichtum der Europäer für ein allgemeines Reich afrikanischer Freiheit revindiziert und jenseits traditionaler Lineage- und Stammesdifferenzen Gefolgschaft verlangt, so antwortet die Totalität dieses Anspruchs — ein antichristlich umgepolter Chiliasmus — der neuen Totalität kolonialer Fremdherrschaft.[10]

IV.

Als ich vor einigen Jahren im Südosten Kenyas, bei den Ilwana, einen Muzuka-Kult beobachten konnte, war ich am meisten von der tiefen Apathie betroffen, die dem ekstatischen Ausbruch vorausging; das Medium, eine junge, im Umgang mit ihrem Geist noch unerfahrene Frau, saß reglos in ein Tuch gehüllt über einem Kräuterabsud, während die Schaulustigen teils ungeniert ihre Späße trieben, teils gespannt abwarteten, da die Novizin von dem unzähmbaren Willen besessen war, in die Wildnis auszubrechen.

Vollständige Niedergeschlagenheit — zugleich ein Zustand der Sammlung — ist für die Besessenheit durch ‚Fremdgeister' so charakteristisch, daß für diese der Ausdruck ‚affliktive Besessenheit' üblich wurde. Die Konstellation ist ethnographisch erfaßt, in ihrer Intensität aber von keiner Beschreibung eingelöst: Das ist das Problem, auf das ich abschließend hinweisen möchte.

Die Medien traditionaler Besessenheitskulte vermitteln zwischen den Lebenden und den Halt und Schutz gewährenden Ahnen, den verstorbenen Wahrsagern oder Königen und den vertrauten, von der Überlieferung verbürgten Gottheiten. Traditionelle Besessenheitspriesterinnen bewegen sich, etwa bei den Akan-Völkern im südlichen Ghana, in ihren ekstatischen Tänzen in fließenden, nirgends aneckenden Linien, die sich der Eleganz des Ornaments nähern. Die Gestik der affliktiv Besessenen wirkt dagegen stilistisch weit weniger geschlossen und sicher — manchmal geradezu brutal —, erstaunt aber durch die überprägnante Genauigkeit, mit der sie ihre Gegenstände kennzeichnet. Die als ‚Medien' — wenn dieser Begriff hier noch zutrifft — fungierenden Frauen, Sklaven oder Wanderarbeiter, Angehörige deprivierter und marginalisierter Schichten, gelten nur in den avancierten Stadien als Mittler zwischen den Menschen und den Mächten, sonst als *Opfer* des Geistes.

10. A. Wipper, *Rural Rebels*, Oxford Univ. Press 1977; M. Kenny, The Powers of Lake Victoria, in: *Anthropos* 72, 1977, S. 717-733.

Denn von ‚innen' gesehen ist die ekstatische Mimesis keineswegs spielerische Nachahmung beobachteter Vorgänge, sondern Handlung des an sich unsichtbaren Geistes, der seine Gestalt im Medium des menschlichen Körpers offenbaren will.

Die Vorstellung, von einem Geist besessen zu sein, wird im allgemeinen auf die Dissoziation des Mediums zurückgeführt, auf den Zustand der ‚Trance', in dem sich alle Energien in einem einzigen Ausdruckswillen sammeln, so daß das Subjekt der Handlung ein fremdes zu sein scheint, doch enthält diese Vorstellung zugleich, daß der Besessene den Gegenstand seines Mimesis nicht reproduziert, sondern an ihm das zum Vorschein bringt, was unsere aufgeklärte Sprache nur noch metaphorisch als dessen ‚Geist' bezeichnen kann.

Es ist die Leistung des Mediums, ihm selbst unbewußt, in einer äußersten Anspannung den ‚Begriff' einer Sache zu entdecken, zu personifizieren und zu verkörpern. So sind in Bunyoro die Mbandwa-Geister nur insofern quasi-menschliche Wesen, als sie abstrakte Konzepte personifizieren, wie schon die Grammatik der Geisternamen zeigt: nicht *mujungu*, der ‚Europäer', wird dargestellt, sondern *njungu*, das ‚Europäertum'; und die Masabe der Tonga sind nicht der jeweilige mimetische Gegenstand selbst, sondern dessen *muuya*, seine ‚Luft' oder sein ‚Atem', das, was die Gattung kennzeichnet, aus jedem einzelnen Exemplar emaniert und in das menschliche Medium eindringt, das allein dem heimatlosen Fremden wie dem unbefriedeten Toten die Gestalt des Lebendigen leihen kann.[11] Trotz des epidemischen, kurzlebigen Charakters der Kulte gehört es auch hier zur Konzeption des Geistes, daß seine Form endgültig und unwiderruflich ist, während die alltäglich sichtbaren Erscheinungen unsicher schwanken und ineinander zerfließen.

So steht jede moderne Beschreibung der Besessenheit vor dem Dilemma, daß wir das Drama als Akt des Schauspielers verstehen, während der Besessene selbst sich nicht als Handelnden erfährt, sondern als Opfer und Gefäß des Geistes; um diesen Widerspruch zwar nicht ‚aufzulösen', aber doch als historisch bedingt zu verstehen, muß man sich die Differenz der Welt- und Selbsterfahrung vergegenwärtigen, die in der fortschrittsorientierten Zivilisation zu einer ‚Emphase des Handlungsbegriffs' führt,[12] in diesen afrikanischen Gesellschaften jedoch zu jener Anerkennung und Umwandlung des Leidens, das Nietzsche als Ursprung der dionysischen Tragödie erkannt hat.

11. E. Colson, a.a.O.; J. Beattie, Spirit Mediumship in Bunyoro, in: *Spirit Mediumship...*, a.a.O., S. 159-170.
12. W.E. Mühlmann, Ergriffenheit und Besessenheit als kulturanthropologisches Problem, in: *Ergriffenheit und Besessenheit,* hg. v. J. Zutt, Bern u. München 1972, S. 69-79.

Hans Peter Duerr

TANZT PAPA LEGBA IN AFRIKA?

In einer Besprechung des Buches *Verkehrte Welten* von Fritz Kramer schreibt Jacob Taubes, Fritz habe „uns belehrt, daß alle, die vom Mythos und Mythologie *in illo tempore* sprechen, in Wahrheit sich *in nostro tempore* bewegen".[1] Da ich selber gerne von *in illo tempore* spreche, auch wenn ich das australische Pidgin-Wort „Traumzeit" (*dream-time*) verwendet habe, will ich mich in den folgenden Zeilen mit dem Jacobschen Satz, genauer gesagt mit der Geisteshaltung, die hinter ihm zu stehen scheint, auseinandersetzen.

Legba ist der Hermes von Dahome (Eshu-Elegba bei den Yoruba), der Gott der Wege, insbesondere der Kreuzwege, der Gott des Zaunes, ein phallischer Wollüstling, der mit besonderer Vorliebe seine weiblichen Verwandten beschläft, ein Schlitzohr, ein Trickser, einer, der zwischen den Welten vermittelt, der Welt des Menschen und der Welt der Götter. Schwarz ist deshalb bisweilen die eine Hälfte seines Gesichtes, rot ist die andere, ähnlich wie beim griechischen Hermes oder beim gallorömischen Merkur. In den afro-amerikanischen Kulten gehört er zu den Göttern, die mit besonderer Heftigkeit von den Menschen Besitz ergreifen, in sie eindringen, sie „reiten". Er bespringt die Frauen, wirft sie zu Boden, löst ihre Persönlichkeit auf, schlägt um sich, zuckt oder liegt in Totenstarre. Er ist der *loa*, der entgrenzt:

Atibô-Legba, l'uvri bayè pu mwê, agóe!
Papa-Legba, l'uvri bayè pu mwê!
Pu mwê pasé.
Atibô-Legba, öffne die Grenze für mich, agóe!
Papa-Legba, öffne die Grenze für mich!
Damit ich sie überschreiten kann.[2]

Wenn der brasilianische Legba tanzt, dann tanzt er, wie es heißt, nicht in Bahía, er tanzt vielmehr in Gumé. In anderen Worten: er tanzt auf *afrikanischer Erde*, denn Gumé ist eine afro-brasilianische Abwandlung von Guinea, „Afrika" hier weniger in *unserem* geographischen Sinne verstanden, sondern eher als Ort des zeitlosen Ursprungs.

Nun können wir uns mühelos einen Ethnologen vorstellen, der diesen Tanz wie folgt kommentiert: „*In Wahrheit*", so sagt er, „bewegt sich dieser ‚Gott' doch ganz offensichtlich nicht in Afrika, sondern im stickigen Hinterzimmer einer Kaschemme in São Salvador, er bewegt sich nicht zu *jener* Zeit, sondern in *unserer* Zeit, *in nostro tempore*, genauer gesagt am 20. März 1983!"

Was werden wir diesem Jacobschen Ethnologen erwidern? Wissen die Afro-Amerikaner über diese simple Tatsache nicht Bescheid? Hat sich ihr Verstand verwirrt?

Natürlich wissen sie darüber Bescheid — aber die Pointe der, sagen wir „mythischen Perspektive" besteht ja gerade in der *Ausblendung* dieser geographischen und zeitlichen

---

1. J. Taubes: „Wende zum Mythos", *Merkur* 36, 1982, S. 1128.
2. Zit. n. A. Métraux: *Voodoo in Haiti*, London 1959, S. 101.

Alltagswahrnehmung. Wird der geographische Ort São Salvador ausgeblendet, indem Legba eine Frau bespringt, so eröffnet sich ein „mythischer Ort", Gumé.

Natürlich weiß der Schizophrene, der aus der Zeit gesprungen ist, daß es die normale Zeit gibt — aber diese Zeit des Alltags ist für ihn *bedeutungslos* geworden, er *fühlt* die Zeit nicht mehr.[3]

Der Jacobsche Ethnologe wird sich nicht zufrieden geben. Er wird sagen: „Nun gut, es mag so sein, daß *in dieser Bewußtseinshaltung* Raum und Zeit aufgehört haben, eine Rolle zu spielen — aber *in Wahrheit* ist er bewußtlos diesem Raum und dieser Zeit verhaftet, *unserem* Raum und *unserer* Zeit! ‚Legba' ist nicht der Legba von Dahome, er ist *Papa*-Legba, der Legba von Haiti, von Bahía, vom afro-kubanischen Santería und so fort, befrachtet mit dem ganzen soziokulturellen Gepäck Brasiliens, ein ‚Gott', in dem sich all die unterdrückten Wünsche und Sehnsüchte deklassierter Menschen Luft verschaffen! Ein afro-*amerikanischer* Legba ist niemals ein *afrikanischer* Legba!"

Nun ist dies Argument nichts als die etwas wissenschaftlicher, etwas soziologischer gewordene Variante des vorigen. Selbstverständlich ist, wenn wir uns zur Abwechslung philosophisch ausdrücken wollen, jede Unmittelbarkeit vermittelt. Um dies einzusehen, müssen wir nicht einmal Hegel gelesen haben. Aber die Vermitteltheit der Unmittelbarkeit bedeutet ja nicht, daß es in Wahrheit keine *Unmittelbarkeit* gibt. Freilich *eröffnet* sich diese Unmittelbarkeit nur dem, der sich ihr *hingibt*, etwa der Frau, die sich von Legba bespringen läßt. Wenn Jacob sagt, daß „jene Zeit" *in Wahrheit* „unsere Zeit" sei, so sagt er, daß nur „unsere Zeit" *wirklich* ist und „jene Zeit", der Ursprung, die Unmittelbarkeit, die Zeitlosigkeit *Schein*. Und die Wissenschaft der Ethnologie (zum Beispiel) zerreißt das Gewebe von Trug. Aber will Jacob dies *wirklich* sagen? Ist Jacob ein Ernst Topitsch, ein Wilhelm Emil Mühlmann? Ich vermute, daß Jacob in den Augenblicken, in denen er solche Sätze schreibt, der Unmittelbarkeit zutiefst mißtraut. Es ist nicht lange genug her, daß deutsche „Neuheiden" den „arischen Menschen", dessen Wesen darin liegen sollte, „daß er ungeschichtlich sei"[4], gegen den „geschichtlich denkenden Orientalen" mobil gemacht haben. Aber was besagt das? Es besagt nicht, daß es die Unmittelbarkeit nicht gibt, es besagt nur, daß sie jenseits von Gut und Böse ist. Wer sich nicht mehr im Rad der Wiedergeburten befindet, ist weder gut noch böse. Der „im Leben vom Leben Befreite" der hinduistischen Tradition *lacht* nicht einmal mehr über gute Taten. Ich glaube, die menschlichen Kulturen haben drei grundlegende Haltungen zur Unmittelbarkeit entwickelt. Es gibt Kulturen, die die Wirklichkeit der *Vermittlung*, der Geschichte, des Lebens leugnen: sie fürchten die Spannungen des Lebens so sehr, daß sie diese zur *maya*, zum Schein erklären. Der Weise läßt sich hier von der Unmittelbarkeit schlucken. „Werdet wie die Kinder", verkündet der Bhagwan von Oregon. Dann gibt es Kulturen, deren Weise die Existenz der *Unmittelbarkeit* leugnen. Eine bekannte Schwundstufe dieser Weisen sind Wissenschaftler, die zum Rückgrat der Kultur gehören, die sich gegenwärtig alle anderen Kulturen dieses Planeten

3. Cf. H.P. Duerr: *Satyricon*, Berlin 1982, S. 54ff.

4. Dies war die Auffassung der „Neuheiden", die sie in einer „dreitägigen Redeschlacht" mit christlichen Theologen auf der Tagung der „Gesellschaft für germanische Ur- und Frühgeschichte" im Jahre 1934 vertraten. Cf. D.-R. Moser: „Nationalsozialistische Fastnachtsdeutung", *Zeitschrift für Volkskunde* 1982, S. 211.

unterworfen hat. Die Kinder dieser Wissenschaftler versuchen, in Oregon wieder zu Kindern zu werden.

Und dann gibt es Kulturen, die kultivieren die *Dialektik* von Unmittelbarkeit und Vermittlung, von „jener Zeit" und „dieser Zeit", von Tod und Leben. Und wenn man sie besucht, dann kann es einem passieren, daß man mitkriegt, wie in einem der heiligsten Augenblicke ein Mann dem Sonnentanz-Priester zuruft: „He, alter Mann, verbrenn Dir nicht die Eier!"[5]

5. Duerr, a.a.O., S. 79.

Norbert Bolz

VON NIETZSCHE ZU FREUD:
SYMPATHY FOR THE DEVIL

I was around when Jesus Christ had His
moment of doubt and faith.
I made damn sure that Pilate
Washed his hands and sealed His fate.
Pleased to meet you, hope you guess my name.
But what's puzzling you is the nature of
my game

I.

Die Lehre vom Willen zur Wahrheit beantwortet die Frage Quid est veritas? Und die auto-biographische Verkündung des Übermenschen heißt Ecce homo! So gibt Pilatus Nietzsche die Stichworte. Auftritt der antichristliche Schmerzensmann, der zerrissene Dionysos philosophos, und ruft sein Hört mich! An von Salis-Marschlins schreibt er am 14.11.1888: „Dieser homo bin ich nämlich selber, eingerechnet das ecce; der Versuch, über mich ein wenig Licht und Schrecken zu verbreiten". Aber die Gebärde der Selbstdarbietung, die Gott und Hanswurst indifferentiiert, eröffnet schon den anarchistischen Angriff des Clowns, der die Welt durch Lachen zerreißt. In dieser Parodie auf das christliche Ecce homo ist die „List der Dissimulation" am Werk. Ein Maskenspiel, in dem sich das eigene Ich als die beste Maske erweist. Mihi scripsi. Ich erzähle mir mein Leben — und es ist die Eigenart von Nietzsches Autobiographie, daß „er sich dieses Leben erzählt und der erste, wo nicht der letzte Adressat der Erzählung ist. Im Text. Und weil das ‚ich' von der ewigen Wiederkehr konstituiert wird, existiert und unterzeichnet es nicht vor der Erzählung als ewiger Wiederkehr. Bis dahin, bis jetzt bin ich als Lebendiger vielleicht nur ein Vorurteil. Es ist die ewige Wiederkehr, die unterzeichnet oder siegelt."[1]

Und es ist ein Vorrecht ohnegleichen, zuzuhören, wie man wird, was man ist; denn hier steht es, wie Benn gesagt hat, keinem frei, Ohren zu haben. Mihi scripsi heißt uns: finde „die goldene Kette deines Selbst!" Statt nur der Schriftsteller anderer zu sein. Die Befreiung vom Phantom des Ich führt ins Jenseits von Nächstenliebe und Narzißmus. So gründet Nietzsches Historiodizee in einer Genealogie seiner selbst: Deutschland und das Christentum haben ihn hervorgebracht — und das ist ihre Rechtfertigung. Ecce homo feiert den

---

1. J. Derrida, „Nietzsches Autobiographie oder Politik des Eigennamens", in: Fugen 1980, Olten, S. 77

„äußersten Grad von Selbstigkeit, von Selbsterlösung, der in mir Mensch wurde: ich bin die *Einsamkeit* als Mensch...“[2]

Einsamkeit — das ist das Leitmotiv dieser philosophischen Autobiographie. Sie ist Wunde und Energiequelle, transzendentale Heimat und Zwang zur monologischen Form. Und nur von ihr aus läßt sich verstehen, was es für Nietzsche heißt, „der letzte antipolitische Deutsche“ zu sein. Antiutopisch: werden, was man ist, besagt eben, nicht anders sein wollen — „in mir fehlt der Begriff ‚Zukunft‘, ich sehe vorwärts wie über eine glatte Fläche: kein Wunsch“. Im Wunsch-Begriff Zukunft nämlich fehlt — und das unterscheidet den Willen vom Wunsch — das Kommando. Hier zeichnet sich ein überpersönliches Philosophieren ab. Im Autor Nietzsche ist eine Mehrheit am Werk; er steht für viele, indem er sich formt und „verzeichnet“. Bevölkerte Einsamkeit — das ist die Signatur des Ecce homo.

Wessen Selbst aber so verborgen und vielhäutig, wessen Charakter so mannigfaltig und pervers ist — der betet die Maske als letzte Gottheit an. Und konsequent ergeht ein Tabu über die Selbstanalyse. „Meine tiefe Gleichgültigkeit gegen mich“: „ich handhabe meinen Charakter, aber denke weder daran, ihn zu verstehen, noch ihn zu verändern“[3]. Der Kunstgriff der Nietzscheschen Selbsts/zucht besteht also darin, die Selbstbegegnung zu meiden; statt im nosce te ipsum übt er sich im kunstvollen Selbstmißverständnis. Denn: „Daß man wird, was man ist, setzt voraus, daß man nicht im Entferntesten ahnt, *was* man ist.“ Diesen exzentrischen Philosophen und Psychologen der Zukunft kann Selbstbeobachtung nur in eine Sackgasse führen. Er formt sich ja zum „Instrument der Erkenntnis“, dessen Präzision eine zweite Naivität verlangt, die Selbstanalyse ausschließt. Und der Unsichtbarkeit des Selbst hat Nietzsche, in genauem Gegenspiel zu Kant, die kosmologische Metapher gefunden: jene dunklen Körper neben der Sonne, die nur zu erschließen sind, stellen das Sinnbild der wesentlichen „Äußerlichkeit der menschlichen Selbstdarstellung (auch vor dem eigenen Selbst)“. Deshalb gilt das Interesse des Philosophen nicht mehr der Sternenschrift am Himmel oder in der eigenen Brust, sondern dem Kot des Daseins; sein Ernst wohnt in den niedrigen Dingen, die Freud dann „Abhub der Erscheinungswelt“ nennen wird. „Wir haben die ‚kleinste Welt‘ als das überall-Entscheidende entdeckt“[4].

2. Nietzsche, Unschuld des Werdens I § 1104 (Kröner); Nietzsche, dtv-Werkausgabe Bd. 13, S. 641
3. dtv-Werkausgabe Bd. 13, S. 126, 60, 501; Unschuld des Werdens I, S. 368; Umwertung aller Werte (dtv), S. 815; Nietzsche contra Wagner („Der Psychologe“ Nr. 3). — Über den Fall Nietzsche muß letztlich entscheiden, ob Benjamins Kritik heroischer Mythik dieses antichristliche Dasein analytisch trifft; cf. Ges.Schr.I., S. 157ff.
4. Nietzsche, dtv-Werkausgabe Bd. 13, S. 236; H. Blumenberg, Genesis der kopernikanischen Welt, Ffm, S. 126; Nietzsche, Jenseits von Gut und Böse §196; Kant, Kritik der praktischen Vernunft, A 288. — Dieser Blick gewährt die Signatur des Selbst im Abfall seines Lebens; das Verfehlte, die Fehlleistung ist nicht nichts, weil chiffriertes Unsagbares. Im Kot des Daseins formiert sich der Code des Begehrens. Man muß nur, wie Freud, hinhören statt zu hören; hinsehen statt zu erkennen. Das Sprechen des Subjekts erhellt das Versteckte: „Wer Augen hat zu sehen und Ohren zu hören, überzeugt sich, daß die Sterblichen kein Geheimnis verbergen können. Wessen Lippen schweigen, der schwätzt mit den Fingerspitzen; aus allen Poren dringt ihm der Verrat.“ — Freud, Studienausgabe Bd. VI, S. 148. J. Lacan nennt das Unbewußte deshalb „ethisch verfaßt“: Vier Grundbegriffe der Psychoanalyse. Seminar XI, S. 39

Vielleicht ist schon deutlich geworden, daß Achtung vor sich selbst nicht heißt, sich selbst wichtig zu nehmen, sondern zu repräsentieren. Verantwortlichkeit ist das Maß der großen Haltung, in der sich — bis hin zu Max Weber — „Personal-Souveränität" vornehm von der amtscharismatischen Repräsentation der Institutionen abhebt; diese Haltung ist intransigent und vermittlungsfeindlich. Hier tritt individuelle Freiheit als ewiger Gegenspieler einer Zivilisation auf, von deren bürokratischem Despotismus Nietzsche, in radikaler Umwertung des Kantischen „Geschichtszeichens", sagt: „Der Staat hat, von 1789 an, teuflsmäßig die Rechte von Jedem absorbirt"[5].

Es gibt keinen Fortschritt im Großlabor der Geschichte. Das zwingt den Personal-Souverän zur Unzeitgemäßheit. Er lebt nicht ‚an der Zeit', sondern in monumentaler Distanz zur Moderne — „als ob die Jahrhunderte ein Nichts wären". Am 24.11.1880 nennt Nietzsche in einem Brief an Köselitz den Weg: „Einsamkeit, und Strenge gegen uns vor unserem eigenen Richterstuhl". Sein Werk hat Zeit, weil das, was in ihm spricht, noch nicht an der Zeit ist und, monumental abgesprengt, als undurchdringlicher Block in der Gegenwart steht — „einige werden postum geboren." Nietzsches Bücher fordern Ohr und Hand, d.h. Formerlebnis, weil in ihnen ein neuer Blick eine neue Diskursivität, die transzendentale Form einer neuen Reihe von Erfahrungen stiftet. Und am 14.8.1881 heißt es in einem großartigen Brief an Köselitz: „ich selber als Ganzes komme mir so oft wie der Krikelkrakel vor, den eine unbekannte Macht über's Papier zieht, um eine *neue Feder* zu probieren."

So liegt in der Unzeitgemäßheit eine Auszeichnung ohnegleichen, ein Privileg des Denkens, in dem das beste Wissen der Zeit zu ihrem schlechten Gewissen wird. Vom Bücher wälzenden Gelehrten unterscheiden den Unzeitgemäßen, d.h. postumen Menschen die „Ekstasen des Lernens", in denen Diskurse als Ereignisse erfahren werden. „Die posthumen Menschen werden schlechter verstanden, aber besser gehört als die zeitgemäßen. Oder, strenger: sie werden nie verstanden — und eben daher ihre Autorität!"[6] Dieser Spruch ist frei von Mystifikation; der Pfeil trifft. Nietzsche markiert hier die Differenz zwischen Dokument und diskursivem Monument, das die Einheit der einzelmenschlichen Erfahrung, Verstehen und Gedächtnis, sprengt und in die Diskontinuität der Rede-Ereignisse einführt. Nietzsche war wohl der erste Philosoph, der sich nicht mehr als Herr der diskursiven Ereignisse fühlte, die man dann mit seinem Autorennamen klassifiziert hat. Und befreit er nicht gerade damit die Geschichte vom anthropologischen Schema des Gedächtnisses? Am 30.3.1881 schreibt er an Köselitz: „wenn ich meine eigenen Schriften sehe, ist es mir als ob ich alte Reiseabenteuer hörte, die ich vergessen hätte. Sehen wir zu, daß wir unser ganzes Leben derartig *für uns* monumentalisiren".

Das eigene Leben monumentalisieren — so heißt Nietzsche den Philosophen der Zukunft. Still, kalt, vornehm, fern, getrieben vom Willen zur Wüste — so charakterisiert er diesen Typus. Seine Schutzmaske ist der asketische Priester, jener „Repräsentant des Ernstes", dem Nietzsches genealogische Studien gelten. Was bedeuten asketische Ideale? Im § 13 dieser Abhandlung heißt es: „Der asketische Priester ist der fleischgewordene Wunsch nach einem Anderssein" — aber die „Macht seines Wünschens" fesselt ihn ans diesseitige

---

5. dtv-Werkausgabe Bd. 13, S. 123; cf. S. 73, 111f., 474f., 408
6. Bd. 13, S. 479

Leben. In ihm experimentiert der Mensch, das unfestgestellte kranke Tier, mit sich selbst und arbeitet seine Zukünftigkeitsstruktur heraus. Im kalten Licht seiner Ideale erstrahlt die Erde als asketischer Stern. Am Neujahrstag 1883 schreibt Nietzsche an Malwida von Meysenbug über seine freiwillige „Ascese des Geistes": „Mein ganzes Leben hat sich vor meinen Blicken zersetzt: dieses ganze unheimliche verborgen gehaltene Leben (...) *ich* bin es, der aus allen Zufällen sich Grausamkeiten gemacht hat."

Hier wird schon deutlich, was es mit Nietzsches Heroismus auf sich hat; es geht nicht um antiken Trotz gegen die Schicksalsmächte, sondern um jene spezifisch moderne Empfindung, die ein populäres Lied Sympathy for the Devil getauft hat: das Lob des großen Schmerzes, der befreienden Krankheit und der Umkehr in kraft des Vergessens. Ein Heroismus der Umkehr hin zum höchsten Selbst, das, vom Gerede der Zeitgemäßen verschüttet, im großen Schmerz erwacht und nun durch asketische Techniken geschärft werden soll; „so erweist sich das höhere Selbst als verzweifelter Versuch zur Rettung Gottes, der gestorben sei, als die Erneuerung von Kants Unternehmen, das göttliche Gesetz in Autonomie zu transformieren".[7] Denn ohne Gesetz — und diese Einsicht läßt Nietzsches Protest in die Askese münden — ist nichts erlaubt, gibt es keine Freiheit; gerade wo es untersagt, stützt das Gesetz ja das Begehren. Die Formel ‚Gott ist tot‘ spricht nur dann von Befreiung, wenn wir in ihr die Anweisung zum großen Verzicht hören. Nur freiwillige Askese des Geistes kann verhindern, daß uns der Gottesmord in die blinde Freiheit stürzt, wo alles zu gehen scheint, weil nichts erlaubt ist. Solcher „Asketismus der Starken", der den Immoralismus einübt und in dessen Exerzitien man die Affekte sprengen lernt, mit welchen uns die traditionellen Werte versklavt haben, ist nicht lustfeindlich. Vernatürlichte Asketik, wie Nietzsche diese „Gymnastik des Willens" einmal nennt, arbeitet nämlich nicht im Raum von Genuß und Entsagung, sondern von Wahnsinn und Konvention. Wahnsinn heißt seit je die Bahnung eines neuen Geistes und er umhüllt, Konvention des Neuen, die asketischen Praktiken des Umwerters, der neue Gesetze gibt, wie eine Aura.

In Nietzsches Askese des Geistes ist ein Wille zur Vereinfachung am Werk. Nichts anderes heißt ihm Klassizität: „der Muth zur psychologischen Nacktheit." Und sehr hellsichtig hat Nietzsche vorausgesehen, wie sich aus dem Chaos der späten Bürgerwelt eine furchtbare neue Elementarität herausarbeiten würde: „nach ungeheuren socialistischen Krisen" werden die „Barbaren des 20. Jahrhunderts" geboren[8]. Doch sie sind nur zu ihrem Ausdruck gekommen, nicht zu ihrem Recht; die ornamentale Inszenierung ihrer Körper war nur die Farce zur Tragödie jener Geistesaskese. Was sie heißt, hat man nicht verstanden.

7. Th. W. Adorno, Ges.Schr. Bd. 3, Ffm, S. 135
8. dtv-Werkausgabe Bd. 13, S. 18, 476; Bd. 12, S. 387f.; Morgenröte I §14; Umwertung aller Werte (dtv), S. 674. — Nietzsches Antichrist erweist sich in „seinem Urteil über Nutzen und Nachteil der Askese" also dialektischer, als Jacob Taubes ihm dies zubilligen mag: Sofern „Weltverneinung (...) der *character indelebilis* des Christentums" ist, findet es in Nietzsche seinen unbarmherzigsten Kritiker; sofern es sich aber „in seinem Grundcharakter ... exzessiv asketisch" (Overbeck) ist, findet es in Nietzsche seinen profansten Erben — cf. J. Taubes, „Entzauberung der Theologie", in: F. Overbeck, Selbstbekenntnisse, Ffm 1966, S. 17. — Und Max Weber, der Erbe Nietzsches, hat den Deutschen (und dem Deutschen in sich) nie verziehen, daß sie sich der „Schule des harten Asketismus" stets entzogen haben — cf. Brief an A.v. Harnack 2.5.1906

Und doch bleibt sie Nietzsches einzige Tat. Sylvester 1882 schreibt er an Overbeck: „Meine Selbst-Überwindung ist im Grunde meine stärkste Kraft: ich dachte neulich einmal über mein Leben nach und fand, daß ich gar *nichts* weiter bisher gethan habe. Selbst meine ‚Leistungen' (und namentlich die seit 1876) gehören unter den Gesichtspunkt der Askese." Asketische Praktiken formen Typen. Die Genealogie solcher Techniken erstellt zu haben, ist Nietzsches Ruhm. Doch hat er den Typus-Begriff bald autobiographisch gewendet. Schopenhauer, Wagner, Paulus gelten ihm dann nur noch als typisierende Visionen, die ihn von einem Bann befreiten; denn er hat sich in ihnen erkannt. Von diesen Idealtypen heißt es einmal: „die absolute Gewißheit darüber, was ich *bin*, projiziert sich auf irgendeine zufällige Realität" — das ist der autobiographische Index seiner welthistorischen Akzentuierungen, seiner „Synthese der europäischen Vergangenheit in höchsten geistigen Typen". Wo Nietzsche den Zeittypen des Verfalls Wagner und Schopenhauer als „unzeitgemäße Typen par excellence" gegenüberstellt, hat er sie immer schon der „Semiotik" seiner Selbstbekundung in Dienst gestellt. Unaufhörlich stilisierte er Typen der Geschichte als Masken und Zeichen seiner philosophischen Autobiographie. Als Philosoph will er Dynamit sein, Explosionsstoff in einem Geisterkrieg ohne Pulverdampf, attitüdenlos und von vernichtender Kälte.

Kein Ideal gilt, das nicht von einem Feind als seinem Komplement bezeugt wäre. Nietzsche will „Feind sein", weil ihn nur das „aggressive Pathos" vorm Ressentiment schützt. Und nur scheinbar paradox ist er als Verkünder der Großen Politik der letzte antipolitische Deutsche — nämlich im Namen von Krieg und Feindschaft. Und er wird nicht müde, sich als der Gegensatz-Typus par excellence zu inszenieren: antideutsch, Antichrist, Antiesel — ein „welthistorisches Untier". Nietzsche ist der fleisch-, nein: schriftgewordene Gegensatz seiner Zeit, der Antimoderne mit einer extremen Naheinstellung der Optik, die ihn überall Typen sehen läßt. Kompromittierend und unpersönlich ist diese philosophische „Kriegspraxis": „ich bediene mich der Person nur wie eines starken Vergrößerungsglases". Auch der eigenen. Indem er sich selbst zum Typus stilisiert, depersonalisiert er das Ich — und zwar nicht im Namen wissenschaftlicher Objektivität, sondern durch Konsumtion des Lebens im Schreiben. Von seiner Autobiographie berichtet er Gast am 26.11.1888: „Ich habe mich dergestalt jenseits gestellt (...) weil ich mit aller Gewalt mich als Gegentypus zu der Art Mensch, die verehrt worden ist, präsentiere: — das Buch ist so ‚unheilig' wie möglich".

Nur als Typus nämlich ist Nietzsche ein Schicksal, ein Verhängnis. Und wann immer er die antike Selbstherrlichkeit beschwört und den Ton der Weltregierenden anschlägt, geht es ihm um die Selbstbekundung des schicksalhaften Typus. Die Gast in einem Brief vom 16.12.1888 verkündete „tragische Katastrophe meines Lebens, die mit ‚Ecce' beginnt", ist tragisch, weil typisch, weil Schicksal — nämlich Feind sein, Gegentypus. Nietzsche contra... „Daß das ‚ich lebe' von einem Namensvertrag verbürgt wird, dessen Fälligwerden den Tod dessen voraussetzt, der in der Gegenwart ‚ich lebe' sagt; daß der Bezug eines Philosophen zu seinem ‚großen Namen', d.h. zu dem, was ein System seiner Unterschrift umrandet, einer Psychologie zuzählt, und zwar einer so neuen, daß sie nicht mehr *im* System der Philosophie (...) gelesen werden kann; daß all das ausgesprochen wird in einem ‚Friedrich Nietzsche' unterzeichneten Vorwort eines Buches, das *Ecce homo* heißt (...); daß Nietzsche Ecce homo, Christus, nicht Christus ist, nicht einmal Dionysos, sondern vielmehr der

Name des „Gegen", der Gegenname (...) — all das würde hinreichen, um auf einzigartige Weise den Eigennamen und die homonyme Maske zu pluralisieren und alle Fäden des Namens in ein Labyrinth — das des Ohrs natürlich — zu verwickeln."[9]

Auch wer nicht weiß, daß Nietzsche das Gekritzel einer neuen Feder war, die der Andere führte, weiß doch, daß diese Feder abgebrochen ist. Man nennt das Nietzsches Zusammenbruch. Das heißt, daß die Sehnsucht nach Entlastung unerfüllt blieb, die fürchterlich anwuchs in einem Menschen, der ein Schicksal war und deshalb kein Mensch; sondern ein heroischer Lastenträger. Schicksal sein heißt: Nicht Nietzsche überwindet als Antichrist das Christentum, sondern dieses selbst überwindet sich in Nietzsche als Typus. Die Logik der Notwendigkeit inkarnieren, den Weg zuende gehen, nichts anderes wollen — das sind nur verschiedene Namen desselben Begriffs Amor fati. Das Muß zwingen, indem man will, was man muß.

Die Last der Geschichte ist dann überschwer geworden, das Tragen zum Ertragen verblaßt und das Amor fati hat seine innere Stütze, den Willen zum Schicksal *sein*, verloren. So schreibt Benn an Gertrud Hindemith (21.10.1933): „Hier ist Stoff u. inneres Erlebnis — ran! Hier ist Geschichte — ertrage sie. Hier ist Schicksal — friß Vogel oder stirb! Gefahren, Untergang — liebe sie! Amor fati — ,dennoch die Schwerter halten'". Der Schritt vom weltregierenden Geist des Zarathustra-Typus, der „die Wahrheit erst schafft", zu jenem Radardenker in seinem Sessel geleitet ins Posthistoire. Und vielleicht ist die Lehre vom Übermenschen nichts anderes als ein Kanon des Widerstands gegen die posthistorischen Kristallisationen. Doch Nietzsches Wunsch, dem zivilisatorisch erstarrten Leben einen „ungeheuren choc" durch das Abnorme zu geben, hat das Posthistoire enttäuscht, indem es ihn ästhetisch-alltäglich erfüllte. „Lauter absolute Stellungen" hat er gegen das ,Alles geht' des Posthistoire gefordert: „Triumph am Schluß, lauter klare Ja's und Nein's zu haben"[10].

Nietzsche will die Entscheidung Aug' in Aug' mit einem ,Dezisionismus ohne Dezision', in dem, nach einem Wort seines witzigsten Philosophen, das Posthistoire sich einrichtet. In dem Augenblick, da sich die westliche Kultur anschickt, das Leben in Spiele aufzulösen und die Wahrheit zu ästhetisieren, macht Nietzsche Ernst mit ihrer Geschichte. Er schreibt die Geschichte seines Selbst, um die Geschichte unserer Kultur tragisch zu spalten in ein ante und post. Ecce homo will die wahre Frohe Botschaft sein, Hoffnung bringen, indem sie den letzten Menschen das Glück und den Schuldbewußten den Gekreuzigten von der Seele nimmt. Das Gekritzel der neuen Feder, das Ecce homo heißt, liegt palimpsestartig über der Lithographie des verbotenen Wortes. Nietzsche an Brandes, 20.11.1888: „Ich habe jetzt mit einem Zynismus, der welthistorisch werden wird, mich selbst erzählt (...) ein Attentat ohne die geringste Rücksicht auf den Gekreuzigten (...) ich schwöre Ihnen zu, daß wir in zwei Jahren die ganze Erde in Konvulsionen haben werden. Ich bin ein Verhängnis."

---

9. Derrida, a.a.O., S. 76; Nietzsche, Umwertung aller Werte, S. 678, 806, Unschuld des Werdens I §1105. — Als welthistorisches Untier figuriert Nietzsche auf barockem Schauplatz; Ecce homo ist das Trauerspiel, das dem Leser vor Augen führt, wie im tyrannischen Ich die „hocherhabene Kreatur, das Tier mit ungeahnten Kräften" aufsteht: Benjamin, a.a.O., S. 265

10. dtv-Werkausgabe Bd. 13, S. 341, 622, 15

Steht in unbewußtem Vollzug und Automatismus das vollkommene Leben im Zenit, so hat die westliche Kultur am Ende des 19. Jahrhunderts den Nadir erreicht: „die extremste Bewußtheit". Und wir haben diese absolute Selbsttransparenz gewollt — „das Begreifen ist ein Ende". Nun stellt sich die Aufgabe der höchsten Selbstbesinnung in der Frage des Wozu? als Ganzes. Und hierin rechtschaffen zu sein, ist die letzte Tugend des Geistes.

Auftritt der erste Philosoph des komparatistischen Zeitalters: „wir sind das Selbstbewußtsein der Historie überhaupt". Dieser erste Aristokrat der Geistesgeschichte steht am Ursprung des emphatisch historischen Sinns, weil er das Denken von Zarathustra bis Schopenhauer im Leib hat — als seine Herkunft. Autobiographie heißt ihm deshalb: schreiben, „als ob ich eine Mehrheit wäre"[11]. Gast annonciert er am 30.10.1888: „Es handelt, mit einer großen Verwegenheit, von mir und meinen Schriften (...) *vor* dem ganz unheimlich solitären Akt der Umwertung". Die Einsamkeit aber, in der sich Nietzsche der welthistorischen Aufgabe der Umwertung unterstellt, ist die des Wahnsinns, in dessen Abspaltung die Wertkonstitution unserer Kultur sich vollzog. Nietzsches „Hammerschlag der historischen Erkenntnis" zertrümmert das Gehäuse der Moral und legt ihre Herkunft frei, um an ihr die Zukunft der Menschen abzulesen.

In der Umwertung aller Werte wird ihm der große Feind zum Lehrer. Des Paulus Wort vom Kreuz ist ihm Vorbild und terminus a quo. Auch Nietzsche bringt ja das Wort, das denen, die die Weisheit zu suchen glauben, eine Torheit ist. Die höchsten Einsichten müssen wie Torheiten klingen — das definiert den umwertenden Diskurs. Die Wiederholung des Paulus mit anderem Vorzeichen soll wieder gut machen, was der „Geist der priesterlichen Rache" an der Kultur verübte. Die vergeistigende jüdische Umwertung der antiken Werte stellt Nietzsche als Prozeß des Ressentiments dar; und das Symbol des Kreuzes, das Evangelium der Liebe, das einen kastrierten Gott der Güte verkündet, kröne den jüdischen Haß. Großartig antizipiert Nietzsches Genealogie hier die Freudsche Theorie über das monotheistische Anwachsen des Schuldbewußtseins. Weil das Christentum Gott selbst sich für die Schuld des Menschen opfern läßt, erstarren sie in „Schuld gegen *Gott*"; der so gezüchtete Wille zur Schuld und Strafe bannt „diese wahnsinnige traurige Bestie Mensch", so der § 22 der zweiten genealogischen Abhandlung, ins Gehäuse der christlichen Moral, das Nietzsche mit dem Hammer der historischen Erkenntnis in Trümmer legen möchte. „Die Entdeckung der christlichen Moral ist ein Ereignis, das nicht seinesgleichen hat, eine wirkliche Katastrophe. Wer über sie aufklärt, ist eine force majeure, ein Schicksal — er bricht die Geschichte der Menschheit in zwei Stücke."

Nietzsches Ecce homo wiederholt also, mit umgekehrtem Vorzeichen, das schwarze Christus-Ereignis, das die Geschichte in ante und post spaltete. Ist in Christus der monotheistische Gott Mensch geworden, so in Nietzsche das heidnische Schicksal — das ist die nichtende Wiederholung. Sie geht den Weg zuende. Im Zarathustra-Typus überwindet sich der Moralist, der Nietzsche ist, selbst und wird zum „Freund des Bösen", der Übermensch den Guten ein Teufel. Sein Privileg ist schwere Schuld, wie seine Souveränität in absoluter Schuldverantwortlichkeit gründet. „Ein Gott, der auf die Erde käme, dürfte gar nichts an-

---

11. Umwertung aller Werte, S. 815; Bd. 13, S. 398, 167. — Cf. zur Rede der Redlichkeit die großartige Analyse von Jean Luc Nancy, L'Impératif Catégorique, Paris 1983, S. 71ff.(„Notre probité!")

dres tun, als Unrecht — nicht die Strafe, sondern die Schuld auf sich zu nehmen wäre erst göttlich.“ Nietzsche lehrt das *transcendens* der Immoralität in einer entmoralisierten, entzauberten Welt. Und wer es wagt, in ihr zu leben, wird das Böse als das Unbesiegte, Tabu erkennen. Nichts anderes hat Freud gewagt. Wenn der Typus schwächer wird, wächst das Reich des Bösen — auf diese Formel ließe sich die Genealogie der Moral bringen. Und Nietzsche war Philosoph der Kultur in dem genauen Sinne, daß er ihrer schrittweisen Indienstnahme des Furchtbaren nachdachte. Im Eis des Fragwürdigen, im Hochgebirge des Verbotenen hat er „die verborgene Geschichte der Philosophie“ geschrieben, indem er sich zur Feder des Anderen machte — des Tragischen, das, von der Geschichte verdrängt, wiederkehrt. Nicht mehr der Sternenhimmel des contemplator caeli — der blaue Tageshimmel ist die Grundmetapher von Nietzsches Philosophie. Denn am Großen Mittag fällt das Licht senkrecht und verkürzt die Schatten. Das ist die Zeit „der furchtbarsten Aufhellung“[12].

II.

Es gibt also einen symptomatologischen Blick, dem Philosophie in jene Kompromißbildungen zerfällt, die dem historischen Verdrängten seine Form der Wiederkehr verleihen. Was ist dies Verdrängte? Und eignet nicht jeder Philosophie, im Gegensatz zur aseptischen Gelehrtenmaschine, ein autobiographischer Index? Man kann es auch so sagen: Nietzsches Ecce homo hat der traditionellen philosophischen Autobiographie den Totenschein ausgestellt. Von nun an kann eine philosophisch erhebliche Suche nach dem Selbst nicht mehr von den Selbstgarantien des Bewußtseins ausgehen. „So ist die Reflektiertheit der späteren Moderne eine doppelte: In sich gegen die Welt und in sich gegen sich selbst in Obachtstellung zu sein.“[13]

Erst die Entdeckung der Logik des Unbewußten macht dann noch einmal eine Autobiographie möglich: Freuds Traumdeutung. Ihr Weg ist aporetisch. Autobiographien wa-

12. Umwertung aller Werte, S. 815; Bd. 13, S. 484ff.; H. Blumenberg, a.a.O., S. 124. — Benjamin hat den Preis berechnet, den dieser „Geist satanischen Gelingens“ dem Leben zu entrichten hat. Das grelle Licht, in das Nietzsche die moralische Welt taucht, ist dämonisch; es bricht aus dem Abgrund des Ästhetizismus hervor. „Denn Satan ist dialektisch, und eine Art von trügerischem, glückhaftem Gelingen — der Schein, dem Nietzsche tief verfallen war — verrät ihn wie der Geist der Schwere ihn verrät.“ Benjamin, a.a.O., S. 838

13. D. Henrich, Fluchtlinien, Ffm 1982, S. 30. — Diese doppelte „Obachtstellung“ ist ein Sicherungsmechanismus gegen die Folgelasten jenes Referenzverlusts, den Jacob Taubes als Signatur der Moderne bestimmt hat. „Der Irrealis oder der Fiktionscharakter der modernen Artikulation, die alle Substanzialitäten ins Subjekt zurücknimmt, beunruhigt die haltenden Mächte.“ Jacob Taubes, „Die Welt als Fiktion und Vorstellung“, in: Poetik und Hermeneutik X: Funktionen des Fiktiven, S. 420. — Fiktionalisierung der Welt ist die eine, Psychologisierung des Menschen ist die andere Folge doppelt reflektierter Modernität: „Der gottlose Mensch also ist es, der zum ‚Objekt der Psychologie‘ wird.“ F. Ebner, Das Wort und die geistigen Realitäten, Ffm 1980, S. 106

ren bisher nur Inszenierungen auf dem Theater des Ich; erst Freud führt auf den anderen Schauplatz. Denn die Verkennungen des Bewußtseins stürzen jede voranalytische Selbstsuche in Aporien. Es bedarf wesentlich des Anderen; des Anderen Fließ, des anderen Schauplatzes des Traums. Und weil das Ich schon in seiner Genese unabtrennbar ist vom Anderen — weshalb es strikt funktional konzipiert wird —, kennt Freud keinen Begriff des Selbst.

Freud hat immer wieder auf die Aporien biographischer Erkenntnis hingewiesen, vor allem auf die Idealisierung nach Maßgabe infantiler Vorbilder sowie auf die Affinität von Biographie und Mythos. Jede Autobiographie steht vor der Alternative von Indiskretion und Verlogenheit. Die Traumdeutung nun ist Autobiographie in dem Sinne, daß die Person des Diskursivitätsbegründers der Psychoanalyse als Exempel auftritt, nicht als Modell. Freud erforscht hier die Prähistorie des eigenen Unbewußten.

Schon Mach hatte ja aufgezeigt, daß die personale Identität in einer Selbstanalyse der Empfindungen in eine Mannigfaltigkeit der Möglichkeiten zerfällt. Deshalb bietet sie schon für den jungen Freud, wie ein Brief an Fließ vom 16.6.1873 bezeugt, keine Basis der Selbsterkenntnis. Und großartig hat seine Goethe-Analyse dann die Mechanismen offengelegt, mit denen die Selbstdarstellung eine Strategie der Selbstverhüllung ins Werk setzt. Karl Abraham rückte diese Einsichten in ihre psychoanalytische Systemstelle ein. So erweist sein Aufsatz „Über eine besondere Form des neurotischen Widerstandes gegen die psychoanalytische Methode", wie das autobiographische Interesse und die Selbstanalyse in den Dienst des Widerstandes gegen die Psychoanalyse treten können. In der analytischen Situation sabotiert die Kritik von seiten des Ich die freie Assoziation. Nur rein ichgerechte Mitteilungen verlauten. Indem sich der Analysant mit dem Analytiker identifiziert, verwandelt sich wissenschaftliches Interesse an der Psychoanalyse in eine Form des Widerstands gegen sie: Selbstanalyse wird als narzißtischer Selbstgenuß durchschaubar. „Die Autoanalyse" dient dem Subjekt als „ein durch therapeutisches Interesse gerechtfertigtes, ja sogar gebotenes Tagträumen, ein vorwurfsfreier Masturbationsersatz."

Nur der aporetische Weg ist der Selbstanalyse noch offen. Bekanntlich hat Freud „Die Traumdeutung" als seine unbewußte Selbstanalyse bezeichnet. Doch als solche war sie, wie das Vorwort zur 2. Auflage betont, erst nach dem Schreiben erkennbar. Die Aporie einer Selbstanalyse löst sich also nur, wo sie sich hinter dem Rücken des Selbst vollzieht. Ein anderer Weg war ungangbar geworden. Bengalisch illuminiert war die Psychologie des fin de siècle von den Virtuosen der Hypnose, die das ganze Erinnerungsvermögen des Subjekts, „den ganzen, im Wachen eingeengten Umfang" des Bewußtseins aktivierte. Doch Freud hat an ihr die Dämonie der Hysterie gewahrt: daß nämlich die gehemmten Vorsätze in einem acherontischen „Schattenreich" konserviert werden, „bis sie als Spuk hervortreten und sich des Körpers bemächtigen"[14]. Von der ekstatischen Hypnose zur Analyse, vom Kokain zur Traumdeutung — das sind Freuds Schritte zur profanen Erleuchtung der Seele. Daß Selbst*kritik* nie aus dem Schatten der Verkennung tritt, zwingt zur Analytik.

Das Werk, das den Diskurs der Psychoanalyse begründet, heißt nicht „Der Traum", sondern „Die Traumdeutung", weil es nicht um den manifesten Text des Traums, sondern

---

14. Freud, Ges.Werke Bd. I, S. 12, 15; cf. Benjamin, a.a.O., S. 313f.

um ein Werk der Entstellung geht. Die Freudsche Antithetik von manifest und latent, Assoziation und Deutung, scheinbarem Inhalt und einzelnem Bild macht immer wieder deutlich, daß der manifeste Inhalt der Symptombildung Täuschung ist. Der Sinnzusammenhang des Traums erweist sich als unwesentlicher Schein. Die Bilder müssen isoliert gedeutet werden. Und was anders heißt, einen Traum deuten, als Kreuzwort- und Bilderrätsel lösen? Bekanntlich liest Freud den Traum „wie einen heiligen Text". Alle Aufmerksamkeit gilt den Sprachnuancen und Intermittenzen, die verraten, wer spricht. Es gibt nämlich nichts Willkürliches im Psychischen. Was auf diesem Schauplatz vorfällt, ist total determiniert. Nun eröffnen die metaphorischen und metonymischen Werkmeister des Traums einen Zugang zum Archaischen, d.h. zum vergessenen Infantilstoff — jenem in der Geschichte des Subjekts Verschwundenen, das aber, abwesend, anwesend bleibt. Es gibt also eine genaue Entsprechung von Urgeschichte und Kindheit. Und dieser archaischen Erbschaft, zu der sich das „Erleben der Ahnenreihe" sedimentiert hat, gegenüber steht das Ich als Repräsentant des Akzidentiellen und Aktuellen auf fast schon verlorenem Posten — daimon kai tyche.

Die archaische Erbschaft ist also ein Apriori; und man kann sagen, daß sich das Ich diesem Kern des Unbewußten in der Krankheit nähert. In der Krankheit und im Traum. Und hat nicht seine Deutung mehr noch als die Therapie der Neurosen das „Weltinteresse" der Psychoanalyse begründet?

Es gibt eine Dialektik von Uraltem und Neuem im Ursprung der Psychoanalyse: Das Selbst unterhält archäologische Beziehungen zu erinnerter Tradition, sofern Archäologie aufs Archaische des Seelenlebens zielt. Diese Beziehung zur Tradition zeigt sich in den unbewußten Effekten der Autoritäten, die Freuds Rede tragen: „Sie hatten mir mehr gesagt, als sie selbst wußten."

Entdeckung, Aufnahmefähigkeit für das Neue durch Herabminderung der Kritik — das ist Freuds Innovation. Das Neue, das Freud entdeckt, ist aber das Uralte, das man bisher übersehen wollte, z.B. die Sexualität des Kindes. Freuds Frage ist: Wieso habe erst ich gesehen, was von jeher vor aller Augen liegt? Es geht also nicht um grundstürzende Entdeckungen innerhalb des psychologischen Diskurses, sondern um die Ermöglichung eines neuen Blicks, ein neues Hören — kurz: um die Eröffnung eines neuen diskursiven Feldes.

Trotz des biographisch verbürgten großen Interesses, das Freud für die ärchäologischen Entdeckungen seiner Zeit bekundete, meint sein Begriff der Archäologie doch schon ein Wissensmodell, das erst Foucault expliziert hat. In seinem Aufsatz „Die Ehe des Merkurius und der Philologie" bestimmt Wolfgang Hübener dieses Modell genauer: „Die Formel hebt bekanntlich gerade nicht auf den Wortsinn von ‚Archäologie' ab, sondern auf das Moment der Kontextlosigkeit der von der Vergangenheit hinterlassenen Monumente, zwischen denen nun aber nicht durch Wiederauffüllung der Lücken und Zwischenräume ein Sinnzusammenhang rekonstruiert werden soll, der sie ‚von innen heraus' belebt. Als reine Beschreibung der diskursiven Ereignisse sucht die Archäologie nicht die Kontinuität eines anderen Diskurses und wehrt sich dagegen, allegorisch oder überhaupt eine interpretative Disziplin zu sein."[15] Für die psychoanalytische Deutung stellt sich also die Aufgabe, durch

15. W. Hübener, in: Bolz (Hrg.), Wer hat Angst vor der Philosophie?, Paderborn 1982, S. 159

die Dokumente der Symptomsprache hindurch die Monumente des unbewußten Wunsches kenntlich zu machen. Archäologie, archaisches Erbe, Regression, infantile Quellen, Arbeit an der Kindheitsamnesie — dies sind Begriffe aus demselben Register.

Die archäologische Dimension der Traumsymbolik präsentiert die Kindheit als posthume Prähistorie, die sich nur noch in Surrogaten, nämlich in Traum und Übertragung vergegenwärtigen läßt. Und war in den Bildern des Paradieses nicht stets schon die retrospektive Massenphantasie von der einzelmenschlichen Kindheit am Werk? Die Symbolbeziehungen des Traums eröffnen dem Subjekt einen von Trümmern archaischer Identität übersäten Schauplatz. Nicht das Ich, sondern die unbewußten Wünsche bilden also den ,Kern unseres Wesens', sind von den sog. höheren Seelenvermögen uneinholbar und erweisen sich so als der Zwang der Seele. Dieser macht auf eine Besonderheit der psychischen Realität überhaupt aufmerksam: in ihrem Bannkreis ist die Zukunft das Ebenbild der Vergangenheit.

Freud hat sein Buch „Die Traumdeutung" nachträglich als Selbstanalyse verstanden — Reaktion auf den Tod des Vaters, der die höchste Bedeutsamkeit im Mannesalter ausmacht. Was dann ,Totem und Tabu' systematisch expliziert, ist hier für Freud lebensbedeutsam geworden. Der tote Vater ist mächtiger als es der lebendige je war. Zum ersten Mal wird hier die Strukturposition des Symbolischen Vaters sichtbar. Sie zeigt an, was dann für die Neurose bestimmend ist: daß nämlich die psychische Realität bedeutungsmächtiger werden kann als die materielle. Das Verhältnis zum Vater hat Freud als Zentrum der Kultur und der Neurose durchschaut in genau dem Augenblick, in dem der Jude Jakob, Freuds Vater, stirbt. Und alle Gewißheit, die den psychoanalytischen Diskurs von nun an trägt, gründet in dieser Erkenntnis, die Freud das Gesetz seines Begehrens am Namen des Vaters ablesen läßt: le Non/Nom-du-Père.

Schon am 6.12.1896 schreibt Freud an den „Anderen" Fließ: „alles ist auf den Anderen berechnet, meist aber auf jenen prähistorischen unvergeßlichen Anderen, den kein späterer mehr erreicht." Diese Formel ist erst in Freuds später Monotheismus-Studie ganz zu sich gekommen.

Vom Mosaischen Gott heißt es, man vertrage seinen Anblick nicht. Nun hat Freud den „Mann Moses" natürlich polemisch gegen Moses als Mythos artikuliert. Moses habe dem Einzigen Gott Züge des eigenen Charakters, des von außen kommenden Vaters geliehen. „Es war der eine Mann Moses, der die Juden geschaffen hat."[16] Der große Mann der Kindheit ist aber der Vater, Urbild der Autorität. So prägt das Bild des Mannes Moses die Gottesvorstellung — die großartige Vaterimago. Als aufgeklärter Despot wird Moses ermordet, doch die messianische Erwartung seiner Wiederkehr bezeugt seine Macht als Symbolischer Vater. Die monotheistische Idee wiederholt die Urfamilienszene; in der Einzigkeit ihres Gottes stellt sie die Herrlichkeit des Urhordenvaters wieder her.

Freud hat „immer versucht, dem verächtlich zürnenden Blick des Heros standzuhalten". Darin zeigt sich seine ambivalente Stellung zu Moses, den er als zürnenden Vater und Inkarnation der Sublimierung zugleich faßt. Und ist es nicht vielmehr Freuds Korrektur am historischen Moses als die des Michelangelo, wenn es von dessen Werk heißt, es zeige „das Niederringen der eigenen Leidenschaft zugunsten und im Auftrage einer Be-

---

16. Freud, Der Mann Moses (BS 131), S. 138

stimmung, der man sich geweiht hat"?[17] Denn so wollte Freud Moses sehen: als Lehrer der Sublimation, der gemeinsam mit seinen Nachfolgern, den Propheten, gegen die Priester und ihre Rituale kämpft. Bekanntlich hat Freud die Frage nach der Religion als Frage nach dem neurotischen Kollektiv gefaßt, dem der Wahn die Krankheit erspart. Das hat nichts Denunziatorisches. Vielmehr bezeugt es Freuds Respekt vor einer Macht — und einer Wahrheit, die sich nicht mundtot machen läßt. Was das Wiederkehrende in Wahn und Religion unwiderstehlich macht, ist ihr historischer Wahrheitskern. Freud analysiert nicht den Fortschritt im Bewußtsein der Freiheit, sondern den Fortschritt in der Wiederkehr des Verdrängten. Paulus ergreift den historischen Wahrheitsgehalt des allgemein angewachsenen Schuldbewußtseins. Es ist das Tabu über den Willen zur Macht (Mord am Urvater), das zur Kulturneurose führt, zum ungeheuren Anwachsen des Schuldbewußtseins. Kernpunkt der Freudschen Analyse von Kultur und Neurose ist deshalb „das Verhältnis zum Vater".

17. Freud, „Der Moses des Michelangelo", Studienausgabe X, S. 199, 217. Vielleicht bezeichnet Kafkas Werk den Endpunkt der Arbeit am jüdischen Gesetz. Es ist unlesbar geworden. Jemand mußte Josef K. verleumdet haben — schon der erste Satz des Prozesses reißt in den Strudel einer advokatorischen Rechtfertigungsterminologie. Was bedeutet der Angeklagte K. für die abscondite Autorität? Vor dieser Frage, die nach Ödipus und Hamlet ein drittes geschichtliches Niveau der Schuld definiert, verwandelt sich das Leben in Interpretationsenergie gegenüber einer undurchdringlichen Welt. Für H.R. Jauß, Ästhetische Erfahrung und literarische Hermeneutik, Ffm 1982, S. 409, ist K. „der fragende Adam", der sich „auf eine unlösbare Interpretationsaufgabe einlassen muß, die ihn tiefer und tiefer in den unkenntlichen Sinn einer sakrosankten Schrift verstrickt." Hat, wie denn Wille zur Willkür wird und Wahrheit zu absoluter Notwendigkeit erstarrt, wenn die ratio creandi verloren geht, der Willkürgott die Lüge zur Weltordnung erhoben? Bleibt vom göttlichen Recht nur der Glanz der nackten Macht? Wie denn Recht nach Nietzsche stets nur der Wille ist, ein jeweiliges Machtverhältnis zu verewigen. „In unum ipsum ita conveniunt Patris, Dei ac Domini tituli, ut quoties unum aliquem ex iis audimus, maiestatis illius sensu animum nostrum feriri oporteat" (Calvin, Institutiones II, VIII, S. 35). Kafkas Welt steht unter der absoluten Souveränität des calvinistischen Gottes, die aller irdischen Gerechtigkeitsvorstellung inkommensurabel ist; der Welt selbst eignet die Struktur des gnadenlosen absconditen Gottes. Daß dieser „durch das Gesetz der Umkehrung gesichert" ist — daß nämlich „die Annäherung Entfernung ist", konnte Kierkegaard noch als Majestätsbeweis bewundern. „Für Kafka aber bleibt dies Gesetz das grenzenlos quälende Rätsel." Urs von Balthasar, Die Apokalypse der deutschen Seele, Bd. II, S. 7. — Im Willkürgott steckt der verklärte Haustyrann. Ihm ist das Gesetz nur noch Schema des unbedingten Gehorsams, der schon bei Calvin die Ordnung mechanisch erhält; die Familie ist die Kernzelle des Systems von subjectio und superioritas. Durch die Reformation sieht sich der Pater familias entscheidend gestärkt; alle weltlichen Obrigkeiten werden zu Vätern — auf sie datiert Kafkas Väterwelt zurück. Wer die Substitution deus = pater = dominus für bloß metaphorisch hält, vergißt: Nul n'est Père sauf par métaphore (Lacan). Kafkas Prozeß offenbart die mythischen Praktiken des Rechts im Leben, und zwar so, daß das *unlesbare* Gesetz das Leben *ist*. Das Gesetz manifestiert sich also nur negativ: im Nichtwissen vom Gesetz und in der Anarchie der Sumpfwelt. Einmal spricht Kafka die „Organisation als Schicksal" an und definiert so in großartiger Abbreviatur die Welt der Beamten. In sie ist die uralte Väterwelt eingelassen, wie in den uneinsehbaren Gesetzbüchern des Prozesses, der pornographischen Fratze des Rechts, die ungeschriebenen Gesetze der Vorwelt wieder Macht gewinnen. Den vorweltlichen Index der weltlichen Gewalten in der Gegenwart aufzuweisen, ist Kafka unermüdlich. Und ist es nicht die schicksalhafte Ordnung des Prozesses

Der Ägypter Moses stiftet die jüdische Religion, der Jude Paulus zerstört sie. Der jüdischen Vaterreligion tritt die christliche des Sohnes gegenüber und sie erfüllt dessen Wunsch, indem sie den Vater zugleich entthront und versöhnt. Christus tritt an die Stelle des Vatergottes, sein Opfer erlöst von der Erbsünde und beschwichtigt das Schuldbewußtsein. Freud nun durchschaut, von Paulus geleitet, das Schuldbewußtsein als Gewissensangst. Gewissen ist die innere Wahrnehmung der Verwerfung; die Begründung der Verwerfung ist dem Schuldbewußtsein aber unbekannt, d.h. unbewußt. Die Analyse der Gewissensstimme macht deutlich: „Wo ein Verbot vorliegt, muß ein Begehren dahinter sein". Auf des Paulus Spur ist Freud zum Bekenntnis des Gottesmordes vorgedrungen. Und deshalb würdigt er das Christentum als — sofern es den Sohn vergottet — „unverhülltestes" Geständnis des Urverbrechens.

Es war der Jude Paulus, der die Auserwähltheit opferte, um den Monotheismus zu universalisieren, und das Christentum den Preis kultureller Regression entrichten ließ — Einbuße an Vergeistigung. Denn so lautet die Dialektik der Sohnesreligion: das Christentum stellt einen Rückschritt in der Vergeistigung dar, aber einen Fortschritt in der Wiederkehr des Verdrängten. Es gibt nämlich zwei welthistorische Wiederholungen des mythischen Urverbrechens. Einmal die Tötung des Moses, die erst seine Anerkennung als Großer Vater ermöglichte. Dann die Tötung Christi. Paulus hat ihn ja als Nachfolger Moses', des messianischen Urvaters, gedeutet. Und seine Auferstehung *ist* die Wiederkehr des Verdrängten. Das ist die Klärung des „dumpfen Unbehagens" in der spätantiken Kultur. Das ist die Paulinische Lösung des Rätsels der „Völkerverstimmung".

Dem Freudschen Blick, der 1900 eine neue Diskursivität ermöglichte, zeigt sich Geschichte nur als „das säkulare Fortschreiten der Verdrängung im Gemütsleben der Menschheit." Aber dieser Prozeß der Verdrängung ist unablösbar von der Wiederkehr des Verdrängten in der Geschichte. Jener Blick hat sich bekanntlich an der Ödipus-Tragödie als dem dramatischen Urmodell der Psychoanalyse geschult: Wunsch und Tabu des Inzest sind als Fluch über uns alle verhängt. „König Ödipus", heißt es in der Traumdeutung, „ist nur

selbst, die den Straf-Fall herbeiführt? „Der Mensch weiß sich ins Gericht gezogen, das Schuldgefühl aber dringt nur gleichsam *von außen* her in ihn ein, um fortschreitend sein ganzes Innere zu füllen. Aber es erreicht den allerletzten Punkt nicht. In diesem Punkt sammelt sich sein ganzer Stolz, sein Gerechtigkeitsgefühl, und von ihm aus zersetzt er den Richter in eine anonyme Reihe unabsehbarer Instanzen ohne ein Haupt, ohne ein letztes Recht." Balthasar, a.a.O., S. 8 — In gleichem Geiste hat Buber jenem K., der den Gefängniskaplan fragt, wie denn ein Mensch schuldig sein könne, und zugleich auch Freud vorgeworfen, die ‚Tiefe der Existentialschuld' jenseits aller Tabu-Überschreitungen geleugnet zu haben. Aber in Wahrheit verfolgen Kafka und Freud das Schuldbewußtsein bis an jenen äußersten Punkt, an dem es aus der von Zensur und Über-Ich markierten Unverstehbarkeit des Gesetzes entspringt. Sie machen den Terror der Transzendenz im Über-Ich dingfest, das im Subjekt „Symptome konstruiert, deren Sache es ist, jenen Punkt zu repräsentieren, wo das Gesetz vom Subjekt nicht verstanden, sondern von ihm ausgeführt wird." J. Lacan, Seminar II: Das Ich, S. 169 (Die prinzipielle Unübersehbarkeit des Gesetzes im Ganzen ist das Thema von „Beim Bau der chin. Mauer".) So bezeugt auch das Freudsche Denken den paulinischen Charakter unseres Zeitalters der vollendeten Gottverlassenheit und des gnadenlosen Preisgegebenseins an unabwendbare Gewalten — eine Weltsicht, die Buber einmal „Paulinismus des Unerlösten", d.h. ohne Christus, genannt hat.

die Wunscherfüllung unserer Kindheit." Und nach der tragisch-analytischen Enthüllung ihrer Amoralität „möchten wir wohl alle den Blick abwenden von den Szenen unserer Kindheit."[18] Doch die Eindrücke der Prähistorie — wohl bis zum 3. Jahr — wollen reproduziert werden. Und die Wiederholung im Traum erfüllt diesen Wunsch. Der Traum ersetzt nämlich eine infantile Szene, die nach Ausdruck ringt, aber vom Bewußtsein abgeschnitten ist, und bezeugt so die Unzerstörbarkeit der unbewußten Wünsche. Motor des Traums ist also immer ein infantiler Wunsch, der „die Gegenwart nach der Kindheit korrigieren" will.[19]

Hamlet ist das zweite literarische Geschichtszeichen der Psyche. Dieser Hysteriker stellt Ödipus gegenüber einen Fortschritt — nicht Hegelisch im Bewußtsein, sondern — in der Verdrängung dar: die Wunschphantasie ist nun nur noch an der von ihr induzierten Hemmung ablesbar. Das ist das berühmte Hamletsche Zaudern. Es gibt keinen Fortschritt der Kultur, der nicht zugleich ein Anwachsen der Verdrängung wäre. Der Mensch ist das Tier, das der Sexualität „permanent unterworfen" ist. Deshalb hat Schopenhauer vom Menschen als konkretem Geschlechtstrieb gesprochen. Hier setzen die Praktiken der Askese an. Und hier entspringt die für unsere Reden so kennzeichnende diskursive Ausschlußregel: das verbotene Wort. Die Entfesselung der Sexualtriebe würde nämlich den Thron der Kultur umwerfen. Seit Nietzsches großer genealogischer Arbeit gibt es an der Gleichursprünglichkeit von Triebverzicht, schlechtem Gewissen und „Bann der Gesellschaft" keinen Zweifel mehr. Mit der zivilisatorischen Entwertung unbewußter Regulationen ist das „bleierne Mißbehagen" in der Kultur exponential gewachsen. Der seelenvolle, verinnerlichte Kulturmensch als „verzweifelter Gefangener" im Käfig der Zivilisation — so hat ihn Nietzsche gesehen. So analysiert ihn Freud. Dem Bann der Gesellschaft entspricht der Kerker der Innerlichkeit: das schlechte Gewissen, das sich Tag für Tag am Tabu nährt. „Die Gesellschaft will nicht, daß davon gesprochen wird."[20] Und doch findet das verbotene Wort, „die untersagte Rede" (interdit) eine maskierte Form des Erscheinens, nämlich in der Narrheit. Und im Nonsens des Traums. Deshalb kommt es nicht von ungefähr, daß Artemidor in der Krisis der Spätantike, Freud in der Krisis des fin de siècle den Traum deuteten.

Die Beschädigung des Ich durch den psychoanalytischen Diskurs, die narzißtische Kränkung, die für es darin liegt, daß es nicht Herr im eigenen Haus ist, geht aber in eine Dialektik ein, die dem Subjekt zugleich eine neue Fülle von Bedeutsamkeit schenkt. Denn es setzt im Traum ein Absolutismus des verborgenen Ichs den infantilen Egoismus fort. So vielfäl-

18. Freud, Die Traumdeutung, Studienausgabe II, S. 267f.

19. Freud, Studienausgabe VI, S. 142

20. Freud, ‚Selbstdarstellung' (Fischer Tb), S. 230. — Großartig hat Adorno die Nachgeschichte der von Kierkegaard kodifizierten Innerlichkeit als des naturgeschichtlichen Kerkers des entfremdeten Menschen im Jugendstil agnosziert: der Jugendstil versuche, das erschütterte Intérieur durch Veräußerlichung zu retten. „Anstelle von Innerlichkeit steht im Jugendstil Sexus. Auf ihn wird rekurriert, gerade weil einzig in ihm das private Individuum sich nicht als innerlich, sondern leibhaft begegnet." Der Jugendstil verhält sich demnach zum Intérieur der Innerlichkeit, wie die „traumdeutende, erwachende Psychoanalyse" zur Hypnose — cf. Th. W. Adorno an W. Benjamin, 2. Aug. 1935

tig ist der Egoismus des Traums, daß seine Deutung hinter der Maske von Identifizierungen immer wieder das Ich des Träumers entdeckt. „Ich darf mein Ich ergänzen." Aber wohlgemerkt: Der Traum ist das Paradies des Ich, sofern es sich selbst nicht erkennt. Im Traum weiß ich nicht, daß ich es bin.

Und die Bewegung, in der Freud sein verborgenes Ich im Traum aufspürte, hat den Diskurs der Psychoanalyse begründet. „Nun muß ich aber den Leser bitten, für eine ganze Weile meine Interessen zu den seinigen zu machen und sich mit mir in die kleinsten Einzelheiten meines Lebens zu versenken".[21] Hier wird das bürgerliche Individuum im Augenblick der Krisis, Aug' in Aug' mit dem Untergang seines Begriffs, in psychische Instanzen zerlegt, noch einmal unendlich bedeutsam.

Ein Werkmeister des Traums, die Verschiebung, hat Freud zum Begriff der psychischen Bedeutsamkeit geführt; gemeint ist, daß ursprünglich Indifferentes durch den unbewußten Primärprozeß der „Verschiebung die Wertigkeit vom psychisch bedeutsamen Material" acquiriert. So verkündet die Traumdeutung das Ende der Harmlosigkeit. Denn der Traum ist der Wächter des Schlafs, der sich von Bedeutungslosem nicht stören läßt. Und regelmäßig zerstört die Deutung eines Traums den Schein seiner Arglosigkeit. Von nun an gibt es nichts Harmloses mehr im Bereich des Seelenlebens.

Böse erscheint jenes Ich in der Deutung, das sich im Traum so vielfältig verbirgt. Und nie war Freud erbarmungsloser mit sich als in seiner Arbeit am Traum „Non vixit". Es ist ein Traum von Haß und Ignoranz, vom zornig vernichtenden Blick des Meisters und den Rivalen, die wie Revenants durch einen bloßen Wunsch liquidiert werden. Und es ist ein Traum von der ambivalenten Stellung zum anderen, jenem Cäsar der Kindheit, den sich der „Brutus im Traum"[22] in den wechselnden Gestalten seiner Lebensgeschichte reinkarniert. „Ein intimer Freund und ein gehaßter Feind waren mir immer notwendige Erfordernisse meines Gefühlslebens; (...) und nicht selten stellte sich das Kindheitsideal so weit her, daß Freund und Feind in dieselbe Person zusammenfielen".

Mit den Worten „Non vixit" erfüllt der Traum den Wunsch des Subjekts: sie vernichten den feindlichen Freund. Und sie setzen ihm zugleich ein Denkmal. Denn die Worte hat der Traum aus der Inschrift des Kaiser-Josef-Denkmals herausgebrochen.

Saluti publicae *vixit*
non diu sed totus.

Das „Non vixit" macht die Rivalen und Väter, deren Denkmale Freud in der Universität enthüllt sieht, zu Revenants. Und wo jemand verschwindet, wird eine Stelle frei. So listig artikuliert sich Freuds Begehren. Das Denkmal des anderen besagt ihm nur, daß niemand unersetzlich ist; „ich aber lebe noch, ich habe sie alle überlebt, ich behaupte den Platz."[23]

Und was anders begehrt Freud im Denkmal als Unsterblichkeit? Am 12.6.1900 schreibt er an den „Anderen" Fließ: „Glaubst Du eigentlich, daß an dem Hause dereinst auf einer Marmortafel zu lesen sein wird?:

---

21. Traumdeutung, S. 125, 320
22. a.a.O., S. 411; cf. S. 195
23. a.a.O., S. 467, 465

‚Hier enthüllte sich am 24. Juli 1895 dem
Dr. Sigm. Freud
das Geheimnis des Traumes'''.

Blumenberg hat diesen Brief in die Geschichte der conversio eingereiht und Nietzsches Epiphanie der Wiederkunftsidee zur Seite gestellt. Doch nennt das Datum (des Mustertraums von Irmas Injektion) nicht tatsächlich den historischen Einschnitt, der die Möglichkeit eines völlig neuen Diskurses eröffnete? Hat nicht jener im „Anspruch auf ein Denkmal" bekundete Wunsch Freuds nach Unsterblichkeit auf die Spur der „unsterblichen Wünsche unseres Unbewußten"[24] geführt? Denn nicht Dr. Sigm. Freud hat den Traum — dieser hat sich selbst ihm enthüllt.

Flectere si nequeo superos, Acheronta movebo.

Wer spricht hier eigentlich? Auf welchen Schauplatz führt das Motto? Freud legt getreues Zeugnis ab vom Titanenaufstand des Verdrängten. „Das seelisch Unterdrückte" kehrt wieder mit gewaltsamem Zwang und fordert vom Subjekt den „Anteil des egoistisch Bösen"[25]. Das ist die „höllische Eröffnung" (Lacan) eines anderen Sprechens; die stets untersagte Rede kommt zu Wort. Und buchstäblich aus der Hölle steigt der Traum auf. „Die Achtung aber, mit der dem Traum bei den alten Völkern begegnet wurde, ist eine auf richtige psychologische Ahnung gegründete Huldigung vor dem Ungebändigten und Unzerstörbaren in der Menschenseele, dem *Dämonischen*, welches den Traumwunsch hergibt und das wir in unserem Unbewußten wiederfinden."[26] Im Herzen der Finsternis aber haust das kopflose Subjekt des Unbewußten, um das sich das Gewebe der Metaphysik spinnt, wie der Traum um seinen Nabel.

24. a.a.O., S. 528. — Daß das Subjekt Geschlechtswesen ist, raubt ihm die Unsterblichkeit — ein Teil seiner selbst ist auf immer verloren, und diesen, nicht wie im Aristophanischen Mythos das „Geschlechtskomplement", sucht das Subjekt ohne Ende. Das ist der Kern aller analytischen Erfahrung — cf. Lacan, Seminar XI, S. 215

25. Freud, 9. Vorlesung zur Einführung in die Psychoanalyse. — Die Retour-Kutsche, die J. Taubes der „Zukunft einer Illusion" entgegenfahren läßt, nimmt Freud wohl mit: „Niemals seit Paulus und Augustin hat ein Theologe eine radikalere Lehre von der Erbsünde vertreten als Freud. Niemand seit Paulus hat die dringende Notwendigkeit, die Erbsünde zu sühnen, so klar verfolgt und so stark betont, wie Freud es getan hat. — Es ist keineswegs eine Spekulation, zu sagen, daß Freud sein Werk, seine Theorie und Therapie in Analogie zu der Botschaft erdachte, die Paulus den Heiden predigte." J. Taubes, „Religion und die Zukunft der Psychoanalyse", in: Psychoanalyse und Religion, hrg. v. E. Nase und J. Scharfenberg, Darmstadt 1977, S. 171

26. Traumdeutung, S. 581f. — Und wenn es eine Metapher gibt, die das archäologische Unternehmen Freuds und Nietzsches pathetisch überwölbt, dann diese der „Hadesfahrt": „Auch ich bin in der Unterwelt gewesen, wie Odysseus", sagt Nietzsche einmal. Und er hat, wie nach ihm nur Freud, „des eignen Blutes nicht geschont, ... um mit einigen Toten reden zu können" — Menschliches, Allzu-Menschliches II §408

Jean-Luc Nancy

IDENTITÉ ET TREMBLEMENT

Identité indifférente.

„C'est par l'identité en tant que conscience de soi-même que l'homme se différencie de la nature en général, et plus précisément de l'animal, celui-ci ne parvenant pas à se saisir comme Moi, c'est-à-dire comme pure unité de soi en soi-même." (Hegel)[1]

Telle est l'identité de ce qu'on appelle, en tous les sens possibles, un sujet ou le sujet — c'est-à-dire, toujours et en dernière instance, le sujet philosophique. Cette identité n'est pas la simple position abstraite d'une chose en tant qu'elle est immédiatement ce qu'elle est, et qu'elle n'est que cela qu'elle est, mais elle s'effectue comme la saisie par soi-même de l'unité que je suis en moi-même: un Moi, irréductible noyau d'auto-constitution. Qui dit „sujet", suppose ce Moi auto-constitué, aussi mince et aussi reculé soit-il. Le sujet philosophique est encore supposé par le sujet de la psychanalyse lui-même — pour s'en tenir du moins à la prescription pratique (qui ne saurait être sans enjeu théorique) par laquelle l'analyse s'écarte de l'hypnose (ou encore, de la séduction, ainsi que Freud le fit savoir à Ferenczi). Pareil au *Je* kantien, et quelle que soit la décomposition de son *moi*, l'analysant, ce parleur éveillé, doit pouvoir accompagner toutes ses représentations. Il en va de même pour l'analyste[2].

L'identité du sujet se rapporte de trois manières à la différence. Elle s'*oppose* à la différence en général, en tant que celle-ci forme la disparité ou l'extériorité de l'être-hors-de-soi, ou encore en tant qu'elle pose l'altérité par rapport à laquelle l'identique se rassemble de soi et sur soi. Mais en se rassemblant, l'identité *comprend* et résorbe en elle les différences qui la constituent: aussi bien sa différence avec l'autre, qu'elle pose comme telle, que sa différence avec soi, impliquée et supprimée à la fois dans le mouvement de „se saisir soi-même". Ainsi, et enfin, l'identité *fait la différence*: elle s'expose comme le différent par excellence de toute autre identité et de toute non-identité; se rapportant à soi, elle renvoie l'autre à un soi (ou à un sans-soi) différent. Etant le mouvement propre de la conscience-de-soi, l'identité — ou le Soi qui s'identifie — fait par conséquent la différence *propre*: et cette propriété se dénomme ou se dénote „l'homme".

D'où provient cette différence de la conscience-de-soi? Comment „l'homme" parvient-il à ce à quoi il est dit que l'animal ne parvient pas? Ce n'est pas l'„humanité" de l'homme qui

---

1. *Encyclopédie*, addition au § 115.

2. Ce qui se joue à partir de là ne m'intéresse pas ici, ni l'analyse pour elle-même. J'y relève l'exclusion de l'hypnose, et j'en retrace la provenance et l'enjeu philosophiques. Mais l'analyse, conformément du reste à cette provenance, ne se limite pas à cette simple exclusion. Le montrer exigerait un autre travail.

peut l'expliquer, tant que cette humanité n'a pas été déterminée, précisément, comme conscience de soi et comme identité. L',,homme" n'y parvient que parce qu'en lui l'identité a précédé, et fondé, l'humanité dans sa différence propre: *„c'est par l'identité que l'homme se différencie...".*

Avant la différence, avant toute différence posée comme telle (et qui ne peut l'être que par de l'identique), il y a donc l'identité elle-même, la différence *propre*, et qui fera la différence de l',,homme" autant que celle de chaque „individu". (Mais pourquoi y a-t-il plusieurs individus? pourquoi l'Identité ne fait-elle pas la différence d'un seul individu et d'un seul homme au regard de la Nature et de l'Animal? cette question, précisément, excède le système de l'identité. Celui-ci ne programme proprement ni la différence de la collectivité, ni la différence des sexes. Aussi bien ne sera-t-il ici, par la suite, question que de ça.).

L'identité elle-même, l'identité qui peut seule faire la différence de l'identique et du sans-identité, est à ce compte identité indifférente. Seule une identité sans différence peut constituer et déterminer une identité comme différence propre, différente de la différence. L'identité première est indifférente en deux sens: elle vaut identiquement pour toutes les identités individuelles, entre lesquelles, à ce titre, elle ne fait pas de différence (les individus sont ainsi des différences indifférentes), et elle comporte en elle-même l'indifférence de soi et de soi-même: seul en effet un soi déjà *un* et *identique* peut ultérieurement se rapporter à lui-même. On ne peut poser A = A que si A, tout d'abord, est identique à lui-même. Cette identité indifférente (dont l'histoire va de Fichte à Hegel) a beau se diviser *originairement* (se *ur-teilen*, c'est-à-dire aussi „se juger"), c'est *elle* qui *se* divise. L'indifférent supprime de lui-même sa propre négation, et engendre le différent comme le retournement de cette négation en affirmation de l'identité des identités différentes. Le *pluriel* véritable est exclu par principe. Le chemin de la conscience-de-soi peut bien passer par le désir et par la reconnaissance de l'autre, il est d'avance tracé comme le processus circulaire du Soi de cette conscience.

> „Ce n'est pas la vie qui recule d'horreur devant la mort et se préserve pure de la destruction, mais la vie qui supporte la mort et se maintient en elle, qui est la vie de l'esprit."[3]

La vie de l'esprit est l'identité indifférente, qui ne tremble pas devant sa propre différenciation, jusque dans la mort, car elle *s*'y maintient.

La dialectique du sujet — la dialectique, le sujet — a deux faces, pourtant. Elle a sa mort en elle, elle ne l'a qu'en tant qu'un *moment*, mais elle a ce moment, celui de la différence béante. Le sujet a en lui sa différence à soi. Il ne l'a pas seulement, mais il l'*est*. Si le sujet ne différait pas de soi, il ne serait pas ce qu'il est: sujet *rapportant* à soi. A = A signifie que A est *en soi* sa différence à lui-même, et qu'il ne tient son égalité, son être — égal à soi, que de cette différence. (Il faut entendre ce que veut dire A. Ce n'est pas un symbole logique, c'est un nom propre, un visage, une voix. Ce n'est peut-être pas proprement un individu, puisqu'il est divisé par son égalité et par la différence de cette égalité, mais c'est une singularité. Le A de l'idéalisme spéculatif est à la fois la notation première d'une algèbre de l'identité ontologique, et le nom du singulier dans sa singularité.)

---

3. *Phénoménologie*, préface.

A porte en soi sa différence. Hegel (contre Fichte) le savait, il ne savait que ça. Toute la *Phénoménologie* est l'exposition vertigineuse de ce savoir, et l'effort prodigieux de rendre ce savoir identique à son objet: de voir s'ouvrir la différence comme telle. Et la différence comme telle en effet s'expose. Mais *comme telle*: elle est donc identifiée, et elle l'est en tant que différence propre de l'identité indifférente.

D'où peut donc venir la différence à l'identité, si en tant que différence elle ne doit pas se laisser identifier *comme telle*, c'est-à-dire comme différence de l'identité, possédant elle-même son identité par l'indifférence qu'elle divise et qu'elle égalise en soi? Ou bien encore: d'où peut venir une identité *différente*? D'où *B* peut-il venir à *A*? Ou encore: qu'est-ce qui peut faire trembler *A*? Hegel savait aussi, nécessairement, cette question, que le sujet dialectique expose et recouvre à la fois. Mais il la savait, comme on va le voir, sur le mode d'un savoir défectueux, reculé aux bords extrêmes de la dialectique et de la conscience-de-soi, sur le mode d'un savoir en quelque sorte somnambulique.

Thanatos, Genesis, Hypnos.

Pas plus qu'il ne peut mourir — pas plus qu'il ne peut „sérieusement" mourir, si on peut le dire sans rire —, le sujet ne peut pas naître, et il ne peut pas dormir. Immortel, inengendré, et insomniaque: c'est la triple négation sur laquelle s'enlève la vie de l'esprit, imperturbablement adulte et éveillé.

Le maintien ferme de l'esprit dans la mort met à mort la mort elle-même, et suture son „absolu déchirement" où l'esprit „se retrouve lui-même". C'est pourquoi la mort est toujours *passée* pour l'esprit. Dans la mort n'est proprement mortelle que „la singularité immédiate" (*mon* identité, la *tienne*): c'est „le terme abstrait, la *mort du naturel*". Ce qui est supprimé, c'est „*l'être-l'un-hors-de-l'autre*" de la nature, mais ainsi „la subjectivité qui est, dans l'idée de la vie, le concept" parvient à „l'universalité concrète". „Le concept est ainsi devenu *pour lui-même*."[4] Le sujet est devenu: il sera, en tant que sujet, toujours *devenu*. Il aura toujours eu la fin de son identité naturelle (et par exemple, de l'animal) derrière lui. Il ne passe pas, sa mort est déjà passée. Il l'a en lui comme la suppression de sa propre différence, comme la suppression de l'autre identité, de sa différence et de son dehors.

Il a de même sa naissance comme le passé de sa différenciation. Il ne naît pas, il n'*est* pas en tant qu'il naît, en tant que le mouvement, le délai et l'inachèvement de naître. Mais il est *né*. Le passage de la naissance ne vaut que comme l'instant d'une rupture accomplie, au-delà de laquelle est donnée la première figure du sujet:

> „après une longue et silencieuse nutrition, la première respiration, dans un saut qualitatif, interrompt brusquement la continuité de la croissance seulement quantitative, et c'est alors que l'enfant est né."[5]

4. *Encyclopédie*, § 376.
5. *Phénoménologie*, préface.

L'enfant est né, et non: l'enfant *est né*. C'est à peine s'il est possible de savoir jusqu'à quel point l'enfant se précédait dans le ventre maternel — lieu de simple nutrition et de croissance quantitative. L'accès au qualitatif n'emprunte aucun passage, il a lieu après le passage — après l'angoisse — dans le libre élément aérien et grâce a lui. L'enfant comme tel, le sujet en son premier moment, sera toujours déjà né. Il aura passé, il ne passe pas et ne passera plus. C'est ainsi qu'il aura mis fin en lui à la finitude, car „le fini *n'est* pas, c'est-à-dire n'est pas le vrai, mais est purement et simplement le fait de *passer*."[6]

Le sujet s'est différencié de lui-même, de son état quantitatif, de son indifférence, et il n'est que s'étant différencié — ce qui veut dire qu'il a acquis *pour soi* l'indifférence infinie qu'il était *en soi*.

La naissance et la mort sont la différence passée, toujours-déjà passée — dépassée, trépassée. Symétrique, le sommeil est le passé de l'indifférence sans identité. En tant que le sujet est la différence réalisée de l'identité sans différence avec soi-même, il a toujours-déjà dormi. Il est déjà passé par la nuit de sa propre subjectivité. (Le sommeil n'a peut-être jamais été philosophique. Descartes a cette phrase fameuse: „c'est proprement vivre les yeux fermés, sans tâcher jamais de les ouvrir, que de vivre sans philosopher".)

Sans doute ce sommeil est-il celui du sujet: il est *le sien*, dans lequel il „retourne à partir du monde des *déterminités* (...) pour atteindre à l'essence universelle de la subjectivité".[7] Mais cette essence somnolante n'est rien d'autre que l'essence *rêveuse* d'une subjectivité dépourvue du rapport avec l'objectivité de la représentation, sans laquelle il n'y a pas de *conscience*. La subjectivité sommeilleuse et rêveuse en reste à l'universalité abstraite de la représentation comme „tableau d'images", elle ne saisit pas „la totalité concrète des déterminations". Aussi le sujet comme tel ne peut-il consister que dans „l'être-pour-soi de l'âme éveillée". Non seulement il *a* déjà *dormi* (et rêvé), mais il est *déjà* réveillé, ou plutôt il *s'est* déjà réveillé. „L'éveil de l'âme" est la première véritable division originaire, le „*partage-originaire*" (Ur-teil) immédiat, en-deçà duquel il n'y avait pas de sujet, mais seulement l'essence léthargique de la subjectivité.

Cependant, l'éveil de l'âme n'est l'éveil de l'âme *elle-même* que d'une manière en quelque sorte partielle.

D'un côté, c'est bien l'âme qui s'est éveillée. Elle est sortie de „son universalité encore indifférenciée" et elle est devenue elle-même, c'est-à-dire qu'elle est devenue le sujet sous la forme absolument immédiate où il n'a pas encore „l'identité de l'être-pour-soi", et où il ne se rapporte pas non plus à l'objectif en face de lui. La différence de cet état avec l'universalité indifférenciée consiste seulement en ce que les „déterminités", qui auparavant n'étaient pas les déterminations *de l'âme* (c'est-à-dire de *telle* âme, de la tienne ou de la mienne), et demeuraient dans l'extériorité simple de la nature, sont désormais posées comme les déterminités *propres* de l'esprit, comme „ce qui lui est naturellement *propre de la façon la plus particulière*". L'âme est l'esprit immédiatement propre, sans processus d'appropriation pour soi, et ainsi posé dans l'élément du *sentir* (lequel est commun à l'homme et à l'animal).

---

6. *Encyclopédie*, § 386.

7. id. § 398. — Sauf indication contraire, les citations à venir seront prises dans les §§ 396 à 406 de *l'Encyclopédie*. J'utilise sans beaucoup de modifications la traduction de M. de Gandillac.

Dans l'éveil du sentir, le sujet s'est encore simplement et passivement *trouvé* dans ce qu'il a de plus propre.

D'un autre côté, „l'être-éveillé contient, absolument parlant, toute *activité*, consciente d'elle-même et rationelle, de l'acte de différenciation de l'esprit". Aussi le motif de l'éveil n'était-il d'abord apparu, dans la présentation générale de „L'esprit subjectif", qu'à propos de la conscience: „Dans l'*âme s'éveille* la *conscience*; la conscience *se pose comme une raison*, qui s'est immédiatement éveillée pour être la raison qui a savoir d'elle-même."[8] Ce qui s'est proprement éveillé et qui a toujours-déjà cessé de dormir ne peut être que la conscience. Seule la conscience — à laquelle, par elle-même, „l'âme ou esprit-naturel" n'accède pas encore — peut être la veille comme savoir d'elle-même *et* du sommeil qui l'a précédée. Seule la conscience est dans l'élément de la manifestation de l'esprit — objet de sa „phénoménologie", tandis que l'âme reste l'objet d'une „anthropologie".

Le premier côté de l'éveil, ou l'éveil de l'âme comme telle, n'est donc qu'un mauvais réveil, à peine un éveil, la persistance seulement à demi vigile d'une torpeur consubstantielle à l'esprit naturel. La matinée de l'âme n'est pas l'aube claire de la journée de la conscience. Ce n'est même pas une grasse matinée. C'est tout au plus le prélude somnolent à une soirée qui reconduit l'âme au sommeil — tandis que pour la conscience, à l'heure où l'oiseau de Minerve prend son vol, s'allument les lampes qui éclairent le travail du concept.

La différence qui s'est posée n'a pas été celle de la conscience, mais la différence inachevable de l'alternance, dans une „progression à l'infini", entre la veille et le sommeil en tant que deux états dont le premier offre „pour l'âme elle-même" „les déterminités concernant le contenu de sa nature sommeillante". L'âme éveillée ne se rapporte à rien d'autre qu'à son propre sommeil. Elle est le sujet, mais seulement comme le sujet de sa somnolence. Aussi, dans le sentir, les déterminités qui m'affectent sont-elles des déterminités „de mon êtrepour-soi total, encore que, sous pareille forme, engourdi", et „pour elle-même, cette étape de l'esprit est celle de l'obscurité de l'esprit."

Hypnose

La conscience n'est donc la conscience qu'en *étant* née, morte, et en s'étant réveillée de cette double indifférence (mais jusqu'où est-elle double? jusqu'où la mort n'est-elle pas déjà déterminée comme le moment négatif de la (re)naissance?). La conscience comme telle n'a jamais dormi. Mais l'âme où elle s'éveille, ou bien l'âme *dont* elle s'éveille — et où, comme par un éveil de l'éveil lui-même, elle éveille déjà la raison tout entière —, cette âme, dont la conscience est en un sens le seul éveil véritable, a pourtant déjà par elle-même et pour elle-même connu son „propre" éveil.

Elle l'a même si bien connu que l'éveil en tant que tel, malgré son assignation apparemment exclusive à la consciene, n'a tout d'abord „proprement" lieu que pour l'âme. Elle seule *émerge* véritablement du sommeil dans une alternance d'états. Elle seule n'*est* pas simple-

8. § 387.

ment *ayant dormi*, mais *passant* du sommeil à la veille. Sans l'éveil que l'âme communique en quelque sorte à la conscience, celle-ci ne s'éveillerait jamais: elle serait simplement *l'être-éveillé* (mais la conscience est essentiellement le processus de devenir conscience-de-soi; à un tel *devenir* appartient, sans pourtant lui appartenir, le mouvement de l'éveil, et non seulement l'être - déjà - vigile). Le partage-originaire de la conscience (du sujet) se détache du partage plus originaire de l'éveil de l'âme. Il s'en distingue, et il en provient. Le partage accompli de la conscience provient du partage s'accomplissant de l'âme. La veille provient de l'éveil, mais dans la veille il n'y a plus d'éveil — ou plutôt l'éveil ne (se) *passe* plus. Sa finitude est finie: la veille est infinie.

L'éveil de l'âme confine, dans le vocabulaire hégélien, à la tautologie. Non seulement l'âme est seule à s'éveiller „véritablement", mais l'éveil est sa propriété — quelqu'étrange que soit cette „propriété", qui ne se détache pas de ce qu'elle quitte, et qui n'accède pas à ce qu'elle ouvre. L'âme est l'éveil — mais l'éveil n'est proprement que le sujet affleurant à la surface du sommeil, passant à la surface, ou encore le sommeil lui-même prenant figure — à peine figurable — de sujet.

Dans cet affleurement qui passe, par cette quasi-configuration, l'âme n'éprouve plus seulement la sensation, mais le sentiment. Elle n'est plus seulement offerte à la détermination d'un sentir, mais c'est *en elle-même* qu'elle sent. „En tant qu'elle éprouve-des-sentiments l'âme est une individualité, non plus purement naturelle, mais intérieure." Cette toute première et „*simple intériorité*" est et demeure l'individualité dans toute déterminité et médiatisation de la conscience ultérieurement posée en elle". L'identité individuelle ne fait pas encore celle du sujet, elle n'est pas l'identité accomplie de *A* qui *se sait* = A et qui développe cette égalité dans la différence de la conscience. Mais l'âme est *simplement A*, sans lequel il ne saurait y avoir d'égalité ni de différence de A à A. L'âme est l'identité individuelle qui n'a pas acquis, ni conquis, ni produit son identité — et qui *demeurera* pourtant à travers tout le processus du sujet. L'âme n'est pas identité-dans-la-différence de la conscience, et elle n'est pas identité indifférente, n'étant ni antérieure au partage-originaire, ni postérieure et conséquente au développement et à la relève de ce partage. L'âme est simplement *A* (ton nom, le mien), l'identité individuelle simplement partagée, comme telle.

Elle est simplement ce partage d'une simple intériorité: elle est l'éveil qui a lieu dans le sommeil même, ou bien elle est le sommeil lui-même, ce „retour à l'essence universelle de la subjectivité", *en tant qu'individu*. A dort en étant A lui-même, qui est pour-soi tout en dormant. Cela s'appelle l'hypnose.

L'hypnose, sous la forme de ce que Hegel nomme, selon son époque, le „*somnambulisme magnétique*"[9], définit le premier stade, ou le moment immédiat, de l'âme dans l'élément du sentiment — avant qu'en un second moment ce sentiment ne soit sentiment-de-soi (dans

---

9. Le mot „hypnotiseur", p. 373 de la traduction, est ajouté par le traducteur. Hegel parle ailleurs du „magnétiseur". En tout état de cause, le sens moderne du mot „hypnose" est récent. Littré ne connaît encore que le sens de „maladie (africaine) du sommeil". L'acception moderne correspond à l'abandon de l'appellation „magnétisme animal".

lequel de nouveau — ou proprement — a lieu l'*éveil* et la différenciation-de-soi: l'éveil n'en finit pas d'avoir „proprement“ lieu).

L'hypnose n'est pas une image. Elle est la vérité de l'âme immergée dans „la torpeur de la vie affective“, et qui n'en sort pas, mais dont cet état constitue précisément la première émergence en tant qu'âme douée de sentiment. C'est-à-dire en tant qu'âme susceptible d'être affectée. Or le premier état d'un être capable d'affection ne peut pas être quelque disposition active, ni même quelque faculté de l'affectabilité. Une telle „faculté“ si on voulait la supposer, se confondrait avec la simple passivité. Mais la passivité ne saurait être „simple“: elle ne peut pas être déterminée comme une „puissance“ de recevoir et d'être affecté; elle ne peut l'être que dans le fait même d'*être* affectée. L'âme n'est pas tant l'affectable que le toujours-déjà-affecté. L'âme a commencé, si elle a proprement commencé, dans une affection qui se confond avec elle. L'affection n'est rien d'autre que l'appartenance en propre d'une altération. Déjà, avant le sentiment, la sensation ne forme pas autre chose que la façon, pour une déterminité quelconque, d'appartenir „à ce qui est naturellement *propre de la façon la plus particulière* à l'âme“. Mais ce qui lui est ainsi le plus propre — rien d'autre que „le contenu de sa nature sommeillante“ — n'est précisément que l'être-affecté-en-propre par des sensations qui sont *siennes*. Le „soi“ de ce „sien“ ne préexiste pas à la sensation: sa propriété la plus particulière se confond avec son affection.

Sans doute y a-t-il un „être-pour-soi“ de l'âme. Mais dans son immédiateté — dans son sommeil — cet être-pour-soi n'*est* que l'altération *sentie,* et non le sentir de l'altération. „Je“, ici, *est* affecté, il est par l'affection, ou plutôt il est „pure“ affection. Je dors, et je suis l'extérieur qui m'affecte. Si je suis pour moi dans cette affection, c'est parce que je suis à même moi-même „une totalité réflexive de ce sentir“. Mais cette réflexion n'est pas celle d'une conscience. Elle est le senti qui se fait sentir en totalité comme la plus propre propriété. Aussi cette propriété n'est-elle pas la mienne, elle n'est pas celle d'un *Je*. Elle est *la* propriété, absolument, en tant que la simple intériorité du *sentiment*. Le sentiment ne *me* fait pas sujet, il fait l'âme affection totale, pour elle-même, mais seulement sur le mode du „à même elle-même“. Le *même* de l'âme affective est ce même endormi qui se confond, parce qu'il ne s'en est jamais distingué, n'ayant jamais *été*, avec la totalité de l'autre qui l'affecte. Aussi ne connaît-il ni l'extérieur comme tel, ni la limitation. „L'âme est *à même elle-même* la totalité de la nature.“ Mais aussi bien, „l'âme est le concept *existant*, l'existence du spéculatif.“ Le concept dit ici: *ego patior, ego existo*; ou encore: *je dors, j'existe.*

Le concept parle en somnambule, en magnétisé. Le monde *sensible* opère la vérité du spéculatif — c'est-à-dire de l'unité des opposés, de l'en-soi et du pour-soi — en hypnotisant le concept, en l'affectant, et en le faisant ainsi exister.

Hypnotisme.

Mais „pour elle-même cette étape de l'esprit est celle de l'obscurité de l'esprit“; c'est-à-dire à peine une étape: l'esprit obscur à lui-même n'est pas l'esprit. Dans l'étape du sommeil, du battement du sommeil et de la veille, et de l'affection comme de l'unique — mais absolument propre — propriété de l'être affecté, l'esprit en général et la conscience en particulier

410

ne peuvent être posés que par anticipation[10]. Cette étape, comme telle, reste seulement „formelle". Elle ne prend „un intérêt caractéristique" que lorsqu' „elle apparaît à titre de *forme*, et par conséquent d'*état*". L'existence hypnotique absolument parlant est informe (précisément parce qu'elle ne désigne qu'une étape „formelle", non un état effectif). Elle ne se fait valoir et ne se laisse proprement discerner que lorsqu'elle prend forme dans l'être conscient, ou à partir de lui. Elle s'offre alors comme une retombée ou comme une régression de la conscience. Le sujet hypnotisé a sa conscience lucide hors de lui-même, „comme un état qui en diffère", dans le magnétiseur. Quant à „lui", le somnambule, le magnétisé, il est *malade:* „la vie-affective, en tant qu'elle est une *forme*, un *état* de l'homme conscient de lui-même, cultivé, lucide, est une maladie...".

L'être affecté ne se laisse reconnaître (comme son nom l'indique, en somme) que dans l'état pathologique. L'affection ne prend forme, ou ne donne au sujet sa forme d'affection, que comme un *pathos*. L'hypnose est un état maladif. Elle donne même la matrice, et peut-être l'essence de la maladie psychique, qui est „l'existence de la forme plus véritable de l'esprit à l'intérieur d'une forme subordonnée": ainsi, la conscience-de-soi *dans* le sommeil magnétique. Une pure et simple torpeur de l'âme ne se laisserait pas reconnaître comme un état. Mais la conscience sombrant dans la torpeur et différant ainsi d'elle-même donne la torpeur à voir, et pose en quelque sorte la torpeur pour elle-même. C'est l'hypnose, et c'est la maladie. De même que le sommeil et l'éveil précèdent la conscience, la folie précède l'entendement — mais ils ne sont reconnaissables comme états que dans la régression à partir de l'état supérieur[10].

La logique de l'esprit obéit ici à une singulière contrainte pathologique. D'une part, et comme il va de soi, l'esprit aura toujours *été fou,* de même qu'il aura dormi, qu'il sera né et qu'il sera mort. Aucune de ces étapes obscures n'aura proprement constitué un état de l'esprit — bien que ce dernier offre en elles l'extrême particularité de sa propriété (mais il ne l'offre à rien ni à personne, et pas même à lui-même, perdu et engourdi dans sa propre existence). Autrement dit, l'esprit aura toujours déjà *existé,* immédiatement existé, nature et concept, pour devenir ce qu'il est: l'activité du sujet et la liberté de l',,esprit objectif". Devenant ce qu'il est, il présente néammoins et il fait reconnaître la vérité à jamais passée et dépassée de ce qu'il aura toujours *été,* ou de ce par quoi il sera *passé:* il la présente comme la maladie, qui n'est plus une étape, mais l'état de „l'inadéquation" de la conscience à sa propre vie-affective dans laquelle elle „sombre". Et cette présentation a lieu par l'hypnose, ou plus exactement par l'hypnotisme.

L'hypnotisme forme cette circonstance dans laquelle une conscience peut en plonger une autre dans „l'état surprenant" du „somnambulisme magnétique". La possibilité de l'hypnotisme existe dans les faits, elle est attestée. Elle ne s'inscrit dans aucune nécessité naturelle, ni dans le devenir de l'esprit comme tel. Elle constitue en quelque sorte un après-coup contingent, mais effectif, de ce qui aura toujours été mais qui en somme n'aura jamais existé en tant que tel. L'hypnotisme est l'existence, maladive et surprenante, de la propriété

10. cf. § 380.

de l'âme que la conscience, dès son éveil, n'aura jamais eu comme sa propriété. Cette étrangeté de l'hypnotisme en fait un object de suspicion: on le tient pour „illusion et tromperie". Mais il existe, Hegel l'affirme avec la dernière énergie (et bien qu'il n'ait pas, „dans cet exposé encyclopédique", le loisir de „fournir toutes les preuves nécessaires"). Au reste, on ne convaincra pas ceux qui ont d'avance décrété que les magnétiseurs sont des charlatans. La conviction, ici, et plus encore la conception de ce qui est en jeu exigent qu'on échappe „à l'esclavage des catégories de l'entendement". L'hypnotisme et son étrangeté sont proprement l'affaire de la *raison*. La maladie de l'être-affecté ne révèle ce qu'elle est qu'à l'esprit spéculatif.

Hegel avait déjà annoncé, bien à l'avance (au §379), la nécessité d'une „considération spéculative" du magnétisme animal. Il indiquait alors que cette nécessité n'est qu'un cas particulier — et particulièrement remarquable en raison des objets d'expérience qu'il offre — de la spéculation à laquelle contraint de manière très générale la contradiction entre „la *liberté* de l'esprit et le fait pour lui d'être *déterminé*". Ce que l'esprit spéculatif doit saisir, là où les déterminations de l'entendement sont „troublées", c'est l'existence déterminée de la liberté, c'est-à-dire encore l'existence *finie* de l'esprit. Or en ce moment où l'esprit lui-même s'éveille à peine, tout se passe comme si l'Esprit du monde n'était pas encore là pour assurer son auto-détermination comme le processus véritable de sa liberté. Il est là, assurément, puisqu'on peut faire appel à la compréhension, ou à la contemplation spéculative. Mais il ne peut pas être *là,* dans ce sommeil *qui est le sien* et qui ne peut pas, par principe, être *le sien*.

La liberté que saisit l'esprit spéculatif s'auto-détermine, et relève ainsi toute détermination. Mais la détermination *elle-même* est d'abord saisie non dans l'autonomie, mais dans l'hétéronomie. La liberté serait-elle, comme le sommeil magnétique, donnée par un autre? L'esprit spéculatif ne veut ni ne peut le penser. Il désigne, dans l'hétéronomie, la pathologie. Mais dans la pathologie, c'est une insurmontable — et peut-être constitutive — affection de sa propre liberté qui le déroute, et qui le fascine.

Ce n'est pas que l'hypnotisme doive être pensé comme libérateur... Mais cela signifie que la spéculation philosophique sur la „pathologie", et la détermination générale de l'être-affecté comme „pathologie" dépend directement de la pensée de la liberté comme pure auto-position et comme pure auto-production de la conscience vigile. A terme, le sommeil de l'âme exigerait une autre pensée de la liberté.

Cependant, l'hypnotisme n'est pas l'unique ressort possible pour cette pathologie. Elle affecte aussi, elle est aussi l'affection de ceux qui dépérissent ou qui meurent à la suite de la mort d'un être cher, de ceux qu'étreint le mal du pays, la catalepsie, et d'„autres états morbides comme ceux qui apparaissent chez la femme au moment de la formation, à l'approche de la mort, etc." Le trait commun de ces états est la „torpeur" ou le „sommeil" de l'âme de l'individu „noyé·dans la forme-affective". Ils ont tous nature d'hypnose. Mais l'hypnotisme expose au mieux la „détermination essentielle" de ces états, qui est „d'être un *état* de *passivité*". L'état de la passivité offre ce caractère remarquable de ne plus être, ou d'être à peine, à la limite seulement, un état *du* sujet. „Le sujet malade passe et demeure *sous la puissance d'un autre sujet*, le magnétiseur". Dans cet état, il est „dépourvu de soi" (Selbstlos): autant dire qu'il n'y est pas sujet, que cet état n'est pas *le sien*. Il est bien un „être-pour-soi, mais un être-pour-soi vide, qui n'est pas présent à lui-même". La qualité de la présence-à-soi n'est pas une qualité parmi d'autres pour le sujet. Elle n'est même pas sa qualité, elle est son essence, sa nature et sa structure. Non seulement le sujet est présent à soi, mais la présence en général n'a lieu que par et pour cette présence du sujet.

Dans le sujet hypnotisé, c'est le présent même de sa présence qui est suspendu. Il est bien *là*, il existe, il est *Da-sein* (il n'est même que ça...), mais il est ailleurs, dans la „conscience subjective" de l'autre. S'il est ainsi présence, c'est comme une pure présence qui n'a pas pour soi de présent et ne se présente ni représente rien, seulement offerte à la représentation de l'autre. Ce sujet n'est plus le sujet de la représentation: il n'est plus *le* sujet. S'il existe ainsi malgré tout comme un „soi formel", c'est que le *da* de son existence, dans sa concrétude matérielle, est aussi bien le *da* immatériel de l'âme. En effet, dans cette „identité substantielle" avec autrui, l'âme révèle que „même comme concrète elle est réellement immatérielle."

Encore faut-il bien entendre l'opposition du concret et du matériel. Ce n'est pas l'opposition de deux synonymes, comme le voudrait la langue ordinaire. Le concret hégélien s'oppose à l'abstrait en ce que ce dernier n'est que l'unilatéralité d'un moment ou d'un élément (le moment matériel, isolé, est donc lui-même abstrait), tandis que le concret est l'unité effectuée des déterminations opposées: le concret est le concept effectué[11]. Si l'immatérialité de l'âme semble donc s'opposer à sa concrétude, ou lui imprimer une sorte de marque excessive, excédante, c'est dans la mesure où cette âme, pour être sujet, devrait être l'unité de sa détermination matérielle et de sa spiritualité: quelque chose comme l'élévation spéculative de l'union substantielle de l'âme et du corps chez Descartes. Mais cette union, déterminée comme *mienne* et comme essentiellement mienne chez Descartes, se déporte ici en identité substantielle avec un autre. L'immatérialité de l'âme n'est donc pas un moment abstrait, mais appartient à son effectivité concrète en tant que l'âme est aussi (ou d'abord, ou dans l'affection) *elle-même dans l'autre*. C'est dans l'autre ou par l'autre qu'*a lieu* le *da* de l'âme, aussi en tant qu'elle est son corps.

Comme dans la mort — c'est-à-dire, toujours, dans la mort de l'individu — ce qui est ici retiré à l'âme n'est que sa singularité immédiate et naturelle, et avec elle son individualité abstraite. Dans l'hypnose, l'âme est un corps offert à l'existence dans autrui. Mais l'individualité est retirée sans que l'existence immédiate de ce corps soit supprimée. L'hypnose est une mort immobilisée dans le *Dasein* de l'âme, et non relevée dans l'universalité. Cette mort ne passe pas à une autre vie, elle livre à la vie d'un autre, elle affecte l'âme en son propre corps de l'âme d'un autre. Elle en est le partage.

Le savoir de l'affection.

Ici, la mort confine à la naissance. Non à la naissance qui a toujours-déjà eu lieu, mais à la naissance en train de se produire. Dans l'hypnose, la mort et la naissance ne sont pas passées (elles ne sont pas *présentes* en tant que passées), mais elles se passent.

Car la détermination essentielle de l'état de passivité a elle-même un modèle, et en vérité plus qu'un modèle: c'est l'état de l'enfant dans le corps de sa mère. Il en va dans l'hypnose,

---

11. cf. § 164.

dit Hegel, comme dans ce dernier cas. Mais ce dernier cas, Hegel l'a déjà présenté, au paragraphe précédent. La pathologie du magnétisme animal peut bien faire fonction de révélateur privilégié pour l'etat de l'âme affectée, parce que seule cette pathologie est accessible à l'expérience, et parce qu'elle présente ainsi la forme de la passivité dans un sujet déjà identifiable: il n'en reste pas moins que la détermination essentielle de cette pathologie provient d'ailleurs, et d'un ailleurs sans lequel, par conséquent, l'expérience de l'hypnose ne pourrait pas recevoir sa „considération spéculative".

L'hypnose n'est que la forme visible de l'invisible état de la gestation, dans lequel se trouve déposée la vérité de l'âme en tant que *sentiment* Cette vérité — et par conséquent la vérité de l'affection, selon laquelle l'éveil de l'âme (et non de la conscience) se produit au sein de son sommeil —, il aura donc fallu déjà la connaître pour pouvoir ensuite comprendre l'hypnose. Hegel a déjà décrit l'enfant dans le sein de la mère — l'état de la passivité. Il a eu ce savoir proprement *immémorial*.

Il l'a eu comme s'il l'avait reçu de l'une de ces „voyances" hypnotiques qui sont le savoir „sans la médiation de l'entendement", „la vie affective qui, voyant en elle-même, est douée de savoir". Il refuse pourtant à ces voyances le pouvoir d'accéder à des „connaissances universelles", bien qu'il ne leur interdise pas l'accès à quelque vérité. Simultanément, il subordonne et il accorde un pouvoir propre à l'âme affective (à l'âme „irrationnelle"), et il le nomme avec Platon *manteia*, pouvoir de vision, de divination. Le savoir sur l'enfant dans la mère est une mantique, Hegel est un visionnaire et un devin[12], mais pas plus que Platon il ne peut le reconnaître. Ce n'est pas seulement que la philosophie résiste ici à un savoir propre de l'affectivité. C'est que ce savoir *n'est pas* à reconnaître comme savoir. Il n'est pas le savoir qui s'approprie sa propre scientificité, ni dans la certitude, ni dans la véri-fication. Hegel peut avoir l'air ici d'un visionnaire: mais c'est en ne le reconnaissant pas qu'il „reconnaît" (malgré lui, nécessairement) un partage du savoir que le savoir ne résorbe pas, une vérité de l'affection que le vrai savoir ne peut ni savoir vraie ni déclarer fausse, et qui se retire du savoir au sein du savoir même.

Peut-être ne s'agit-il ici ni des visions ni des vaticinations de Hegel, mais simplement, si cela peut être simple, de son amour pour sa mère, ou pour sa femme et pour ses enfants. Rien d'autobiographique ni de „personnel": mais un être-affecté malgré tout lui aussi à l'oeuvre dans l'„encyclopédie des sciences philosophiques". Et par exemple, un être dont l'affection aurait à „savoir" quelque chose, dans l'„encyclopédie" et pourtant hors de son cercle, sur la provenance du sujet même de l'„encyclopédie".

En effet, „ce noyau de l'être-affectif ne contient pas seulement le naturel, le tempérament, etc, pour eux-mêmes sans conscience, il acquiert également tous les autres liens, ainsi que les rapports, les destins, les principes". Hegel dans le sein de sa mère est aussi le même, celui-là même qui est devenu un sujet philosophant. Le début de l'*Encyclopédie* a enseigné que pour ce qui est du commencement, la philosophie ou bien „n'en a pas au sens des autres

---

12. Ce qui voudrait dire aussi, selon les affinités platoniciennes, un poète et un rhapsode, un *herméneute* au sens de celui en qui se partage et se communique le „logos divin". Le *Ion* de Platon présente l'*hermeneia* par l'image du magnétisme (minéral). Cf. J-L. Nancy, *Le partage des voix*, Galilée, 1982.

sciences"[13] — étant „le cercle qui retourne en lui-même" —, ou bien n'en a un que dans le rapport au sujet „en tant que ce dernier veut décider de philosopher". Ce vouloir et cette décision d'un sujet „en quelque manière extérieur" à la philosophie, dont il doit d'abord être séparé comme de son objet, ne peuvent eux-mêmes procéder de rien d'autre que de l'âme du sujet. La philosophie est une affaire de sentiment. Lorsque la science philosophique en vient au moment de déterminer le sujet lui-même selon l'affection d'où provient son sentiment philosophique — par exemple, cette „joie juvénile des nouveaux temps (...) saluant l'aurore d'un esprit rajeuni", dont parlait la première préface, en 1817 —, il est à la fois prescrit et inaccessible que cette science se fasse elle-même identique à l'affection de l'âme. Il est nécessaire et impossible que la conscience du savoir soit hypnotisée, que le sujet philosophant se sache avoir son soi dans un autre — dans sa mère, ou bien, on le verra, dans la femme. Aussi bien n'a-t-il jamais rien voulu d'autre, en tant qu'il a décidé de philosopher, que ce savoir de soi hors de lui. La décision pour la philosophie ne concerne un objet „séparé" que pour autant que dans cette séparation c'est du sujet lui-même qu'il s'agit.

En un sens, dans cet objet et en tant qu'objet, dans la philosophie comme telle, le sujet sera toujours né, mort et réveillé. Et cette naissance de lui-même dans l'affection d'un autre, il se la sera toujours appropriée, et l'aura pour elle-même délaissée dans l'oubli de l'immémorial. Mais en un autre sens, qui ne fait pas de sens et ne donne pas un sens, ce sujet naît ici même, hypnotisé, visionnaire ou malade. C'est du moins ainsi qu'il est presque sur le point de se représenter. Mais il ne le fait pas. Il contemple dans son âme affectée une gestation, une naissance, une altération qui n'est rien de malade encore, et qui n'est pourtant rien d'appropriable pour la pensée qui cependant le nomme, le décrit et se l'approprie. Ce qu'il contemple ainsi, il le nomme „le rapport *magique*" de l'enfant et de la mère.

L'*Encyclopédie* ne consacre pas de développement spécial à la magie. Ce qui pourrait le plus y ressembler, l'astrologie et en général les corrélations de la vie humaine avec la vie „cosmique, sidérale, tellurique", a été écarté comme ne correspondant qu'à l'état de quelques peuples encore peu avancés dans la culture et dans la liberté de l'esprit[14]. Le „rapport *magique*" (Hegel souligne le mot) de l'enfant et de la mère est sans exemple et reste sans concept. Cette „magie" n'est pas un objet de la science — alors que l'hypnose, dont elle fournit cependant le principe, s'efforce d'être quelque chose de tel. C'est une „magie" qui intervient dans le savoir philosophique, et malgré lui. Pas plus que ne préside ici une philosophie de la magie, ne s'introduit sournoisement une magie de la philosophie. Le mot „*magique*" nomme seulement un savoir de l'affection en-deçà de tout savoir, et un être-affecté du sujet du savoir lui-même. Hegel ne nomme pas philosophiquement (conceptuellement) la magie, pas plus que le „*Genius*" dont il va être question dans le même paragraphe.

Il les nomme, si on veut, poétiquement. Mais cette poésie n'est pas une exaltation ou une surcharge de la volonté philosophique du savoir. Elle ne prétend pas substituer au discours le sentiment et la divination, pour pénétrer dans la torpeur de l'âme. Discrète, effacée, à peine inscrite dans le droit fil du discours de la science, cette poésie signale seulement

13. § 17.
14. § 392.

le défaut, ou plutôt le suspens du discours, c'est-à-dire *à la fois* l'imminence du spéculatif et la proximité intime de l'affection. En ce sens, le § 405 de l'*Encyclopédie* est un poème — mais ce n'est pas une fiction.

Identité et tremblement.

La vérité immémoriale de l'enfant dans la mère n'est cependant pas entièrement dépourvue d'un savoir d'expérience. Une trace en subsiste, lorsque Hegel, au milieu seulement de la „Remarque" du paragraphe, mentionne „les surprenantes communications de déterminations qui se fixent dans l'enfant à la suite de mouvements violents qui se produisent dans la sensibilité-profonde de la mère, à la suite de lésions dont elle est victime, etc."

Se trouve ainsi convoquée une longue tradition de la considération des „taches", „envies" ou autres singularités en tant que produits d'émotions éprouvées par la mère enceinte. Malebranche, par exemple, avait déjà exploité cette tradition aux fins d'analyse de la passivité des esprits „féminins" ou „efféminés".

Mais Hegel ne s'y arrête pas. Cette tradition porte seulement pour lui le témoignage le plus extérieur et, quoique „surprenant", le plus limité de la communication générale qui se produit de la mère à l'enfant, et qui constitue même à vrai dire, on le verra, plus qu'une communication. Car cette communication ne concerne pas seulement des marques accidentelles. Elle est la communication du *soi* de l'enfant lui-même.

L'enfant dans la mère est en effet le premier moment de l'âme, ou l'esprit dans l'étape de son obscurité. Il existe certes en tant qu' „individu monadique", mais par là n'est encore désigné rien de plus qu'une identité numérique discrète. L'enfant est „un" par rapport à la mère, qui diffère de lui. Mais il n'est qu'une identité formelle ou abstraite. Il a sa différence entièrement hors de lui, et il ne l'a donc pas comme un moment propre.

Son identité n'est pas *passée* par la différenciation de soi. Il n'est pas né, il ne s'est pas éveillé. Aussi n'est-il „pas encore comme lui-même, et il est donc *passif*".

La passivité n'est pas l'état d'une individualité constituée en identité. La passivité est une individualité sans identité, qui n'est pas la même qu'elle-même, et ne peut se rapporter à soi. On peut à peine dire que l'enfant soit une individualité passive: il est plutôt la passivité individualisée, numériquement détachée comme unité distincte. Mais cette unité n'„est" si on peut dire que son détachement, elle n'est que son être-découpé, elle n'est pas même encore la même qu'elle-même, ou si elle l'est, c'est sans entrer en rapport avec soi. L'être passif est aussi bien l'être sans différence que l'être complètement différent de lui-même, l'être disjoint dans son être de son être même.

Sa passivité n'est donc pas une propriété — elle ne peut même pas proprement être dite un *état* ou une *forme*. Elle est la „propriété" de l'absence de propriété, mais selon une absence qui n'est pas un manque: car il s'agit bien de l'individualité d'une *âme*, et d'une âme qui a le *sentiment*, par conséquent dans „une individualité intérieure". Mais la „propriété" de cette intériorité est de ne pas être elle-même à l'intérieur d'elle-même, et d'être au contraire extérieure à elle. Son *soi* „est un sujet différent" d'elle, mais de telle manière que cette différence n'est pas une différence interne du sujet. Elle est la différence dans le sujet qui n'est pas la différence *du* sujet, et de cette façon elle pose ou elle impose *hors* de lui ce qui est „propre-ment" son „intérieur". Le sujet n'*a* pas cette différence, et encore moins l'a-t-il passée, mais il l'*est*. De telle sorte néammoins qu'il n'est pas ainsi sa propre différence: mais il est diffé-rent de ce dont il est proprement le sujet. Certes, ces deux formulations ne sont cependant pas loin de se confondre. Or elles sont absolument distinctes. L'enfant n'a pas la puissance de sa différence, et ce n'est pas *de lui-même* (en tous les sens de l'expression) qu'il peut se dif-férencier.

Mais autant cet enfant, comme „monade", est simplement posé, ou jeté dans la différen-ce numérique, autant il est, comme *soi*, posé, ou donné en dehors de sa monade. Sa diffé-rence numérique — son individuation — est même cela même qui le met hors de soi. Dans cette double différence. il est indifférent. La passivité est l'indifférence du différent. La for-mule, ici encore, pourrait se confondre avec celle de l'identité accomplie. Mais cette derniè-re pose sa différence, et la relève de cette différence, comme *elle-même*. L'être passif ne pose pas sa différence, ni son indifférence, comme lui-même. Ce qu'il *est* n'est pas *sien*. Ce qu'il est dans sa différence ne peut que lui être donné d'ailleurs — et c'est à peine, en vérité, si ou peut dire que *ça lui* est donné. C'est donné — étant donné, ça fait *lui*, et ça le fait d'ailleurs. Un tel ailleurs, jamais le sujet spéculatif n'aura pu le connaître — et ici, il ne le connaît pas non plus, mais il en voit (de quelle vision?) affecté son savoir de lui-même, de la provenance de lui-même.

C'est pourquoi „le sujet distinct" de la monade „peut aussi être en tant qu'un autre indi-vidu". Cette simple *possibilité* réserve l'autre possibilité, selon laquelle le sujet pourrait être le même que la monade, hors d'elle en elle-même, Mais cette dernière éventualité ne sera pas articulée. Elle ne figure, et de manière très allusive, que comme une concession rapide à ce qu'exigerait la vérité du Sujet: que l'enfant ait en soi la puissance de sa différence et de son identité. Mais en vérité la torpeur de l'âme est invincible par l'âme elle-même, c'est-à-dire que la différence effectivement différante — ou ce qui dans la différence ne se laisse pas rapporter à l'identité, *ce qui diffère* dans la différence — exige „l'autre individu".

Dans l'âme affective, la différence *a lieu*. Elle n'est pas déjà passée ni dépassée. Ici, la dif-fèrence se passe. Elle *arrive*, c'est-à-dire qu'elle n'est pas encore arrivée. Non que nous assis-stions au présent du processus lui-même: pour être présenté, il faut qu'il soit déjà passé. On n'assiste jamais au „ça arrive". Il n'y a pas ici de présent, mais la présence de la différence, c'est-à-dire son être-donné, ou la passivité, et ce qui lui arrive.

La passivité n'„est" en fait que cela: qu'il lui arrive quelque chose, d'ailleurs, de l'autre. Qu'il lui arrive du différent. La passivité n'est pas la propriété d'être passif, et par exemple de se laisser donner ou imprimer telle ou telle marque. La passivité ne fait rien, pas même sur ce mode du „faire" que serait encore de se laisser faire. Plus „passive" que ce qu'on nomme passivité, l'âme n'est elle-même que pour autant qu'elle est affectée du dehors. Sa „passivité" lui est donnée avec l'affection. Elle ne la précède pas comme la propriété d'une cire molle. L'âme *est* affectée, elle est en tant qu'elle est affectée — de son identité.

„L'autre individu" va être déterminé comme la mère pour l'enfant, sur le plan de „l'exi-stence immédiate", dans la „Remarque". Mais dans le corps du paragraphe, rien n'a encore spécifié ce rapport — ou cette altérité. La mère et l'enfant fourniront le paradigme immé-diat — et „matriciel" — d'une altérité générale, constitutive de l'âme en général. L'autre individu peut être l'autre de la communauté humaine. Il peut être l'autre de l'amour. Ce que l'âme affective met en jeu n'est pas proprement ni exclusivement la maternité (du reste, on ne trouve pas ici la paternité, qui en serait le corrélat), mais à travers elle, et plus „maternelles", qu'elle, ou plus archaïques qu'aucune gestation et qu'aucune genèse, une socialité et une érotique, archi-originaires et indissociables.

La „substance" de la monade „n'est qu'un prédicat non-autonome". En tant que telle, elle „exclut toute résistance". L'âme est la substance offerte. Au don de l'identité répond l'offrande de la substance sans identité. Aussi n'y a-t-il proprement ni donateur ni donataire — et il n'y a pas non plus d'appropriation. Il y a don, abandon sans résistance — à quelque chose donc comme une possession, mais la „possession" signifie l'abandon mutuel.

La monade est „traversée d'un tremblement" (*durchzittert*) par le *soi* de l'autre individu. Elle est pénétrée (comme le dit la traduction pour rendre le *durch*), mais ce n'est pas la pénétration comme telle qui vaut. On ne saura pas si celle-ci a eu un commencement, ni si elle a été décidée. En face de la passivité, il n'y a pas une activité. Mais le *soi* de l'autre est déjà dans le „même" qui n'est pas lui-même, et le traverse d'un tremblement, d'un tressaillement par lequel tout à la fois le „même" défaille, et se trouve déterminé.

A vouloir interpréter cette scène comme scène sexuelle — ce qu'elle est „de toute évidence" —, on ne trouvera à y distribuer aucun rôle. Pas plus que de maternité il n'est question ici ni de masculinité ni de féminité. Le tremblement de l'âme n'est pas indifférent à la différence des sexes: il *est* cette différence, ou une différence plus archaïque encore et pourtant sexuelle — ou la différence de l'amour, en tant quelle partage l'âme, ni homme ni femme mais l'un ou l'une dans l'autre, et la fait trembler.

Le tremblement du „même" c'est son identification. L'âme tremble d'être l'âme elle-même — et de l'être par l'autre. Que sa détermination se produise dans le tremblement signifie que cette détermination ne lui est pas imprimée par une puissance étrangère, mais qu'elle a lieu seulement comme l'ébranlement de la substance par l'autre — qui en est le soi. L'âme tremble parce que son sujet lui est autre, et que son identité n'a lieu que dans l'altération de sa substance. Le tremblement est aussi une vibration — presque un rythme de l'âme, une palpitation. Ce rythme n'est encore rien d'autre que le rythme de son sommeil, le battement du sentir dans le sommeil et dans l'imminence du passage à l'éveil. L'identité s'y détermine non seulement dans la passivité, mais *comme* passivité: car la passivité, il faut le redire, n'a lieu que dans ce tremblement, dans cet espacement vibrant dont la substance est affectée, et qui est son affection.

L'âme n'*est* pas *passée* par le tremblement. Elle tremble continûment — elle passe, son identité passe. Ce qui passe est le fini. L'identité de l'âme est l'identité finie, la finitude de la différence qui lui vient comme différence effective, d'un autre infiniment autre. La finitude de l'âme tient à cette altérité constitutive de son *soi* — dont la vocation de sujet exige l'accomplissement infini. Au-delà de la naissance, le sujet s'accomplira infiniment, il sera la relève de ses déterminations finies. Il sera celui qui se *ur-teilt*, qui se divise originairement lui-même, engendrant de soi sa différence et son identité.

Mais cette auto-division originaire aura été précédée d'une origine plus enfouie — et qui peut-être, n'étant jamais passée, ne cesse pas d'arriver. Ici, le *Urteilen* est extérieur à l'âme. Il n'est le sien qu'en étant de l'autre. C'est ce qui a lieu dans le sein de la mère: au-delà des „surprenantes communications de déterminations", c'est „tout le *partage-originaire* psychique de la substance, dans lequel la nature féminine, comme les monocotylédons dans le végétal, peut se briser en deux". Dans ce rapport, la différence des sexes ne distribue pas à nouveau des rôles. Mais „la nature féminine" se montre comme la différence de la différence, comme ce qui, dans la différence, diffère: elle se brise en deux, sa nature est de se briser ainsi.

Or cette nature n'est pas la constitution d'un sujet se divisant lui-même de lui-même. L'analogie végétale indique que la „nature féminine" n'est pas sur le registre de la subjectivité. Les parties de la plante ne sont pas encore „de façon essentielle des membres"[15]. La brisure féminine n'est pas une auto-différenciation au sens organique achevé. La brisure est inscrite dans cette nature comme une fragilité d'essence, qui fait aussi sa plus propre possibilité. La „mère" — ou la *femme* — qui tient ici le paradigme n'est pas la mère féconde, ni la mère nourricière. Elle n'est pas l'origine se divisant d'elle-même. La femme n'est pas le jugement, mais le don, et le pardon.

La figure maternelle, ou la Grande Mère, est absente de ce sein maternel. Celui-ci n'est pas non plus le sein d'une vierge engendrant d'elle-même. En aucune façon cette mère n'est phallique — bien qu'elle semble tenir la position du Sujet lui-même. Mais à cette place même il n'y a qu'une mère désarmée, une brisure qui ne signifie même pas que l'âme de l'enfant *provient* de la mère, mais seulement que cette âme, en tant qu'âme, est féminine, quel que soit le sexe de son sujet.

Le tremblement de l'âme répond à la brisure de la nature féminine. Les deux sont en vérité la même chose, et l'enfant „ne reçoit pas *communiquées*" toutes ses déterminations, mais il „les a dès l'origine *reçues-et-conçues* (empfangen) en lui". Cette mêmeté forme comme la réplique inversée d'un sujet s'originant lui-même. Mais l'origine „est" le tremblement de la brisure — non la différenciation de soi, mais le soi différent de soi. Encore cette différence n'est-elle pas celle de l'autre pris dans le processus spéculaire de la reconnaissance et du désir du même. Mais l'âme diffère de soi d'un tremblement — rien de plus qu'un tressaillement et un battement, qui la fait défaillir et offre son identité dans cette défaillance. Le tremblement diffère l'identité: c'est ainsi qu'elle est donnée. Tel est le „rapport *magique*".

Genius.

„La mère, écrit Hegel, est le *génie* de l'enfant." La figure mythologique du *Genius* latin désigne „la totalité du soi de l'esprit" en tant qu'existant pour elle-même, hors d'un individu qui n'est individu „que de façon extérieure". Le Genius est „le mode compact" ou ce qu'on nomme aussi „le *coeur*" ou „*la sensibilité-profonde*" (*Gemüt*, un autre mot pour dire, en ce sens, „l'âme" ou „le coeur"). Le Genius est le coeur de l'identité, en tant que l'âme affective est réellement le noyau de toutes les déterminations et de toutes les dispositions du sujet. Le sujet philosophant lui aussi procède de son coeur ou de son Genius.

15. § 349.

Le Genius représente cette identité hors de l'individu, comme un autre individu, parce qu'elle est précisément cette identité autre, tremblante ou frémissante, non individuelle, dont la nature plus qu'originairement féminine n'est en vérité rien d'autre que la nature même, ou la „propriété" de trembler, de frémir, de se briser, de sentir, d'être affectée. La passivité n'est pas individuelle: on peut être actif seul, mais on ne peut être passif qu'à deux ou à plusieurs. La passivité est, de l'individu, ce qui tremble et s'écarte de lui, l'écartant de soi, l'espaçant d'un battement. C'est le *coeur*, en effet, comme le rythme d'un partage.

Le sujet, ici, naît. Il n'y a pas de présent de sa naissance — et il n'y en a pas non plus de représentation. Mais la naissance est le mode de la présence du coeur, c'est-à-dire du partage. Le Genius n'est pas l'individu, parce qu'il le partage: il le fait trembler, et il le partage d'avec et avec l'autre. Ce n'est pas une communauté immédiate et totale — comme s'il y avait un unique Genius de l'humanité —, car le Genius *est* la différence de l'individu, sans être l'individu lui-même. La naissance a lieu dans une communauté du partage — celle du sein de la mère, celle de l'amour, celle de l'être-ensemble-et-à-plusieurs.

La *partage* lui-même signifie la naissance *(partum)*. Naître, ne pas avoir la naissance derrière soi, mais naître incessament, dans le tremblement, c'est être partagé. Ce n'est pas l'*avoir été*, et c'est même ce que le sujet ne pourra jamais avoir derrière lui, comme un passé ou comme le présent de son passé. Mais le sujet n'en finit pas de naître, et de trembler. Ainsi la différence vient à l'identité: elle lui *arrive*. Elle ne se laisse pas elle-même identifier, et elle donne l'identité. L'identité est donnée par la différence qui n'est pas *la sienne*.

L'identité comme différence *propre* est donnée par la différence sans propriété. Ce n'est pas que le propre n'advienne pas, mais il n'advient qu'en provenant sans cesse de l'impropriété — dont la destination, en revanche, n'est que cet avènement, cette naissance qui n'en finit pas. L'identité qui naît ainsi advient donc, elle ne cesse d'advenir à son identité. Mais elle ne saurait être indifférente. Sa provenance la fait différente, et singulière: c'est l'enfant (quand l'homme cesse-t-il de l'être?), c'est l'homme provenant de la femme, c'est la femme à son tour s'éveillant, c'est l'étranger, c'est le prochain, c'est toi, c'est moi. L'identité *pour soi* est indifférente, mais toujours est donnée, toujours arrive une identité singulière et différente.

* * *

Annonçant le passage à l'hypnose, le Genius de Hegel se partage déjà avec celui de Freud:
> „De ce rapport *magique* on trouve ailleurs des exemples et des traces sporadiques dans le domaine de la vie consciente lucide, par exemple entre des amis, particulièrement entre des amies souffrant de faiblesse-nerveuse (— ce rapport peut se développer au point de produire des phénomènes magnétiques), entre des époux, entre des membres d'une même famille, etc."

Freud aura su mieux que quiconque que le sujet n'en finit pas de naître, et que la communication hystérique, hypnotique, ou en général affective ne „communique" rien d'un sujet à un autre, mais les partage d'une autre et même naissance, d'une autre et même présence, d'une autre et même identification. Le lieu du partage qui est aussi le lieu partagé, il l'a nommé „inconscient". Comme chez Hegel, ce n'est encore que le négatif et l'attente d'une conscience. Cependant, „l'inconscient" n'est en attente de rien, pas plus que l'âme, le Genius ou le coeur. Ce n'est pas qu'il soit auto-suffisant, à la manière d'un Narcisse. Narcisse se satisfait dans les rêves de l'âme endormie. Mais le sommeil est traversé d'un tremblement qui ne doit rien à ce „tableau d'images". Le tremblement n'est pas une image, il est le rythme de l'âme affectée, et le partage de l'inconscient, c'est-à-dire l'„inconscient" comme notre partage. Cela veut dire notre communauté, notre destin, notre Genius. Cela veut nous dire partagés par le génie de la „nature féminine". — La „conscience" est de savoir qu'il n'y a pas de savoir de ce génie, non parce qu'il serait hors de portée, objet d'un culte au-delà de la raison, mais parce que cette „nature" n'est jamais une *nature*. Elle n'est rien de donné, de déjà-donné, dépassé et passé. Elle „est" le don, qui ne peut pas être donné, l'offrande, qui ne peut pas être elle-même offerte.

N'étant pas une nature, elle n'est pas non plus quelque chose qu'on pourrait partager et se partager. Un tel partage serait la répartition d'une identité infinie, du Sujet même, en singularités concrètes, distribuées et articulées au sein d'une totalité. Mais la „nature féminine" est la *finitude* de l'identité, c'est-à-dire le partage-originaire, l'*Urteil* de *rien* qui soit donné à répartir: un partage de l'impartageable. L'impartageable est aussi bien l'individu, que la naissance, le sommeil, la mort, ou l'inconscient. Le partage „originaire" ne les répartit pas, et ne les divise pas proprement: il les fait trembler du tremblement de l'identité *finie*. La „nature féminine" est la finitude, qui n'*est* pas, mais qui fait l'immatérialité *concrète* de l'âme partagée.

L'identité finie n'est pas celle de l'individu séparé. Elle est au contraire la séparation elle-même qui tremble, elle est l'altération de la substance et de la clôture monadiques — le partage et l'affection. Seule l'identité infinie du Sujet pourrait assurer une individualité effective. A la mesure de l'identité finie, au contraire, on ne naît jamais seul, bien qu'on ne naisse pas collectivement. On ne dort jamais seul. Et on ne meurt jamais seul. — La solitude n'en existe pas moins: elle est la conscience infinie de l'identité finie.

Emile M. Cioran

EINIGE SÄTZE ...

Da ich in nichts, in niemandem, noch weniger in mir selbst spezialisiert bin, wäre es anma-
ßend, wenn ich mich zur wissenschaftlichen Tätigkeit von Jacob Taubes äußern würde.
Aber das, worüber ich sprechen kann, sind unsere sich über Jahre erstreckenden Begegnungen; Begegnungen, die für mich sehr bereichernd sind, denn jeder Aufenthalt meines
Freundes in Paris gibt zu langen Monologen über unsagbar *lebensprühende* Sujets Anlaß.
Damit meine ich, daß, selbst wenn er Mesopotamien evozieren würde, er schon Mittel und
Wege fände, um einen Streifzug durch die Gegenwart zu machen. Professor und Nicht-Pro-
fessor zugleich, verkörpert Taubes den Abscheu vor jeder öden Wissenschaft. Besonders
wenn es um Religion geht, ist die Gelehrsamkeit um ihrer selbst willen ein Un-Sinn. Was
irgendein Ketzer bekannt hat, besitzt einen Wert nur in dem Maße wie sein Standpunkt —
oder sein Irrtum — in uns noch ein Echo hervorrufen kann. Die Gnosis würde keinen Augenblick lang Aufmerksamkeit verdienen, wenn sie uns nicht in den Tiefen aufrütteln würde: gerade weil wir ihre späten Komplizen sind und weil sie in uns fortlebt, müssen wir uns
mit ihr auseinandersetzen. Hierbei tritt Taubes' Talent besonders deutlich in Erscheinung:
er macht eine ehemalige Doktrin zeitgenössisch, er müht sich um Marcion, als ob dieser
uns heute noch verführen und irreleiten würde. Sein Polemiker-Temperament, sein tertul-
ianischer Einschlag bewirkt, daß er alles belebt, worüber er spricht. Er hat mich davon dispensiert, einen Haufen neu erschienener Bücher zu lesen, meistens französische, deren
Mehrzahl durch ihren Inhalt bedeutsam, durch ihren Stil aber abstoßend waren. Warum sie
noch in Angriff nehmen, warum sie *erleiden*, da er es schon getan hat, da er sie für uns ver-
arbeitet, verdaut hat?

Die freundschaftliche Beziehung hat nur dann einen Sinn, wenn unsere Freunde uns eine Menge Kraftaufwand ersparen, den unser Dilettantismus oder unser Überdruß aufzubringen vermeiden. Das Vergnügen, durch einen anderen etwas zu lernen, zu *erfahren*,
macht den Reiz einer Freundschaft aus. Ich habe bemerkt, daß die einzigen Freunde, die
wir behalten, diejenigen sind, von denen wir etwas „haben". In diesem Sinne ist keine
Freundschaft uneigennützig. Es ist normal, daß es so ist. Kann man denn einen Besucher
ertragen, der nach fünf Minuten uns noch immer nicht eine Neu-Entdeckung enthüllt hat,
einen unbekannten Autor, oder eine Intrige, eine Geschichte, die ihn oder uns betrifft? Alles ist der Unparteilichkeit vorzuziehen. Die Objektivität ist tödlich! Kein Gleichgültiger
soll jemals an meine Türe klopfen! Nur der Leidenschaftliche, den der Humor zügelt, ist
ein angenehm willkommener Gast! Das trifft bei Jacob Taubes zu. Ein mit ihm zusammen
verbrachter Abend läßt einen, seltsames Ding, mit sich selbst zufrieden zurück.

Für einen Seßhaften, wie ich es bin, bleiben die Berichte seiner Reisen, seiner Erlebnisse, z.B. in Jerusalem, der mannigfachen Erfahrungen, die er dort gesammelt hat, einfach un-
vergeßlich. Ein Geist, den das Wissen nicht verfälscht hat, der mit gleicher Intensität, und,
bei Gelegenheit, mit gleicher Losgelöstheit über die Erbsünde und über die letzten Schlag-
zeilen zu sprechen vermag.

(Aus dem Französischen von Verena von der Heyden-Rynsch)

Bibliographie Jacob Taubes
(zusammengestellt von Wolfgang Hübener und Christoph Schulte)

1. Abendländische Eschatologie. Bern (Francke) 1947, 208 S. (Beiträge zur Soziologie und Sozialphilosophie. 3).

1a. Studien zu Geschichte und System der abendländischen Eschatologie (Teildruck). Bern (Röst, Vogt & Co) 1947, 61 S. (Phil. Diss. Zürich 1947).

1b. Das Gesetz der Neuzeit. In: Neue Schweizer Rundschau 15 (1947), S. 348-353 (= Nr. 1, S. 85-90).

2. Logos und Telos. In: Dialectica 1 (1947), S. 319-330.

3. Notes on an Ontological Interpretation of Theology. In: Review of Metaphysics 2, No. 8 (June 1949), S. 97-104.

4. Emunot veDeiot beMea Ha-Tscha Esrei (Glaube und Wissen im 19. Jahrhundert). In: Gedenkschrift für Julius Guttmann. Jerusalem 1950.

5. Erweiterte und überarbeitete Bibliographie zu: Julius Guttmann, HaPhilosophia Ha-Jehudit. Jerusalem 1951 (hebr. Übersetzung v. J. Guttmann, Die Philosophie des Judentums. München (Reinhardt) 1933).

6. Rez.: E. Benz, Emanuel Swedenborg. München 1948. In: Philosophy and Phenomenological Research 13 (1952/3), S. 431/2.

7. Rez.: W. Rehm, Experimentum medietatis. München 1947. In: Philosophy and Phenomenological Research 13 (1952/3), S. 432/3.

8. Rez.: G. Anders, Kafka pro und contra. München 1951. In: Philosophy and Phenomenological Research 13 (1952/3), S. 582/3.

9. The issue between Judaism and Christianity. In: Commentary. Publ. by the American Jewish Commitee. New York, 16, No. 6 (1953), S. 525-533.

10. The Apotheosis of History. In: Actes du XIème Congrès de Philosophie 8. Louvain 1953, S. 7-9.

11. The Development of the Ontological Question in Recent German Philosophy. In: Review of Metaphysics 6, No. 4 (1953), S. 651-664.

12. Rez.: I. Husik, Philosophical Essays: ancient, mediaeval and modern. Ed. by M.C. Nahm and L. Strauss. New York-Oxford 1952. In: Philosophy and Phenomenological Research 14 (1953/4), S. 267-270.

13. Rez.: Symphilosophein. Bericht über den Dritten Deutschen Kongreß für Philosophie. Bremen 1950. Hg. v. H. Plessner. München 1952. In: Philosophy and Phenomenological Research 14 (1953/4), S. 284/5.

14. On the Nature of the Theological Method. Some reflections on the methodological principles of Tillich's Theology. In: The Journal of Religion 34 (1954), S. 12-25.

15. Rez.: Ch. S. Seely, Philosophy and the ideological conflict. New York 1953. In: The Journal of Religion 34 (1954), S. 72/3.

16. Dialectic and Analogy. In: The Journal of Religion 34 (1954), S. 111-120.

17. Rez.: Ch. Hartshorne and W.L. Reese (Eds.), Philosophers speak of God. In: The Journal of Religion 34 (1954), S. 120-126.

18. Rez.: Actas del Primer Congrese Nacional de Filosofia. Mendoza, Argentina, Marzo 30 - Abril 9, 1949. In: The Journal of Religion 34 (1954), S. 225/6.

19. Theodicy and Theology: A philosophical Analysis of Karl Barth's dialectical Theology. In: The Journal of Religion 34 (1954), S. 231-243.

20. Rez.: J. Mesnard, Pascal — his life and works. Tr. by G.S. Fraser, London 1952. In: The Journal of Religion 34 (1954), S. 304/5.

21. The Realm of Paradox. In: Review of Metaphysics 7 (1953/54), S. 482-491.

22. From Cult to Culture. In: Partisan Review 21 (1954), S. 387-400.

22a. The Gnostic Idea of Man. In: i.e. The Cambridge Review 2 (Winter 1955). S. 86-94.

23. Theology and the Philosophic Critique of Religion. In: Cross Currents 5, No. 4 (1954), S. 323-330. Auch in: Zeitschrift für Religions- und Geistesgeschichte 8 (1956), S. 129-138.

24. Theology and Political Theory. In: Social Research 22 (1955), S. 57-68.

25. Rez.: P. Tillich, Love, Power and Justice. New York 1954. In: The Journal of Religion 35 (1955), S. 99-100.

26. Hegel. In: V. Ferm (ed.), Encyclopedia of Morals. New York 1956 (Repr. New York (Greenwood) 1969), S. 207-212.

27. Four Ages of Reason. In: Archiv für Rechts- und Sozialphilosophie 42 (1956), S. 1-14.

28. Religion and the Future of Psychoanalysis. In: B. Nelson (ed.), Psychoanalysis and the Future, a Centenary Commemoration of the Birth of Sigmund Freud (= Psychoanalysis 4, no. 4-5, no. 1), New York 1957, S. 136-42.

28a. Religion und die Zukunft der Psychoanalyse. In: Psychoanalyse und Religion. Hrsg. E. Nase und J. Scharfenberg, Darmstadt 1977.

29. Rez.: E. Barker (ed.), From Alexander to Constantine. Passages and Documents Illustrating the History of Social and Political Idea. In: The Journal of Philosophy 56 (1959), S. 842/3.

30. Community — After the Apocalypse. In: C.J. Friedrich (ed.), Nomos 2. Community (1959), New York (The Liberal Arts Press), S. 101-113.

31. The Copernican Turn on Theology. In: S. Hook (ed.), Religious Experience and Truth. A Symposium. Edinburgh-London (Oliver & Boyd) 1962, S. 70-75.

32. Rez.: M.M. Rossi, A plea for man. Edinburgh 1956. In: The Journal of Philosophy 59 (1962), S. 136/7.

33. Martin Buber und die Geschichtsphilosophie. In: Martin Buber. Hg. v. P.A. Schlipp und M. Friedman, Stuttgart (Kohlhammer) 1963, S. 398-413 (s. auch: Buber and Philosophy of History. In: The Philosophy of Martin Buber. Ed. by P.A. Schlipp and M. Friedman, La Salle (Illinois) (Open Court) 1967, S. 451-468).

34. Die Intellektuellen und die Universität. In: Universitätstage 1963 (Veröff. d. Freien Universität Berlin). Universität und Universalität. Berlin 1963, S. 36-55.

35. Nachman Kochmal and Modern Historicism. In: Judaism 12/2 (1963), S. 150-164.

36. Die Entstehung des jüdischen Paria-Volkes. In: Max Weber. Gedächtnisschrift der Ludwig-Maximilians-Universität München zur 100. Wiederkehr seines Geburtstages 1964. Hg. v. K. Engisch, B. Pfister und J. Winckelmann, Berlin (Duncker & Humblot), 1966, S. 185-194.

37. Diskussionsbeiträge. In: Nachahmung und Illusion (Poetik und Hermeneutik 1). München (Fink) 1964, (²1969), S. 185, 189, 213, 244.

38. Noten zum Surrealismus. In: Immanente Ästhetik — Ästhetische Reflexion (Poetik und Hermeneutik 2). München (Fink) 1966, S. 139-43.

38a. Zusammenfassung des Referates, ebd. S. 429-31. — S. 412f., 431, 432f., 434, 435, 436, 437, 439-42, 457f., 460, 474, 479, 491, 498, 504.

39. Entzauberung der Theologie: Zu einem Porträt Overbecks. In: J. Taubes (Hg.), Franz Overbeck, Selbstkenntnisse, Frankfurt/M. (Insel) 1966, S. 5-27, Literaturhinweise: S. 149-53.

39a. Surrealistische Provokation. Ein Gutachten zur Anklageschrift im Prozess Langhans-Teufel über die Flugblätter der „Kommune I". In: Merkur 236, (November1967).

40. Die Rechtfertigung des Häßlichen in urchristlicher Tradition. In: Die nicht mehr schönen Künste (Poetik und Hermeneutik 3) München (Fink) 1968, S. 169-186.

40a. Diskussionsbeiträge: ebd., S. 537, 545f., 562, 576f., 592-4, 598, 603f., 607, 646, 648, 655f., 660f., 674f., 701, 712f., 717f.

41. Kultur und Ideologie. In: Spätkapitalismus oder Industriegesellschaft? Verhandlungen des 16. Deutschen Soziologentages vom 8.-11. April 1968 in Frankfurt/M. Hg. v. Th.W. Adorno, Stuttgart (Enke) 1969, S. 117-138.

42. Das Unbehagen an der Institution. In: Das beschädigte Leben. Hg. v. A. Mitscherlich, Grenzach/Baden (Hoffman-La Roche AG) 1969, S. 95-107. (Derselbe Aufsatz auch in: Das beschädigte Leben. Ein Symposium. Geleitet und hg. v. A. Mitscherlich, München (Piper & Co) 1969, S. 83-96. Neu bearbeitet: Das Unbehagen an der Institution. Zur Kritik der soziologischen Institutionenlehre. In: Interdisziplinäre Studien, Bd. 1: Zur Theorie der Institution. Hg. v. H. Schelsky, Düsseldorf (Bertelsmann) 1970, S. 68-76.)

43. Der dogmatische Mythos der Gnosis. In: Terror und Spiel (Poetik und Hermeneutik 4), München (Fink) 1971, S. 169-186.

43a. Diskussionsbeiträge: ebd., S. 534, 538-40, 541, 545, 580f., 582f., 583f., 584, 585, 586, 587, 590, 593, 604f., 628f., 642f., 643f., 699f.

44. Geschichtsphilosophie und Historik. Bemerkungen zu Kosellecks Programm einer neuen Historik. In: Geschichte — Ereignis und Erzählung (Poetik und Hermeneutik 5) München (Fink) 1973, S. 490-498.

45. Vom Adverb „nichts" zum Substantiv „das Nichts". Überlegungen zu Heideggers Frage nach dem Nichts. In: Positionen der Negativität (Poetik und Hermeneutik 6) München (Fink) 1975, S. 141-153.

46. Der liebe Gott steckt im Detail. G. Scholem und die messianische Verheißung. In: Die Welt, 5.10.1977.

47. Revolution und Transzendenz. Zum Tod des Philosophen Herbert Marcuse. In: Der Tagesspiegel, 31.7.1979.

48. Leviathan als sterblicher Gott: Hobbes und die Nachwelt. In: Neue Züricher Zeitung, 1./2.12.1979.

49. Horst Eberhard Richters psychoanalytischer Antimodernisteneid. In: Bildung und Politik 16, Heft 2 (1980), S. 21-23.

50. Vom vagabundierenden Mythos der Sozialwissenschaften. In: Frankfurter Rundschau 20./21.3.1980.
51. Leviathan als sterblicher Gott. Zur Aktualität von Thomas Hobbes. In: Evangelische Kommentare 13/10 (Oktober 1980), S. 571-74.
52. Ein Monopol für den Glauben? Zum Konfessionalismus im Religionsbereich. In: Frankfurter Allgemeine Zeitung, Nr. 283, 5.12.1980, S. 25.
53. Religion in der Schule. Ernstfall zwischen Staat und Kirche. In: Evangelische Kommentare 14/2 (Februar 1981), S. 82-84.
54. Von Fall zu Fall. Erkenntnistheoretische Reflexion zur Geschichte vom Sündenfall. In: Text und Applikation (Poetik und Hermeneutik 9), München (Fink) 1981, S. 111-116.
55. Zum Problem einer theologischen Methode der Interpretation. Ebd., S. 579/80.
56. Inmitten des akademischen Taifuns am Fachbereich ‚Philosophie und Sozialwissenschaften' der Freien Universität. In: H.A. Glaser (Hg.), Hochschulreform — und was nun? Berichte. Glossen. Perspektiven. Frankfurt/Berlin/Wien (Ullstein) 1982, S. 302-320.
57. The Price of Messianism. In: Journal of Jewish Studies 33, Nos. 1-2 (1982), S. 595-600.
58. Die ‚Aufhebung der Philosophie'. Karriere einer Metapher und einer Gesinnung. In: N.W. Bolz (Hg.), Wer hat Angst vor der Philosophie? UTB 1145, Paderborn (Schöningh) 1982, S. 210-220.
59. Scholem's theses on Messianism reconsidered. In: Social Science Information 21 (1982), S. 665-675.
60. Wende zum Mythos. In: Merkur 36 (1982), S. 1122-1128.
61. Jacob Taubes im Gespräch mit Wolfert von Rahden und Norbert Kapferer. Elite oder Avantgarde? In: Tumult 4. Schulen der Eliten. Weinheim 1982, S. 64-76.
62. Zur Konjunktur des Polytheismus. In: K.H. Bohrer (Hg.), Mythos und Moderne, Frankfurt/M. (Suhrkamp) 1983, S. 457-470.
63. Die Welt als Fiktion und Vorstellung. In: Funktionen des Fiktiven (Poetik und Hermeneutik 10), München (Fink) 1983, S. 417-21.
64. Statt einer Einleitung: Leviathan als sterblicher Gott. Zur Aktualität von Thomas Hobbes. In: Jacob Taubes (Hg.), Religionstheorie und Politische Theologie, Bd. 1, Der Fürst dieser Welt. Carl Schmitt und die Folgen. München/Paderborn/Wien/Zürich (Fink/Schöningh) 1983, S. 9-15. (Außerdem: Vorwort S. 5/6.)
65. Diskussionsbeiträge. In: W. Oelmüller (Hrg.), Das Kunstwerk. Paderborn (Schöningh) 1983, S. 205 f., 229.